L'ÉCOLE DE LA NUIT

Deborah Harkness est professeur à l'Université de Californie du Sud. Spécialiste de l'histoire des sciences et de la magie en Europe du XVIᵉ au XVIIIᵉ siècle, elle a publié deux essais très remarqués avant de se lancer dans l'écriture de romans. Elle tient également un blog sur le vin qui a été plusieurs fois primé. Best-seller international salué par la critique, son premier roman, *Le Livre perdu des sortilèges*, s'est vendu dans une quarantaine de pays.

Paru dans Le Livre de Poche :

LE LIVRE PERDU DES SORTILÈGES

DEBORAH HARKNESS

L'École de la Nuit

ROMAN TRADUIT DE L'ANGLAIS (ÉTATS-UNIS)
PAR PASCAL LOUBET

WITHDRAWN

LONDON
PUBLIC LIBRARIES
AND
MUSEUMS

CALMANN-LÉVY

LONDON PUBLIC LIBRARY

Titre original :

SHADOW OF NIGHT

Publié avec l'accord de Viking, Penguin Group (États-Unis) Inc.

WITHDRAWN

LONDON

PUBLIC LIBRARIES

AND

MUSEUMS

© Deborah Harkness, 2012.
© Calmann-Lévy, 2012, pour la traduction française.
ISBN : 978-2-253-16984-0 – 1re publication LGF

Pour Lacey Baldwin Smith,
historien et maître conteur,
qui me suggéra naguère d'écrire un jour un roman.

Le passé ne peut être réparé.

Élisabeth Ire,
Reine d'Angleterre

PREMIÈRE PARTIE

Woodstock :
Old Lodge

1

Notre arrivée fut un pêle-mêle de sorcière et de vampire tout à fait indigne. Matthew était sous moi, son interminable carcasse chiffonnée dans une position bizarre, ce qui n'était guère son genre. Nous avions un gros livre coincé entre nous et, dans la violence de l'impact, la petite figurine en argent que je tenais avait volé de l'autre côté de la pièce.

— Sommes-nous au bon endroit ? demandai-je en gardant les yeux fermés, au cas où nous serions restés au XXIe siècle dans la grange de Sarah au lieu d'être dans l'Oxfordshire du XVIe.

— Ouvre les yeux, Diana, et vois par toi-même. (Des lèvres glacées effleurèrent mes joues avec un petit rire. Des yeux couleur de mer démontée plongèrent dans les miens, dans un visage si pâle qu'il ne pouvait appartenir qu'à un vampire. Matthew me palpa la nuque et les épaules.) Tout va bien ?

Après avoir voyagé si loin dans le passé de Matthew, j'avais l'impression qu'un rien aurait suffi à me faire tomber en miettes. Je n'avais rien ressenti de tel après notre bref essai dans la maison de ma tante.

— Ça va. Et toi ?

— Soulagé, dit Matthew en laissant retomber sa tête sur le plancher.

Mes yeux s'habituèrent à la faible lumière. Je distinguai un lit imposant, une petite table, des bancs étroits et un unique fauteuil. Entre les piliers sculptés du baldaquin, j'aperçus une ouverture donnant sur une autre pièce, par laquelle s'échappait un flot de lumière qui dessinait sur le couvre-lit et le sol un rectangle doré. Les murs de la chambre étaient recouverts des mêmes lambris plissés que j'avais vus dans la demeure de Matthew dans le Woodstock contemporain. Renversant la tête en arrière, je vis le plafond à caissons ornés à chaque coin d'une éclatante rose Tudor rouge et blanc frangée d'or.

— Les roses étaient obligatoires à l'époque de la construction de la maison, ironisa Matthew. Je ne les supporte pas. Nous les repeindrons toutes en blanc à la première occasion.

— J'ai vraiment réussi, m'enthousiasmai-je. Je n'ai pas commis d'erreur et nous ne nous sommes pas retrouvés à Monticello, par exemple, ou…

— Non, sourit-il. Tu t'en es magnifiquement tirée. Bienvenue dans l'Angleterre élisabéthaine.

Mon cœur se gonfla. Pour la première fois de ma vie, j'étais absolument ravie d'être une sorcière. Historienne, j'avais étudié le passé. Comme j'étais une sorcière, je pouvais réellement le visiter. Nous étions remontés en 1590 pour que j'apprenne l'art perdu de la magie, mais je pouvais aussi apprendre tellement d'autres choses. Je me penchai pour fêter cela d'un baiser, mais le bruit d'une porte qu'on ouvrait m'arrêta.

Matthew posa un doigt sur mes lèvres. Il tourna lentement la tête, les narines frémissantes. Il se détendit en reconnaissant la présence dans l'autre pièce, où j'entendais un léger froissement. D'un geste vif, Matthew nous souleva, le livre et moi, puis il m'entraîna par la main jusqu'à la porte.

Dans l'autre pièce, un homme se tenait devant une table couverte de lettres. D'une taille moyenne, des cheveux bruns ébouriffés et bien bâti, il portait de coûteux vêtements d'excellente coupe. Je ne reconnus pas l'air qu'il fredonnait, et dont il murmurait de temps en temps les paroles.

La surprise se peignit brièvement sur le visage de Matthew qui eut un sourire affectueux.

— Où es-tu, en vérité, mon cher et délicieux Matt ? dit l'homme en levant une page dans la lumière.

Aussitôt, Matthew se rembrunit.

— Tu cherches quelque chose, Kit ?

À ces mots, le jeune homme laissa retomber la feuille, fit volte-face, et son visage s'éclaira. Un visage que j'avais déjà vu sur mon exemplaire de poche du *Juif de Malte* de Christopher Marlowe.

— Matt ! Pierre disait que tu étais à Chester et que tu ne rentrerais peut-être pas. Mais je savais que tu ne manquerais point nos retrouvailles annuelles.

Les mots étaient familiers, mais avec une étrange inflexion qui exigea ma concentration pour que je les comprenne. L'anglais élisabéthain n'était ni aussi différent de l'anglais moderne comme on me l'avait enseigné, ni aussi facilement compréhensible que je l'avais espéré à force de relire les œuvres de Shakespeare.

— Et plus de barbe ? Pourquoi ? Aurais-tu été malade ?

Le regard de Marlowe s'alluma quand il me vit et je sentis ce tapotement insistant qui le désignait immanquablement comme un démon. Je réprimai l'envie de me précipiter sur l'un des plus grands dramaturges anglais et de lui serrer la main avant de le cribler de questions. J'avais déjà oublié le peu que je savais de lui maintenant qu'il était devant moi. Certaines de ses pièces avaient-elles été jouées en 1590 ? Quel âge avait-il ? Il était plus jeune que Matthew et moi, certainement. Marlowe ne pouvait avoir encore trente ans. Je lui souris chaleureusement.

— Où as-tu trouvé cela ? interrogea Marlowe d'un ton méprisant.

Je regardai derrière moi, m'attendant à voir une hideuse œuvre d'art. La pièce était vide. C'était de moi qu'il parlait. Mon sourire mourut sur mes lèvres.

— Doucement, Kit, se renfrogna Matthew.

Marlowe balaya la rebuffade d'un haussement d'épaules.

— Peu importe. Repais-toi d'elle tout ton soûl avant que les autres arrivent, si tu y tiens. George est là depuis quelque temps, bien sûr. Il mange à ta table et lit tes livres. Il n'a toujours pas de mécène ni un sou vaillant.

— George peut puiser dans mes biens, Kit, répondit Matthew sans le quitter des yeux, tout en portant nos mains enlacées à ses lèvres. Diana, je te présente mon très cher ami Christopher Marlowe.

Cette présentation donna à Marlowe l'occasion de me scruter plus franchement. Son regard glissa lentement de mes orteils au sommet de mon crâne, le tapotement devenant de plus en plus intrusif. Si le mépris du jeune homme était évident, sa jalousie était mieux dissimulée. Marlowe était effectivement amoureux de mon mari. Je l'avais soupçonné à Madison quand j'avais frôlé du bout des doigts la dédicace qu'il avait rédigée sur l'exemplaire de *La Tragique Histoire du Docteur Faust* que possédait Matthew.

— J'étais loin d'imaginer qu'il y avait à Woodstock un bordel dont la spécialité était les femmes trop grandes. La plupart de tes putains sont plus délicates et séduisantes, Matthew. Celle-ci est véritablement une Amazone, renifla Kit en regardant par-dessus son épaule le désordre de paperasses sur la table. Aux dernières nouvelles du Vieux Renard, ce sont les affaires plutôt que le stupre qui t'ont conduit dans le nord. Où donc as-tu trouvé le temps de t'attacher ses services ?

— L'aisance avec laquelle tu dilapides l'affection est remarquable, Kit, répondit Matthew d'un ton calme mais un rien menaçant.

Marlowe, apparemment absorbé par la correspondance, ne s'en aperçut pas et ricana. Je sentis la main de Matthew se crisper dans la mienne.

— Diana est son véritable prénom, ou bien l'a-t-elle adopté pour rehausser son attrait auprès des clients ? Peut-être serait-il judicieux qu'elle dénude son sein droit ou qu'elle arbore un arc et un carquois, poursuivit-il. Rappelle-toi quand Blackfriars Bess exigeait que nous l'appelions Aphrodite avant qu'elle nous laisse…

— Diana est mon épouse, répondit Matthew qui avait bondi sur Marlowe et l'empoignait au collet.

— Non, fit Kit, stupéfait.

— Si. Ce qui signifie qu'elle est la maîtresse de cette maison, qu'elle porte mon nom et qu'elle est sous ma protection. Étant donné tout cela – ainsi que notre longue et ancienne amitié, bien sûr –, aucune critique ou dénigrement de sa vertu ne franchiront tes lèvres à l'avenir.

J'agitai les doigts pour les sentir à nouveau. La poigne de fer de Matthew m'avait enfoncé ma bague dans la chair, laissant une marque rouge. Bien que d'une taille sommaire, le diamant que je portais scintillait dans la lueur du feu. La bague était un présent inattendu de la mère de Matthew, Ysabeau. Quelques heures plus tôt – des siècles plus tôt, ou à venir ? –, Matthew avait répété les paroles de l'ancienne cérémonie de mariage avant de le passer à mon doigt.

Deux vampires apparurent dans un fracas de vaisselle. L'un était un homme mince au visage expressif, à la peau tannée couleur de noisette, aux yeux et aux cheveux noirs. Il portait un flacon de vin et un gobelet dont l'anse était ciselée en forme de dauphin bondissant. L'autre était une femme osseuse qui portait un plat de pain et de fromage.

— Mais vous êtes rentré, *milord** [1], dit l'homme, manifestement dérouté. (Assez curieusement, son accent français le rendait plus facile à comprendre.) Le messager de jeudi disait…

— Mes projets ont changé, Pierre, dit Matthew avant de se tourner vers la femme. Françoise, nous avons perdu en route les biens de mon épouse, et les vêtements qu'elle portait étaient si souillés que je les ai brûlés.

Il débita le mensonge avec un aplomb qui ne convainquit ni Kit ni les vampires.

— Votre épouse ? répéta Françoise avec le même accent français que Pierre. Mais c'est une…

---

1. Les mots et expressions en italique suivis d'un astérisque sont en français dans le texte original.

— ... humaine, acheva Matthew en prenant le gobelet. Dites à Charles qu'il y a une bouche de plus à nourrir. Diana a été malade et doit manger de la viande fraîche et du poisson, selon le médecin. Il faudra envoyer quelqu'un au marché, Pierre.

— Oui, *milord**.

— Et il faudra lui donner des vêtements, observa Françoise en me jaugeant.

Sur un signe de tête de Matthew, ils s'éclipsèrent tous les deux.

— Qu'est-il arrivé à tes cheveux ? demanda-t-il en repoussant une boucle sur mon front.

Je me tâtai le crâne. Au lieu de mes cheveux habituellement raides tombant sur mes épaules, je m'aperçus que j'avais maintenant des boucles qui descendaient jusqu'à la taille en une cascade uniformément dorée. La dernière fois que ma chevelure n'en avait fait qu'à sa tête, j'étais à l'université et je jouais Ophélie dans une production de *Hamlet*. À l'époque comme maintenant, cette pousse surnaturellement rapide et ce changement subtil de nuance n'étaient pas bon signe. La sorcière en moi s'était réveillée durant notre voyage dans le passé.

— Oh, non, murmurai-je en essayant de les lisser.

Il était impossible de savoir quelle autre magie avait été libérée. Toutes sortes de pouvoirs inattendus avaient surgi durant les semaines ayant suivi ma rencontre avec Matthew et j'étais incapable d'en maîtriser aucun.

Des vampires auraient pu sentir l'adrénaline et le brusque pic d'angoisse accompagnant cette découverte, ou entendu la musique de mon sang. Mais des démons comme Kit étaient capables de percevoir l'élévation de mon niveau d'énergie magique.

— Par le tombeau du Christ, sourit malicieusement Marlowe. Tu nous as ramené une sorcière. Quel mal a-t-elle commis ?

— N'insiste pas, Kit, cela ne te regarde pas, répondit Matthew en reprenant son ton autoritaire, mais sans que sa main se crispe dans mes cheveux. Ne t'inquiète pas, *mon cœur**, je suis sûr que ce n'est rien de plus que de l'épuisement.

Mon sixième sens protestait avec véhémence. Cette transformation ne pouvait s'expliquer par une simple fatigue. Sorcière d'une longue lignée, je ne connaissais pas encore très bien l'étendue des pouvoirs dont j'avais hérité. Ni ma tante Sarah ni sa compagne Emily Mather – toutes deux sorcières – n'avaient été en mesure de déterminer avec certitude leur nature ou la manière dont je pouvais les contrôler. Les analyses scientifiques de Matthew avaient révélé la présence de marqueurs génétiques du potentiel magique dans mon sang, mais rien ne disait quand ou si ce potentiel se réaliserait.

Avant que j'aie pu m'inquiéter davantage, Françoise était revenue avec une aiguille à coudre et la bouche pleine d'épingles. Un amas ambulant de velours, laine et lin l'accompagnait. Les sveltes jambes brunes qui en dépassaient indiquaient que Pierre devait être quelque part à l'intérieur.

— À quoi vont-elles servir ? demandai-je en désignant les épingles d'un air soupçonneux.

— À faire entrer *madame** dans ceci, bien sûr.

Françoise prit sur la pile de tissus un vêtement d'un brun terne qui ressemblait à un sac de farine. Cela ne me paraissait guère avisé comme tenue pour recevoir, mais avec mes maigres connaissances en matière de mode élisabéthaine, j'étais à leur merci.

— Va retrouver ta place en bas, Kit, dit Matthew à son ami. Nous te rejoindrons dans un instant. Et tiens ta langue. C'est à moi de raconter cette affaire, pas à toi.

— Comme il te plaira, Matthew.

Marlowe lissa son justaucorps avec une nonchalance que démentait sa main tremblante et fit une petite révérence moqueuse. Le tout parvenant à la fois à reconnaître l'autorité de Matthew et à la défier.

Le démon parti, Françoise posa le sac sur un banc et tourna autour de moi pour déterminer l'angle d'attaque le plus favorable. Avec un soupir exaspéré, elle commença à m'habiller. Matthew s'approcha de la table, son attention attirée par les papiers qui y étaient éparpillés. Il ouvrit un paquet rectangulaire soigneusement plié et scellé d'un cachet de cire rosâtre, et parcourut rapidement les lignes d'écriture minuscule.

— *Mon Dieu**, j'avais oublié cela. Pierre !

— *Milord** ? répondit une voix étouffée sous l'amas d'étoffes.

— Pose cela et parle-moi des dernières doléances de Lady Cromwell.

Matthew traitait Pierre et Françoise avec un mélange étrange de familiarité et d'autorité. Si c'était ainsi qu'on devait se conduire avec les domestiques, il allait me falloir un certain temps pour y parvenir.

Tous deux murmurèrent près du feu pendant qu'on me drapait, m'épinglait et m'attifait dans quelque chose de présentable. Françoise émit un claquement de langue réprobateur devant mon unique boucle d'oreille, l'enchevêtrement de fils d'or orné de pierreries qui appartenait à l'origine à Ysabeau. Comme l'exemplaire du *Docteur Faust* de Matthew et la petite figurine en argent de Diane, c'était l'un des trois objets

21

qui nous avaient permis de revenir dans ce moment précis du passé. Françoise fouilla dans un coffre et trouva sans peine sa jumelle. La question des bijoux réglée, elle m'enfila une paire de bas épais qu'elle fixa au-dessus de mon genou avec des rubans rouges.

— Je crois que je suis prête, dis-je, impatiente de descendre commencer notre visite du XVIe siècle.

Lire des livres sur le passé, ce n'était pas la même chose que le vivre, comme le prouvait mon bref tête-à-tête avec Françoise et ce cours de rattrapage en matière d'habillement d'époque. Matthew me toisa.

— Cela conviendra… pour le moment.

— Elle fera mieux que convenir, car elle paraît réservée et se fera oublier, dit Françoise. Exactement l'air que doit avoir une sorcière dans cette maison.

— Avant de descendre, Diana, dit Matthew sans relever le verdict de Françoise, n'oublie pas de tenir ta langue. Kit est un démon et George sait que je suis un vampire, mais même les créatures les plus ouvertes d'esprit sont circonspectes en présence de quelqu'un de nouveau et de différent.

Dans la grande salle, je gratifiai George, l'ami sans argent ni mécène de Matthew, d'un salut que j'espérai convenablement élisabéthain.

— Cette femme parle *anglais* ? demanda-t-il avec stupéfaction.

Il leva une paire de bésicles qui lui firent de grands yeux de grenouille, l'autre main sur la hanche, dans une pose que je n'avais vue que sur une miniature du Victoria & Albert Museum.

— Elle est de Chester, se hâta de répondre Matthew.

22

George eut l'air sceptique. Apparemment, même une origine dans les sauvages régions du nord de l'Angleterre ne pouvait justifier mon étrange accent. Celui de Matthew s'infléchissait pour adopter la cadence et le timbre de l'époque, mais le mien restait résolument moderne et américain.

— C'est une sorcière, corrigea Kit en buvant une gorgée de vin.

— Vraiment ? (George m'étudia avec un intérêt renouvelé. Je ne sentis pas les petits tapotements qui auraient indiqué que c'était un démon, ni les fourmillements d'un sorcier ou le frisson glacé laissé par le regard d'un vampire. George n'était qu'un être humain ordinaire à sang chaud, entre deux âges et fatigué, comme si la vie l'avait déjà épuisé.) Mais tu n'aimes pas plus les sorcières que Kit, Matthew. Tu m'as toujours dissuadé de traiter de ce sujet. Quand je me suis mis en devoir d'écrire un poème sur Hécate, tu m'as dit de…

— J'aime celle-ci. Tellement que je l'ai épousée, coupa-t-il en posant un baiser sur mes lèvres pour achever de le convaincre.

— Épousée ! (George jeta un regard à Kit et se racla la gorge.) Nous avons donc deux joies inattendues à fêter : tu n'étais pas retardé par des affaires comme le pensait Pierre et tu nous es revenu avec une épouse. Mes félicitations. (Son ton compassé me fit penser à un discours de remise de diplômes et je réprimai un sourire. George me gratifia du sien et s'inclina.) Je suis George Chapman, mistress Roydon.

Son nom m'était familier. Je fouillai dans le désordre de mes connaissances d'historienne. Chapman n'était pas un alchimiste – ma spécialité – et je ne trouvai pas son nom dans les rayons dévolus à ce sujet obscur. Si je me souvenais bien, il était lui aussi écrivain, comme Marlowe.

Une fois les présentations faites, Matthew accepta de s'asseoir un moment devant le feu avec ses invités. Ces messieurs parlèrent politique et George s'efforça de me faire participer à la conversation en me questionnant sur l'état des routes et le temps. J'en dis le moins possible et tentai d'observer les petits gestes et tournures qui m'aideraient à me faire passer pour une femme de cette époque. George fut ravi de ma sollicitude, qu'il récompensa d'une longue dissertation sur ses derniers exploits littéraires. Kit, qui n'appréciait pas d'être relégué au second plan, mit un terme au discours de George en proposant de nous faire la lecture de son *Docteur Faust*.

— Cela servira de répétition entre amis, dit-il l'œil pétillant, avant la véritable représentation plus tard.

— Pas maintenant, Kit. Minuit est largement passé et Diana est fatiguée de son voyage, dit Matthew en me faisant lever.

Kit nous suivit du regard tandis que nous quittions la pièce. Il savait que nous cachions quelque chose, car il avait bondi sur la moindre tournure étrange quand je m'aventurais dans la conversation et s'était montré pensif quand Matthew n'avait pu se rappeler où il avait rangé son luth.

Matthew m'avait avertie avant notre départ de Madison que Kit était d'une perspicacité peu commune, même pour un démon. Je me demandai combien de temps il faudrait à Marlowe pour deviner ce que nous dissimulions. Je reçus quelques heures plus tard la réponse à ma question.

Le lendemain matin, nous bavardions blottis dans la chaleur du lit pendant que la maisonnée s'éveillait. Au début, Matthew se montra disposé à répondre à mes questions sur Kit (fils d'un cordonnier, s'avéra-t-il) et George (qui n'était pas plus âgé que Marlowe, appris-je avec surprise). Quand j'abordai les questions pratiques, tenue d'une maison et comportement d'une dame, cela l'ennuya en revanche rapidement.

— Mes vêtements, par exemple ? demandai-je en essayant de l'intéresser à mes soucis immédiats.

— Je ne crois pas que les femmes mariées dorment avec cela, dit-il en tripotant ma chemise de nuit en batiste.

Il dénoua le col de dentelle et s'apprêtait à déposer un baiser derrière mon oreille pour m'en convaincre quand quelqu'un ouvrit brusquement les rideaux du baldaquin. Je clignai des yeux, éblouie.

— Eh bien ? demanda Marlowe.

Un deuxième démon au teint mat pointait son museau par-dessus l'épaule de Marlowe. Il ressemblait à un lutin avec sa silhouette menue et son menton pointu accentué par une barbe brune tout aussi pointue. Sa chevelure n'avait manifestement pas connu de peigne depuis des semaines. Je ramenai sur moi le devant de ma chemise de nuit, gênée de sa transparence et de ne rien porter dessous.

— Tu as vu les dessins de Roanoke qu'a faits Maître White, Kit. La sorcière ne ressemble en rien aux natives de Virginie, dit le nouveau démon, déçu. (Puis, remarquant tardivement Matthew qui le foudroyait du regard :) Oh ! Bonjour, Matthew. M'autoriserais-tu à t'emprunter ton compas ? Je promets de ne pas le perdre dans la rivière, cette fois.

Matthew posa le front sur mon épaule et ferma les yeux en gémissant.

— Elle doit être du Nouveau Monde, ou d'Afrique, insista Marlowe, refusant de m'appeler par mon prénom. Elle n'est pas de Chester, ni d'Écosse, d'Irlande, de Galles, de France ou de l'Empire. Et je ne la crois pas hollandaise ni espagnole non plus.

— Bonjour, Tom. Y a-t-il une raison pour que Kit et toi deviez discuter du lieu de naissance de Diana en cet instant et dans ma chambre ? demanda Matthew en renouant mon col.

— Il fait trop beau pour rester au lit, même si tu as perdu l'esprit. Kit dit que tu as dû épouser la sorcière dans un accès de fièvre, sans quoi rien ne justifierait une telle imprudence, débita Tom à la manière habituelle des démons, sans prendre la peine de répondre à la question de Matthew. Les routes étaient sèches et nous sommes arrivés il y a des heures.

— Et il n'y a déjà plus de vin, se plaignit Marlowe.

— « Nous » ?

Il y en avait d'autres ? Old Lodge donnait déjà l'impression d'être pleine à craquer.

— Dehors ! *Madame** doit se laver avant d'accueillir Sa Seigneurie, dit Françoise en entrant avec une cuvette d'eau fumante, suivie de Pierre, comme à son habitude.

— Il est arrivé quelque chose d'importance ? s'enquit George de derrière les rideaux. (Il était entré sans cérémonie, réduisant à néant les efforts de Françoise pour chasser tout le monde.) Lord Northumberland a été laissé seul dans la grande salle. S'il était mon mécène, je ne le traiterais pas ainsi !

— Il lit un traité sur la construction d'une balance qui m'a été envoyé par un mathématicien de Pise. Il est fort content, répondit Tom avec humeur en s'asseyant sur le rebord du lit.

Il devait parler de Galilée, songeai-je, tout excitée. En 1590, Galilée commençait à enseigner à l'université de Pise. Son ouvrage sur la balance n'était pas – encore – paru.

Tom. Lord Northumberland. Quelqu'un qui correspondait avec Galilée.

Je restai bouche bée. Le démon perché sur l'édredon brodé devait être Thomas Harriot.

— Françoise a raison. Dehors. Tous ! dit Matthew, d'un ton aussi fâché que Tom.

— Que devons-nous dire à Hal ? demanda Kit en glissant un regard éloquent vers moi.

— Que je descends dans un instant, répondit Matthew en se retournant et en m'attirant contre lui.

J'attendis que ses amis sortent avant de lui donner des coups de poing sur la poitrine.

— Qu'est-ce que j'ai fait ? demanda-t-il en faisant mine de souffrir, alors que c'était moi qui me faisais mal à la main.

— Tu ne m'as pas dit qui étaient tes *amis* ! (Je me relevai sur un coude et le toisai.) Le grand dramaturge Christopher Marlowe. George Chapman, poète et érudit. Thomas Harriot, mathématicien et astronome, si je ne m'abuse. Et le Comte Sorcier qui attend en bas.

— Je ne me rappelle pas quand Henry a gagné ce surnom, mais personne ne l'appelle encore ainsi, s'amusa Matthew, ce qui m'agaça encore plus.

— Il ne nous manque plus que Sir Walter Raleigh et nous aurons toute l'École de la Nuit dans la maison. (Matthew se détourna en m'entendant mentionner ce groupe légendaire de radicaux, philosophes et libres penseurs. *Thomas Harriot. Christopher Marlowe. George Chapman. Walter Raleigh. Et...*) Qui es-tu au juste, Matthew ?

Je n'avais pas pensé à lui poser la question avant notre départ.

— Matthew Roydon, dit-il en inclinant la tête comme si nous venions d'être présentés. Ami des poètes.

— Les historiens ne savent presque rien de toi, dis-je, abasourdie.

Matthew Roydon était le personnage le plus obscur associé avec la mystérieuse École de la Nuit.

— Tu n'es pas surprise, n'est-ce pas, maintenant que tu sais qui était vraiment Matthew Roydon ? interrogea-t-il.

— Oh, je suis assez surprise pour un bon bout de temps. Tu aurais pu me prévenir avant de me parachuter au milieu de tout cela.

— Qu'aurais-tu fait ? Nous avons eu à peine le temps de nous habiller avant de partir, et encore moins pour que je te fasse un exposé. (Il se leva. Notre moment en tête à tête avait été pitoyablement bref.) Tu n'as aucune raison de te faire du souci. Ce sont des hommes ordinaires, Diana.

Il avait beau dire, ils n'avaient rien d'ordinaire. L'École de la Nuit professait des opinions hérétiques et méprisait la cour corrompue de la reine Élisabeth comme les prétentions intellectuelles de l'Église et de l'Université. « Déments, mauvais et dangereux à fréquenter » qualifiait le groupe à la perfection. Ce n'était pas une aimable réunion d'amis que nous rejoignions un soir d'Halloween. Nous étions tombés dans le nid de frelons d'une intrigue élisabéthaine.

— L'imprudence de tes amis mise à part, tu ne peux pas me demander de faire comme si de rien n'était quand tu me présentes à des gens que j'ai passé toute ma vie d'adulte à étudier, dis-je. Thomas Harriot est l'un des astronomes les plus en vue de son époque. Ton ami Henry Percy est un alchimiste.

Pierre, accoutumé à déceler quand une femme frise la crise de nerfs, se hâta de tendre une paire de culottes noires à mon époux pour qu'il ne reste pas jambes nues quand ma colère éclaterait.

— Tout comme Walter et Tom, répondit Matthew en ignorant les vêtements et en se grattant le menton. Kit s'y adonne aussi un peu, sans beaucoup de succès. Essaie de ne pas rester sur ce que tu sais d'eux. C'est probablement faux, de toute façon. Et tu devrais manier les étiquettes modernes avec plus de précautions, aussi. (Il finit par prendre les culottes et les enfiler.) C'est Will qui invente l'École de la Nuit pour agacer Kit, mais ce sera dans quelques années.

— Je me fiche de ce que William Shakespeare a fait ou compte faire, à condition qu'il ne soit pas en cet instant même en compagnie du comte de Northumberland dans la grande salle, rétorquai-je en me levant.

— Évidemment qu'il n'y est pas, répondit nonchalamment Matthew. Walter n'apprécie pas sa maîtrise de la métrique et Kit estime que c'est un pisse-copie et un voleur.

— Eh bien, voilà qui me soulage. Que comptes-tu leur dire me concernant ? Marlowe sait que nous cachons quelque chose.

— La vérité, je suppose. (Pierre lui tendit un pourpoint noir finement brodé et fixa le vide derrière moi en parfait serviteur.) Que tu voyages dans le temps et que tu es une sorcière du Nouveau Monde.

— La vérité, répétai-je.

Pierre entendait tout, mais il ne montrait aucune réaction et Matthew l'ignorait comme s'il avait été invisible. Je me demandai si nous resterions ici assez longtemps pour que j'arrive moi aussi à oublier sa présence.

— Pourquoi pas ? Tom consignera tout ce que tu dis et le comparera à ses notes sur la langue des Algonquins. En dehors de cela, personne ne fera attention, dit Matthew, apparemment plus préoccupé de sa tenue que des réactions de ses amis.

Françoise revint avec deux jeunes femmes humaines chargées de vêtements. Elle désigna ma chemise de nuit et je me cachai derrière les piliers pour me dévêtir, contente qu'avoir suffisamment fréquenté des vestiaires m'ait habituée à me changer sans trop de gêne devant des inconnus.

— Kit, si. Il cherche des raisons de me détester et cela lui en fera plusieurs.

— Il ne constituera pas un problème, dit Matthew avec assurance.

— Marlowe est ton ami ou ta marionnette ?

Je me débattais toujours pour sortir la tête de l'étoffe quand j'entendis un cri horrifié et un *Mon Dieu** étouffé. Je me figeai. Françoise avait vu mon dos et la cicatrice en forme de croissant de lune qui s'étendait d'une côte à l'autre, surmontée d'une étoile entre mes omoplates.

— Je vais habiller *madame**, dit sèchement Françoise aux deux servantes. Laissez les vêtements et retournez à vos travaux.

Les filles partirent après une petite révérence sans avoir l'air plus curieuses que cela. Elles n'avaient pas vu les marques. Quand elles furent sorties, tout le monde se mit à parler en même temps. Le « Qui a fait cela ? » épouvanté de Françoise trébucha sur le « Personne ne doit être au courant » de Matthew et mon « Ce n'est qu'une cicatrice », légèrement sur la défensive.

— Quelqu'un vous a marquée des armes de la famille de Clermont, insista Françoise en secouant la tête. Celles qui sont utilisées par *milord**.

— Nous avons brisé le pacte. (Je réprimai la nausée qui me retournait l'estomac chaque fois que je pensais à la nuit où une autre sorcière m'avait marquée comme traîtresse.) C'était la punition de la Congrégation.

— Alors, c'est pour cela que vous êtes tous les deux ici, ricana Françoise. Le pacte était une sottise depuis le début. Philippe de Clermont n'aurait jamais dû l'accepter.

— C'est elle qui nous a protégés des humains.

Je n'avais pas une grande tendresse pour l'accord ni la Congrégation de neuf membres qui le faisaient respecter, mais on ne pouvait nier qu'il avait réussi à détourner des créatures surnaturelles l'attention des humains. Les serments anciens faits entre démons, vampires et sorcières interdisaient qu'ils se mêlent de la politique et de la religion humaines, et interdisaient les alliances personnelles entre les trois différentes espèces. Les sorciers devaient rester entre eux, tout comme les vampires et les démons. Ils n'étaient pas censés tomber amoureux et les mariages mixtes étaient interdits.

— Protégés ? Ne pensez pas que vous l'êtes, ici, *madame**. Aucun de nous ne l'est. Les Anglais sont un peuple superstitieux qui a tendance à voir un fantôme dans chaque cimetière et une sorcière derrière chaque chaudron. La Congrégation est la seule chose qui s'interpose entre nous et l'anéantissement. Vous avez été sages de vous réfugier ici. Venez, il faut vous habiller et retrouver les autres.

Françoise m'aida à enlever la chemise de nuit et me tendit un linge humide et un ramequin rempli d'une substance visqueuse qui sentait le romarin et l'orange. Je trouvai étrange d'être traitée comme une enfant, mais je savais que c'était normal pour les gens du rang de Matthew d'être lavés, habillés et nourris comme des poupées. Pierre tendit à Matthew une coupe remplie d'un liquide trop sombre pour être du vin.

— Ce n'est pas seulement une sorcière, mais aussi une *fileuse de temps* ? demanda Françoise à Matthew à mi-voix.

Le terme que je n'avais jamais entendu me fit penser aux nombreux fils multicolores que nous avions suivis pour atteindre ce moment précis du passé.

— En effet, opina Matthew qui buvait sans me quitter du regard.

— Mais si elle vient d'une autre époque, cela veut dire…, commença Françoise.

Elle ouvrit de grands yeux, puis devint pensive. Matthew devait se comporter et s'exprimer différemment. *Elle doit soupçonner que ce n'est pas le même Matthew*, m'inquiétai-je.

— Il nous suffit de savoir qu'elle est sous la protection de *milord**, l'avertit Pierre en tendant sa dague à Matthew. Ce que cela veut dire n'a aucune importance.

— Cela veut dire que je l'aime et qu'elle m'aime aussi, dit Matthew avec un regard appuyé à son domestique. Quoi que je dise aux autres, c'est la vérité. C'est compris ?

— Oui, répondit Pierre d'un ton qui signifiait tout le contraire.

Matthew leva un œil interrogateur vers Françoise, qui fit une moue et hocha la tête à contrecœur. Elle s'affaira de nouveau à me préparer et m'enveloppa dans un grand drap. Elle avait forcément remarqué les autres marques sur mon corps, que j'avais reçues lors de cette interminable journée avec Satu, ainsi que les autres cicatrices postérieures. Mais, sans poser aucune autre question, elle me fit asseoir dans un fauteuil auprès du feu et entreprit de me peigner.

— Et cette insulte a-t-elle eu lieu après que vous avez déclaré votre amour pour la sorcière, *milord** ? interrogea-t-elle.

— Oui, dit Matthew en bouclant la dague à sa ceinture.

— Ce n'était pas une *manjasang* qui l'a marquée, alors, murmura Pierre, utilisant l'ancien mot occitan pour vampire – *mange-sang*. Personne ne risquerait la colère des Clermont.

— Non, c'était une autre sorcière, avouai-je en frissonnant malgré la chaleur.

— Mais deux *manjasang* étaient présents et ne sont pas intervenus, ajouta lugubrement Matthew. Et ils le paieront.

— Ce qui est fait est fait.

Je n'avais aucune envie de déclencher une guerre entre vampires. Assez de défis à relever nous attendaient.

— Si *milord** vous avait acceptée comme épouse quand la sorcière vous a capturée, ce n'est pas réglé, dit

Françoise en me faisant des tresses qu'elle enroula autour de ma tête et épingla d'un geste vif. Votre nom est peut-être Roydon dans ce pays abandonné de Dieu où il n'y a nulle loyauté, mais nous n'oublierons pas que vous êtes une Clermont.

La mère m'avait avertie que les Clermont étaient une meute. Au XXIe siècle, j'avais souffert des obligations et des restrictions qu'imposait cette appartenance. Mais en 1590, en revanche, ma magie était imprévisible, ma connaissance de la sorcellerie presque inexistante et mon ancêtre le plus ancien connu n'était pas encore né. Ici, je ne pouvais m'appuyer que sur mon bon sens et sur Matthew.

— Nos intentions l'un pour l'autre étaient claires à l'époque. Mais je ne veux aucun ennui maintenant. (Je baissai les yeux sur l'anneau d'Ysabeau et le touchai du pouce. Mon espoir de nous fondre discrètement dans le passé me semblait désormais aussi improbable que naïf. Je jetai un regard autour de moi.) Et cela…

— Nous sommes ici pour deux raisons seulement, Diana : te trouver un maître et localiser le manuscrit alchimique si nous le pouvons. (C'était ce manuscrit mystérieux appelé Ashmole 782 qui nous avait réunis. Au XXIe siècle, il était enfoui parmi les millions de livres de la Bibliothèque bodléienne d'Oxford. Quand j'avais rempli le formulaire de consultation, je ne me doutais pas que ce geste allait déverrouiller le sortilège complexe qui le gardait prisonnier dans les étagères des réserves, ni qu'il se réactiverait dès que je le rendrais. J'ignorais également les nombreux secrets concernant sorciers, vampires et démons que ses pages étaient censées receler. Matthew avait estimé plus prudent de localiser l'Ashmole 782 dans le passé plutôt que d'essayer de lever le sortilège une deuxième fois dans le monde moderne.) Jusqu'à notre retour, ce sera ici notre maison, continua-t-il pour tenter de me rassurer.

Le mobilier massif de la pièce m'était familier à force de l'avoir vu dans des musées et des catalogues de ventes, mais je n'aurais jamais l'impression qu'Old Lodge était chez moi. Je tripotai l'épaisse étoffe de drap – si différente des serviettes en tissu-éponge de Sarah et Em, qui étaient fanées et élimées à force de lessives. Dans l'autre pièce, les voix s'exprimaient avec un accent et un rythme qu'aucun individu moderne, historien ou non, n'aurait pu prévoir. Mais le passé était notre seule possibilité. D'autres vampires nous l'avaient clairement fait comprendre durant nos derniers jours à Madison, quand ils nous avaient traqués et avaient manqué de tuer Matthew. Si le reste de notre plan devait marcher, passer pour une femme de l'époque élisabéthaine devait être ma priorité.

— *Ô splendide nouveau monde*, dis-je.

C'était une grossière erreur de chronologie que de citer *La Tempête* de Shakespeare vingt ans avant sa rédaction, mais la matinée avait été difficile.

— *Il est nouveau pour toi*, répondit Matthew. Es-tu prête à affronter le danger, alors ?

— Bien sûr. Laisse-moi m'habiller, dis-je en me levant et en redressant les épaules. Comment doit-on saluer un comte ?

2

Il était inutile que je m'inquiète de l'étiquette. Titres et formules n'avaient aucune importance quand le comte en question était un aimable géant du nom de Henry Percy.

Françoise, très à cheval sur ces questions, ne cessa de pester tout en finissant de m'habiller avec une garde-robe issue d'un pillage : les jupons d'une autre, un corset brodé destiné à donner à mon physique sportif une forme plus traditionnellement féminine, une robe brodée qui sentait la lavande et le cèdre, avec un haut col en dentelle, une jupe ample en velours, et enfin la plus belle jaquette de Pierre, seul vêtement du dessus qui soit vaguement à ma taille. Malgré tous ses efforts, Françoise ne put le boutonner sur ma poitrine. Je retins mon souffle, rentrai le ventre et espérai un miracle pendant qu'elle serrait les lacets du corset, mais, hormis une intervention divine, rien ne pourrait me donner une silhouette de sylphide.

Pendant ces préparatifs compliqués, je lui posai tout un tas de questions. Ayant vu des portraits d'époque, je m'attendais à cette cage à oiseaux encombrante appelée vertugade qui soutiendrait mes jupes sur mes hanches, mais Françoise m'expliqua qu'elle n'était portée que dans des occasions plus officielles. Elle noua à la place un boudin de tissu en forme de beignet autour de ma taille sous mes jupes. Son seul avantage était d'écarter les couches d'étoffe de mes jambes, ce qui me permettait de marcher sans trop de difficultés – à condition qu'il n'y ait pas de meubles sur le chemin et que je puisse atteindre mon but en ligne droite. Mais j'étais censée faire aussi la révérence. Françoise m'apprit rapidement comment m'y prendre tout en m'expliquant l'usage des différents titres de Henry Percy, qui était « Lord Northumberland », même si son nom de famille était Percy et qu'il était comte.

Mais je n'eus pas l'occasion d'utiliser ce savoir nouvellement acquis. À peine Matthew et moi entrâmes dans la grande salle qu'un jeune homme dégingandé en vêtements de voyage en cuir brun crottés de boue bondit pour nous accueillir. Son large visage s'éclairait d'un regard inquisiteur qui soulevait ses gros sourcils cendrés vers ses cheveux implantés en pointe sur le front.

— Hal.

Le sourire de Matthew avait l'indulgente familiarité d'un aîné. Mais le comte ignora son vieil ami et s'avança vers moi.

— M-m-mistress Roydon.

La voix grave du comte était sans timbre, avec à peine une trace d'inflexion ou d'accent. Avant de descendre, Matthew m'avait expliqué qu'il était un peu sourd et bégayait depuis l'enfance. Cependant, il était doué pour lire sur les lèvres. Au moins, j'avais quelqu'un à qui je pouvais parler sans éprouver de gêne.

— Encore une fois devancé par Kit, je vois, dit Matthew avec un sourire. J'espérais te l'annoncer moi-même.

— Peu importe qui fait part d'une si heureuse nouvelle, dit Lord Northumberland en s'inclinant. Je vous remercie de votre hospitalité, mistress, et je vous prie de me pardonner de vous saluer dans cet appareil. C'est une grande bonté de votre part que de souffrir si tôt les amis de votre époux. Nous aurions dû partir dès que nous avons appris votre arrivée. L'auberge aurait largement convenu.

— Vous êtes le bienvenu ici, *my lord*.

C'était le moment de faire la révérence, mais mes lourdes jupes noires n'étaient pas faciles à manœuvrer et le corset était tellement serré que je ne pouvais même pas me pencher. Je mis les jambes dans la position voulue, mais je titubai en pliant les genoux. Une grosse main aux doigts courts jaillit et me retint.

— Henry, simplement, mistress. Tout le monde m'appelant Hal, mon prénom est considéré comme tout à fait formel, dit-il d'une voix douce comme beaucoup de gens durs d'oreille, avant de se retourner vers Matthew. Pourquoi cette absence de barbe, Matt ? Aurais-tu été souffrant ?

— Un rien de fièvre, c'est tout. Le mariage m'a guéri. Où sont les autres ? demanda Matthew en cherchant Kit, George et Tom.

La grande salle d'Old Lodge paraissait très différente de jour. Je ne l'avais vue que de nuit mais, ce matin, les lambris se révélaient être des volets, qui avaient tous été ouverts. Cela donnait à l'endroit une atmosphère aérée, malgré l'énorme cheminée à l'autre bout de la pièce. Elle était décorée d'ornements médiévaux en pierre sans aucun doute récupérés par Matthew dans les décombres de l'abbaye qui se dressait autrefois ici : le visage habité d'un saint, une cotte d'armes et un quadrilobe gothique.

— Diana ? (La voix amusée de Matthew m'interrompit dans ma contemplation des lieux.) Les autres sont en train de lire et de jouer aux cartes dans le salon. Hal ne se sentait pas en droit de les rejoindre tant qu'il n'avait pas été invité à séjourner ici par la maîtresse de maison.

— Le comte doit bien sûr rester, et nous pouvons rejoindre vos amis sur-le-champ.

Mon estomac gargouilla.

— Sinon, nous pouvons vous faire porter à manger, proposa-t-il, le regard pétillant. (Maintenant que j'avais fait la connaissance de Henry Percy sans faux pas, Matthew commençait à se détendre.) T'a-t-on servi quelque chose, Hal ?

— Pierre et Françoise ont été attentifs, comme toujours, nous rassura-t-il. Bien sûr, si mistress Roydon veut bien se joindre à moi…

Il n'acheva pas et son ventre gargouilla à son tour. L'homme était aussi grand qu'une girafe. Il devait avoir besoin de quantité de nourriture pour tenir.

— J'apprécie moi aussi un petit déjeuner robuste, my lord, dis-je en riant.

— Henry, me corrigea-t-il aimablement en souriant, une fossette au menton.

— Alors vous devrez m'appeler Diana. Je ne peux appeler le comte de Northumberland par son prénom s'il persiste à m'appeler « mistress Roydon ».

Françoise avait souligné la nécessité de faire honneur au rang élevé du comte.

— Très bien, Diana, dit-il en m'offrant son bras.

Il me conduisit dans un couloir rempli de courants d'air jusqu'à une confortable salle au plafond bas, douillette et avenante avec sa rangée de fenêtres plein sud. Malgré sa relative petite taille, trois tables y trônaient, ainsi que des escabeaux et des bancs. Un bourdonnement sourd d'activité entrecoupé de bruits de casseroles m'indiqua que nous n'étions pas loin des cuisines. Une page d'almanach était accrochée à un mur et une carte étalée sur la table centrale, un coin maintenu par un chandelier, l'autre par un plat en étain rempli de fruits. La composition évoquait une nature morte hollandaise. Je m'arrêtai net, étourdie par l'odeur.

— Les coings.

Je tendis la main pour les toucher. Ils étaient exactement tels que je les avais imaginés à Madison quand Matthew m'avait décrit Old Lodge.

Henry sembla interloqué par ma réaction devant un plat de fruits si anodin, mais il était trop bien élevé pour faire le moindre commentaire. Nous nous installâmes à la table et une servante ajouta à la nature morte du pain frais ainsi qu'un plat de raisins et un petit bol de groseilles rouges. Ce fut réconfortant de voir un menu aussi familier. Je suivis l'exemple de Henry qui se servait, notant soigneusement ce qu'il choisissait et dans quelle quantité. C'étaient toujours les petits détails qui trahissaient l'étrangère et je voulais apparaître aussi ordinaire que possible. Pendant que nous remplissions nos assiettes, Matthew se servit un verre de vin.

Durant tout le repas, Henry se montra d'une courtoisie sans faute. Il ne me posa pas la moindre question personnelle et ne s'insinua pas dans les affaires de Matthew. Il se contenta de nous faire rire en nous parlant de ses chiens, de ses propriétés et de son tyran de mère, tout en nous assurant une provision de pain grillé dans l'âtre. Il commençait à raconter son installation à Londres quand un grand bruit retentit dans la cour. Comme il tournait le dos à la porte, il ne remarqua rien.

— Elle est impossible ! Vous m'aviez tous prévenu, mais je refusais de croire que l'on puisse être aussi ingrate. Après toutes les richesses que j'ai déversées dans ses coffres, le moins qu'elle pourrait faire serait de… Oh ! (La large carrure de notre nouvel invité apparut dans l'entrée, une épaule drapée d'une cape aussi sombre que les cheveux bouclés qui s'échappaient de sous son splendide toquet à aigrette.) Matthew. Serais-tu souffrant ?

— Bonjour, Walter, dit Henry en se retournant avec surprise. Pourquoi n'es-tu pas à la cour ?

J'essayai d'avaler un morceau de pain. Le nouvel arrivant devait presque certainement être le membre manquant de l'École de la Nuit de Matthew, Sir Walter Raleigh.

— Déchu du paradis, faute de situation, Hal. Et qui est-ce là ? (Des yeux bleus perçants se posèrent sur moi et des dents scintillèrent au milieu de la barbe noire.) Henry Percy, rusé démon. Kit me disait que tu comptais bien attirer dans ta couche la blonde Arbella. Si j'avais su que tes goûts te portaient vers quelque chose de plus mature qu'une damoiselle de quinze ans, je t'aurais attelé depuis longtemps à une gaillarde veuve.

Mature ? Je venais d'avoir trente-trois ans.

— Ses charmes t'ont amené à rester chez toi plutôt que d'aller à l'église ce dimanche. Il te faudra remercier la dame de t'avoir fait lever et monter sur un cheval, comme il t'appartient, continua Raleigh avec un accent épais comme de la crème du Devonshire.

Le comte de Northumberland posa dans l'âtre la pique qu'il utilisait pour griller le pain et considéra son ami. Puis il secoua la tête et se remit à sa tâche.

— Sors, rentre et demande de ses nouvelles à Matthew. Et prends un air contrit ce faisant.

— Non, s'étonna Walter en regardant Matthew, bouche bée. Elle est tienne ?

— Avec l'anneau qui le prouve, dit Matthew en tirant de sous la table un escabeau du bout de sa botte. Assieds-toi, Walter, et bois un peu d'ale.

— Tu jurais ne jamais te marier, fit Walter, décontenancé.

— Il a fallu un peu de persuasion.

— J'imagine bien. (Il m'évalua de nouveau du regard.) Quel dommage qu'elle se gâche avec une créature à sang froid. Je n'aurais pas attendu un instant.

— Diana connaît ma nature et ne trouve rien à redire à ma *froideur*, comme tu dis. Par ailleurs, c'est elle qu'il a fallu convaincre. Je suis tombé amoureux au premier regard. (Walter ricana.) Ne sois pas aussi cynique, mon ami. Cupidon pourrait bien te prendre à ton tour.

Les yeux gris de Matthew s'allumèrent en songeant à l'avenir de Raleigh qu'il connaissait déjà.

— Cupidon devra attendre pour darder ses traits sur moi. Je suis entièrement occupé en ce moment à repousser les avances inamicales de la reine et de l'Amiral. (Walter jeta sa toque sur une table voisine, où il glissa sur la surface polie d'un jeu de trictrac, dérangeant la partie en cours. Il s'assit à côté de Henry en grommelant.) Tout le monde veut un peu de ma peau, semble-t-il, mais personne ne m'accorderait un peu d'avancement alors que cette affaire de la colonie est suspendue au-dessus de ma tête. L'idée de la célébration anniversaire de cette année était mienne, mais cette femme a nommé Cumberland responsable des cérémonies, s'irrita-t-il de nouveau.

— Toujours aucune nouvelle de Roanoke ? demanda aimablement Henry en lui tendant un gobelet d'épaisse ale brune.

Mon ventre se serra en entendant parler de l'échec de l'entreprise de Raleigh dans le Nouveau Monde. C'était la première fois que quelqu'un s'interrogeait à haute voix sur l'issue d'un événement à venir, mais ce ne serait pas la dernière.

— White est rentré à Plymouth la semaine dernière, contraint par le mauvais temps. Il a dû renoncer à la recherche de sa fille et de sa petite-fille, dit Walter en buvant une longue gorgée d'ale, le regard dans le vague. Dieu sait ce qu'il leur est arrivé.

— Au printemps, nous retournerons et nous les trouverons, dit Henry.

Il avait parlé avec conviction, mais Matthew et moi savions que les colons disparus de Roanoke ne seraient jamais retrouvés et que Raleigh ne reposerait jamais le pied sur le sol de Caroline du Nord.

— Je prie pour que tu aies raison, Hal. Mais il suffit pour mes ennuis. De quelle partie du pays êtes-vous, mistress Roydon ?

— Cambridge, répondis-je à mi-voix, m'efforçant d'être brève et aussi juste que possible.

La ville était dans le Massachusetts, et non en Angleterre, mais si je commençais à inventer maintenant, jamais je ne pourrais m'en tenir à la même version.

— Vous êtes donc une fille d'érudit. Ou bien votre père était-il théologien ? Matt serait ravi d'avoir quelqu'un à qui parler des questions de religion. À l'exception d'Hal, ses amis sont sans espoir en matière de doctrine.

Il but une gorgée d'ale et attendit.

— Le père de Diana est mort quand elle était très jeune, dit Matthew en prenant ma main.

— J'en suis navré, Diana. La perte d'un p-p-père est un coup terrible, murmura Henry.

— Et votre premier mari vous a-t-il laissé des fils et des filles en réconfort ? demanda Walter d'un ton compatissant.

À cette époque, une femme de mon âge ne pouvait qu'avoir déjà été mariée et eu trois ou quatre enfants.

— Non, répondis-je.

Walter fronça les sourcils mais, avant qu'il ait pu creuser, Kit entra, suivi de George et de Tom.

— Enfin. Fais-lui entendre raison, Walter. Matthew ne peut pas continuer de jouer les Ulysse avec sa Circé. (Kit s'empara du gobelet posé devant Henry.) Bien le bonjour, Hal.

— Faire entendre raison à qui ? demanda Walter avec un peu d'irritation.

— Matt, bien sûr. Cette femme est une sorcière. Et il y a quelque chose qui sonne faux chez elle, ajouta-t-il en plissant les paupières. Elle cache quelque chose.

— Une sorcière, répéta Walter avec circonspection.

Une servante chargée de bûches se figea sur le seuil.

— Ainsi que je l'ai dit, confirma Kit. Tom et moi avons décelé immédiatement les signes.

La servante déposa les bûches dans le panier et détala.

— Pour un homme de théâtre, Kit, tu as un sens lamentable du lieu et du moment. (Walter tourna ses yeux bleus vers Matthew.) Devons-nous aller ailleurs discuter de cette affaire, ou bien n'est-ce qu'une nouvelle fantaisie de Kit ? Si tel est le cas, je préfère rester au chaud et finir mon ale.

Les deux hommes se dévisagèrent. Comme Matthew ne bronchait pas, Walter jura à mi-voix. Pierre apparut, comme s'il attendait ce moment.

— Il y a un feu dans le salon, *milord**, dit le vampire à Matthew. Et le vin et le repas sont servis pour vos hôtes. Vous ne serez pas dérangé.

Le salon n'était ni aussi douillet que la salle où nous avions pris le petit déjeuner, ni aussi imposant que la grande salle. L'abondance de fauteuils sculptés, opulentes tapisseries et peintures richement encadrées laissait entendre que c'était là qu'on recevait les hôtes les plus importants. Une magnifique représentation de saint Jérôme et de son lion par Holbein ornait l'un des murs. Elle ne m'était pas familière, pas plus que son voisin, également d'Holbein, portrait d'un Henry VIII aux yeux porcins tenant un livre et des bésicles en regardant pensivement le spectateur devant une table jonchée d'objets précieux. La fille de Henry, la reine Élisabeth, actuelle souveraine et première du nom, le regardait avec hauteur depuis l'autre côté de la pièce. Leurs airs de chiens de faïence ne contribuèrent pas à alléger l'ambiance alors que nous prenions place. Matthew se laissa tomber près de la cheminée, bras croisés, l'air tout aussi redoutable que les Tudor sur le mur.

— Comptes-tu toujours leur dire la vérité ? chuchotai-je.

— C'est généralement plus aisé ainsi, mistress, dit vivement Raleigh, sans compter que c'est plus convenable entre amis.

— Tu t'oublies, Walter, l'avertit Matthew, irrité.

— M'oublier ? Et cela de la bouche de quelqu'un qui s'est acoquiné avec une sorcière ?

Walter n'avait rien à envier à Matthew en matière d'emportement, mais je sentais aussi une réelle note de crainte dans sa voix.

— C'est mon épouse, rétorqua Matthew en se passant une main dans les cheveux. Quant à son état de sorcière, nous sommes, dans cette pièce, tous vilipendés pour une raison ou une autre, imaginaire ou réelle.

— Mais l'épouser… quelle mouche t'a piqué ? demanda Walter.

— Celle de l'amour, répondit simplement Matthew.

Kit leva les yeux au ciel et se servit un gobelet de vin du pichet en argent. Mes rêves de m'asseoir avec lui devant un bon feu pour discuter magie et littérature s'envolèrent encore un peu plus loin dans la dure lumière de cette matinée de novembre. Cela faisait moins de vingt-quatre heures que j'étais en 1590, mais j'en avais déjà franchement assez de Christopher Marlowe.

À la réponse de Matthew, le silence tomba dans la pièce alors que Walter et lui s'observaient. Avec Kit, Matthew était indulgent et un peu exaspéré. Henry éveillait son affection fraternelle, George et Tom, sa patience. Mais Raleigh était l'égal de Matthew – en intelligence, en puissance et peut-être même dans l'absence de pitié – et du coup, l'opinion de Walter était la seule qui comptait. Ils avaient l'un pour l'autre un respect mêlé de prudence, comme deux loups qui doivent décider lequel a la force de diriger la meute.

— C'est donc ainsi, dit lentement Marlowe, reconnaissant l'autorité de Matthew.

— En effet, répondit Matthew en se campant plus fermement encore devant la cheminée.

— Tu gardes trop de secrets et tu as trop d'ennemis pour prendre épouse. Et pourtant tu l'as quand même fait, s'étonna Walter. D'autres hommes t'ont accusé de trop compter sur ta subtilité, mais je ne leur avais jamais donné raison jusqu'à maintenant. Très bien, Matthew. Si tu es si astucieux, dis-nous ce que nous devrons répondre quand les questions se poseront.

Kit posa bruyamment son gobelet sur la table et du vin se répandit sur sa main.

— Tu ne peux pas nous demander de…

— Silence, coupa Walter avec un regard furieux à Marlowe. Étant donné les mensonges que tu nous fais déjà dire, je suis surpris que tu oses objecter. Continue, Matthew.

— Merci, Walter. Vous êtes les seuls cinq hommes du royaume qui pourraient entendre mon récit sans me prendre pour un fou. Vous souvenez-vous quand nous avons parlé de l'idée de Giordano Bruno selon laquelle il existe une infinité de mondes sans limites d'espace ou de temps ?

Les hommes échangèrent des regards.

— Je ne suis pas certain de comprendre où tu veux en venir, dit délicatement Henry.

— Diana *vient* du Nouveau Monde. (Matthew marqua une pause qui donna à Marlowe l'occasion de balayer la pièce d'un regard triomphant.) Du Nouveau Monde à venir.

Dans le silence qui suivit, tous les yeux se fixèrent sur moi.

— Elle a dit venir de Cambridge, répondit Walter.

— Pas votre Cambridge. Mon Cambridge est dans le Massachusetts. (J'avais la voix enrouée de m'être tue si longtemps. Je me raclai la gorge.) La colonie existera au nord de Roanoke dans quarante ans.

Un vacarme d'exclamations et de questions fusa de toutes parts. Harriot tendit une main hésitante vers mon épaule et, quand son doigt la toucha, il recula, émerveillé.

— J'ai entendu parler de créatures qui pouvaient plier le temps à leur volonté. C'est une merveilleuse journée, n'est-ce pas, Kit ? Pensais-tu un jour connaître une plieuse de temps ? Nous devons être prudents en sa présence, bien sûr, pour ne pas être pris dans sa toile et nous égarer, dit pensivement Harriot, comme s'il aurait aimé se retrouver emporté dans un autre monde.

— Et qu'est-ce qui vous amène ici, mistress Roydon ? interrogea la voix grave de Walter.

— Le père de Diana était un savant, répondit Matthew pour moi. (Des murmures intéressés s'élevèrent, réduits au silence par la main levée de Walter.) Sa mère également. Tous deux étaient sorciers et sont morts dans des circonstances mystérieuses.

— Voilà quelque chose que nous partageons, D-d-diana, dit Henry en frissonnant.

Avant que j'aie pu lui demander ce qu'il voulait dire, Walter fit signe à Matthew de poursuivre.

— C'est ainsi que son éducation de sorcière a été... négligée, dit-il.

— Il est facile de s'emparer d'une telle sorcière, dit Tom en fronçant les sourcils. Pourquoi, dans ce

Nouveau Monde à venir, ne s'occupe-t-on pas davantage d'une telle créature ?

— Ma magie et la longue histoire familiale qui va avec ne signifiaient rien pour moi. Vous devez comprendre ce que c'est de vouloir dépasser les limites que vous impose votre naissance.

Je jetai un regard à Kit, espérant recueillir l'assentiment d'un fils de cordonnier, sinon sa compassion, mais il se détourna.

— L'ignorance est un péché impardonnable, dit-il en tripotant la soie rouge qui dépassait des crevés des manches de son pourpoint noir.

— Ainsi en est-il de la déloyauté, dit Walter. Continue, Matthew.

— Diana n'a peut-être pas été formée à l'art de la sorcière, mais elle est loin d'être ignorante. Et c'est aussi une savante qui se passionne pour l'alchimie, ajouta-t-il fièrement.

— Les dames alchimistes ne sont rien de plus que des philosophes de cuisine, renifla Kit. Qui se soucient plus d'embellir leur teint que de comprendre les secrets de la nature.

— J'étudie l'alchimie dans la bibliothèque, pas la cuisine, rétorquai-je en oubliant tant de soigner mon accent que Kit ouvrit des yeux ronds. Et je donne des cours sur ce sujet à des étudiants de l'université.

— On laissera des *femmes* enseigner à l'université dans l'avenir ? demanda George avec un égal mélange de fascination et de répugnance.

— Et à y assister aussi, murmura Matthew en se tripotant le nez d'un air navré. Diana a étudié à Oxford.

— Cela a dû renforcer l'assiduité, ironisa Walter. Les femmes eussent-elles été autorisées à Oriel, même moi j'aurais peut-être tenté un autre diplôme. Et les dames savantes subissent-elles des attaques dans cette future colonie au nord de Roanoke ?

C'était une conclusion raisonnable à tirer du récit que venait de faire Matthew.

— Pas toutes, non. Mais Diana a trouvé un livre à l'université. (Les membres de l'École de la Nuit s'avancèrent avec intérêt sur leurs sièges. Les livres perdus étaient bien plus passionnants pour eux que des sorcières ignorantes et des dames savantes.) Il contient des secrets sur le monde des créatures.

— Le Livre des Mystères censé parler de notre création ? demanda Kit, stupéfait. Tu ne t'intéressais pas à ces fables jusqu'ici, Matthew. En fait, tu les considérais comme des superstitions.

— J'y crois désormais, Kit. La découverte de Diana a amené des ennemis sur son seuil.

— Et tu étais avec elle. Du coup, leurs ennemis ont soulevé la trappe et sont entrés, dit Walter.

— Pourquoi l'intérêt de Matthew a-t-il eu de si graves conséquences ? interrogea George.

Il chercha à tâtons le ruban noir qui tenait ses bésicles accrochées aux boutons de son pourpoint. Comme l'exigeait la mode, le vêtement bouffait sur son ventre et le bourrage bruissait comme un sac de son à chaque mouvement. Il porta les verres à son nez et m'examina comme si j'étais un intéressant nouveau sujet d'étude.

— Parce que sorcières et *wearhs* ont interdiction de se marier, se hâta de répondre Kit. (Je n'avais jamais encore entendu ce mot, avec son *w* initial sifflant et sa finale gutturale.) Ainsi que démons et *wearhs*.

Walter l'interrompit d'une main sur l'épaule.

— Vraiment ? demanda George en nous regardant Matthew et moi. La reine interdit-elle de telles alliances ?

— C'est un ancien pacte entre créatures auquel nul n'ose désobéir, dit Tom avec effroi. Ceux qui l'enfreignent doivent en répondre devant la Congrégation et sont châtiés.

Seuls des vampires aussi anciens que Matthew pouvaient se rappeler une époque avant que le pacte passé entre les créatures fixe comment elles devaient se conduire les unes envers les autres et avec les humains qui nous entouraient. « Aucune fraternisation entre espèces de l'autre monde » était la règle la plus importante, et la Congrégation patrouillait nos frontières. Nos talents – créativité, force, pouvoirs surnaturels – ne pouvaient passer inaperçus quand nous étions en présence les uns des autres. C'était comme si le pouvoir d'une sorcière renforçait l'énergie créatrice des démons qui la côtoyaient, et que le génie d'un démon rendait la beauté d'un vampire encore plus saisissante. Quant à nos relations avec les humains, elles devaient être discrètes et ne pas toucher à la politique ou à la religion.

Le matin même, Matthew avait souligné que la Congrégation devait affronter trop d'autres problèmes au XVIe siècle – les guerres de Religion, les hérétiques livrés au bûcher et la soif populaire pour l'étrange et le bizarre alimentée par la technologie de l'imprimerie – pour que ses membres se soucient d'un sujet aussi trivial que l'histoire d'amour entre une sorcière et un vampire. Étant donné les stupéfiants et dangereux événements qui s'étaient déroulés depuis que j'avais connu Matthew à la fin du mois de septembre, j'avais du mal à le croire.

— Quelle congrégation ? demanda George, intéressé. Est-ce quelque nouvelle secte religieuse ?

Walter ignora la question de son ami et jeta un regard aigu à Matthew avant de se tourner vers moi.

— Et vous détenez toujours ce livre ?

— Personne ne l'a. Il est retourné dans la réserve de la bibliothèque. Les sorciers attendent que je le récupère pour eux.

— Vous êtes donc recherchée pour deux raisons. Certains veulent vous éloigner d'un *wearh*, d'autres vous considèrent comme le moyen nécessaire pour parvenir à leurs fins. (Walter se pinça le haut du nez et jeta un regard las à Matthew.) Tu attires les ennuis comme l'aimant, mon ami. Et cela n'aurait pu se produire à un moment plus inopportun. L'anniversaire de la reine est dans trois semaines. Tu es attendu à la cour.

— Peu importe l'anniversaire de la reine ! Nous ne sommes pas en sécurité avec une fileuse de temps parmi nous. Elle peut voir ce que le destin réserve à chacun d'entre nous. La sorcière sera capable d'anéantir notre avenir, de provoquer mauvaise fortune – et même de hâter notre mort. (Kit bondit de son siège et se planta devant Matthew.) Par tout ce qui est sacré, comment as-tu pu ?

— Il semblerait que cet athéisme dont tu te piques tant t'abandonne, Kit, dit Matthew sans s'émouvoir. Tu redoutes d'avoir à répondre de tes péchés, finalement ?

— Je ne crois peut-être pas comme toi, Matthew, à une divinité bienveillante et toute-puissante, mais ce monde ne se borne pas à ce que décrivent tes livres de philosophie. Et cette femme – cette sorcière – ne peut être autorisée à se mêler de nos affaires. Tu es peut-être sous son charme, mais je n'ai aucune intention de lui confier mon avenir ! rétorqua Kit.

— Un instant. (George avait l'air de plus en plus étonné.) Nous as-tu rejoints depuis Chester, Matthew, ou bien…

— Non. Tu ne dois pas répondre, Matt, dit Tom avec une lucidité soudaine. Janus est venu parmi nous avec quelque dessein et nous ne devons pas nous en mêler.

— Parle clairement, si tu le peux, Tom, railla méchamment Kit.

— Avec un visage, Matthew et Diana regardent le passé. Avec l'autre, ils envisagent l'avenir, dit Tom sans se soucier de lui.

— Mais si Matt n'est pas…

George n'acheva pas.

— Tom a raison, grommela Walter. Matthew est notre ami et il nous a demandé notre aide. Et aussi loin que je me souvienne, c'est la première fois. Nous n'avons pas besoin d'en savoir davantage.

— C'est trop demander, répliqua Kit.

— Trop ? C'est peu et tardif, selon moi. Matthew a payé mon premier navire, sauvé les biens de Henry et entretient depuis longtemps Tom et George dans leurs rêves et leurs livres. Quant à toi, ajouta Walter en toisant Marlowe, tout ce qui est en toi et sur toi – depuis tes idées jusqu'à ton dernier gobelet de vin et au toquet que tu portes –, tu le dois aux bonnes grâces de Matthew Roydon. À côté de cela, offrir un refuge sûr à son épouse durant la tempête présente n'est qu'une broutille.

— Merci, Walter.

Matthew parut soulagé, mais son sourire était hésitant. Convaincre ses amis – Walter en particulier – avait été plus difficile qu'il ne le prévoyait.

— Il nous faudra concocter une explication à la présence de ton épouse ici, dit pensivement Walter. Quelque chose qui fera oublier son étrangeté.

— Diana a aussi besoin d'un professeur, ajouta Matthew.

— Il lui faut apprendre quelques manières, certainement, grogna Kit.

— Non, son professeur doit être aussi un sorcier, corrigea Matthew.

— Je doute qu'il y ait un sorcier à dix lieues à la ronde de Woodstock, s'amusa Walter. Avec toi dans les parages.

— Et qu'en est-il de ce livre, mistress Roydon ? (George sortit un bâtonnet gris entouré de ficelle d'une poche dissimulée dans sa culotte. Il lécha la mine de son crayon et le leva d'un air interrogateur.) Me direz-vous sa taille et son contenu ? Ainsi, je le chercherai à Oxford.

— Le livre peut attendre, dis-je. Avant tout, j'ai besoin d'habits convenables. Je ne peux sortir de la maison vêtue de la jaquette de pierre et de la jupe que la sœur de Matthew portait aux funérailles de Jane Seymour.

— Sortir de la maison ? s'indigna Kit. Pure folie.

— Kit a raison, s'excusa George en griffonnant dans son carnet. Votre langage vous trahit comme étrangère à l'Angleterre. Je serais heureux de vous donner des leçons d'élocution, mistress Roydon.

La perspective de George Chapman en train de jouer les Henry Higgins et moi Eliza Doolittle suffit à me donner envie de m'échapper.

— Elle ne devrait pas être autorisée du tout à parler, Matthew. Tu dois faire qu'elle se taise, insista Kit.

54

— C'est une femme qu'il nous faut pour conseiller Diana. Comment se fait-il qu'à vous cinq, vous ne puissiez trouver ni fille, ni épouse, ni maîtresse ? demanda Matthew.

Un lourd silence s'installa.

— Walter ? interrogea Kit en faisant des mines qui plongèrent tout le monde, Matthew y compris, dans l'hilarité et allégèrent l'atmosphère comme si un orage d'été avait soufflé dans la pièce.

Alors que s'éteignaient les derniers rires, Pierre entra en tapant des pieds pour se débarrasser des brins de romarin et de lavande éparpillés sur les nattes de jonc étalées dans toute la maison pour retenir l'humidité. Au même moment, les cloches sonnèrent les douze coups de midi. Comme la vue des coings, l'alliance des parfums et des sons me transporta aussitôt à Madison.

Le passé, le présent et l'avenir se rencontraient. Au lieu d'un déroulement fluide, il y eut un instant d'immobilité comme si le temps était suspendu. Mon souffle s'arrêta.

— Diana ? fit Matthew en me prenant par le coude.

Une lueur bleutée et ambrée attira mon attention. Elle était logée dans un coin de la pièce où rien n'aurait pu entrer que de la poussière et des toiles d'araignées. Fascinée, je tentai de m'en approcher.

— Est-elle prise du haut mal ? demanda Henry pardessus l'épaule de Matthew.

Les cloches se turent et l'odeur de lavande s'évanouit. Le bleu et l'ambre clignotèrent avant de virer au gris et au blanc, puis de disparaître.

— Pardonnez-moi. J'avais cru voir quelque chose dans le coin. Sans doute un jeu de lumière, dis-je, une main sur la joue.

— Peut-être que tu souffres du décalage horaire, *mon cœur**, murmura Matthew. Je t'ai promis une promenade dans le parc. Veux-tu sortir avec moi t'éclaircir les esprits ?

Peut-être était-ce un effet secondaire du voyage dans le temps et que l'air frais me ferait du bien. Mais nous venions d'arriver et Matthew n'avait pas vu ces hommes depuis plus de quatre siècles.

— Tu devrais rester avec tes amis, dis-je d'un ton ferme, en regardant tout de même les fenêtres.

— Ils seront encore là à boire mon vin quand nous rentrerons, sourit-il. Walter, je vais faire visiter la maison à Diana et m'assurer qu'elle se repère dans les jardins.

— Nous devrons reprendre cette discussion, l'avertit Walter. Nous avons quelques questions à débattre.

— Cela peut attendre, dit Matthew en me prenant par la taille.

Nous laissâmes l'École de la Nuit dans la chaleur du salon et partîmes dans les jardins. Tom, qui ne s'intéressait déjà plus aux problèmes de vampires et de sorcières, était absorbé par sa lecture. George lui aussi était plongé dans ses pensées et griffonnait dans son carnet. Le regard de Kit était aux aguets, celui de Walter circonspect et celui de Henry rempli de sympathie. Les trois hommes avaient l'air de corbeaux méfiants avec leurs costumes noirs et leurs airs attentifs. Cela me rappela ce que Shakespeare dirait bientôt de cet extraordinaire groupe.

— Comment est-ce, murmurai-je. *Le noir est le chevron de l'enfer ?…*

— *Le noir est le chevron de l'enfer, la couleur des donjons et l'école de la nuit*, dit Matthew d'un air mélancolique.

— La couleur de l'amitié, ce serait plus juste, dis-je.
(J'avais vu Matthew régenter les lecteurs de la
Bodléienne, mais je ne m'attendais pas à une telle
influence sur des gens comme Walter Raleigh et Christopher Marlowe.) Y a-t-il quoi que ce soit qu'ils ne
feraient pas pour toi, Matthew ?

— Prions Dieu de ne jamais le découvrir, répondit-il
sombrement.

3

Le lundi matin, je me réfugiai dans l'étude de Matthew. Elle se trouvait entre les appartements de Pierre et une petite chambre qui servait aux affaires de la propriété et donnait sur le corps de garde et la route de Woodstock.

La majorité des hommes – maintenant que je les connaissais mieux, ce terme collectif paraissait mieux convenir que le grandiloquent École de la Nuit –, enfermés dans ce que Matthew appelait salon du matin, buvaient ale et vin tout en attelant leurs fertiles imaginations à l'invention d'une histoire plausible. Walter m'assura qu'une fois achevée, elle expliquerait aux curieux ma soudaine apparition à Woodstock et détournerait les questions sur mon accent et mes manières étranges.

Ce qu'ils avaient concocté pour l'instant était extrêmement mélodramatique. Ce n'était guère surprenant étant donné que c'étaient nos deux dramaturges à demeure, Kit et George, qui avaient imaginé les grandes lignes de l'intrigue. Parmi les personnages se trouvaient des parents français, d'avaricieux aristocrates qui avaient exploité une orpheline sans défense (moi) et des libertins sans âge bien décidés à me dépouiller de ma vertu. L'affaire tournait à l'épopée à travers des épreuves spirituelles et ma conversion de catholique à calviniste. Ce qui me conduisait à m'exiler volontairement vers les rivages protestants de l'Angleterre, à connaître des années d'une infamante pauvreté, puis à être secourue fortuitement par Matthew et immédiatement reconnue. George (qui avait vraiment un côté maîtresse d'école) promit de m'inculquer les détails une fois qu'ils auraient mis la touche finale à l'histoire.

Je savourais un peu de quiétude, une rareté dans une maison élisabéthaine de cette taille remplie d'autant de monde. Comme un enfant indiscipliné, Kit ne manquait jamais de choisir le pire moment pour apporter le courrier, annoncer le dîner ou demander que Matthew l'aide à quelque problème. Et il était compréhensible que Matthew s'empresse auprès d'amis qu'il pensait ne jamais revoir.

Pour le moment, il était avec Walter et je consacrais mon attention à un petit livre en attendant son retour. Il avait quitté sa table auprès de la fenêtre jonchée de sacs de plumes neuves et d'encriers pleins, voisinant avec d'autres objets : un bâtonnet de cire pour sceller la correspondance, une lame pour ouvrir les lettres, une bougie et une salière. Laquelle n'était pas remplie de sel mais de sable, comme j'en avais fait la crissante expérience le matin avec mes œufs.

Je disposais d'une salière identique pour fixer l'encre sur la page et l'empêcher de s'étaler, d'un unique flacon d'encre noire et des vestiges de trois plumes. J'étais en train d'en massacrer une quatrième dans mes tentatives pour maîtriser les volutes compliquées de l'écriture élisabéthaine. Rédiger une liste de tâches à faire aurait dû être réglé en un clin d'œil.

Historienne, j'avais passé des années à lire des manuscrits anciens et je connaissais précisément l'allure des lettres, quels mots étaient les plus courants et les choix d'orthographe qui m'étaient laissés à une époque où les dictionnaires étaient aussi rares que les règles de grammaire.

Il se révéla que la difficulté n'était pas de savoir quoi faire, mais de le faire vraiment. Après avoir travaillé des années pour devenir experte, je me retrouvais de nouveau étudiante. Sauf que cette fois, mon objectif n'était pas de comprendre le passé, mais d'y vivre. Jusqu'à maintenant, l'expérience avait été humiliante et tout ce que j'avais réussi à faire, c'était saccager la première page du petit carnet que Matthew m'avait donné le matin.

— C'est l'équivalent élisabéthain d'un ordinateur portable, m'avait-il expliqué en me le donnant. Tu es une femme de lettres et tu as donc besoin de quelque chose où les ranger.

J'entrouvris le petit volume qui libéra l'odeur fraîche du papier. La plupart des femmes vertueuses de l'époque utilisaient ces petits carnets pour les prières.

Diana

Il y avait une grosse tache à l'endroit où j'avais commencé mon D et le temps d'arriver au dernier A, je n'avais plus d'encre sur ma plume. Cependant, mon essai était un exemple tout à fait respectable de cursive de l'époque. Ma main allait beaucoup moins vite que celle de Matthew lorsqu'il écrivait des lettres en utilisant le *textualis*. Cette écriture chantournée des juristes, médecins et autres savants était encore trop difficile pour moi.

Bishop

Ce fut encore mieux. Mais mon sourire s'envola rapidement et je barrai mon nom de famille. J'étais mariée, désormais. Je replongeai ma plume dans l'encre.

de Clermont

Diana de Clermont. Voilà qui me donnait des airs de comtesse, et non d'historienne. Une goutte d'encre s'écrasa sur la page. Je réprimai un juron devant la tache. Heureusement, elle n'avait pas touché mon nom. Mais ce n'était pas non plus le mien. J'étalai la tache sur « de Clermont ». Il était encore tout juste lisible. Je raffermis ma main et formai soigneusement les lettres voulues.

Roydon.

C'était mon nom, à présent. Diana Roydon, épouse du plus obscur personnage associé à la mystérieuse École de la Nuit. J'examinai la page d'un œil critique. Mon écriture était une catastrophe. Cela ne ressemblait en rien à ce que j'avais vu de la main nette et ronde de Robert Boyle ou de sa brillante sœur Katherine. Il n'y avait plus qu'à espérer que l'écriture des femmes des années 1590 soit nettement plus brouillonne que vers 1690. Encore quelques traits de plume et une dernière fioriture et ce serait fait.

Des voix d'hommes résonnèrent dehors. Je posai ma plume en fronçant les sourcils et allai à la fenêtre.

Matthew et Walter étaient en bas. L'épaisseur de la vitre étouffait leurs voix, mais le sujet de la conversation était manifestement désagréable, à en juger par l'expression tendue de Matthew et les sourcils hérissés de Raleigh. Je vis Matthew balayer l'air d'un geste et s'apprêter à tourner les talons, mais Walter l'arrêta d'une main ferme.

Quelque chose tracassait Matthew depuis qu'il avait reçu son courrier du matin. Il s'était figé et avait gardé la liasse dans la main sans l'ouvrir. Bien qu'il m'ait expliqué que les lettres traitaient des affaires ordinaires de la propriété, il était clair qu'il s'agissait d'autre chose que d'impôts et de factures.

Je posai ma main brûlante sur la vitre froide comme s'il n'y avait que le verre qui nous séparait. Le contraste de température me rappela celui du sang des sorcières et des vampires. Je retournai m'asseoir et repris ma plume.

— Tu as finalement décidé de laisser ta trace au XVIᵉ siècle, dit Matthew qui était brusquement apparu à côté de moi.

Le pli au coin de ses lèvres indiquait l'amusement sans tout à fait déguiser sa tension.

— Je ne suis pas encore sûre que rédiger mes souvenirs de mon séjour ici soit une bonne idée, avouai-je. Un universitaire du futur pourrait y trouver quelque chose de bizarre.

Tout comme Kit avait su que quelque chose n'allait pas chez moi.

— Ne t'inquiète pas. Le livre ne quittera pas la maison, dit-il en prenant la pile de courrier.

— Tu ne peux pas en être certain, protestai-je.

— Laissons l'histoire s'occuper d'elle-même, Diana, dit-il d'un ton sans réplique.

Mais je ne pouvais ignorer l'avenir – ni mes inquiétudes sur les conséquences que pourrait avoir sur lui notre présence dans le passé.

— Je ne crois toujours pas que nous devrions laisser Kit conserver cette pièce d'échecs.

Le souvenir de Marlowe brandissant la petite figurine de Diana me poursuivait. Elle avait le rôle de reine blanche dans le coûteux jeu en argent de Matthew, et c'était l'un des objets que j'avais utilisés pour nous amener à l'endroit correct du passé. Deux jeunes démons que nous ne connaissions pas, Sophie Norman et Nathaniel Wilson, avaient débarqué avec sans prévenir, chez mes tantes, à Madison, alors que nous avions décidé de voyager dans le temps.

— Kit l'a gagnée sans tricher hier soir, ainsi qu'il était censé le faire. Au moins, cette fois, j'ai pu voir comment il avait réussi. Il m'a distrait avec sa tour. (Matthew griffonna un billet à une vitesse que je lui enviai avant de plier soigneusement les pages. Il déposa une grosse goutte de cire rouge sur les coins avant d'y appliquer le cachet de sa bague en or. C'était le symbole de la planète Jupiter et non l'emblème plus compliqué que Satu m'avait imprimé dans la chair. La cire se fendilla en refroidissant.) Nous ignorerons toujours comment, mais ma reine blanche est passée des mains de Kit à celles d'une famille de sorciers de

Caroline du Nord. Nous devons croire qu'elle en fera autant cette fois, avec ou sans notre aide.

— Kit ne me connaissait pas la première fois. Et il ne m'aime pas.

— Raison de plus de ne pas s'inquiéter. Du moment que cela lui fait de la peine de regarder une représentation de Diana, il sera incapable de s'en séparer. Christopher Marlowe est un masochiste de premier ordre.

Matthew prit une autre lettre et la fendit de sa lame.

Je contemplai ce que j'avais sur ma table et choisis une pile de pièces. La connaissance pratique de la monnaie élisabéthaine ne faisait pas partie de mon bagage universitaire. Pas plus que la tenue d'une maison, l'ordre dans lequel enfiler les sous-vêtements, la manière de s'adresser aux serviteurs ou la préparation d'un remède pour la migraine de Tom. Mes discussions avec Françoise sur ma garde-robe mirent en lumière mon ignorance des noms courants pour les couleurs ordinaires. Je connaissais le vert caca d'oie, mais j'ignorais la nuance particulière de brun-rouge appelée « puce ». Avec ce que j'avais découvert jusqu'ici, je me promis d'égorger le premier historien spécialiste des Tudor sur lequel je tomberais dès mon retour pour manquement à ses devoirs.

Mais comme il y avait quelque chose de passionnant à apprendre les détails du quotidien, j'oubliai rapidement mon agacement. Je cherchai un penny en argent parmi les pièces posées dans ma paume. C'était la clé de voûte de mes connaissances en la matière. La pièce n'était pas plus grosse que l'ongle du pouce, mince comme une hostie, et frappée du même profil de la reine Élisabeth que presque toutes les autres. Je disposai les autres selon leur valeur relative et commençai à les consigner sur une page vierge de mon carnet.

— Merci, Pierre, murmura Matthew en regardant à peine son serviteur qui emportait prestement les lettres et en déposait d'autres sur la table.

Nous écrivions dans un aimable silence. Ayant rapidement terminé ma liste de pièces, je tentai de me rappeler ce que Charles, le taciturne cuisinier de la maison, m'avait enseigné sur la préparation d'un chaudeau – à moins que ce fût un posset ?

Chaudeau pour les maux de tête

Satisfaite de la rectitude relative de la ligne, des trois minuscules taches et du C un peu tremblotant, je poursuivis :

Mettre d'eau à bouillir. Battre deux jaunes d'œufs. Ajouter de vin blanc et battre encore. Une fois l'eau bouillante, la laisser refroidir, puis ajouter vin et œufs. Touiller tandis que bout à nouveau en ajoutant saffryn et miel.

Le mélange obtenu devait être immonde – d'un jaune violent et d'une consistance de fromage blanc coulant –, mais Tom l'avait avalé sans se plaindre. Ensuite, quand j'avais demandé à Charles la proportion convenable de miel et de vin, il avait levé les bras au ciel d'agacement devant mon ignorance et m'avait plantée là sans un mot.

Vivre dans le passé était mon désir secret depuis toujours, mais c'était bien plus difficile que je n'avais imaginé. Je laissai échapper un soupir.

— Il te faudra davantage que ce livre pour te sentir chez toi ici, dit Matthew sans quitter sa page des yeux.

Tu devrais avoir une pièce pour toi seule, aussi. Pourquoi ne prends-tu pas celle-ci ? Elle est assez lumineuse pour servir de bibliothèque. Ou tu pourrais la transformer en laboratoire d'alchimie – mais tu voudras peut-être un endroit plus privé si tu as l'intention de changer du plomb en or.

— Les cuisines ne seraient pas idéales. Charles ne m'apprécie guère, répondis-je.

— Il n'apprécie personne. Françoise non plus – sauf Charles, bien sûr, qu'elle vénère comme un saint incompris malgré son penchant pour la boisson.

Des pas lourds résonnèrent dans le couloir. Une Françoise réprobatrice apparut sur le seuil.

— Il y a là des messieurs pour mistress Roydon, annonça-t-elle en s'effaçant pour révéler un septuagénaire grisonnant aux mains calleuses et un homme beaucoup plus jeune qui se dandinait gauchement. Ni l'un ni l'autre n'étaient des créatures.

— Somers, dit Matthew en fronçant les sourcils. Et est-ce le jeune Joseph Bidwell ?

— Si fait, master Roydon, dit le jeune homme en ôtant son bonnet.

— Mistress Roydon va vous laisser prendre ses mesures, dit Françoise.

— Des mesures ?

Le regard que Matthew nous jeta exigeait une réponse. Rapidement.

— Souliers. Gants. Pour la garde-robe de *madame**, dit Françoise.

Contrairement aux jupons, les souliers ne se faisaient pas en taille unique.

— J'ai demandé à Françoise de les envoyer chercher, expliquai-je, espérant obtenir l'aide de Matthew.

Somers ouvrit de grands yeux en m'entendant parler, mais reprit rapidement une expression de neutre déférence.

— Mon épouse a rencontré des difficultés inattendues durant son voyage, dit Matthew en venant me rejoindre. Et ses affaires ont été perdues. C'est regrettable, Bidwell, mais nous n'avons aucun soulier que vous puissiez copier.

Il posa une main sur mon épaule, espérant m'empêcher d'ajouter mon grain de sel.

— Puis-je, mistress Roydon ? demanda Bidwell en se baissant, la main suspendue sur les souliers trop grands que j'avais chaussés et qui me trahissaient.

— Je vous en prie, dit Matthew avant que j'aie pu réagir.

Françoise me jeta un regard compatissant. Elle savait ce que c'était que d'être réduite au silence par Matthew Roydon.

Le jeune homme tressaillit en sentant la chaleur de mon pied et mon pouls rapide. Il s'attendait manifestement à une extrémité plus froide et moins vive.

— Expédiez cela, dit Matthew d'un ton sec.

— Mon seigneur master Roydon.

Le jeune homme bafouilla d'un trait les titres qui lui venaient en tête. Il ne manquait plus que « Votre Majesté » et « prince des ténèbres », mais c'était tout de même implicite.

— Où est ton père, mon garçon ? se radoucit Matthew.

— Malade et alité des quatre derniers jours, master Roydon.

Il tira une pièce de feutre d'une bourse nouée à sa taille et posa mes deux pieds dessus avant d'en tracer les contours avec un bâtonnet de fusain. Il nota les mesures sur le feutre, puis, ayant rapidement terminé, lâcha délicatement mon pied. Puis il sortit un curieux livre fait de carrés de cuir cousus avec des lacets de cuir et me le présenta.

— Quelles couleurs sont en vogue, Maître Bidwell ? demandai-je en feuilletant tout de même la liasse.

J'avais besoin d'un avis, pas d'un test à choix multiples.

— Les dames qui vont à la cour préfèrent actuellement le blanc frappé d'or ou d'argent.

— Nous n'irons pas à la cour, se hâta de dire Matthew.

— Alors noires, ainsi qu'un bel ocre.

Bidwell montra une pièce de cuir couleur de caramel. Matthew approuva avant que j'aie pu dire un mot.

Puis ce fut le tour du vieil homme. Lui aussi fut surpris en touchant ma main et en sentant les cals sur mes paumes. Les dames de bonne naissance qui épousaient des hommes comme Matthew ne faisaient pas de l'aviron. Somers vit la bosse sur mon majeur. Les dames n'avaient pas non plus ce genre de bosse à force de tenir une plume trop souvent. Il glissa à ma main droite un gant de cuir souple beaucoup trop grand. Il enfonça une aiguille et un gros fil dans la couture.

— Votre père a tout ce qu'il lui faut, Bidwell ? demanda Matthew au cordonnier.

— Oui, merci, master Roydon, répondit le jeune homme en s'inclinant.

— Charles lui fera porter de la crème et du gibier. (Matthew considéra la frêle silhouette du jeune homme.) Et un peu de vin aussi.

— Maître Bidwell sera reconnaissant de vos bontés, dit Somers tout en piquant solidement le fil pour que le gant soit bien ajusté.

— Qui d'autre est malade ? demanda Matthew.

— La fille de Rafe Meadows souffre d'une terrible fièvre. Nous avons craint pour le vieil Edward, mais elle n'a pas duré, répondit Somers.

— J'imagine que la fille de Meadows est remise.

— Non. (Somers coupa le fil d'un coup sec.) Elle a été enterrée il y a trois jours. Dieu ait son âme.

— Amen, répondit tout le monde dans la pièce.

Françoise haussa les sourcils et désigna Somers du menton. Je me joignis un peu tardivement au chœur.

Leurs tâches accomplies et souliers et gants promis pour la fin de la semaine, les deux hommes s'inclinèrent et repartirent. Françoise allait les suivre, mais Matthew l'arrêta.

— Plus d'entrevues pour Diana, dit-il d'un ton grave. Veillez à ce qu'on envoie quelqu'un s'occuper d'Edward Camberwell et qu'il ait assez à boire et à manger.

Françoise acquiesça d'une révérence et sortit en me jetant de nouveau un regard compatissant.

— Je crains que les gens du village sachent que je ne suis pas d'ici, dis-je en me passant une main tremblante sur le front. J'ai un problème d'accent et d'intonation. Et quand suis-je censée dire « amen » ? Il faut que quelqu'un m'apprenne à prier, Matthew. Je dois commencer par quelque chose et…

— Du calme, dit Matthew en passant la main sur ma taille corsetée. (Malgré les épaisseurs de tissu, ce contact m'apaisa.) Ce n'est pas un grand oral à Oxford ni tes débuts sur la scène. Faire du par cœur et répéter des répliques ne servira à rien. Tu aurais dû me demander avant de faire venir Bidwell et Somers.

— Comment fais-tu pour prétendre être quelqu'un d'autre et jouer constamment un nouveau personnage ? demandai-je.

Matthew avait fait cela d'innombrables fois au cours des siècles en faisant semblant de mourir pour réapparaître dans un autre pays sous un autre nom, en parlant une langue différente.

— La première astuce est de cesser de faire semblant. (Ma confusion devant être évidente, il poursuivit :) Rappelle-toi ce que je t'ai dit à Oxford. Tu ne peux pas vivre un mensonge, que ce soit en jouant l'humaine alors que tu es en réalité une sorcière ou en tentant d'être une dame du XVIe siècle alors que tu es du XXIe. C'est ta vie, à présent. Essaie de ne pas voir cela comme un rôle.

— Mais mon accent, ma démarche…

Même moi, j'avais remarqué la longueur de mes enjambées par rapport aux autres femmes de la maison, pourtant c'étaient les moqueries de Kit sur ma démarche martiale qui m'avaient achevée.

— Tu t'habitueras. En attendant, les gens vont parler. Mais personne n'a une opinion qui compte, à Woodstock. Bientôt, tu seras familière de tous et les ragots cesseront.

— Tu ne connais pas grand-chose aux ragots, toi, n'est-ce pas ?

— Assez pour savoir que tu es simplement le sujet de curiosité de la semaine. (Il jeta un coup d'œil à mon carnet, aux taches et à mon écriture hésitante.) Tu ne tiens pas ta plume assez souplement. Voilà pourquoi la pointe se casse constamment et l'encre ne coule pas. Tu manques de souplesse vis-à-vis de ta nouvelle vie, aussi.

— Jamais je n'aurais cru que ce serait aussi difficile.

Mes connaissances livresques du symbolisme alchimique ne me servaient à rien.

— Tu apprends vite et tant que tu resteras à l'abri à Old Lodge, tu seras parmi des alliés. Mais plus de visites pour le moment. Alors, qu'as-tu écrit ?

— Mon nom, c'est à peu près tout.

Matthew feuilleta le carnet pour voir ce que j'avais consigné. Il haussa un sourcil.

— Tu t'es préparée aussi à un examen culinaire et économique. Pourquoi ne notes-tu pas plutôt ce qui se passe ici dans la maison ?

— Parce que j'ai besoin de savoir comment me débrouiller au XVIᵉ siècle. Certes, un journal serait utile aussi. (Je songeai à cette possibilité. Cela m'aiderait sûrement à me repérer dans cette époque.) Il ne faut pas que j'utilise des noms entiers. Les gens de l'époque se contentaient d'initiales pour économiser encre et papier. Et personne ne réfléchit à ses pensées ou à ses émotions. On note le temps qu'il fait et les phases de la lune.

— Le grand classique des annales anglaises du XVIᵉ siècle, s'amusa Matthew.

— Les femmes écrivent-elles le même genre de choses que les hommes ?

Matthew me prit le menton dans la main.

— Tu es impossible. Cesse de t'inquiéter de ce que font les autres femmes. Sois toi-même, extraordinaire.

J'opinai et il me fit un baiser avant de retourner à sa table.

Prenant la plume aussi souplement que possible, je commençai une page vierge. Je décidai d'utiliser des symboles astrologiques pour les jours de la semaine et de consigner le temps qu'il faisait, en concurrence avec quelques notes cryptiques sur le quotidien d'Old Lodge. Ainsi, quiconque me lirait dans l'avenir ne trouverait rien d'extraordinaire. Du moins l'espérais-je.

♄ *31 octobre 1590*
Pluie, éclaircie. En ce jour, je fus présentée au bon ami de mon époux TM

☉ *1er novembre 1590*
Froid et sec. Aux premières heures de la matinée, je fis la connaissance de GC. Après le lever du soleil, arrivèrent TH, HP, WR, tous amis de mon époux. La lune était pleine.

Certains universitaires du futur pourraient soupçonner que ces initiales faisaient référence à l'École de la Nuit, surtout en raison du nom de Roydon sur la première page, mais il n'y aurait aucun moyen de le prouver. Par ailleurs, à notre époque, peu de chercheurs s'intéressaient à l'École de la Nuit, car cela serait revenu à créditer Matthew et ses amis d'une réflexion trop progressiste.

D'après ce que j'avais vu, ils étaient tous résolument de leur temps. Éduqués dans le meilleur esprit de la Renaissance, ils étaient capables de passer des langues modernes aux anciennes avec une agilité inquiétante. Tous connaissaient Aristote sous toutes ses coutures. Et quand Kit, Walter et Matthew se mettaient à parler politique, leurs connaissances encyclopédiques

de l'histoire et de la géographie empêchaient quiconque de les suivre. De temps en temps, George et
Tom parvenaient à glisser un avis, mais le bégaiement
et la légère surdité de Henry l'empêchaient de participer pleinement à ces complexes débats. Il passait la
majeure partie du temps à observer sans mot dire les
autres, avec une timide déférence qui était d'autant plus
attendrissante qu'il était d'un rang plus élevé que les
autres. S'ils n'avaient pas été aussi nombreux, peut-être
aurais-je réussi à suivre aussi.

Quant à Matthew, c'en était fini du scientifique
pensif qui ruminait sur les résultats de ses analyses et
s'inquiétait de l'avenir des espèces. J'étais tombée
amoureuse de ce Matthew-là, mais je me surprenais
à tomber à nouveau amoureuse de sa version du
XVIe siècle, charmée par son moindre éclat de rire et
toutes ses reparties lorsque éclataient des disputes sur
quelque point délicat de philosophie. Matthew plaisan-
tait durant les dîners et fredonnait dans les couloirs. Il
jouait avec ses chiens près du feu dans la chambre
– deux énormes mâtins hirsutes nommés Anaximandre
et Périclès. Dans l'Oxford ou la France modernes, Matthew avait toujours paru légèrement triste. Mais il était
heureux ici à Woodstock, même quand je le surprenais à regarder ses amis comme s'il n'arrivait pas à
croire qu'ils étaient vraiment là.

— Tu rends-tu compte qu'ils te manquaient à ce
point ? lui demandai-je, incapable de me retenir de
l'interrompre dans son travail.

— Les vampires ne peuvent pas s'attarder et
regretter ceux qu'ils laissent derrière eux, répondit-il.
Nous deviendrions fous. J'ai eu plus de souvenirs
d'eux que l'on en a généralement : leurs paroles, leurs

portraits. Mais on oublie les petits détails – une tournure de phrase, le bruit d'un rire.

— Mon père avait des caramels dans sa poche, soufflai-je. Je n'avais aucun souvenir d'eux, jusqu'à La Pierre.

Quand je fermais les yeux, j'arrivais encore à sentir les petits bonbons et entendre le froissement de la cellophane contre l'étoffe de sa chemise.

— Et tu ne céderais pas cela à présent, dit gentiment Matthew. Même pour ne plus souffrir.

Il prit une autre lettre et sa plume gratta le papier. Il reprit son expression concentrée, avec ce petit pli entre les sourcils. J'imitai l'inclinaison de sa plume et notai le temps qui s'écoulait entre chaque retour à l'encrier. Il était effectivement plus facile d'écrire quand on ne serrait pas la plume comme une démente. Je la posai calmement sur le papier et m'apprêtai à continuer à écrire.

Aujourd'hui était le grand banquet d'All Souls Day, le lendemain de la Toussaint, jour où selon la tradition, on commémore les défunts. Dans la maison, tout le monde remarquait l'épaisse couche de givre qui glaçait les feuilles du jardin. Demain, il ferait encore plus froid, promit Pierre.

) 2 novembre 1590
Gel. Mesures pour les souliers et gants.
Françoise coud.

Françoise me faisait une cape pour me protéger du froid et une série de vêtements chauds en prévision de l'hiver qui s'annonçait. Elle avait passé la matinée dans le grenier à fouiller dans la garde-robe abandonnée de

Louisa de Clermont. Les robes de la sœur de Matthew étaient passées de mode depuis soixante ans, avec leurs décolletés carrés et leurs larges manches évasées, mais Françoise les reprenait pour qu'elles soient plus conformes à ce qui, selon Walter et George, était la mode et conviendrait à ma silhouette fort peu gracieuse. Elle ne fut pas particulièrement ravie de découdre une robe noir et argent particulièrement splendide, mais Matthew avait insisté. Avec l'École de la Nuit comme hôte, j'avais besoin de vêtements plus habillés ainsi que de tenues plus commodes.

— Mais Lady Louisa s'est mariée dans cette robe, *milord**, protesta-t-elle.

— Oui, à un vieillard de quatre-vingt-cinq ans sans héritier, au cœur malade et aux nombreux biens. Je crois que l'investissement familial a été plus qu'amorti. Elle conviendra pour Diana le temps que vous trouviez mieux.

Mais mon journal ne pouvait pas relater cette conversation. Je préférai choisir chaque mot soigneusement afin qu'ils ne signifient rien à personne d'autre, même s'ils évoquaient avec la plus grande clarté pour moi les images, bruits et conversations d'individus particuliers. Si le livre traversait les ans, un lecteur du futur trouverait ces infimes fragments de ma vie stériles et secs. Les historiens se penchaient sur de tels documents dans le vain espoir d'entrevoir la vie riche et complexe qui se cachait derrière quelques lignes.

Matthew grommela un juron. Je n'étais pas la seule personne à cacher quelque chose dans cette maison.

Je levai ma plume pour reprendre de l'encre quand Henry et Tom entrèrent. Mon troisième œil s'ouvrit et je fus surprise par ce brusque sursaut de conscience. Depuis notre arrivée, mes autres pouvoirs naissants – feu sorcier, eau sorcière et vent sorcier – avaient été étrangement absents. Grâce à la perception supplémentaire inattendue de mon troisième œil, je pouvais discerner non seulement l'intense aura rouge-noir autour de Matthew, mais la lumière argentine de Tom et la lueur vert-noir à peine discernable de Henry, chacune aussi particulière et unique qu'une empreinte digitale.

En repensant aux filaments bleus et ambrés que j'avais aperçus dans un coin d'Old Lodge, je me demandai ce que signifiaient la disparition de certains pouvoirs et l'émergence d'autres. Et puis il y avait eu aussi l'épisode de la matinée…

J'aperçus quelque chose du coin de l'œil : une autre lueur ambrée striée d'étincelles bleues. Il y eut un écho, si discret que je le sentis plus que je l'entendis. Quand je tournai la tête dans sa direction, la sensation disparut. Des filaments de couleur et de lumière palpitaient dans ma vision périphérique, comme si le temps m'appelait et me demandait de rentrer chez moi.

Depuis mon premier voyage dans le temps à Madison, quand j'avais sauté quelques minutes, j'avais imaginé le temps comme une substance faite de fils de lumière et de couleur. Avec assez de concentration, je pouvais me concentrer sur un unique fil et le suivre jusqu'à sa source. À présent, après avoir traversé plusieurs siècles, je savais que cette apparente simplicité masquait les nœuds de possibilité qui reliaient un nombre inimaginable de passés à un million de présents et d'avenirs potentiels inconnus. Pour Isaac Newton, le temps était une force essentielle de la nature qui ne pouvait être maîtrisée. Après avoir eu tant de mal à remonter en 1590, j'étais disposée à en convenir avec lui.

— Diana ? Ça va ?

La voix insistante de Matthew interrompit ma rêverie et je sentis ses doigts s'enfoncer dans mon épaule.

— Oui, très bien, répondis-je machinalement.

— Non, ça ne va pas, dit-il en jetant sa plume sur la table. Ton odeur a changé. Je crois que ta magie change aussi. Kit a raison. Nous devons te trouver une sorcière au plus vite.

— C'est trop tôt. Donne-moi un peu de temps pour m'habituer à cet endroit avant de faire venir une sorcière, protestai-je. Il faut que je puisse donner l'impression que je suis chez moi ici et à cette époque.

— Une autre sorcière saura que tu voyages dans le temps, répondit-il. Elle s'en rendra compte. À moins qu'il y ait autre chose.

Je secouai la tête en évitant son regard.

Matthew n'avait pas eu besoin de voir le temps se dévider dans le coin pour sentir que quelque chose ne tournait pas rond. S'il soupçonnait déjà que ma magie allait bien au-delà que je ne voulais l'avouer, il serait impossible de dissimuler mes secrets à n'importe quelle sorcière qui nous rendrait bientôt visite.

4

L'École de la Nuit s'était empressée d'aider Matthew à trouver la créature. Leurs suggestions illustraient un mépris général pour les femmes, les sorcières et quiconque n'avait pas étudié. Henry estimait que Londres aurait pu fournir le terrain le plus fructueux pour les recherches, mais Walter assurait qu'il serait impossible de me dissimuler de voisins soupçonneux dans cette cité surpeuplée. George se demandait si les savants d'Oxford auraient pu être convaincus d'apporter leur expertise, puisque eux au moins avaient un véritable crédit intellectuel. Tom et Matthew formulèrent une critique brutale des forces et des faiblesses des philosophes naturels présents, et l'idée fut également écartée. Kit, ne pensant pas qu'il était prudent de confier cette tâche à aucune femme, dressa une liste de gentilshommes des environs disposés à me concocter une formation. Elle comprenait le recteur de St. Mary, qui était conscient des signes apocalyptiques dans les cieux, un propriétaire voisin nommé Smythson, qui pratiquait l'alchimie en amateur et cherchait depuis longtemps une sorcière ou un démon pour l'assister, et un étudiant du Christ Church College qui payait ses factures de livres en retard en dressant des horoscopes.

Matthew s'opposa à toutes ces suggestions et fit appel à la veuve Beaton, mège et sage-femme de Woodstock. Elle était pauvre, c'était une femme – en tout point le genre de créature que méprisait l'École de la Nuit –, mais, d'après Matthew, c'était ce qui assurerait d'autant mieux sa coopération. Par ailleurs, la veuve Beaton était la seule créature à des lieues à la ronde que l'on m'avait présentée comme douée de dons de magie. Toutes les autres avaient fui depuis longtemps, avoua-t-il, plutôt que de vivre auprès d'un *wearh*.

— Faire appel à la veuve Beaton pourrait ne pas être une bonne idée, dis-je plus tard alors que nous allions nous coucher.

— Tu me l'as déjà dit, répliqua Matthew sans dissimuler son impatience. Mais si elle ne peut nous aider, elle pourra nous recommander quelqu'un qui le peut.

— La fin du XVIᵉ siècle n'est vraiment pas la meilleure époque pour lancer une offre d'emploi pour une sorcière, Matthew.

J'avais à peine pu mentionner les perspectives de chasse aux sorcières en présence de l'École de la Nuit, mais Matthew connaissait les horreurs qui allaient survenir. Une fois de plus, il balaya mes inquiétudes.

— Le procès des sorcières de Chelmsford n'est plus qu'un souvenir, et c'est dans seulement vingt ans que la traque commencera dans le Lancashire. Je ne t'aurais pas amenée ici si une chasse aux sorcières était sur le point de se déclencher en Angleterre, dit-il en feuilletant les dernières lettres que Pierre avait déposées sur la table.

— Avec un raisonnement comme le tien, c'est une bonne chose que tu sois un scientifique et non un historien, dis-je sans ambages. Chelmsford et le Lancashire n'étaient que les exemples les plus extrêmes d'un phénomène plus largement répandu.

— Tu penses que les historiens peuvent mieux comprendre l'essence du moment présent que les hommes qui le vivent ? demanda Matthew, sceptique.

— Oui, m'indignai-je. C'est souvent le cas.

— Ce n'est pas ce que tu as dit ce matin lorsque tu n'arrivais pas à comprendre pourquoi il n'y avait pas de fourchettes dans la maison, observa-t-il.

Il est vrai que j'avais remué ciel et terre pendant vingt minutes avant que Pierre me glisse gentiment que ces couverts n'étaient pas encore répandus en Angleterre.

— Tu n'es tout de même pas de ces gens qui croient que les historiens ne font rien d'autre que mémoriser des dates et apprendre des détails obscurs, dis-je. Mon travail est de comprendre pourquoi certaines choses sont arrivées dans le passé. Quand quelque chose se passe sous ton nez, tu as du mal à en voir les raisons, mais le recul fournit une meilleure perspective.

— Alors détends-toi, car je possède à la fois l'expérience et le recul, dit Matthew. Je comprends tes réserves, Diana, mais faire appel à la veuve Beaton est la bonne décision.

Chapitre clos, c'était ce que sous-entendait le ton.

— Dans les années 1590, il y a des pénuries alimentaires et les gens s'inquiètent de l'avenir, énumérai-je. Cela veut dire que des gens cherchent des boucs émissaires que l'on tiendra pour responsables des difficultés. On accuse déjà des sages-femmes et des mèges de sorcellerie, même si tes amis n'en ont pas conscience.

— Je suis l'homme le plus puissant de Woodstock, dit Matthew en me prenant par les épaules. Personne ne t'accusera de rien.

Je fus stupéfaite de cet emportement.

— Je suis une étrangère et la veuve Beaton ne me doit rien. Si j'attire la curiosité, que je menace sérieusement sa sécurité…, rétorquai-je. À tout le moins, il faut que je puisse passer pour une femme de la haute société élisabéthaine avant que nous lui demandions son aide. Donne-moi encore quelques semaines.

— Cela ne peut attendre, Diana, répondit-il avec brusquerie.

— Je ne te demande pas d'avoir la patience de me laisser apprendre comment broder des modèles de tapisserie et faire des confitures. Il y a une bonne raison à cela, dis-je avec aigreur. Appelle ta sage-femme et mège. Mais ne sois pas surpris si cela tourne mal.

— Fais-moi confiance.

Il baissa ses lèvres vers les miennes. Il avait les yeux brumeux et l'instinct à chasser la proie et la contraindre à la soumission était en éveil. Non seulement le mari du XVIᵉ siècle voulait affirmer sa supériorité sur son épouse, mais le vampire voulait capturer sa sorcière.

— Je ne trouve pas les disputes excitantes le moins du monde, dis-je en me détournant.

Ce n'était pas le cas de Matthew, en revanche. Je reculai légèrement.

— Ce n'est pas moi qui dispute, dit-il doucement, la bouche à mon oreille. C'est toi. Et si tu crois que je porterais la main sur toi par colère, mon épouse, tu te trompes beaucoup. (Et après m'avoir clouée au pilier du baldaquin d'un regard glacé, il saisit ses hauts-de-chausse.) Je descends. Il y aura encore quelqu'un qui veille et me tiendra compagnie. (Puis, arrivé à la porte, il se retourna.) Et si tu veux vraiment te comporter en femme élisabéthaine, cesse de me remettre en question.

Le lendemain, un vampire, deux démons et trois humains examinaient mon apparence en silence depuis l'autre bout d'une vaste pièce.

Les cloches de l'église St. Mary sonnèrent l'heure et un faible écho de la mélodie résonna encore longtemps après la fin du carillon. Coing, romarin et lavande parfumaient l'air. J'étais assise sur une inconfortable chaise en bois, engoncée dans un ensemble de jupes, jupons et corset fermement lacé. Ma vie du XXIe siècle, tout entière tournée vers ma carrière professionnelle, s'éloignait à chaque difficile respiration. Je contemplai le jour maussade et la pluie qui cinglait les vitraux.

— *Elle est là**, annonça Pierre en jetant un regard dans ma direction. La sorcière qui vient voir *madame** est arrivée.

— Enfin, dit Matthew.

Les lignes sévères de son pourpoint lui faisaient les épaules encore plus larges, tandis que les glands et feuilles de chêne brodées en noir sur les bords de son col blanc accentuaient la pâleur de son teint. Il inclina la tête pour voir sous un autre angle si je pouvais passer pour une respectable épouse élisabéthaine.

— Alors ? demanda-t-il. Cela conviendra ?

— Oui, dit George en baissant ses bésicles. L'ocre brun de cette robe lui sied mieux que l'autre et rehausse agréablement ses cheveux.

— Mistress Roydon a le physique du rôle, George, c'est exact. Mais nous ne pouvons expliquer son étrange manière de s'exprimer en disant simplement qu'elle vient de la campagne, dit Henry de sa voix de basse monocorde. (Il s'avança pour rajuster les plis de ma jupe.) Et sa taille. C'est impossible à déguiser. Elle est encore plus grande que la reine.

— Es-tu sûr que nous ne pouvons la faire passer pour française ou hollandaise, Walter ? demanda Tom en portant à son nez une orange piquée de clous de girofle. Peut-être que mistress Roydon pourrait s'en sortir à Londres, après tout. Les démons ne manqueraient pas de la remarquer, certes, mais les hommes ordinaires n'y regarderaient pas à deux fois.

Walter déplia en ricanant sa haute silhouette de l'escabeau où il était assis.

— Mistress Roydon est joliment tournée ainsi que d'une taille peu commune. Des hommes ordinaires entre treize et soixante ans trouveront des raisons de la détailler. Non, Tom, elle est mieux ici avec la veuve Beaton.

— Peut-être pourrais-je retrouver la veuve Beaton plus tard, seule, dans le village ? proposai-je, espérant que l'un d'eux réfléchirait et convaincrait Matthew de me laisser procéder ainsi.

— Non ! s'écrièrent six voix d'hommes horrifiés.

Françoise apparut avec deux pièces d'étoffe et de dentelle amidonnées, la poitrine gonflée, comme une poule indignée devant un coq arrogant. Elle était aussi agacée que moi par les interventions de Matthew.

— Diana n'ira pas à la cour. Ces dentelles sont inutiles, dit Matthew avec un geste impatient. D'ailleurs, ce sont les cheveux le problème.

— Vous n'avez aucune idée de ce qui est nécessaire, répliqua Françoise. (Bien qu'elle fût une vampiresse et moi une sorcière, nous avions trouvé un terrain
d'entente inattendu, la sottise masculine.) Lequel
Mme de Clermont préfère-t-elle ?

Elle me tendit un nid de tulle plissé et quelque chose
qui ressemblait à des flocons de neige reliés par des
points invisibles. Je désignai ces derniers, qui me
paraissaient plus confortables. Pendant que Françoise
fixait le col en haut de mon corset, Matthew tendit le
bras pour tenter d'arranger mes cheveux. Françoise lui
donna une tape sur la main.

— On ne touche pas.

— Je touche mon épouse quand il me plaît. Et
cessez d'appeler Diana « Mme de Clermont », grom-
mela-t-il. À chaque fois, je m'attends à voir apparaître
ma mère.

Il écarta les bords du col, enlevant les épingles qui
auraient maintenu serrés les flocons autour de mon
cou.

— *Madame** est une femme mariée. Sa poitrine
doit être couverte. Il s'en raconte déjà bien assez sur la
nouvelle maîtresse, protesta Françoise.

— Et quel genre de choses raconte-t-on ? demandai-je
en fronçant les sourcils.

— Comme vous n'étiez pas à l'église hier, on dit
que vous êtes grosse d'enfant ou affligée de petite
vérole. Ce prêtre hérétique croit que vous êtes catholique. D'autres vous disent espagnole.

— Espagnole ?

— *Oui, madame**. Quelqu'un vous a entendue dans
les écuries hier après-midi.

— Mais je répétais mon français !

J'étais douée pour l'imitation et je pensais que reproduire l'accent impérieux d'Ysabeau apporterait un peu de crédit à l'histoire que nous avions échafaudée.

— Le fils du palefrenier ne l'a pas reconnu comme tel. (L'intonation de Françoise laissait entendre que le jeune garçon n'y connaissait rien. Elle m'examinait d'un air satisfait.) Voilà, vous avez l'air d'une respectable épouse.

— *Fallaces sunt rerum species*, dit Kit, d'un ton un rien acerbe qui fit grimacer Matthew. *Les apparences sont trompeuses.* Personne ne sera convaincu par son personnage.

— Il est trop tôt pour citer Sénèque, dit Walter à Marlowe avec un regard noir.

— Il n'est jamais trop tôt pour le stoïcisme, répliqua doctement Kit. Tu devrais me remercier de ne pas citer Homère. Tout ce que nous avons entendu dernièrement, ce sont des paraphrases stupides de l'*Iliade*. Laisse le grec à quelqu'un qui le comprend, George. Quelqu'un comme Matt.

— Ma traduction de l'œuvre d'Homère n'est pas terminée ! rétorqua George, indigné.

Sa réponse déclencha un flot de citations latines de Walter. L'une d'elles fit glousser Matthew, qui répondit quelque chose qui me parut du grec. La sorcière qui attendait en bas totalement oubliée, les hommes se lancèrent avec enthousiasme dans leur passe-temps préféré : la joute oratoire. Je me laissai tomber dans un fauteuil.

— Quand ils sont de belle humeur comme cela, ils sont merveilleux, chuchota Henry. Ce sont les esprits les plus brillants du royaume, mistress Roydon.

Raleigh et Marlowe défendaient maintenant à grands cris les respectifs mérites – ou leur absence – de la politique de colonisation et d'exploration de Sa Majesté.

— Mieux vaudrait jeter de pleines poignées d'or dans la Tamise que les donner à un aventurier comme toi, Walter, gloussa Kit.

— Aventurier ! Tu es incapable de sortir de chez toi en plein jour tant tu redoutes tes créanciers ! trembla Raleigh. Quel sot tu fais, Kit.

Matthew suivait l'échange avec un amusement croissant.

— Avec qui as-tu des ennuis, maintenant ? demanda-t-il à Marlowe en prenant un gobelet de vin. Et combien cela va-t-il coûter pour te sortir de ce pétrin ?

— Mon tailleur, dit Kit en balayant de la main son coûteux habit. L'imprimeur de *Tamerlan*. (Il hésita, le temps de classer les sommes par ordre de priorité.) Hopkins, ce gredin qui se dit mon propriétaire. Mais j'ai ceci.

Il leva la minuscule figurine de Diane qu'il avait gagnée contre Matthew en jouant aux échecs le dimanche soir. Encore inquiète de voir la figurine m'échapper, je me penchai en avant.

— Tu ne peux être à ce point à court d'argent que tu ailles mettre en gage une vétille pour quelques liards. (Matthew me jeta un bref regard et d'un petit geste, me fit signe de me calmer.) Je m'en occuperai.

Marlowe se leva d'un bond et empocha la déesse en argent avec un sourire.

— On peut toujours compter sur toi, Matt. Je te rembourserai, bien sûr.

— Bien sûr, murmurèrent Matthew, Walter et George d'un air dubitatif.

— Garde assez d'argent pour t'acheter une barbe, tout de même, dit Kit en caressant la sienne avec satisfaction. Tu es affreux ainsi.

— Acheter une barbe ?

Je ne pouvais pas avoir correctement entendu. Marlowe devait user d'une expression d'argot, même si Matthew lui avait demandé d'arrêter à cause de moi.

— Il y a à Oxford un barbier qui est un magicien. Les poils de votre époux poussent lentement, comme chez tous ceux de son espèce, et il est rasé de près. (Comme j'avais toujours l'air interdit, Kit continua avec une patience exagérée.) Matt se fera remarquer, avec son allure. Il lui faut une barbe. Apparemment, puisque vous n'êtes pas assez sorcière pour lui en fournir une, ce sera au barbier de le faire.

Mon regard glissa sur le pichet vide sur la table en orme. Françoise l'avait rempli de branches de chêne vert, d'épines d'Espagne avec leurs fruits bruns en forme de bouton d'églantine et de quelques roses blanches pour apporter un peu de couleur et parfumer la pièce. Quelques heures plus tôt, j'avais passé les doigts entre les rameaux pour mettre en avant les roses et les épines d'Espagne, tout en songeant au jardin. J'étais ravie du résultat, puis, quelques secondes plus tard, fleurs et fruits s'étaient fanés sous mes yeux. Le dessèchement s'était propagé depuis mes doigts dans toutes les directions et mes mains me démangeaient, parcourues par un flot d'informations provenant des plantes : la sensation du soleil, la pluie qui apaise la soif, la force des racines qui résistaient au vent, le goût de la terre.

Matthew avait raison. Maintenant que nous étions en 1590, ma magie changeait. Les jaillissements d'eau, de feu et de vent sorciers que j'avais connus après ma rencontre avec Matthew avaient disparu. Au lieu de cela, je voyais les fils éclatants du temps et les auras colorées nimbant toutes les créatures vivantes. Un cerf blanc me regardait depuis l'ombre des chênes chaque fois que je me promenais dans le jardin. Et à présent, les choses se fanaient à mon contact.

— La veuve Beaton attend, nous rappela Walter en poussant Tom vers la porte.

— Et si elle entend mes pensées ? m'inquiétai-je en descendant le large escalier.

— Je redoute davantage ce que vous pourriez dire à haute voix. Ne faites rien qui puisse susciter sa jalousie ou son animosité, me conseilla Walter qui me suivait, accompagné du reste de l'École de la Nuit. Dans le pire des cas, mentez. C'est ce que Matthew et moi faisons tout le temps.

— Une sorcière ne peut pas mentir à une autre.

— Cela va mal finir, marmonna Kit. Je serais prêt à le parier.

— Assez ! dit Matthew en faisant volte-face et en l'empoignant au collet.

Les deux mastiffs anglais flairèrent les chevilles de Kit en grondant. Ils étaient fidèles à Matthew et n'appréciaient guère Kit.

— Je disais simplement…, commença Kit en tentant de s'échapper.

Matthew ne le laissa pas finir et le plaqua contre le mur.

— Ce que tu disais n'a aucun intérêt et ce que tu penses était suffisamment clair.

— Lâche-le, dit Walter, une main sur l'épaule de Marlowe et l'autre sur celle de Matthew.

Le vampire ignora Raleigh et souleva son ami de quelques centimètres de plus. Avec son plumage rouge et noir, Kit avait l'air d'un oiseau exotique pris au piège dans les lambris sculptés. Matthew le maintint encore un peu pour que les choses soient bien claires.

— Viens, Diana. Tout va bien se passer, dit-il avec assurance, même si un fourmillement dans mes pouces me soufflait que Kit avait peut-être raison.

— Par les dents de Dieu, murmura Walter, incrédule, alors que nous entrions dans la grande salle. Est-ce la veuve Beaton ?

Au bout de la pièce, dans la pénombre, attendait la sorcière qui avait été choisie : frêle, voûtée et fort âgée. Alors que nous avancions, je vis mieux en détail sa robe brun foncé, ses mèches blanches éparses et sa peau tannée. L'un des yeux était voilé par une taie et l'autre brun moucheté. L'œil malade avait une inquiétante tendance à rouler dans son orbite, comme si un changement d'angle lui aurait permis de mieux voir. Au moment où je me disais qu'on n'aurait pu trouver pire, je repérai la verrue sur son nez.

La veuve Beaton glissa un regard dans ma direction et fit une révérence de mauvaise grâce. L'imperceptible fourmillement que je sentis sur ma peau m'indiqua que c'était bien une sorcière. Sans crier gare, mon troisième œil s'ouvrit pour chercher d'autres informations. Contrairement à la plupart des autres créatures, en revanche, la veuve Beaton n'émettait aucune lumière. Elle était grise, de bout en bout. Ce fut démoralisant de voir une sorcière qui se donnait tant de mal pour être invisible. Étais-je aussi pâle avant de toucher l'Ashmole 782 ? Mon troisième œil se referma.

— Merci d'être venue nous voir si vite, veuve Beaton, dit Matthew d'un ton qui sous-entendait qu'elle avait tout intérêt à apprécier qu'il la laisse pénétrer chez lui.

— Master Roydon.

La voix de la sorcière était comme un froissement de feuilles mortes sur une allée de graviers. Elle tourna son œil valide vers moi.

— Aide la veuve Beaton à s'asseoir, George. (Chapman se précipita pour obéir à Matthew tandis que nous restions à une distance prudente. La sorcière percluse de rhumatismes se laissa glisser en gémissant dans un fauteuil. Matthew attendit qu'elle ait terminé avant de poursuivre :) Venons-en directement à notre affaire. Cette femme est sous ma protection et elle a connu dernièrement quelques difficultés.

Matthew s'abstint de préciser que nous étions mariés.

— Vous êtes entouré d'amis influents et de fidèles serviteurs, master Roydon. Une pauvre femme ne peut guère être utile à un gentilhomme tel que vous.

La veuve Beaton tenta de dissimuler sa réprobation sous une note de courtoisie feinte, mais mon époux avait une excellente oreille. Il plissa les paupières.

— Ne jouez pas avec moi, dit-il sèchement. Vous ne voulez pas m'avoir comme ennemi, veuve Beaton. La femme semble être une sorcière et a besoin de votre aide.

— Une sorcière ? répéta la femme d'un air poliment dubitatif. Sa mère était-elle sorcière ou son père sorcier ?

— Tous deux sont morts quand elle était encore enfant. Nous ne sommes pas certains des pouvoirs qu'elle détient, admit Matthew dans une de ces demi-vérités vampiriques dont il avait le secret. (Il jeta une petite bourse sur ses genoux.) Je vous serais reconnaissant de l'examiner.

— Très bien.

La veuve Beaton tendit ses doigts crochus vers mon visage. Quand elle l'effleura, un courant d'énergie immanquable passa entre nous. La vieille femme sursauta.

— Alors ? demanda Matthew.

Elle laissa retomber ses mains sur ses genoux, s'empara de la bourse et pendant un bref instant, donna l'impression de vouloir la lui jeter au visage. Puis elle se ressaisit.

— C'est ce que je soupçonnais. Cette femme n'est point sorcière, master Roydon.

Elle avait parlé d'une voix égale, quoique un peu plus aiguë. La vague de mépris qui me souleva l'estomac me laissa un goût aigre dans la bouche.

— Si c'est ce que vous pensez, vous n'avez guère autant de pouvoir que l'imaginent les gens de Woodstock, rétorquai-je.

La veuve Beaton se redressa, indignée.

— Je suis une guérisseuse respectée qui connaît les herbes propres à protéger hommes et femmes des maladies. Master Roydon connaît mes dons.

— C'est le propre de toute sorcière. Mais notre race a aussi d'autres talents, dis-je prudemment.

Les doigts de Matthew me broyaient la main pour que je me taise.

— Je ne connais aucun de ces talents, se hâta-t-elle de répondre.

La vieille était aussi obstinée que ma tante Sarah et partageait son mépris pour les sorcières comme moi qui pouvaient invoquer les éléments sans avoir jamais studieusement appris les traditions du savoir sorcier. Sarah connaissait l'utilisation de toutes les herbes et plantes et se rappelait parfaitement des centaines de sortilèges, mais être une sorcière ne se limitait pas à cela. Et la veuve Beaton le savait, même si elle ne voulait pas l'avouer.

— Il y a certainement une manière de déterminer l'étendue des pouvoirs de cette femme par un simple contact. Quelqu'un qui possède vos dons doit savoir comment, la défia Matthew d'un ton un peu moqueur.

La veuve Beaton sembla hésiter en soupesant la bourse. Finalement, son poids la convainquit de relever le défi. Elle glissa son salaire dans une poche sous ses jupes.

— Il y a des épreuves permettant de déterminer si quelqu'un est une sorcière. Certains s'appuient sur la récitation d'une prière. Si une créature trébuche sur les mots, hésite ne serait-ce qu'un instant, alors, c'est le signe que le diable est proche, déclara-t-elle en prenant un ton mystérieux.

— Le diable ne rôde pas à Woodstock, veuve Beaton, dit Tom, du ton d'un père qui tente de convaincre un enfant qu'il n'y a pas de monstre sous son lit.

— Le diable est partout, messire. Ceux qui en croient autrement deviennent la proie de ses artifices.

— Ce sont des fables humaines destinées à effrayer les superstitieux et les faibles d'esprit, répliqua Tom avec mépris.

— Pas maintenant, Tom, murmura Walter.

— Il y a d'autres signes également, intervint George, ravi de faire part de ses connaissances. Le diable marque une sorcière comme sienne avec des balafres et des taches.

— En vérité, messire, dit la femme. Et les sages savent où les chercher.

Le sang reflua brusquement de mon visage et me laissa tout étourdie. Si on essayait cela avec moi, on trouverait ce genre de marques.

— Il doit y avoir d'autres méthodes, dit Henry, gêné.

— Oui, il y en a, monseigneur, dit la veuve Beaton en balayant la pièce de son œil laiteux. Allons là-bas, poursuivit-elle en désignant la table jonchée d'instruments scientifiques et de livres. (Elle glissa la main sous ses jupes et sortit une clochette en bronze cabossée qu'elle posa sur la table.) Qu'on m'apporte une bougie, je vous prie. (Henry s'empressa de la satisfaire et les hommes firent cercle autour d'elle, intrigués.) On dit que le véritable pouvoir d'une sorcière vient de ce qu'elle est une créature entre vie et mort, lumière et ténèbres. Au carrefour du monde, elle peut anéantir l'œuvre de la nature et dénouer les liens qui maintiennent l'ordre des choses. (Elle aligna l'un des livres entre la bougie dans son chandelier en argent et la clochette, puis elle baissa la voix.) Quand autrefois les voisins découvraient une sorcière, ils la chassaient de l'église en faisant sonner une cloche pour indiquer qu'elle était morte.

Elle souleva la clochette et la fit tinter d'un geste du poignet. Elle la lâcha et l'objet, restant suspendu au-dessus de la table, continua de sonner. Tom et Kit se penchèrent en avant, George étouffa un cri et Henry se signa. La veuve Beaton parut ravie de leur réaction et s'intéressa à une traduction anglaise d'un classique grec, *Les Éléments*, posé sur la table avec plusieurs instruments mathématiques provenant de l'abondante collection de Matthew.

— Puis le prêtre prenait un livre saint (une bible) et le fermait pour montrer que l'accès à Dieu était refusé à la sorcière. (Le livre se referma d'un coup sec. George et Tom firent un bond. Les membres de l'École de la Nuit étaient étonnamment impressionnables, pour des gens qui se disaient insensibles à la superstition.) Enfin, le prêtre mouchait un cierge pour signifier que la sorcière n'avait pas d'âme. (La veuve Beaton pinça la mèche entre ses doigts. La flamme s'éteignit et un mince ruban de fumée grise s'éleva dans l'air. Les hommes étaient fascinés. Même Matthew sembla troublé. Seuls résonnaient dans la pièce le crépitement du feu et le tintement métallique de la clochette.) Une véritable sorcière peut rallumer le feu, ouvrir les pages du livre et faire taire le carillon de la cloche. (La veuve Beaton marqua une pause théâtrale, puis elle roula son œil laiteux dans ma direction.) Pouvez-vous accomplir cela, ma fille ?

Quand les sorcières modernes atteignaient l'âge de treize ans, elles étaient présentées au coven local lors d'une cérémonie qui rappelait étrangement les épreuves de la vieille femme. Des cloches sonnaient sur l'autel des sorcières pour accueillir la jeune novice dans la communauté, sauf qu'elles étaient généralement en argent massif, polies et transmises de génération en génération. Au lieu d'une bible ou d'un livre de mathématiques, c'était le grimoire familial de la novice qui était apporté pour donner un poids historique à l'occasion. La seule fois où Sarah avait permis que celui des Bishop sorte de la maison, cela avait été à mon treizième anniversaire. Quant à la bougie, son emplacement et sa fonction étaient identiques. C'était pour cela que les jeunes sorciers et sorcières s'entraînaient à les allumer et à les éteindre dès leur plus jeune âge.

Ma présentation officielle au coven de Madison avait été un désastre auquel toute la famille avait assisté. Vingt ans plus tard, je faisais encore de temps à autre un cauchemar où la bougie refusait de s'allumer et le livre de s'ouvrir, et où la cloche sonnait pour toutes les sorcières sauf moi.

— Je ne sais pas trop, dis-je, hésitante.

— Essaie, m'encouragea Matthew d'une voix assurée. Tu as allumé des bougies il y a quelques jours.

C'était exact. J'avais finalement été capable d'allumer les lanternes d'Halloween qui bordaient l'allée de la maison des Bishop. Cependant, personne n'avait assisté à mes premières et maladroites tentatives. Aujourd'hui, les yeux de Kit et de Tom me tapotaient avec impatience. Je sentais à peine le frôlement du regard de la veuve Beaton, mais je n'étais que trop consciente de l'attention froide et familière de Matthew. En réaction, le sang se glaça dans mes veines, comme s'il refusait de produire le feu nécessaire pour ce petit tour de sorcellerie. Avec espoir, je me concentrai sur la mèche et murmurai le sortilège.

Il ne se passa rien.

— Détends-toi, murmura Matthew. Et le livre ? Ne devrais-tu pas commencer par là ?

Outre le fait que l'ordre correct des gestes était important en sorcellerie, je ne savais même pas comment m'y prendre pour *Les Éléments* d'Euclide. Devais-je penser à l'air prisonnier entre les fibres du papier ou invoquer un vent pour soulever sa couverture ? Je n'arrivais pas à réfléchir calmement avec ce carillon incessant.

— Pouvez-vous arrêter la cloche, s'il vous plaît ? implorai-je, angoissée.

La veuve Beaton claqua des doigts et la clochette retomba sur la table avec un dernier coup sonore qui fit vibrer ses flancs cabossés, puis elle se tut.

— C'est comme je vous le disais, master Roydon, triompha la veuve Beaton. Quelque magie que vous pensiez avoir vue, ce n'était qu'illusion. Cette femme n'a aucun pouvoir. Le village n'a rien à craindre d'elle.

— Peut-être que la sorcière essaie de te piéger, Matthew, intervint Kit. Je ne l'en croirais pas incapable. Ces créatures ne sont que duplicité.

D'autres sorcières avaient proclamé la même chose que la veuve Beaton, et avec autant de satisfaction. J'éprouvai un soudain besoin de prouver qu'elle avait tort et de clouer le petit bec prétentieux de Kit.

— Je ne peux pas allumer une bougie. Et personne n'a su m'enseigner comment ouvrir un livre ou faire taire une cloche. Mais si je suis sans pouvoir, comment expliquez-vous ceci ?

Une coupe de fruits était posée non loin. Des coings dorés, fraîchement cueillis dans le jardin, luisaient dans la lumière blafarde. J'en choisis un et le posai sur ma paume afin que chacun puisse le voir.

Ma peau me chatouilla alors que je me concentrais sur le fruit. Sa chair m'apparaissait clairement à travers la peau coriace du fruit, comme s'il avait été fait de verre. Je fermai lentement les paupières, pendant que mon troisième œil s'ouvrait et commençait à chercher des informations. La conscience se fit jour au centre de mon front, se répandit dans mon bras et dans mes doigts. Elle s'étendait comme les racines d'un arbre et ses filaments s'insinuaient dans le coing.

Un par un, je m'emparai des secrets du fruit. Un ver logé dans son cœur en rongeait la chair. Mon attention fut attirée par la force qui y était emprisonnée et une chaleur pétilla dans ma langue avec le goût du soleil. La peau entre mes sourcils palpita de délice tandis que je buvais la lumière de l'invisible soleil. *Toute cette force*, songeai-je. *La vie. La mort.* L'assistance disparaissait, insignifiante. La seule chose qui comptait à présent, c'était la possibilité infinie de connaissance posée dans ma main.

Le soleil réagit à quelque invitation muette et quitta le coing pour remonter dans mes doigts. Instinctivement, je tentai de résister et de la maintenir à sa place, dans le fruit, mais le coing vira au brun, se fripa et s'effondra sur lui-même.

La veuve Beaton étouffa un cri qui brisa ma concentration. Je sursautai et laissai tomber le fruit qui s'écrasa par terre et éclaboussa le parquet ciré. Quand je levai les yeux, Henry se signait de nouveau, manifestement bouleversé, à en juger par son regard fixe et le mouvement machinal de sa main. Tom et Walter fixaient mes doigts, où de minuscules filaments de soleil tentaient vainement de couler vers le coing. Matthew enserra ma main dans les siennes, dissimulant toute trace de ce pouvoir mal maîtrisé. Mes mains crépitaient encore et je tentai de les retirer pour ne pas le brûler. Il secoua la tête sans me lâcher et plongea son regard dans le mien comme pour me dire qu'il était assez fort pour absorber n'importe quelle magie lancée sur lui. Après une légère hésitation, je me détendis.

— C'est terminé. C'est tout, déclara-t-il d'un ton ferme.

— Je sens *le goût* du soleil, Matthew, dis-je, paniquée. Je *vois* le temps qui attend dans les coins.

— La femme a ensorcelé le *wearh*. C'est l'œuvre du diable, siffla la veuve Beaton en battant en retraite, tendant ses doigts croisés pour repousser le danger.

— Il n'y a nul diable à Woodstock, répéta Tom.

— Vous avez des livres remplis d'étranges sceaux et d'incantations magiques, continua la vieille femme en désignant *Les Éléments* d'Euclide.

C'était, me dis-je, une bonne chose qu'elle n'ait pas entendu Kit lire à haute voix des passages de son *Docteur Faust*.

— Il s'agit de mathématiques et non de magie, protesta Tom.

— Appelez cela comme il vous plaira, mais j'ai vu la vérité. Vous êtes tout comme eux, vous m'avez fait mander ici pour m'attirer dans vos projets ténébreux.

— Comme qui ? demanda vivement Matthew.

— Les savants de l'université. Ils ont fait fuir deux sorcières de Duns Tew avec leurs questions. Ils voulaient notre savoir, mais ils ont condamné les femmes qui le possédaient. Et un coven commençait à se former à Faringdon, mais les sorcières se sont dispersées quand elles ont attiré l'attention d'hommes tels que vous.

Un coven, c'était la sécurité, protection de la communauté. Sans coven, une sorcière était bien plus vulnérable à la jalousie et à la peur de ses voisins.

— Personne n'essaie de vous chasser de Woodstock, dis-je.

Je voulais seulement l'apaiser, mais un simple pas dans sa direction la fit reculer encore.

— Le mal est dans cette maison. Tout le monde au village le sait. Hier, le vicaire Danforth a prêché à la congrégation les dangers qu'il y avait à le laisser s'y enraciner.

— Je suis seule, je suis une sorcière comme vous et je n'ai pas de famille pour m'aider, dis-je, tentant d'en appeler à sa compassion. Prenez-moi en pitié avant que d'autres découvrent ce que je suis.

— Vous n'êtes pas comme moi et je ne veux pas d'ennuis. Personne ne me prendra en pitié quand le village réclamera du sang. Je n'ai pas de *wearh* pour me protéger et aucun seigneur ou gentilhomme de la cour ne viendra défendre mon honneur.

— Matthew... master Roydon... veillera à ce qu'il ne vous arrive rien de mal, dis-je en levant une main suppliante.

— On ne peut se fier aux *wearhs*, ricana la vieille femme. Que ferait le village en apprenant ce qu'est vraiment Matthew Roydon ?

— Cette affaire reste entre nous, veuve Beaton, l'avertis-je.

— D'où êtes-vous, ma fille, pour croire qu'une sorcière puisse en protéger une autre ? Nous vivons dans un monde dangereux. Aucun de nous n'est plus à l'abri. (La vieille femme posa un regard haineux sur Matthew.) Les sorcières meurent par milliers et les couards de la Congrégation ne font rien. Pourquoi cela, *wearh* ?

— Il suffit, dit Matthew, glacial. Françoise, veuillez raccompagner la veuve Beaton.

— Je m'en vais, et j'en suis bien contente, dit la vieille femme en se redressant comme elle put. Mais gravez mes paroles, Matthew Roydon. Toutes les créatures à une journée de voyage à la ronde savent ce que vous êtes – un fauve immonde qui se nourrit de sang. Quand on découvrira que vous abritez une sorcière douée de noirs pouvoirs, Dieu sera sans pitié pour ceux qui se sont tournés contre Lui.

— Au revoir, veuve Beaton.

Matthew lui tourna le dos, mais la veuve Beaton était bien décidée à avoir le dernier mot.

— Prenez soin de vous, ma sœur, me lança-t-elle avant de partir. Vous brillez bien trop pour cette époque.

Tous les yeux de l'assistance étaient rivés sur moi. Je me tortillai, gênée par toute cette attention.

— Expliquez-vous, dit sèchement Walter.

— Diana ne te doit aucune explication, répliqua aussitôt Matthew.

Walter leva la main pour imposer une trêve.

— Qu'est-ce qui s'est passé ? me demanda Matthew plus calmement.

Apparemment, à *lui*, j'en devais une.

— Exactement ce que je prévoyais : nous avons effrayé la veuve Beaton. À présent, elle s'efforcera de garder ses distances avec moi.

— Elle aurait dû se montrer docile. Je lui ai fait quantité de faveurs, murmura Matthew.

— Pourquoi ne lui as-tu pas dit qui j'étais pour toi ? demandai-je calmement.

— Probablement pour la même raison que tu ne m'as pas dit ce que tu pouvais faire subir à un fruit du jardin, répliqua-t-il en me prenant par le coude et en m'entraînant dehors. Je dois parler à mon épouse. Seul à seule.

— Alors me voici de nouveau ton épouse ! m'exclamai-je en me dégageant.

— Tu n'as jamais cessé de l'être. Mais tout le monde n'a pas besoin de connaître les détails de notre vie privée. Maintenant, qu'est-ce qui s'est passé là-dedans ? demanda-t-il en se plantant à côté d'un des buis taillés du jardin.

— Tu avais vu juste : ma magie change. (Je me détournai.) Quelque chose du même genre est arrivé aux fleurs dans notre chambre. Quand j'ai arrangé le bouquet, j'ai senti le goût de la terre et de l'air qui les font croître. Les fleurs sont mortes à mon contact. J'ai essayé de forcer le soleil à retourner dans le fruit, mais il a refusé de m'obéir.

— Le comportement de la veuve Beaton aurait dû déclencher le vent sorcier parce que tu te sentais prise au piège, ou le feu sorcier parce que tu étais en danger. Peut-être que le voyage dans le temps a endommagé ta magie, suggéra Matthew d'un air soucieux.

Je me mordis la lèvre.

— Je n'aurais jamais dû me fâcher et lui montrer ce dont je suis capable.

— Elle savait que tu étais puissante. L'odeur de sa peur a rempli la pièce, dit-il avec un regard grave. Peut-être était-il trop tôt pour te mettre en présence d'une inconnue.

Mais à présent, le mal était fait. Les membres de l'École de la Nuit apparurent aux fenêtres, pressant leurs pâles visages sur les vitres comme les étoiles d'une constellation sans nom.

— L'humidité va abîmer sa robe, Matthew, et c'est la seule qui lui aille, s'indigna George en passant la tête au-dehors, le petit museau de lutin de Tom sur son épaule.

— Je me suis immensément diverti, cria Kit en ouvrant une autre croisée si brusquement que les vitres tremblèrent. Cette vieille rosse est la sorcière idéale. Je mettrai la veuve Beaton dans l'une de mes pièces. Imaginais-tu ce qu'elle était capable de faire avec une vieille cloche ?

— Tes précédentes affaires avec les sorcières n'ont pas été oubliées, Matthew, dit Walter en sortant à son tour avec Henry. Elle parlera. Les femmes comme la veuve Beaton sont des commères.

— Si elle parle contre toi, Matt, devons-nous nous inquiéter ? s'enquit aimablement Henry.

— Nous sommes des créatures, Hal, dans un monde d'humains. Il y a toujours des raisons de s'inquiéter, dit Matthew d'un ton lugubre.

5

L'École de la Nuit pouvait débattre de philosophie, mais tous s'accordaient sur un point : nous avions toujours besoin de trouver une sorcière. Matthew envoya Kit et George mener les recherches à Oxford et se renseigner sur notre mystérieux manuscrit alchimique.

Après le souper du jeudi soir, nous prîmes place autour de la cheminée de la grande salle. Henry et Tom lurent et disputèrent d'astronomie et de mathématiques. Walter et Kit jouèrent aux dés à la longue table, échangeant leurs idées sur leurs derniers projets littéraires. Je lus à haute voix l'exemplaire de *La Reine des Fées* de Walter et cela me plut bien davantage que la plupart des œuvres élisabéthaines.

— Le début est trop abrupt, Kit. Tu effraieras tant le public qu'il quittera la salle avant la deuxième scène, protesta Walter. Il faut plus d'aventure.

Cela faisait des heures qu'ils disséquaient le *Docteur Faust*. Grâce à la veuve Beaton, la pièce avait un nouveau début.

— Tu n'es pas mon Faust, Walt, malgré toutes tes prétentions intellectuelles, dit vivement Kit. Vois ce qu'est devenue l'histoire d'Edmund une fois que tu t'en es mêlé. *La Reine des Fées* était un récit tout à fait agréable sur le roi Arthur. À présent, c'est un calamiteux mélange de Mallory et de Virgile, qui traîne interminablement. Et Gloriana, vraiment. La reine est presque aussi vieille que la veuve Beaton, et tout aussi grincheuse. Je serais bien étonné qu'Edmund l'achève, si tu ne cesses de lui dire quoi faire. Si tu veux être immortalisé sur les planches, adresse-toi à Will. Il peine toujours à trouver de nouvelles idées.

— Cela te convient-il, Matthew ? demanda George, qui nous informait des dernières nouvelles de ses recherches du manuscrit qui allait un jour être connu sous le nom d'Ashmole 782.

— Pardonne-moi, George, tu disais ?

Une lueur coupable parut dans les yeux gris distraits de Matthew. Je savais reconnaître quelqu'un qui pense à mille choses en même temps. Cela m'avait permis de supporter bien des réunions de professeurs à l'université. Il devait partager son esprit entre les conversations dans la pièce, ce qui avait cloché dans l'entrevue avec la veuve Beaton et le contenu des sacs de poste qui continuaient d'arriver.

— Aucun des marchands n'a entendu parler d'une œuvre alchimique rare circulant dans la ville. J'ai demandé à un ami de Christ Church qui n'en sait pas davantage. Dois-je continuer à me renseigner ?

Matthew ouvrit la bouche pour répondre, mais un grand bruit retentit dans l'entrée où la lourde porte venait de s'ouvrir. Matthew bondit sur ses pieds dans l'instant. Walter et Henry sursautèrent en portant la main à leurs dagues, qu'ils gardaient en permanence à la ceinture.

— Matthew ? brailla une voix inconnue dont le timbre me hérissa les poils sur les bras, trop claire et musicale pour être humaine. Es-tu là, l'ami ?

— Bien sûr qu'il est là, répondit une autre voix avec un accent gallois. Use de ton nez. Qui d'autre sent comme une échoppe un jour de livraison d'épices fraîches ?

Un instant plus tard, deux robustes silhouettes enveloppées de grossières capes brunes apparurent à l'autre bout de la pièce, où Kit et George étaient restés avec leurs dés et leurs livres. À mon époque, les équipes de rugby auraient recruté ces nouveaux arrivants. Ils avaient des bras énormes, des jambes musculeuses et de larges épaules. Alors qu'ils s'approchaient, la lueur des chandelles fit étinceler leurs yeux vifs et dansa sur leur peau. L'un était un géant blond un peu plus grand que Matthew ; l'autre un rouquin qui faisait une bonne tête de moins et un œil louche. Tous deux ne pouvaient avoir plus de trente ans. Le blond fut soulagé, mais il le cacha rapidement. Le roux était furieux, et peu lui importait que cela se voie.

— Te voici donc. Tu nous as causé une telle peur en disparaissant sans laisser de nouvelles, dit doucement le blond en s'arrêtant et en rengainant une longue épée extrêmement pointue.

Walter et Henry rengainèrent leurs dagues en reconnaissant les deux hommes.

— Gallowglass. Pourquoi es-tu venu ? demanda au guerrier blond Matthew, déconcerté.

— Nous te cherchons, évidemment. Hancock et moi étions avec toi samedi. (Ne recevant aucune réponse, Gallowglass plissa ses yeux bleu glacier. On aurait dit un Viking prêt à se jeter dans un carnage.) À Chester.

— Chester. (Matthew prit une expression horrifiée.) Chester !

— Oui, Chester, répéta Hancock, le rouquin. (Avec un regard noir, il ôta ses gants de cuir trempés et les jeta par terre devant le feu.) Ne te voyant pas nous retrouver dimanche comme convenu, nous nous sommes renseignés. L'aubergiste nous a dit que tu étais parti, ce qui nous a quelque peu surpris, et pas seulement parce que tu n'avais pas payé notre écot.

— Il a dit que tu étais en train de boire du vin auprès du feu quand tu as disparu soudainement, continua Gallowglass. La servante – la petite aux cheveux noirs qui te couvait des yeux – était dans tous ses états, disant que tu avais été enlevé par des fantômes.

Je fermai les yeux en comprenant brusquement. Le Matthew Roydon qui était dans le Chester du XVIe siècle s'était volatilisé parce qu'il avait été déplacé par le Matthew qui avait voyagé jusqu'ici depuis l'Oxfordshire moderne. Quand nous partirions, il était raisonnable de penser que le Matthew du XVIe siècle réapparaîtrait. Le temps ne pouvait autoriser la présence de deux Matthew au même endroit au même moment. Nous avions déjà modifié l'histoire, bien que pas intentionnellement.

— Comme c'était Halloween, veille de Toussaint, son histoire était crédible, concéda Hancock.

Il secoua l'eau des plis de sa cape et la jeta sur un fauteuil, faisant flotter dans l'air une odeur d'herbe printanière.

— Qui sont ces hommes, Matthew ? demandai-je en me rapprochant pour mieux les voir.

Matthew se tourna et me retint.

— Des amis, dit-il, mais son effort évident pour se ressaisir m'amena à me demander s'il disait la vérité.

— Eh bien, eh bien, en voici une qui n'est pas un fantôme.

Hancock jeta un regard par-dessus l'épaule de Matthew et je me sentis glacée. Évidemment que Hancock et Gallowglass étaient des vampires. Quelles autres créatures auraient pu être aussi immenses et patibulaires ?

— Et qui ne vient pas non plus de Chester, dit pensivement son compagnon. Présente-t-elle toujours cette *luur* ?

Le mot ne m'était peut-être pas familier, mais le sens était assez clair. Je chatoyais de nouveau. Cela m'arrivait parfois quand j'étais en colère, ou que je me concentrais sur un problème. C'était une autre manifestation courante du pouvoir d'une sorcière et les vampires pouvaient discerner sa pâle clarté grâce à leur vision d'une acuité surnaturelle. Préférant ne pas me faire remarquer, je me réfugiai dans l'ombre de Matthew.

— Cela ne va guère servir, ma dame. Nos oreilles sont aussi aiguisées que nos yeux. Votre sang de sorcière trille comme l'oiseau. (Hancock haussa ses sourcils broussailleux en regardant son compagnon avec une grimace.) Les ennuis voyagent toujours de concert avec les femmes.

— Et ils n'ont pas tort. Si j'avais le choix, je préférerais voyager avec une femme qu'avec toi. (Le guerrier blond s'adressa à Matthew :) La journée a été longue. Hancock a le cul en peine et il a faim. Si tu ne lui dis pas pourquoi il y a une sorcière dans ta demeure, et vite, je n'ai guère d'espoir pour sa sécurité.

— Cela doit avoir un rapport avec Berwick, déclara Hancock. Maudites sorcières. Toujours à causer des troubles.

— Berwick ?

Mon pouls s'accéléra. Je reconnaissais le nom. L'un des plus infâmes procès en sorcellerie des îles Britanniques y était associé. Je fouillai dans ma mémoire. Il avait certainement eu lieu avant ou après 1590, sinon Matthew n'aurait pas choisi cette date pour notre voyage dans le temps. Mais les paroles que prononça Hancock me firent oublier chronologie et histoire.

— Cela ou quelque affaire de la Congrégation que Matthew désire que nous réglions pour lui.

— La Congrégation ? (Marlowe plissa les paupières et toisa Matthew.) Est-ce vrai ?

— Bien sûr que ça l'est ! Comment imagines-tu qu'il t'épargne le gibet, jeune Marlowe ? (Hancock balaya la pièce du regard.) Se trouve-t-il ici à boire autre chose que du vin ? Je déteste tes prétentions françaises, Clermont. Que reproches-tu à l'ale ?

— Pas maintenant, Davy, murmura Gallowglass à son ami, sans quitter Matthew du regard.

Je le fixais moi aussi, horrifiée par ce qui se faisait jour en moi.

— Dis-moi que tu n'en es pas, murmurai-je. Jure-moi que tu ne m'as pas caché cela.

— Je ne peux pas te le dire, répondit Matthew sans émotion. Je t'ai promis des secrets, mais pas des mensonges, rappelle-toi.

J'eus la nausée. En 1590, Matthew était un membre de la Congrégation, et la Congrégation était notre ennemie.

— Et Berwick ? Tu me disais qu'il n'y avait aucun danger d'être prise dans une chasse aux sorcières.

— Rien de ce qui s'est passé à Berwick ne nous atteindra ici, m'assura Matthew.

— Qu'est-il arrivé à Berwick ? demanda Walter, mal à l'aise.

— Avant que nous quittions Chester, nous avons eu des nouvelles d'Écosse. Un grand rassemblement de sorcières se déroulait dans un village à l'est d'Édimbourg le soir d'Halloween, dit Hancock. Des créatures de Berwick ont déclaré avoir vu des jaillissements d'eau salée annonçant la venue d'une redoutable sorcière.

— Les autorités en ont arrêté des dizaines, continua Gallowglass sans quitter Matthew de son regard bleu polaire. La mège de la ville de Keith, la veuve Sampson, attend d'être interrogée par le roi dans les geôles du palais d'Holyrood. Qui sait combien la rejoindront avant que cette affaire soit réglée.

— Torturée par le roi, tu veux dire, murmura Hancock. On dit qu'on a mis à la femme une bride des sorcières afin de ne pouvoir prononcer de maléfices contre Sa Majesté, qu'on l'a enchaînée au mur et privée d'eau et de nourriture.

Je m'assis brusquement.

— Est-ce l'une des sorcières accusées, alors ? demanda Gallowglass à Matthew. Et j'aimerais bénéficier du même privilège qu'elle, si je puis : des secrets, mais pas de mensonges.

— Diana est mon épouse, Gallowglass, répondit Matthew après un long silence.

— Tu nous as abandonnés à Chester pour une *femme* ? s'horrifia Hancock. Mais nous avions du travail à faire !

— Tu as le don d'immanquablement tout comprendre de travers, Davy, dit Gallowglass avant de poser son regard sur moi. Ton *épouse* ? répéta-t-il lentement. Alors, ce n'est qu'un arrangement juridique pour faire plaisir aux humains et justifier sa présence ici ?

— Pas seulement mon épouse, avoua Matthew. C'est aussi ma compagne.

Les vampires s'unissaient pour la vie quand ils y étaient contraints par un mélange instinctif d'affection, d'affinité, de désir et d'alchimie. Le lien qui en découlait ne pouvait être rompu que par la mort. Les vampires pouvaient se marier maintes fois, mais la plupart ne s'unissaient qu'une seule.

Gallowglass poussa un juron qui fut presque couvert par le rire de son compagnon.

— Et Sa Sainteté qui disait que l'époque des miracles était révolue, gloussa Hancock. Matthew de Clermont a enfin trouvé sa compagne. Mais pas une humaine placide et ordinaire ou une *wearh* bien élevée qui sait quelle est sa place. Pas pour notre Matthew. Maintenant qu'il a décidé de jeter son dévolu sur une femme, il a fallu que ce soit une sorcière. Nous avons bien d'autres soucis que le bon peuple de Woodstock, alors.

— Qu'y a-t-il à Woodstock ? demandai-je à Matthew.

— Rien, répondit-il d'un ton dégagé.

Mais c'était le géant blond qui retenait mon attention.

— Une vieille rosse a été prise de démence au marché. C'est toi qu'elle en accuse.

Gallowglass me regarda de la tête aux pieds comme s'il tentait d'imaginer comment quelqu'un d'aussi insignifiant pouvait avoir provoqué un tel drame.

— La veuve Beaton, soufflai-je.

L'apparition de Françoise et de Charles mit un terme à la conversation. Françoise apportait du pain d'épice parfumé et du vin épicé pour les sangs-chauds. Kit (qui ne rechignait jamais à goûter le contenu de la cave de Matthew) et George (qui était un peu livide après les révélations de la soirée) se servirent. Tous deux avaient l'air d'un public de théâtre qui attend le début de l'acte suivant.

Charles, dont la tâche consistait à nourrir les vampires, portait trois grands verres et une délicate carafe à anses d'argent qui contenait un liquide rouge plus sombre et plus opaque qu'aucun vin. Hancock arrêta Charles qui rejoignait le maître de maison.

— J'ai plus besoin de boire que Matthew, dit-il en prenant un verre tandis que Charles s'indignait de l'affront. (Hancock flaira le contenu de la carafe avant de s'en emparer aussi.) Je n'ai pas eu de sang frais pendant trois jours. Tu as un goût étrange en matière de femmes, Clermont, mais personne ne peut trouver à redire à ton hospitalité.

Matthew fit signe à Charles d'aller vers Gallowglass. Les deux vampires burent avidement. Quand Gallowglass eut terminé, il s'essuya les lèvres d'un revers de main.

— Alors ? demanda-t-il. Tu es un taiseux, je sais, mais il me semble nécessaire que tu nous expliques comment tu t'es fourré dans tout cela.

— Ce serait mieux d'en discuter en privé, dit Walter en lorgnant George et les deux démons.

— Pourquoi cela, Raleigh ? demanda agressivement Hancock. Clermont a beaucoup dont il doit nous répondre. Tout comme la sorcière. Et elle ferait mieux de parler. Nous avons passé un prêtre en chemin, accompagné de deux gentilshommes bien ventrus. D'après ce que j'ai ouï dire, la compagne de Clermont aura trois jours…

— Au moins cinq, corrigea Gallowglass.

— Peut-être cinq, concéda Hancock en inclinant la tête vers son compagnon, avant d'être traduite en justice, deux jours pour trouver quoi dire aux magistrats et moins d'une demi-heure pour trouver un mensonge convaincant pour le bon père. Tu ferais bien de commencer par nous dire la vérité. (Tout le monde se tourna vers Matthew, qui resta coi.) L'horloge frappera le quart sous peu, lui rappela Hancock après un moment.

Je pris l'affaire en main.

— Matthew m'a protégée de mon propre peuple.

— Diana, gronda Matthew.

— *Matthew* s'est mêlé d'affaires de sorciers ? demanda Gallowglass en ouvrant de grands yeux.

— Oui. Et une fois le danger passé, nous nous sommes unis.

— Et tout cela a eu lieu entre midi et la tombée de la nuit samedi ? Il va falloir que vous trouviez mieux, ma tante.

— « Ma tante » ? (Je me tournai vers Matthew, sous le coup de la surprise. D'abord Berwick, puis la Congrégation, et maintenant, cela.) Ce… *berserk* est ton neveu ? Laisse-moi deviner. C'est le fils de Baldwin !

Gallowglass était presque aussi musculeux que le frère aux cheveux cuivrés de Matthew, et tout aussi obstiné. Il y avait d'autres Clermont aussi : Godfrey, Louisa et Hugh (qui ne m'avait été mentionné qu'en passant et de manière obscure). Gallowglass pouvait appartenir à n'importe lequel – ou à un autre membre de la famille compliquée de Matthew.

— Baldwin ? fit Gallowglass en frissonnant délicatement. Avant même que je devienne un *wearh*, je n'étais pas assez imprudent pour laisser ce monstre approcher mon cou. Hugh de Clermont était mon père. Sachez que mon peuple était des Úlfhéðnar, pas des *berserk*. Et je ne suis norse qu'en partie – la partie gentille, si vous voulez savoir. Le reste est écossais.

— Fichu caractère, que les Écossais, ajouta Hancock.

Gallowglass accueillit la remarque en portant la main à son oreille. Une boucle en or y scintillait, gravée d'un cercueil d'où s'échappait un homme et entourée d'une devise.

— Vous êtes des chevaliers.

Je cherchai la bague correspondante au doigt de Hancock. Il en portait une, au pouce, étrangement. J'avais enfin la preuve que Matthew était impliqué dans les affaires de l'ordre de Saint-Lazare aussi.

— Eh bien, fit paresseusement Gallowglass, cela a toujours été sujet de querelle. Nous ne sommes pas vraiment le genre chevaliers blancs, n'est-ce pas, Davy ?

— Non. Mais les Clermont ont les poches profondes. On dit que l'argent est difficile à refuser, observa Hancock, surtout quand on vous promet une longue vie afin d'en profiter.

— Et ce sont de féroces combattants aussi, ajouta Gallowglass en se frottant le nez, qui était aplati, comme s'il avait été cassé et n'avait jamais correctement guéri.

— Oh, oui. Ces félons m'ont tué avant que de me sauver. Et m'ont soigné mon mauvais œil, tant qu'ils y étaient, dit Hancock d'une voix enjouée en désignant sa paupière estropiée.

— Alors, vous êtes loyaux aux Clermont.

Je me sentis soudain soulagée. Je préférais avoir Gallowglass et Hancock comme alliés que comme ennemis, étant donné le désastre qui s'annonçait.

— Pas toujours, répondit Gallowglass d'un ton sombre.

— Pas à Baldwin. C'est un rusé bougre. Et quand Matthew se conduit comme un sot, nous ne faisons pas non plus attention à lui. Quelqu'un compte manger cela ou peut-on le jeter au feu ? demanda Hancock en reniflant le pain d'épice oublié sur la table. Entre l'odeur de Matthew et la cuisine de Charles, je me sens mal.

— Étant donné les visiteurs qui arrivent, nous serions mieux avisés de concevoir un plan que de parler d'histoire familiale, s'impatienta Walter.

— Seigneur, mais nous n'avons pas le temps de trouver un plan, s'amusa Hancock. Matthew et Sa Seigneurie devraient dire une prière plutôt. Ce sont des hommes de Dieu. Peut-être qu'Il écoute.

— Peut-être que la sorcière pourrait s'envoler ? murmura Gallowglass.

Il fit mine de se rendre quand Matthew le foudroya du regard.

— Oh, mais elle en est incapable. (Tous les yeux se tournèrent vers Marlowe.) Elle ne peut même pas faire pousser la barbe de Matthew.

— Tu t'es marié avec une sorcière, malgré l'interdiction de la Congrégation, et elle est *inutile* ? demanda Gallowglass, mi-indigné, mi-incrédule. Une épouse qui peut invoquer une tempête ou infliger à l'ennemi une horrible affection a certains avantages, je te l'accorde.

Mais à quoi bon une sorcière qui ne peut même pas jouer les barbiers pour son époux ?

— Seul Matthew aurait épousé une sorcière venue d'un endroit où il n'y a nulle sorcellerie, murmura Hancock à Walter.

— Taisez-vous, tous ! tonna Matthew. Je ne peux réfléchir dans ces bavardages insensés. Ce n'est pas la faute de Diana si la veuve Beaton est une vieille folle et une intrigante ou si elle ne peut pas faire de la magie sur commande. Mon épouse a été ensorcelée, et c'est tout. Si j'entends encore une personne ici me remettre en question ou critiquer Diana, je lui arrache le cœur et je le lui fais manger tant qu'il bat encore.

— Voilà bien notre seigneur et maître, dit Hancock avec un petit salut moqueur. L'espace d'un instant, j'ai eu peur que ce soit toi qu'on avait ensorcelé. Mais attends : si elle est victime d'un sortilège, quelle est la raison ? Est-elle dangereuse ? Folle ? Les deux ?

Troublée par l'apparition de ces neveux, ces prêtres agités et les troubles qui couvaient à Woodstock, je cherchai un siège derrière moi. Gênée par mes vêtements, je perdis l'équilibre et tombai à la renverse. Une main rude jaillit et m'empoigna par le coude avant de m'aider à m'asseoir avec une surprenante douceur.

— Tout va bien, ma tante, dit aimablement Gallowglass. Je ne sais ce qui ne va pas dans votre tête, mais Matthew va s'occuper de vous. Il a une tendresse dans le cœur pour les âmes perdues, béni soit-il.

— Je suis étourdie, pas dérangée, rétorquai-je.

Les yeux de Gallowglass étincelèrent tandis que ses lèvres approchaient mes oreilles.

— Votre élocution est assez déformée pour passer pour de la folie, et je doute que le prêtre se soucie de faire la part des choses. Étant donné que vous n'êtes ni de Chester ni d'aucun endroit que j'aie visité – et ils sont nombreux, ma tante – vous voudrez bien vous tenir, à moins de vouloir finir enfermée dans la crypte de l'église.

De longs doigts se refermèrent sur l'épaule de Gallowglass et l'écartèrent.

— Si tu en as terminé d'effrayer mon épouse – un exercice vain, je t'assure – tu pourrais me parler des hommes que vous avez vus, dit Matthew d'un ton glacial. Étaient-ils armés ?

— Non.

Après un long regard plein d'intérêt pour moi, Gallowglass se tourna vers son oncle.

— Et qui était avec l'homme d'Église ?

— Comment veux-tu que je le sache, Matthew ? C'étaient tous les trois des sangs-chauds, ne valant pas qu'on s'y intéresse davantage. L'un était gros et grisonnant, l'autre, de taille moyenne, se plaignait du temps, répondit Gallowglass avec impatience.

— Bidwell, dirent Matthew et Walter en chœur.

— C'est probablement Iffley qui l'accompagne, remarqua Walter. Tous les deux se plaignent constamment, que ce soit de l'état des routes, du bruit à l'auberge ou de la qualité de la bière.

— Qui est Iffley ? demandai-je.

— Un homme qui se pique d'être le meilleur gantier d'Angleterre. Somers travaille pour lui, répondit Walter.

— Maître Iffley taille les gants de la reine, en effet, reconnut George.

— Il lui a fait une unique paire de gants de chasse il y a vingt ans. Cela ne suffit guère pour faire de lui l'homme le plus important à quinze lieues à la ronde, si chèrement qu'il convoite cet honneur, ricana Matthew avec mépris. Pris séparément, aucun d'eux n'est malin. Ensemble, ce sont des sots. Si c'est tout ce que le village nous réserve, autant retourner à notre lecture.

— C'est tout ? demanda Walter d'une voix tendue. Nous nous asseyons en attendant leur arrivée ?

— Oui. Mais Diana ne quittera pas mon regard – ou le tien, Gallowglass, avertit Matthew.

— Tu n'as pas à me rappeler mes devoirs familiaux, mon oncle. Je m'assurerai que ta fougueuse épouse retrouve ta couche ce soir.

— Fougueuse, c'est ce que je suis ? Mon époux est membre de la Congrégation. Un groupe d'hommes galope vers nous pour m'accuser d'avoir nui à une déplaisante vieille. Je suis dans un endroit que je connais mal et je ne retrouve jamais le chemin de la chambre. Je n'ai toujours pas de souliers. Et je vis dans un dortoir rempli d'adolescents qui ne cessent de jacasser ! fulminai-je. Mais vous n'avez pas besoin de vous mettre en peine pour moi. Je peux me débrouiller toute seule !

— Vous débrouiller toute seule ! s'écria Gallowglass en éclatant de rire. Mais non, vous ne le pouvez. Et quand le combat sera terminé, nous devrons nous occuper de votre accent. Je n'ai pas compris la moitié de ce que vous venez de dire.

— Elle doit être irlandaise, dit Hancock avec un regard noir. Cela expliquerait l'ensorcellement et l'accent. Ils sont tous déments.

— Elle n'est pas irlandaise, contra Gallowglass. Et folle ou pas, je l'aurais comprise.

— Taisez-vous ! s'exclama Matthew.

— Les hommes du village sont au corps de garde, annonça Pierre dans le silence qui suivit.

— Allez les chercher, ordonna Matthew avant de se tourner vers moi. Laisse-moi leur parler. Ne réponds à leurs questions que si je te le dis. Bien, continua-t-il. Nous ne pouvons nous permettre que quoi que ce soit d'inhabituel survienne ce soir comme lors de la venue de la veuve Beaton. Es-tu toujours étourdie ? As-tu besoin de t'allonger ?

— Curieuse. Voilà ce que je suis, dis-je en serrant les poings. Ne te soucie pas de ma magie ou de ma santé. Inquiète-toi plutôt des heures que tu vas passer à répondre à mes questions une fois le prêtre parti. Et si tu essaies de te dérober en prétendant que ce n'est pas « à toi de le dire », je t'aplatis comme une crêpe.

— Tu es donc en parfaite santé, dit-il en me posant un baiser sur le front. Je t'aime, *ma lionne**.

— Tu peux réserver tes déclarations d'amour pour plus tard et laisser à ma tante le temps de se ressaisir, conseilla Gallowglass.

— Pourquoi tout le monde se croit-il obligé de me dire ce que je dois faire de mon épouse ? rétorqua Matthew, qui commençait visiblement à perdre son calme.

— Je ne saurais dire, répondit sereinement Gallowglass. Mais elle me rappelle un peu grand-mère. Nous passons notre temps à dire à Philippe comment agir avec elle. Si encore il écoutait.

Les hommes prirent place dans la pièce. Bien qu'apparemment au hasard, leurs positions formaient un entonnoir humain – plus large à l'entrée, plus étroit devant la cheminée où Matthew et moi étions assis. Comme George et Kit seraient les premiers à accueillir l'homme de Dieu et ses compagnons, Walter fit disparaître leurs dés et le manuscrit du *Docteur Faust* qu'il remplaça par un exemplaire des *Histoires* d'Hérodote. Certes, ce n'était pas une bible, mais Raleigh nous assura que cela donnerait tout le sérieux requis par la situation. Kit protestait encore de la substitution quand des pas et des voix se firent entendre.

Pierre fit entrer les trois hommes. L'un ressemblait tant au mince jeune homme qui avait pris mes mesures pour mes souliers que je devinai aussitôt qu'il s'agissait de Joseph Bidwell. Il sursauta en entendant la porte se refermer derrière lui et jeta un regard inquiet par-dessus son épaule. Quand ses yeux chassieux se retournèrent vers nous et qu'il vit l'assistance qui l'attendait, il sursauta de plus belle. Walter, qui occupait une position d'une importance stratégique au milieu de la pièce avec Hancock et Henry, ignora le cordonnier nerveux et jeta un regard dédaigneux au prêtre mal fagoté.

— Qu'est-ce qui vous amène ici par une pareille nuit, Mr. Danforth ? demanda Raleigh.

— Sir Walter, répondit Danforth en s'inclinant et en ôtant sa calotte qu'il tripota nerveusement. Monseigneur ! s'écria-t-il en apercevant le comte de Northumberland. J'ignorais que vous étiez encore parmi nous.

— Avez-vous besoin de quelque chose, pasteur ? demanda aimablement Matthew sans se lever, les jambes nonchalamment étendues.

— Ah ! Master Roydon. (Danforth s'inclina à nouveau, cette fois devant nous. Il me jeta un regard curieux avant que la crainte le gagne et qu'il baisse les yeux sur sa calotte.) Nous ne vous avons vu ni à l'église ni en ville. Bidwell pensait que vous étiez souffrant.

Bidwell se dandina, mal à l'aise. Ses bottes en cuir gargouillèrent et gémirent, et l'homme se joignit à ce chœur avec sa respiration sifflante et une quinte de toux. Son col plissé miteux tressautait à chaque souffle et une tache brune sous le menton indiquait qu'il avait mangé un plat en sauce.

— Oui, j'ai été malade à Chester, mais cela m'a passé, avec la grâce de Dieu et les bons soins de mon épouse, répondit Matthew en prenant affectueusement ma main. Mon médecin a estimé qu'il fallait me raser pour éviter que la fièvre m'accable plus longtemps, mais c'est l'insistance de Diana pour me faire prendre des bains froids qui m'a permis de me rétablir.

— Épouse ? dit faiblement Danforth. La veuve Beaton ne m'a pas dit…

— Je ne fais pas part de mes affaires privées avec de vieilles femmes ignorantes, répliqua sèchement Matthew. (Bidwell éternua. Matthew le dévisagea d'abord avec inquiétude, puis il prit soin de ne pas montrer qu'il venait brusquement de comprendre. J'apprenais beaucoup de choses sur mon époux, ce soir, notamment le fait qu'il pouvait être un étonnamment bon comédien.) Oh, mais bien sûr, vous êtes venu pour demander à Diana de soigner Bidwell. Les gens sont tellement bavards, regretta-t-il. Les nouvelles du savoir-faire de mon épouse se seraient-elles déjà répandues ?

À cette époque, les connaissances médicales frôlaient dangereusement les dons de sorcellerie. Matthew essayait-il de me causer des ennuis ? Bidwell voulut répondre, mais il ne parvint qu'à gargouiller en secouant la tête.

— Si vous n'êtes pas venus pour la médecine, alors c'est pour livrer les souliers de Diana, continua Matthew en me regardant affectueusement. Comme vous le savez, les affaires de mon épouse ont été perdues durant le voyage, Mr. Danforth. Je sais que vous êtes un homme occupé, Bidwell, fit-il, légèrement réprobateur. Mais j'espère que vous avez terminé au moins les socques. Diana est décidée à aller à l'église cette semaine et le chemin de la sacristie est souvent inondé. Il faudrait vraiment y remédier.

La poitrine d'Iffley s'était gonflée d'indignation depuis que Matthew avait commencé à parler. L'homme ne put se contenir davantage.

— Bidwell a apporté les souliers que vous avez payés, mais nous ne sommes pas là pour nous assurer les services de votre épouse ni nous occuper de socques et de flaques de boue ! (Il ramena les pans de sa cape comme on se drape dans sa dignité, mais la laine détrempée ne fit que lui donner l'air d'un rat noyé, avec son nez pointu et ses petits yeux.) Dites-lui, pasteur. (Le révérend Danforth avait l'air de quelqu'un qui aurait préféré rôtir en enfer plutôt que devoir affronter l'épouse de Matthew Roydon sous son toit.) Allons, dites-lui, le pressa Iffley.

— Des allégations ont été faites…

Ce fut tout ce que Danforth put dire avant que Walter, Henry et Hancock resserrent leurs rangs.

— Si vous êtes venu ici proférer des allégations, monsieur, vous pouvez les exposer à moi ou à Sa Seigneurie, dit vivement Walter.

— Ou à moi, ajouta George. Je suis fort versé en droit.

— Ah ! Euh, oui. Eh bien.

Le prêtre se mura dans le silence.

— La veuve Beaton est tombée malade. Tout comme le jeune Bidwell, dit Iffley, bien décidé à poursuivre malgré la faiblesse de Danforth.

— Je ne doute pas qu'il s'agisse de la même fièvre qui m'a affligé, ainsi que le père du jeune homme, dit mon époux en resserrant ses doigts sur ma main tandis que Gallowglass étouffait un juron derrière nous. De quoi exactement accusez-vous mon épouse, Iffley ?

— La veuve Beaton a refusé de se joindre à elle pour une affaire maléfique. Mistress Roydon a fait en sorte qu'elle ait rhumatismes et maux de tête.

— Mon fils est devenu sourd, se plaignit Bidwell d'une voix enrouée. Il entend comme des bruits de cloches. La veuve Beaton dit qu'il a été ensorcelé.

— Non, murmurai-je.

Je défaillis brusquement, et les mains de Gallowglass se posèrent aussitôt sur mes épaules pour me rattraper.

En entendant le mot *ensorcelé*, je me retrouvai au bord d'un abîme familier. Ma plus grande crainte avait toujours été que des humains découvrent que je descendais de Bridget Bishop. Dès lors commenceraient les regards curieux, puis les soupçons. La seule réaction possible était la fuite. J'essayai de dégager ma main de celle de Matthew, mais c'était comme s'il était fait de pierre, et Gallowglass me pesait toujours sur les épaules.

— La veuve Beaton souffre depuis toujours de rhumatismes et le fils de Bidwell a sans cesse des maux de gorge, lesquels causent souvent des douleurs et la surdité. Ces maux sont déjà survenus bien avant que mon épouse arrive à Woodstock, dit Matthew en balayant tout cela d'un geste nonchalant. La vieille femme envie les connaissances de Diana et le jeune homme a été saisi de sa beauté et jaloux que je sois son époux. Ce ne sont pas des allégations, mais de vaines imaginations.

— En tant qu'homme de Dieu, master Roydon, il est de mon devoir de les prendre au sérieux. Je me suis renseigné.

Le pasteur sortit de sous sa robe noire une liasse de papiers froissés. Ce n'étaient qu'une dizaine de pages grossièrement cousues d'une ficelle. Le temps et l'usage avaient ramolli et sali les fibres du papier. J'étais trop loin pour pouvoir lire le titre. Mais les trois vampires le virent, tout comme George, qui blêmit.

— C'est un extrait du *Malleus maleficarum*. J'ignorais que votre connaissance du latin était assez bonne pour que vous compreniez une œuvre aussi difficile, Mr. Danforth, dit Matthew.

C'était le manuel de chasse aux sorcières le plus connu jamais publié et son titre remplissait de terreur le cœur de toute sorcière. Le pasteur parut offensé.

— J'ai étudié à l'université, master Roydon.

— Je suis soulagé de l'entendre. Ce livre ne devrait pas être entre les mains des faibles d'esprit et des superstitieux.

— Vous le connaissez ? demanda Danforth.

— J'ai étudié à l'université moi aussi, répondit Matthew d'un ton doucereux.

— Alors vous comprendrez pourquoi je dois interroger cette femme.

Danforth tenta d'avancer dans la pièce. Un grondement sourd de Hancock l'arrêta.

— Mon épouse n'a aucune difficulté à entendre, pasteur. Vous n'avez pas besoin de vous approcher.

— Quand je vous disais que mistress Roydon avait des pouvoirs surnaturels ! triompha Iffley.

— Qui vous a enseigné ces choses, mistress Roydon ? demanda Danforth, la main crispée sur sa brochure. De qui avez-vous appris la sorcellerie ?

C'était ainsi que commençait la folie : avec des questions destinées à prendre au piège l'accusé pour l'amener à condamner d'autres créatures. Une par une, les sorcières étaient prises dans la toile des mensonges et anéanties. Des milliers des miens avaient été torturés et exécutés grâce à ce manège. Je m'apprêtai à nier.

— Non, murmura Matthew, glacial.

— D'étranges choses sont survenues à Woodstock. Un cerf blanc a croisé le chemin de la veuve Beaton, continua Danforth. Il s'est arrêté sur la route et l'a regardée fixement jusqu'à ce qu'elle en soit glacée. La nuit dernière, un loup gris a été aperçu devant sa maison. Ses yeux luisaient dans l'obscurité, d'un feu plus vif que les lampes que l'on accroche dehors pour aider les voyageurs à trouver refuge dans les tempêtes. Laquelle de ces créatures vous est familière ? Qui vous les a données ?

Cette fois, Matthew n'eut pas besoin de me dire de me taire. Les questions du prêtre suivaient une voie que je connaissais pour l'avoir étudiée à l'université.

— La sorcière doit répondre aux questions, pasteur Danforth, insista Iffley en tirant son compagnon par la manche. Une telle insolence de la part d'une créature des ténèbres ne doit pas être tolérée dans une pieuse communauté.

— Mon épouse ne parle à personne sans mon consentement, dit Matthew. Et prenez garde à qui vous appelez sorcière, Iffley.

Plus les villageois le défiaient, plus Matthew avait de mal à se contenir.

Le regard du pasteur passa sur nous. Je réprimai un gémissement.

— Le pacte qu'elle a passé avec le diable lui interdit de dire la vérité, dit Bidwell.

— Chut, Maître Bidwell, le réprimanda Danforth. Que désirez-vous dire, mon enfant ? Qui vous a fait connaître le diable ? Était-ce une autre femme ?

— Ou un homme, souffla Iffley. Mistress Roydon n'est pas la seule enfant des ténèbres qui se peut trouver ici. Il y a d'étranges livres et instruments et on tient ici réunion la nuit pour invoquer les esprits.

Harriot brandit son livre sous le nez de Danforth avec un ricanement méprisant.

— Des mathématiques, monsieur, pas de la magie. La veuve Beaton a vu un livre de géométrie.

— Ce n'est pas à vous de décider de l'étendue du mal qui règne ici, bafouilla Iffley.

— Si c'est le mal que vous cherchez, allez chez la veuve Beaton, s'emporta Matthew.

— L'accusez-vous de sorcellerie, alors ? demanda vivement Danforth.

— Non, Matthew, pas comme cela, chuchotai-je en pressant sa main pour attirer son attention.

Il se tourna vers moi. Son visage était transformé, avec ses pupilles dilatées et vitreuses. Je secouai la tête et il prit une profonde inspiration, pour essayer de calmer à la fois sa fureur devant cette intrusion chez lui et son féroce instinct de me protéger.

— Fermez vos oreilles à ses paroles, pasteur, dit Iffley. Roydon est peut-être lui aussi un instrument du diable.

Matthew regarda la délégation.

— Si vous avez des raisons d'accuser mon épouse de quelque crime, trouvez un magistrat pour le faire. Sinon, sortez. Et avant de revenir, Danforth, demandez-vous si vous acoquiner avec Bidwell et Iffley est une sage décision.

Le prêtre déglutit.

— Vous avez entendu, tonna Hancock, sa tignasse rousse hirsute comme s'il avait tiré dessus. Dehors !

— La justice sera rendue, master Roydon. La justice de Dieu, bégaya Danforth en sortant à reculons.

— Seulement si la mienne ne résout pas cette affaire avant, Danforth, promit Walter.

Pierre et Charles surgirent de la pénombre et ouvrirent les portes pour reconduire les sangs-chauds ahuris. Dehors, le vent soufflait. La violence de la tempête qui menaçait ne ferait que confirmer leurs soupçons sur mes pouvoirs surnaturels.

Dehors, dehors, dehors, répétait une voix insistante dans ma tête. Je me sentis envahie par la panique : une fois de plus, j'avais été réduite à l'état de proie. Gallowglass et Hancock se tournèrent vers moi, intrigués par l'odeur de peur qui s'échappait de tous mes pores.

— Restez où vous êtes, les avertit Matthew en s'accroupissant devant moi. L'instinct de Diana lui souffle de fuir. Elle sera remise dans un instant.

— Cela ne finira jamais. Nous sommes venus chercher de l'aide et même ici, on me traque.

— Il n'y a rien à craindre. Danforth et Iffley y réfléchiront à deux fois avant de poser d'autres problèmes, dit Matthew d'un ton ferme en me prenant la main. Personne ne me veut comme ennemi, ni les autres créatures ni les êtres humains.

— Je comprends pourquoi les créatures te craignent. Tu es membre de la Congrégation et tu as le pouvoir de les anéantir. Pas étonnant que la veuve Beaton soit venue quand tu l'as ordonné. Mais cela n'explique pas la réaction des humains devant toi. Danforth et Iffley doivent soupçonner que tu es un… *wearh*.

J'évitai le mot vampire de justesse.

— Oh, il n'a rien à craindre d'eux, dit nonchalamment Hancock. Ces hommes ne sont rien. Malheureusement, ils risquent de soumettre cette affaire à l'attention d'humains qui, eux, comptent.

— Ne l'écoute pas, me dit Matthew.

— Quels humains ? chuchotai-je.

— Par tout ce qui est sacré, Matthew, s'exclama Gallowglass. Je t'ai vu commettre des horreurs, mais comment as-tu pu aussi dissimuler cela à ton épouse ?

Matthew fixa le feu. Quand il se retourna enfin vers moi, son regard était teinté de regret.

— Matthew ? interrogeai-je.

Le nœud qui s'était formé au creux de mon estomac à l'arrivée du premier sac de poste s'était resserré.

— Ils ne s'imaginent pas que je suis un vampire. Ils savent que je suis un espion.

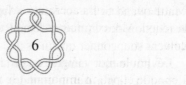

6

— Un espion ? répétai-je, tout étourdie.

— Nous préférons être appelés des informateurs, ironisa Kit.

— Ferme-la, Marlowe, gronda Hancock. Sinon, c'est moi qui vais te la fermer.

— Épargne-nous cela, Hancock. Personne ne te prend au sérieux quand tu bafouilles ainsi. (Marlowe haussa le menton.) Et si tu me manques de courtoisie, il en sera bientôt fini des rois et des soldats gallois sur la scène. Je ferai de vous tous des traîtres et des serviteurs simples d'esprit.

— Qu'est-ce qu'un vampire ? demanda George en prenant son carnet d'une main et un morceau de pain d'épice de l'autre.

Comme d'habitude, personne ne lui prêta attention.

— Alors vous êtes des sortes de James Bond élisa-béthains ?

Je regardai Marlowe, horrifiée. Il allait mourir d'un coup de poignard à Deptford avant d'avoir atteint trente ans et le crime serait attribué à ses activités d'espionnage.

— Le chapelier de Londres près de St. Dunstan's qui forme les revers comme personne ? Ce James

Bond ? gloussa George. Pourquoi donc le voyez-vous en chapelier, mistress Roydon ?

— Non, George, pas ce James Bond-là, répondit Matthew, toujours accroupi devant moi et guettant ma réaction. Mieux valait que tu ne sois pas au courant de cela.

— Foutaises. (J'ignorais si le mot était connu à l'époque et peu m'importait.) Je mérite la vérité.

— Peut-être, mistress Roydon, mais si vous l'aimez vraiment, il est inutile d'insister sur le sujet, dit Marlowe. Matthew ne peut plus distinguer le vrai du faux. C'est pour cela que Sa Majesté le trouve si précieux.

— Nous sommes ici pour te trouver un professeur, insista Matthew sans me quitter du regard. Le fait que je sois à la fois membre de la Congrégation et agent de la reine te protégera. Rien ne se passe dans ce pays sans que j'en sois informé.

— Pour quelqu'un qui prétend tout maîtriser, tu es béatement inconscient que je sais depuis des jours que quelque chose se trame dans cette maison. Il y a trop de courrier. Et Walter et toi ne cessez de vous quereller.

— Tu vois ce que je veux te laisser voir. Rien de plus.

Même si la tendance de Matthew à se montrer impérieux avait pris des proportions exceptionnelles depuis notre arrivée à Old Lodge, je restai bouche bée.

— Comment oses-tu ? dis-je lentement.

Matthew savait que j'avais passé toute ma vie entourée de secrets. Et que je l'avais payé cher, aussi. Je me levai.

— Assieds-toi, grinça-t-il. Je t'en prie.

Il me prit la main. Le meilleur ami de Matthew, Hamish Osborne, m'avait prévenue qu'il ne serait pas le même homme une fois ici. Comment aurait-il pu, alors que le monde était si différent ? Les femmes étaient censées accepter sans poser de question ce que leur disait un homme. Parmi ses amis, il était trop facile pour Matthew de revenir à ses anciennes habitudes et manières de penser.

— Seulement si tu réponds à mes questions. Je veux savoir le nom de la personne qui te donne tes ordres et comment tu t'es retrouvé mêlé à cela.

Je jetai un coup d'œil à son neveu et à ses amis, craignant que ce ne soient des secrets d'État.

— Ils sont déjà au courant pour Kit et moi, dit Matthew en suivant mon regard. Tout a commencé avec Francis Walsingham. J'avais quitté l'Angleterre à la fin du règne de Henry. J'ai passé un certain temps à Constantinople, je suis allé à Chypre, j'ai erré en Espagne, combattu à Lépante – et même mis sur pied une imprimerie à Anvers, expliqua-t-il. C'est l'itinéraire habituel d'un *wearh*. Nous recherchons la tragédie, l'occasion de nous glisser dans la vie d'un autre. Mais comme rien ne me convenait, je suis rentré chez moi. La France était au bord d'une guerre de Religion et d'un conflit civil. Quand tu as vécu aussi longtemps que moi, tu sais reconnaître les signes. Un professeur huguenot a été heureux de prendre mon argent et de partir à Genève où il pourrait élever ses filles à l'abri. J'ai pris l'identité de son cousin défunt depuis longtemps, emménagé dans sa maison à Paris, et recommencé ma vie sous le nom de Matthew de la Forêt.

— Matthew de la Forêt ? ironisai-je.

— C'était *réellement* le nom du professeur, dit-il. Paris était dangereux et Walsingham, l'ambassadeur anglais, attirait tous les rebelles désenchantés du pays.

À la fin de l'été 1572, toute la colère qui couvait en France a explosé. J'ai aidé Walsingham à s'enfuir avec les protestants anglais qu'il hébergeait.

— Le jour du massacre de la Saint-Barthélemy.

Je frissonnai en songeant aux noces sanglantes d'une princesse française catholique et de son époux protestant.

— Je suis devenu plus tard l'agent de la reine, quand elle a renvoyé Walsingham à Paris. Il était censé arranger le mariage de Sa Majesté avec l'un des princes de Valois, ricana Matthew. Il était clair que la reine n'avait aucun véritable intérêt pour cette union. C'est durant cette visite que j'ai appris l'existence du réseau d'espions de Walsingham.

Il croisa brièvement mon regard, puis se détourna. Il me dissimulait encore quelque chose. Je me remémorai son récit, y décelai des lignes de faille et les remontai jusqu'à une unique et inéluctable conclusion : Matthew était français, catholique, et ne pouvait donc avoir suivi les positions d'Élisabeth Tudor en 1572 – ni même en 1590. S'il travaillait pour la couronne d'Angleterre, c'était avec un objectif bien plus vaste. Mais la Congrégation prétendait se tenir à l'écart de la politique humaine.

Pas Philippe de Clermont et ses chevaliers de l'ordre de Saint-Lazare.

— Tu travailles pour ton père. Et tu n'es pas seulement un vampire, mais un catholique dans un pays protestant. (Le fait que Matthew travaille pour les chevaliers de l'ordre de Saint-Lazare et pas simplement Élisabeth augmentait le danger. Il n'y avait pas que les sorcières que l'on persécutait et massacrait dans l'Angleterre d'Élisabeth : il en était de même des traîtres, des créatures aux pouvoirs extraordinaires, et de ceux dont la religion était différente.) La Congrégation ne te sera d'aucune aide si tu te mêles de politique humaine. Comment ta propre famille a-t-elle pu te demander de faire quelque chose d'aussi risqué ?

— C'est pour cela qu'il y a toujours eu un Clermont dans la Congrégation, ricana Hancock. Pour faire en sorte que les idéaux grandioses ne fassent pas obstacle aux affaires.

— Ce n'est pas la première fois que je travaille pour Philippe, ni la dernière. Tu es douée pour découvrir les secrets. Je suis doué pour les garder, dit-il simplement.

Scientifique. Vampire. Soldat. Espion. Une nouvelle pièce du puzzle de Matthew se mettait en place et avec elle, je comprenais mieux sa manie de ne jamais rien partager – important ou mineur – à moins d'y être forcé. Mais ses paroles n'avaient fait que me fâcher plus encore.

— Peu m'importe l'expérience que tu as ! Ta sécurité dépend de Walsingham et tu es en train de le trahir.

— Walsingham est mort. Je tiens mes ordres de William Cecil, à présent.

— L'homme le plus rusé qui soit, dit Gallowglass. Après Philippe, évidemment.

— Et Kit ? Il travaille pour Cecil ou pour toi ?

— Ne lui dis rien, Matthew, coupa Kit. On ne peut faire confiance à la sorcière.

— Allons, malin petit démon, dit Hancock. C'est toi qui es allé soulever les villageois.

Le rouge qui monta aux joues de Kit fut un double aveu de culpabilité.

— Seigneur, Kit ! Qu'as-tu fait ? demanda Matthew, étonné.

— Rien, se renfrogna Marlowe.

— Tu es encore allé raconter des fables, le gronda Hancock en agitant le doigt. Je t'ai déjà dit que nous ne tolérerions pas cela, maître Marlowe.

— Je n'ai rien dit aux villageois qu'ils ne savaient déjà, se récria Kit. Tout Woodstock bruissait déjà de la nouvelle de l'arrivée de l'épouse de Matthew. Les rumeurs allaient nous attirer les foudres de la Congrégation. Comment pouvais-je savoir qu'elle était là ?

— Tu vas me laisser le tuer sur-le-champ, Clermont. Cela fait une éternité que j'en ai envie, dit Hancock en faisant craquer ses jointures.

— Non, tu ne peux pas le tuer. (Matthew se passa une main lasse sur le visage.) Cela soulèverait trop de questions et je n'ai pas la patience de trouver des réponses convaincantes pour l'instant. Ce ne sont que des rumeurs de village. Je m'en occuperai.

— Ces ragots arrivent à un mauvais moment, répondit Gallowglass. Il n'y a pas que Berwick. Tu sais combien les gens s'inquiétaient de la présence de sorcières à Chester. Quand nous sommes montés en Écosse, la situation était pire.

— Si cette affaire se répand dans le sud de l'Angleterre, elle causera notre mort, jura Marlowe en me désignant.

— Cette affaire restera confinée à l'Écosse, répliqua Matthew. Et tu ne feras plus de visites au village, Kit.

— Elle est apparue au soir d'Halloween, au moment même où était prédite l'arrivée d'une redoutable sorcière. Ne vois-tu pas ? C'est ta nouvelle épouse qui a déclenché les tempêtes contre le roi Jacques et maintenant elle s'en prend à l'Angleterre. Cecil doit être informé. Elle représente un danger pour la reine.

— Tais-toi, Kit, l'avertit Henry en le prenant par le bras.

— Tu ne me feras pas taire. Informer la reine est mon devoir. Autrefois, tu aurais été d'accord avec moi, Henry. Mais depuis qu'elle est arrivée, tout a changé ! Cette sorcière a ensorcelé tout le monde dans cette maison ! (Il jeta des regards affolés.) Tu la gâtes comme une petite sœur. George en est à moitié amoureux. Tom louange son esprit et Walter lui trousserait bien les jupes pour la coller contre un mur s'il ne craignait pas Matt. Nous devons la renvoyer là d'où elle vient. Nous étions heureux, avant.

— Matthew n'était pas heureux, dit Tom en s'avançant du fond de la pièce, attiré par les éclats de voix.

— Vous dites que vous l'aimez, continua Kit en se tournant vers moi, suppliant. Savez-vous vraiment ce qu'il est ? L'avez-vous vu se nourrir, connaissez-vous la faim qui monte en lui en présence d'un sang-chaud ? Pouvez-vous accepter entièrement Matthew – la noirceur de son âme comme sa lumière – autant que moi ? Vous avez votre magie comme consolation, mais ma vie n'est rien sans lui. Toute poésie fuit mon esprit quand il s'en va et seul Matthew peut voir le peu de bonté qu'il y a en moi. Laissez-le-moi. Je vous en prie.

— Je ne peux pas, répondis-je simplement.

Kit s'essuya les lèvres d'un revers de manche comme si ce geste pouvait enlever toute trace de ma personne.

— Quand le reste de la Congrégation découvrira vos affections pour lui…

— Si mon affection pour lui est interdite, la vôtre l'est tout autant, coupai-je. (Marlowe frémit.) Mais aucun de nous ne choisit qui il aime.

— Iffley et ses amis ne seront pas les derniers à vous accuser de sorcellerie, reprit Kit avec une aigreur triomphante. Notez bien ce que je dis, mistress Roydon. Les démons entrevoient souvent l'avenir aussi clairement que les sorcières.

La main de Matthew se posa sur ma taille. Le contact glacé et familier de ses doigts glissa d'un côté à l'autre en suivant la trace courbe qui me marquait comme la propriété d'un vampire. Elle lui rappelait cruellement qu'il avait échoué à me protéger par le passé. Kit émit un gargouillement horrifié devant ce geste intime.

— Si tu es si prescient, alors tu aurais dû voir ce que ta trahison signifierait pour moi, dit Matthew. Hors de ma vue, Kit, sinon, Dieu m'est témoin qu'il ne restera rien de toi à ensevelir.

— Tu me la préfères ? demanda Kit, abasourdi.

— Sans une hésitation. Dehors, répéta Matthew.

Kit sortit d'une démarche mesurée mais, une fois dans le couloir, ses pas s'accélérèrent et résonnèrent dans l'escalier, de plus en plus vite, alors qu'il rejoignait sa chambre.

— Nous allons devoir le surveiller, dit Gallowglass en se tournant vers Hancock. On ne peut plus se fier à lui, désormais.

— Jamais il n'a été fiable, cracha Hancock.

Pierre se glissa par la porte, l'air accablé, du courrier à la main.

— Pas maintenant, Pierre, gémit Matthew en s'asseyant et en prenant du vin, le visage défait. Il n'y a tout simplement plus la place aujourd'hui pour un drame de plus – que ce soit la reine, le pays ou les catholiques. Quoi que ce soit, cela attendra le matin.

— Mais *milord**, bégaya Pierre en tendant la lettre.

Matthew jeta un coup d'œil à l'écriture impérieuse qui en barrait le dessus.

— Par le Christ et tous les saints.

Il leva la main vers la lettre, puis il se figea. Sa gorge trembla tandis qu'il s'efforçait de se maîtriser. Une étincelle rouge apparut au coin de son œil, puis coula sur sa joue et éclaboussa les plis de son col. Une larme de vampire. Une larme de sang.

— Qu'est-ce, Matthew ? demandai-je en regardant par-dessus son épaule et en me demandant ce qui avait causé un tel chagrin.

— Ah ! La journée n'est pas encore finie, dit Hancock en reculant avec embarras. Une dernière petite affaire exige ton attention. Ton père te croit mort.

À mon époque, c'était le père de Matthew, Philippe, qui était mort – d'une mort horrible, tragique et irrévocable. Mais comme nous étions en 1590, il était en vie. Depuis notre arrivée, je m'étais inquiétée de croiser fortuitement Ysabeau ou l'assistante de laboratoire de Matthew, Miriam, et des conséquences qu'une telle rencontre pourrait avoir dans l'avenir. Mais pas une seule fois je n'avais songé à ce que cela ferait à Matthew de voir Philippe.

Passé, présent et avenir entraient en collision. Si j'avais jeté un coup d'œil dans les coins, j'aurais sûrement vu l'écheveau du temps se dévider pour protester devant ce choc. Mais j'avais les yeux fixés sur Matthew et la larme de sang prisonnière de l'étoffe neigeuse à son cou.

Gallowglass reprit brusquement son récit.

— Avec les nouvelles d'Écosse et ta subite disparition, nous avons craint que tu sois allé dans le nord voir

136

la reine et que tu te sois trouvé pris dans la folie qui règne là-bas. Nous avons cherché pendant trois jours. Comme nous ne trouvions pas la moindre trace de toi – fichtre, Matthew –, nous n'avons pas eu d'autre choix que de dire à Philippe que tu avais disparu. C'était cela ou alerter la Congrégation.

— Ce n'est pas tout, *milord**, dit Pierre en retournant la lettre.

Le sceau qu'elle portait ressemblait à ceux que je connaissais comme ceux des chevaliers de l'ordre de Saint-Lazare – sauf que la cire utilisée était un mélange tourbillonnant de rouge et de noir et qu'au lieu de la marque de l'ordre, c'était une antique pièce d'argent qui était enfoncée dans sa surface. La pièce portait un croissant et une croix, deux symboles familiaux des Clermont.

— Que lui as-tu dit ?

Matthew était hypnotisé par cette lune d'argent pâle flottant sur sa mer noire et rouge.

— Nos paroles sont de peu de conséquence maintenant que ceci est arrivé. Tu dois être sur le sol de France avant sept jours. Sans quoi, Philippe se mettra en route pour l'Angleterre, marmonna Hancock.

— Mon père ne peut pas venir ici, Hancock. C'est impossible.

— Bien sûr que c'est impossible. La reine exigerait sa tête après toutes ses machinations qui ont agité la politique anglaise. Tu dois aller le voir. Si tu voyages nuit et jour, il ne te faudra pas plus de cinq jours pour arriver à Sept-Tours, même avec le temps et les Espagnols qui rôdent en mer. Tu as tout le temps qu'il faut, lui assura Hancock.

— Je ne peux pas, dit Matthew, le regard fixé sur la lettre encore cachetée.

— Philippe aura préparé des chevaux. Tu seras rentré avant longtemps, murmura Gallowglass, une main sur l'épaule de son oncle.

— Ce n'est pas la distance, c'est…

Matthew n'acheva pas.

— C'est l'époux de ta mère, l'ami. Tu peux faire confiance à Philippe, tout de même – sauf si tu lui as menti à lui aussi, dit Hancock avec un regard aigu.

— Kit a raison. Personne ne peut me faire confiance. (Matthew se leva d'un bond.) Ma vie est un tissu de mensonges.

— Ce n'est ni le lieu ni le moment pour ces absurdités philosophiques, Matthew. En cet instant même, Philippe se demande s'il a perdu un autre fils, s'exclama Gallowglass. Laisse la fille avec nous, saute sur ton cheval et fais ce qu'ordonne ton père. Sinon, je t'assomme et Hancock t'emportera là-bas.

— Tu dois être bien sûr de toi, Gallowglass, pour me donner des ordres, grinça dangereusement Matthew, appuyé sur la cheminée, le regard plongé dans les flammes.

— Je suis sûr de mon grand-père. C'est Ysabeau qui a fait de toi un vampire, mais c'est le sang de Philippe qui court dans les veines de mon père.

Les paroles de Gallowglass blessèrent Matthew. Sous le coup, il redressa la tête dans un sursaut, son impassibilité habituelle vaincue par l'émotion.

— George, Tom, montez voir Kit à l'étage, murmura Walter en désignant la porte et en faisant signe à Pierre.

Le serviteur de Matthew entreprit de les faire sortir. Nous entendîmes réclamer du vin et à manger dans le vestibule. Une fois les deux hommes remis aux bons soins de Françoise, Pierre revint, ferma la porte et se plaça devant. Walter, Henry, Hancock et moi étant restés les seuls témoins de la conversation, Gallowglass continua.

— Tu dois aller à Sept-Tours. Il ne connaîtra pas de repos tant qu'il n'aura pas vu ton cadavre pour l'ensevelir ou que tu ne te tiendras pas bien vivant devant lui. Philippe ne fait pas confiance à Élisabeth – ni à la Congrégation. (Cette fois, Gallowglass cherchait à le réconforter, mais Matthew resta prostré. Gallowglass poussa un soupir exaspéré.) Trahis les autres – et toi-même, si tu y tiens. Discute d'autres solutions toute la nuit si tu le souhaites. Mais ma tante a raison : tout cela n'est que balivernes. (Il baissa la voix.) Ta Diana a une odeur étrange. Et la tienne semble plus vieille que la semaine dernière. Je sais quel secret vous dissimulez tous les deux. Et il devinera lui aussi.

Gallowglass savait que je voyageais dans le temps. Un regard à Hancock m'indiqua qu'il le savait aussi.

— Assez ! aboya Walter.

Gallowglass et Hancock se turent immédiatement. La raison étincelait au petit doigt de Walter : une bague ornée du cercueil de Lazare.

— Alors vous êtes un chevalier aussi, dis-je, stupéfaite.

— Oui, répondit laconiquement Walter.

— Et vous êtes le supérieur de Hancock. Et Gallowglass ?

Il y avait trop de liens d'allégeance et de loyauté qui se chevauchaient dans cette pièce et je désespérais de réussir à les démêler pour y comprendre quelque chose.

— À l'exception de votre époux, je suis le supérieur de tout le monde ici, madame, dit Raleigh. Vous y comprise.

— Vous n'avez aucune autorité sur moi, répliquai-je. Quel est exactement votre rôle dans les affaires de la famille Clermont, Walter ?

— Elle est toujours ainsi ? demanda Walter à Matthew avec un regard courroucé.

— En général, oui, ironisa Matthew. Il faut s'y habituer, mais cela me plaît assez. Cela pourrait te plaire aussi, avec le temps.

— J'ai déjà une femme exigeante dans ma vie. Je n'en ai pas besoin d'une autre, ricana Walter. Si vous voulez savoir, je commande la fraternité en Angleterre, mistress Roydon. Matthew ne le peut, étant donné sa position dans la Congrégation. Les autres membres de la famille ont d'autres occupations ou bien ont refusé.

Il jeta un bref regard à Gallowglass.

— Vous êtes donc l'un des huit provinciaux de l'ordre et Philippe est votre supérieur direct, dis-je pensivement. Je suis surprise que vous ne soyez pas le neuvième chevalier.

Le neuvième chevalier était un personnage mystérieux de l'ordre, dont l'identité était gardée secrète de tous sauf des plus hauts dignitaires.

Raleigh poussa un tel juron que Pierre en tressaillit.

— Tu dissimules à ton épouse le fait que tu es un espion et un membre de la Congrégation, mais tu lui fais part des questions les plus délicates de la fraternité ?

— Elle m'a demandé, dit simplement Matthew. Mais peut-être que nous avons assez parlé de l'ordre de Saint-Lazare pour la soirée.

— Ton épouse ne se satisfera pas d'en rester là. Elle continuera d'y penser comme le chien ronge son os. Très bien, dit Raleigh en croisant les bras et en se renfrognant. Puisque vous voulez savoir, c'est Henry le neuvième chevalier. Son refus d'embrasser la foi protestante le rend vulnérable aux allégations de trahison en Angleterre et en Europe, il est une cible facile pour tout mécontent qui voudrait voir Sa Majesté perdre son trône. Philippe lui a proposé ce poste pour le protéger de ceux qui chercheraient à abuser de sa nature confiante.

— Henry, un rebelle ? demandai-je en regardant l'aimable géant avec stupéfaction.

— Je ne suis pas un rebelle, répondit Henry d'un air pincé. Mais la protection de Philippe m'a sauvé la vie en maintes occasions.

— Le comte de Northumberland est un homme puissant, Diana, dit tranquillement Matthew, ce qui en fait une pièce importante de l'échiquier dans les mains d'un joueur sans scrupule.

— Pouvons-nous laisser là les questions de la fraternité et revenir à des affaires plus urgentes ? demanda Gallowglass. La Congrégation va appeler Matthew pour apaiser la situation à Berwick. La reine va vouloir qu'il l'envenime parce que, tant que les Écossais se soucieront des sorcières, ils ne pourront fomenter le moindre trouble en Angleterre. La nouvelle épouse de Matthew doit faire face à des accusations de sorcellerie chez elle. Et son père l'a rappelé en France.

— Tudieu, dit Matthew en se massant le front. Quel sac de nœuds.

— Et comment te proposes-tu de le démêler ? demanda Walter. Tu dis que Philippe ne peut pas venir ici, Gallowglass, mais je crains qu'il ne faille pas que Matthew parte là-bas.

— Nul n'a jamais dit qu'avoir trois maîtres et une épouse serait facile, dit aigrement Hancock.

— Alors, quel diable choisiras-tu ? demanda Gallowglass.

— Si Philippe ne reçoit pas la pièce incrustée dans le sceau de ma propre main, il va venir me chercher, dit Matthew d'une voix sans timbre. C'est une épreuve de loyauté. Mon père adore cela.

— Ton père ne doute pas de toi. Cette méprise sera dissipée quand vous vous verrez, affirma Henry. Tu me dis toujours qu'il faut avoir un plan, continua-t-il en voyant que Matthew ne répondait pas. Faute de quoi, on est embarqué dans ceux des autres. Dis-nous ce qui doit être fait et nous nous en occuperons.

Sans un mot, Matthew réfléchit aux possibilités qu'il abandonna l'une après l'autre. Il aurait fallu à n'importe qui d'autre des jours pour analyser cette stratégie. Mais il ne fallut que quelques minutes à Matthew. Son visage ne laissa rien paraître, mais ses épaules ramassées et la main qu'il passa négligemment dans ses cheveux en disaient long.

— J'irai seul, dit-il finalement. Diana restera ici avec Gallowglass et Hancock. Walter devra trouver une excuse pour arrêter la reine. Et je m'occuperai de la Congrégation.

— Diana ne peut rester à Woodstock, affirma Gallowglass. Pas après ce que Kit a mis en branle dans le village en répandant ses mensonges et en posant des questions sur elle. Sans ta présence, ni la reine ni la Congrégation n'auront de raison de protéger ton épouse des magistrats.

— Nous pouvons aller à Londres, Matthew. Ensemble. C'est une grande ville. Il y aura trop de sorcières pour qu'on me remarque – des sorcières qui n'ont pas peur de pouvoirs comme le mien – et des messagers pourront aller faire savoir en France que tu vas bien. Tu n'es pas obligé d'y aller.

Tu n'es pas obligé de revoir ton père.

— À Londres ! railla Hancock. Vous ne tiendriez pas trois jours là-bas, *madame**. Gallowglass et moi vous emmènerons en pays de Galles. Nous irons à Abergavenny.

— Non, dis-je, l'œil attiré par la tache pourpre sur le col de Matthew. Si Matthew va en France, je l'accompagnerai.

— Absolument pas. Je ne t'entraîne pas dans une guerre.

— La guerre s'est calmée à l'approche de l'hiver, dit Walter. Emmener Diana à Sept-Tours pourrait être la meilleure solution. Peu sont assez braves pour se dresser sur ton chemin, Matthew. Personne ne voudra fâcher ton père.

— Tu as le choix, dis-je d'un ton ferme.

Il n'était pas question que les amis et la famille de Matthew se servent de moi pour le forcer à aller en France.

— Oui. Et je te choisis, dit-il en caressant ma lèvre du pouce.

J'eus un pincement au cœur. Il comptait aller à Sept-Tours.

— Ne fais pas cela, l'implorai-je.

Je préférais ne rien dire de plus, ne voulant pas avouer devant les autres qu'à notre époque, Philippe était mort et que le revoir en vie serait une torture pour Matthew.

— Philippe m'a dit que ma destinée était de m'unir. Une fois que je t'ai trouvée, je ne pouvais rien faire d'autre qu'accepter la décision du Destin. Mais ce n'est pas ainsi que les choses se passent. Dans toute autre circonstance, pour le reste de ma vie, je te préférerai à mon père, à mes intérêts, et même à la famille de Clermont.

Il posa ses lèvres sur les miennes et réduisit mes protestations au silence. Je sentis toute la conviction de son baiser.

— C'est décidé, alors, dit Gallowglass à mi-voix.

— Oui, dit Matthew sans me quitter du regard. Diana et moi allons rentrer. Ensemble.

— Il y a du travail à faire, des choses à organiser, dit Walter. Laisse-le-nous. Ton épouse est épuisée et le voyage sera éprouvant. Vous devriez vous reposer l'un et l'autre.

Ni Matthew ni moi n'allâmes nous coucher avant que les hommes eussent quitté le salon.

— Notre séjour en 1590 ne se passe pas tout à fait comme je l'avais escompté, avoua Matthew. Cela devait être très simple.

— Comment voulais-tu que ce le soit, avec la Congrégation, les procès de Berwick, les espions d'Élisabeth et les chevaliers de l'ordre de Saint-Lazare qui requièrent tous ton attention ?

— Être membre de la Congrégation et servir comme espion devraient être des avantages, pas des inconvénients, dit Matthew, posté à la fenêtre. Je pensais que nous arriverions à Old Lodge, que nous utiliserions les services de la veuve Beaton, que nous trouverions le manuscrit à Oxford et que nous serions repartis au bout de quelques semaines.

Je me mordis la lèvre pour ne pas lui démontrer les défauts de sa stratégie – Walter, Henry et Gallowglass n'avaient cessé de le faire toute la soirée –, mais mon expression me trahit.

— J'ai agi à courte vue, soupira-t-il. Et ce n'est pas seulement affirmer ta crédibilité qui est un problème, ou éviter les pièges évidents comme les procès en sorcellerie ou les guerres. Je suis dépassé, moi aussi. D'un point de vue général, ce que j'ai fait pour Élisabeth et la Congrégation – ainsi que les ripostes pour le compte de mon père –, tout cela est encore clair dans mon esprit, mais tous les détails sont indistincts. Je connais la date, mais pas le jour de la semaine. Ce qui veut dire que je ne sais pas très bien quel messager est censé arriver et où aura lieu la prochaine livraison. J'aurais juré que j'avais quitté Gallowglass et Hancock avant Halloween.

— Le diable est toujours dans les détails, murmurai-je. (Je balayai la trace noirâtre qui restait de sa larme sanglante au coin de son œil et sur sa joue.) J'aurais dû me douter que ton père entrerait en contact avec toi.

— Ce n'était qu'une question de temps avant que la lettre arrive. Chaque fois que Pierre apporte le courrier, je me prépare. Mais la poste était déjà passée aujourd'hui. J'ai été surpris en voyant son écriture, c'est tout, expliqua-t-il. J'avais oublié à quel point elle était ferme autrefois. Quand nous l'avons sauvé des nazis en 1944, il était tellement brisé que pas même du sang de vampire ne pouvait le guérir. Il ne pouvait plus tenir un crayon. Lui qui adorait écrire, il n'arrivait plus qu'à faire des gribouillis illisibles.

J'étais au courant de la capture et de la détention de Philippe durant la Deuxième Guerre, mais assez peu de détails de ce qu'il avait subi aux mains des nazis, qui cherchaient à savoir jusqu'où un vampire pouvait endurer la souffrance.

— Peut-être que la déesse voulait que nous revenions en 1590 pour autre chose que pour moi. Revoir Philippe pourrait rouvrir ces anciennes blessures et les cicatriser.

— Seulement après les avoir aggravées, dit Matthew en baissant la tête.

— Mais en fin de compte, ce serait mieux, dis-je en lui caressant les cheveux. Tu n'as toujours pas ouvert la lettre de ton père.

— Je sais ce qu'elle contient.

— Peut-être devrais-tu tout de même l'ouvrir.

Matthew finit par glisser le doigt sous le cachet et le briser. Il rattrapa dans sa paume la pièce qui tomba de la cire. Une fois déplié, le papier exhala une légère odeur de laurier.

— Est-ce du grec ? demandai-je en regardant par-dessus son épaule et en voyant l'unique ligne signée d'une lettre *phi*.

— Oui, dit Matthew en suivant les lettres du bout du doigt, dans une première tentative de contact avec son père. Il m'ordonne de rentrer. Immédiatement.

— Pourras-tu supporter de le revoir ?

— Non. Oui. (Il froissa la page.) Je ne sais pas.

Je pris la lettre et la lissai à nouveau. La pièce brillait dans la main de Matthew. C'était un si petit morceau de métal, et pourtant, il avait provoqué ce drame.

— Dans ce cas, tu ne l'affronteras pas seul.

Me trouver à ses côtés quand il verrait son père défunt n'était pas grand-chose, mais c'est tout ce que je pouvais faire pour soulager sa peine.

— Chacun de nous est seul avec Philippe. Certains pensent que mon père peut percer ton âme à jour, murmura Matthew. Je ne suis pas tranquille de t'emmener là-bas. Je sais comment Ysabeau va réagir : froideur, colère, puis acceptation. Pour Philippe, je n'en ai aucune idée. Personne ne sait comment fonctionne son esprit, quelle information il détient, quels pièges il a tendus. Si je suis secret, alors mon père est insondable. Même la Congrégation ignore ce qu'il manigance, et Dieu sait le temps qu'elle a passé à essayer de le deviner.

— Tout ira bien, le rassurai-je.

Philippe serait obligé de m'accepter au sein de la famille. Comme la mère et le père de Matthew, il n'aurait pas le choix.

— Ne t'imagine pas pouvoir le surpasser, m'avertit Matthew. Tu es peut-être comme ma mère, ainsi que l'a dit Gallowglass, mais même elle se laisse prendre à sa toile de temps en temps.

— Et es-tu toujours membre de la Congrégation dans le présent ? Est-ce ainsi que tu savais que Knox et Domenico en étaient membres ?

— Non, dit-il en se détournant.

— Alors, quand Hancock a dit qu'il y avait toujours un Clermont à la Congrégation, ce n'est plus vrai ?

Je retins mon souffle. *Réponds oui*, le suppliai-je muettement. *Même si c'est un mensonge.*

— C'est toujours vrai, dit-il sans s'émouvoir, réduisant mon espoir à néant.

— Alors qui ?... Ysabeau ? Baldwin ? Pas Marcus, tout de même ?

— Il y a dans mon arbre généalogique des créatures que tu ne connais pas, Diana. Je ne suis pas libre de divulguer l'identité de celui qui siège à la table de la Congrégation.

— Les règles qui lient tout le monde s'appliquent-elles à ta famille ? demandai-je. Tu t'occupes de politique. J'ai vu les livres de comptes qui le prouvent. Espères-tu que lorsque nous reviendrons dans le présent ce mystérieux membre de ta famille nous protégera d'une manière ou d'une autre du courroux de la Congrégation ?

— Je ne sais pas, dit-il d'une voix tendue. Je ne suis sûr de rien. Plus maintenant.

L'organisation du départ se fit rapidement. Walter et Gallowglass discutèrent du meilleur itinéraire, à grand renfort d'éclats de voix, pendant que Matthew mettait ses affaires en ordre.

Hancock fut dépêché à Londres avec Henry et un portefeuille de cuir contenant de la correspondance. En tant que pair du royaume, le comte devait être à la cour pour les fêtes de l'anniversaire de la reine le 17 novembre. George et Tom furent envoyés à Oxford avec une importante somme d'argent en compagnie d'un Marlowe en disgrâce. Hancock les avertit des graves conséquences qu'aurait le moindre ennui causé par le démon. Matthew serait peut-être loin, mais

Hancock serait à portée d'épée et n'hésiterait pas à frapper si c'était nécessaire. En outre, Matthew donna instruction à George des questions précises qu'il pouvait poser aux érudits d'Oxford concernant les manuscrits alchimiques.

Mes propres affaires étaient beaucoup plus simples à régler. Je n'avais que peu d'effets personnels à emporter : les boucles d'oreilles d'Ysabeau, mes nouveaux souliers, quelques vêtements. Françoise se consacra entièrement à la confection d'une solide robe de voyage couleur cannelle. Son haut col bordé de fourrure était conçu pour être boutonné et me protéger de la pluie et du vent, tout comme la doublure en peaux de renards soyeuses qu'elle avait cousue dans la robe ainsi que mes gants.

Mon dernier geste à Old Lodge fut de prendre dans la bibliothèque le carnet que m'avait offert Matthew. Il serait facile de perdre ce genre d'objet sur le chemin de Sept-Tours et je voulais que mon journal soit autant que possible à l'abri des regards indiscrets. Je ramassai sur les nattes de jonc des brins de romarin et de lavande. Puis j'allai dans l'étude de Matthew et pris une plume et de l'encre pour rédiger un dernier paragraphe.

24 5 novembre 1590
Pluie froide. Nouvelles du pays. Nous nous
préparons au voyage.

Après avoir soufflé délicatement sur la page pour sécher l'encre, je glissai le romarin et la lavande dans la rainure de la reliure. Ma tante utilisait le romarin pour les sortilèges de mémoire et la lavande pour insuffler une note de prudence dans ses philtres d'amour – le mélange tombait bien pour les circonstances présentes.

— Souhaite-nous bonne chance, Sarah, murmurai-je en glissant le petit volume au bout de l'étagère dans l'espoir de l'y retrouver si nous revenions.

7

Rima Jaén détestait le mois de novembre. Les journées diminuaient, renonçant chaque jour un peu plus à leur bataille contre l'obscurité. Et c'était un moment affreux pour être à Séville, tout le monde se préparant pour les fêtes alors que la pluie menaçait. Le comportement au volant des habitants, déjà habituellement approximatif, était pire d'heure en heure.

Rima était coincée à son bureau depuis des semaines. Sa chef avait décidé de vider les débarras du grenier. L'hiver précédent, la pluie s'était infiltrée par les vieilles tuiles fendues de la maison décrépie et les prévisions pour les mois à venir étaient encore pires. Comme il n'y avait pas d'argent pour les réparations, le personnel d'entretien descendait des cartons moisis dans les escaliers pour s'assurer que rien de valeur ne soit endommagé par les prochains orages. On se débarrassait discrètement de tout le reste de manière à ce qu'aucun donateur potentiel ne puisse deviner ce qui clochait.

C'était un travail sale et une tromperie, mais il fallait le faire, songea Rima. La bibliothèque était une petite archive spécialisée aux maigres ressources. Le fonds principal provenait d'une éminente famille andalouse dont les racines remontaient à la *reconquista*, période durant laquelle les chrétiens avaient repris la Péninsule aux musulmans qui se l'étaient appropriée au VIIIe siècle. Peu d'universitaires avaient des raisons de fouiner dans le bizarre assortiment de livres et d'objets que les Gonsalve avaient réunis au cours des années. La plupart des chercheurs étaient un peu plus bas dans la rue à l'Archivo General de Indias à se chamailler sur Christophe Colomb. Ses concitoyens voulaient des bibliothèques qui avaient le dernier polar, pas des manuels de consignes jésuites effrités du XVIIIe et des magazines de mode féminins du XIXe.

Rima prit le petit livre posé sur le coin de son bureau et chaussa les lunettes à monture de couleur qui servaient habituellement de bandeau pour retenir ses cheveux noirs. Elle l'avait remarqué une semaine auparavant, quand l'un des agents d'entretien avait laissé tomber devant elle une caisse en bois avec un grognement ennuyé. Depuis, elle l'avait catalogué dans la collection sous la référence Manuscrit Gonsalve 4890 avec la notice « diaire anglais, anonyme, fin XVIe ». Comme la plupart de ces livres, la majeure partie des pages était vierges. Rima en avait vu un exemple espagnol appartenant à un héritier Gonsalve envoyé à l'université de Séville en 1628. Le carnet était finement relié, réglé et paginé avec des chiffres calligraphiés en plusieurs couleurs. Il ne contenait pas un seul mot. Même dans le passé, les gens n'étaient pas toujours à la hauteur de leurs aspirations.

Les diaires comme celui-ci étaient des recueils de passages de la Bible, extraits de poèmes, devises et citations d'auteurs classiques. Ils contenaient généralement des gribouillis et des listes de courses ainsi que des chansons licencieuses et des récits d'événements singuliers ou importants. Celui-ci était différent, songea Rima en parcourant les pages. Malheureusement, la première avait été arrachée. Autrefois, elle avait dû porter le nom de son propriétaire. Faute de cette information, il était pratiquement impossible de l'identifier, pas plus que les personnes mentionnées seulement par leurs initiales. Les historiens s'intéressaient moins à ce genre d'objet sans nom ni visage, comme si son anonymat rendait son auteur moins important.

Sur les pages restantes figurait un tableau de toutes les pièces anglaises en usage au XVIe siècle et de leur valeur relative. L'une des dernières portait une liste de vêtements notée à la hâte : une cape, deux paires de souliers, une robe bordée de fourrure, six jupes, quatre jupons et une paire de gants. Il y avait quelques paragraphes datés qui ne tenaient absolument pas debout et la recette d'un remède contre le mal de tête – un chaudeau à base de lait et de vin. Rima sourit en se demandant si cela calmerait ses migraines.

Elle aurait dû rapporter le petit volume dans les salles fermées du troisième étage où étaient stockés les manuscrits, mais quelque chose lui donnait envie de le garder auprès d'elle. Il était évident que l'auteur était une femme. L'écriture ronde et tremblante était touchante et les lignes qui se déroulaient sur les pages constellées de taches. Aucun homme de cette époque n'écrivait ainsi, à moins d'être malade ou âgé. L'auteur de ce diaire n'était ni l'un ni l'autre. Il y avait une curieuse vivacité dans les textes qui contrastait singulièrement avec l'écriture hésitante.

Elle avait montré le manuscrit à Javier Lopez, la charmante personne absolument pas qualifiée engagée par le dernier des Gonsalve pour transformer la maison et les effets personnels de la famille en bibliothèque et musée. Son luxueux bureau au rez-de-chaussée était doté de lambris d'acajou et des seuls radiateurs qui fonctionnaient dans le bâtiment. Durant leur bref entretien, il n'avait pas jugé bon d'étudier plus en détail l'ouvrage comme elle le lui suggérait. Il lui avait également interdit d'en prendre des photos pour les communiquer à ses confrères au Royaume-Uni. Et quand elle lui avait dit qu'elle pensait que l'auteur était une femme, le directeur avait marmonné quelque chose sur les féministes avant de la congédier.

Le livre était donc resté sur son bureau. À Séville, un tel ouvrage n'avait aucun intérêt et personne ne voudrait le consulter. Nul ne venait en Espagne chercher des diaires anglais. On allait à la British Library ou à la Bibliothèque Folger Shakespeare aux États-Unis.

Il y avait un étrange monsieur qui venait de temps en temps fouiller dans les collections. Il était français et son regard scrutateur mettait Rima mal à l'aise. Herbert Cantal – à moins que ce fût Gerbert Cantal. Elle ne se rappelait pas. Il lui avait laissé sa carte lors de sa dernière visite et lui avait enjoint de le contacter si jamais quelque chose d'intéressant se présentait. Quand elle lui avait demandé plus de précisions, l'homme avait répondu qu'il s'intéressait à tout. Ce n'était pas des plus éclairant, comme réponse.

Là, quelque chose d'intéressant s'était présenté. Malheureusement, la carte de visite de l'homme avait disparu, alors qu'elle avait retourné son bureau dans l'espoir de la retrouver. Rima devrait attendre qu'il revienne pour lui montrer le petit livre. Peut-être qu'il s'y intéresserait davantage que son chef.

Elle feuilleta l'ouvrage. Entre deux pages étaient glissés un minuscule brin de lavande et des feuilles de romarin qui tombaient en poussière et qu'elle n'avait pas remarqués jusque-là. Elle les sortit délicatement de la rainure. Un bref instant, l'imperceptible odeur qui s'en dégagea tissa un lien entre elle et la personne qui avait vécu des siècles plus tôt. Elle eut un sourire mélancolique en songeant à cette femme qu'elle ne connaîtrait jamais.

— *Más basura.* (Daniel, de l'entretien, était de retour avec sa salopette grise et usée couverte de poussière à force de transporter des cartons du grenier. Il déchargea de son diable d'autres caisses déchirées. Il essuya d'un revers de manche son front perlé de sueur malgré la fraîcheur du temps, y laissant une traînée noire.) *Café ?*

C'était la troisième fois cette semaine qu'il l'invitait. Oui, il la trouvait à son goût. Elle devait à ses ascendances berbères qui en séduisaient certains ses courbes sensuelles, sa peau mate et ses yeux en amande. Daniel murmurait des commentaires salaces en lui frôlant les fesses quand elle allait chercher le courrier et lorgnait ses seins depuis des années. Il ne semblait pas se soucier du fait qu'il avait le double de son âge et une tête de moins qu'elle.

— *Estoy muy ocupada*, répondit-elle.

Daniel émit un grognement sceptique. Il jeta un regard aux cartons qu'il venait de déposer. Celui du dessus contenait un manchon en fourrure mité et un roitelet empaillé fixé sur un morceau de cèdre. Daniel secoua la tête, étonné qu'elle préfère passer son temps avec des bestioles mortes plutôt qu'avec lui.

— *Gracias*, murmura-t-elle alors qu'il partait.

Elle referma doucement le livre et le remit à sa place sur son bureau.

Alors qu'elle vidait le contenu du carton sur une table voisine, son regard retourna vers le petit volume relié de cuir. Dans quatre siècles, l'unique preuve de son existence serait-elle une page de son calendrier, une liste de courses et un bout de papier portant la recette des *alfajores* de sa grand-mère, le tout dans une boîte étiquetée « Anonyme, sans importance » et rangée dans des réserves que personne ne consultait jamais ?

Des pensées aussi sombres ne pouvaient que lui porter malchance. Elle frissonna et porta la main à l'amulette en forme de main de la fille du Prophète, Fatima, accrochée à son cou par un lien de cuir et que les femmes de la famille se transmettaient depuis un temps immémorial.

— *Khamsa fi ainek*, chuchota-t-elle en espérant que ces paroles éloigneraient tout mauvais esprit qui aurait pu être invoqué involontairement.

DEUXIÈME PARTIE

Sept-Tours et le village de Saint-Lucien

8

— À l'endroit habituel ? demanda discrètement Gallowglass en rangeant les rames et en sortant la voile.

Bien que l'aube ne fût que dans quatre heures, d'autres embarcations étaient visibles dans l'obscurité. Je distinguai la silhouette d'une voile et une lanterne qui se balançait à la poupe d'un vaisseau voisin.

— Walter a dit que nous allions à Saint-Malo, dis-je en tournant la tête, consternée.

Raleigh nous avait accompagnés d'Old Lodge à Portsmouth et avait piloté le bateau qui nous avait amenés à Guernesey. Nous l'avions laissé sur le quai près du village de Saint-Pierre. Il ne pouvait pas aller plus loin : sa tête était mise à prix dans l'Europe catholique.

— Je me rappelle assez bien où Raleigh m'a dit d'aller, ma tante, mais c'est un pirate. Et un Anglais. Et il n'est pas là. Je demande à Matthew.

— *Immensi tremor oceani*, chuchota celui-ci en contemplant la houle.

Debout face à l'étendue noire, on aurait dit une figure de proue. Et sa réponse à la question de son neveu était étrange : *le tremblement de l'immense océan*. Je me demandai si j'avais mal compris la phrase latine.

— Nous aurons la marée pour nous et ce sera plus proche de Fougères à cheval que Saint-Malo, continua Gallowglass comme si Matthew n'avait toujours pas compris. Elle n'aura pas plus froid sur l'eau que sur terre par ce temps et il lui restera toujours une longue distance à parcourir à cheval.

— Et tu nous laisseras. (Ce n'était pas une question, mais une constatation. Matthew baissa les paupières et hocha la tête.) Très bien.

Gallowglass hissa la voile et le bateau changea de cap vers l'ouest. Matthew s'assit sur le pont avec moi, adossé à la coque, et m'attira contre lui pour me protéger de sa cape.

Il était impossible de vraiment dormir, mais je somnolai sur sa poitrine. Le voyage avait été exténuant jusqu'ici, avec des chevaux poussés à leurs limites et des bateaux réquisitionnés. Il faisait une température glaciale et une fine couche de givre couvrait la surface de nos vêtements de laine. Gallowglass et Pierre bavardaient dans un dialecte français, mais Matthew se taisait. Il répondait à leurs questions, mais restait dans ses pensées derrière un masque étonnamment serein.

Vers l'aube, une légère neige commença à tomber. La barbe de Gallowglass vira au blanc, lui donnant des airs de Père Noël. Pierre manœuvrait les voiles selon ses ordres et un paysage de gris et de blanc révéla les côtes de France. Pas plus d'une demi-heure plus tard, la marée commença à nous porter vers le rivage. Le bateau était soulevé par les vagues et, à travers la brume, un clocher perçait les nuages. Il était étonnamment proche, mais la base de la construction disparaissait dans l'obscurité. J'étouffai un cri.

— Tenez bon, dit Gallowglass alors que Pierre hissait la voile.

Le bateau s'élança dans le brouillard. Les cris des mouettes et un clapotis d'eau sur des rochers m'indiquèrent que nous étions proches du rivage, mais le bateau ne ralentissait pas. Gallowglass plongea une rame dans la marée et nous virâmes de bord. Quelqu'un poussa un cri, pour donner l'alerte ou nous saluer.

— *C'est le chevalier de Clermont* !* cria Pierre à son tour, les mains en porte-voix.

Ses paroles furent accueillies par un silence avant que des pas pressés retentissent dans l'air glacial.

— Gallowglass !

Nous piquions droit vers une muraille. Je me cramponnai à une rame pour me protéger d'un désastre imminent. À peine l'avais-je saisie que Matthew me l'arracha.

— Il aborde à cet endroit depuis des siècles et son peuple depuis plus longtemps encore, dit-il calmement.

Le bateau vira de nouveau brusquement à bâbord et la coque se trouva parallèle à des plaques de granit grossièrement taillées. Au-dessus, quatre hommes avec des cordes et des grappins apparurent pour retenir le bateau. Le niveau de l'eau continuait de monter à une vitesse alarmante, soulevant notre embarcation jusqu'à ce qu'elle arrive à la hauteur d'une petite maison de pierre. Des marches s'élevaient vers le néant. Pierre sauta sur le quai en parlant et en faisant de grands gestes. Deux soldats en armes nous rejoignirent un instant, puis s'élancèrent vers l'escalier.

— Nous sommes arrivés au Mont-Saint-Michel, *madame**, dit Pierre en me tendant la main pour m'aider à débarquer. Vous pourrez vous reposer ici pendant que *milord** parle à l'abbé.

Ma connaissance de l'île se limitait aux anecdotes d'amis qui faisaient de la voile dans les environs chaque été : elle était entourée de sables mouvants à marée basse et à marée haute, par des courants si dangereux que les bateaux se fracassaient souvent sur les rochers. Je jetai en frissonnant un regard à notre frêle embarcation : c'était un miracle que nous soyons encore en vie.

Pendant que j'essayais de m'orienter, Matthew scrutait son neveu qui n'avait pas bougé de la poupe.

— Ce serait plus sûr pour Diana si tu nous accompagnais.

— Quand tes amis ne lui causent pas d'ennuis, ton épouse semble capable de se débrouiller seule, dit Gallowglass en me faisant un sourire.

— Philippe demandera après toi.

— Dis-lui… (Gallowglass s'interrompit et fixa le lointain d'un regard bleu rempli de regret.) Dis-lui que je n'ai pas encore réussi à oublier.

— Pour son bien, il faut que tu essaies de pardonner, répondit Matthew.

— Jamais je ne pardonnerai, dit froidement Gallowglass. Et Philippe ne me réclamerait jamais. Mon père est mort aux mains des Français et pas une seule créature n'a défendu le roi. Tant que je n'aurai pas fait la paix avec le passé, je ne poserai pas le pied sur la terre de France.

— Hugh est parti, Dieu ait son âme. Ton grand-père est toujours parmi nous. Ne gaspille pas le temps que tu pourrais passer avec lui.

Matthew débarqua. Sans un mot d'adieu, il me prit le coude et me conduisit vers un bosquet d'arbres dénudés. Sentant le poids glacial du regard de Gallowglass, je me retournai vers le Viking qui leva la main dans un geste d'adieu silencieux.

Matthew ne prononça pas un mot tandis que nous gagnions l'escalier. Je ne voyais pas où il menait, et je cessai rapidement de compter les marches. Je m'efforçai de ne pas perdre pied sur les degrés usés et glissants. Des morceaux de glace tombaient de l'ourlet de mes jupes et le vent s'engouffrait dans mon large capuchon. Une lourde porte, bardée de bandes d'acier rouillées et rongées par le sel, s'ouvrit devant nous.

D'autres marches apparurent. Je serrai les dents, troussai mes jupes et continuai mon ascension.

D'autres soldats surgirent. À notre approche, ils se plaquèrent contre les parois pour nous laisser passer. Les doigts de Matthew se crispèrent un instant sur mon coude mais, en dehors de cela, il leur accorda aussi peu d'attention que s'il s'était agi de spectres.

Nous entrâmes dans une salle dont la voûte était soutenue par une forêt de colonnes. De vastes cheminées qui s'ouvraient dans les murs répandaient une bienfaisante chaleur. Je poussai un soupir de soulagement et secouai ma cape, répandant de la glace et de l'eau tout autour de moi. Un petit toussotement attira mon attention vers un homme qui se tenait devant l'un des âtres. Il portait une robe rouge et semblait avoir à peine la trentaine – un âge terriblement jeune pour quelqu'un parvenu à un rang si élevé dans la hiérarchie de l'Église catholique.

— Ah, *chevalier de Clermont**. Ou bien vous appelle-t-on autrement, ces temps-ci ? Vous avez été longtemps absent de France. Peut-être avez-vous pris le nom de Walsingham en plus de sa position, maintenant qu'il a rejoint l'enfer qui est sa place. (Le cardinal parlait un anglais parfait, bien qu'avec un fort accent.) Nous vous guettions depuis trois jours, selon les instructions du *seigneur**.

Matthew me lâcha le bras et s'avança. Il mit le genou en terre et baisa l'anneau sur la main tendue de l'homme.

— *Éminence**. Je vous croyais à Rome en train de choisir le nouveau pape. Imaginez mon plaisir à vous trouver ici.

Matthew n'avait pas l'air ravi. Mal à l'aise, je me demandai dans quoi nous étions tombés en arrivant au Mont-Saint-Michel et non à Saint-Malo comme l'avait prévu Walter.

— La France a plus besoin de moi que le conclave en ce moment. Ces meurtres récents de rois et de reines déplaisent à Dieu. (Une mise en garde étincela dans les yeux du cardinal.) Élisabeth le découvrira assez vite, quand elle Le rejoindra.

— Je ne suis pas ici pour le compte de la reine, cardinal de Joyeuse, dit Matthew en tendant la mince pièce d'argent de son père glissée entre son index et son majeur. Je rentre chez moi.

— C'est ce qui m'a été dit. Votre père a envoyé ceci pour assurer votre passage. (Joyeuse lança un objet luisant à Matthew qui l'attrapa adroitement.) Philippe de Clermont s'oublie et se conduit comme s'il était le roi de France.

— Mon père n'a nul besoin de régner, car il est l'épée qui fait et défait les rois, répondit à mi-voix Matthew en enlevant ses gants noirs. (Il glissa à son majeur une lourde bague en or enchâssée d'une pierre rouge ciselée. Je me doutai que le motif était le même que la marque sur mon dos.) Vos maîtres savent que faute de mon père, la cause catholique serait perdue en France. Sans quoi, vous ne seriez pas là.

— Peut-être vaudrait-il mieux pour tous ceux qui sont concernés que le *seigneur* soit vraiment roi, étant donné que son occupant actuel est protestant. Mais c'est là un sujet que nous discuterons en privé, dit Joyeuse d'un ton las en faisant signe à un domestique près de la porte. Menez l'épouse du *chevalier** à son appartement. Nous devons vous laisser, *madame**. Votre mari a séjourné trop longtemps parmi les hérétiques. Un long moment à genoux sur des dalles glacées lui rappellera qui il est vraiment.

La consternation à l'idée de rester seule dans un pareil endroit dut se lire sur mon visage.

— Pierre restera avec toi, m'assura Matthew avant de se pencher pour me baiser les lèvres. Nous partirons à cheval à marée basse.

Et ce fut la dernière fois que je vis Matthew Clairmont, le scientifique. L'homme qui s'éloignait vers la porte n'était plus un professeur d'Oxford, mais un prince de la Renaissance. Je le voyais dans son allure, dans le port de ses épaules, son aura de pouvoir et son regard froid. Hamish avait eu raison de me prévenir que Matthew serait un autre homme ici. Sous la surface lisse de Matthew, une profonde métamorphose était en train d'opérer.

Quelque part au-dessus de moi, les cloches égrenèrent les heures. *Scientifique. Vampire. Soldat. Espion. Prince.*

Je me demandai quoi d'autre ce voyage allait me révéler sur cet homme complexe que j'avais épousé.

— Ne faisons pas attendre Dieu, cardinal, dit Matthew d'un ton vif.

Joyeuse lui emboîta le pas, comme si le Mont-Saint-Michel appartenait à la famille de Clermont et non à l'Église.

À côté de moi, Pierre poussa un soupir.

— *Milord est lui-même**, murmura-t-il, soulagé.

Milord* était lui-même, mais était-il encore à moi ?

Matthew était peut-être prince, mais qui était le roi ne faisait aucun doute.

Chaque fois que les sabots de nos chevaux frappaient les routes glacées, le pouvoir et l'influence du père de Matthew croissaient. À mesure que nous approchions de Philippe de Clermont, son fils devenait plus distant et impérieux – un mélange qui me faisait grincer des dents et conduisit à plusieurs disputes. Matthew me présentait toujours des excuses pour sa conduite autoritaire dès que sa colère retombait et, consciente du stress que lui causait l'imminence de ses retrouvailles avec son père, je lui pardonnais.

Après avoir bravé les sables à marée basse autour du Mont-Saint-Michel et traversé les terres, nous fûmes accueillis par les alliés des Clermont dans la ville de Fougères, et logés dans une tour des remparts confortablement meublée donnant sur la campagne française. Deux nuits plus tard, des valets portant des torches nous retrouvèrent sur la route aux abords de la cité de Baugé. Leur livrée était ornée d'un symbole familier : le simple croissant de lune de Philippe. Je l'avais déjà vu en fouinant dans les tiroirs du bureau de Matthew à Sept-Tours.

— Quel est cet endroit ? demandai-je alors que les laquais nous menaient dans un château inoccupé.

Il y faisait étonnamment chaud pour une résidence vide, et l'odeur délicieuse de cuisine flottait dans les couloirs où résonnaient nos pas.

— La demeure d'un ancien ami, René, répondit Matthew en ôtant mes souliers de mes pieds gelés qu'il pressa sous ses pouces. (Le sang revint dans mes extrémités. Je poussai un gémissement et Pierre me mit une coupe de vin chaud et épicé dans les mains.) C'était son pavillon de chasse favori. Il était si plein de vie quand il y vivait, il y avait des artistes et des érudits partout. Mon père s'en occupe, à présent. Avec les guerres incessantes, il n'a pas eu l'occasion d'accorder au château l'attention qu'il mérite.

Durant notre séjour à Old Lodge, Matthew et Walter m'avaient fait réviser les luttes constantes auxquelles se livraient en France protestants et catholiques pour le contrôle de la couronne – et du pays. À Fougères, de nos fenêtres, j'avais vu au loin des panaches de fumée marquant le dernier campement protestant et des églises et des maisons en ruine avaient parsemé notre route. J'avais été choquée par l'étendue des dégâts.

En raison du conflit, je devais modifier l'histoire que nous avions méticuleusement échafaudée pour expliquer ma présence. En Angleterre, j'étais censée être une protestante fuyant son pays natal pour échapper à la mort et pratiquer sa religion. Ici, il fallait que je sois une catholique anglaise qui avait été très éprouvée. Je ne sais comment, mais Matthew parvenait à se rappeler tous les mensonges et demi-vérités nécessaires pour entretenir nos multiples fausses identités, sans parler des détails historiques de tous les endroits que nous traversions.

— Nous sommes dans la province d'Anjou, à présent, dit-il. Les gens que tu verras te soupçonneront d'être une espionne protestante parce que tu parles anglais, quelle que soit l'histoire que nous leur raconterons. Cette partie de la France refuse de reconnaître les prétentions d'Henri de Navarre sur le trône et préférerait un souverain catholique.

— Tout comme Philippe, murmurai-je.

Il n'y avait pas que le cardinal de Joyeuse qui bénéficiait de l'influence de Philippe. Des prêtres catholiques aux joues creuses et à l'air hagard s'étaient arrêtés en chemin pour nous parler, nous donner des nouvelles et remercier le père de Matthew pour son aide. Aucun n'était reparti les mains vides.

— Il se soucie peu des subtilités de la religion chrétienne. Dans d'autres parties du pays, mon père soutient les protestants.

— C'est une vision remarquablement œcuménique.

— Tout ce qui compte pour Philippe, c'est de sauver la France d'elle-même. En août dernier, notre nouveau roi Henri a essayé de forcer la cité de Paris à adopter ses positions religieuses et politiques. Les Parisiens ont préféré mourir de faim plutôt que de s'incliner devant un roi protestant, dit Matthew en se passant la main dans les cheveux, signe de désarroi chez lui. Des milliers sont morts et maintenant, mon père ne fait pas confiance aux humains pour venir à bout de ces désordres.

Philippe n'était pas enclin à laisser son fils gérer ses propres affaires non plus. Pierre nous réveilla avant l'aube pour annoncer que des chevaux frais étaient sellés et prêts. Il avait été informé que nous étions attendus dans une ville à un peu moins de deux cents kilomètres d'ici, dans deux jours.

— C'est impossible ! Nous ne pouvons pas voyager aussi vite !

J'étais en excellente forme, mais aucune pratique sportive moderne ne préparait à galoper plus de quatre-vingts kilomètres par jour en pleine campagne au cœur du mois de novembre.

— Nous n'avons guère le choix, regretta Matthew. Si nous tardons, il ne fera qu'envoyer d'autres hommes pour nous faire presser l'allure. Mieux vaut faire ce qu'il demande.

Plus tard dans la journée, au bord des larmes tant j'étais épuisée, Matthew me hissa sur sa selle sans me demander mon avis et galopa jusqu'à ce que les chevaux soient exténués. J'étais trop fatiguée pour protester.

Nous atteignîmes les murailles de pierre et les maisons à colombages de Saint-Benoît à l'heure prévue, comme Philippe l'avait exigé. Nous étions désormais assez proches de Sept-Tours pour que Pierre et Matthew ne se soucient plus des convenances, et je ne fus plus obligée de monter en amazone. Bien que nous nous fussions conformés à ses consignes, Philippe continuait d'envoyer des serviteurs pour nous accompagner, comme s'il craignait que nous changions d'avis et retournions en Angleterre. Certains nous suivaient sur les routes. D'autres ouvraient le chemin, réservaient vivres, chevaux et chambres dans des auberges bondées, des maisons isolées ou des monastères barricadés. Une fois arrivés dans les collines rocheuses des contreforts des volcans éteints d'Auvergne, nous commençâmes à repérer les silhouettes de cavaliers le long des crêtes menaçantes. Quand ils nous apercevaient, ils tournaient bride pour aller informer Sept-Tours de notre avancée.

Deux jours plus tard, au crépuscule, Matthew, Pierre et moi arrivâmes sur l'un de ces sommets déchiquetés, d'où nous apercevions à peine le château de la famille de Clermont dans les tourbillons de neige. Les lignes droites du corps de bâtiment central étaient familières mais, en dehors de cela, je n'aurais pas reconnu l'édifice. Ses remparts étaient intacts, ainsi que six des tours rondes, chacune coiffée d'un toit conique en cuivre qui avait viré au vert pâle. De la fumée s'échappait des cheminées invisibles derrière les créneaux. À l'intérieur s'étendait un jardin clos couvert de neige ainsi que des parterres rectangulaires au-delà.

À l'époque moderne, la forteresse était redoutable. Aujourd'hui, avec les guerres de Religion qui faisaient rage, ses capacités défensives étaient encore plus évidentes. Un formidable corps de garde s'interposait entre Sept-Tours et le village. À l'intérieur, des gens s'affairaient, armés pour la plupart. Dans la lumière du crépuscule, à travers les flocons, j'aperçus des constructions en bois dans la cour. La lumière de leurs petites fenêtres formait des rectangles jaunes trouant ces étendues de pierre grise et de neige.

Le souffle de ma jument se condensait dans l'air. C'était le meilleur cheval que j'avais monté depuis notre premier jour de voyage. La bête de Matthew était imposante, d'un noir de jais, mauvaise, mordant quiconque l'approchait hormis celui qui la montait. Tous les deux venaient des écuries de Clermont et n'avaient pas besoin d'être guidés pour rentrer au bercail, ayant hâte de retrouver leur picotin d'avoine et leur stalle chauffée.

— *Mon Dieu*. C'est le dernier endroit au monde où je pensais me retrouver, dit Matthew en clignant lentement des paupières, comme s'il s'attendait à ce que le château disparaisse sous ses yeux.

Je posai la main sur son bras.

— Même maintenant, tu as le choix. Nous pouvons rebrousser chemin.

Pierre me jeta un regard de pitié et Matthew me fit un triste sourire.

— Tu ne connais pas mon père, dit-il en se retournant vers le château.

C'est devant des torches flamboyantes que nous franchîmes enfin les portes de Sept-Tours. Les énormes battants de bois bardés d'acier étaient ouverts, et quatre hommes nous regardèrent passer sans un mot. Les portes se refermèrent bruyamment derrière nous et deux d'entre eux glissèrent une barre pour les bloquer. Les six jours passés à traverser la France m'avaient enseigné que c'était une sage précaution. Les gens se méfiaient des inconnus, redoutant l'arrivée d'une autre bande de soldats en maraude, un nouveau bain de sang et de violence et un nouveau seigneur à satisfaire.

Une véritable armée – humains et vampires mélangés – nous attendait à l'intérieur. Une demi-douzaine se chargea de nos chevaux. Pierre leur confia un petit paquet de courrier, tandis que d'autres lui posaient des questions à voix basse en me jetant des regards à la dérobée. Personne ne s'approcha ni n'offrit son aide. Je restai juchée sur mon cheval, tremblante de froid et de fatigue, tout en cherchant Philippe dans cette foule. Il allait certainement ordonner à quelqu'un de m'aider à descendre.

Matthew remarqua ma situation et sauta de sa monture avec une grâce enviable. Il me rejoignit à grandes enjambées, dégagea mon pied ankylosé de l'étrier et le plia délicatement pour le dégourdir. Je le remerciai, ne voulant pas inaugurer mes premiers pas à Sept-Tours en m'étalant dans la neige et la boue de la cour.

— Lequel de ces hommes est ton père ? chuchotai-je alors qu'il contournait mon cheval pour s'occuper de mon autre pied.

— Aucun. Il est à l'intérieur. Apparemment, il ne se soucie pas de nous voir après avoir exigé que nous galopions à un train d'enfer pour arriver ici. Tu devrais entrer aussi.

Il commença à donner des ordres en français, envoyant courir en tous sens les serviteurs ébahis jusqu'à ce qu'il ne reste plus qu'un vampire en bas de l'escalier de bois en colimaçon menant à la porte du château. J'eus une sensation de collision entre passé et présent en me rappelant avoir gravi un escalier en pierre qui n'était pas encore construit, pour faire la connaissance d'Ysabeau.

— Alain, dit Matthew avec soulagement.

— Bienvenue, dit le vampire en anglais.

Il s'approcha en boitillant un peu et je distinguai les détails du personnage : des cheveux poivre et sel, les pattes-d'oie d'un regard bienveillant, une silhouette nerveuse.

— Merci Alain. Voici mon épouse, Diana.

— Madame de Clermont, dit Alain en s'inclinant à distance respectueuse.

— Je suis heureuse de faire votre connaissance, Alain.

Nous ne nous étions jamais vus, mais j'avais déjà associé son prénom avec un soutien et une loyauté sans faille. C'était Alain que Matthew avait appelé au XXIe siècle en plein milieu de la nuit pour s'assurer qu'un repas m'attendait à Sept-Tours.

— Votre père attend, dit-il en s'effaçant.

— Qu'on fasse porter à manger dans mes appartements. Quelque chose de simple. Diana est fatiguée et meurt de faim. (Matthew tendit ses gants à Alain.) Je vais aller le voir un instant.

— Il vous attend tous les deux, dit Alain avec une expression prudemment neutre. Prenez garde aux marches, *madame*. Elles sont verglacées.

— Tous les deux ? répéta Matthew en levant les yeux vers la tour carrée, les dents serrées.

Avec sa main qui me tenait fermement le bras, je n'eus aucun mal à gravir l'escalier. Mais mes jambes tremblaient tellement une fois arrivée en haut que je trébuchai sur un pavé inégal de l'entrée. Ce fut suffisant pour déclencher la colère de Matthew.

— Philippe est déraisonnable, tempêta-t-il en me rattrapant. Elle voyage depuis des jours.

— Ses ordres étaient on ne peut plus explicites, messire, le prévint Alain.

— Ce n'est rien, Matthew.

Je baissai mon capuchon pour contempler la grande salle. Les armures et les lances que j'avais vues au XXIe siècle n'étaient pas là. À la place, un paravent en bois sculpté protégeait des courants d'air quand la porte était ouverte. Il n'y avait pas non plus le faux décor médiéval, la table ronde et la cuvette en porcelaine. Les murs étaient tendus de tapisseries qui se soulevaient lentement dans l'air chaud provenant de la cheminée. Deux longues tables flanquées de bancs remplissaient l'espace et des hommes et des femmes s'affairaient autour pour mettre le couvert du souper. Il y avait la place pour accueillir des dizaines de convives. La galerie supérieure, loin d'être devenue un lieu poussiéreux et désaffecté, abritait des musiciens qui préparaient leurs instruments.

— Stupéfiant, soufflai-je.

Des doigts glacés me saisirent au menton et me tournèrent le visage.

— Tu es toute bleue, dit Matthew.

— Je vais apporter un réchaud et du vin, promit Alain. Et nous allons remettre du bois dans les cheminées.

Un humain apparut et prit ma cape humide. Matthew tourna la tête dans la direction de ce que je connaissais comme le salon du matin. Je tendis vainement l'oreille.

— Il n'est pas de bonne humeur, dit Alain avec un air désolé.

— Comme de bien entendu, répondit Matthew. Philippe nous appelle à grands cris. Tu es sûre que tu veux, Diana ? Si tu n'as pas envie de le voir ce soir, j'affronterai sa fureur.

Mais il n'était pas question que Matthew soit seul pour cette première entrevue avec son père en plus de soixante ans. Matthew m'avait soutenue quand j'avais affronté mes fantômes et j'allais en faire autant pour lui. Ensuite, j'irais me coucher et je comptais bien rester au lit jusqu'à Noël.

— Allons-y, dis-je résolument en troussant ma robe.

Comme Sept-Tours était trop ancien pour être pourvu d'aménagements modernes comme des couloirs, nous passâmes par une arche à droite de la cheminée pour gagner le coin d'une pièce qui serait un jour le grand salon d'Ysabeau. Elle n'était pas encore remplie de meubles raffinés, mais décorée avec la même austérité que tous les autres endroits que j'avais vus au cours de notre voyage. Le lourd mobilier en chêne résistait au vol et pouvait supporter les conséquences d'éventuels combats, comme en témoignait la profonde entaille sur le devant d'un coffre.

Ensuite, Alain nous emmena dans la pièce où Ysabeau et moi devions un jour prendre notre petit déjeuner devant des murs ocre, à une table dressée de vaisselle de grès et de lourds couverts. Nous en étions loin en ce moment, car elle ne contenait qu'une chaise et une table, couverte de papiers et des affaires d'un secrétaire. Je n'eus pas le temps d'en voir davantage, car nous prenions déjà un vieil escalier de pierre usé menant dans une partie du château que je ne connaissais pas.

Les marches débouchèrent brusquement sur un large palier. Sur la gauche s'ouvrait une longue galerie abritant tout un ensemble hétéroclite d'objets, pendules, armes, portraits et meubles. Sur la tête en marbre d'un dieu antique était négligemment posée une couronne cabossée, au centre de laquelle scintillait avec malveillance un rubis sang de pigeon de la taille d'un œuf.

— Par ici, dit Alain en nous emmenant dans la salle suivante.

Là s'ouvrait un autre escalier montant. Quelques bancs inconfortables trônaient de part et d'autre d'une porte fermée. Alain attendit, patiemment et en silence, que notre présence soit reconnue. Puis un unique mot en latin résonna de l'autre côté de l'épais battant de bois.

— *Introite.*

Matthew sursauta en l'entendant. Alain lui jeta un regard inquiet et poussa la porte qui pivota sans un bruit sur ses énormes charnières.

De l'autre côté, un homme aux cheveux luisants nous tournait le dos. Bien qu'il fût assis, il était évident qu'il était très grand, avec de larges épaules. Le léger bruit d'une plume qui grattait du papier alternait avec les craquements du bois qui brûlait dans la cheminée et les bourrasques de vent au-dehors.

Une voix de basse gronda par-dessus la musique de la pièce :

— *Sedete.*

Ce fut mon tour de sursauter. Sans porte pour l'étouffer, la voix de Philippe résonna à m'en faire bourdonner les oreilles. L'homme avait l'habitude d'être obéi, immédiatement et sans question. Je m'avançai vers les deux fauteuils vacants afin de m'asseoir comme il l'ordonnait. Je n'avais pas fait trois pas que je me rendis compte que Matthew était resté sur le seuil. Je retournai lui prendre la main. Matthew baissa la tête, abasourdi, pour se libérer de ses souvenirs.

Nous traversâmes rapidement la pièce. Je m'installai dans un fauteuil où m'attendaient le vin et le réchaud promis. Alain se retira avec un regard compatissant et un petit signe de tête. Puis nous attendîmes. C'était difficile pour moi, mais impossible pour Matthew. Sa tension augmenta tellement qu'il vibrait presque d'une émotion contenue.

Le temps que son père prenne acte de notre présence, mon angoisse et ma colère frisaient dangereusement la surface. Je considérais mes mains en me demandant si elles étaient assez puissantes pour l'étrangler, quand deux points affreusement froids s'épanouirent sur ma tête inclinée. Je relevai le menton et me retrouvai face au regard doré d'un dieu grec.

Quand j'avais vu Matthew la première fois, mon premier instinct avait été la fuite. Mais Matthew – si immense et ténébreux qu'il était ce soir de septembre dans la Bibliothèque bodléienne – n'avait pas l'air moitié aussi surnaturel. Et ce n'était pas parce que Philippe de Clermont était un monstre. Tout au contraire. Il était, tout simplement, la créature la plus extraordinaire que j'aie jamais vue. Surnaturel, démoniaque, ou à peine humain.

Personne ne pouvait regarder Philippe de Clermont et penser que c'était un mortel. Les traits du vampire étaient trop parfaits, d'une symétrie irréelle. Ses sourcils noirs et droits surmontaient des yeux d'un brun doré très clair, moucheté de vert. Le soleil et les intempéries avaient laissé dans ses cheveux bruns des fils d'or, d'argent et de bronze. Il avait une bouche sensuelle mais, ce soir-là, la colère l'avait pincée.

Me retenant pour ne pas rester bouche bée, je croisai le regard appréciateur de Philippe. À ce moment, il quitta mon visage pour se poser sur celui de Matthew.

— Explique-toi.

Le calme de ses paroles ne dissimulait pas sa fureur. Cependant, il n'était pas le seul vampire en colère. Une fois que le choc des retrouvailles fut passé, Matthew essaya de reprendre le dessus.

— Vous m'avez ordonné de venir à Sept-Tours. Me voici, vivant et indemne malgré ce qu'a pu vous raconter votre petit-fils.

Matthew jeta sur la table de chêne de son père la pièce d'argent, qui tourbillonna autour d'un axe invisible avant de retomber.

— Il est certain qu'il aurait mieux valu pour ton épouse qu'elle reste chez elle en cette époque de l'année.

Comme Alain, Philippe parlait un anglais parfait.

— Diana est ma compagne, père. Je ne pouvais guère la laisser en Angleterre avec Henry et Walter sous prétexte qu'il risquait de neiger.

— Rabats-en un peu, Matthew, dit Philippe dans un grondement aussi léonin que le reste de sa personne.

La famille Clermont était une ménagerie de redoutables animaux. En présence de Matthew, je pensais toujours aux loups. Avec Ysabeau, à des faucons. Gallowglass m'avait évoqué un ours. Philippe ressemblait à un autre prédateur tout aussi meurtrier.

— Gallowglass et Walter me disent que la sorcière requiert ma protection. (Le lion s'empara d'une lettre, en tapota la table de la tranche, puis fixa Matthew.) Je pensais que protéger des créatures plus faibles était de ton ressort, maintenant que tu occupes le siège de la famille à la Congrégation.

— Diana n'est pas faible, et elle a besoin de bien plus de protection que ne saurait en accorder la Congrégation, étant donné qu'elle est mariée avec moi. La lui accorderez-vous ?

— Avant tout, je dois entendre son histoire, dit Philippe, qui se tourna vers moi et haussa les sourcils.

— Nous nous sommes rencontrés par hasard. Je savais que c'était une sorcière, mais le lien entre nous était impossible à nier, dit Matthew. Son propre peuple s'en était pris à elle…

Une main qui aurait pu être une patte se leva pour lui imposer le silence.

— *Matthaios*, dit-il d'une voix traînante comme la lanière d'un fouet qui s'apprête à jaillir. Dois-je comprendre que *tu* as besoin de ma protection ?

— Bien sûr que non, s'indigna Matthew.

— Alors tais-toi et laisse la sorcière parler.

Bien décidée à donner au père de Matthew ce qu'il voulait afin que nous puissions quitter son inquiétante présence au plus vite, je réfléchis à la meilleure manière de raconter nos dernières aventures. Répéter le moindre détail prendrait trop de temps et il y avait de grandes chances que Matthew explose avant la fin. Je respirai un bon coup et me lançai.

— Je m'appelle Diana Bishop et mes parents étaient tous les deux de puissants sorciers. D'autres sorciers les ont tués alors qu'ils étaient loin de chez eux et que j'étais encore une enfant. Avant de mourir, ils m'ont ensorcelée. Ma mère était douée de prophétie et savait ce qu'il adviendrait.

Philippe plissa les paupières d'un air soupçonneux. Je pouvais le comprendre. J'avais moi-même encore du mal à comprendre pourquoi deux êtres qui m'aimaient avaient enfreint le code des sorciers et emprisonné leur propre fille dans des entraves magiques.

— Dans mon enfance, j'étais la honte de ma famille : une sorcière incapable d'allumer une bougie ou de lancer correctement un sort. J'ai tourné le dos aux miens et je suis allée à l'université. (À cette révélation, Matthew commença à se tortiller dans son fauteuil.) J'ai étudié l'histoire de l'alchimie.

— Diana étudie *l'art* de l'alchimie, corrigea Matthew en me jetant un regard d'avertissement.

Mais ses demi-vérités alambiquées ne pouvaient satisfaire son père.

— Je sais voyager dans le temps. Je suis ce que vous appelez une *fileuse de temps*.

— Oh, mais je sais très bien ce que vous êtes, dit Philippe du même ton nonchalant. (La surprise se peignit brièvement sur le visage de Matthew.) J'ai eu une longue vie, *madame**, et j'ai connu bien des créatures. Comme vous n'êtes pas de cette époque, ni du passé, vous devez être de l'avenir. Et *Matthaios* est remonté dans le temps avec vous, car il n'est pas le même homme qu'il était il y a huit mois. Le Matthew que je connais n'aurait jamais jeté un regard à une sorcière. (Le vampire prit une profonde inspiration.) Mon petit-fils m'a averti que vous aviez tous les deux une très étrange odeur.

— Philippe, laisse-moi expliquer…

Mais ce soir, Matthew n'était pas destiné à terminer ses phrases.

— Si troublants que soient bien des aspects de cette situation, je suis heureux de voir que nous pouvons espérer une attitude sensée en matière de rasage pour les années à venir. (Philippe gratta négligemment sa barbe et sa moustache impeccablement taillées.) Les barbes sont moins signe de sagesse que de poux, après tout.

— Tout le monde dit que Matthew a l'air malade sans, soupirai-je. Mais je ne connais pas de sort pour y remédier.

— Une barbe est assez facile à arranger, balaya Philippe d'un geste. Vous en étiez à votre intérêt pour l'alchimie.

— Oui. J'ai découvert un livre que beaucoup d'autres personnes recherchaient. J'ai fait la connaissance de Matthew quand il est venu dans l'intention de me le voler, ce qu'il n'a pu faire, car je l'avais déjà rendu. Entre-temps, toutes les créatures à des lieues à la ronde en avaient après moi. J'ai dû cesser de travailler !

Quelque chose qui ressemblait à un rire réprimé secoua la mâchoire de Philippe. Je me rendis compte qu'il était difficile de savoir, avec les lions, s'ils étaient amusés ou s'ils s'apprêtaient à vous bondir dessus.

— Nous pensons qu'il s'agit du livre des origines, précisa Matthew avec fierté, bien que j'aie invoqué le manuscrit de manière parfaitement accidentelle. Le livre est venu à Diana. Et le temps que d'autres créatures comprennent ce qu'elle avait découvert, j'étais déjà amoureux.

— Cela a donc duré un certain temps, alors, dit Philippe en posant son menton sur ses mains jointes, coudes sur la table.

Il était assis sur un simple escabeau alors qu'un magnifique siège aux allures de trône était inoccupé à côté de lui.

— Non, dis-je après un bref calcul. Juste une quinzaine. Matthew a refusé d'admettre ses sentiments pendant très longtemps, jusqu'au moment où nous sommes allés à Sept-Tours. Mais l'endroit n'était pas sûr non plus. Une nuit, je me suis levée et je suis sortie. On m'a enlevée dans les jardins.

— Il y avait des *sorcières* dans l'enceinte du château ? demanda vivement Philippe à Matthew.

— Oui, répondit celui-ci.

— Au-dessus, corrigeai-je aimablement, mobilisant de nouveau l'attention de son père. Je ne crois pas qu'aucune ait posé les pieds sur le sol, si c'est important. Enfin, moi si, évidemment.

— Bien sûr, fit Philippe. Poursuivez.

— Une sorcière m'a emmenée à La Pierre. Domenico était là-bas. Ainsi que Gerbert.

L'expression de Philippe m'indiqua que ni le château ni les deux vampires que j'y avais vus ne lui étaient inconnus.

— On récolte ce que l'on sème, murmura-t-il.

— C'était la Congrégation qui avait ordonné mon enlèvement, et une sorcière nommée Satu a tenté de m'extirper ma magie. Ayant échoué, elle m'a jetée dans une oubliette.

La main de Matthew glissa sur mes reins comme chaque fois quand cet épisode était évoqué. Philippe le regarda faire sans rien dire.

— Une fois que je m'en suis échappée, je ne pouvais plus rester à Sept-Tours et mettre Ysabeau et Marthe en danger. Voyez-vous, la magie commençait à déborder de moi, j'avais des pouvoirs que j'étais incapable de maîtriser. Matthew et moi sommes rentrés chez mes tantes. (Je marquai une pause, cherchant comment expliquer où se trouvait la maison en question.) Vous connaissez les légendes vikings qui parlent de contrées au-delà de l'océan, à l'ouest ? (Il hocha la tête.) C'est là que vivent mes tantes. Plus ou moins.

— Et ces tantes sont toutes deux sorcières ?

— Oui. Puis une vampiresse est venue pour tuer Matthew – l'une des créatures de Gerbert – et elle a failli y parvenir. Nous ne pouvions aller nulle part pour échapper à la Congrégation, sauf dans le passé. (Je marquai une nouvelle pause, choquée par le regard venimeux que Philippe jetait à Matthew.) Mais nous n'avons pas trouvé de refuge ici. Des gens à Woodstock savent que je suis une sorcière et les procès en Écosse pourraient nous causer du tort jusqu'en Oxfordshire. Nous sommes donc de nouveau en fuite. (Je récapitulai mentalement l'histoire pour vérifier que je n'avais rien omis d'important.) Voilà mon histoire.

— Vous avez un don pour raconter des affaires compliquées rapidement et succinctement, *madame**. Si vous vouliez être assez aimable pour inculquer vos méthodes à Matthew, vous rendriez un fier service à la famille. Nous passons plus de temps que nous ne devrions dans les papiers et les plumes.

Philippe considéra un instant ses doigts, puis il se leva avec la vivacité vampirique qui transforme le moindre mouvement en explosion. Il était assis, puis ses muscles se détendirent brusquement et son mètre quatre-vingt-huit se dressa soudain au-dessus de la table. Le vampire fixa son attention sur son fils.

— C'est un jeu dangereux auquel tu joues, Matthew, un jeu où l'on a tout à perdre et fort peu à gagner. Gallowglass a envoyé un message après votre départ. Le cavalier a pris une autre route et est arrivé avant vous. Alors que vous preniez votre temps pour parvenir ici, le roi d'Écosse a arrêté plus d'une centaine de sorcières et les a fait emprisonner à Édimbourg. La Congrégation pense sans doute que vous êtes en route pour aller persuader le roi Jacques de renoncer à cette affaire.

— Voilà d'autant plus de raisons pour que vous accordiez à Diana votre protection, dit Matthew, l'air pincé.

— Pourquoi le devrais-je ? répondit Philippe d'un ton glacial, le défiant de répondre.

— Parce que je l'aime. Et parce que vous me dites que c'est à cela que sert l'ordre de Saint-Lazare : protéger ceux qui ne peuvent se protéger seuls.

— Je protège d'autres *manjasang*, pas des sorcières !

— Peut-être devriez-vous avoir une vue plus large, s'entêta Matthew. Les *manjasang* peuvent normalement se défendre seuls.

— Tu sais très bien que je ne peux protéger cette femme, Matthew. Toute l'Europe se déchire sur des questions de religion et les sangs-chauds cherchent des boucs émissaires pour les troubles actuels. Il est inévitable qu'ils s'en prennent aux créatures qui les entourent. Cependant, en connaissance de cause, tu as plongé dans cette folie cette femme – que tu prétends être ta compagne et qui est une sorcière de sang. Non, dit-il en secouant énergiquement la tête. Tu penses peut-être pouvoir te payer d'effronterie, mais je ne ferai pas courir de risque à la famille en provoquant la Congrégation et en ignorant les termes du pacte.

— Philippe, vous devez…

— N'use pas de ce mot avec moi, coupa Philippe en pointant l'index sur lui. Mets tes affaires en ordre et retournez d'où vous venez. Demande-moi mon aide de là-bas – ou mieux encore, demande l'aide des tantes de la sorcière. N'apporte pas tes ennuis dans le passé où ils n'ont pas leur place.

Mais au XXIe siècle, Matthew n'avait pas de Philippe sur lequel s'appuyer : il était mort et enterré.

— Je ne vous ai jamais rien demandé, Philippe. Jusqu'à aujourd'hui.

La température baissa dangereusement dans la pièce de plusieurs degrés.

— Tu aurais dû prévoir ma réponse, *Matthaios*, mais comme de coutume, tu n'as pas réfléchi. Et si ta mère était ici ? Et si le mauvais temps n'avait pas frappé Trèves ? Tu sais combien elle méprise les sorcières. (Philippe foudroya son fils du regard.) Il faudrait une petite armée pour l'empêcher de déchiqueter cette femme morceau par morceau, et je n'en ai pas en ce moment.

D'abord, cela avait été Ysabeau qui avait voulu que je sorte de la vie de son fils. Baldwin n'avait fait aucun effort pour dissimuler son dédain. Hamish, l'ami de Matthew, me considérait avec circonspection, et Kit me détestait ouvertement. À présent, c'était au tour de Philippe. Je me levai et attendis que le père de Matthew me regarde. Quand il se tourna, je soutins son regard. Le sien frémit de surprise.

— Matthew ne pouvait prévoir cela, monsieur de Clermont. Il était convaincu que vous le soutiendriez, bien que sa confiance ait été mal placée en l'occurrence. (Je repris mon souffle.) Je vous serais reconnaissante si vous me laissiez séjourner cette nuit à Sept-Tours. Matthew n'a pas dormi depuis des semaines et il le pourra mieux dans un lieu familier. Demain, je retournerai en Angleterre – sans lui, si nécessaire.

L'une de mes nouvelles boucles de cheveux tomba sur ma tempe gauche. Je levai une main lasse pour la repousser et trouvai mon poignet emprisonné dans l'étreinte de Philippe de Clermont. Le temps que je m'en rende compte, Matthew s'était déjà levé et avait empoigné son père par les épaules.

— Où avez-vous eu cela ? (Philippe fixait la bague au majeur de ma main gauche. *La bague d'Ysabeau*. Son regard se fit féroce et fouilla le mien. Ses doigts se resserrèrent sur mon poignet au point de le briser.) Jamais elle n'aurait donné cette bague à une autre, de notre vivant.

— Elle est vivante, Philippe, dit rapidement et sèchement Matthew, moins pour le rassurer que pour l'informer.

— Mais si Ysabeau est vivante, alors… (Il n'acheva pas. L'espace d'un instant, il fut déconcerté, puis la lumière se fit en lui.) Alors, finalement, je ne suis pas immortel. Et tu ne peux aller me trouver là et d'où vous venez.

— Non, se força à répondre Matthew.

— Cependant, tu as laissé ta mère affronter tes ennemis ? s'indigna-t-il.

— Marthe est avec elle. Baldwin et Alain s'assureront qu'il ne lui arrive rien.

Matthew avait pris un ton apaisant, mais son père ne m'avait pas lâchée. Je commençais à ne plus sentir ma main.

— Et Ysabeau a donné ma bague à une sorcière ? Voilà qui est extraordinaire. Mais elle lui va bien, cependant, dit Philippe d'un air absent en tournant ma main vers le feu.

— C'est ce que *mère** a estimé, dit doucement Matthew.

— Quand… (Il secoua la tête.) Non. Ne me dis rien. Nul ne devrait connaître l'heure de sa mort.

Ma mère avait prévu sa fin tragique et celle de mon père. Glacée, épuisée et hantée par mes propres souvenirs, je me mis à trembler. Le père de Matthew sembla ne pas s'en rendre compte et continuait à contempler nos mains, mais son fils le vit.

— Lâchez-la, Philippe, lui ordonna-t-il.

Philippe plongea son regard dans le mien et poussa un soupir déçu. Malgré la bague, je n'étais pas sa bien-aimée Ysabeau. Il me lâcha et je reculai hors de sa portée.

— Maintenant que vous avez entendu son récit, accorderez-vous votre protection à Diana ? demanda Matthew en scrutant son père.

— Est-ce ce que vous désirez, *madame** ? (Je hochai la tête, la main crispée sur le bras sculpté d'un fauteuil.) Alors, oui, les chevaliers de l'ordre de Saint-Lazare assureront sa sécurité.

— Merci, *père**, dit Matthew avant de se tourner vers moi. Diana est fatiguée. Nous vous verrons au matin.

— Absolument pas, résonna la voix de Philippe. Votre sorcière est sous mon toit et ma protection. Elle ne partagera pas un lit avec toi.

— Diana est loin de chez elle, Philippe, dit Matthew en me prenant la main. Cette partie du château ne lui est pas familière.

— Elle ne séjournera pas dans tes appartements, Matthew.

— Pourquoi ? demandai-je en les dévisageant tour à tour.

— Parce que vous ne vous êtes pas unis, quelque joli mensonge que vous ait raconté Matthew. Et Dieu merci, d'ailleurs. Peut-être pourrons-nous finalement éviter le désastre.

— Pas unis ? demandai-je, abasourdie.

— Échanger des promesses et accepter le lien d'un *manjasang* ne constitue pas une union inviolable, *madame**.

— Il est mon mari en tout point qui importe, dis-je, le feu aux joues.

Une fois que j'avais déclaré à Matthew que je l'aimais, il m'avait assuré que nous étions unis.

— Vous n'êtes pas non plus mariés comme il convient – du moins pas d'une manière qui résiste à l'examen, continua Philippe, et vous y aurez amplement droit si vous continuez cette mascarade. Matthew a toujours passé plus de temps à Paris à ruminer la métaphysique qu'à étudier le droit. En l'occurrence, mon fils, ton instinct aurait dû te dicter ce qui était nécessaire si ton intellect ne l'a pas fait.

— Nous avons prononcé des serments avant de partir. Matthew m'a donné la bague d'Ysabeau.

Nous avions fait une sorte de cérémonie durant les dernières minutes à Madison. Je passai en revue la scène pour essayer de trouver ce qui manquait.

— Ce qui constitue une union *manjasang* est identique à ce qui fait taire toute objection au mariage quand prêtres, juristes, ennemis et rivaux élèvent la voix : la consommation physique, dit Philippe, les narines frémissantes. Et vous ne vous êtes pas encore unis ainsi. Vos odeurs sont non seulement étranges, mais également parfaitement distinctes, comme deux créatures séparées au lieu d'une. N'importe quel *manjasang* saurait que vous n'êtes pas pleinement unis. Gerbert et Domenico l'ont certainement su dès que Diana s'est trouvée en leur présence. Tout comme Baldwin, sans aucun doute.

— Nous nous sommes mariés et unis. Il n'y a nul besoin d'autre preuve que mon assurance. Quant au reste, ce n'est aucunement votre affaire, Philippe, dit Matthew en s'interposant entre moi et son père.

— Oh, *Matthaios*, nous sommes bien au-delà de tout cela, dit Philippe d'un ton las. Diana est une femme non mariée et sans père, et je ne vois aucun frère ici pour prendre sa défense. Elle est entièrement mon *affaire*.

— Nous sommes mariés aux yeux de Dieu.

— Et cependant, tu as attendu pour la prendre. Qu'attends-tu, Matthew ? Un signe ? Elle te désire. Je le vois à son regard pour toi. Pour la plupart des hommes, c'est suffisant.

Le regard de Philippe nous cloua l'un après l'autre. Je me rappelai l'étrange réticence de Matthew sur la question, l'inquiétude et le doute se répandirent en moi comme du poison.

— Nous ne nous connaissons pas depuis longtemps. Quand bien même, je sais que je serai avec elle – et seulement elle – pour toute ma vie. C'est ma compagne. Vous savez ce que dit la bague, Philippe : *à ma vie de coer entier*.

— Donner à une femme ta vie entière ne signifie rien, si tu ne lui donnes pas aussi ton cœur. Tu devrais accorder plus d'attention à la conclusion de ce gage d'amour, pas seulement à son commencement.

— Elle possède mon cœur, dit Matthew.

— Pas entièrement. Si tel était le cas, tous les membres de la Congrégation seraient morts, le pacte serait brisé pour toujours et tu serais à ta place et non ici, dit brutalement Philippe. J'ignore ce qui constitue le mariage dans ton avenir mais, dans le présent, c'est quelque chose pour quoi on pourrait donner sa vie.

— Répandre le sang au nom de Diana n'est pas la réponse à nos difficultés présentes.

Malgré ses siècles d'expérience avec son père, Matthew s'entêtait à refuser d'admettre ce que je savais déjà : il n'y avait pas moyen de gagner une dispute avec Philippe de Clermont.

— Le sang d'une sorcière ne compte-t-il pas ? (Les deux hommes se tournèrent vers moi, surpris.) Tu as tué une sorcière, Matthew. Et moi un vampire – un *manjasang* – plutôt que de te perdre. Puisque nous partageons les secrets ce soir, autant que ton père connaisse la vérité.

Gillian Chamberlain et Juliette Durand avaient été deux victimes dans les conflits qu'avait provoqués notre relation.

— Et tu penses que tu as le temps de faire la cour ? Pour un homme qui se considère comme instruit, Matthew, ta sottise est sidérante, dit Philippe, dégoûté.

Matthew essuya l'insulte de son père sans broncher, puis il joua son atout.

— Ysabeau a accepté Diana comme sa fille, dit-il.

Mais Philippe n'allait pas se laisser fléchir aussi facilement.

— Ni ton Dieu ni ta mère n'ont jamais réussi à te faire reconnaître les conséquences de tes actes. Apparemment, cela n'a pas changé. (Philippe s'appuya sur la table et appela Alain.) Comme vous ne vous êtes pas unis, aucun dégât irrémédiable n'a été commis. Cette affaire peut être réglée avant que quiconque le découvre et que la famille soit ruinée. Je vais faire mander à Lyon une sorcière qui aidera Diana à mieux comprendre son pouvoir. Tu pourras te renseigner sur son livre pendant ce temps, Matthew. Ensuite, vous rentrerez chez vous, où vous oublierez cette indiscrétion et poursuivrez séparément vos vies.

— Diana et moi allons dans mes appartements. Ensemble. Sinon, Dieu m'est…

— Avant que tu achèves de prononcer cette menace, assure-toi que tu as assez de force pour la mettre à exécution, répliqua Philippe le plus calmement du monde. Cette fille dormira seule et auprès de moi.

Je sentis à un courant d'air que la porte venait de s'ouvrir. Il flotta vers moi une nette odeur de cire et de poivre concassé. Alain jeta un regard de part et d'autre et vit l'expression furieuse de Matthew et l'attitude implacable de Philippe.

— Tu as été déjoué, *Matthaios*, dit Philippe à son fils. Je ne sais pas ce que tu as fait durant tout ce temps, mais tu t'es ramolli. Allons. Cède, embrasse ta sorcière et souhaite-lui bonne nuit. Alain, mène cette femme dans la chambre de Louisa. Elle est à Vienne – ou à Venise. Je ne sais plus où j'en suis avec cette enfant et ses incessants voyages. Quant à toi, continua-t-il en posant son regard couleur d'ambre sur son fils, tu descendras et tu m'attendras dans la grande salle pendant que je termine ma lettre à Gallowglass et à Raleigh. Cela fait un certain temps que tu es parti et tes amis veulent savoir si Élisabeth Tudor est un monstre à deux têtes et trois tétons comme on le clame partout.

Refusant de céder entièrement, Matthew me souleva le menton, plongea son regard dans le mien et m'embrassa plus longuement que ne s'y attendait son père.

— Ce sera tout, Diana, dit Philippe d'un ton nettement méprisant, une fois que Matthew eut terminé.

— Venez, *madame**, dit Alain en désignant la porte.

Éveillée et seule dans le lit d'une autre femme, j'écoutai le vent siffler tout en retournant dans ma tête ce qui venait de se passer. Il y avait trop de subterfuges à déchiffrer, ainsi qu'une sensation de trahison. Je savais que Matthew m'aimait. Mais il devait savoir que d'autres contesteraient nos vœux.

À mesure que passaient les heures, je renonçai à espérer dormir. J'allai à la fenêtre et attendis l'aube en essayant de comprendre comment nos projets s'étaient trouvés anéantis en si peu de temps et en me demandant quel rôle Philippe de Clermont, et les secrets de Matthew avaient joué dans leur destruction.

9

Quand ma porte s'ouvrit soudainement le lendemain matin, Matthew était appuyé contre le mur d'en
face. D'après son état, Matthew n'avait pas beaucoup
dormi non plus. Il bondit sur ses pieds, au grand amusement des deux jeunes servantes qui gloussaient derrière moi et qui n'avaient pas l'habitude de le voir aussi
hirsute. Il avait le visage sombre.

— Bonjour, dis-je en m'avançant dans ma robe
carmin.

Comme mon lit, mes domestiques et presque tout ce
que je touchais, elle appartenait à Louisa de Clermont.
Son capiteux parfum de rose et de civette qui imprégnait les tentures du baldaquin m'avait étourdie la
veille. Je respirai une longue bouffée d'air frais et cherchai les notes de cannelle et de girofle qui caractéri-
saient Matthew. Un peu de ma fatigue s'envola quand
je les reconnus et, réconfortée par cette odeur familière, je me drapai dans la chasuble en laine noire que
les servantes avaient posée sur mes épaules. Elle me
rappelait ma grande tenue d'université et me tenait
bien chaud.

L'expression de Matthew s'éclaira quand il m'attira
contre lui et m'embrassa passionnément. Les servantes
continuèrent de glousser et de murmurer ce qu'il prit

pour des encouragements. Un courant d'air sur mes chevilles m'indiqua que quelqu'un d'autre venait d'arriver. Nos lèvres se séparèrent.

— Tu es trop vieux pour traîner ton vague à l'âme dans les antichambres, *Matthaios*, commenta son père en passant la tête par l'embrasure de la pièce voisine. Le XIIe siècle n'était pas bon pour toi et nous t'autorisions à lire bien trop de poésie. Ressaisis-toi avant que les hommes te voient, de grâce, et descends avec Diana. Elle sent comme une ruche au cœur de l'été et il faudra du temps à la maisonnée pour s'accoutumer à son odeur. Nous regretterions qu'il y ait la moindre effusion de sang.

— Il y aurait moins de risques si vous cessiez de vous en mêler. Cette séparation est absurde, dit Matthew en me prenant par le coude. Nous sommes mari et femme.

— Non, vous ne l'êtes pas, grâce aux dieux. Descends, je te rejoindrai sous peu, ajouta-t-il en secouant la tête avant de rentrer dans la chambre.

Matthew resta coi alors que nous étions face à face de part et d'autre de l'une des longues tables de la grande salle glacée. Il y avait peu de monde dans la pièce à cette heure et ceux qui s'y étaient attardés déguerpirent rapidement en voyant son expression menaçante. Du pain, tout frais sorti du four, et du vin épicé furent déposés devant moi. Ce n'était pas du thé, mais je m'en accommoderais. Je poussai un petit gémissement impatient et Matthew attendit que j'aie bu une longue gorgée avant de parler.

— J'ai vu mon père. Nous allons partir immédiatement. (Je refermai les doigts sur le gobelet sans répondre. Des fragments de peau d'orange flottaient dans le vin, gonflés par le chaud liquide, lui donnant un petit goût de boisson de petit déjeuner.) Venir ici était une sottise, dit Matthew en balayant la pièce du regard.

— Où irons-nous ? Il neige. À Woodstock, le village est prêt à me traîner devant un juge pour crime de sorcellerie. À Sept-Tours, nous sommes obligés de dormir chacun de notre côté et de nous accommoder de ton père, mais peut-être pourra-t-il trouver une sorcière disposée à m'aider.

Pour le moment, les décisions hâtives de Matthew n'avaient pas donné de résultats convaincants.

— Philippe se mêle de tout. Pour ce qui est de trouver une sorcière, il n'aime guère plus ton peuple que *mère**. (Matthew contempla la surface éraillée de la table et recueillit un peu de cire qui avait coulé dans une entaille.) Ma maison de Milan conviendra peut-être. Nous pourrions y passer Noël. Les sorcières italiennes ont une considérable réputation et sont connues pour leurs dons de clairvoyance.

— Certainement pas à Milan.

Philippe était apparu comme un ouragan et prenait place sur le banc à côté de moi. Matthew modérait prudemment sa force et sa vitesse par déférence pour les nerfs des sangs-chauds. Il en était de même pour Miriam, Marcus, Marthe et même Ysabeau. Son père n'avait pas autant de considération.

— J'ai accompli mon geste de piété filiale, Philippe, dit Matthew d'un ton sec. Nous n'avons aucune raison de nous attarder et nous serons très bien à Milan. Diana connaît le toscan.

S'il voulait parler de l'italien, j'étais capable de commander des *tagliatelle* dans un restaurant et de demander des livres dans une bibliothèque, mais je ne pensais pas que cela suffirait.

— Comme cela doit lui être utile. Il est regrettable que vous n'alliez pas à Florence, alors. Mais il faudra longtemps avant que tu sois bien accueilli dans cette ville après tes dernières incartades là-bas, dit suavement Philippe. *Parlez-vous français, madame* ?*

— *Oui**, dis-je prudemment, certaine que la conversation allait prendre un tour dangereusement polyglotte.

— Hum, fit-il. *Dicunt mihi es philologa.*

— C'est une universitaire, coupa sèchement Matthew. Si vous voulez une liste de ses titres, je serai heureux de vous la fournir, en privé, après le petit déjeuner.

— *Loquerisne latine, legis hellenika ?* demanda Philippe, comme si son fils n'avait rien dit.

— *Mea lingua latina est mala*, répondis-je en posant mon gobelet. (Philippe ouvrit de grands yeux devant ma consternante réponse digne d'une écolière et son expression me rappela mes pires moments d'initiation au latin. Je pouvais lire un texte alchimique en latin qu'on me mettait sous le nez, mais je n'étais pas capable de converser. Pourtant, je continuai vaillamment, espérant que j'avais correctement déduit que sa deuxième question portait sur ma connaissance du grec.) *Tamen mea lingua graeca est peior.*

— Alors nous ne parlerons pas non plus dans cette langue, murmura Philippe d'un ton chagrin avant de se tourner vers Matthew et d'ajouter, indigné : *Den tha ekpaidéfsoun gynaikes sto méllon ?*

— Les femmes de l'époque de Diana font bien plus d'études que vous n'estimeriez prudent, *père**, répondit Matthew. Et pas seulement en grec.

— Elles n'ont pas besoin d'Aristote dans l'avenir ? Quel monde étrange cela doit être. Je suis heureux de ne pas devoir le connaître avant longtemps. (Philippe flaira avec méfiance la carafe de vin et préféra s'abstenir.) Diana devra parler le français et le latin plus couramment. Seuls quelques-uns de nos serviteurs parlent anglais, et aucun dans les offices.

Il jeta un gros trousseau de clés sur la table. Instinctivement, j'ouvris la main pour m'en saisir.

— Il n'en est pas question, dit Matthew en me les prenant. Diana ne restera pas ici assez longtemps pour prendre la peine de s'occuper de la maisonnée.

— Elle est la femme du plus haut rang à Sept-Tours, et cette charge lui incombe. Vous devriez commencer, je pense, par le cuisinier, dit-il en désignant la plus grosse clé. Celle-ci ouvre les magasins. Les autres le fournil, la brasserie, toutes les chambres sauf la mienne, et les caves.

— Laquelle ouvre la bibliothèque ? demandai-je en les caressant avec intérêt.

— Nous n'enfermons pas les livres dans cette maison, répondit Philippe. Seulement les vivres, le vin et l'ale. Lire Hérodote ou saint Thomas d'Aquin pousse rarement à se mal conduire.

— Il y a une première fois pour tout, répondis-je à mi-voix. Et comment appelle-t-on le cuisinier ?

— Maître queux.

— Non, son nom, demandai-je, décontenancée.

— Il dirige les cuisines, c'est donc le *maître* queux. Je ne l'ai jamais appelé autrement. Et toi, *Matthaios* ?

Père et fils échangèrent un regard qui me fit craindre pour la table qui les séparait.

— Je pensais que c'était vous qui dirigiez, ici. Si je dois appeler le cuisinier *maître*, comment dois-je vous appeler ?

Mon ton sec détourna un instant l'attention de Matthew, qui allait renverser la table et sauter à la gorge de son père.

— Tout le monde m'appelle « messire » ou « père ». Que préférez-vous ?

La question de Philippe était glissante et dangereuse.

— Appelle-le simplement Philippe, grommela Matthew. Il a bien d'autres titres, mais ceux qui lui siéent le mieux te brûleraient la langue.

— Tu n'as pas perdu ton tempérament combatif quand tu as égaré ton bon sens, à ce que je vois, sourit Philippe. Laissons la maisonnée à ton épouse et sortons à cheval. Tu me parais bien affaibli et tu as besoin d'un peu d'exercice.

— Je ne laisserai pas Diana, répliqua Matthew, qui tripotait une énorme salière en argent, ancêtre de l'humble boîte à sel que j'avais près de mon fourneau à New Haven.

— Pourquoi donc ? ricana Philippe. Alain jouera les nourrices.

Matthew ouvrit la bouche pour répondre.

— Père ? dis-je suavement. Puis-je parler en privé à mon époux avant qu'il vous rejoigne aux écuries ?

Philippe me jeta un regard aigu, puis il se leva et s'inclina. C'était la première fois que le vampire se mouvait à une vitesse normale.

— Bien sûr, *madame**. Je vais faire mander Alain pour qu'il s'occupe de vous. Savourez votre intimité, pendant que vous en avez encore.

Le regard fixé sur moi, Matthew attendit que son père ait quitté la pièce.

— Que mijotes-tu, Diana ? demanda-t-il calmement tandis que je faisais le tour de la table pour le rejoindre.

— Pourquoi Ysabeau est-elle à Trèves ? demandai-je.

— Quelle importance ? éluda-t-il.

Je jurai comme un charretier, ce qui eut le mérite de lui faire perdre son expression innocente. J'avais eu beaucoup de temps pour réfléchir la veille, allongée toute seule dans la chambre parfumée à la rose de Louisa – assez de temps pour mettre bout à bout les événements des semaines passées et les comparer à ce que je connaissais de l'époque.

— Cela en a parce qu'il n'y a pas grand-chose à faire à Trèves en 1590 à part la chasse aux sorcières ! (Un serviteur traversa la salle en courant. Comme il restait encore deux hommes assis auprès du feu, je baissai la voix.) Ce n'est ni le lieu ni le moment de discuter du rôle actuel de ton père dans les balbutiements de la géopolitique moderne, de te demander pourquoi un cardinal s'est laissé mener à la baguette au Mont-Saint-Michel comme si c'était ton île privée, ou de vouloir en savoir plus sur la mort tragique du père de Gallowglass. Mais tu me le diras. Et nous allons sans conteste avoir besoin de plus de temps et d'intimité pour que tu m'expliques les aspects les plus techniques de l'union du vampire.

Je tournai les talons. Il attendit que je sois assez loin pour imaginer que je pouvais m'échapper avant de me saisir par le coude et de me retourner. C'était la manœuvre instinctive du prédateur.

— Non, Diana. Nous parlerons de notre mariage avant que l'un de nous quitte la pièce.

Il se tourna vers les derniers domestiques qui prenaient leur repas. Un signe de tête les fit déguerpir.

— Quel mariage ? demandai-je.

Une étincelle menaçante passa fugitivement dans son regard.

— M'aimes-tu, Diana ? demanda-t-il avec une douceur qui me surprit.

— Oui, répondis-je aussitôt. Mais si tout ce qui importe était de t'aimer, ce serait simple et nous serions encore à Madison.

— C'est simple, dit-il en se levant. Si tu m'aimes, les paroles de mon père n'ont pas le pouvoir de dissoudre les promesses que nous nous sommes faites, pas plus que la Congrégation ne peut nous obliger à respecter le pacte.

— Si tu m'aimais vraiment, tu te donnerais à moi. Corps et âme.

— Ce n'est pas aussi simple, dit-il tristement. Dès le début, je t'ai prévenue qu'une relation avec un vampire serait compliquée.

— Cela ne semble pas être l'avis de Philippe.

— Alors, couche avec lui. Si c'est moi que tu désires, tu attendras.

Matthew respirait le calme, mais celui d'une rivière gelée : dur et lisse en surface, mais bouillonnant audessous. Il utilisait les mots comme armes depuis que nous avions quitté Old Lodge. Il y avait eu des excuses pour les premières remarques cinglantes, mais je n'y aurais pas droit cette fois. Maintenant qu'il était de nouveau auprès de son père, le vernis civilisé de Matthew était trop mince pour quelque chose d'aussi moderne et humain que le regret.

— Philippe n'est pas mon genre, dis-je froidement. Tu pourrais en revanche avoir la courtoisie de me dire pourquoi je devrais t'attendre.

— Parce que le divorce de vampires n'existe pas. Il y a l'union et il y a la mort. Certains vampires – ma mère et Philippe y compris – se séparent un moment s'il y a des... désaccords. Ils prennent un amant ou une maîtresse. Avec le temps et la distance, ils aplanissent leurs différends et se réunissent. Mais cela ne fonctionne pas pour moi.

— Bon. Ce ne serait pas mon premier choix pour un mariage non plus. Mais je ne vois toujours pas pourquoi tu es si réticent à consommer notre union.

Il avait déjà exploré mon corps avec l'attention délicate d'un amant. Ce n'était pas moi ou l'idée du sexe qui le faisait hésiter.

— Il est trop tôt pour contraindre ta liberté. Une fois que je me serai perdu en toi, il n'y aura plus d'autres partenaires et pas de séparation. Il faut que tu sois sûre qu'être mariée à un vampire est véritablement ce que tu veux.

— Tu as le droit de me choisir, à plusieurs reprises, mais quand je demande la même chose, tu estimes que je ne sais pas ce que je veux ?

— J'ai eu tout le loisir de savoir ce que je veux. Ton affection pour moi n'est peut-être rien de plus qu'une manière d'alléger ta peur de l'inconnu ou de satisfaire ton désir d'embrasser ce monde des créatures que tu as refusé pendant si longtemps.

— Affection ? Je t'aime. Peu importe que j'aie deux jours ou deux ans. Ma décision ne changera pas.

— La différence, c'est que je ne t'aurai pas fait ce que tes parents ont fait ! explosa-t-il. S'unir avec un vampire n'est pas moins contraignant qu'être ensor-celée par des sorciers. Tu es indépendante pour la pre-mière fois de ta vie et tu es tout de même prête à échanger des entraves pour d'autres. Mais les miennes ne sont pas faites de l'étoffe enchantée des contes de fées et aucun charme ne te les ôtera quand elles commenceront à te peser.

— Je suis ton amante, pas ta prisonnière.

— Et je suis un vampire, pas un sang-chaud. Les instincts d'union sont primitifs et difficiles à maîtriser. Tout mon être sera concentré sur toi. Personne ne mérite une attention aussi brutale, et surtout pas la femme que j'aime.

— Alors le choix, c'est de vivre sans toi ou de finir enfermée dans une tour par tes soins. (Je secouai la tête.) C'est la peur qui parle, ici, pas la raison. Tu crains de me perdre et être en présence de Philippe empire les choses. Me repousser ne va pas soulager la colère que tu éprouves d'avoir perdu ton père, mais en parler le pourrait peut-être.

— Maintenant que je suis de nouveau avec mon père, que mes blessures se rouvrent et saignent, je ne cicatrise pas aussi rapidement que tu l'espérais ?

Il avait repris son ton cruel. Je frémis. Un bref regret passa dans son regard avant qu'il se durcisse de nou-veau.

— Tu préférerais être n'importe où qu'ici, je le sais, Matthew. Mais Hancock avait raison : je ne tiendrais pas longtemps dans une ville comme Londres ou Paris, où nous pourrions trouver une sorcière complaisante. Les autres femmes repéreront mes différences sur-le-champ et elles seront moins indulgentes que Walter ou

Henry. On me livrera aux autorités – ou à la Congrégation – et ce ne serait qu'une question de jours.

Le regard de Matthew qui pesait sur moi me fit entrevoir ce que ce serait d'être l'unique objet de l'attention permanente d'un vampire.

— Une autre sorcière n'en aura cure, s'entêta-t-il. Et je peux m'occuper de la Congrégation.

Les quelques mètres qui nous séparaient me parurent aussi lointains que si nous avions été chacun d'un côté du monde. La solitude, ma vieille compagne, n'était plus pour moi une amie.

— Nous ne pouvons continuer ainsi, Matthew. Sans famille ni biens, je suis totalement dépendante de toi, poursuivis-je. (Les historiens avaient bien compris certaines questions du passé, notamment les difficultés sociales que rencontrait une femme sans amis ni argent.) Nous devons rester à Sept-Tours jusqu'à ce que je sois en mesure d'aller quelque part sans attirer la curiosité. Je dois être capable de me débrouiller seule. En commençant par ceci, conclus-je en brandissant le trousseau de clés.

— Tu veux jouer à la maîtresse de maison ? demanda-t-il, dubitatif.

— Je ne veux pas jouer, je prends la situation très au sérieux. Va. Passe du temps avec ton père. Je vais être trop occupée pour que tu me manques.

Matthew s'en alla aux écuries sans un mot ni un baiser. Je me retrouvai un peu démunie de ne pas avoir bénéficié de ses habituels gestes rassurants. Quand son odeur se fut dissipée, j'appelai Alain, qui arriva étrangement vite, accompagné de Pierre. Ils avaient dû entendre chaque mot de notre échange.

— Regarder le paysage par la fenêtre ne suffit pas à dissimuler ce que l'on pense, Pierre. C'est l'un des rares signes qui trahissent ses inquiétudes. Chaque fois qu'il agit ainsi, je sais qu'il dissimule quelque chose. (Pierre me regarda sans comprendre.) Matthew détourne le regard quand il est angoissé ou qu'il ne veut pas me confier quelque chose. Et il se passe une main dans les cheveux quand il ne sait pas quoi faire.

— En effet, *madame**, dit Pierre, stupéfait. *Milord** sait-il que vous utilisez vos pouvoirs divinatoires de sorcière pour lire dans son âme ? Mme de Clermont connaît son comportement, ainsi que les frères et le père de *milord**. Mais vous le connaissez depuis si peu de temps et vous en savez déjà tant. (Alain toussota. Pierre prit un air terrifié.) Mais je m'oublie, *madame**. Pardonnez-moi.

— C'est une bénédiction d'être curieux, Pierre. Et c'est l'observation et non la divination dont j'ai usé pour connaître mon mari. (Il n'y avait pas de raison que je ne sème pas les graines de la révolution scientifique ici, en Auvergne.) Nous serons, je crois, plus à l'aise pour discuter de ces questions dans la bibliothèque, dis-je en désignant ce que j'espérai être la bonne direction.

La pièce où les Clermont conservaient la plupart de leurs livres représentait pratiquement un refuge pour moi. Une fois que je me trouvai baignée dans l'odeur de papier et de cuir, un peu de ma solitude se dissipa. C'était un monde que je connaissais.

— Nous avons beaucoup de travail, dis-je aux domestiques. D'abord, je voudrais vous demander de me promettre quelque chose.

— Un vœu, *madame** ? demanda Alain d'un air soupçonneux.

— Oui. Si je demande quelque chose qui nécessite l'assistance de *milord**, voire de son père, dites-le-moi et nous procéderons différemment. Ils n'ont pas besoin d'être importunés par des vétilles.

Les deux hommes parurent circonspects, mais intrigués.

— *Oc*, opina Alain avec un hochement de tête.

Malgré ce début auspicieux, ma première réunion d'équipe eut du mal à se mettre en branle. Pierre refusait de s'asseoir en ma présence et Alain n'acceptait que si je m'asseyais aussi. Mais comme il n'était pas question de rester immobile, étant donné mon angoisse croissante devant mes responsabilités à Sept-Tours, nous couvrîmes à nous trois toute la bibliothèque. À mesure que nous faisions le tour, je désignais les livres qui devaient être portés dans la chambre de Louisa, dressais la liste des fournitures nécessaires et ordonnais que mes vêtements de voyage soient confiés à un tailleur comme modèle pour une garde-robe de base. J'étais disposée à porter les vêtements de Louisa de Clermont pendant deux jours de plus. Ensuite, je menaçai de prendre des culottes dans l'armoire de Pierre. La perspective d'une telle indécence chez une femme les frappa manifestement de terreur.

Nous passâmes les deux heures suivantes à discuter du fonctionnement intérieur du château. Je n'avais aucune expérience pour diriger une maison aussi compliquée, mais je savais quelles questions poser. Alain me donna les noms et les fonctions de ses subordonnés, me présenta dans leurs grandes lignes les personnalités importantes du village, m'indiqua qui séjournait au château actuellement et spécula sur les visites que nous pouvions attendre dans les prochaines semaines.

Puis nous levâmes le camp pour les cuisines, où je fis la connaissance du maître queux. C'était un humain, mince comme un roseau et à peine plus grand que Pierre. Comme Popeye, chez lui, tout était concentré dans ses avant-bras, qui avaient la taille de jambons. Je compris pourquoi quand je le vis soulever une énorme quantité de pâte et la pétrir sur une table farinée. Comme moi, le cuisinier ne pouvait réfléchir qu'en s'activant.

La nouvelle était parvenue dans les offices qu'une sang-chaud dormait dans une chambre proche de celle du chef de famille. Ainsi que des spéculations sur ma relation avec *milord** et l'espèce de créature que j'étais, étant donné mon odeur et mes habitudes alimentaires. Je surpris les mots *sorcière** et *masca*, magicienne en occitan, lorsque nous pénétrâmes dans cet enfer brûlant et fébrile. Le cuisinier avait rassemblé son personnel, qui était nombreux et soumis à une hiérarchie compliquée. Cela permit à tout un chacun de me voir directement. Certains étaient des vampires, d'autres des humains. Une seule était une démone. Je notai mentalement qu'il faudrait m'assurer que la jeune femme, Catherine, dont le regard tapotait mes joues avec une franche curiosité, serait gentiment traitée et surveillée tant que ses forces et ses faiblesses n'auraient pas été clairement identifiées.

J'étais décidée à ne parler anglais qu'en cas d'absolue nécessité, et quand bien même, uniquement avec Matthew, son père, Alain et Pierre. Du coup, ma conversation avec le cuisinier et ses compagnons fut remplie de méprises. Heureusement, Alain et Pierre les éclaircirent lorsque mon français se prenait les pieds dans leur occitan à l'accent très prononcé. Naguère, j'avais été une assez bonne imitatrice. Le moment était venu de ressusciter ce don, et j'écoutai soigneusement les inflexions de la langue locale. J'avais déjà noté plusieurs dictionnaires de langue dans ma liste, pour la prochaine fois qu'on enverrait quelqu'un faire des achats à la ville voisine de Lyon.

Le cuisinier commença à m'apprécier quand je le complimentai sur ses talents en matière de boulange, le félicitai de l'ordre qui régnait dans les cuisines et demandai qu'il me dise sur-le-champ s'il avait besoin de quoi que ce soit pour accomplir ses prodiges culinaires. Cependant, notre bonne relation fut assurée quand je me renseignai sur les mets et boissons favoris de Matthew. Le maître queux s'anima en agitant ses mains poisseuses et en se répandant à toute vitesse sur la maigreur squelettique de *milord**, dont il attribuait entièrement la faute aux Anglais et à leur médiocre considération pour les arts culinaires.

— N'ai-je point envoyé Charles s'enquérir de ses besoins ? demanda-t-il tout en pétrissant énergiquement sa pâte, pendant que Pierre traduisait l'occitan aussi vite qu'il pouvait. J'ai perdu mon meilleur second et ce n'est rien pour les Anglais ! *Milord** a un estomac délicat et il faut lui donner envie de manger, sinon il maigrit.

Je présentai mes excuses pour le compte de l'Angleterre et demandai comment nous pourrions, lui et moi, assurer le retour à la santé de Matthew, même si la perspective de voir mon époux encore plus robuste était alarmante.

— Il aime le poisson cru, n'est-ce pas, ainsi que la venaison ?

— *Milord** a besoin de sang. Et il n'en boira pas tant qu'il ne sera point convenablement apprêté.

Le cuisinier me conduisit dans la réserve de gibier, où le sang des carcasses de plusieurs bêtes décapitées suspendues coulait dans des bassins en argent.

— Il ne faut user que d'argent, de verre ou de grès pour recueillir le sang, sinon il n'en veut pas, m'informa-t-il, le doigt levé.

— Pourquoi ?

— Tout autre vaisseau souille le sang de mauvaises odeurs ou saveurs. Celui-ci est pur. Sentez, me dit-il en me tendant une coupe.

J'eus l'estomac soulevé devant cette odeur métallique et je me couvris nez et bouche. Alain allait écarter la coupe, mais je l'arrêtai d'un regard.

— Continuez, je vous prie, Maître queux.

Le cuisinier me jeta un regard approbateur et entreprit de décrire les autres délices qui composaient le menu de Matthew. Il me parla de l'amour de Matthew pour le bouillon de bœuf corsé de vin et d'épices et servi froid. Matthew buvait du sang de perdrix, à condition que ce fût en petites quantités et pas trop tôt dans la journée. Mme de Clermont n'était pas si délicate, dit-il en secouant tristement la tête, mais elle n'avait pas légué son impressionnant appétit à son fils.

— Non, dis-je en songeant à mon expédition de chasse avec Ysabeau.

Le cuisinier plongea le bout de l'index dans la coupe et le brandit, rouge et luisant dans la lumière, avant de l'enfourner dans sa bouche et de laisser le liquide vital ruisseler sur sa langue.

— Le sang de cerf est bien sûr son favori. Il n'est pas aussi riche que le sang humain, mais d'un goût fort proche.

— Puis-je ? demandai-je, hésitante, en tendant le doigt vers la coupe.

Le gibier me retournait l'estomac. Peut-être que le goût du sang de cerf serait différent.

— *Milord** n'apprécierait pas, madame de Clermont, dit Alain avec inquiétude.

— Mais il n'est pas là, répondis-je.

Je plongeai le bout du petit doigt dans la coupe. Le sang était épais et je le portai à mon nez et le flairai comme l'avait fait le cuisinier. Quelle odeur percevait Matthew ? Quels arômes décelait-il ?

Quand mon doigt passa sur mes lèvres, mes sens furent submergés d'images : le vent sur une crête rocheuse, le confort d'une litière de feuilles au creux entre deux arbres, la joie de courir en liberté. Et avec cela venait une pulsation puissante et régulière. *Le battement d'un cœur*.

Mon expérience de la vie du cerf s'évanouit beaucoup trop rapidement. Je tendis la main, désireuse d'en savoir davantage, mais Alain la retint. Malgré cela, la soif de connaissance me rongeait, et son intensité diminua à mesure que les dernières traces de sang disparaissaient dans ma bouche.

— *Madame** devrait peut-être retourner dans la bibliothèque, à présent, dit Alain en mettant le cuisinier en garde d'un regard.

En sortant de la cuisine, j'informai le maître queux de ce qu'il devait faire quand Matthew et Philippe reviendraient de leur sortie. Nous étions dans un long couloir de pierre quand je m'arrêtai brusquement devant une porte basse qui était ouverte. Pierre manqua de justesse de me rentrer dedans.

— À qui est cette pièce ? demandai-je, la gorge serrée par l'odeur des herbes accrochées aux solives.

— Elle appartient à la dame de compagnie de Mme de Clermont, expliqua Alain.

— Marthe, soufflai-je en franchissant le seuil.

Des pots en terre cuite trônaient en soigneuses rangées sur des étagères et le plancher était balayé. Une odeur médicinale – de la menthe ? – flottait dans l'air. Quand je me retournai, je vis les trois serviteurs massés sur le seuil.

— Les hommes ne sont pas admis ici, *madame**, avoua Pierre en jetant un coup d'œil par-dessus son épaule comme s'il craignait de voir apparaître Marthe d'un instant à l'autre. Seules Marthe et Mlle Louisa entrent dans la distillerie. Même Mme de Clermont n'y pénètre pas.

Ysabeau n'approuvait pas les remèdes d'herboristerie de Marthe – cela, je le savais. Marthe n'était pas une sorcière, mais ses potions n'étaient pas très loin des pratiques de Sarah. Je balayai les lieux du regard. On pouvait faire bien plus que préparer des plats dans une cuisine et il y avait plus à apprendre du XVIe siècle que la tenue d'une maisonnée et ma propre magie.

— J'aimerais utiliser la distillerie pendant mon séjour à Sept-Tours.

— L'utiliser ? répéta Alain.

— Pour l'alchimie. Veuillez faire apporter deux tonneaux de vin ici pour mon usage – aussi vieux que possible, mais pas viré à l'aigre. Laissez-moi un peu de temps pour voir ce qu'il y a ici.

Pierre et Alain s'agitèrent avec inquiétude devant cette nouveauté inattendue. Voyant ma détermination face à l'hésitation de ses compagnons, le maître queux les poussa vers la cuisine. Tandis que les grommellements de Pierre décroissaient dans le couloir, je m'intéressai à l'endroit. La table de bois était profondément entaillée par la lame de couteaux qui avaient débité des herbes. Je glissai le doigt sur l'un des sillons et le portai à mes narines.

Du romarin. Pour la mémoire.

— *Vous vous rappelez ?*

C'était la voix de Peter Knox que j'entendais, de ce sorcier moderne qui m'avait narguée avec les souvenirs de la mort de mes parents et qui convoitait l'Ashmole 782. Le passé et le présent se heurtèrent de nouveau et je jetai un regard à la dérobée dans le coin près de la cheminée. Les filaments bleus et ambrés étaient là, comme je m'y attendais. Je sentis aussi quelque chose, une autre créature dans une autre époque. Mes doigts imprégnés de romarin se tendirent pour la toucher, mais il était trop tard. Elle avait déjà disparu et les lueurs disparurent.

Rappelez-vous.

C'était la voix de Marthe qui résonnait dans ma mémoire, à présent, égrenant le nom d'herbes et m'apprenant à prendre une pincée de chaque pour préparer une tisane. Elle avait des effets contraceptifs, même si je l'ignorais la première fois que j'avais goûté au breuvage. Les ingrédients étaient certainement là, dans la distillerie de Marthe.

Le coffret de bois tout simple était sur l'étagère du haut, prudemment hors de portée. Je me haussai sur la pointe des pieds, levai le bras et dirigeai ma volonté vers le coffret ainsi que je l'avais fait pour appeler un livre sur les rayonnages de la Bodléienne. Le coffret glissa docilement vers l'avant jusqu'à ce que je puisse en frôler les coins. Je m'en saisis et le posai doucement sur la table.

Le couvercle soulevé découvrit douze compartiments identiques, chacun rempli d'une substance différente. *Persil. Gingembre. Matricaire. Romarin. Sauge. Graines de carotte sauvage. Armoise. Menthe pouliot. Angélique. Rue. Tanaisie. Racine de genévrier.* Marthe était bien équipée pour aider les femmes du village à ne pas avoir trop d'enfants. Je les touchai tour à tour, heureuse de me rappeler leurs noms et leurs odeurs. Mais ma satisfaction laissa rapidement la place à la honte. Je ne savais rien d'autre – ni à quelle phase de lune il fallait les cueillir ni leurs autres utilisations magiques. Sarah l'aurait su. N'importe quelle femme du XVIe siècle aussi. Je balayai mes regrets. Pour le moment, je savais ce que faisaient ces herbes si je les infusais dans de l'eau chaude ou du vin. Je glissai le coffret sous mon bras et rejoignis les autres dans la cuisine. Alain se leva.

— Avez-vous terminé ici, *madame** ?

— Oui, Alain. *Mercés*, Maître queux, dis-je.

Revenue dans la bibliothèque, je posai précautionneusement la boîte sur le coin de ma table et sortis quelques feuilles de papier. Puis je m'assis et pris une plume.

— Le maître queux me dit que nous serons en décembre samedi. Je ne voulais pas en parler dans la cuisine, mais quelqu'un peut-il m'expliquer où j'ai égaré la seconde moitié de novembre ? demandai-je à Alain en trempant ma plume.

— Les Anglais refusent le nouveau calendrier du pape, dit-il lentement, comme s'il parlait à un enfant. C'est donc seulement le dix-septième jour de novembre là-bas alors que nous sommes le vingt-septième en France.

J'avais parcouru plus de quatre siècles sans perdre une heure et pourtant, mon voyage depuis l'Angleterre élisabéthaine jusqu'à la France déchirée par les guerres m'avait coûté presque trois semaines au lieu de dix jours. Je réprimai un soupir et notai les dates correctes en haut de la page. Je me figeai.

— Cela veut dire que l'Avent commencera dimanche.

— *Oui**. Le village, et *milord**, bien sûr, jeûneront jusqu'à la veille de Noël. La maison rompra le jeûne avec le *seigneur* le dix-septième jour de décembre.

Comment un vampire jeûnait-il ? Ma connaissance des cérémonies religieuses chrétiennes ne m'était pas d'un grand secours.

— Que se passe-t-il le 17 ? demandai-je en notant la date aussi.

— Ce sont les Saturnales, *madame**, dit Pierre. La fête dédiée à Saturne, dieu du Temps. *Sire** Philippe observe toujours les anciens rites.

Antiques aurait été un terme plus juste. Il n'y avait plus de Saturnales depuis les derniers jours de l'Empire romain. Je me pinçai le haut du nez, dépassée.

— Commençons par le commencement, Alain. Que se passe-t-il exactement dans cette maison le samedi soir ?

Au bout d'une demi-heure de discussion et de trois feuilles de papier, je me retrouvai seule avec mes livres, mes notes et un mal de crâne accablant. Peu après, j'entendis du bruit dans la grande salle, puis des éclats de rire. Une voix familière, plus profonde et chaleureuse que je n'en avais l'habitude, annonçait son arrivée.

Matthew.

Avant que j'aie eu le temps de ranger mes papiers, il était là.

— As-tu remarqué que j'étais parti, finalement ? (Son visage avait pris des couleurs. Il écarta une mèche de cheveux en me prenant par le cou et en me baisant les lèvres. Il n'y avait pas de sang sur sa langue, seulement le goût du vent et du grand air. Matthew avait monté, mais il ne s'était pas nourri.) Désolé de ce qui s'est passé tout à l'heure, me chuchota-t-il à l'oreille. Pardonne-moi de m'être si mal conduit.

La chevauchée l'avait mis de bonne humeur et son comportement envers son père était désormais naturel et non plus forcé.

— Diana, dit Philippe en apparaissant à son tour et en prenant le premier livre venu pour le feuilleter auprès du feu. Vous lisez *L'Histoire des Francs* – pas pour la première fois, j'imagine. Ce livre serait plus agréable, bien sûr, si la mère de Grégoire n'avait pas surveillé sa rédaction. Le latin d'Armentaria était tout à fait impressionnant. Cela a toujours été un plaisir de converser avec elle. (Je n'avais jamais lu le célèbre livre de Grégoire de Tours sur l'histoire de France, mais Philippe n'avait aucune raison de le savoir.) Quand Matthew et lui étudiaient à Tours, votre célèbre Grégoire avait douze ans. Matthew était bien plus âgé que le professeur, sans parler des autres élèves, et il laissait les garçons monter sur son dos et jouer à cheval. Où se trouve le passage sur le géant ? C'est mon préféré, dit Philippe en tournant les pages.

Alain entra avec un plateau chargé de deux coupes en argent qu'il posa sur une table auprès du feu.

— *Merci, Alain**. Vous devez tous les deux avoir faim, dis-je en désignant le plateau. Le maître queux a fait porter votre repas ici. Et si vous me racontiez votre matinée ?

— Je n'ai pas besoin…, commença Matthew.

Son père et moi poussâmes un soupir agacé. Philippe me laissa parler.

— Bien sûr que si, dis-je. C'est du sang de perdrix, que tu devrais pouvoir boire à cette heure. Mais j'espère que vous chasserez demain, et aussi samedi. Si tu as l'intention de jeûner pendant les quatre semaines à venir, il va falloir te nourrir pendant que tu le peux. (Je remerciai Alain qui s'inclina, jeta un regard en dessous à son maître et se hâta de sortir.) Le vôtre est du sang de cerf, Philippe. Tiré ce matin.

— Que sais-tu du sang de perdrix et du jeûne ? demanda Matthew.

— Plus que je n'en savais hier, dis-je en lui tendant sa coupe.

— Je prendrai mon repas ailleurs, coupa Philippe, et je vous laisserai à votre querelle.

— Il n'y a pas de querelle. Matthew doit rester en bonne santé. Où êtes-vous allés ? demandai-je en tendant la coupe de sang de cerf à Philippe.

Son regard passa de la coupe en argent au visage de son fils, puis à moi. Il me fit un éblouissant sourire, mais il n'y avait pas à se méprendre sur ce regard scrutateur. Il prit la coupe et la leva.

— Merci, Diana, dit-il amicalement.

Mais ces yeux surnaturels auxquels rien n'échappait continuèrent de me fixer pendant que Matthew

racontait leur matinée. Une sensation de dégel printa-
nier m'indiqua le moment où l'attention de Philippe se
tourna vers son fils. Je ne pus m'empêcher de regarder
dans sa direction pour voir s'il était possible de deviner
ce qu'il pensait. Nos regards se croisèrent et se heurtèrent. L'avertissement était clair.

Philippe de Clermont mijotait quelque chose.

— Comment trouves-tu la cuisine ? me demanda
Matthew.

— Fascinante, dis-je en défiant Philippe du regard.
Absolument fascinante.

10

Philippe était peut-être fascinant, mais il était exas-pérant et insondable – exactement tel que Matthew l'avait promis.

Le lendemain matin, Matthew et moi étions dans la grande salle quand mon beau-père sembla surgir de nulle part. Pas étonnant que les humains aient cru que les vampires pouvaient prendre la forme de chauves-souris. Je sortis la mouillette grillée que je venais de tremper dans mon œuf à la coque.

— Bonjour, Philippe.

— Diana. Venez, Matthew. Si vous avez l'inten-tion de jeûner dimanche venu, vous devez vous nourrir. Comme vous ne voulez pas le faire devant votre épouse, nous allons chasser.

Matthew hésita en me regardant, puis se détourna.

— Peut-être demain.

Philippe grommela quelque chose et secoua la tête.

— Tu dois assouvir tes besoins, *Matthaios*. Un *manjasang* épuisé et affamé n'est pas un compagnon de voyage idéal pour quiconque, et encore moins pour une sorcière à sang chaud.

Deux hommes entrèrent en secouant la neige de leurs bottes. Un courant d'air glacé tourbillonna autour du paravent de bois sculpté. Matthew jeta un regard plein de désir vers la porte. Chasser des cerfs dans un paysage enneigé non seulement nourrirait son corps, mais lui éclaircirait l'esprit aussi. Et à en juger par la veille, il serait de bien meilleure humeur en rentrant.

— Ne t'inquiète pas pour moi, j'ai beaucoup à faire, dis-je en lui prenant la main d'un air rassurant.

Après le petit déjeuner, le cuisinier et moi discutâmes du menu du banquet précédant l'Avent. Cela fait, je m'occupai de ma garde-robe avec le tailleur et la couturière du village. Étant donné ma connaissance du français, je redoutai d'avoir commandé n'importe quoi. À la fin de la matinée, mourant d'envie de prendre l'air, je convainquis Alain de me faire visiter les ateliers dans la cour. Presque tout ce dont les habitants du château avaient besoin pouvait se trouver ici, depuis les bougies jusqu'à l'eau potable. J'essayai de me rappeler en détail la manière dont le forgeron fondait ses métaux, consciente qu'un tel savoir serait utile quand je retournerais à ma vraie vie d'historienne.

À l'exception de cette heure passée à la forge, ma journée avait été pour le moment tout à fait typique de celle d'une aristocrate de l'époque. Sentant que je faisais des progrès pour m'adapter, je passai plusieurs heures à lire et à faire des exercices d'écriture. Quand j'entendis les musiciens se mettre en place pour le samedi – dernier banquet avant le long jeûne d'un mois –, je leur demandai de me donner une leçon de danse. Ensuite, je m'offris une expédition dans la distillerie et me retrouvai bientôt heureusement occupée avec un bain-marie improvisé, un alambic de cuivre et un tonnelet de vin vieux. Thomas et Étienne, deux garçonnets empruntés aux cuisines, entretenaient le feu avec des soufflets de cuir.

Me trouver dans le passé m'offrait l'occasion idéale de pratiquer ce dont je n'avais qu'une connaissance livresque. Après avoir fouiné dans le matériel de Marthe, j'entrepris de fabriquer de l'esprit-de-vin, substance de base utilisée dans les opérations alchimiques. Mais je ne tardai pas à pousser des jurons.

— Cela ne condensera jamais correctement, dis-je, agacée, en voyant la vapeur s'échapper de l'alambic.

Les marmitons, qui ne parlaient pas anglais, me gratifièrent de murmures compatissants pendant que je consultais un ouvrage de la bibliothèque des Clermont. Il y en avait bon nombre fort intéressants. L'un d'eux devait expliquer comment réparer des fuites.

— *Madame* ?* m'appela discrètement Alain depuis l'entrée.

— Oui ? répondis-je en essuyant mes mains dans les plis de ma robe.

Il contempla la pièce, hagard. Ma chasuble était jetée sur le dossier d'une chaise, mes lourdes manches de velours drapées sur le dessus d'un pot de cuivre et ma basquine était pendue au plafond. Bien que relativement dévêtue selon les critères de l'époque, je portais encore mon corset, une robe à col haut et manches longues, plusieurs jupons et une lourde jupe – c'est-à-dire bien plus que lorsque je donnais des cours. Me sentant tout de même nue, je haussai le menton et défiai Alain de faire un commentaire. Il se détourna prudemment.

— Le maître queux ne sait pas quoi faire pour le dîner, dit-il. (Je fronçai les sourcils. Le cuisinier savait toujours quoi faire.) La maisonnée meurt de faim et de soif, mais nul ne peut s'asseoir sans vous. Tant qu'il y a un membre de la famille à Sept-Tours, il doit présider le dîner. C'est une tradition.

Catherine apparut avec une cuvette et un linge. Je plongeai les doigts dans l'eau parfumée à la lavande.

— Depuis combien de temps attendent-ils ? demandai-je en séchant mes mains.

Une grande salle remplie de vampires affamés et de sangs-chauds, ce n'était pas prudent. Ma confiance toute neuve dans mes talents de maîtresse de maison s'évapora.

— Plus d'une heure. Ils continueront d'attendre jusqu'à ce que l'on annonce du village que Roger ferme. Il tient la taverne. Il fait froid, et le petit déjeuner est encore loin. *Sire** Philippe m'a laissé croire…

Il laissa sa phrase en suspens, l'air désolé.

— *Vite**, dis-je en désignant mes vêtements épars. Vous devez m'habiller, Catherine.

— *Bien sûr**.

Elle posa la cuvette et alla prendre ma basquine. La grosse tache d'encre qui s'étalait dessus m'ôta tout espoir d'apparaître respectable.

Quand j'entrai dans la salle, les bancs raclèrent les dalles tandis qu'une trentaine de personnes se levaient. Je sentis comme un reproche dans ce bruit. Une fois assis, tout le monde expédia son repas avec entrain, pendant que je prenais une cuisse de poulet en dédaignant tout le reste. Après ce qui parut une éternité, Matthew et son père rentrèrent.

— Diana ! s'exclama Matthew en contournant le paravent, surpris de me voir assis au bout de la table familiale. Je pensais que tu serais en haut ou dans la bibliothèque.

— J'ai trouvé plus courtois de prendre place ici, étant donné tout le mal que le cuisinier s'était donné. Comment était la chasse, Philippe ?

— Convenable, répondit-il en faisant signe à Alain tout en lorgnant mon haut col.

— Assez, l'avertit Matthew d'une voix sourde qui fit tourner toutes les têtes dans sa direction. Laisse-moi t'emmener à l'étage, Diana.

Les têtes se retournèrent vers moi.

— Je n'ai pas terminé, dis-je en désignant mon assiette. Les autres non plus. Assieds-toi avec moi et prends un peu de vin.

Matthew était peut-être un prince Renaissance en substance autant qu'en manières, mais il n'était pas question que je claque des talons quand lui claquait des doigts.

— *Je pense que ta femme est en colère contre toi**, lui chuchota Philippe en flairant délicatement l'air.

— Vous pensez ? Imaginez combien je suis fâché, dit doucement Matthew. Tu aurais dû leur dire de commencer sans nous.

Matthew s'assit à côté de moi pendant que je me forçais à avaler un peu de poulet. Quand la tension devint insupportable, je me levai. Une fois de plus, les bancs raclèrent le sol.

— Vous avez déjà terminé ? s'étonna Philippe. Bonne nuit, dans ce cas, Diana. Matthew, tu reviendras aussitôt. J'ai un étrange désir de jouer aux échecs.

Matthew ignora son père et tendit le bras. Nous n'échangeâmes pas un mot alors que nous sortions de la grande salle pour monter dans les appartements. À ma porte, Matthew s'était enfin assez maîtrisé pour risquer de lier conversation.

— Philippe te traite comme une vulgaire gouvernante, c'est intolérable.

— Ton père me traite comme une femme de l'époque. Je tiendrai, Matthew. (Je marquai une pause, rassemblant mon courage.) Quand t'es-tu nourri pour la dernière fois d'une créature bipède ?

Je l'avais forcé à boire un peu de mon sang avant que nous quittions Madison, et il s'était nourri d'un sang-chaud anonyme au Canada. Plusieurs semaines avant cela, il avait tué Gillian Chamberlain à Oxford. Peut-être s'était-il nourri d'elle aussi. Autrement, à mon avis, pas une goutte de sang autre qu'animal n'avait franchi ses lèvres depuis des mois.

— Pourquoi poses-tu la question ? demanda-t-il sèchement.

— Philippe trouve que tu n'es pas aussi fort que tu le devrais. (Je serrai sa main dans la mienne.) Si tu as besoin de te nourrir, et que tu ne veux pas boire le sang d'un inconnu, alors je veux que tu prennes le mien.

Avant qu'il ait pu répondre, un gloussement résonna dans l'escalier.

— Prenez garde, ma fille. Nous autres *manjasang* avons l'oreille aiguisée. Offrez votre sang dans cette maison et vous ne pourrez jamais tenir les loups à distance.

Philippe était planté contre la paroi de l'arche, les bras croisés.

— Allez-vous-en, Philippe ! s'écria Matthew, furieux.

— La sorcière est imprudente. Il est de ma responsabilité de surveiller tout acte impulsif. Sinon, elle pourrait nous détruire.

— La sorcière est mienne, dit froidement Matthew.

— Pas encore, répondit Philippe en descendant les marches et en secouant la tête avec regret. Peut-être jamais.

Après cette entrevue, Matthew se montra encore plus réservé et distant. Il était fâché contre son père, mais au lieu de s'en prendre à la cause de son dépit, il se soulagea sur tous les autres : moi, Alain, Pierre, le cuisinier et tout être qui avait le malheur de croiser son chemin. La maisonnée était déjà dans tous ses états à cause du banquet et, après avoir supporté ce comportement pendant plusieurs heures, Philippe donna le choix à son fils. Soit il se donnait la nuit pour se calmer, soit il se nourrissait. Matthew choisit une troisième possibilité et alla fouiller dans les archives des Clermont à la recherche de quelque chose qui indique où pouvait se trouver l'Ashmole 782. Livrée à moi-même, je retournai aux cuisines.

Philippe me retrouva dans l'atelier de Marthe envahi d'un nuage de vapeur, accroupie devant l'alambic défectueux, les manches retroussées.

— Matthew s'est-il nourri de vous ? demanda-t-il brusquement en scrutant mes avant-bras.

Je répondis en levant mon bras gauche. L'étoffe roula jusque sur mon épaule, découvrant les traces roses d'une cicatrice au creux de mon coude. Je m'étais coupée afin que Matthew puisse boire plus facilement.

— Et ailleurs ? demanda-t-il en fixant ma poitrine.

De l'autre main, je découvris ma gorge. La blessure était plus profonde, mais elle avait été faite par un vampire et bien plus nette.

— Quelle folle vous faites, à autoriser un *manjasang* à boire votre sang non seulement à votre bras, mais aussi à votre cou, dit-il, abasourdi. Le pacte interdit que le *manjasang* prenne le sang de sorcières ou de démons. Matthew le sait.

— Il se mourait et il n'y avait que mon sang de disponible ! répliquai-je. Si cela peut vous réconforter, j'ai dû le forcer.

— C'est donc cela. Mon fils s'est sans aucun doute convaincu que du moment qu'il avait pris seulement votre sang et non votre corps, il serait capable de vous laisser partir. (Il secoua la tête.) Il se trompe. Je l'observe. Vous ne serez jamais libérée de Matthew, qu'il couche ou non avec vous.

— Matthew sait que je ne le quitterai jamais.

— Bien sûr que si. Un jour, votre vie ici-bas atteindra son terme et vous ferez votre dernier voyage dans l'autre monde. Plutôt que de porter votre deuil, il voudra vous suivre dans la mort.

Les paroles de Philippe avaient l'accent de la vérité.

La mère de Matthew m'avait fait part de sa création : il était tombé d'un échafaudage alors qu'il travaillait à la construction de l'église du village. Lorsque j'avais entendu l'histoire, je m'étais demandé si le désespoir de Matthew à la mort de son épouse Blanca et de son fils Lucas l'avait conduit au suicide.

— Quel dommage que Matthew soit chrétien. Son Dieu n'est jamais satisfait.

— Comment cela ? demandai-je, perplexe devant ce brusque changement de sujet.

— Quand vous et moi agissons mal, nous réglons nos comptes avec les dieux et nous continuons de vivre en espérant mieux agir dans l'avenir. Mon fils confesse ses péchés et ne cesse d'expier – sa vie, ce qu'il est, ce qu'il a fait. Il ne cesse de regarder en arrière et c'est sans fin.

— C'est parce que Matthew est un homme de foi, Philippe.

Il y avait au cœur de la vie de Matthew une spiritualité qui teintait son attitude envers la science et la mort.

— Matthew ? s'étonna Philippe. Il a moins de foi que quiconque. Tout ce qu'il possède, c'est la croyance, ce qui est fort différent et tient à la tête plutôt qu'au cœur. Matthew a toujours eu un esprit habile, capable de s'accommoder d'abstractions comme Dieu. C'est ainsi que Matthew a fini par accepter ce qu'il était devenu une fois qu'Ysabeau a fait de lui un membre de la famille. Car chaque *manjasang* est différent. Mes autres fils ont choisi d'autres voies – guerre, amour, union, conquête, acquisition de richesses. Pour Matthew, cela a toujours été les idées.

— C'est toujours le cas, répondis-je à mi-voix.

— Mais les idées sont rarement assez fortes pour fournir un socle au courage. Pas quand on n'a pas de foi dans l'avenir. (Il prit une expression pensive.) Vous ne connaissez pas votre époux aussi bien que vous le devriez.

— Pas autant que vous, non. Nous sommes une sorcière et un vampire qui s'aiment bien que cela leur soit interdit. Le pacte ne nous autorise pas à nous faire la cour publiquement ou des promenades au clair de lune. Je ne peux pas lui tenir la main, m'échauffai-je, ni toucher son visage en dehors de ces quatre murs sans craindre que quelqu'un nous remarque et qu'il en soit puni.

— Matthew va à l'église au village vers midi, quand vous pensez qu'il cherche votre livre. C'est là qu'il est allé aujourd'hui. (La remarque de Philippe était curieusement sans rapport avec notre conversation.) Vous pourriez le suivre, un jour. Peut-être que vous parviendriez à mieux le connaître.

J'allai à l'église à 11 heures le lundi matin, espérant la trouver vide. Mais Matthew était là, tout comme l'avait promis Philippe.

Il ne pouvait avoir manqué d'entendre la lourde porte se refermer derrière moi, ni l'écho de mes pas sur les dalles, mais il ne se retourna pas. Il resta agenouillé à droite de l'autel. Malgré le froid, il portait une mince chemise de drap, des chausses, une culotte et des souliers. Frissonnant rien qu'à le voir, je ramenai les pans de ma cape autour de moi.

— Ton père m'a dit que je te trouverais ici, dis-je enfin.

C'était la première fois que je pénétrais dans l'église et je regardai autour de moi avec curiosité. Comme bien des bâtiments religieux de cette partie de la France, Saint-Lucien était déjà ancienne en 1590. Ses lignes simples étaient totalement différentes des hauteurs vertigineuses et des dentelles d'une cathédrale gothique. Des fresques de couleurs vives entouraient la vaste arche séparant l'abside de la nef et décoraient les bandeaux de pierre surmontant les arcades sous les hautes fenêtres du clair-étage. La plupart étaient ouvertes à tous les vents ; même celles situées près de la porte avaient été vaguement vitrées. Le toit en pente était traversé d'un enchevêtrement de lourdes solives témoignant du talent du charpentier et du maçon.

La première fois que j'étais venue à Old Lodge, la maison de Matthew m'avait fait penser à lui. Sa personnalité était là aussi manifeste dans les détails géométriques gravés dans les poutres et dans les arches parfaitement séparées qui s'étendaient entre les colonnes.

— C'est toi qui l'as construite.

— En partie. (Matthew leva les yeux vers l'abside semi-circulaire avec la représentation du Christ sur son trône, une main levée pour rendre la justice.) La nef, principalement. L'abside a été achevée quand j'étais… parti.

Le visage serein d'un saint me fixait gravement par-dessus l'épaule de Matthew. Il tenait une équerre de charpentier et un lis à longue tige. C'était Joseph, l'homme qui avait épousé une femme enceinte sans poser de questions.

— Il faut qu'on parle, Matthew, dis-je en contemplant l'église. Peut-être que nous devrions avoir cette conversation au château. Il n'y a pas d'endroit où s'asseoir.

Jamais je n'avais imaginé que des bancs en bois puissent être agréables jusqu'au moment où j'étais entrée dans une église où il n'y en avait pas.

— Les églises n'ont pas été bâties dans un esprit de confort, dit-il.

— Non, mais accabler les fidèles ne pouvait pas non plus être leur unique fonction.

J'examinai les fresques. Si la foi et l'espoir étaient aussi enchevêtrés que le disait Philippe, peut-être y aurait-il ici de quoi alléger l'humeur de Matthew. Je trouvai Noé et son arche. Une catastrophe planétaire et une extinction de toutes les espèces évitées de justesse n'étaient pas auspicieuses. Un saint terrassait héroïquement un dragon, mais il rappelait trop la chasse à mon goût. L'entrée de l'église était consacrée au Jugement dernier. Au sommet, des rangées d'anges soufflaient dans des trompettes d'or tandis que les bouts de leurs ailes frôlaient le sol, mais l'image de l'enfer au-dessous – placée de telle manière que l'on ne pouvait quitter l'église sans croiser le regard des damnés – était horrifiante. La résurrection de Lazare ne pouvait guère réconforter un vampire. La Vierge Marie ne serait pas non plus d'un grand secours. Elle était en face de Joseph à l'entrée de l'abside, sereine et hors d'atteinte, rappelant elle aussi à Matthew tout ce qu'il avait perdu.

— Au moins, nous ne serons pas dérangés. Philippe vient rarement ici, dit Matthew d'un ton las.

— Alors restons. (Je m'avançai vers lui et me lançai :) Qu'est-ce qui ne va pas, Matthew ? Au début, j'ai cru que c'était le choc de te retrouver plongé dans ton existence passée, puis la perspective de revoir ton père et de devoir taire sa mort. (Matthew restait à genoux, tête basse, le dos tourné.) Mais ton père connaît son avenir, désormais. Il doit donc y avoir une autre raison.

L'atmosphère dans l'église était oppressante, comme si mes paroles avaient chassé tout l'oxygène. Il n'y avait pas un bruit hormis les roucoulements d'oiseaux dans le clocher.

— Aujourd'hui est l'anniversaire de Lucas, dit enfin Matthew.

Ce fut comme un coup. Je tombai à genoux à côté de lui, ma robe carmin s'étalant autour de moi. Philippe avait raison : je ne connaissais pas Matthew aussi bien que j'aurais dû.

— Il est enseveli là, avec sa mère, dit Matthew en désignant un point au sol entre lui et Joseph. (Aucune inscription sur la dalle n'indiquait ce qu'elle recouvrait. Il n'y avait que des marques en creux, comme des pieds en laissent sur des marches. Matthew tendit la main et ses doigts s'y insérèrent parfaitement durant un bref instant.) Quelque chose en moi est mort en même temps que Lucas. Il en a été de même pour Blanca. Physiquement, elle était toujours là, mais ses yeux étaient vides et son âme l'avait déjà quittée. C'est Philippe qui avait choisi son prénom. Il signifie *lumineux*, en grec. La nuit où il est né, Lucas était tellement blanc que lorsque la sage-femme l'a pris dans ses bras dans l'obscurité, sa peau a reflété la lumière du feu comme la lune celle du soleil. C'est étrange comme mon souvenir de cette nuit reste si vif, après tant d'années.

Il marqua une pause et porta la main à ses yeux. Quand il la retira, ses doigts étaient rouges.

— Quand as-tu connu Blanca ?

— Je lui ai jeté des boules de neige durant son premier hiver au village. J'étais prêt à tout pour attirer son attention. Elle était délicate et inaccessible et beaucoup cherchaient sa compagnie. Le printemps venu, elle m'a laissé la raccompagner chez elle après le marché. Elle aimait les mûres. Chaque été, la haie devant l'église en était pleine. (Il considéra les traces rouges sur ses mains.) Quand Philippe a vu les taches de mûres sur mes mains, il a ri et prédit un mariage pour l'automne.

— J'imagine qu'il avait vu juste.

— Nous nous sommes mariés en octobre après les moissons. Blanca était enceinte de plus de deux mois.

(Il pouvait attendre pour consommer notre mariage, mais il n'avait pas pu résister aux charmes de Blanca. C'était beaucoup plus que je n'avais souhaité en savoir sur leur relation.) Nous avons fait l'amour pour la première fois dans la chaleur du mois d'août, continua-t-il. Elle voulait toujours plaire. Quand j'y repense, je me demande si elle n'avait pas été maltraitée dans son enfance. Pas punie – nous l'avons tous été, et d'une manière que n'imagineraient pas des parents modernes –, mais quelque chose de plus grave. Mon épouse avait appris à céder à tout ce que lui demandait quelqu'un de plus âgé, de plus fort et de plus méchant. J'étais tout cela et, comme je voulais qu'elle dise oui en cette nuit d'été, elle avait accepté.

— Ysabeau m'a dit que vous étiez très amoureux, Matthew. Tu ne l'as pas forcée à faire quoi que ce soit contre sa volonté.

Je voulais lui offrir le réconfort que je pouvais, malgré la peine que ses souvenirs m'infligeaient.

— Blanca n'avait pas de volonté. Jusqu'à la naissance de Lucas. Et même à ce moment, elle ne l'exerçait que lorsqu'il était en danger ou que j'étais en colère contre lui. Toute sa vie, elle avait voulu protéger quelqu'un de plus faible et de plus petit. Au lieu de cela, elle n'avait connu que ce qu'elle voyait comme des échecs. Lucas n'était pas notre premier enfant et avec chaque fausse couche, elle devenait plus douce et plus docile. De moins en moins capable de dire non.

En dehors des grandes lignes, ce n'était pas ce qu'Ysabeau m'avait raconté de la jeunesse de son fils. Dans sa bouche, c'était l'histoire d'un amour immense et d'un chagrin partagé. La version de Matthew n'était que deuil et peine.

— Puis il y a eu Lucas.

— Oui. Après l'avoir remplie durant des années de mort, je lui ai donné Lucas.

Il se tut.

— Tu ne pouvais rien faire, Matthew. C'était le VIᵉ siècle et il y avait une épidémie. Tu n'aurais pu sauver ni l'un ni l'autre.

— J'aurais pu m'empêcher de la prendre. Ainsi, je n'aurais perdu personne ! s'exclama-t-il. Elle ne disait pas non, mais il y avait toujours une certaine réticence dans son regard quand nous faisions l'amour. Chaque fois, je lui promettais que le bébé vivrait. J'aurais donné n'importe quoi...

Cela me faisait de la peine de savoir que Matthew était encore si profondément attaché à son épouse et à son fils défunts. Leurs esprits hantaient ce lieu et le hantaient aussi. Mais au moins, à présent, j'avais une explication de sa timidité avec moi : cette énorme culpabilité et ce deuil qu'il portait depuis tant de siècles. Avec le temps, peut-être, je pourrais aider à alléger l'emprise que Blanca avait sur Matthew. Je me levai et le rejoignis. Il frémit quand je posai la main sur son épaule.

— Ce n'est pas tout. (Je me figeai.) J'ai essayé de donner ma vie, aussi. Mais Dieu n'en a pas voulu.

Il leva la tête et fixa le creux dans la pierre devant lui, puis le toit.

— Oh, Matthew.

— Cela faisait des semaines que je songeais à rejoindre Lucas et Blanca, mais je craignais qu'ils soient au paradis et que Dieu m'envoie en enfer à cause de mes péchés, dit-il sans émotion. J'ai demandé conseil à l'une des femmes du village. Elle m'a dit que j'étais hanté – que Blanca et Lucas étaient liés à cet endroit à cause de moi. En haut de l'échafaudage, j'ai regardé en bas et je me suis dit que leurs esprits étaient peut-être prisonniers sous la pierre. Si je tombais dessus, Dieu n'aurait peut-être pas d'autre choix que de les libérer. Ou de me laisser les rejoindre, où qu'ils fussent. (C'était la logique déraisonnable d'un homme au désespoir, pas du scientifique lucide que je connaissais.) J'étais si fatigué, continua-t-il avec lassitude. Mais Dieu a refusé de me laisser dormir, après ce que j'avais fait. Pour prix de mes péchés, il m'a livré à une créature qui m'a transformé en quelqu'un qui ne peut vivre ni mourir ni même trouver la paix dans ses rêves. Tout ce que je peux faire, c'est me souvenir. (Matthew était de nouveau épuisé et glacé. Sa peau était plus froide encore que l'air qui nous entourait. Sarah aurait su quel sort pouvait le soulager, mais tout ce que je pus faire, ce fut attirer son corps qui résistait contre le mien et lui donner le peu de chaleur que j'avais.) Philippe n'a cessé de me mépriser depuis. Il me trouve faible – beaucoup trop faible pour épouser quelqu'un comme toi.

Je découvrais enfin pourquoi il s'estimait indigne de moi.

— Non, dis-je. Ton père t'aime.

Philippe avait fait montre de toutes sortes d'émotions envers son fils durant le peu de temps que nous étions arrivés à Sept-Tours, mais jamais de dégoût.

— Les braves ne se suicident jamais, sauf dans la bataille. C'est ce qu'il a dit à Ysabeau à peine étais-je créé. Il a dit que je manquais de courage pour être un *manjasang*. À peine il en a eu l'occasion qu'il m'a envoyé au combat. « Si tu es déterminé à te supprimer, a-t-il dit, que ce soit au moins pour une cause plus grande que la pitié que tu as pour toi-même. » Jamais je n'ai oublié ces paroles.

Espoir, foi, courage : les trois éléments du credo simple de Philippe. Matthew pensait ne posséder rien d'autre que le doute, la croyance et la bravade. Mais ce n'était pas mon avis.

— Tu t'es torturé avec ces souvenirs pendant si longtemps que tu ne vois plus la vérité, dis-je en m'agenouillant devant lui. Sais-tu ce que je vois quand je te regarde ? Quelqu'un qui ressemble beaucoup à son père.

— Nous voulons tous voir Philippe dans ceux que nous aimons. C'est ce qui fait de lui une telle légende. Mais je ne ressemble en rien à mon père. C'était le père de Gallowglass, Hugh, qui, s'il avait vécu, aurait…

Il se détourna, la main tremblante sur son genou. Il lui restait encore un secret à révéler.

— Je t'ai déjà accordé un secret, Matthew : le nom du Clermont qui est membre de la Congrégation dans le présent. Tu ne peux pas en garder deux.

— Tu veux que je te confie mon plus noir péché ? Très bien, alors. J'ai pris sa vie. Il suppliait Ysabeau de le faire, mais elle ne pouvait pas.

— Hugh ? chuchotai-je, le cœur brisé pour lui et pour Gallowglass.

— Philippe.

La dernière barrière venait enfin de tomber.

— J'ai tué mon propre père. Les nazis l'avaient rendu fou à force de souffrances et de privations. Si Hugh avait survécu, il aurait pu peut-être convaincre

Philippe qu'il restait encore un espoir de vie dans l'épave qu'il était devenu. Mais Philippe disait qu'il était trop fatigué pour se battre. Il voulait dormir et… je savais ce que c'était de vouloir fermer les yeux et oublier. Dieu me vienne en aide, j'ai fait ce qu'il m'a demandé.

Matthew tremblait, à présent. Je le pris dans mes bras, sans me soucier de ses résistances, sachant seulement qu'il avait besoin de se raccrocher à quelque chose – à quelqu'un – alors que les vagues des souvenirs déferlaient sur lui.

— Quand Ysabeau a refusé malgré ses supplications, nous avons découvert Philippe en train d'essayer de s'ouvrir les veines. Il était si faible qu'il ne pouvait tenir la lame correctement pour y parvenir. Il s'était entaillé en maints endroits, et il y avait du sang partout, mais les blessures étaient superficielles et cicatrisaient vite. Plus il perdait de sang, plus il s'agitait. Il ne supportait plus la vue du sang après avoir été dans un camp. Ysabeau lui a pris le couteau en disant qu'elle l'aiderait à se supprimer. Mais *mère** ne se le serait jamais pardonné.

— Alors tu l'as fait, dis-je en croisant son regard.

Je n'avais jamais cherché à ne pas savoir ce qu'il avait fait pour survivre en tant que vampire. Je ne pouvais pas davantage fuir les péchés du mari, du père et du fils.

— Non. J'ai bu jusqu'à la dernière goutte, afin que Philippe ne soit pas obligé de voir sa force vitale se répandre.

— Mais alors, tu as vu…

Je ne pus m'empêcher de m'horrifier. Quand un vampire buvait le sang d'une autre créature, ses souvenirs passaient dans le liquide sous la forme de visions fugitives et tentantes. Matthew avait libéré son père de son tourment, mais seulement après avoir partagé tout ce que Philippe avait souffert.

— Les souvenirs de la plupart des créatures se présentent sous une forme fluide, comme un ruban qui se déroule dans l'obscurité. Avec Philippe, c'était comme des éclats de verre. Même une fois que j'ai eu passé les souvenirs les plus récents, son esprit était si abîmé que j'ai failli ne pouvoir continuer. (Il tremblait de plus belle.) Cela a duré une éternité. Philippe était brisé, perdu et effrayé, mais son cœur était toujours solide. Ses dernières pensées ont été pour Ysabeau. C'étaient les seules qui étaient encore entières, encore siennes.

— Allons, allons, murmurai-je en le serrant contre moi jusqu'à ce qu'il se calme, tout en pensant à Philippe qui s'était volontairement et cruellement détruit.

— Tu m'as demandé qui j'étais à Old Lodge. Je suis un tueur, Diana. J'ai tué des milliers de gens. Mais jamais je n'ai eu à revoir leurs visages en face. Ysabeau ne peut pas me regarder sans se rappeler la mort de mon père. Et maintenant, il faut que je te regarde en face, toi aussi.

Je pris sa tête entre mes mains et la relevai pour que nos regards se croisent. Le sien était rempli de peur. Le visage parfait de Matthew masquait généralement les ravages du temps et de l'expérience. Mais tout était visible en cet instant, et cela ne faisait que le rendre encore plus beau pour moi. Enfin, je comprenais la logique de la créature que j'aimais : son insistance pour que j'accepte ce que j'étais, sa réticence à tuer Juliette même pour sauver sa propre vie, sa conviction qu'une fois que je le connaîtrais vraiment, je ne pourrais plus jamais l'aimer.

— Je t'aime Matthew : soldat et scientifique, tueur et guérisseur, obscurité et lumière.

— Comment le peux-tu ? murmura-t-il, incrédule.

— Philippe n'aurait pas pu continuer ainsi. Ton père aurait continué à essayer de se supprimer et d'après tout ce que tu dis, il avait assez souffert. (Je ne pouvais imaginer à quel point, mais mon bien-aimé Matthew avait assisté à tout.) Ce que tu as fait, c'était un geste de miséricorde.

— J'ai voulu disparaître quand cela a été fait, quitter Sept-Tours et ne jamais revenir, avoua-t-il. Mais Philippe m'a fait promettre de garder la famille et la fraternité unies. J'ai juré que je prendrais soin d'Ysabeau aussi. Alors je suis resté ici, je me suis assis à sa place, j'ai tiré les ficelles politiques ainsi qu'il le voulait et terminé la guerre pour la victoire de laquelle il avait donné sa vie.

— Philippe n'aurait pas confié Ysabeau à quelqu'un qu'il méprisait ou placé un lâche à la tête de l'ordre de Saint-Lazare.

— Baldwin m'a accusé de mentir concernant les désirs de Philippe. Il estimait que la fraternité lui revenait. Personne n'a pu comprendre pourquoi notre père avait décidé de me confier l'ordre de Saint-Lazare à moi plutôt qu'à lui. Peut-être que c'était sa dernière folie.

— C'était de la foi, dis-je en lui prenant les mains. Philippe croit en toi. Tout comme moi. Ces mains ont construit cette église. Elles ont été assez fortes pour soutenir ton fils et ton père durant leurs derniers instants. Et elles ont encore fort à faire.

Nous entendîmes un battement d'ailes au-dessus de nous. Une colombe qui avait volé par les fenêtres à claire-voie s'était perdue entre les poutres de la voûte. Elle retrouva son chemin avec peine et descendit dans l'église, se posant sur la pierre qui indiquait le lieu de repos de Blanca et Lucas. Elle fit une petite danse circulaire et se retrouva face à nous, puis elle pencha la tête et nous scruta d'un œil bleu.

Matthew se leva d'un bond devant cette soudaine apparition et la colombe effrayée s'envola de l'autre côté de l'abside. Elle battit des ailes, ralentissant devant la représentation de la Vierge. Au moment où je crus qu'elle allait heurter le mur, elle changea brusquement de direction et repartit par où elle était venue.

Une longue plume blanche tombée de son aile tournoya en planant dans les courants d'air avant d'atterrir à nos pieds. Matthew la ramassa et la tint devant lui, l'air perplexe.

— C'est la première fois que je vois une colombe dans l'église. C'est un symbole de résurrection et d'espoir.

Il leva les yeux vers la demi-coupole surmontant l'abside, où l'oiseau avait voleté au-dessus de la tête du Christ.

— C'est peut-être un signe. Les sorcières croient aux signes, tu sais.

Je refermai ses mains sur la plume, lui baisai délicatement le front et tournai les talons pour m'en aller. Peut-être qu'il pourrait trouver la paix maintenant qu'il avait raconté ses souvenirs.

— Diana ? m'appela-t-il, sans bouger du tombeau familial. Merci d'avoir entendu mes aveux.

— Je te retrouverai à la maison, dis-je en hochant la tête. N'oublie pas la plume.

Il me regarda passer devant les scènes de tourment et de rédemption sur le portail entre le monde de Dieu et celui des hommes. Pierre, qui attendait dehors, me ramena à Sept-Tours sans un mot. Philippe nous entendit arriver alors qu'il m'attendait dans la grande salle.

— L'avez-vous trouvé à l'église ? demanda-t-il.

Le voir ainsi plein de force et d'entrain me pinça le cœur. Comment Matthew avait-il pu le supporter ?

— Oui. Vous auriez dû me dire que c'était l'anniversaire de Lucas, répondis-je en confiant ma cape à Catherine.

— Nous avons tous appris à guetter cette humeur sombre aux alentours de la date de la mort de Lucas. Vous l'apprendrez aussi.

— Il n'y a pas que Lucas.

Craignant d'en avoir trop dit, je me mordis la lèvre.

— Matthew vous a parlé de sa propre mort. (Philippe se passa la main dans les cheveux, dans une version plus rude du geste habituel de son fils.) Je comprends la peine, mais pas cette culpabilité. Quand laissera-t-il le passé derrière lui ?

— Certaines choses ne peuvent être oubliées, dis-je en plongeant mon regard dans le sien. Quoi que vous pensiez comprendre de la culpabilité de Matthew, si vous l'aimez, vous le laisserez combattre ses propres démons.

— Non. C'est mon fils. Je ne lui ferai pas défaut. (Ses lèvres se pincèrent. Il fit volte-face et s'éloigna.) Et j'ai reçu des nouvelles de Lyon, *madame**, ajouta-t-il. Une sorcière arrivera sous peu pour vous aider, tout comme Matthew le souhaitait.

11

— Retrouve-moi dans le fenil en rentrant du village.

Philippe, qui avait repris sa déplaisante habitude d'apparaître et de disparaître en un clin d'œil, était devant nous dans la bibliothèque.

— Qu'y a-t-il dans le fenil ? demandai-je en levant le nez de mon livre.

— Du foin. (Les révélations de Matthew dans l'église n'avaient fait qu'accroître sa culpabilité et sa tristesse. Il était encore plus susceptible et distant avec son père qu'avant.) J'écris au nouveau pape, *père**. Alain me dit que le pauvre Niccolò a été élu, bien que suppliant qu'on lui épargne le fardeau de cette responsabilité. Que sont les souhaits d'un homme en regard des aspirations de Philippe d'Espagne et de Philippe de Clermont ?

Philippe porta la main à sa ceinture. Un claquement retentit du côté de Matthew. Il retenait entre ses paumes une dague dont la pointe frôlait sa poitrine.

— Sa Sainteté peut attendre, dit Philippe en examinant la position de l'arme. J'aurais dû viser Diana. Tu aurais réagi plus vite.

— Pardonnez-moi d'avoir gâché votre plaisir, dit froidement Matthew. Cela fait un certain temps qu'on ne m'avait pas lancé une dague. Je crains de manquer d'entraînement.

— Si tu n'es pas au fenil avant les deux coups de la cloche, je viendrai te chercher. Et j'aurai autre chose que cette dague. (Il la prit des mains de Matthew et beugla pour appeler Alain qui était juste derrière lui.) Personne ne devra aller à la grange avant que j'en donne l'ordre, dit Philippe en rengainant son arme.

— C'est ce que j'avais cru comprendre, messire.

C'est ce qui se rapprochait le plus d'un reproche dans la bouche d'Alain.

— Je suis fatiguée de vivre dans cette ambiance surchargée de testostérone. Quoi qu'Ysabeau pense des sorcières, j'aimerais bien qu'elle soit là. Et avant que vous demandiez ce qu'est la testostérone, c'est vous, dis-je en pointant l'index sur Philippe. Et votre fils ne vaut pas tellement mieux.

— La compagnie des femmes, hein ? (Philippe tira sur sa barbe en regardant Matthew, se demandant jusqu'où il pouvait aller avec son fils.) Pourquoi n'y ai-je pas songé plus tôt ? Pendant que nous attendons l'arrivée de la sorcière de Lyon, nous devrions envoyer Diana voir Margot pour qu'elle lui enseigne comment une dame française bien née doit se comporter.

— Ce que font Louis et Margot à Usson est pire que tout ce qu'ils ont fait à Paris. Cette femme n'est un modèle pour personne, et surtout pas pour mon épouse, flamboya Matthew. S'ils manquent de prudence, les gens vont finir par savoir que l'assassinat si soigneusement et coûteusement manigancé de Louis était une mascarade.

— Pour quelqu'un qui est marié à une sorcière, tu es bien rapide à juger des passions des autres, *Matthaios*. Louis est ton frère.

La déesse nous vienne en aide, encore un autre frère.

— Des passions ? répéta Matthew en haussant les sourcils. Est-ce ainsi que tu qualifies ce défilé ininterrompu d'hommes et de femmes dans leur lit ?

— Il y a d'innombrables manières d'aimer. Ce que Margot et Louis font à Usson ne te regarde pas. Le sang d'Ysabeau coule dans les veines de Louis et il aura toujours ma loyauté – tout comme toi, malgré ton immense crime, répondit Philippe avant de disparaître dans un tourbillon.

— Combien y a-t-il de Clermont au juste ? Et pourquoi faut-il que ce ne soient que des hommes ? demandai-je quand le silence fut retombé.

— Parce que les filles de Philippe étaient si terrifiantes que nous avons tenu un conseil de famille et l'avons supplié de cesser d'en créer. Il suffit que Stasia regarde un mur pour que sa peinture s'écaille, et elle n'est rien à côté de Verin. Quant à Freyja, eh bien, Philippe ne lui a pas donné pour rien le nom de la déesse scandinave de la mort.

— Elles ont l'air merveilleuses, dis-je en lui posant un petit baiser sur la joue. Tu me parleras d'elles plus tard. Je vais aux cuisines pour essayer de réparer ce chaudron percé que Marthe appelle un alambic.

— Je peux y jeter un coup d'œil. Le matériel de laboratoire, c'est mon rayon, proposa Matthew.

Il était prêt à n'importe quoi pour éviter Philippe et le mystérieux fenil. Je comprenais mais il n'y avait pas moyen d'échapper à son père. Philippe envahirait simplement la distillerie et le harcèlerait.

— Ce n'est pas nécessaire, je maîtrise la situation.

Ce n'était pas le cas. Mes petits souffleurs avaient laissé le feu s'éteindre, mais seulement après que les flammes eurent monté si haut qu'elles avaient déposé un épais résidu de suie sous l'appareil à distiller. Je notai dans la marge d'un des livres d'alchimie des Clermont ce qui n'avait pas fonctionné et comment y remédier pendant que Thomas, le plus digne de confiance des deux garçonnets, préparait le feu. Je n'étais pas la première à utiliser ces larges marges et certaines des notes précédentes m'avaient beaucoup aidée. Peut-être qu'un jour, les miennes seraient utiles à quelqu'un aussi.

Étienne, mon autre petit assistant, entra en courant dans la pièce, chuchota quelque chose à l'oreille de son compagnon et reçut en échange quelque chose qui brillait.

— *Milord encore**, répondit le garçonnet.

— Sur quoi paries-tu, Thomas ? demandai-je. (Ils me regardèrent sans comprendre et haussèrent les épaules. Quelque chose dans leur feinte innocence m'amena à m'inquiéter du bien-être de Matthew.) Le fenil. Où est-il ? m'enquis-je en arrachant mon tablier.

Avec la plus grande réticence, Thomas et Étienne me conduisirent par la grille du château jusqu'à une construction en pierre et en bois au toit pointu. Un plan incliné montait jusqu'aux larges portes barrées, mais les gamins me montrèrent une échelle dressée de l'autre côté, dont les derniers barreaux disparaissaient dans l'obscurité parfumée.

Thomas monta le premier en me faisant comprendre de rester discrète avec force grimaces et gestes dignes d'un acteur de muet. Étienne maintint l'échelle pendant que je la gravissais et le forgeron du village me hissa dans le grenier poussiéreux.

Mon apparition fut accueillie avec intérêt, mais sans surprise, par la moitié du personnel de Sept-Tours. J'avais trouvé étrange de ne voir qu'un seul garde posté à la grille. Tous les autres étaient là, avec Catherine, sa sœur aînée Jehanne, la plupart des gens de cuisine, le forgeron et les palefreniers.

Mon attention fut attirée par un sifflement que je n'avais encore jamais entendu. Des raclements et des cliquetis métalliques furent plus reconnaissables. Matthew et son père avaient délaissé les joutes oratoires pour passer au combat armé. J'étouffai un cri lorsque l'épée de Philippe transperça l'épaule de Matthew. Leurs chemises, lodiers et chausses étaient couverts d'entailles sanglantes. Cela faisait manifestement un certain temps qu'ils se battaient et ce n'était pas une aimable partie d'escrime.

Alain et Pierre étaient appuyés sans un mot contre le mur opposé. Autour d'eux, le sol avait des allures de coussin de couturière, hérissé d'un ensemble d'armes plantées. Les deux serviteurs suivaient attentivement ce qui se passait autour d'eux et avaient vu mon arrivée. Ils levèrent un bref instant les yeux vers le grenier et se jetèrent un regard inquiet. Matthew ne s'en rendit pas compte. Il me tournait le dos et les fortes odeurs de la grange masquaient ma présence. Philippe, qui était face à moi, ne sembla ni me voir ni s'en soucier.

La lame de Matthew traversa le bras de son père qui frémit.

— Ne considérez pas comme douloureux ce qui est bon pour vous, murmura Matthew avec un sourire moqueur.

— Jamais je n'aurais dû t'enseigner le grec, ni l'anglais. Cela n'a jamais cessé d'être une source d'ennuis pour moi, répliqua Philippe, imperturbable, en dégageant son bras.

Les épées virevoltaient, s'entrechoquaient et faisaient mouche. Matthew avait un léger avantage de taille, ses membres plus élancés lui permettant une meilleure portée. Il se battait avec une longue lame effilée qu'il tenait tantôt d'une main, tantôt des deux, de manière à pouvoir contrer les attaques de son père. Mais Philippe avait plus de force et les coups qu'il portait d'une seule main avec son épée plus courte étaient sans merci. Il avait également un bouclier rond pour dévier ceux de son fils. Si Matthew en avait eu un au début, il l'avait perdu en route. Tout autour d'eux, le sol était jonché d'armes éparses.

Bien qu'ils aient des physiques complémentaires, leur style de combat était très différent. Philippe s'amusait et ne cessait de faire des commentaires. En revanche, Matthew restait le plus souvent silencieux et concentré, ne laissant même pas un haussement de sourcil trahir qu'il entendait ce que disait son père.

— Je pensais à Diana, dit celui-ci d'un ton chagrin. Aucune terre ni aucun océan n'engendrent de créature aussi sauvage et monstrueuse qu'une femme.

Matthew fondit sur lui et son épée siffla en décrivant un arc avec une vitesse foudroyante vers le cou de son père. Le temps que je cligne des paupières, Philippe avait réussi à glisser sous la lame, à réapparaître de l'autre côté de Matthew et à lui entailler le mollet.

— Ta technique est incohérente, ce matin. Quelque chose ne va pas ? s'enquit Philippe.

La question finit par capter l'attention de son fils.

— Seigneur, vous êtes impossible. Oui, quelque chose ne va pas, grinça Matthew, dont l'épée glissa sur le bouclier levé de son père. Vos bavardages incessants me rendent fou.

— Celui que les dieux veulent détruire, ils le rendent d'abord fou.

Les paroles de Philippe firent hésiter Matthew. Son père en profita pour lui cingler les fesses du plat de son épée. Matthew poussa un juron.

— Vous avez donné toutes vos meilleures petites phrases à Euripide ? demanda-t-il.

C'est à ce moment qu'il m'aperçut.

Ce qui arriva ensuite se passa en un clin d'œil. Matthew se redressa, l'œil fixé sur le grenier à foin où je me trouvais. L'épée de Philippe plongea, tourbillonna et lui arracha sa lame. Philippe jeta l'arme de son fils et pointa la sienne sur la gorge de Matthew.

— Je t'ai pourtant appris, *Matthaios*. Tu ne réfléchis pas. Tu ne clignes pas des paupières, tu ne respires pas. Quand tu essaies de survivre, tout ce que tu fais, c'est réagir. Descendez, Diana ! s'écria-t-il.

Le forgeron m'aida à regret à descendre une autre échelle, avec une expression qui signifiait que je m'étais fourrée dans de beaux draps.

— Est-ce à cause d'elle que tu as perdu ? demanda Philippe en appuyant la lame sur le cou de son fils jusqu'à ce qu'un ruban de sang noir apparaisse.

— Je ne sais pas ce que vous voulez dire. Laissez-moi.

Une étrange émotion s'était emparée de Matthew. Ses yeux virèrent au noir d'encre et il chercha à agripper la poitrine de son père. Je m'avançai vers lui.

Un objet brillant jaillit vers moi en sifflant et glissa entre mon bras et ma poitrine. Philippe venait de me lancer un poignard sans même viser, et pourtant il ne m'avait même pas effleurée. La lame transperça ma manche pour se ficher dans un barreau de l'échelle et quand je libérai mon bras, l'étoffe se déchira au coude, dévoilant ma cicatrice.

— C'est de cela que je parlais. As-tu quitté ton adversaire des yeux ? Est-ce ainsi que tu as failli mourir, et Diana avec toi ? demanda Philippe, furieux comme je ne l'avais encore jamais vu. (L'attention de Matthew dévia de nouveau vers moi. Cela ne dura qu'une seconde, mais cela suffit à Philippe pour tirer une seconde dague de sa botte et la plonger dans la cuisse de son fils.) Prends garde à l'homme qui porte sa lame à ta gorge. Sinon, elle est morte. (Puis, s'adressant à moi sans se retourner :) Et quant à vous, Diana, éloignez-vous de Matthew quand il se bat.

Matthew regarda son père, ses yeux noirs luisants de désespoir.

— Laissez-moi partir. J'ai besoin d'être avec elle. Je vous en prie.

— Tu dois cesser de regarder derrière toi et accepter ce que tu es : un soldat *manjasang* qui a des responsabilités envers sa famille. Quand tu as passé la bague de ta mère au doigt de Diana, as-tu pris le temps de réfléchir à ce qu'elle promettait ? demanda Philippe, haussant le ton.

— Toute ma vie, et sa fin. Et une mise en garde pour me rappeler le passé.

Matthew tenta de décocher un coup de pied à son père, mais Philippe avait prévu le geste et se baissa pour retourner le couteau toujours fiché dans sa cuisse. Matthew poussa un cri de douleur.

— Ce sont toujours les ténèbres, avec toi, jamais la lumière. (Philippe poussa un juron, laissa tomber son épée et l'éloigna d'un coup de pied avant de refermer la main sur la gorge de son fils.) Avez-vous vu ses yeux, Diana ?

— Oui, chuchotai-je.

— Avancez vers moi.

J'obéis et Matthew se mit à se débattre, alors que son père appuyait un peu plus sur sa gorge. Je poussai un cri et il se débattit de plus belle.

— Matthew est en proie à une fureur sanguinaire. Nous autres *manjasang* sommes plus proches de la nature que toute autre créature. De purs prédateurs, même si nous parlons plusieurs langues et portons des vêtements raffinés. C'est le loup en lui qui essaie de se libérer afin de pouvoir tuer.

— Une fureur sanguinaire ? répétai-je dans un chuchotement.

— Tous les membres de notre espèce n'en sont pas affligés. Le mal est dans le sang d'Ysabeau, transmis par son créateur et à ses enfants. Ysabeau et Louis ont été épargnés, mais pas Matthew ni Louisa. Et le fils de Matthew, Benjamin, en souffre également.

Je ne savais rien de ce fils, mais Matthew m'avait raconté sur Louisa des histoires à vous dresser les cheveux sur la tête. La même tendance à l'excès était dans le sang de Matthew et il pouvait la transmettre aux enfants que nous pourrions avoir. Au moment où je croyais connaître tous les secrets qui éloignaient Matthew de mon lit, j'en apprenais un nouveau : la peur d'une maladie héréditaire.

— Qu'est-ce qui la déclenche ? demandai-je, la gorge serrée.

— Bien des choses, et c'est pire quand il est fatigué ou qu'il a faim. Matthew n'est plus maître de lui-même quand cette fureur s'empare de lui, et elle peut le faire agir contre sa véritable nature.

Eleanor. C'était ainsi qu'elle était morte, prise au piège entre Matthew et Baldwin. Ses mises en garde répétées concernant son tempérament possessif et le danger qu'il présentait ne me paraissaient plus des paroles en l'air. Comme mes crises de panique, c'était une réaction physiologique que Matthew n'avait jamais été entièrement capable de maîtriser.

— Est-ce pour cela que vous lui avez ordonné de venir ici aujourd'hui ? Pour le forcer à montrer publiquement ses faiblesses ? demandai-je, furieuse. Comment avez-vous pu ? Vous êtes son père !

— Nous sommes une race traîtresse. Je pourrais m'en prendre à lui un jour, dit Philippe, désinvolte. Ou à vous, sorcière.

À ces mots, Matthew renversa la situation et poussa Philippe contre le mur. Mais avant qu'il ait pu prendre l'avantage, Philippe le saisit par le cou. Ils restèrent ainsi face à face.

— Matthew, dit vivement Philippe.

Son fils continuait de pousser, toute humanité disparue en lui. Son seul désir était de battre son adversaire ou le tuer s'il fallait. Certains moments de notre courte relation avaient éclairé d'effrayantes légendes humaines sur les vampires, et c'était le cas en cet instant. Mais je voulais retrouver mon Matthew. Je m'avançai vers lui, pourtant cela ne fit qu'accroître sa fureur.

— Ne t'approche pas, Diana.

— Vous ne devez pas faire cela, *milord**, dit Pierre en s'approchant de son maître.

Il tendit le bras. J'entendis un craquement, le bras retomba inerte, l'épaule et le coude brisés, et je vis le sang jaillir d'une blessure à son cou. Pierre frémit en portant la main à la morsure.

— Matthew ! m'écriai-je.

C'était la pire chose à faire. Mon cri de détresse enragea Matthew encore davantage. Pierre n'était rien de plus qu'un obstacle pour lui, désormais. Matthew le projeta de l'autre côté de la grange, où il s'écrasa contre le mur. Pendant tout ce temps, il n'avait pas lâché la gorge de son père.

— Silence, Diana. Matthew est au-delà de toute raison. *Matthaios !* cria Philippe.

Matthew cessa d'essayer d'éloigner son père de moi, mais il le tenait toujours aussi fermement.

— Je sais ce que tu as fait. (Philippe attendit que ses paroles fassent mouche.) Tu m'entends, Matthew ? Je connais mon avenir. Tu aurais combattu la fureur si tu avais pu.

Philippe avait déduit que son fils l'avait tué, mais il ignorait comment et pourquoi. Pour lui, la seule explication possible était la maladie de Matthew.

— Vous ne savez pas, dit Matthew d'une voix sourde. Vous ne pouvez pas.

— Tu te comportes comme chaque fois que tu regrettes d'avoir tué : tu es coupable, furtif, distrait, dit Philippe.

— Je vais emmener Diana, répondit Matthew avec une soudaine lucidité. Laissez-nous partir tous les deux.

— Non. Nous affronterons cela ensemble, tous les trois. *Te absolvo, Matthaios*, dit Philippe, plein de compassion.

Je m'étais trompée. Philippe n'avait pas essayé de briser Matthew, mais seulement sa culpabilité. Philippe n'avait finalement pas manqué à son devoir envers son fils.

— Non, s'écria Matthew en se débattant, mais Philippe était plus fort que lui.

— Je te pardonne, répéta son père en le prenant dans ses bras. Je te pardonne.

Matthew se mit à trembler de la tête aux pieds, puis il retomba inerte comme si quelque esprit malin l'avait quitté.

— *Je suis désolé**, murmura-t-il. Tellement désolé.

— Et je t'ai pardonné. Maintenant, tu dois laisser cela derrière toi, dit Philippe en lâchant son fils et en se tournant vers moi. Venez, Diana, mais soyez prudente. Il n'est toujours pas lui-même.

Ignorant sa mise en garde, je courus vers Matthew. Il m'étreignit et respira mon odeur comme si elle avait le pouvoir de le soutenir. Pierre s'avança aussi, son bras déjà guéri. Il tendit à Matthew un linge pour essuyer ses mains ruisselantes de sang. Son serviteur resta à bonne distance devant son regard féroce, le linge blanc flottant comme le drapeau de la reddition. Philippe recula de quelques pas et les yeux de Matthew s'agitèrent en surprenant ce brusque mouvement.

— Ce sont ton père et Pierre, dis-je en lui prenant le visage dans les mains.

Progressivement, le noir de ses yeux décrut, laissant d'abord apparaître un anneau vert foncé, puis une mince trace grise et, enfin, le vert pâle caractéristique de la bordure de sa pupille.

— Mon Dieu, dit-il avec dégoût en écartant mes mains de son visage. Cela faisait une éternité que je n'avais pas perdu ainsi ma maîtrise.

— Tu es faible, Matthew, et la fureur sanguinaire est trop proche de la surface. Si la Congrégation te défiait de défendre ton droit d'être avec Diana et que tu réagissais ainsi, tu perdrais. Étant donné la situation, nous ne pouvons laisser douter que c'est une Clermont. (Philippe passa le pouce sur ses dents. Une trace rouge sombre apparut sur la chair.) Venez ici, mon enfant.

— Philippe ! s'écria Matthew en me retenant. Vous n'avez jamais…

— Jamais, cela fait très longtemps. Ne prétends pas en savoir plus long que moi sur mon compte, *Matthaios*. (Philippe me scruta gravement.) Il n'y a rien à craindre, Diana.

Je regardai Matthew, voulant être sûre que cela n'allait pas provoquer un nouvel accès de rage.

— Va, dit Matthew en me lâchant, sous le regard captivé de l'assistance.

— Le *manjasang* crée des familles avec la mort et le sang, commença Philippe quand je me trouvai devant lui. (À ses paroles, un frisson terrifié me glaça les os. Il traça de son pouce une courbe sanglante en partant du centre de mon front pour remonter vers mes cheveux, frôler ma tempe et se terminer sur mon sourcil.) Par cette marque, tu es morte, tu es ombre parmi les vivants sans clan ni parents. (Son pouce dessina une trace symétrique de l'autre côté. Mon troisième œil tressaillit sous la sensation glacée du sang de vampire.) Par cette marque, tu renais, fille par mon sang et éternellement membre de ma famille.

Il y avait des coins dans les granges, aussi. Les paroles de Philippe les firent briller de filaments de couleur – pas seulement bleus et ambrés, mais verts et or. Le bruit qu'ils firent s'éleva pour devenir un léger gémissement de protestation. Une autre famille m'attendait dans une autre époque, après tout. Mais les murmures d'approbation dans la grange finirent par le recouvrir. Philippe leva les yeux vers le grenier comme s'il remarquait seulement la présence d'un public.

— Quant à vous... *Madame** a des ennemis. Qui parmi vous est prêt à se lever pour elle quand *milord** ne le pourra pas ?

Ceux qui comprenaient l'anglais traduisirent pour les autres.

— *Mais il est debout**, protesta Thomas en désignant Matthew.

Philippe régla la question en coupant au genou la jambe blessée de son fils, qui tomba lourdement à la renverse.

— Qui se lèvera pour *madame** ? répéta-t-il, une botte posée sur le cou de Matthew.

— *Je le ferai.*

Ce fut Catherine, ma servante et démone, qui parla la première.

— *Et moi*, ajouta Jehanne qui, bien que plus âgée, faisait toujours comme sa sœur.

Une fois que les filles eurent fait état de leur allégeance, Thomas et Étienne s'y rangèrent à leur tour, suivis du forgeron et du maître queux, qui était arrivé avec une corbeille de haricots secs. Il jeta un regard noir à son personnel, qui s'inclina à son tour.

— Les ennemis de *madame** viendront sans s'annoncer. Vous devrez donc être prêts. Catherine et Jehanne feront diversion. Thomas mentira. (Des adultes gloussèrent en connaisseurs.) Étienne, tu courras

252

chercher de l'aide, de préférence auprès de *milord**. Quant à toi, tu sais ce que tu dois faire, conclut Philippe en regardant son fils d'un air lugubre.

— Et moi ? demandai-je.

— Vous réfléchirez, comme vous l'avez fait aujourd'hui. Vous réfléchirez et vous resterez en vie. (Philippe frappa dans ses mains.) Nous nous sommes assez divertis comme cela. Que chacun retourne au travail.

Dans un concert de murmures de bonne volonté, tout le monde se dispersa pour retourner à sa tâche. D'un signe de tête, Philippe congédia Alain et Pierre, puis il sortit en ôtant sa chemise. Curieusement, il revint et jeta le vêtement roulé en boule à mes pieds. À l'intérieur était nichée une boule de neige.

— Occupez-vous de la blessure de sa jambe. Et celle au-dessus des reins est plus profonde que je ne le voulais, ordonna-t-il.

Puis il s'en alla à son tour.

Matthew se releva sur les genoux et se mit à trembler. Je le pris par la taille et l'allongeai délicatement. Il essaya de se libérer et de m'attirer dans ses bras.

— Non, entêté, lui dis-je. Je n'ai pas besoin d'être réconfortée. Laisse-moi m'occuper de toi, pour une fois. (J'examinai ses blessures, en commençant par celles qu'avait mentionnées Philippe. Avec l'aide de Matthew, j'écartai les chausses déchirées de la blessure de sa cuisse. La dague avait pénétré profondément, mais la plaie se refermait déjà, grâce aux propriétés cicatrisantes du sang de vampire. Je la recouvris d'un peu de neige tout de même – Matthew m'assurant que ce serait utile, même si sa chair épuisée était à peine plus chaude. La blessure au rein était elle aussi en voie de guérison, mais l'ecchymose qui l'entourait me fit frémir.) Je pense que tu t'en remettras, dis-je en posant un peu de neige sur son flanc gauche.

Je dégageai les cheveux sur son front, libérant une mèche qu'une tache de sang séché près de son œil avait collée.

— Merci, *mon cœur**. Puisque tu me nettoies, me permettrais-tu de te rendre la pareille en essuyant le sang de Philippe de ton front ? demanda-t-il timidement. C'est l'odeur. Cela ne me plaît pas de la sentir sur toi, vois-tu.

Il redoutait le retour de la fureur sanglante. Je m'essuyai moi-même le front et mes doigts furent teintés de noir et de rouge.

— Je dois avoir l'air d'une prêtresse païenne, dis-je.

— Encore plus que d'habitude, oui.

Matthew prit un peu de neige sur sa cuisse et en imprégna le bas de sa chemise pour enlever toutes les traces de l'adoption.

— Parle-moi de Benjamin, dis-je pendant qu'il m'essuyait le visage.

— Je l'ai créé à Jérusalem.

— Et il a ta tendance à la colère ?

— Ma tendance ! répéta-t-il, fasciné. À t'entendre, ce n'est pas pire que de l'hypertension.

— Benjamin ? répétai-je gentiment.

— Ce n'est pas le Clermont de la Congrégation, dit-il, narquois. Mais je ne pense pas que ce soit ce que tu veux savoir. La fureur sanglante de Benjamin est pire que la mienne. Je lui ai donné mon sang en pensant lui sauver la vie. Mais ce faisant, j'ai pris sa raison. J'ai pris son âme.

— Rentrons à la maison, dis-je, jugeant que cela faisait assez de secrets révélés pour la journée.

254

Nous retournâmes sans nous presser au château, main dans la main. Pour une fois, nous n'avions cure de ce qu'on verrait ou penserait. La neige qui tombait adoucissait les contours du paysage déchiqueté. Je levai les yeux vers Matthew dans le crépuscule et retrouvai une fois de plus son père dans les traits marqués de son visage et sa façon de raidir les épaules sous le fardeau qu'elles supportaient.

Le jeudi, jour de la Saint-Nicolas, le soleil brillait sur la neige tombée en début de semaine. L'atmosphère du château s'éclaircit considérablement avec ce beau temps, même si c'était toujours l'Avent, une période sombre de réflexion et de prière. En fredonnant, je me rendis à la bibliothèque prendre les livres d'alchimie que j'avais mis de côté. J'en emportais chaque jour quelques-uns dans la distillerie, mais je prenais soin de les rapporter. Deux hommes conversaient dans la pièce. Je reconnus le ton nonchalant de Philippe, mais l'autre voix m'était inconnue. Je poussai la porte.

— La voici justement, dit Philippe à mon entrée.

Son interlocuteur se retourna et un fourmillement me parcourut.

— Je crains que son français ne soit pas très bon, et son latin est pire, s'excusa Philippe. Parlez-vous anglais ?

— Suffisamment, répondit le sorcier. (Son regard, qui me balaya de la tête aux pieds, me fit frissonner.) La fille semble en bonne santé, mais elle ne devrait pas être parmi les vôtres, messire.

— *Je* m'en débarrasserais volontiers, monsieur Champier, mais elle n'a nulle part où aller et a besoin de l'aide d'un confrère sorcier. C'est pourquoi je vous ai fait mander. Venez, madame Roydon, dit Philippe en me faisant signe.

Plus j'approchais, plus j'étais mal à l'aise. L'air me paraissait rempli d'un courant quasi électrique. L'atmosphère était si lourde que je m'attendais presque à entendre un roulement de tonnerre. Peter Knox s'était insinué dans mon esprit et Satu m'avait infligé d'atroces souffrances à La Pierre, mais ce sorcier était différent, et en quelque sorte plus dangereux. Je passai rapidement devant lui et levai un regard interrogateur vers Philippe.

— Je vous présente André Champier, dit-il. C'est un imprimeur de Lyon. Peut-être avez-vous entendu parler de son cousin, l'estimé médecin, désormais malheureusement défunt et plus en mesure de faire partager sa sagesse sur les questions médicales et philosophiques.

— Non, chuchotai-je en cherchant sur son visage des indications sur la conduite à tenir. Je ne crois pas.

Champier s'inclina devant les compliments de Philippe.

— Je n'ai jamais connu mon cousin, messire, qui était déjà mort avant ma naissance. Mais c'est un plaisir de vous entendre en parler avec autant de considération.

Comme l'imprimeur paraissait au moins une vingtaine d'années plus âgé que Philippe, il devait savoir que les Clermont étaient des vampires.

— C'était un grand savant en matière de magie, comme vous, dit Philippe de son habituel ton négligent qui enlevait tout caractère obséquieux à son commentaire. Il s'agit du sorcier que j'ai fait mander peu après votre arrivée, m'expliqua-t-il, pensant qu'il serait en mesure de résoudre le mystère de votre magie. Il m'a dit avoir senti votre pouvoir alors qu'il était encore loin de Sept-Tours.

— Il semblerait que mon instinct m'ait finalement trahi, murmura Champier. Maintenant que je suis en sa présence, elle paraît n'avoir que peu de pouvoir. Peut-être n'est-elle pas la sorcière anglaise dont on parlait à Limoges.

— À Limoges, hein ? Comme c'est extraordinaire que les nouvelles voyagent si vite. Mais Mme Roydon est, Dieu merci, la seule Anglaise errante que nous ayons eu à accueillir, monsieur Champier. (Les fossettes de Philippe se creusèrent alors qu'il se servait du vin.) C'est déjà bien assez ennuyeux d'être affligé des vagabonds français en cette saison sans devoir se laisser déborder aussi par les étrangers.

— Les guerres ont chassé beaucoup de gens de leurs foyers et villages. (L'un des yeux de Champier était bleu et l'autre brun. La marque d'un puissant prophète. Le sorcier avait une énergie nerveuse qui se nourrissait de celle qui palpitait tout autour de lui. Je reculai instinctivement.) Qu'est-ce qui vous est arrivé, *madame** ?

— Qui peut dire quelles horreurs elle a vues ou subies, dit Philippe avec désinvolture. Son époux était mort depuis dix jours quand nous l'avons trouvée dans une ferme isolée. Mme Roydon a pu tomber aux mains de toutes sortes de prédateurs.

L'aîné des Clermont était aussi doué pour inventer des histoires que son fils ou Christopher Marlowe.

— Je découvrirai ce qui lui est arrivé. Donnez-moi votre main.

Comme je tardais à m'exécuter, Champier s'impatienta. Sur un claquement de ses doigts, mon bras gauche se dressa brusquement vers lui. Une vive et aigre panique me submergea tandis qu'il saisissait ma main. Il caressa ma paume en longeant lentement chaque doigt pour puiser des informations. J'eus l'estomac retourné.

— Sa chair vous livre-t-elle connaissance de ses secrets ? demanda Philippe, mi-curieux, mi-méfiant.

— On peut lire la peau d'une sorcière comme un livre. (Champier fronça les sourcils et porta ses doigts à ses narines. Il les flaira et se rembrunit.) Elle est restée trop longtemps en présence de *manjasang*. Qui s'est nourri d'elle ?

— C'est interdit, dit suavement Philippe. Personne de ma maison n'a répandu le sang de la fille, ni par amusement ni pour se nourrir.

— Le *manjasang* peut lire le sang d'une créature aussi facilement que je lis sa chair. (Champier retroussa brutalement ma manche, arrachant les cordonnets qui la retenaient au poignet.) Voyez-vous ? Quelqu'un s'est repu d'elle. Je ne suis pas le seul qui désire en savoir davantage sur cette sorcière anglaise.

Philippe se pencha pour examiner mon coude et je sentis son souffle glacé sur ma peau. Mon pouls accéléra, lançant un signal d'alarme. Que cherchait Philippe ? Pourquoi le père de Matthew n'empêchait pas tout cela ?

— Cette blessure est trop ancienne pour qu'elle ait été faite ici. Comme je vous l'ai dit, elle n'est à Saint-Lucien que depuis une semaine.

Réfléchissez. Restez en vie. Je me répétai les instructions que Philippe m'avait données.

— Qui a pris votre sang, ma sœur ? demanda Champier.

— C'est une blessure de couteau, dis-je, hésitante. Je me la suis faite.

Ce n'était pas un mensonge, mais ce n'était pas non plus toute la vérité. Je priai la déesse qu'il passe. Je ne fus pas exaucée.

— Mme Roydon me dissimule quelque chose, et à vous aussi, je pense. Je dois le rapporter à la Congrégation. C'est mon devoir, messire, dit Champier avec un regard interrogateur à Philippe.

— Bien sûr, murmura celui-ci. Je n'oserais pas vous empêcher de faire votre devoir. Comment puis-je vous y aider ?

— Si vous pouvez la maintenir, je vous en serai reconnaissant. Nous devons creuser plus loin pour trouver la vérité, dit Champier. Pour la plupart des créatures, cette recherche est douloureuse, et même ceux qui n'ont rien à cacher résistent instinctivement au toucher d'un sorcier.

Philippe m'arracha des mains de Champier et me fit asseoir sans ménagement sur sa chaise. Il m'empoigna le cou d'une main en appuyant sur ma tête de l'autre.

— Ainsi ? demanda-t-il.

— C'est parfait, messire. (Champier se planta devant moi en fronçant les sourcils.) Qu'est-ce que cela…

Ses doigts tachés d'encre glissèrent sur mon front. C'était comme s'il avait été armé d'un rasoir. Je gémis et me débattis.

— Pourquoi votre toucher cause-t-il une telle douleur ? demanda Philippe.

— C'est la lecture qui est douloureuse. Voyez cela comme l'arrachage d'une dent, expliqua Champier en levant heureusement un instant sa main. Je vais extraire ses secrets et pensées jusqu'à la racine plutôt que de les laisser s'infecter. C'est plus douloureux, mais cela ne laisse rien et offre une peinture plus claire de ce qu'elle essaie de cacher. C'est le grand avantage de la magie, voyez-vous, et des études. La sorcellerie et les arts traditionnels que connaissent les femmes sont rudimentaires, proches de la superstition. Ma magie, elle, est précise.

— Un instant, monsieur. Vous devez pardonner à mon ignorance. Me dites-vous que la sorcière n'aura aucun souvenir de ce que vous aurez fait ni de la souffrance que vous aurez causée ?

— Aucun, hormis la sensation persistante que quelque chose qu'elle avait autrefois est désormais perdu. (Les doigts de Champier revinrent sur mon front.) Mais voici qui est très étrange. Pourquoi un *manjasang* a-t-il apposé son sang ici ?

Mon adoption au sein du clan de Philippe était un souvenir que je n'avais aucune intention de laisser Champier me prendre. Pas plus qu'il n'était question de le laisser feuilleter ceux de Yale, Sarah, Em ou Matthew. *Mes parents*. Je me cramponnai aux accoudoirs du fauteuil pendant qu'un vampire me tenait la tête et qu'un sorcier s'apprêtait à inventorier mes souvenirs et me voler mes pensées. Et pourtant, aucun murmure ni étincelle de vent ou de feu sorcier ne vinrent à mon aide. Mon pouvoir s'était entièrement tu.

— C'est vous qui avez marqué cette sorcière, accusa Champier.

— Oui, répondit Philippe sans plus d'explication.

— C'est tout à fait illégal, messire. (Ses doigts continuèrent de sonder mon esprit. Il ouvrit de grands yeux effarés.) Mais c'est impossible. Comment peut-elle être une…

Il poussa un cri étranglé et baissa les yeux sur sa poitrine. Une dague était profondément enfoncée entre deux côtes. Ma main tenait fermement le manche. Je l'enfonçai encore quand il chercha à se dégager.

— Laissez, Diana, ordonna Philippe en essayant de desserrer mes doigts. Il va mourir et tomber. Vous ne pouvez pas porter un poids mort.

Mais je ne pouvais pas lâcher la dague. L'homme était toujours vivant et, tant qu'il lui restait un souffle, Champier pouvait me prendre ce qui m'appartenait.

Un visage blême aux yeux noirs apparut brièvement par-dessus l'épaule de Champier avant qu'une main puissante lui brise la nuque d'un coup sec. Matthew s'abattit sur la gorge de l'homme et but avidement.

— Où étais-tu, Matthew ? demanda sèchement Philippe. Tu dois faire vite. Diana a frappé avant qu'il ait pu achever sa pensée.

Pendant que Matthew buvait, Thomas et Étienne arrivèrent en courant dans la pièce, suivis de Catherine. Ils s'arrêtèrent, stupéfaits. Alain et Pierre apparurent dans le couloir avec le forgeron, le maître queux et les deux soldats qui gardaient habituellement la grille.

— *Vous avez bien fait**, m'assura Philippe. C'est terminé, à présent.

— J'étais censée réfléchir.

J'avais les doigts engourdis, mais il me sembla qu'ils lâchaient la dague.

— Et rester en vie. Vous avez admirablement réussi, répliqua Philippe.

— Il est mort ? demandai-je d'une voix enrouée.

Matthew releva la tête, abandonnant la gorge du sorcier.

— Tout à fait, dit Philippe. Eh bien, je dirais que cela fait un calviniste trop curieux de moins à se soucier. Avait-il informé ses amis qu'il venait ici ?

— Pas pour autant que je sache, répondit Matthew. (Ses yeux reprirent leur couleur grise habituelle tandis qu'il me scrutait.) Diana. Mon amour. Lâche la dague.

Quelque part au loin, un objet métallique tomba sur le sol, suivi du bruit sourd du corps d'André Champier. Des mains délicieusement fraîches me prirent le menton.

— Il a découvert quelque chose chez Diana qui l'a surpris, dit Philippe.

— C'est ce que j'ai vu. Mais la lame a atteint son cœur avant qu'il dise ce que c'était.

Matthew m'attira dans ses bras. Inerte, je n'opposai aucune résistance.

— Je ne pouvais… Je n'ai pas réfléchi, Matthew. Champier allait prendre mes souvenirs, « les extraire jusqu'à la racine ». Les souvenirs, c'est tout ce que j'ai de mes parents. Et s'il avait pris ceux de Yale ? Comment aurais-je pu rentrer et enseigner, ensuite ?

— Tu as bien fait. (Matthew me prit par la taille et me serra contre sa poitrine.) Où a-t-elle pris la dague ?

— Dans ma botte. Elle a dû me voir la tirer hier.

— Je vois. Tu as réfléchi, *ma lionne**, dit Matthew en baisant mes cheveux. Qu'est-ce qui a amené Champier à Saint-Lucien ?

— Moi, répliqua Philippe.

— Vous nous avez livrés à Champier ? s'indigna Matthew. C'est l'une des créatures les plus ignobles de France !

— J'avais besoin de m'assurer d'elle, *Matthaios*. Diana connaît trop de nos secrets. Il fallait que je sache que je pouvais les lui confier et qu'elle ne les livrerait à personne, pas même aux siens. (Philippe ne s'excusait pas.) Je ne prends pas de risques avec ma famille.

— Et auriez-vous arrêté Champier avant qu'il vole ses souvenirs ? demanda Matthew, dont les yeux redevenaient noirs.

— Cela dépend.

— De quoi ? explosa Matthew.

— Si Champier était arrivé il y a trois jours, je ne m'en serais pas mêlé. Cela aurait été une affaire entre sorciers ne valant pas que la fraternité s'en soucie.

— Vous auriez laissé ma compagne souffrir, dit Matthew, incrédule.

— Jusqu'à hier, c'est à toi qu'il incombait de la défendre. Si tu n'avais pas réussi, cela aurait prouvé que ton engagement envers la sorcière n'était pas tel qu'il devait être.

— Et aujourd'hui ? demandai-je.

Philippe me scruta.

— Aujourd'hui, vous êtes ma fille. Dès lors, non, je n'aurais pas laissé Champier aller plus loin. Mais je n'ai rien eu besoin de faire, Diana. Vous vous êtes tirée d'affaire toute seule.

— Est-ce pour cela que vous avez fait de moi votre fille ? Vous saviez que Champier venait ?

— Matthew et vous avez survécu à une épreuve dans l'église, puis à une autre dans le fenil. Le serment par le sang n'était que la première étape pour faire de vous une Clermont. Et le moment est venu de l'achever. (Philippe se tourna vers son valet.) Va chercher le prêtre, Alain, et dis au village de se réunir dans l'église au coucher du soleil samedi. *Milord** va se marier, avec la Bible et le prêtre, et tout Saint-Lucien en sera témoin. Il n'y aura rien de secret dans ce mariage.

— Je viens de tuer un homme ! Ce n'est pas le moment de discuter de mariage.

— Fadaises. Se marier dans un bain de sang est une tradition familiale des Clermont, dit Philippe avec entrain. Nous semblons n'épouser que des créatures qui sont désirées par d'autres. C'est toujours très embrouillé.

— Je l'ai tué, répétai-je en détachant les syllabes et en désignant le cadavre.

— Alain, Pierre, veuillez nous débarrasser de M. Champier. Il agace *madame**. Et les autres, vous avez bien trop à faire pour rester à bayer aux corneilles. (Il attendit que nous soyons seuls tous les trois pour poursuivre.) Vous allez m'écouter, Diana. Des vies vont être perdues à cause de votre amour pour mon fils. Certains se sacrifieront. D'autres mourront parce qu'il le faut et ce sera à vous de choisir entre vous-même, eux ou quelqu'un que vous aimez. Vous devez donc vous poser cette question : celui qui porte le coup mortel importe-t-il ? Si vous ne le faites pas, ce sera Matthew. Vous préféreriez que ce soit lui qui ait la mort de Champier sur la conscience ?

— Bien sûr que non, m'empressai-je de répondre.

— Pierre, alors ? Ou Thomas ?

— Thomas ? Mais ce n'est qu'un enfant ! m'insurgeai-je.

— Cet *enfant* a promis de s'interposer entre vous et vos ennemis. Avez-vous vu ce qu'il tenait à la main ? Le soufflet de la distillerie. Il en a limé l'embout pour en faire une pointe. Ne vous y trompez pas : si vous n'aviez pas tué Champier, cet *enfant* le lui aurait enfoncé dans les tripes à la première occasion.

— Nous ne sommes pas des animaux, mais des créatures civilisées. Nous devrions pouvoir parler de cela et régler nos différends sans effusion de sang.

— Un jour, je me suis assis à une table et j'ai parlé pendant trois heures avec un homme – un roi. Nul doute que vous et bien d'autres l'auriez considéré comme une créature civilisée. À la fin de notre conversation, il a ordonné la mise à mort de milliers d'hommes, femmes et enfants. Les paroles tuent autant que les épées.

— Elle n'a pas l'habitude de nos manières de faire, Philippe, l'avertit Matthew.

— Alors il faudra qu'elle l'acquière. Le temps de la diplomatie est passé. (Philippe n'éleva pas la voix. Certains signes trahissaient Matthew, mais son père ne laissait jamais voir ses émotions les plus profondes.) Plus de discussion. Ce samedi, Matthew et vous serez mariés. Comme vous êtes ma fille de sang ainsi que de nom, vous serez non seulement mariée en bonne chrétienne, mais aussi d'une manière qui honore mes ancêtres et leurs dieux. C'est votre dernière chance de dire non, Diana. Si vous avez réfléchi et que vous ne voulez plus de Matthew et de la vie – et de la mort – que l'épouser implique, je verrai à vous faire ramener sans encombre en Angleterre.

Matthew m'écarta de lui. De quelques pouces, mais qui symbolisaient bien davantage. En cet instant, il me donnait le choix, alors que le sien était déjà fait depuis longtemps. Le mien également.

— Acceptes-tu de m'épouser, Matthew ?

Étant donné que j'étais une meurtrière, il me sembla juste de poser la question.

Philippe toussota.

— Oui, Diana, je le veux. Je t'ai déjà épousée, mais je suis heureux de recommencer pour te faire plaisir.

— Cela m'a satisfaite la première fois. Celle-ci est pour ton père.

Il m'était impossible de penser davantage au mariage alors que j'avais les genoux flageolants et que le sol baignait dans le sang.

— Alors nous sommes tous d'accord. Emmène Diana à sa chambre. Il serait mieux qu'elle y reste tant que nous ne sommes pas sûrs que les amis de Champier ne sont pas dans les parages. (Philippe s'arrêta sur le seuil.) Tu as trouvé une femme qui est digne de toi, avec du courage et de l'espoir en quantité, *Matthaios*.

— Je sais, dit Matthew en me prenant la main.

— Sache aussi ceci : tu es tout aussi digne d'elle. Cesse de regretter ta vie et commence à la vivre.

12

Le mariage que Philippe avait prévu devait se dérouler sur trois jours. Du vendredi au dimanche, les gens du château, villageois et quiconque à des lieues à la ronde devraient prendre part à ce qu'il soutenait être une petite cérémonie familiale.

— Cela fait un certain temps que nous n'avons eu de noces, et l'hiver est une période peu engageante. Nous devons bien cela au village.

C'est ainsi que Philippe balaya nos protestations. Le maître queux fut lui aussi irrité quand Matthew avança qu'il n'était pas possible de préparer trois banquets à la dernière minute alors que les provisions étaient rares et que les chrétiens devaient faire abstinence. Et puis après, il y avait une guerre et c'était l'Avent, rétorqua le cuisinier. Ce n'était pas une raison pour refuser de donner une fête.

Toute la maisonnée étant en proie à une grande agitation et personne ne désirant notre aide, Matthew et moi nous retrouvâmes livrés à nous-mêmes.

— En quoi consiste au juste cette cérémonie de mariage ? demandai-je alors que nous étions allongés devant le feu dans la bibliothèque.

Je portais le présent de noces de Matthew : l'une de ses chemises, qui me descendait aux genoux, et une paire de chausses retenue par une ceinture en cuir façonnée dans une bride. C'était la tenue la plus confortable que je portais depuis Halloween et Matthew, qui n'avait guère vu mes jambes ces derniers temps, ne les quittait pas des yeux.

— Je n'en ai aucune idée, *mon cœur**. Je n'ai encore jamais assisté à un mariage grec antique, dit-il en me caressant le creux du genou du bout du doigt.

— Enfin, le prêtre n'autorisera pas Philippe à faire quoi que ce soit d'ouvertement païen. La cérémonie doit assurément être catholique.

— La famille ne prononce jamais « assurément » et « Philippe » dans la même phrase. Cela finit toujours mal, dit-il en déposant un baiser sur ma hanche.

— Au moins, ce soir, ce n'est qu'un banquet. Je devrais pouvoir m'en sortir sans trop de difficultés, soupirai-je. J'imagine que ce que fait Philippe correspond en gros au dîner de répétition que le père de la future mariée paie généralement aux États-Unis.

— C'est presque la même chose, oui, dit Matthew en riant. Du moment qu'il y a de l'anguille grillée et un paon doré au menu.

— Je ne vois toujours pas pourquoi nous sommes obligés d'en faire autant.

Sarah et Em n'avaient pas fait de cérémonie officielle à l'église. À la place, un ancien du coven de Madison avait procédé à un *handfasting*, une union des mains. Rétrospectivement, cela me rappelait l'échange de vœux que Matthew et moi avions fait avant de voyager dans le temps : simple, intime et rapide.

— Les mariages ne sont pas destinés à satisfaire les futurs mariés. La plupart des couples se contenteraient de s'isoler comme nous l'avons fait, de prononcer quelques mots et de partir en voyage de noces. Ce sont des rites de passage pour la communauté, dit-il en roulant sur le dos.

Je me soulevai sur les coudes.

— Ce n'est qu'un rituel vide.

— Il n'y a pas de rituels vides, se rembrunit Matthew. Si cela ne te plaît pas, il faut le dire.

— Non. Que Philippe ait ses noces. C'est juste un peu… écrasant.

— Tu dois regretter que Sarah et Em ne soient pas ici pour partager ce moment avec nous.

— Si elles étaient là, elles seraient étonnées que je ne me dérobe pas. J'ai une réputation de solitaire. Je croyais que tu étais comme cela aussi.

— Moi ? demanda-t-il en riant. À part à la télévision et au cinéma, les vampires sont rarement seuls. Nous préférons la compagnie des autres. Même celle des sorcières, si elles ne sont pas trop nombreuses. (Il m'embrassa pour prouver ses dires.) Alors, si le mariage avait lieu à New Haven, qui inviterais-tu ?

— Sarah et Em, évidemment. Mon ami Chris. (Je me mordis la lèvre.) Peut-être le directeur de mon département.

— C'est tout ? demanda Matthew, consterné.

— Je n'ai pas beaucoup d'amis. (Gênée, je me levai.) Je crois que le feu est en train de mourir.

— Le feu va très bien, dit-il en me retenant. Et tu n'as pas lieu de redouter de te sentir seule après-demain. Tu as quantité d'amis et de famille, à présent.

La mention de famille était l'occasion que j'attendais. Mon regard glissa sur le coffre au pied du lit. La petite boîte de Marthe était cachée à l'intérieur, enveloppée dans un linge.

— Il y a autre chose dont nous devons parler.

Cette fois, il me laissa me lever. Je sortis le coffret.

— Qu'est-ce que c'est ? demanda Matthew.

— Les herbes de Marthe. Celles qu'elle utilise dans sa tisane. Je les ai trouvées dans la distillerie.

— Je vois. Et tu en as bu ? demanda-t-il vivement.

— Bien sûr que non. Je ne vais pas décider seule que nous ayons ou non des enfants.

Je soulevai le couvercle et le parfum des herbes séchées flotta dans l'air.

— Quoi qu'aient pu dire Marcus et Miriam à Madison, rien ne prouve que nous pourrions avoir des enfants toi et moi. Même des contraceptifs à base de simples comme celui-ci peuvent avoir des effets secondaires nocifs, dit-il avec une froideur clinique.

— Partons de la simple hypothèse que l'une de tes analyses scientifiques révèle que nous *pourrions* avoir des enfants. Tu voudrais que je prenne cette tisane, alors ?

— La mixture de Marthe n'est pas très fiable, dit-il en se détournant.

— OK. Quelles sont les autres possibilités ?

— L'abstinence. Le retrait. Et puis il y a les préservatifs, même s'ils ne sont pas non plus très fiables. Surtout en cette époque.

— Et si l'une de ces méthodes était fiable ? m'impatientai-je.

— Si, je dis bien *si* nous pouvions concevoir un enfant ensemble, ce serait un miracle et en conséquence, aucune forme de contraception ne serait efficace.

— Le temps que tu as passé à Paris n'a pas été totalement perdu, quoi qu'en pense ton père. Cet argument était digne d'un théologien médiéval.

Avant que j'aie pu refermer le coffret, Matthew posa ses mains sur les miennes.

— Si tu pouvais concevoir et si cette tisane était efficace, je te demanderais tout de même de laisser ces herbes dans la distillerie.

— Même si tu risquais de transmettre ta fureur sanguinaire à un autre enfant ?

Je me forçais à être franche avec lui, même si mes paroles pouvaient blesser.

— Quand j'étudie les constantes d'extinction et que je constate en laboratoire que nous sommes en voie de disparition, l'avenir me paraît sans espoir. Mais si je décèle la moindre modification de chromosome ou que je découvre un descendant inattendu alors que je pensais une lignée éteinte, la destruction ne me paraît plus inéluctable. C'est ce que j'éprouve en ce moment. (Généralement, j'avais du mal quand Matthew adoptait une objectivité scientifique, mais pas cette fois. Il me prit le coffret des mains.) Et toi ?

J'y pensais depuis des semaines, depuis le jour où Miriam et Marcus étaient arrivés à Madison avec les résultats de mes analyses d'ADN et avaient soulevé la question des enfants. J'étais certaine de mon avenir avec Matthew, mais moins de ce que cet avenir pourrait receler.

— J'aimerais avoir plus de temps pour décider. (Cela commençait à devenir une rengaine, chez moi.) Si nous étions encore au XXIᵉ siècle, je prendrais la pilule que tu me prescrirais. (J'hésitai.) Même sans être sûre qu'elle soit efficace. (Matthew attendait toujours ma réponse.) Quand j'ai enfoncé la dague de Philippe dans la poitrine de Champier, tout ce que je pensais, c'est qu'il allait me prendre mes pensées et mes souvenirs et que je ne serais plus la même personne quand je retournerais à ma vie moderne. Mais même si nous devions rentrer là, maintenant, nous serions déjà des individus différents. Tous les endroits où nous sommes allés, les gens que nous avons rencontrés, les secrets que nous avons partagés – je ne suis plus la même Diana Bishop et toi le même Matthew Clairmont. Un enfant nous changerait encore plus.

— Alors, tu veux éviter une grossesse, dit-il prudemment.

— Je ne sais pas trop.

— C'est que la réponse est oui. Si tu n'es pas sûre de vouloir être mère, nous devons utiliser tout moyen contraceptif disponible, dit-il avec fermeté.

— J'ai envie d'avoir des enfants. Je suis surprise du nombre que je voudrais, si tu veux savoir. (Je me massai les tempes.) L'idée d'élever un enfant avec toi me plaît. Mais cela me paraît prématuré.

— C'est vrai qu'il est tôt. Nous ferons donc le nécessaire pour limiter cette possibilité jusqu'à ce que tu sois prête – si tu l'es. Mais ne te fais pas trop d'illusions. La science est sans ambiguïté, Diana : les vampires se reproduisent par résurrection, pas par procréation. Notre relation est peut-être différente, mais nous ne sommes pas assez exceptionnels pour bouleverser des lois biologiques millénaires.

— L'image des noces chymiques de l'Ashmole 782, elle parle de nous. Et Miriam avait raison : l'étape suivante du processus de la transmutation alchimique après le mariage de l'or et de l'argent est la conception.

— La conception ? répéta Philippe en apparaissant sur le seuil et en écartant le battant du bout de sa botte. Personne n'a mentionné cette éventualité.

— C'est parce que c'est impossible. J'ai couché avec des femmes sangs-chauds, et elles ne sont jamais tombées enceintes. L'image des noces chymiques est peut-être conçue comme un message, comme le dit Diana, mais les chances que la représentation devienne réalité sont minces. (Matthew secoua la tête.) Aucun *manjasang* n'a jamais conçu d'enfant de cette manière.

— Jamais, cela fait très longtemps, Matthew, comme je te l'ai dit. Quant à l'impossible, je foule cette terre depuis plus longtemps que l'homme se souvient et j'ai vu des choses que les générations suivantes ont qualifiées de mythes. Autrefois, il y avait des créatures qui nageaient dans l'océan comme des poissons, et d'autres qui maniaient la foudre comme une lance. Elles ont disparu et ont été remplacées par quelque chose de nouveau. Le changement est la seule chose stable en ce monde.

— Héraclite, murmurai-je.

— Le plus sage des hommes, dit Philippe, ravi que j'aie reconnu la citation. Les dieux aiment nous surprendre quand nous sommes trop contents de nous-mêmes. Pourquoi portez-vous la chemise et les chausses de Matthew ?

— Il me les a données. C'est assez proche de ce que je porte à notre époque, et Matthew voulait que je sois à l'aise et me les a cousues ensemble. (Je tournai pour lui montrer le résultat.) Qui aurait cru que les hommes Clermont pouvaient tirer l'aiguille ou même coudre droit ?

— Pensiez-vous que c'était Ysabeau qui ravaudait nos vêtements quand nous rentrions de la bataille ?

L'idée d'Ysabeau en train de coudre tranquillement en attendant le retour des hommes de la guerre me fit glousser.

— J'avoue que non.

— Vous la connaissez bien, je vois. Si vous avez décidé de vous vêtir comme un garçon, mettez une culotte, à tout le moins. Si le prêtre voit cela, son cœur lui manquera et la cérémonie de demain devra être reportée.

— Mais je ne sors pas, dis-je.

— J'aimerais vous emmener avant votre mariage à un endroit sacré pour les dieux anciens. Ce n'est pas loin, ajouta-t-il en voyant Matthew soupirer. Et j'aimerais que nous soyons seuls vous et moi.

— Je vous retrouverai aux écuries, acceptai-je sans hésitation.

Une fois dehors, je savourai le picotement de l'air froid sur mes joues et la quiétude hivernale de la campagne. Rapidement, Philippe et moi arrivâmes sur une éminence plus plate que les autres sommets qui entouraient Sept-Tours. Le sol était semé d'excroissances rocheuses qui me parurent étrangement symétriques. Bien qu'anciennes et envahies par la végétation, elles n'avaient rien de naturel. Elles avaient été créées par la main de l'homme.

Philippe sauta de son cheval et me fit signe de l'imiter. Une fois que je fus descendue de selle, il me prit par le bras et me conduisit entre deux de ces étranges roches jusqu'à une vaste étendue couverte de neige. La surface immaculée ne portait que des traces d'animaux sauvages – le sabot en forme de cœur d'un cerf, la patte à cinq griffes d'un ours, les marques ovales et triangulaires d'un loup.

— Qu'est-ce que cet endroit ? demandai-je à mi-voix.

— Autrefois, il y avait ici un temple de Diane qui dominait les forêts et vallées où les cerfs se plaisaient à courir. Ceux qui vénéraient la déesse y ont planté des cyprès sacrés à côté des chênes et des aulnes natifs de la région. (Il me désigna les minces colonnes vertes qui se dressaient tout autour comme des sentinelles.) Je voulais vous y amener, car lorsque j'étais enfant, très loin d'ici, et avant que je devienne un *manjasang*, les futures épouses allaient dans un temple comme celui-ci avant leur mariage pour offrir un sacrifice à la déesse. Nous l'appelions Artémis, dans ce temps-là.

— Un sacrifice ? demandai-je, la bouche sèche, trouvant qu'assez de sang avait été répandu.

— Nous pouvons changer, mais il importe de se rappeler le passé et de l'honorer, dit Philippe en me tendant un couteau et un sac dont le contenu tintait. Il est également sage de réparer les torts du passé. Les déesses n'ont pas toujours été heureuses de mes actes. Je voudrais être sûr qu'Artémis reçoive ce qui lui est dû avant que mon fils se marie demain. Le couteau sert à couper une mèche de vos cheveux. C'est un symbole de votre virginité qui doit être offert selon la coutume. L'argent est un symbole de votre valeur. (Il baissa la voix et chuchota avec des airs de conspirateur.) J'aurais pu en apporter plus si je n'avais dû en garder un peu pour le dieu de Matthew.

Il me conduisit à un petit autel au milieu des ruines. Diverses offrandes y reposaient : une poupée en bois, une chaussure d'enfant, un bol de grains de blé détrempés et poudrés de neige.

— Je suis surprise qu'il vienne encore des gens ici, dis-je.

— Dans toute la France, des femmes font la révérence devant la lune quand elle est pleine. Les vieilles habitudes ont la vie dure, surtout celles qui soutiennent les gens durant les périodes difficiles.

Il s'avança vers l'autel improvisé. Sans s'incliner, s'agenouiller ou témoigner un respect particulier à la divinité, il commença à parler d'une voix si basse que je dus tendre l'oreille. L'étrange mélange de grec et d'anglais n'était pas très compréhensible, mais en revanche, les intentions solennelles de Philippe l'étaient.

— Artémis Agroterê, chasseresse renommée, Alcides Leontothymos te conjure de prendre cette enfant, Diana, dans ta main. Artémis Lykeiê, souveraine des loups, protège-la en toutes circonstances. Artémis Patrôia, déesse de mes ancêtres, accorde-lui des enfants afin que soit perpétuée ma lignée. (*La lignée de Philippe.* J'en faisais partie, désormais, par le mariage et par le serment du sang.) Artémis Phôsphora, apporte la lumière de ta sagesse quand elle sera dans les ténèbres. Artémis Upis, veille sur celle qui porte ton nom durant son voyage dans ce monde.

Philippe termina son invocation et me fit signe d'avancer. Après avoir posé précautionneusement le sac de pièces près du soulier d'enfant, j'isolai une boucle sur ma nuque. Le couteau était tranchant et je n'eus aucune peine à la couper.

Nous restâmes sans rien dire dans la lumière qui baissait. Une décharge d'énergie jaillit du sol sous mes pieds. La déesse était là. L'espace d'un instant, je pus imaginer comment avait été son temple – pâle, luisant, entier. Je jetai un regard à la dérobée à Philippe. Avec sa peau d'ours drapée sur ses épaules, lui aussi avait l'air de la relique sauvage d'un monde perdu. Et il attendait quelque chose.

Un cerf blanc aux bois incurvés surgit d'entre les cyprès et s'immobilisa, son haleine se condensant devant ses naseaux. Silencieusement, il avança vers moi. Une lueur de défi brillait dans ses immenses yeux bruns et il était assez proche pour que je voie les pointes acérées de ses cornes. L'animal considéra Philippe d'un air hautain et réa, une bête en saluant une autre.

— *Sas efharisto*, dit gravement Philippe, une main sur le cœur. Artémis a accepté vos présents. Nous pouvons partir, maintenant.

Matthew, qui guettait notre retour, était dans la cour quand nous arrivâmes.

— Préparez-vous pour le banquet, dit Philippe tandis que je sautais de selle. Nos invités vont bientôt être là.

Je fis à Matthew un sourire que j'espérai confiant avant de monter. Dans la nuit tombante, le bourdonnement d'activité m'indiqua que le château se remplissait de monde. Catherine et Jehanne arrivèrent pour m'habiller. La robe qu'elles avaient étalée était, de loin, la plus grandiose que j'aie jamais portée. L'étoffe vert foncé me rappela les cyprès des abords du temple plutôt que le houx qui décorait le château pour l'Avent. Et les feuilles de chêne brodées au fil d'argent de la basquine scintillaient dans la lumière des bougies comme les bois du cerf dans les rayons du couchant.

Les deux filles avaient les yeux brillants en terminant. Je n'avais pu apercevoir dans le miroir en argent poli de Louisa que mon visage et mes cheveux, qui avaient été tressés. Mais d'après leur expression, ma transformation était digne de mes noces.

— *Bien**, murmura Jehanne.

Catherine ouvrit cérémonieusement la porte et les broderies argentées de la robe scintillèrent dans la lumière des torches du couloir. Je retins ma respiration en attendant la réaction de Matthew ; les tiges du busc qui maintenaient basquine et corset s'enfonçaient dans ma chair.

— *Par le Christ**, dit Matthew, ébloui. Que tu es belle*, mon cœur**. (Je laissai échapper mon souffle, ravie, tandis qu'il me prenait les mains et les soulevait pour mieux voir l'effet général.) Mon Dieu, portes-tu deux paires de manches ?

— Je crois qu'il y en a trois, dis-je en riant.

J'avais sur moi une robe en lin à manches de batiste aux poignets de dentelle ajustés, des manches vertes assorties à ma basquine et mes jupes, ainsi que des maheutres de soie verte bouillonnant aux épaules et agrafées aux coudes. Jehanne, qui était allée à Paris l'année précédente pour servir Louisa, m'assura que c'était *la dernière mode**.

— Mais comment vais-je t'embrasser avec tout cela entre nous ?

Il passa le doigt le long de mon cou, faisant frémir ma collerette fraisée plissée, qui mesurait dix bons centimètres.

— Si tu l'écrases, Jehanne en fera une maladie, murmurai-je alors qu'il prenait mon visage dans ses mains.

À l'aide d'un instrument métallique qui ressemblait à un fer à friser, elle avait repassé des mètres d'étoffe pour tuyauter et godronner les plis en forme de 8. Cela lui avait pris des heures.

— Aucune crainte à avoir, je suis médecin, répondit Matthew en collant sa bouche sur la mienne. Et voilà. Sans déranger un pli.

Alain toussota poliment.

— Ils vous attendent.

— Matthew, dis-je en lui prenant la main. Il faut que je te dise quelque chose.

— Quoi donc ? demanda-t-il, mal à l'aise.

— J'ai envoyé Catherine dans la distillerie ranger les herbes de Marthe.

C'était un plus grand pas dans l'inconnu que celui que j'avais fait dans la grange de Sarah pour nous amener ici.

— Tu es sûre de toi ?

— Certaine, dis-je. (Des rires et de la musique montèrent dans l'escalier.) Descendons.

Notre entrée dans la grande salle fut accueillie par des chuchotements et de longs regards obliques. On avait remarqué mon changement d'apparence et les hochements de tête me firent comprendre qu'enfin, j'avais l'air digne d'épouser *milord**.

— Les voici ! tonna Philippe depuis la table de la famille.

Quelqu'un applaudit et bientôt, tout le monde se joignit à lui. Matthew sourit, d'abord timidement, puis avec une fierté croissante.

Nous fûmes installés aux places d'honneur de chaque côté de Philippe, qui ordonna qu'on serve le premier plat, accompagné de sa musique. On m'offrit de petites portions des dizaines de plats que le maître queux avait préparés : une soupe de pois chiches, de l'anguille grillée, une délicieuse purée de lentilles, de la morue salée avec une sauce à l'ail, et un poisson entier nageant dans une gelée où des brins de lavande et de romarin figuraient des algues. Philippe m'expliqua que le menu avait été l'objet de brûlantes négociations entre le cuisinier et le prêtre du village. Après l'échange de plusieurs ambassades, ils étaient finalement convenus que le repas de ce soir respecterait strictement les interdictions alimentaires du vendredi – viande, lait et fromage – alors que le banquet du lendemain serait une extravagance sans la moindre retenue.

Selon les usages, les portions de Matthew étaient plus abondantes que les miennes – ce qui n'était guère utile, puisqu'il ne mangeait rien et buvait peu. Les hommes des tables voisines le taquinèrent sur la nécessité de se ragaillardir en vue des épreuves à venir.

Le temps que l'hypocras coule à flots et qu'un délicieux nougat de miel et de noix soit servi, leurs commentaires avaient pris un tour licencieux et les réponses de Matthew étaient de plus en plus acides. Heureusement, la plupart des insultes et conseils étaient donnés dans des langues que je ne comprenais pas très bien, mais Philippe me posait tout de même les mains sur les oreilles de temps à autre.

J'étais de plus en plus transportée à mesure qu'enflaient la musique et les rires. Ce soir, Matthew n'avait pas l'air d'un vampire vieux de quinze siècles, mais de n'importe quel jeune marié à la veille de ses noces : timide, ravi et un peu angoissé. C'était l'homme que j'aimais, et mon cœur cessait un instant de battre chaque fois que son regard se posait sur moi.

Les chants commencèrent quand le maître queux servit les derniers vins, accompagnés de graines de cardamome et de fenouil confites. À l'autre bout de la salle, un homme entonna une chanson d'une voix de basse, et ses voisins se joignirent à lui. Bientôt, tout le monde s'y fut mis, tapant tellement des pieds et des mains que l'on n'entendait plus les musiciens qui tentaient désespérément de les suivre.

Tandis que les invités passaient de chanson en chanson, Philippe alla saluer chacun par son nom. Il fit sauter les nourrissons dans ses bras, demanda des nouvelles des bêtes et écouta avec attention les maux et doléances des anciens.

— Regarde-le donc, s'émerveilla Matthew en me prenant la main. Comment fait-il pour que tout le monde s'imagine être l'invité le plus important de la soirée ?

— À toi de me le dire, répondis-je en riant. (Puis, voyant qu'il ne comprenait pas :) Matthew, tu agis exactement comme lui. Il te suffit d'entrer dans une pièce remplie de monde pour qu'on ne voie plus que toi.

— Si c'est un héros que tu cherches, je vais te décevoir, dit-il.

— En guise de cadeau de noces, dis-je en lui prenant le visage dans les mains, j'aimerais avoir un sortilège grâce auquel tu te verrais tel que les autres te voient.

— D'après ce que je vois dans tes yeux, je n'ai pas l'air différent. Un petit peu inquiet, peut-être, étant donné ce que Guillaume et Frédéric viennent de me dire de l'appétit charnel des femmes plus âgées, plaisanta-t-il dans l'espoir de me distraire.

Mais je ne l'entendais pas de cette oreille.

— Si tu ne vois pas un meneur d'hommes, c'est que tu ne regardes pas assez bien.

Nos visages étaient si proches que je sentais l'odeur d'épice de son haleine. Sans réfléchir, je l'attirai contre moi. Philippe avait tenté de faire comprendre à Matthew qu'il était digne d'être aimé. Peut-être qu'un baiser serait plus convaincant. J'entendis s'élever des cris et des applaudissements, puis des acclamations.

— Laisse à ton épouse de quoi espérer pour demain, *Matthaios*, faute de quoi, elle ne te retrouvera peut-être pas à l'église, cria Philippe.

Les rires redoublèrent. Matthew et moi nous séparâmes, gênés et heureux. Je scrutai la salle et vis le père de Matthew auprès de la cheminée, en train d'accorder un instrument à sept cordes. Matthew me glissa qu'il s'agissait d'une cithare. Un silence impatient se fit dans la pièce.

— Quand j'étais enfant, on racontait toujours à la fin de banquets comme celui-ci quantité d'histoires de héros et de grands guerriers, dit Philippe en pinçant les cordes. Et comme tous les hommes, les héros tombent amoureux. (Il continua de jouer, captant l'attention de son auditoire.) Un héros aux cheveux noirs et aux yeux verts du nom de Pélée quitta sa demeure pour chercher fortune. C'était un lieu qui ressemblait fort à Saint-Lucien, caché dans les montagnes, mais Pélée rêvait depuis toujours de la mer et des aventures qu'il pourrait vivre dans les contrées lointaines. Il rassembla ses amis et ils sillonnèrent les océans du monde. Un jour, ils arrivèrent dans une île réputée pour la beauté de ses femmes, et la puissante magie qu'elles possédaient. (Matthew et moi échangeâmes un long regard.) De sa voix grave, Philippe chanta la suite :

Ô vous qui êtes nés dans des siècles trop heureux,
Héros, salut, rejetons des dieux,
Ô fils qui faites honneur à vos mères,
Salut encore une fois.
Vous tous je vous invoquerai souvent dans mes vers.

La salle était ensorcelée par la voix de basse d'outre-tombe de Philippe.

— C'est là que Pélée aperçut pour la première fois Thétis, fille de Nérée, le dieu de la Mer qui ne disait nul mensonge et voyait l'avenir. De son père, Thétis avait hérité du don de prophétie et pouvait se transformer en eau mouvante, en feu vivant et même en air. Bien que Thétis fût belle, personne ne voulait la prendre pour épouse, car un oracle avait annoncé que son fils serait plus puissant que son père.

Pélée aima Thétis malgré la prophétie. Mais pour épouser une telle femme, il dut être assez brave pour l'étreindre alors qu'elle se changeait d'un élément en un autre. Pélée enleva Thétis de l'île et la serra sur son cœur tandis qu'elle se changeait d'eau en feu, puis de serpent en lionne. Quand Thétis redevint une femme, il l'emmena dans sa demeure et tous deux furent mariés.

— Et l'enfant ? Le fils de Thétis anéantit-il Pélée, ainsi que l'avaient prédit les augures ? chuchota une femme à Philippe qui s'était tu, tout en continuant de pincer les cordes de sa cithare.

— Le fils de Thétis et de Pélée fut un grand héros, un guerrier chéri des dieux dans la vie comme dans la mort, appelé Achille, répondit Philippe avec un sourire à la femme. Mais ce conte sera pour une autre nuit.

Je fus heureuse que son père n'ait pas raconté entièrement les noces, ni précisé que la guerre de Troie avait commencé là. Et plus heureuse encore qu'il ne raconte pas la jeunesse d'Achille – les horribles sortilèges dont avait usé sa mère pour essayer de le rendre immortel comme elle et la fureur incontrôlable du jeune homme qui lui causa bien plus d'ennuis que son célèbre et vulnérable talon.

— Ce n'est qu'une légende, chuchota Matthew en sentant mon malaise.

Mais c'étaient les histoires que les créatures racontaient encore et encore sans savoir ce qu'elles signifiaient qui comptaient souvent le plus, tout comme ces rites d'honneur, de mariage et de famille que les gens tenaient comme les plus sacrés, alors même qu'ils paraissaient souvent les ignorer.

— Demain est une journée importante que nous avons tous attendue, dit Philippe en se levant, sa cithare à la main. Il est d'usage que les futurs époux soient séparés jusqu'au mariage. (C'était un autre rite : un dernier moment officiel de séparation qui devait être suivi de toute une vie ensemble.) Cependant, la future épouse peut donner à son futur mari un témoignage d'affection afin qu'il ne l'oublie pas pendant les heures solitaires de la nuit, dit Philippe, l'œil pétillant de malice.

Matthew et moi nous levâmes. Je lissai mes jupes, fixant mon attention sur son pourpoint. Je remarquai que les coutures étaient très fines, minuscules et régulières. Des doigts levèrent délicatement mon menton et je me perdis dans les courbes et les angles du visage de Matthew. Nous n'étions plus conscients d'être en représentation, tant nous étions absorbés l'un par l'autre. Nous étions au milieu de la salle et des invités, et notre baiser fut un sortilège qui nous emporta dans un monde qui n'appartenait qu'à nous.

— Je te retrouverai demain après-midi, murmura Matthew quand nos lèvres se séparèrent.

— Tu me reconnaîtras, je porterai un voile.

La plupart des mariées n'en portaient pas au XVIᵉ siècle, mais c'était une coutume ancienne et Philippe avait déclaré qu'aucune de ses filles n'allait à l'église sans.

— Je te reconnaîtrais entre mille, sourit-il.

Il resta imperturbable tandis qu'Alain m'emmenait et je sentis son regard sur moi, froid et inflexible, longtemps après mon départ de la grande salle.

Le lendemain, Catherine et Jehanne furent si discrètes que je continuai à sommeiller pendant qu'elles s'acquittaient de leurs habituelles tâches matinales. Le soleil était déjà haut quand elles finirent par ouvrir les rideaux du lit et m'annoncer que c'était l'heure du bain.

Des femmes portant des cruches entrèrent l'une après l'autre dans ma chambre en jacassant comme des pies pour remplir une immense cuve de cuivre que je soupçonnai servir d'habitude à la fabrication de vin ou de cidre. Mais l'eau étant bien chaude et le récipient conservant sa chaleur, je n'eus guère envie de pinailler. Avec un gémissement d'extase, je me laissai couler dedans.

Les femmes me laissèrent paresser et je remarquai que mes quelques affaires – livres, notes que j'avais prises sur l'alchimie et les expressions en occitan – avaient disparu. Ainsi que le long coffre bas où étaient rangés mes vêtements. Catherine expliqua que tout avait été transporté dans les appartements de *milord** de l'autre côté du château.

Je n'étais plus la fille putative de Philippe, mais l'épouse de Matthew et mes affaires avaient été rangées en conséquence.

Soucieuses de leurs responsabilités, Catherine et Jehanne me firent sortir de la baignoire et me séchèrent avant que l'horloge sonne 1 heure. Elles étaient accompagnées de Maria, la meilleure couturière de Saint-Lucien, venue pour apporter les dernières touches à son travail. Les ajouts faits à ma robe de mariée par le tailleur du village, M. Beaufils, ne furent pas appréciés.

Il faut rendre justice à Maria : *la Robe** (je ne pensais à ma tenue qu'en français, et avec une majuscule) était spectaculaire. Le secret était bien gardé sur le miracle grâce auquel elle avait réussi à l'achever en si peu de temps, mais je soupçonnai que toutes les femmes du voisinage avaient contribué d'au moins quelques points. Avant que Philippe annonce que j'allais me marier, il avait été question d'une robe relativement simple en soie couleur ardoise. J'avais insisté pour ne porter qu'une paire de manches et non deux, ainsi qu'un col haut pour me garantir des courants d'air. C'était inutile de prendre la peine de la broder, avais-je dit à Maria. J'avais également refusé les insupportables cages destinées à donner à la robe une forme de cloche.

Maria, aussi compréhensive qu'ingénieuse, avait modifié la robe bien avant que Philippe lui dise à quelle occasion elle serait portée. Ensuite, plus rien ne l'avait arrêtée.

— Maria, *la Robe est belle**, dis-je en touchant la soie richement brodée.

Des cornes d'abondance, symbole de richesse et de fertilité, étaient brodées partout au fil or, noir et rose. Des rosettes et des rameaux accompagnés de ces mêmes cornes d'abondance débordantes de fleurs et de bandeaux bordaient les deux paires de manches. Les mêmes bandeaux ornaient les bords de la basquine dans une succession de rubans, de lunes et d'étoiles. Sur les épaules, une rangée de basques dissimulait les aiguillettes fixant les manches à la basquine. Malgré ces ornements compliqués, les courbes élégantes de la basquine étaient parfaitement ajustées et mon refus de la vertugade avait été entendu. Les jupes étaient bouffantes, mais plutôt à cause de la quantité d'étoffe que de la présence de tiges. La seule chose que je portais sous mes jupons, c'était le rembourrage posé sur mes hanches, ainsi que des chausses de soie.

— Elle a une ligne très nette et très simple, m'assura Maria en tirant le bas de la basquine pour la lisser.

Les femmes avaient presque terminé ma coiffure quand on frappa. Catherine se précipita à la porte, renversant une corbeille de linges au passage.

C'était Philippe, splendide dans un riche costume brun, suivi d'Alain. Le père de Matthew me fixa.

— Diana ? demanda-t-il d'une voix hésitante.

— Quoi ? Quelque chose ne va pas ? demandai-je en examinant ma robe avec inquiétude et en tapotant mes cheveux. Nous n'avons pas de miroir assez grand pour que je voie…

— Vous êtes magnifique et l'expression qu'aura Matthew en vous voyant vous en dira bien plus long que tout reflet, affirma-t-il.

— Et vous êtes un beau parleur, Philippe de Clermont, dis-je en riant. Que désirez-vous ?

— Je suis venu vous apporter vos présents de mariage, répondit-il en tendant une main dans laquelle Alain posa une grosse bourse de velours. Je n'ai malheureusement pas eu le temps de faire fabriquer quelque chose. Ce sont des objets de famille.

Il vida le contenu de la bourse dans sa main. Un flot de lumière et de feu jaillit : or, diamants, saphirs. J'étouffai un cri. Mais il y avait encore d'autres trésors dans la bourse, notamment un collier de perles, plusieurs croissants de lune incrustés d'opales et une pointe de flèche dorée d'une forme peu commune et un peu émoussée par le temps.

— À quoi sont-ils destinés ? demandai-je, émerveillée.

— À ce que vous les portiez, bien sûr, s'amusa-t-il. Le jaseran m'appartenait, mais en voyant la robe de Maria, j'ai estimé que des diamants jaunes et des saphirs ne seraient pas déplacés. Le style est ancien, et certains le diraient trop masculin pour une femme, mais il reposera sur vos épaules et sera à plat. À l'origine, un crucifix y était accroché, mais j'ai pensé que vous lui préféreriez la pointe de flèche comme pendant.

— Je ne reconnais pas les fleurs.

Les minces boutons jaunes me rappelaient des freesias et ils étaient intercalés avec des fleurs de lis frangées de saphirs.

— *Planta genista*. Les Anglais les appellent « genêts ». Les Angevins les ont utilisés comme emblème.

Les Plantagenêts : la famille la plus puissante de l'histoire anglaise. Ils avaient agrandi l'abbaye de

Westminster, cédé aux barons et signé la Magna Carta, fondé le Parlement et soutenu la création des universités d'Oxford et de Cambridge. Les souverains Plantagenêts avaient combattu dans les croisades et durant la guerre de Cent Ans avec la France. Et l'un d'eux avait offert ce jaseran à Philippe en signe de faveur royale. Rien d'autre ne pouvait expliquer une telle splendeur.

— Philippe, je ne peux pas… (Mes protestations cessèrent quand il confia les autres bijoux à Catherine et me passa le jaseran au cou. La femme qui me regardait dans le reflet trouble du miroir n'était pas plus une historienne moderne que Matthew un scientifique moderne.) Oh ! m'émerveillai-je.

— À couper le souffle, opina-t-il. (Une ombre de regret passa sur son visage.) J'aurais aimé qu'Ysabeau puisse être là pour vous voir ainsi, et pour être témoin du bonheur de Matthew.

— Je lui dirai tout un jour, promis-je à mi-voix en le regardant dans le miroir pendant que Catherine accrochait la flèche au collier et me passait le rang de perles dans les cheveux. Je prendrai le plus grand soin de ces bijoux ce soir et je vous les ferai rapporter dès le matin.

— Ils vous appartiennent à présent, Diana. Vous pouvez en faire ce que bon vous semble. Tout comme de ceci. (Il tira une autre bourse de sa ceinture, celle-ci en cuir, et me la tendit. Elle était lourde. Très lourde.) Les femmes de notre famille gèrent elles-mêmes leurs finances. Ysabeau y tient beaucoup. Toutes les pièces qu'elle contient sont anglaises ou françaises. Elles n'ont pas autant de valeur que les ducats vénitiens, mais elles éveilleront peu de questions où que vous les dépensiez. S'il vous en faut davantage, il vous suffit de

demander à Alain ou à un autre membre de la fraternité.

À mon arrivée en France, je dépendais entièrement
de Matthew. En un peu plus d'une semaine, j'avais
appris comment me conduire, converser, tenir une
maison et distiller de l'esprit-de-vin. À présent, j'avais
du bien et Philippe de Clermont m'avait publiquement
déclarée comme sa fille.

— Merci pour tout cela, dis-je. Je ne pensais pas
que vous vouliez de moi comme bru.

— Peut-être pas au début. Mais même les vieux
gentilshommes peuvent changer d'avis, dit-il avec un
sourire étincelant. Et j'obtiens toujours tout ce que je
désire.

Les femmes m'enveloppèrent de ma cape. Au dernier moment, Catherine et Jehanne posèrent sur ma tête
un mince voile de soie qu'elles attachèrent avec les
lunes incrustées d'opales qui étaient en fait des peignes
à cheveux.

Thomas et Étienne, qui se considéraient désormais
comme mes champions, coururent devant nous dans le
château en annonçant notre arrivée à pleins poumons.
Bientôt, nous formâmes une procession qui s'avançait
dans le crépuscule en direction de l'église. On devait
nous attendre depuis le clocher, car à peine nous fûmes
aperçus que le carillon commença à sonner.

J'hésitai en arrivant à l'église. Tout le village s'était
rassemblé devant les portes avec le prêtre. Je cherchai
Matthew du regard, et le trouvai en haut des marches.
À travers mon voile, je sentis son regard implacable.
Comme le soleil et la lune, nous faisions fi de ce
moment, de la distance et de la différence. Tout ce qui

nous importait, c'était notre position relative l'un par rapport à l'autre.

Je relevai mes jupes et le rejoignis. L'ascension des quelques marches me parut interminable. Le temps jouait-il ce genre de tours à toutes les futures mariées, me demandai-je, ou seulement aux sorcières ?

Le prêtre m'accueillit à la porte avec un sourire rayonnant, mais il ne fit aucun geste pour nous laisser entrer. Il avait un livre à la main, mais il ne l'ouvrit pas. Je restai perplexe.

— Tout va bien, *mon cœur** ? demanda Matthew.

— Nous n'entrons pas ?

— Le mariage a lieu devant la porte pour éviter les querelles sanglantes si certains soutenaient que la cérémonie n'a pas eu lieu comme déclaré. Nous pouvons remercier Dieu qu'il n'y ait pas de tempête.

— *Commencez** ! ordonna le prêtre en hochant la tête vers Matthew.

Tout mon rôle dans la cérémonie consista à prononcer treize mots. Matthew eut droit à dix-huit. Philippe avait informé le prêtre que nous répéterions ensuite nos vœux en anglais, car il était important que la mariée comprenne pleinement ce qu'elle promettait. Ce qui porta le total des mots nécessaires pour nous faire mari et femme à soixante.

— *Maintenant !* dit le prêtre en frissonnant, pressé de dîner.

— *Moi, Matthew, je donne mon corps à toi, Diana, en loyal mariage**, dit Matthew en me tenant la main, avant de prononcer la même phrase en anglais.

— *Et je le reçois**, répondis-je. (Nous étions à la moitié. Je respirai un bon coup et poursuivis.) *Moi,*

Diana, je donne mon corps à toi, Matthew*. (Le plus dur étant fait, je répétai la traduction.)

— *Et je le reçois, avec joie**, dit Matthew en relevant mon voile.

— Ce ne sont pas les bonnes paroles, m'insurgeai-je.

J'avais mémorisé la phrase, et elle ne contenait pas de « *avec joie** ».

— Si, insista Matthew en baissant la tête.

Nous avions été mariés selon la coutume vampire en partageant notre couche, puis de nouveau selon la loi quand Matthew m'avait passé la bague au doigt à Madison. À présent, nous l'étions une troisième fois.

La suite se passa dans un brouillard. Il y eut des torches, une longue marche jusqu'en haut de la colline, sous des acclamations. Le banquet était déjà servi et tout le monde se jeta dessus avec entrain. Matthew et moi siégeâmes seuls à la table familiale, pendant que Philippe passait de l'un à l'autre en servant du vin et en s'assurant que les enfants avaient leur part de lièvre rôti et de beignets au fromage. De temps en temps, il jetait un regard plein de fierté dans notre direction, comme si nous avions terrassé des dragons dans l'après-midi.

— Jamais je n'aurais cru voir ce jour, dit Philippe à Matthew en déposant une part de flan devant nous.

Alors que le banquet touchait à sa fin, les hommes entreprirent de pousser les tables contre les murs de la salle. Dans la galerie, des flûtes et des tambours retentirent.

— Par tradition, la première danse revient au père de la mariée, dit Philippe en s'inclinant devant moi avant de m'entraîner au centre de la salle.

Philippe était un bon danseur, mais je réussis tout de même à nous emmêler.

— Vous permettez ? demanda Matthew en tapant sur l'épaule de son père.

— Je t'en prie. Ton épouse essaie de me briser le pied, plaisanta Philippe en me confiant à mon époux.

Ceux qui dansaient encore se retirèrent et nous laissèrent le centre de la pièce. Les musiciens ralentirent la cadence et un luth commença à jouer, accompagné d'un instrument à vent. Alors que nous nous séparions et nous retrouvions, j'oubliai le reste du monde.

— Tu es bien meilleur danseur que Philippe, quoi que prétende ta mère, dis-je, hors d'haleine malgré la lenteur de la danse.

— C'est parce que tu me suis, plaisanta-t-il, alors que tu résistais constamment à Philippe. (Cela avait l'air de lui plaire. Quand nous nous trouvâmes de nouveau réunis, il me prit par les coudes, m'attira contre lui et m'embrassa.) Maintenant que nous sommes mariés, continueras-tu à me pardonner mes péchés ? demanda-t-il avant de reprendre la danse.

— Cela dépend, dis-je prudemment. Qu'est-ce que tu as encore fait, cette fois ?

— J'ai irrémédiablement écrasé ta collerette.

J'éclatai de rire et il m'embrassa de nouveau, brièvement, mais passionnément. Le tambour prit cela comme un signe et le tempo s'accéléra. D'autres couples tourbillonnèrent et bondirent autour de nous. Matthew nous entraîna à l'abri près de la cheminée avant que nous soyons piétinés. Philippe nous rejoignit peu après.

— Emmène ton épouse se coucher et termine cela, murmura-t-il.

— Mais les invités, protesta Matthew.

— Emmène ton épouse se coucher, répéta Philippe. Pars discrètement avant que l'on décide de vous accompagner jusqu'à la chambre pour s'en assurer. Laisse-moi m'occuper du reste.

Il se tourna, m'embrassa sur les joues avant de murmurer quelque chose en grec et de nous envoyer dans la tour de Matthew.

Bien que j'aie connu cette partie du château dans le présent, il me restait à la découvrir dans toute sa splendeur du XVIe siècle. L'ordonnancement des appartements de Matthew était différent. Je m'attendais à voir des livres dans la pièce du premier étage, mais j'y trouvai un vaste lit à baldaquin. Catherine et Jehanne apportèrent un coffret sculpté pour ranger mes nouveaux bijoux, remplirent la cuvette et sortirent des linges propres. Matthew s'assit devant le feu et ôta ses bottes, puis il se servit un verre de vin.

— Vos cheveux, *madame** ? demanda Jehanne en lui jetant un regard interrogateur.

— Je m'en occuperai, répondit-il d'un ton bourru en fixant les flammes.

— Attendez, dis-je.

J'enlevai les peignes en forme de lune et les déposai dans la main de la servante. Catherine et Jehanne m'enlevèrent mon voile et s'en allèrent, me laissant près du lit et Matthew affalé près du feu, les pieds sur l'un des coffres à vêtements.

La porte refermée, il posa son verre et vint me retrouver, glissant une main dans ma chevelure et défaisant en quelques instants l'ouvrage qu'elles avaient mis une demi-heure à parfaire. Il jeta le rang de perles et mes cheveux tombèrent sur mes épaules tandis qu'il respirait avidement mon parfum. Sans un mot, il m'attira contre lui et se pencha pour poser ses lèvres sur les miennes. Mais j'avais à lui poser des questions qui exigeaient des réponses. Je me dégageai.

— Matthew, es-tu sûr… ?

Des doigts froids glissèrent sous ma collerette pour trouver les aiguillettes qui l'attachaient à ma basquine. Libérés, les plis de dentelle tombèrent sur le sol. Matthew défit les boutons qui fermaient mon col. Il baissa la tête et me baisa la gorge. Je me cramponnai à son pourpoint.

— Matthew, répétai-je, cela concerne…

Il me fit taire d'un autre baiser tout en enlevant le lourd jaseran de mes épaules. Puis ses doigts glissèrent sous les basques des épaules, cherchant le point d'attache des manches.

— Le voici, murmura-t-il en passant l'index sous les bords et en tirant d'un coup sec.

L'une après l'autre, les maheutres glissèrent le long de mon bras sur le sol. Matthew n'avait pas l'air de se soucier du traitement qu'il infligeait à ma précieuse robe de mariée.

— Ma robe, dis-je en me tortillant dans ses bras.

— Diana, répondit-il en posant les mains sur ma taille.

— Oui ? demandai-je tout en essayant d'atteindre la maheutre du bout du pied afin de la pousser là où elle ne risquait pas de finir piétinée.

— Le prêtre a béni notre union. Tout le village nous a présenté ses vœux de bonheur. Il y a eu un banquet et un bal. Je pensais vraiment que nous conclurions la nuit en faisant l'amour. Mais tu parais te préoccuper davantage de ta garde-robe.

Il avait repéré d'autres lacets qui retenaient mes jupes au bas de la basquine. Il glissa les pouces dessous, me frôlant le bas-ventre.

— Je ne veux pas que nous passions notre première nuit ensemble simplement pour contenter ton père.

Malgré mes protestations, mes hanches se collèrent contre lui dans une invitation muette, pendant qu'il continuait le mouvement de ses pouces, comme le battement d'ailes d'un ange. Avec un murmure satisfait, il entreprit de dénouer les lacets. Ses doigts agiles tirèrent dessus, passant les aiguillettes dans les œillets cachés. Il y en avait douze et mon corps oscillait chaque fois qu'il tirait.

— Enfin, dit-il avec satisfaction. Mon Dieu, gémit-il, il en reste encore.

— Oh, tu es loin d'avoir fini. Je suis ficelée comme une oie de Noël, dis-je en enlevant la basquine pour révéler le corset au-dessous. Ou plus exactement, une oie de l'Avent.

Mais Matthew ne faisait pas attention à moi. Mon époux fixait l'endroit où ma robe à col haut presque transparente disparaissait dans l'armature du corset. Il y colla ses lèvres. Puis, la tête baissée, il haleta.

J'en fis autant. C'était étonnamment érotique, ce frôlement de lèvres souligné par cette mince frontière d'étoffe. Ne sachant ce qui l'avait arrêté dans ses efforts pour me dévêtir, je pris sa tête dans mes mains en attendant qu'il reprenne.

Enfin, Matthew me retourna, prit mes mains et les plaqua contre le pilier sculpté au coin du baldaquin.

— Tiens-toi, dit-il.

Il défit un par un les lacets dans mon dos. Avant de terminer, il passa les mains sous l'armature, les glissa le long de mes flancs et les referma sur mes seins. Je poussai un gémissement en sentant ses doigts glacés sur ma peau brûlante. Il m'attira de nouveau contre lui.

— Ai-je l'air d'un homme qui cherche à ne plaire qu'à toi ? murmura-t-il à mon oreille.

Comme je ne répondais pas assez vite, sa main glissa sur mon ventre pour m'étreindre plus encore, l'autre restant sur ma poitrine.

— Non, répondis-je en renversant la tête en arrière et en découvrant ma gorge.

— Alors plus un mot concernant mon père. Et je t'achèterai vingt autres robes identiques demain si tu cesses de te préoccuper de celle-ci, dit-il tout en troussant ma jupe jusqu'en haut de mes jambes.

Je lâchai le pilier, m'emparai de sa main et la posai entre mes cuisses.

— Plus un mot, opinai-je en étouffant un cri quand ses doigts écartèrent mes chairs.

Matthew me fit taire d'un baiser. Les lents mouvements de ses mains ravivèrent mes gémissements alors que tout mon corps se tendait.

— Trop de vêtements, soufflai-je.

Je sentis qu'il était d'accord à la hâte avec laquelle il fit glisser le corset le long de mes bras. Les lacets étaient assez lâches pour que je puisse le faire descendre sur mes hanches jusqu'à mes pieds et m'en débarrasser. Je déboutonnai ses lodiers pendant qu'il faisait de même avec son pourpoint. Les deux vêtements étaient reliés à la ceinture par autant de lacets que ma basquine et mes jupes.

Quand nous nous retrouvâmes en chausses, moi avec ma jupe et Matthew sa chemise, nous nous interrompîmes, de nouveau gênés.

— Me laisseras-tu t'aimer, Diana ? demanda Matthew en balayant mon angoisse de cette simple et courtoise question.

— Oui, murmurai-je.

Il s'agenouilla et défit les rubans qui retenaient mes bas. Ils étaient bleus, Catherine ayant déclaré que c'était la couleur de la fidélité. Matthew roula les chausses le long de mes jambes, frôlant au passage de ses lèvres mes genoux et mes chevilles. Il ôta ses chausses si vite que je n'eus même pas le temps de voir la couleur de ses jarretières. Il me souleva légèrement, si bien que je me retrouvai sur la pointe des pieds tandis qu'il s'insinuait entre mes jambes.

— Nous n'arriverons peut-être pas jusqu'au lit, dis-je en me retenant à ses épaules, brûlant de le sentir en moi au plus vite.

Mais nous parvînmes jusqu'à cette douce pénombre tout en nous débarrassant de nos derniers vêtements. Une fois dans le lit, mon corps l'accueillit dans la lune de mes cuisses pendant que mes bras l'attiraient contre moi. Malgré cela, je poussai un cri de surprise quand nos deux corps ne firent plus qu'un – chaleur et glace, lumière et obscurité, homme et femme, sorcière et vampire – dans une alliance de contraires.

Le visage de Matthew m'apparaissait dans la chaude lumière du feu et des chandelles. La vénération céda la place à l'émerveillement puis à la détermination, tandis qu'il glissait un bras sous mes reins et me soulevait vers ses hanches et qu'avec un cri, je m'agrippais à ses épaules.

Nous trouvâmes le rythme que seuls connaissent les amants, mêlant nos bouches et nos mains jusqu'à ce qu'il ne nous reste plus à céder que nos cœurs et nos âmes. Les yeux dans les yeux, nous échangeâmes nos ultimes vœux de chair et d'esprit, tremblant comme des nouveau-nés.

— Laisse-moi t'aimer éternellement, murmura Matthew en caressant de ses lèvres froides mon front ruisselant, alors que nous gisions enlacés.

— Je le veux, promis-je à nouveau en me blottissant contre lui.

13

— Cela me plaît d'être mariée, dis-je d'une voix ensommeillée.

Après avoir survécu au lendemain du banquet et au déferlement de cadeaux – la plupart meuglant ou roucoulant –, nous n'avions rien fait d'autre pendant des jours que l'amour, bavarder, dormir et lire. De temps en temps, le maître queux nous faisait porter plats et boissons. En dehors de cela, on nous laissa en paix. Même Philippe ne vint pas nous déranger.

— Tu as l'air de bien t'y habituer, dit Matthew.

J'étais vautrée à plat ventre dans une pièce qui servait à ranger les armes au-dessus de la forge. Matthew était sur moi, me protégeant des courants d'air qui filaient par les fentes entre les planches de la porte. J'ignorais ce que l'on pourrait voir de moi si on entrait, mais les fesses et les jambes nues de Matthew étaient bien visibles. Son nez contre mon oreille, il glissa sur moi avec insistance.

— Je refuse de croire que tu veuilles recommencer, dis-je en riant et en me demandant si cette énergie sexuelle était caractéristique d'un vampire ou simplement de Matthew.

— Trouves-tu à redire à mon inventivité ? demanda-t-il en me retournant et en s'installant entre mes cuisses. Sans compter que c'était plutôt cela que j'avais en tête.

Il colla sa bouche sur la mienne et se glissa lentement en moi.

— Nous étions venus ici pour que j'apprenne à tirer, dis-je un peu plus tard. C'est ce que tu entendais par entraînement sur cible ?

— Il y a des centaines d'euphémismes en Auvergne pour « faire l'amour », mais je ne pense pas que cette expression en fasse partie, dit-il en riant. Je demanderai au cuisinier s'il la connaît.

— Il n'en est pas question.

— Feriez-vous la prude, Dr Bishop ? feignit-il de s'étonner. Ce n'est pas la peine. Personne ne se fait d'illusions sur notre manière de passer notre temps ensemble.

Il retira un brin de paille de mes cheveux.

— Je vois ce que tu veux dire, répondis-je en enfilant mes chausses. Maintenant que tu m'as attirée ici, autant voir où je m'y prends mal.

— Tu ne t'y prends pas mal. Tu es novice et il est normal que tu ne fasses pas mouche à chaque fois, dit-il en se levant et en cherchant ses chausses.

L'une des jambes était encore attachée à ses lodiers, qui gisaient non loin, mais l'autre était invisible. Je passai la main sous mon épaule et lui tendis l'autre jambe roulée en boule.

— Avec un bon enseignement, je deviendrai experte.

J'avais vu Matthew tirer et c'était un archer inné, avec ses longs bras et ses doigts minces et robustes. Je m'emparai de l'arc, croissant bruni de corne et de bois avec sa corde en boyau tressé posé contre une botte de foin.

— Dans ce cas, tu devrais t'adresser à Philippe plutôt qu'à moi. Son maniement de l'arc est légendaire.

— Ton père m'a dit qu'Ysabeau était meilleure encore.

J'utilisais l'arc de sa mère mais, pour le moment, je n'avais pas hérité de ses talents.

— C'est parce que *mère** est la seule créature qui a réussi à lui décocher une flèche dans le flanc. Laisse-moi l'encorder.

Je m'étais déjà fait une marque rose sur la joue en essayant d'accrocher la corde à son anneau. Il fallait une force énorme et beaucoup de dextérité pour plier les deux parties de l'arc en les alignant. Matthew appuya le bas contre sa cuisse et pesa sur l'autre d'une main, tout en accrochant l'extrémité de la corde avec son autre main.

— À te voir, cela paraît facile.

En le voyant faire à Oxford dans le présent, cela avait aussi paru facile de déboucher souplement une bouteille de champagne.

— Ça l'est, si tu es un vampire et que tu as à peu près un millénaire d'entraînement, dit-il en me tendant l'arc avec un sourire. N'oublie pas de garder les épaules droites, de ne pas trop réfléchir et de lâcher la corde en douceur.

À l'entendre aussi, cela paraissait facile. Je me retournai vers la cible. Avec deux ou trois dagues, Matthew avait accroché un toquet, un pourpoint et une jupe à des bottes de paille entassées. Au début, je crus que le but était de toucher l'un des vêtements. Matthew m'expliqua qu'il s'agissait de toucher ce que je visais. Il me le démontra en décochant une flèche dans une botte de foin et en l'entourant des cinq suivantes avant de la fendre par le milieu avec une septième.

Je pris une flèche dans le carquois, l'encochai, visai le long de mon bras gauche et tirai la corde. J'hésitai. L'arc n'était déjà plus aligné correctement.

— Tire, lança Matthew.

Je lâchai la corde et la flèche dépassa en sifflant la botte pour retomber par terre.

— Laisse-moi essayer encore, dis-je en me baissant vers le carquois posé à mes pieds.

— Je t'ai vue lancer du feu sorcier sur une cible mouvante et lui transpercer la poitrine, dit tranquillement Matthew.

— Je ne veux pas parler de Juliette. (J'essayai d'encocher la flèche, mais ma main tremblait. Je baissai l'arc.) Ni de Champier. Ni du fait que mes pouvoirs semblent avoir totalement disparu. Ou que je suis capable de faire pourrir un fruit et de voir des couleurs et des lumières autour des gens. Pouvons-nous laisser cela de côté – juste pour une semaine ?

Une fois encore, ma magie – ou du moins sa disparition – était le sujet récurrent de la conversation.

— L'archerie était censée contribuer à relancer ton feu sorcier, souligna Matthew. Parler de Juliette pourrait t'y aider.

— Pourquoi ne puis-je pas simplement m'entraîner ? m'impatientai-je.

— Parce qu'il faut que nous comprenions pourquoi ton pouvoir change, répondit calmement Matthew. Lève l'arc, tire la corde et laisse la flèche voler.

— Au moins, cette fois, j'ai atteint la botte, rétorquai-je en voyant la flèche se ficher tout en haut dans la paille.

— Dommage que tu aies visé plus bas.

— Tu fais tout pour que ce ne soit pas drôle.

— Il n'y a rien de drôle dans la survie, dit gravement Matthew. Cette fois, encoche la flèche, mais ferme les yeux avant de viser.

— Tu veux que j'utilise mon instinct.

C'est en riant jaune que je pris une nouvelle flèche. La cible était devant moi mais, au lieu de me concentrer dessus, je fermai les yeux comme l'avait suggéré Matthew. À peine l'eus-je fait que je fus distraite par le poids de l'air. Il appuyait sur mes bras et mes cuisses et pesait comme une lourde cape sur mes épaules. Et il soulevait la pointe de la flèche. Je modifiai ma position, écartant les épaules pour repousser l'air. Une brise, un mouvement caressant fit voleter des cheveux sur mon oreille.

Que veux-tu ? grommelai-je mentalement à la brise.

Ta confiance, répondit-elle.

Je restai stupéfaite, puis mon troisième œil s'ouvrit et je vis la pointe de la flèche briller, dorée, sous la chaleur et la pression qu'elle avait subie dans la forge. Le feu qui y était emprisonné voulait se libérer de nouveau et s'envoler, mais il y resterait tant que je n'aurais pas renoncé à la peur. Je laissai échapper doucement mon souffle pour accueillir la confiance. Mon haleine passa dans la tige de la flèche et je lâchai la corde. Soutenue par mon souffle, la flèche s'envola.

— J'ai fait mouche.

— En effet. Le tout est de savoir comment, dit Matthew en me prenant l'arc avant qu'il tombe.

— Du feu était prisonnier de la flèche et le poids de l'air enveloppait la tige et la pointe.

J'ouvris les yeux. Ma flèche était logée en plein cœur de la cible.

— Tu as senti les éléments exactement comme l'eau sous le sol dans le verger de Sarah à Madison, et le soleil dans le coing à Old Lodge, dit pensivement Matthew.

— Parfois, j'ai l'impression que le monde déborde d'un potentiel invisible qui est hors de ma portée. Peut-être que si j'étais comme Thétis, capable de changer de forme à volonté, je saurais quoi faire de tout cela.

Je repris l'arc et une flèche. Tant que je gardais les yeux fermés, j'atteignais la cible. En revanche, dès que je jetais un coup d'œil autour de moi, mes flèches partaient n'importe où ou étaient trop courtes.

— Cela suffira pour aujourd'hui, dit Matthew en me massant l'épaule. Le maître queux prévoit de la pluie dans la semaine. Peut-être que nous devrions en profiter pour faire une promenade à cheval pendant que nous le pouvons.

Le cuisinier était non seulement un maître en matière de pâtisserie, mais aussi assez bon météorologue. Il livrait généralement son bulletin avec le plateau du petit déjeuner.

Nous fîmes une chevauchée dans la campagne et aperçûmes plusieurs feux de joie dans les champs en rentrant à Sept-Tours, où flamboyaient des torches. Ce soir commençaient les Saturnales, début officiel des fêtes au château. Très œcuménique, Philippe tenait à ce que personne ne soit lésé et accordait donc un temps égal aux fêtes romaines et chrétiennes. Il y avait également dans ce mélange un soupçon de Yule scandinave que j'estimai devoir attribuer à Gallowglass malgré son absence.

— Ne me dites pas que vous êtes déjà lassés l'un de l'autre ! s'exclama Philippe depuis la galerie à notre retour. (Il portait sur la tête de magnifiques bois de cerf, ce qui faisait un curieux mélange avec son allure léonine.) Nous ne pensions pas vous revoir avant une quinzaine. Maintenant que vous êtes là, rendez-vous utiles. Prenez des étoiles et des lunes et accrochez-les là où il reste de la place.

La grande salle était décorée de tant de verdure qu'elle sentait comme une forêt. Plusieurs tonneaux de vin attendaient pour que les invités puissent se servir quand bon leur semblerait. Des acclamations accueillirent notre retour. Les domestiques qui décoraient voulurent que Matthew grimpe sur la cheminée pour accrocher une grande branche à l'une des poutres. L'agilité avec laquelle il s'acquitta de sa tâche me laissa entendre que ce n'était pas la première fois.

Il était impossible de résister à cet esprit festif et quand le dîner fut prêt, Matthew et moi nous portâmes volontaires pour servir les convives selon la coutume voulant que maîtres et serviteurs échangent leurs rôles. Thomas, mon champion, tira la plus longue paille et présida à la fête au titre de Prince des Sots. Il était assis à la place de Philippe sur une pile de coussins, coiffé de la précieuse couronne d'or et de rubis comme s'il s'était agi d'un accessoire de théâtre.

Toutes ses exigences les plus saugrenues lui furent accordées par Philippe dans son rôle de bouffon de la cour. Il demanda notamment qu'il danse romantiquement avec Alain (le père de Matthew choisit de prendre le rôle de la femme), affola les chiens en jouant du flûtiau et fit grimper le long des murs des dragons en ombres chinoises sous les hurlements des enfants.

Philippe n'oublia pas les adultes et organisa des jeux de hasard compliqués pour les occuper pendant qu'il divertissait les plus jeunes. Chaque invité reçut ainsi un sac de haricots pour miser et promit une bourse d'argent à celui qui en aurait recueilli le plus à la fin de la soirée. L'entreprenante Catherine eut beaucoup de succès en échangeant des baisers contre des haricots et, si j'avais eu moi aussi un sac, j'aurais parié tous les miens sur sa victoire.

Durant toute la soirée, chaque fois que je levais les yeux, je voyais Matthew et Philippe ensemble en train de bavarder ou de plaisanter, penchés l'un près de l'autre, une tête brune et l'autre blonde, et la différence de leur allure était frappante. Mais à bien d'autres égards ils étaient semblables. Chaque jour qui passait, la bonne humeur de son père émoussait les aspérités de Matthew. Hamish avait raison. Matthew n'était pas le même homme ici. Il était encore meilleur. Et malgré mes craintes au Mont-Saint-Michel, il était encore mien.

Se sentant observé, Matthew me regarda d'un air perplexe. Je lui souris et lui lançai de l'autre bout de la salle un baiser qui lui fit baisser timidement la tête de plaisir.

Cinq minutes avant minuit, Philippe ôta l'étoffe qui recouvrait un objet dressé près de la cheminée. Enfants comme adultes poussèrent des cris ravis.

— Mon Dieu. Philippe avait juré qu'il ferait réparer et fonctionner cette horloge, mais je ne l'avais pas cru.

Je n'avais jamais rien vu de semblable à cette horloge. Un cabinet doré et sculpté enfermait un réservoir d'eau. Un long tuyau de cuivre s'échappait de ce réservoir et faisait couler goutte à goutte de l'eau dans la

coque d'une magnifique maquette de bateau suspendue à une cordelette enroulée autour d'un cylindre.
À mesure que le poids du navire augmentait avec
l'ajout d'eau, le cylindre tournait et déplaçait sur le
cadran une unique aiguille qui indiquait l'heure.
L'ensemble arrivait presque à ma hauteur.

— Qu'y a-t-il à minuit ? demandai-je.

— Je l'ignore, mais cela a sûrement un rapport avec
la poudre à canon qu'il a commandée hier, répondit
Matthew d'un ton lugubre.

Ayant cérémonieusement dévoilé l'horloge, Philippe commença l'éloge des amis passés et actuels, de
la famille ancienne comme nouvelle, ainsi qu'il convenait à une fête en l'honneur de l'antique divinité. Il
prononça les noms de toutes les créatures que la
communauté avait perdues au cours de l'année, y
compris (une fois que le Prince des Sots le lui eut
soufflé), le chaton de Thomas, Prunelle, tragiquement
mort dans un accident. L'aiguille continuait de pro-
gresser vers le chiffre XII.

À minuit précisément, au lieu de sonner l'heure, le
navire explosa dans une détonation assourdissante.
L'horloge s'arrêta en frémissant dans son coffrage
fendu.

— *Skata*, dit Philippe en regardant d'un air désolé
l'horloge cassée.

— M. Finé, Dieu ait son âme, ne serait pas heureux
des perfectionnements que vous avez apportés à son
invention, dit Matthew en dissipant la fumée de la
main et en se baissant pour y regarder de plus près.
Chaque année, Philippe essaie une nouveauté : des jets
d'eau, un carillon, une chouette mécanique qui ulule

les heures. Il la bricole depuis qu'il l'a gagnée à une partie de cartes avec le roi François.

— Le canon était censé projeter une gerbe d'étincelles et un petit nuage de fumée. Cela aurait amusé les enfants, s'indigna Philippe. Ta poudre à canon était défectueuse, *Matthaios*.

— De toute évidence non, à en juger par l'explosion, répondit Matthew en riant.

— *C'est dommage**, compatit Thomas, accroupi auprès de Philippe, sa couronne de travers et l'air grave comme un adulte.

— *Pas de problème**. L'année prochaine, nous ferons mieux, le rassura Philippe, plein d'entrain.

Nous laissâmes peu après les gens de Saint-Lucien à leurs paris et leurs réjouissances. Une fois dans la chambre, je m'attardai devant le feu le temps que Matthew mouche les chandelles et se couche. Quand je le rejoignis, je soulevai ma chemise de nuit et l'enfourchai.

— Que fais-tu ? demanda Matthew, surpris de se retrouver cloué sur son propre lit sous le regard de son épouse.

— Le renversement des rôles ne s'appliquait pas qu'aux hommes, dis-je en caressant sa poitrine du bout des doigts. J'ai lu à l'université un article sur le sujet intitulé « La Femme Dessus ».

— Habituée que tu es à diriger, j'imagine que tu n'as pas dû y apprendre grand-chose de nouveau, *mon cœur**.

Son regard flamboya tandis que je l'emprisonnais de plus belle entre mes cuisses.

— Flatteur.

Mes doigts continuèrent le long de ses hanches minces, sur son ventre sculpté et sur ses épaules. Je me baissai et lui maintins les bras, lui offrant le spectacle de mon corps par la large encolure de ma chemise de nuit. Il poussa un gémissement.

— Bienvenue dans le monde où les rôles sont inversés.

Je le lâchai juste le temps d'ôter ma chemise de nuit, puis je repris ses mains et me baissai si bien que les pointes de mes seins frôlèrent sa peau.

— Seigneur. Tu vas me tuer.

— Je t'interdis de mourir tout de suite, vampire, dis-je en le guidant en moi et en ondulant doucement dans une promesse de plaisir qui lui arracha un gémissement.

Malgré ses supplications je gardai avec délectation le même rythme lent et régulier de nos corps à l'unisson. La présence glacée de Matthew en moi me rendait brûlante. Je plongeai mon regard dans le sien au moment suprême et la vulnérabilité que j'y lus m'entraîna à mon tour. Je m'effondrai sur sa poitrine, et quand je voulus rouler sur le côté, ses bras m'enserrèrent.

— Reste, murmura-t-il.

Je ne bougeai pas jusqu'à ce qu'il me réveille des heures après. Nous refîmes l'amour dans le silence précédant l'aube et il m'étreignit alors que je me métamorphosais de feu en eau puis en air avant de sombrer de nouveau dans les rêves.

Le vendredi, jour le plus court de l'année, marquait la célébration de Yule. Le village se remettait encore des Saturnales et il y avait Noël ensuite, mais Philippe ne se laissa pas démonter.

— Le maître queux a dépecé un sanglier, dit-il. Comment pourrais-je le décevoir ?

Durant une accalmie, Matthew alla au village aider à la réparation d'un toit qui s'était effondré sous le poids des dernières chutes de neige. Je le laissai marteler les poutres avec un autre charpentier, ravi qu'il était de passer une rude matinée de labeur par une température glaciale.

J'étais dans la bibliothèque, attablée devant quelques-uns des meilleurs livres d'alchimie de la famille, et des feuilles. L'une était en partie couverte de gribouillis et de diagrammes qui n'avaient de sens que pour moi. Avec tout le remue-ménage du château, j'avais renoncé à tenter de fabriquer de l'esprit-de-vin. Thomas et Étienne avaient envie de chahuter avec leurs camarades et aller tremper leurs doigts dans la pâte à gâteaux du cuisinier plutôt que de m'aider dans mes expériences scientifiques.

— Diana, dit Philippe en entrant en trombe dans la pièce et en me remarquant à la dernière seconde. Je croyais que vous étiez partie avec Matthew.

— Je ne supportais pas de le voir juché sur un toit, avouai-je.

Il hocha la tête, compréhensif.

— Sur quoi travaillez-vous ? demanda-t-il en jetant un coup d'œil par-dessus mon épaule.

— J'essaie de comprendre le rapport entre Matthew et moi et l'alchimie.

J'avais l'esprit un peu confus à cause du manque de sommeil et de pratique.

Philippe laissa tomber une poignée de petits triangles, carrés et rubans de papier sur la table et tira une chaise.

— C'est le sceau de Matthew, dit-il en désignant l'un de mes croquis.

— En effet. C'est aussi le symbole de l'argent et de l'or, de la lune et du soleil. (La grande salle avait été décorée des motifs de ces corps célestes pour les Saturnales.) J'y pense depuis lundi soir. Je comprends pourquoi une sorcière peut être symbolisée par le croissant de lune et l'argent, qui ont un rapport avec la déesse. Mais pourquoi prendre le soleil et l'or pour représenter le vampire ?

Cela allait à l'encontre de toute la culture populaire.

— Parce qu'ils sont immuables. Nos vies ne changent pas et, comme l'or, nous résistons à la corruption de la mort ou de la maladie.

— J'aurais dû y penser, dis-je en prenant quelques notes.

— Vous aviez d'autres choses en tête, sourit-il. Matthew est très heureux.

— Pas seulement à cause de moi, dis-je en le regardant droit dans les yeux. Matthew est heureux d'être de nouveau avec vous.

Une ombre passa dans son regard.

— Cela me plaît quand nos enfants viennent ici. Ils ont leur vie de leur côté, mais cela ne rend pas leur absence plus facile à endurer.

— Et aujourd'hui, Gallowglass vous manque aussi.

Philippe paraissait plus calme qu'à l'habitude.

— C'est vrai. (Il tripota les papiers du bout des doigts.) C'était Hugh, mon aîné, qui l'a fait entrer dans la famille. Hugh a toujours pris de sages décisions quand il s'agissait de partager son sang et Gallowglass ne fait pas exception. C'est un féroce guerrier et un redoutable adversaire. Et il a le sens de l'honneur de son père. Cela me réconforte de savoir que mon petit-fils est en Angleterre avec Matthew.

— Matthew parle très rarement de Hugh.

— Il était plus proche de lui que de tous ses autres frères. Quand Hugh est mort avec le dernier des Templiers, victime de l'Église et du roi, cela a ébranlé la loyauté de Matthew. Il a fallu du temps pour qu'il parvienne à se libérer de sa fureur sanguinaire et revienne parmi nous.

— Et Gallowglass ?

— Il n'est pas encore prêt à laisser son chagrin derrière lui et jusqu'à ce moment, il ne pourra pas mettre le pied en France. Mon petit-fils s'est vengé des hommes qui avaient trahi la confiance de Hugh, tout comme Matthew, mais la vengeance ne remédie pas à l'absence d'un être cher. Un jour mon petit-fils reviendra. J'en suis certain.

L'espace d'un moment, Philippe parut vieilli ; ce n'était plus le vigoureux chef de famille, mais un père qui avait connu la douleur de survivre à ses fils.

— Merci, Philippe.

J'hésitai avant de poser la main sur la sienne. Il s'en saisit brièvement, puis il se leva et prit l'un des livres d'alchimie. C'était un exemplaire magnifiquement enluminé de l'*Aurora Consurgens*, le texte qui m'avait attirée lors de mon premier séjour à Sept-Tours.

— Quel curieux sujet que l'alchimie, murmura Philippe en feuilletant les pages. (Il tomba sur une représentation de la joute du Soleil Roi et de la Lune Reine juchés sur un lion et un griffon, et fit un grand sourire.) Oui, cela conviendra, dit-il en glissant l'un des découpages de papier entre les pages.

— Que faites-vous ? demandai-je, vaincue par la curiosité.

— C'est un jeu auquel Ysabeau et moi jouons. Quand l'un de nous est absent, l'autre laisse des messages cachés dans des pages de livres. Il se passe tant de choses chaque jour qu'il est impossible de tout se rappeler quand nous nous retrouvons. De cette manière, nous tombons sur de petits souvenirs comme celui-ci au moment où nous nous y attendons le moins, et nous les partageons. (Il alla prendre dans les rayonnages un livre à la reliure de cuir usée.) Celui-ci est l'un de nos préférés, *Le Chant d'Armouris*. Ysabeau et moi avons des goûts simples et nous apprécions les récits d'aventures. Nous nous amusons à placer nos messages dedans. (Alors qu'il glissait difficilement un rouleau de papier dans la reliure entre le dos et les pages, un rectangle plié en tomba.) Ysabeau se sert d'un couteau pour que ses messages soient plus difficiles à trouver. Elle a plus d'un tour dans son sac. Voyons ce qu'elle dit.

Il déplia le papier et le lut en silence. Il releva la tête, les yeux brillants et les lèvres plus rouges que d'habitude.

— Je crois qu'il vaut mieux que vous restiez seul pour composer votre réponse, dis-je en me levant.

— Messire, dit Alain en apparaissant sur le seuil, l'air grave. Des messagers sont arrivés, l'un d'Écosse, l'autre d'Angleterre et un troisième de Lyon.

Philippe soupira et étouffa un juron.

— Ils auraient pu attendre que la Noël soit passée, dit-il. (Puis, surprenant ma grimace :) Que dit le messager de Lyon ?

— Champier a pris des précautions avant de partir et prévenu certains qu'il avait été appelé ici. Comme il n'est pas rentré, sa veuve et ses amis posent des questions. Un groupe de sorciers se prépare à partir à sa recherche et ils comptent se rendre ici, expliqua Alain.

— Quand ? chuchotai-je.

Il était trop tôt.

— La neige les ralentira et ils auront du mal à voyager durant les fêtes. Dans quelques jours, peut-être une semaine.

— Et les autres messagers ? demandai-je.

— Ils sont au village pour voir *milord**.

— Pour lui demander de revenir en Angleterre, dis-je.

— Noël serait le meilleur moment pour partir. Il y aura peu de monde sur les routes et ce sera lune noire. Ce sont des conditions idéales pour un *manjasang*, mais pas pour des sangs-chauds, dit Philippe sans émotion. Il y a des chevaux et des logements prêts pour vous jusqu'à Calais. Un navire vous attend pour vous mener à Douvres. J'ai fait demander à Gallowglass et Raleigh de préparer votre retour.

— Vous vous y attendiez, dis-je, ébranlée à la perspective de ce départ. Mais je ne suis pas prête. Les gens savent toujours que je suis différente.

— Vous passez mieux inaperçue que vous ne pensez. Vous avez parlé avec moi en français et en latin sans une faute toute la matinée, par exemple. (J'ouvris de grands yeux incrédules et il éclata de rire.) C'est vrai. Je suis passé d'une langue à l'autre par deux fois sans que vous vous en rendiez compte. (Il reprit un air grave.) Dois-je descendre annoncer à Matthew ce que j'ai organisé ?

— Non, le retins-je. Je vais y aller.

Matthew était juché sur le madrier de faîtage, une missive dans chaque main et les sourcils froncés. M'ayant aperçue, il se laissa glisser le long du toit et sauta à terre avec une grâce de félin. Sa joie et ses badinages du matin n'étaient plus qu'un souvenir. Matthew prit son pourpoint accroché à un porte-torche rouillé. Une fois qu'il l'eut revêtu, le charpentier disparut et le prince revint.

— Agnes Sampson a avoué sa culpabilité pour cinquante-trois chefs d'accusation de sorcellerie. (Il poussa un juron.) Les autorités écossaises n'ont pas encore appris que multiplier les accusations ne faisait que les rendre moins convaincantes. Selon ce que j'ai lu, le diable a déclaré que le roi Jacques était son plus grand ennemi. Élisabeth doit être ravie de ne pas être à sa place.

— Les sorcières ne croient pas à l'existence du diable, dis-je.

De toutes les bizarreries que racontaient les êtres humains sur les sorcières, c'était la plus incompréhensible.

— La plupart des gens croiront tout ce qui promet de mettre fin à leurs souffrances immédiates si on les affame, les torture et les terrorise pendant des semaines. (Il se passa une main dans les cheveux.) Les aveux d'Agnes Sampson, si peu fiables soient-ils, fournissent la preuve que les sorcières se mêlent de politique, exactement comme le prétend le roi Jacques.

— Enfreignant donc le pacte, dis-je, comprenant pourquoi Agnes était l'objet de la vindicte du roi d'Écosse.

— Oui. Gallowglass veut savoir ce qu'il doit faire.

— Qu'as-tu fait, quand tu étais là-bas, la première fois ?

— J'ai laissé exécuter Agnes Sampson sans rien faire ; c'était le châtiment civil convenant à un crime qui était en dehors des limites de la protection de la Congrégation.

Son regard croisa le mien. La sorcière et l'historienne se débattaient devant le choix impossible qui s'offrait à moi.

— Alors tu devras te taire cette fois-ci aussi, dis-je, l'historienne remportant le duel.

— Mon silence signera son arrêt de mort.

— Et si tu parles, tu modifieras le passé, peut-être avec des conséquences inimaginables sur le présent. Je ne souhaite pas plus que toi la mort de la sorcière, Matthew. Mais si nous commençons à changer des choses, où nous arrêterons-nous ?

— Alors je vais devoir assister une fois de plus à ce drame en Écosse. Cette fois, cela paraît si différent, cependant, dit-il à contrecœur. Nous devons retourner chez moi. William Cecil m'a ordonné de rentrer afin que je puisse recueillir des informations pour le compte de la reine. Je dois obéir à ses ordres, Diana. Je n'ai pas le choix.

— Nous serions forcés de rentrer même sans l'ordre de Cecil. L'épouse de Champier s'inquiète de sa disparition. Et nous pouvons partir immédiatement. Philippe a tout organisé pour un voyage rapide.

— C'est bien mon père, dit Matthew avec un rire sans joie. Comme tous les rêves, celui-ci doit avoir une fin. Et c'est un cauchemar qui nous attend.

— Je suis désolée, murmurai-je.

— Pas de regrets, Diana. Sans toi, mes derniers souvenirs de mon père auraient été d'un être brisé. Il faut tirer le meilleur du pire.

Durant les jours suivants, Matthew et son père se livrèrent à un rituel d'adieux dont ils devaient avoir l'habitude, étant donné le nombre de fois qu'ils s'étaient dit au revoir. Mais là, c'était particulier. Ce serait un autre Matthew qui reviendrait à Sept-Tours, un Matthew qui ne me connaissait pas et qui ignorait l'avenir de Philippe.

— Les gens de Saint-Lucien sont familiers depuis longtemps des *manjasang*, m'assura Philippe quand je m'inquiétai de la capacité de Thomas et Étienne à garder tout cela secret. Nous allons et venons. Ils ne posent pas de questions et nous ne donnons aucune explication. Il en a toujours été ainsi.

Malgré tout, Matthew s'assura que ses projets d'avenir étaient clairs. Je l'entendis converser avec Philippe dans le fenil après une matinée d'escrime.

— La dernière chose que je ferai avant de retourner dans notre temps, ce sera de vous envoyer un message. Soyez prêt à m'ordonner d'aller en Écosse assurer l'alliance de la famille avec le roi Jacques. Ensuite, je partirai à Amsterdam. Les Hollandais commenceront à ouvrir les voies commerciales avec l'Orient.

— Je me tirerai d'affaire, Matthew, dit Philippe. En attendant, je tiens à recevoir des nouvelles régulières d'Angleterre pour savoir comment Diana et toi vous portez.

— Gallowglass vous tiendra au courant de nos aventures, promit Matthew.

— Ce n'est pas la même chose que de les lire sous ta plume, dit Philippe. Ce sera très difficile de ne pas me vanter de ce que je sais de ton avenir quand tu me prendras de haut, Matthew. Mais je m'en tirerai aussi.

Le temps nous joua des tours durant nos derniers jours au château, tantôt en ralentissant, tantôt en accélérant sans prévenir. Le soir de Noël, Matthew alla à l'église pour la messe en compagnie de presque toute la maisonnée. Je restai au château et trouvai Philippe dans son étude de l'autre côté de la grande salle. Comme d'habitude, il était en train de rédiger des lettres.

Je frappai. C'était un geste de pure forme, puisqu'il m'avait entendue approcher depuis que j'étais descendue des appartements de Matthew, mais cela ne me paraissait pas convenable de m'imposer.

— *Introite*.

C'était le même mot qu'il avait utilisé le premier jour, mais cela me parut moins intimidant maintenant que je le connaissais mieux.

— Pardonnez-moi de vous déranger, Philippe.

— Entrez donc, Diana, dit-il en se frottant les yeux. Catherine a-t-elle trouvé mes coffrets en cuir ?

— Oui, ainsi que le nécessaire d'écriture. (Philippe avait tenu à ce que j'emporte son magnifique nécessaire de voyage. Chaque objet était en cuir renforcé, capable de subir neige, pluie et chocs.) Je ne voulais pas oublier de vous remercier avant notre départ, et pas seulement pour le mariage. Vous avez réparé quelque chose qui était brisé en Matthew.

Philippe repoussa son escabeau et me dévisagea.

— C'est moi qui devrais vous remercier, Diana. Cela fait mille ans que la famille essaie de ragaillardir Matthew. Si ma mémoire est bonne, il ne vous a fallu que quarante jours.

— Matthew n'était pas ainsi, dis-je en secouant la tête, jusqu'au moment où il est arrivé ici et vous a retrouvé. Il y avait en lui une obscurité qui restait hors de ma portée.

— Un homme comme Matthew ne se libère jamais entièrement des ombres. Mais peut-être est-il nécessaire d'étreindre l'obscurité pour pouvoir l'aimer, continua Philippe.

— *Ne me refuse pas parce que je suis obscurité et ombre*, murmurai-je.

— Je ne reconnais pas ce vers, dit Philippe.

— Il est tiré de cet ouvrage alchimique que je vous ai montré récemment, l'*Aurora Consurgens*. Le passage me faisait penser à Matthew, pourtant je ne comprends toujours pas pourquoi. Mais je le saurai un jour.

— Vous ressemblez beaucoup à cette bague, vous savez, dit Philippe en pianotant sur la table. Cela aussi, c'était un astucieux message d'Ysabeau.

— Elle voulait que vous sachiez qu'elle approuvait ce mariage, dis-je en cherchant la sensation réconfortante de la bague à mon pouce.

— Non, Ysabeau voulait que je sache qu'elle *vous* approuvait. Comme l'or dont elle est faite, vous êtes solide. Vous dissimulez maints secrets en vous, tout comme l'anneau de la bague dissimule les vers inscrits à l'intérieur. Mais c'est la pierre qui résume le mieux ce que vous êtes : étincelante en surface, flamboyante à l'intérieur et impossible à briser.

— Oh, je peux être brisée, dis-je avec regret. On peut faire voler un diamant en éclats en lui donnant un coup de marteau, après tout.

— J'ai vu les cicatrices que Matthew a laissées sur vous. Je soupçonne qu'il y en a d'autres, bien que moins visibles. Vous n'avez pas volé en éclats, à ce moment-là. Vous résisterez encore.

Il fit le tour de la table et m'embrassa tendrement sur les deux joues. Mes yeux s'embuèrent.

— Il faut que je vous laisse. Nous partons de bonne heure demain.

J'allais joindre le geste à la parole quand je tournai les talons et me jetai au cou de Philippe. Comment un homme aux si larges épaules pourrait-il jamais finir brisé ?

— Qu'y a-t-il ? demanda Philippe, pris de court.

— Vous ne serez pas non plus seul, Philippe de Clermont, murmurai-je avec emphase. Je trouverai un moyen d'être avec vous dans l'obscurité, je vous le promets. Et au moment où vous penserez que le monde vous a abandonné, je serai là et je vous tiendrai la main.

— Comment pourrait-il en être autrement, répondit-il avec douceur, alors que vous êtes dans mon cœur ?

Le lendemain matin, seules quelques personnes étaient rassemblées dans la cour pour notre départ. Le maître queux fourra toutes sortes de provisions pour moi dans les fontes de Pierre et Alain bourra l'espace restant avec des lettres pour Gallowglass, Walter et des dizaines d'autres destinataires.

Puis Philippe me serra longuement dans ses bras. Ensuite, Matthew et lui conversèrent à mi-voix un moment. Matthew hocha la tête.

— Je suis fier de toi, *Matthaios*, dit son père en lui donnant une tape sur l'épaule.

Matthew eut du mal à se séparer de son père mais, quand il se tourna vers moi, ce fut avec une expression résolue. Il m'aida à monter en selle avant de sauter sans effort sur son cheval.

— *Khaire*, Père, dit Matthew, les yeux brillants.

— *Khairete, Matthaios kai Diana*, répondit Philippe.

Matthew ne se retourna pas pour regarder une dernière fois son père et fixa la route, préférant affronter l'avenir plutôt que le passé.

Moi, je me tournai une fois, quand un mouvement fugitif attira mon regard. C'était Philippe, qui galopait sur une crête non loin, déterminé à regarder son fils jusqu'au dernier instant.

— Au revoir, Philippe, murmurai-je dans le vent, espérant qu'il m'entendrait.

14

— Ysabeau ? Tout va bien ?

— Évidemment, répondit Ysabeau tout en retournant la couverture d'un vieux livre hors de prix et en le secouant énergiquement.

Emily Mather la regarda, dubitative. La bibliothèque était dans un désordre sans nom. Le reste du château était impeccable, mais on aurait cru qu'une tornade était passée dans cette pièce. Des livres étaient éparpillés partout, enlevés des rayonnages et jetés dans tous les coins.

— Il doit être ici. Il aurait su que les enfants étaient ensemble.

Ysabeau jeta le livre et en prit un autre. En bonne bibliothécaire, Emily avait le cœur déchiré de voir des livres ainsi maltraités.

— Je ne comprends pas. Que cherchez-vous ? demanda-t-elle en ramassant l'ouvrage et en le refermant précautionneusement.

— Matthew et Diana partaient en 1590. Je n'étais pas chez moi à l'époque, mais à Trèves. Philippe aurait été au courant pour la nouvelle épouse de Matthew. Il m'aurait laissé un message.

Agacée, Ysabeau empoigna sa chevelure qui descendait presque jusqu'à sa taille et la rejeta en arrière.

Puis, après avoir examiné le dos et les pages de sa dernière victime, elle fendit la dernière page de garde du bout de l'ongle. Ne trouvant rien de caché, elle gronda de dépit.

— Mais ce sont des livres, pas des lettres, observa prudemment Emily.

Elle ne connaissait pas bien Ysabeau, mais elle avait eu vent des pires légendes qui couraient sur le compte de la mère de Matthew et de ce qu'elle avait fait à Trèves ou ailleurs. La matriarche de la famille Clermont n'était pas l'amie des sorcières, et, même si Diana avait confiance dans cette femme, Emily n'était pas très à son aise.

— Je ne cherche pas une lettre. Nous cachions des petits billets que nous nous adressions entre les pages des livres. J'ai cherché dans tous les ouvrages de la bibliothèque quand il est mort, pour retrouver jusqu'au dernier souvenir de lui. Mais j'ai dû passer à côté de quelque chose.

— Peut-être qu'il n'y était pas encore à l'époque, dit une voix narquoise depuis la pénombre de l'embrasure. (Sarah Bishop était échevelée, le visage blême à force d'inquiétude et de nuits blanches.) Marthe va avoir une attaque en voyant cela. Et c'est tant mieux que Diana ne soit pas là. Elle vous ferait un sermon sur le soin avec lequel traiter les livres qui vous ferait mourir d'ennui.

Tabitha, qui accompagnait Sarah partout, surgit entre les jambes de la sorcière.

— Que voulez-vous dire, Sarah ? demanda celle-ci, décontenancée.

— Le temps est retors. Même si tout s'est passé selon le plan et que Diana a ramené Matthew le

1er novembre 1590, il est peut-être encore trop tôt pour chercher un message de votre mari. Et vous n'auriez pas pu le trouver avant, parce que Philippe n'avait pas encore fait la connaissance de ma nièce. (Sarah marqua une pause.) Je crois que Tabitha est en train de manger ce livre.

La chatte, enchantée d'être dans une demeure peuplée d'une abondance de souris et remplie de cachettes sombres, avait pris l'habitude de grimper sur les meubles et les tentures. Perchée sur l'une des étagères, elle était en train de grignoter le coin d'un ouvrage relié en cuir.

— *Kakò gâta !* s'écria Ysabeau en se précipitant sur la bibliothèque. C'est l'un des préférés de Diana.

Tabitha, qui n'avait jamais rechigné à affronter un autre prédateur à l'exception de Miriam, donna un coup de patte au livre qui tomba à terre. Elle bondit dessus comme une lionne cherchant à protéger une friandise particulièrement désirable.

— C'est l'un de ces livres d'alchimie remplis d'enluminures, dit Sarah en le récupérant et en le feuilletant. Eh bien, reprit-elle en reniflant la couverture. Pas étonnant que Tabitha ait envie de le mordiller. Il sent la menthe et le cuir, comme son jouet préféré.

Un carré de papier plié plusieurs fois tomba en voletant sur le sol. Privée du livre, Tabitha l'attrapa dans sa gueule et décampa vers la porte.

Ysabeau, qui l'attendait, la saisit par la peau du cou et lui prit le papier. Puis elle fit un baiser sur le museau de l'animal surpris.

— Petite finaude. Tu auras du poisson à dîner.

— Est-ce ce que vous cherchiez ? demanda Emily en lorgnant le bout de papier, trouvant qu'il n'avait pas l'air de mériter de mettre une pièce sens dessus dessous.

À en juger par la manière dont Ysabeau le maniait, la réponse était claire. Elle le déplia méticuleusement pour arriver à un carré d'une dizaine de centimètres de côté, couvert recto verso d'une écriture minuscule.

— C'est rédigé dans une sorte de code, dit Sarah en prenant ses lunettes de lecture à motif zébré suspendues à son cou et en les chaussant.

— Pas un code. C'est du grec, précisa Ysabeau en lissant le papier d'une main tremblante.

— Qu'est-ce que cela dit ? interrogea Sarah.

— Sarah, c'est un mot de son mari, la gronda Emily. C'est personnel !

— Il les a vus, souffla Ysabeau en parcourant le texte, une main à ses lèvres, à la fois soulagée et incrédule.

Sarah attendit que la vampiresse ait terminé sa lecture. Il lui fallut deux minutes, soit plus du double que ce que Sarah accordait généralement à quiconque.

— Alors ?

— Ils étaient avec lui durant les fêtes de fin d'année. « *Au matin de la fête des chrétiens, j'ai dit adieu à ton fils. Il est enfin heureux, uni à une femme qui marche sur les traces de la déesse et est digne de son amour* », lut-elle à haute voix.

— Êtes-vous sûre que cela signifie Matthew et Diana ? demanda Emily, qui trouvait la formulation guindée et vague, pour un échange entre un mari et une femme.

— Oui. Matthew a toujours été l'enfant dont il s'inquiétait, alors que ses frères et sœurs se sont fourrés dans des situations bien pires. Mon unique souhait était de voir Matthew heureux.

— Et la référence à la femme qui « marche sur les traces de la déesse » est tout à fait claire, opina Sarah. Il ne pouvait guère donner son nom et l'identifier comme une sorcière. Imaginez que quelqu'un découvre le message.

— Ce n'est pas tout, continua Ysabeau. *« Le destin a le don de nous surprendre, très brillante. Je crains que des moments difficiles nous attendent tous. Je ferai ce qui est en mon pouvoir, dans le temps qui me reste, pour assurer votre sécurité et celle de nos enfants et petits-enfants, ceux que nous sommes heureux d'avoir déjà comme ceux encore à naître. »*

Sarah étouffa un juron.

— Encore à naître, c'est-à-dire pas encore créés ?

— Oui, chuchota Ysabeau. Philippe choisissait toujours ses mots avec soin.

— Il essayait donc de nous dire quelque chose concernant Matthew et Diana, dit Sarah.

— Il y a très, très longtemps, répondit Ysabeau en se laissant tomber dans le canapé, on racontait qu'il existait des créatures différentes – immortelles, mais puissantes, aussi. À l'époque où le pacte a été conclu, certains affirmèrent qu'une sorcière avait donné naissance à un enfant qui pleurait des larmes de sang comme un vampire. Chaque fois que cela arrivait, un vent déchaîné soufflait depuis la mer.

— C'est la première fois que j'entends cela, dit Emily, perplexe.

— Cela a été considéré comme un mythe, une histoire destinée à susciter la crainte chez les créatures. Peu d'entre nous s'en souviennent, et moins nombreux encore sont ceux qui croient cela possible. (Ysabeau toucha le papier posé sur ses genoux.) Mais Philippe savait que c'était vrai. Il avait pris l'enfant dans ses bras et il a reconnu ce que c'était.

— Et qu'est-ce que c'était ? demanda Sarah, stupéfaite.

— Un *manjasang* né d'une sorcière. Le pauvre enfant mourait de faim. La famille de la sorcière lui prit le bébé et refusa de lui donner du sang à boire au prétexte que s'il était forcé de ne boire que du lait, cela l'empêcherait de devenir l'un d'entre nous.

— Matthew connaît sûrement l'histoire, dit Emily. Vous la lui aurez racontée pour ses travaux de recherches, sinon pour le bien de Diana.

— Ce n'était pas à moi de le dire.

— Vous et vos secrets, se lamenta Sarah.

— Et qu'en est-il des vôtres ? s'écria Ysabeau. Croyez-vous vraiment que les sorcières – des êtres comme Satu et Peter Knox – ne sont pas au courant de l'existence de cet enfant *manjasang* et de sa mère ?

— Arrêtez, toutes les deux, intervint vivement Emily. Si l'histoire est vraie, et que d'autres créatures la connaissent, Diana est en grand danger. Tout comme Sophie.

— Ses parents étaient tous les deux sorciers, mais son mari et elle sont tous les deux des démons, dit Sarah, pensant au jeune couple qui était apparu à sa porte à New York quelques jours avant Halloween.

Personne ne comprenait quelle place tenaient les deux démons dans ce mystère.

— Et leur fille sera une sorcière aussi. Sophie et Nathaniel sont une preuve de plus que nous ne comprenons pas comment sorcières, démons et vampires se reproduisent et transmettent leurs dons à leurs enfants. Si la Congrégation découvre la nature de la grossesse de Sophie, ils vont la convoquer pour l'examiner.

— C'est ainsi qu'on appelle la torture, de nos jours ? Sophie et Nathaniel ne sont pas les seules créatures qui doivent garder leurs distances vis-à-vis de la Congrégation. C'est une bonne chose que Diana et Matthew soient à l'abri en 1590 et non pas ici, dit Sarah d'un ton lugubre.

— Mais plus longtemps ils restent dans le passé, plus cela risque de modifier le présent, observa Emily. Tôt ou tard, Diana et Matthew se trahiront.

— Que voulez-vous dire, Emily ? demanda Ysabeau.

— Le temps est forcé de s'adapter, et pas comme les gens le croient mélodramatiquement en évitant des guerres et en modifiant les résultats d'élections présidentielles. Ce seront de petites choses, comme ce message, qui apparaîtront ici ou là.

— Des anomalies, murmura Ysabeau. Philippe en cherchait constamment dans le monde. C'est pour cela que je continue à lire tous les journaux. C'est devenu une habitude de les passer en revue tous les matins. (Elle ferma les yeux pour oublier ce souvenir.) Il adorait la section « sports », évidemment, et il lisait aussi les pages « culture ». Philippe s'inquiétait de ce que les enfants apprendraient dans l'avenir. Il a fondé des bourses d'études du grec et de la philosophie et financé des universités pour les femmes. J'ai toujours trouvé cela étrange.

— Il cherchait Diana, dit Emily avec la certitude de celle qui a le don de double vue.

— Peut-être. Un jour, je lui ai demandé pourquoi il se souciait tant de l'actualité et ce qu'il espérait découvrir dans les journaux. Il m'a répondu qu'il le saurait quand il le verrait, répondit Ysabeau avec un triste sourire. Il adorait ses petits mystères et disait que s'il avait pu, il aurait aimé être détective comme Sherlock Holmes.

— Il faut que nous guettions la moindre apparition de ces petites perturbations avant que la Congrégation les repère, dit Sarah.

— Je vais prévenir Marcus, acquiesça Ysabeau.

— Vous auriez dû parler à Matthew de ce bébé issu d'un croisement entre espèces, dit Sarah, incapable de dissimuler sa réprobation.

— Mon fils aime Diana, et s'il avait été au courant de l'enfant, il aurait préféré renoncer à elle plutôt que de les mettre en danger, elle et l'enfant. Si vous m'en voulez d'avoir agi ainsi, c'est votre droit. Mais en tant que mère, je ne pouvais pas le priver de son unique chance d'être heureux.

— Les Bishop ne se laissent pas aussi facilement effrayer, Ysabeau. Si Diana désirait votre fils, elle aurait trouvé le moyen de l'avoir.

— Eh bien, Diana le désirait, et ils sont ensemble, à présent, fit remarquer Emily. Mais nous n'allons pas devoir en informer Marcus seulement. Nathaniel et Sophie ont le droit d'être au courant aussi.

Sarah et Emily quittèrent la bibliothèque. Elles étaient logées dans l'ancienne chambre de Louisa de Clermont, un peu plus loin dans le même couloir qu'Ysabeau. Sarah trouvait que la pièce sentait un peu comme Diana une fois que le feu était allumé.

Ysabeau resta après leur départ pour ramasser les livres et les ranger. Une fois la bibliothèque en ordre, elle retourna au sofa et reprit le message de son mari. Il ne s'arrêtait pas à ce qu'elle avait traduit aux deux sorcières. Elle relut les dernières lignes.

« Mais assez de ces sombres affaires. Vous devez vous protéger vous aussi, et espérer qu'ils auront un avenir plus lumineux. Cela fait deux jours que je vous ai rappelé que vous possédez mon cœur. J'aimerais pouvoir le faire chaque instant afin que vous ne l'oubliiez pas plus que le nom de l'homme qui chérit le vôtre pour l'éternité. Philippos. »

Dans les derniers jours de sa vie, à certains moments, Philippe ne se rappelait plus son propre nom et le sien moins encore.

— Merci, Diana, murmura Ysabeau dans la nuit, de me l'avoir rendu.

Quelques heures plus tard, Sarah entendit un bruit étrange au-dessus de sa tête – comme de la musique, mais plus que cela. Elle sortit en titubant de la chambre et trouva Marthe dans le couloir, enveloppée d'une vieille robe de chambre avec une grenouille brodée sur la poche, une expression mi-figue mi-raisin sur le visage.

— Qu'est-ce que c'est ? demanda Sarah en levant les yeux.

Aucun être humain ne pouvait produire un son aussi beau et poignant. Il devait y avoir un ange sur le toit.

— C'est Ysabeau qui chante à nouveau, répondit Marthe. Elle ne l'a fait qu'une fois depuis la mort de Philippe – quand votre nièce était en danger et qu'elle devait être rappelée dans ce monde.

— Je l'ignorais, dit Sarah. (Comment aurait-elle pu le savoir ? Il n'y avait pas de mots pour décrire ce chant qui exprimait tant de peine et de chagrin qu'elle en avait le cœur déchiré.) Elle va bien ?

— Oui. C'est une bonne chose, c'est le signe que son deuil touche peut-être à sa fin.

Les deux femmes, vampiresse et sorcière, écoutèrent jusqu'à ce que les dernières notes du chant d'Ysabeau s'éteignent dans le silence.

TROISIÈME PARTIE

Londres :
Blackfriars

15

— On dirait un porc-épic en folie. (Le Londres d'Élisabeth était hérissé d'innombrables clochers effilés qui s'élançaient au-dessus des bâtiments blottis autour d'eux.) Qu'est-ce que c'est ? demandai-je d'une voix étranglée en désignant une immense façade percée de hautes fenêtres.

Au-dessus du toit en bois se dressait une masse calcinée qui détruisait les proportions générales du bâtiment.

— St. Paul's, répondit Matthew. (Ce n'était pas le gracieux chef-d'œuvre à coupole blanche de Christopher Wren, dont la silhouette n'était aujourd'hui visible qu'au dernier moment dans la masse des immeubles de bureaux. L'ancienne St. Paul's, perchée sur la plus haute colline de Londres, était immédiatement visible dans son entier.) La foudre a frappé le clocher et mis le feu au toit en bois. Les Anglais considèrent comme un miracle que la cathédrale entière n'ait pas été réduite en cendres.

— On ne s'étonnera pas que les Français soient convaincus que la main de Dieu était visible dans cette catastrophe, commenta Gallowglass. (Il nous avait accueillis à Douvres et avait affrété à Southwark le bateau dans lequel nous remontions la Tamise à la rame.) Qu'il ait ou non montré son vrai visage, Dieu n'a pas accordé d'argent pour la réparer.

— Ni la reine, dit Matthew en observant les quais, la main posée sur la poignée de son épée.

Jamais je n'aurais imaginé que l'ancienne St. Paul's était si grande. Je me pinçai de nouveau. Je n'avais cessé depuis que nous avions vu la Tour (elle aussi paraissait énorme sans les gratte-ciel autour) et le Pont de Londres (qui était encore une galerie marchande suspendue). J'avais été impressionnée par beaucoup de ce que j'avais vu et entendu depuis notre arrivée dans le passé, mais rien ne m'avait coupé le souffle comme ce premier aperçu de Londres.

— Êtes-vous sûrs de ne pas vouloir accoster d'abord en ville ? demanda Gallowglass qui ne cessait de défendre cette prudente stratégie depuis que nous avions pris le bateau.

— Nous allons au prieuré, répondit Matthew d'un ton ferme. Tout le reste peut attendre.

Gallowglass eut l'air sceptique, mais il continua de ramer jusqu'à ce que nous atteignions la partie la plus à l'ouest de l'ancienne cité fortifiée. Là, nous accostâmes devant un escalier de pierre aux marches raides. Les plus basses étaient sous l'eau et d'après l'allure des parois, la marée allait continuer de monter jusqu'à submerger le reste. Gallowglass jeta une corde à un robuste gaillard qui se répandit en remerciements pour lui avoir rapporté son embarcation en un seul morceau.

— Vous ne semblez voyager que dans les bateaux des autres, Gallowglass. Peut-être que Matthew devrait vous en offrir un pour Noël, plaisantai-je.

Notre retour en Angleterre et le décalage des calendriers français et anglais nous faisaient fêter le Nouvel An une seconde fois.

— Et me priver de l'un de mes rares plaisirs ? répondit-il, ses dents scintillant dans sa barbe.

Le neveu de Matthew remercia le batelier et lui jeta une pièce dont la taille et le poids transformèrent l'angoisse de l'homme en béate reconnaissance.

Nous quittâmes le quai par une arche donnant sur Water Lane, une ruelle étroite serpentant entre des maisons et des échoppes. Plus les étages étaient élevés, plus ils saillaient dans la rue comme les tiroirs ouverts d'une commode. L'effet était souligné par les draps, tapis et autres linges accrochés aux fenêtres. Tout le monde profitait du temps inhabituellement beau pour aérer logis et vêtements.

Matthew me tenait fermement la main et Gallowglass marchait à ma droite. Nous étions baignés dans les bruits et les couleurs. Des étoffes éclatantes, rouges, vertes, brunes et grises voletaient sur les hanches et les épaules des passants qui zigzaguaient entre les chariots et s'écartaient devant les portefaix. Le vacarme des marteaux, les hennissements des chevaux, le meuglement lointain d'une vache et le grondement des roues rivalisaient. Des dizaines d'enseignes ornées d'anges, de crânes, d'outils, de formes multicolores et de personnages mythologiques se balançaient en grinçant dans le vent soufflant du fleuve. Au-dessus de ma tête, j'en aperçus une décorée d'un cerf blanc aux bois délicats nimbés d'une auréole dorée.

— Nous y sommes, dit Matthew. Nous voici au Cerf Couronné.

Le bâtiment était à colombages comme la plupart des constructions de la rue. Un passage voûté enjambait deux ensembles de fenêtres. D'un côté un cordonnier était au travail, et de l'autre, une femme s'occupait de plusieurs enfants, de clients et d'un gros registre. Elle fit un bref signe de tête à Matthew.

— L'épouse de Robert Hawley règne sur les apprentis et les clients avec une main de fer. Rien ne se passe au Cerf Couronné sans que Margaret le sache, expliqua Matthew.

Je notai mentalement de me faire une amie de cette femme au plus vite.

Le passage débouchait sur la cour intérieure du bâtiment – un luxe dans une cité aussi peuplée que Londres. La cour bénéficiait d'un autre aménagement tout aussi rare : un puits qui fournissait de l'eau potable aux habitants. Quelqu'un avait arraché les vieux pavés pour profiter de l'exposition de la cour au sud et les parterres sarclés et vides attendaient patiemment le printemps. Un groupe de lavandières s'activait dans un vieil appentis à côté de toilettes communes.

Sur la gauche, un escalier tortueux menait à nos appartements au premier étage, où Françoise nous attendait sur le large palier. Elle avait ouvert la lourde porte et rempli un placard aux parois percées de trous. Une oie plumée au cou brisé était accrochée à l'une des poignées du placard.

— Enfin. (Henry Percy fit son apparition avec un grand sourire.) Nous attendions depuis des heures. Ma bonne mère vous a fait porter une oie. Elle a ouï dire qu'on ne trouvait pas de gibier en ville et craignait que vous ayez faim.

— C'est un plaisir de te voir, Hal, dit Matthew en riant et en secouant la tête devant l'oie. Comment se porte ta mère ?

— Une vraie harpie comme chaque année à Noël, merci. Presque toute la famille a trouvé un prétexte pour partir, mais je suis retenu ici par le bon plaisir de la reine. Sa Majesté a crié dans la salle d'audience qu'on ne pouvait même pas me laisser aller jusqu'à P-p-petworth, bégaya Henry, blêmissant à ce souvenir.

— Vous êtes plus que bienvenu chez nous pour Noël, Henry, dis-je en ôtant ma cape et en entrant dans la maison qui embaumait les épices et le sapin fraîchement coupé.

— Je vous remercie, Diana, mais ma sœur Eleanor et mon frère George sont en ville et je ne peux les laisser l'affronter tout seuls.

— Reste avec nous ce soir, au moins, le pressa Matthew en l'entraînant vers le feu qui flambait dans la cheminée, et raconte-nous ce qui s'est passé pendant notre absence.

— Tout est très calme, ici, dit Henry avec entrain.

— Calme ? répéta Gallowglass en jetant un regard glacial au comte. Marlowe est au Galero, soûl comme une grive, à échanger des vers avec cet écrivain public de Stratford qui est pendu à ses basques dans l'espoir de devenir dramaturge. Pour le moment, Shakespeare semble se contenter d'apprendre comment imiter ta signature, Matthew. Selon le propriétaire, tu as promis de payer la chambre et la pension de Kit la semaine dernière.

— Je l'ai laissé il n'y a pas une heure, protesta Henry. Kit savait que Matthew et Diana devaient arriver cet après-midi. Will et lui ont promis de se bien conduire.

— Ceci explique cela, alors, ironisa Gallowglass.

— Est-ce votre œuvre, Henry ?

Je contemplais depuis l'entrée notre résidence, où l'on avait accroché du houx, du gui et des branches de sapin autour de la cheminée et des fenêtres et au centre de la table en chêne. La cheminée était remplie de bûches et un feu flambait, crépitait et sifflait.

— Françoise et moi voulions que votre premier Noël soit joyeux, dit Henry en rosissant.

Le Cerf Couronné était l'exemple de la vie citadine au XVIᵉ siècle dans ce qu'elle avait de mieux. Le salon était de belle taille, mais il était douillet et confortable. Le mur ouest était percé d'une fenêtre à petits carreaux qui donnait sur Water Lane. Elle était parfaitement située pour surveiller l'extérieur, avec un banc ménagé dans l'embrasure et recouvert d'un coussin. Des lambris sculptés de fleurs et de vignes réchauffaient les murs.

Les meubles étaient peu nombreux, mais de bonne facture. Un large banc et deux profonds fauteuils faisaient face à la cheminée. La table de chêne était d'une étroitesse peu commune, mesurant moins d'un mètre de largeur pour une grande longueur, avec des pieds décorés de caryatides et d'atlantes finement ciselés. Une poutre portant des bougies était accrochée au-dessus. Des têtes de lions sculptées grondaient sur le bandeau d'un énorme buffet chargé de tout un ensemble de carafes, pichets, coupes et gobelets – mais d'assez peu d'assiettes, comme il se devait dans une maison de vampires.

Avant de nous mettre à table pour déguster notre oie rôtie, Matthew me montra notre chambre et son étude. Les deux pièces étaient situées de l'autre côté de l'entrée, en face du salon. Les fenêtres à pignon qui donnaient sur la cour rendaient les pièces étonnamment spacieuses et lumineuses. La chambre ne comportait que trois meubles : un lit à baldaquin, une haute armoire lambrissée et un long coffre bas sous les fenêtres. Il était fermé à clé et Matthew m'expliqua qu'il contenait son armure et plusieurs armes. Henry et Françoise étaient passés par là aussi : du lierre décorait les piliers du baldaquin et la tête de lit sculptée était ornée de houx.

Alors que la chambre semblait rarement occupée, l'étude paraissait souvent utilisée. Elle contenait des corbeilles de papier, des sacs et des chopes remplies de plumes, des flacons d'encre, assez de cire pour fabriquer des dizaines de chandelles, des pelotes de ficelle et tellement de courrier en attente que je fus démoralisée rien qu'à le voir. Un fauteuil confortable au dossier profond et aux accoudoirs sculptés trônait devant une table à rallonges. En dehors de ses pieds imposants sculptés de coupes, tout était simple et pratique.

J'avais blêmi en voyant tout le travail qui l'attendait, mais Matthew ne semblait pas s'inquiéter.

— Tout cela peut attendre. Même les espions ne travaillent pas la veille de Noël.

Durant le dîner, nous parlâmes des derniers exploits de Walter et de l'encombrement des rues de Londres, en évitant d'aborder des sujets comme la dernière beuverie de Kit et l'entreprenant William Shakespeare. Une fois la table débarrassée, Matthew approcha une petite table à jouer, en sortit un jeu de cartes et entreprit de m'apprendre les jeux de hasard de l'époque élisabéthaine. Henry venait de convaincre Matthew et Gallowglass de faire une partie de *flap-dragon* – un inquiétant jeu consistant à mettre le feu à des raisins secs imbibés de brandy et à parier sur qui en avalerait le plus – quand des chants de Noël retentirent dans la rue. Les chanteurs n'étaient pas tous dans le même ton et ceux qui ne connaissaient pas les paroles les remplaçaient par des obscénités sur Joseph et Marie.

— Tenez, *milord**, dit Pierre en tendant une bourse de pièces à Matthew.

— Avons-nous des gâteaux ? demanda celui-ci à Françoise, qui le regarda comme s'il avait perdu l'esprit.

— Bien sûr que nous en avons. Ils sont dans le placard du palier, où l'odeur ne dérangera personne, dit-elle en désignant les escaliers. L'an dernier, vous leur avez donné du vin, mais je ne crois pas qu'ils en aient besoin ce soir.

— Je vais avec toi, Matthew, proposa Henry. J'aime bien les chants de Noël.

L'apparition de Matthew et de Henry dans la cour fit monter le volume. Quand le chœur arriva cahin-caha au bout du chant, Matthew remercia tout le monde et distribua les pièces. Henry se chargea des gâteaux, ce qui lui valut mille « Merci, monseigneur » quand les chanteurs apprirent qu'il s'agissait du comte de Northumberland. Puis ils s'éloignèrent vers une autre maison, selon une préséance mystérieuse, privilégiant sans doute les demeures qui promettaient les meilleures aumônes et boissons.

J'eus bientôt du mal à étouffer mes bâillements et Henry et Gallowglass commencèrent à prendre leurs capes et gants. Tous les deux partirent en souriant comme des marieuses satisfaites. Matthew vint me rejoindre au lit et me serra contre lui jusqu'à ce que je m'endorme, fredonnant des chants de Noël et me donnant le nom de chacune des cloches de la ville au fur et à mesure qu'elles sonnaient.

— Celle-ci est St. Mary-le-Bow, dit-il en tendant l'oreille. Et voici St. Katherine Cree.

— Est-ce St. Paul's ? demandai-je en entendant un long carillon.

— Non. La foudre a détruit les cloches en même temps que le clocher, dit-il. C'est St. Saviour's. Nous sommes passés devant en arrivant en ville.

Le reste des églises de Londres se joignit à la cathédrale de Southwark. Puis une retardataire conclut par un son discordant qui fut le dernier bruit que j'entendis avant de succomber au sommeil.

Au milieu de la nuit, je fus réveillée par une conversation provenant de l'étude de Matthew. Je tâtai le lit : il n'y était plus. Les courroies de cuir qui soutenaient le matelas grincèrent alors que je posai les pieds sur les dalles glacées. Frissonnante, je jetai un châle sur mes épaules avant de sortir de la chambre.

D'après les coulées de cire sur les chandeliers, Matthew travaillait depuis des heures. Pierre se tenait à côté des rayonnages ménagés dans une alcôve près de la cheminée. On aurait dit qu'on l'avait traîné dans la vase de la Tamise à marée basse et il empestait tant que cela me souleva le cœur.

— J'ai parcouru toute la ville avec Gallowglass et ses amis irlandais, murmura-t-il. Si les Écossais savent autre chose sur le maître d'école, ils ne le divulguent pas, *milord**.

— Quel maître d'école ? demandai-je en entrant.

C'est à ce moment que je repérai l'étroite porte ménagée dans les lambris.

— Pardonnez-moi, *madame**, je ne voulais pas vous éveiller, dit-il, consterné.

— Ce n'est rien, Pierre. Allez, je vous retrouverai plus tard.

Matthew attendit que son serviteur dégoulinant s'en aille. Son regard glissa vers le côté de la cheminée baigné dans la pénombre.

— La pièce qui se trouve derrière cette porte ne figurait pas au programme de la visite que tu m'as fait faire, dis-je en le rejoignant. Que se passe-t-il ?

— J'ai eu des nouvelles d'Écosse. Un tribunal a condamné à mort un sorcier du nom de John Fian – un maître d'école de Preston Pans. Pendant mon absence, Gallowglass a tenté de connaître la vérité, s'il y en a une, derrière cette folie. On l'accuse de vouer un culte à Satan, d'avoir démembré des cadavres dans un cimetière, transformé des pattes de taupes en lingots d'argent afin d'avoir toujours de quoi vivre, d'avoir pris la mer avec le diable et Agnes Sampson pour contrecarrer les projets du roi. (Il jeta un papier sur la table devant lui.) Pour autant que je sache, Fian est ce que nous appelions un *tempestari* et rien de plus.

— Un faiseur de vent, voire d'eau, dis-je, traduisant ce nouveau terme.

— C'est cela. Fian agrémentait son salaire de maître d'école en provoquant des orages durant les sécheresses et le dégel quand l'hiver semblait s'éterniser. Les gens de son village l'adoraient tous. Même ses élèves n'ont que des louanges à la bouche. Fian avait peut-être un petit don de prophétie – il paraît qu'il prévoyait la mort des gens, mais c'est peut-être quelque chose que Kit a concocté afin d'embellir l'histoire pour un public anglais. Comme tu le sais, le don de double vue des sorciers l'obsède.

— Les sorciers sont victimes des changements d'humeur de ceux qu'ils côtoient, Matthew. Un jour, nous sommes amis et le lendemain, on nous chasse – ou pire.

— Ce qui est arrivé à Fian est clairement pire, dit-il d'un ton lugubre.

— J'imagine, dis-je en frissonnant. (Je m'étais obligée à suivre un cours à l'université sur les procès en sorcellerie. Si Fian avait été torturé comme Agnes Sampson, la mort avait dû lui paraître un soulagement.) Qu'y a-t-il dans cette pièce ?

Matthew songea à répondre que c'était un secret, mais il eut la sagesse de se raviser.

— Mieux vaut que je te montre, dit-il en se levant. Reste à côté de moi. L'aube n'est pas encore levée et nous ne pouvons pas emporter de chandelle dans cette pièce de peur qu'on la voie de l'extérieur. Et je n'ai pas envie que tu trébuches.

Je hochai silencieusement la tête et pris sa main.

Nous franchîmes le seuil d'une longue pièce munie de fenêtres étroites comme des meurtrières. Au bout d'un moment, mes yeux s'habituèrent et des silhouettes grises commencèrent à émerger de la pénombre. Deux vieux fauteuils de jardin en osier tressé se faisaient face, leurs dossiers inclinés vers l'avant. Des bancs bas et délabrés étaient disposés en deux rangées au centre de la pièce. Chacune portait un étrange assortiment : livres, papiers, lettres, chapeaux et vêtements. Sur la droite, j'aperçus l'éclat d'objets métalliques : des épées, posées pointe en l'air. Des dagues étaient entassées sur le sol à côté. J'entendis aussi un grattement, puis de petits pas pressés.

— Des rats, constata Matthew. (Je ne pus m'empêcher de ramener les pans de ma chemise de nuit sur mes jambes.) Pierre et moi faisons notre possible, mais nous n'arrivons pas à nous en débarrasser complètement. Tout ce papier, c'est irrésistible pour eux.

Il leva la main en l'air et je remarquai pour la première fois les curieux festons sur les murs. Je me rapprochai pour observer de près ces guirlandes. Chacune était suspendue à une mince cordelette fixée au mur par un clou à tête carrée. La cordelette était enfilée dans le coin supérieur de documents. Le nœud de l'autre extrémité était accroché au même clou, formant une couronne de papier.

— L'un des premiers systèmes de classement du monde. Tu dis que je garde trop de secrets, dit-il à mi-voix en détachant l'une des guirlandes. Tu peux ajouter cela à ton inventaire.

— Mais il y en a des milliers.

Même un vampire de quinze cents ans ne pouvait pas en posséder autant.

— En effet, acquiesça-t-il tandis que je balayais la pièce en évaluant la quantité d'archives qu'elle contenait. Nous nous rappelons ce que les autres créatures veulent oublier et c'est ce qui permet aux chevaliers de l'ordre de Saint-Lazare de protéger ceux qui nous sont confiés. Certains des secrets remontent au règne du grand-père de la reine. La plupart des dossiers les plus anciens ont été transportés en lieu sûr à Sept-Tours.

— Tous ces papiers, murmurai-je. Et au final, tous remontent jusqu'à toi et aux Clermont.

La pièce s'effaça jusqu'à ce que je ne voie plus que des boucles tourbillonnantes de mots qui devenaient de longs filaments reliés entre eux. Ils formaient une carte rattachant sujets, auteurs, dates. Il y avait quelque chose que je devais comprendre dans ces lignes entrelacées…

— Je parcours ces documents depuis que tu t'es endormie pour trouver ce qui concerne Fian. Je pensais qu'il serait question de lui là-dedans, dit Matthew en me ramenant dans son étude, que je trouverais pourquoi ses voisins se sont retournés contre lui. Il doit y avoir quelque chose de récurrent qui explique le comportement des êtres humains.

— Si tu le trouves, mes collègues historiens seront ravis de l'apprendre. Mais comprendre le cas de Fian ne garantit pas que tu puisses empêcher la même chose de m'arriver. (La crispation de la mâchoire de Matthew m'indiqua que l'argument avait fait mouche.) Et je suis tout à fait sûre que tu ne t'étais pas encore penché avec autant d'intérêt sur la question.

— Je ne suis plus l'homme qui était sourd à toutes ces souffrances, et je ne souhaite pas le redevenir.

Je le pris dans mes bras. Même assis, il était si grand que le haut de sa tête arrivait à la hauteur de ma poitrine. Il s'immobilisa, puis il se dégagea lentement, les yeux fixés sur mon ventre.

— Diana. Tu es…

— Enceinte. C'est ce qu'il me semblait, dis-je sans aucune émotion. Comme mes règles étaient irrégulières depuis l'épisode de Juliette, je n'étais pas sûre. J'ai eu des nausées entre Calais et Douvres, mais la mer était houleuse et le poisson que j'avais mangé avant d'embarquer était douteux. (Il continua de fixer mon ventre. Je continuai, un peu inquiète :) Ma prof de sciences du lycée avait raison. On peut vraiment tomber enceinte la première fois qu'on couche avec un type.

J'avais fait mes calculs et j'étais quasi certaine que la conception avait eu lieu juste après notre mariage. (Mais il continuait à se taire.) Dis quelque chose, Matthew.

— C'est impossible, dit-il, abasourdi.

— Tout ce qui touche à nous est impossible, répliquai-je en posant une main tremblante sur mon ventre.

Matthew enlaça ses doigts avec les miens et finit par me regarder en face. Je fus surprise de lire dans son regard un mélange d'admiration, de fierté et de panique. Puis un sourire qui avait dû naître dans son cœur apparut sur ses lèvres.

— Nous avons créé une vie.

— En effet. Mais si je ne suis pas douée pour être mère ? demandai-je avec inquiétude. Toi, tu as été père, tu sais ce qu'il faut faire.

— Tu seras une merveilleuse mère, répondit-il aussitôt. Tout ce dont un enfant a besoin, c'est qu'on l'aime, qu'un adulte s'occupe de lui et le fasse naître dans un environnement confortable. (Il caressa mon ventre de nos deux mains réunies.) Nous ferons les deux premiers ensemble. Le troisième est de ton ressort. Comment te sens-tu ?

— Un peu fatiguée et nauséeuse, physiquement. Émotionnellement, je ne sais pas trop où donner de la tête. C'est normal d'être à la fois effrayée, déterminée et tendue ?

— Oui, et aussi enthousiaste, angoissée et morte de terreur, dit-il à mi-voix.

— Je sais que c'est ridicule, mais je ne cesse de redouter que ma magie nuise au bébé, même si des milliers de sorcières accouchent chaque année.

Sauf qu'elles ne sont pas mariées à des vampires.

— Ce n'est pas une conception normale, dit Matthew, lisant dans mes pensées. Cependant, je ne pense pas que tu aies lieu de t'inquiéter.

Une ombre passa dans son regard et je le vis pratiquement ajouter mentalement un nouveau souci à sa liste.

— Je ne veux le dire à personne. Pas tout de suite. (Je songeai à la pièce voisine.) Ta vie peut-elle accepter un secret de plus – du moins pendant un certain temps ?

— Bien sûr, répondit-il aussitôt. Ta grossesse ne se verra pas avant des mois. Mais Françoise et Pierre le sauront à peine ils t'auront sentie, si ce n'est pas déjà le cas, tout comme Hancock et Gallowglass. Heureusement, les vampires ne posent généralement pas de questions intimes.

— Comme de bien entendu, ce sera moi qui trahirais le secret, dis-je avec un petit rire. Comme tu ne peux pas être plus protecteur que tu n'es déjà, personne ne pourra deviner d'après notre comportement ce que nous cachons.

— N'en sois pas si sûre, dit-il avec un grand sourire, serrant ma main dans un geste clairement protecteur.

— Si tu continues de me toucher comme cela, les gens vont comprendre assez rapidement, ironisai-je. (Je passai la main sur son épaule et il frissonna.) Tu n'es pas censé frissonner quand quelque chose de chaud te touche.

— Ce n'est pas la raison, dit-il en se levant.

J'eus un pincement de cœur en le voyant ainsi en clair-obscur. Il sourit en percevant cette irrégularité et m'attira vers le lit. Nous quittâmes nos vêtements qui formèrent deux tas blancs sur le sol dans la lumière de la lune.

Me caressant avec légèreté, Matthew suivait du bout des doigts les infimes changements qui s'opéraient dans mon corps. Il s'attarda sur chaque pouce de chair, mais cette attention glacée ravivait la douleur du désir plutôt qu'elle ne l'apaisait. Chaque baiser était aussi complexe que ce que nous éprouvions concernant cet enfant. En même temps, les paroles qu'il chuchotait dans l'obscurité m'encourageaient à ne penser qu'à lui. Quand je ne pus endurer cela plus longtemps, Matthew pénétra en moi avec la même lente douceur que ses baisers.

Je me cambrai pour me coller davantage à lui et Matthew s'immobilisa. Et dans cette position, en ce bref instant d'éternité, père, mère et enfant furent plus proches que ne pouvaient l'être trois créatures.

— Mon cœur, ma vie, promit-il.

Je laissai échapper un cri et Matthew me serra contre lui jusqu'à ce que mes tremblements cessent. Puis me couvrit de baisers tout le long du corps, en commençant par mon troisième œil sorcier, puis mes lèvres, ma gorge, ma poitrine, mon plexus solaire, mon nombril et enfin mon bas-ventre.

— Nous avons fait un enfant, dit-il avec un sourire.

— Oui, souris-je à mon tour.

Il posa sa tête sur mon ventre comme sur un oreiller et poussa un soupir de contentement. Sans un bruit, il guetta l'imperceptible pulsation du sang de notre enfant. Quand il l'entendit, il redressa la tête et nos regards se croisèrent. Il me fit un sourire rayonnant et sincère et reprit sa veille.

Dans l'obscurité piquetée des flammes des bougies de cette nuit de Noël, je sentis la calme force de l'amour que nous partagions avec une autre créature. Je n'étais plus une météorite solitaire qui filait dans l'espace et le temps : je faisais partie d'un système planétaire complexe. Je devais apprendre à conserver mon centre de gravité tout en étant attirée d'un côté et de l'autre par des corps célestes plus vastes et puissants que moi. Sinon, Matthew, les Clermont, notre enfant – et la Congrégation – pourraient me faire quitter mon orbite.

Le temps que j'avais passé avec ma mère avait été trop bref, mais, en sept ans, elle m'avait beaucoup appris. Je me rappelais son amour inconditionnel et ses étreintes. Ma mère avait toujours eu raison quand il le fallait. Cela avait été tel que Matthew l'avait dit : un enfant avait besoin d'amour, de confort et d'un adulte qui en soit responsable.

Mais avant, il fallait que je trouve un sorcier. Il était temps de cesser de faire comme si ce séjour ici était un séminaire érudit sur l'Angleterre de Shakespeare et de reconnaître que c'était ma dernière et meilleure chance de découvrir qui j'étais, afin de pouvoir aider mon enfant à comprendre quelle était sa place dans le monde. Le regard fixé sur le baldaquin, je me demandai comment je pourrais prendre en main notre destinée.

16

Nous passâmes un week-end calme, savourant notre secret et spéculant comme tous les futurs parents. Le nouveau membre de la famille Clermont aurait-il les cheveux noirs comme son père, mais les yeux bleus comme moi ? Aimerait-il la science ou l'histoire ? Serait-il adroit de ses mains comme Matthew, ou avec deux mains gauches comme moi ? Quant au sexe, nous divergions. J'étais convaincue que c'était un garçon, et Matthew tout aussi certain que c'était une fille.

Épuisés et ragaillardis, nous délaissâmes nos perspectives d'avenir pour contempler le Londres du XVIe siècle depuis la chaleur de notre logis. Nous commençâmes aux fenêtres donnant sur Water Lane, d'où j'aperçus les tours lointaines de l'abbaye de Westminster, et terminâmes dans des fauteuils tirés devant celles de la chambre, d'où nous pouvions voir la Tamise. Ni le froid ni le fait que ce fût un jour chrétien de repos n'empêchait les bateliers de livrer des marchandises et de faire traverser des passagers. En bas de notre rue, un groupe de manouvriers était blotti sur les marches du quai, leurs barques vides oscillant sur les vaguelettes.

Durant l'après-midi, alors que la marée montait et descendait, Matthew me fit part de ses souvenirs. Il me parla de l'époque, au XVe siècle, où la Tamise avait été gelée pendant plus de trois mois – si longtemps que des échoppes provisoires avaient été bâties sur la glace pour les nombreux piétons qui traversaient le fleuve. Il se rappela aussi ses années perdues à Thavies Inn, à faire semblant d'étudier le droit pour la quatrième et dernière fois.

— Je suis content que tu aies pu voir cela avant que nous partions, dit-il en me prenant la main, tandis qu'un par un, les gens allumaient leurs lanternes et les accrochaient aux proues des bateaux et aux fenêtres des maisons et des tavernes.) Nous allons même essayer de faire une petite visite au Royal Exchange.

— Nous retournons à Woodstock ? demandai-je, décontenancée.

— Pendant une brève période, peut-être. Ensuite, nous reviendrons dans le présent. (Je le regardai, trop surprise pour parler.) Nous ne savons pas à quoi nous attendre pendant ta grossesse, et pour ta sécurité – et celle de l'enfant – nous devons la faire suivre. Il y a des analyses à faire et ce serait une bonne idée de procéder à une échographie. Et puis, tu voudras être avec Sarah et Emily.

— Mais Matthew, protestai-je, nous ne pouvons pas rentrer. Je ne sais pas comment faire. (Il tourna vivement la tête.) Em l'a clairement expliqué avant que nous partions. Pour remonter dans le temps, il faut trois objets qui t'emmènent là où tu veux. Pour aller dans le futur, il faut de la magie, mais je ne sais pas jeter des sorts. C'est pour cela que nous sommes venus.

— C'est impossible que tu mènes la grossesse à terme ici, dit Matthew en se levant d'un bond.

— Les femmes ont des enfants, au XVIᵉ siècle, dis-je timidement. En plus, je ne me sens pas changée. Je ne peux pas être enceinte de plus de quelques semaines.

— Auras-tu assez de force pour nous ramener dans le présent, l'enfant et moi ? Non, nous devons partir le plus vite possible et bien avant qu'elle naisse. (Il s'interrompit.) Et si le voyage dans le temps est nocif pour le fœtus ? La magie, c'est une chose, mais cela…

Il se rassit brusquement.

— Rien n'a changé, l'apaisai-je. Le bébé ne peut pas être plus gros qu'un grain de riz. Maintenant que nous sommes à Londres, ce ne devrait pas être difficile de trouver quelqu'un qui m'aidera à maîtriser ma magie, ou même qui connaisse mieux le voyage dans le temps que Sarah et Em.

— Elle a la taille d'une lentille. (Il se tut, réfléchit un instant et prit une décision.) Dans six semaines, les développements les plus critiques auront eu lieu. Cela devrait te donner tout le temps qu'il te faut.

On aurait cru entendre un médecin plutôt qu'un père. Je commençais à préférer les fureurs antiques de Matthew à sa moderne objectivité.

— Cela ne me laisse que quelques semaines. Et s'il m'en faut sept ?

Sarah aurait été là, elle m'aurait avertie que me montrer aussi raisonnable n'était pas bon signe.

— Sept semaines, c'est encore convenable, dit Matthew, perdu dans ses pensées.

— Oh, eh bien, tant mieux. Je n'ai pas envie de devoir me précipiter alors qu'il s'agit d'une tâche importante, découvrir qui je suis, dis-je en m'avançant vers lui.

— Diana, ce n'est pas…

Nous étions nez à nez.

— Je n'ai aucune chance d'être une bonne mère si je n'en sais pas plus sur le pouvoir qui court dans mes veines.

— Ce n'est pas bien…

— Veux-tu ne pas me dire que ce n'est pas bien pour le bébé ? Je ne suis pas un *récipient*, m'emportai-je, furibonde. D'abord, il t'a fallu mon sang pour des expériences scientifiques, et maintenant, c'est ce bébé. (Matthew ne broncha pas, bras croisés, et soutint mon regard.) Alors ?

— Alors quoi ? Apparemment, ma participation à cette conversation n'est pas nécessaire. Tu finis mes phrases à ma place. Autant que tu les commences aussi.

— Cela n'a rien à voir avec une histoire d'hormones, dis-je.

Je me rendis compte un peu tard que cette simple phrase était en elle-même la preuve du contraire.

— Cela ne m'était pas venu à l'esprit jusqu'à ce que tu en parles.

— Ce n'est pas ce que j'ai voulu dire. (Il haussa les sourcils.) Je suis toujours la même personne qu'il y a trois jours. La grossesse n'est pas une maladie et elle n'enlève rien aux raisons que nous avons d'être ici. Nous n'avons même pas eu l'occasion de chercher l'Ashmole 782.

— L'Ashmole 782 ? s'impatienta-t-il. Tout a changé et tu *n'es pas* la même. Nous ne pouvons pas indéfiniment garder secrète cette grossesse. Dans quelques jours, n'importe quel vampire sera en mesure de flairer le changement dans ton sang. Kit le devinera peu après et il posera des questions sur le père, puisque cela ne peut pas être moi, n'est-ce pas ? Une sorcière enceinte

355

qui vit avec un *wearh* éveillera l'animosité de toutes les créatures vivant dans cette ville, même celles pour qui le pacte est le cadet de leurs soucis. Quelqu'un pourrait se plaindre à la Congrégation. Mon père exigera que nous rentrions à Sept-Tours pour ta sécurité et je ne crois pas que je pourrai supporter de lui faire mes adieux une fois de plus.

Le ton avait monté à chaque nouveau problème qu'il énumérait.

— Je ne pensais pas…

— Non, me coupa-t-il, en effet. Tu ne pouvais pas. Mon Dieu, Diana. Jusqu'ici, nous vivions une union interdite. Ce n'est pas vraiment une rareté. À présent, tu portes mon enfant. C'est non seulement unique en son genre, mais d'autres créatures estiment que c'est impossible. Trois semaines de plus, Diana. Pas davantage, conclut-il, implacable.

— Peut-être que tu ne réussiras pas à trouver en si peu de temps un sorcier qui soit disposé à m'aider, insistai-je. Surtout avec ce qui se passe en Écosse.

— Qui a dit qu'il devrait y être disposé ? répondit-il avec un sourire qui me glaça.

— Je vais lire au salon.

Je tournai les talons, cherchant à m'éloigner le plus possible de lui. Il m'attendait dans l'embrasure, son bras me barrant le passage.

— Je ne te perdrai pas, Diana, dit-il avec emphase, mais à mi-voix. Ni pour rechercher un manuscrit alchimique ni pour le bien de notre enfant pas encore né.

— Et moi, je ne me perdrai pas, répliquai-je. Ni pour satisfaire ton besoin de tout diriger. Ni avant d'avoir découvert qui je suis.

J'étais dans le salon en train de feuilleter *La Reine des Fées*, rendue folle d'ennui, quand la porte s'ouvrit. *Des visiteurs*. Je m'empressai de refermer le livre.

— J'ai l'impression que je n'aurai plus jamais chaud, dit Walter, ruisselant, dans l'entrée.

George et Henry l'accompagnaient, en tout aussi piteux état.

— Bonjour, Diana.

Henry éternua, puis me salua en s'inclinant cérémonieusement avant d'approcher de la cheminée et de tendre les mains devant les flammes en gémissant.

— Où est Matthew ? demandai-je en faisant signe à George de s'asseoir.

— Avec Kit. Nous les avons laissés chez un libraire, répondit Walter en désignant la direction de St. Paul's. Je meurs de faim. Le ragoût que Kit a commandé au dîner était immangeable. Matt a dit que Françoise nous préparerait quelque chose, ajouta-t-il avec un sourire malicieux qui trahissait son mensonge.

Les garçons en étaient à leur deuxième assiettée et leur troisième verre de vin quand Matthew rentra avec Kit, des livres plein les bras et du poil au menton. Sa moustache toute neuve et taillée convenait à sa large bouche et sa barbe était petite et bien dessinée comme le voulait la mode. Pierre le suivait, chargé d'un sac de toile contenant des carrés et des rectangles de papier.

— Dieu soit loué, dit Walter avec un air approbateur devant la barbe. Maintenant, tu te ressembles.

— Bonjour, *mon cœur**, dit Matthew en m'embrassant sur la joue. Tu me reconnais ?

— Oui... Même si tu as l'air d'un pirate, dis-je en riant.

— C'est vrai, Diana. Walter et lui ont l'air de deux frères, à présent, avoua Henry.

— Pourquoi persistes-tu à appeler l'épouse de Matthew par son prénom, Henry ? Mistress Roydon est-elle devenue ta charge ? Est-ce ta sœur, à présent ? La seule autre explication est que tu as l'intention de la séduire, grommela Marlowe en se laissant tomber sur une chaise.

— Cesse de jouer la mouche du coche, Kit, dit Walter.

— J'apporte des cadeaux de Noël tardifs, dit Matthew en faisant glisser son chargement vers moi.

— Des livres.

C'était déconcertant de sentir combien ils étaient neufs – les reliures serrées qui protestaient en craquant à leur première ouverture, l'odeur du papier et celle, âcre, de l'encre. Ce genre d'ouvrages, j'avais l'habitude de les voir usés dans les salles de lecture des bibliothèques, pas posés sur la table où nous prenions nos repas. Le premier de la pile était un carnet destiné à remplacer celui qui était resté à Woodstock. Le suivant était un missel magnifiquement relié. Sa page de titre était ornée d'une représentation du patriarche biblique Jessé allongé, un arbre poussant de son ventre. Je plissai le front. Pourquoi Matthew m'avait-il acheté un livre de prières ?

— Tourne la page, me pressa-t-il, les mains posées sur mes reins.

Au verso figurait une gravure de la reine Élisabeth agenouillée en prière. Des squelettes, des personnages bibliques et des vertus classiques décoraient chaque page. Le livre était un mélange de textes et d'imagerie, tout comme les traités alchimiques que j'étudiais.

— C'est exactement le genre de livre que possède-rait une dame mariée et respectable, sourit-il. (Puis, prenant un ton de conspirateur :) Cela devrait combler ton désir de sauvegarder les apparences. Mais ne t'inquiète pas, le suivant n'est pas du tout respectable.

Je posai le missel et pris le deuxième livre qu'il m'avait offert. Les pages étaient cousues ensemble et glissées dans une enveloppe protectrice en épais vélin. Le traité promettait d'expliquer les symptômes et les remèdes de tous les maux qui affligeaient l'humanité.

— Les livres religieux sont des cadeaux courants et faciles à vendre. Les livres de médecine ont un public plus restreint et ils sont trop coûteux à relier sans commanditaire, expliqua Matthew alors que je tripotais la couverture molle. (Il me tendit un autre volume.) Heureusement, j'avais déjà commandé un exemplaire relié de celui-ci. Il sort des presses et est promis à un grand succès.

L'ouvrage en question était relié de simple cuir noir avec quelques tampons à l'argent en guise de décora-tion. Il s'agissait de la première édition de l'*Arcadia* de Philip Sidney. J'éclatai de rire en me rappelant combien j'avais détesté sa lecture à l'université.

— Une sorcière ne peut pas vivre uniquement de prières et de médecine, dit-il, les yeux pétillants de malice.

Sa moustache me chatouilla alors qu'il me faisait un baiser.

— Il va falloir que je m'habitue à ton nouveau visage, dis-je en riant et en me frottant les lèvres devant cette sensation inattendue.

Le comte de Northumberland me lorgna comme si j'étais une jument qui a besoin d'être formée.

— Ces quelques titres n'occuperont pas Diana longtemps. Elle a l'habitude d'une activité plus variée.

— Comme tu dis. Mais elle ne peut guère arpenter la ville en proposant des cours d'alchimie, dit Matthew avec une moue amusée. (D'heure en heure, son accent et le choix de ses mots s'adaptaient à l'époque. Il se pencha au-dessus de moi, flaira la carafe de vin et fit une grimace.) N'y a-t-il rien à boire qui n'ait été épicé de poivre et de girofle ? Ceci empeste.

— Diana pourrait apprécier la compagnie de Mary, proposa Henry qui n'avait pas entendu la question de Matthew.

— Mary ? répéta celui-ci.

— Elles sont d'un âge et d'un tempérament semblables, je crois, et tout aussi éprises de connaissances.

— La comtesse n'est pas seulement instruite, mais elle a aussi tendance à allumer des feux, fit observer Kit en se servant un nouveau gobelet de vin. (Il y plongea le nez et le respira longuement. L'odeur évoquait assez celle de Matthew.) Ne vous approchez pas de ses alambics et de ses fourneaux, mistress Roydon, à moins que vous ne vouliez finir les cheveux crespelés.

— Des fourneaux ? répétai-je en me demandant de qui il pouvait bien s'agir.

— Ah oui, la comtesse de Pembroke, dit George, le regard brillant à la perspective d'un tel patronage.

— Il n'en est pas question. (Entre Raleigh, Chapman et Marlowe, j'avais fait la connaissance d'assez de légendes littéraires pour tenir le restant de mes jours. La comtesse était la femme de lettres la plus éminente du pays, et la sœur de Sir Philip.) Je ne suis pas prête pour Mary Sidney.

— Ni elle pour vous, mistress Roydon, mais je soupçonne Henry d'avoir raison. Vous vous lasserez bientôt des amis de Matthew et vous aurez besoin de trouver les vôtres. Sans eux, vous serez encline à l'oisiveté et à la mélancolie. (Walter fit un signe à Matthew.) Tu devrais inviter Mary à souper ici.

— Blackfriars serait totalement paralysé si la comtesse de Pembroke faisait son apparition sur Water Lane. Il serait plus avisé d'envoyer mistress Roydon à Baynard's Castle. C'est juste de l'autre côté des murailles, dit Marlowe, pressé d'être débarrassé de moi.

— Diana serait obligée de traverser la ville, fit remarquer Matthew.

— Nous sommes entre la Noël et le Nouvel An, répliqua Marlowe avec un petit rire méprisant. Personne ne fera attention si deux femmes mariées partagent un verre de vin et des ragots.

— Je serai heureux de l'emmener, proposa Walter. Peut-être que Mary voudra en savoir plus sur mon expédition dans le Nouveau Monde.

— Tu devras demander une autre fois à la comtesse d'investir en Virginie. Si Diana y va, je l'accompagnerai. Je me demande si Mary connaît des sorcières ?

— C'est une femme, n'est-ce pas ? Évidemment qu'elle en connaît, répliqua Marlowe.

— Dois-je lui écrire, Matt ? s'enquit Henry.

— Merci, Hal, dit Matthew, manifestement peu convaincu des mérites de ce projet. (Puis il soupira.) Cela fait longtemps que je l'ai vue. Dis à Mary que nous lui rendrons visite demain.

Mes premières réticences à rencontrer Mary Sidney fondirent à mesure qu'approchait l'entrevue. Plus je me souvenais – et plus j'en apprenais – de la comtesse de Pembroke, plus j'étais impatiente.

Françoise, dans tous ses états à cause de cette visite, s'occupa des moindres détails de ma tenue. Elle ajouta une collerette très mousseuse au col haut de la jaquette en velours noir que Maria m'avait taillée en France. Elle prépara également la robe de mariage noire et argent de Louisa sans se plaindre une seule fois que son ancienne splendeur avait été gâchée pour que je la porte. Une fois que je fus habillée, elle jugea mon allure passable, bien qu'un peu trop stricte et teutonne à son goût.

J'expédiai le ragoût de lapin et d'orge du déjeuner afin de hâter notre départ. Matthew prit une éternité à déguster son vin et à me questionner en latin sur ma matinée. Le tout avec une expression diabolique.

— Si tu essaies de me mettre en fureur, tu as réussi ! dis-je après une question particulièrement tordue.

— *Refero mihi in latin, quaeso*, dit-il doctement.

Je lui lançai un morceau de pain qu'il évita en éclatant de rire. Henry Percy, qui arrivait au même instant, le rattrapa au vol d'une seule main, le posa sur la table sans un mot et, avec un sourire serein, nous demanda si nous étions prêts à partir.

Sans un bruit, Pierre surgit de l'ombre près de l'entrée de la cordonnerie et commença à remonter la rue d'un air méfiant, la main posée sur la poignée de sa dague. Quand Matthew nous fit prendre la direction de la ville, je levai les yeux et vis St. Paul's.

— Je ne risque pas de me perdre avec cela dans le voisinage, murmurai-je.

Alors que nous nous rapprochions lentement de la cathédrale, je m'habituai au chaos général et commençai à faire la part de ce que je voyais, entendais et sentais. Le pain sortant du four. Le charbon qui brûlait. La fumée des cheminées. La fermentation. Les ordures balayées par les pluies de la veille. La laine mouillée. Je respirai profondément, notant mentalement qu'il fallait que je cesse de dire à mes étudiants qu'ils seraient assommés par la puanteur s'ils se retrouvaient dans le passé. Apparemment, ce n'était pas vrai, du moins pas à la fin du mois de décembre.

Sur notre passage, des hommes et des femmes levaient le nez de leur ouvrage ou se penchaient à leurs fenêtres avec une curiosité non dissimulée, et s'inclinaient respectueusement en reconnaissant Matthew et Henry. Nous passâmes devant une imprimerie, puis une échoppe où un barbier coupait les cheveux d'un homme, et enfin un atelier où coups de marteau et chaleur indiquaient que l'on y travaillait les métaux.

À mesure que le sentiment d'étrangeté se dissipait, je pus me concentrer sur ce que disaient les gens, la texture de leurs vêtements, les expressions de leurs visages. Matthew avait beau m'avoir dit que notre quartier était rempli d'étrangers, on se serait cru à Babel. Je tournai la tête.

— Quelle langue parle-t-elle ? chuchotai-je en jetant un regard à une femme dodue vêtue d'une jaquette bleu-vert bordée de fourrure d'une coupe très proche de la mienne.

— Un dialecte allemand, dit Matthew en baissant la tête vers moi pour que je puisse l'entendre dans la cohue.

Nous passâmes la voûte d'un ancien corps de garde. La ruelle s'élargit pour devenir une rue dont presque tous les pavés étaient encore en place. Sur notre droite, un vaste bâtiment de plusieurs étages fourmillait d'activité.

— Le prieuré dominicain, expliqua Matthew. Quand le roi Henry a expulsé les prêtres, c'est devenu une ruine, puis un ensemble de logements. Impossible de dire combien de gens s'y entassent à présent. (Il jeta un coup d'œil dans la cour, où un mur en bois et en pierre reliait les logements à l'arrière d'une autre maison. Une vague porte y était ménagée. Matthew leva les yeux vers St. Paul's, puis il me regarda.) Au diable les précautions, dit-il. Allons-y.

Il me fit passer par une ouverture entre une portion des anciennes murailles de la ville et une maison de trois étages qui piquait du nez. On ne pouvait avancer dans cet étroit passage que parce que tout le monde allait dans la même direction : vers le haut, au nord, à l'extérieur. Nous fûmes portés par ce flot humain jusqu'à une autre rue qui n'était guère plus large que Water Lane. Le bruit et la foule se firent plus denses.

— Et tu disais que la ville était déserte à cause des fêtes, fis-je remarquer.

— Elle l'est, répondit-il.

Après quelques pas, nous fûmes plongés dans une cohue encore plus nombreuse. Je m'immobilisai.

Les vitraux de St. Paul's luisaient dans la pâle lumière de l'après-midi. Le parvis qui l'entourait était envahi d'une foule compacte – hommes, femmes, enfants, apprentis, domestiques, clercs et soldats. Ceux qui se taisaient écoutaient ceux qui hurlaient, et partout, il y avait du papier. Accroché à des cordelettes devant les étals de livres, cloué sur toutes les surfaces solides, relié sous forme de livres et agité sous le nez des passants. Un groupe de jeunes gens était attroupé devant un poteau recouvert d'annonces qui claquaient au vent et écoutait quelqu'un qui lisait lentement les emplois proposés. De temps en temps, l'un d'eux quittait le groupe, salué par ses compagnons, et remettait son bonnet pour aller chercher du travail.

— Oh, Matthew, parvins-je tout juste à dire.

Les gens continuaient de grouiller autour de nous, évitant prudemment les pointes des épées que mes compagnons portaient à la ceinture. Un souffle de vent s'engouffra dans mon capuchon. Je sentis un fourmillement suivi d'une légère pression. Quelque part sur le parvis bondé, une sorcière et un démon avaient senti notre présence. Trois créatures et un aristocrate se déplaçant ensemble, c'était difficile à ne pas remarquer.

— Nous avons attiré l'attention de quelqu'un, dis-je. (Matthew balaya les visages autour de nous sans avoir l'air de s'en préoccuper outre mesure.) Quelqu'un comme moi. Quelqu'un comme Kit. Personne comme toi.

— Pas encore, dit-il à mi-voix. Tu ne dois surtout pas venir ici seule, Diana. Jamais. Reste à Blackfriars, avec Françoise. Si tu vas plus loin que le passage, dit-il en désignant la ruelle derrière nous, tu dois être accompagnée de Pierre ou de moi. (Ayant constaté que je prenais sa mise en garde au sérieux, il m'entraîna à nouveau.) Allons voir Mary.

Nous reprîmes la direction du sud, vers la Tamise, et le vent aplatit mes jupes contre mes jambes. Bien que nous descendions une rue en pente, chaque pas était un

combat. Un sifflement discret retentit quand nous passâmes près de l'une des nombreuses églises de Londres
et Pierre disparut dans une ruelle. Il ressortit par une
autre alors que je repérais un bâtiment familier derrière
un mur.

— C'est notre maison !

Matthew hocha la tête et me désigna le bas de la rue.

— Et voici Baynard's Castle.

C'était le plus grand bâtiment que j'avais jamais vu
ici à l'exception de la Tour, de St. Paul's et de la loin-
taine abbaye de Westminster. Trois tours crénelées faisaient face à la Tamise, bordées de murs deux fois plus
hauts que toutes les maisons environnantes.

— Baynard's Castle a été construit pour être
approché depuis le fleuve, Diana, s'excusa Henry alors
que nous faisions le tour par une autre ruelle tor-
tueuse. C'est l'entrée de derrière, pas celle que sont
censés emprunter les visiteurs, mais elle est préférable
par une journée comme celle-ci.

Nous passâmes par un imposant corps de garde.
Deux hommes en livrée gris foncé ornée d'insignes
lie-de-vin, noir et or, vinrent à notre rencontre. L'un
d'eux, reconnaissant Henry, retint son compagnon par
la manche avant qu'il nous interroge.

— Lord Northumberland !

— Nous sommes venus voir la comtesse, dit Henry
en retirant sa cape et en la tendant au garde. Voyez si
vous pouvez faire sécher cela. Et donnez une boisson
chaude au serviteur de master Roydon, si vous voulez
bien.

Il fit craquer ses jointures sous ses gants et grimaça.

— Certainement, monseigneur, dit le garde en lorgnant Pierre d'un air soupçonneux.

Le château était organisé autour de deux énormes cours carrées plantées d'arbres aux branches dépouillées et des vestiges des fleurs de l'été. Nous gravîmes un large escalier et trouvâmes encore d'autres domestiques en livrée, dont l'un nous conduisit au salon d'hiver de la comtesse, une agréable pièce avec de grandes fenêtres donnant au sud sur le fleuve. On y apercevait la même portion de la Tamise que depuis notre logis de Blackfriars.

Hormis cette similitude, notre maison n'avait rien à voir avec ce vaste et lumineux endroit. Certes, nous avions de grandes pièces confortablement meublées, mais Baynard's Castle était une demeure aristocratique et cela se voyait. Des banquettes pourvues de coussins encadraient la cheminée avec des fauteuils si profonds qu'une femme pouvait s'y pelotonner avec toutes ses jupes ramenées autour d'elle. Des tapisseries décoraient les murs de pierre des couleurs éclatantes de scènes mythologiques. On décelait également les signes d'un esprit instruit : livres, fragments de sculptures antiques, objets de la nature, images, cartes et autres curiosités recouvraient les tables.

— Master Roydon ?

Un homme à la barbiche en pointe et aux cheveux noirs piquetés de gris apparut, tenant une planchette d'une main et un petit pinceau de l'autre.

— Hilliard ! s'écria Matthew, manifestement enchanté. Qu'est-ce qui vous amène ici ?

— Une commande de Lady Pembroke, dit l'homme en levant sa palette. Je dois mettre les dernières touches à cette miniature. Elle désire l'avoir en présent pour la nouvelle année.

— J'oubliais. Vous n'avez pas fait la connaissance de mon épouse. Diana, je te présente Nicholas Hilliard, portraitiste enlumineur.

— Je suis honorée, dis-je en faisant une révérence. (Il y avait plus de cent mille habitants à Londres. Pourquoi fallait-il que Matthew connaisse tous les gens que les historiens considéreraient un jour comme importants ?) Je connais et j'admire vos œuvres.

— Elle a vu le portrait de Sir Walter que vous avez peint pour moi l'an dernier, dit aimablement Matthew pour couvrir mon compliment un peu trop enthousiaste.

— L'une de ses plus belles pièces, j'en conviens, dit Henry en regardant par-dessus l'épaule de l'artiste. Celle-ci semble destinée à rivaliser avec, cependant. Quelle magnifique ressemblance avec Mary, Hilliard. Vous avez parfaitement rendu l'intensité de son regard.

Hilliard eut l'air flatté. Un serviteur apparut avec du vin et les trois hommes conversèrent à voix basse pendant que j'examinais un œuf d'autruche doré à la feuille et une coquille de nautile montée sur un socle en argent, tous les deux posés sur une table avec de précieux instruments mathématiques que je n'osai pas toucher.

— Matt ! (La comtesse de Pembroke apparut sur le seuil, essuyant ses doigts tachés d'encre sur un mouchoir qu'une servante s'était hâtée de lui présenter. Je me demandai pourquoi on se donnait tant de mal, étant donné que la robe gris perle de sa maîtresse était déjà couverte de taches et même brûlée par endroits. La comtesse ôta la robe en question, révélant une splendide tenue en velours et taffetas de soie d'un violet profond. Alors qu'elle tendait l'équivalent élisabéthain d'une blouse de laborantine à sa domestique, je sentis l'odeur caractéristique de la poudre à canon. La comtesse releva une boucle de cheveux blonds derrière son oreille. Elle était grande et svelte, avec une peau laiteuse et des yeux bruns profondément enfoncés dans leurs orbites.) Mon cher ami, dit-elle en tendant les bras. Cela fait des années que je vous ai vu, depuis les funérailles de mon frère Philip.

— Mary, dit Matthew en s'inclinant sur sa main. Vous avez une mine splendide.

— Londres ne me réussit pas, comme vous le savez, mais il est de tradition que nous venions pour l'anniversaire de la reine et je suis restée. Comme je travaille sur les psaumes de Philip et quelques autres fantaisies, Londres ne m'incommode pas trop. Et il y a des consolations, comme voir de vieux amis.

Elle parlait d'un ton désinvolte qui ne pouvait dissimuler sa vive intelligence.

— Vous êtes en vérité des plus épanouie, la complimenta à son tour Henry avec un regard approbateur.

— Et qui est-ce là ? demanda Mary en posant ses yeux bruns sur moi.

— Mon bonheur de vous voir me fait oublier mes manières. Diana, je te présente Lady Pembroke. Mary, voici mon épouse. Nous nous sommes récemment mariés.

— Ma dame.

Je m'inclinai dans une profonde révérence. Les souliers de la comtesse étaient incrustés d'incroyables broderies d'or et d'argent qui suggéraient l'Éden, avec leurs motifs de serpents, de pommes et d'insectes. Ils avaient dû coûter une fortune.

— Mistress Roydon, dit-elle en s'inclinant légèrement à son tour avant de lever vers moi un regard amusé. Maintenant que cela est fait, restons-en simplement à Mary et à Diana. Henry me dit que vous étudiez l'alchimie.

— J'en *lis* des ouvrages, ma dame, corrigeai-je. Rien de plus. Lord Northumberland est trop généreux.

— Et tu es trop modeste, dit Matthew en me prenant la main. Elle a de vastes connaissances, Mary. Comme Diana ne connaît pas Londres, Hal a pensé que vous pourriez l'aider à se faire une place dans la ville.

— Avec grand plaisir, dit la comtesse. Venez, asseyons-nous près de la fenêtre. Maître Hilliard a besoin d'une forte lumière pour travailler. Pendant qu'il termine mon portrait, vous me direz toutes les nouvelles. Il se passe peu de choses dans le royaume qui échappent à Matthew, Diana, et je suis restée chez moi dans le Wiltshire pendant des mois.

Quand nous fûmes installés, la domestique revint avec un plat de fruits confits.

— Ooh, fit Henry en agitant les doigts au-dessus des friandises orange, jaunes et vertes. Vous les préparez comme nulle autre.

— Et je partagerai mon secret avec Diana, dit Mary, flattée. Bien sûr, dès qu'elle aura eu la recette, je n'aurai peut-être plus jamais le plaisir de la compagnie de Henry.

— Allons, Mary, vous allez trop loin, protesta-t-il, la bouche pleine de zeste d'orange confit.

— Votre époux vous accompagne-t-il, Mary, ou bien les affaires de la reine le retiennent-elles au pays de Galles ? s'enquit Matthew.

— Le comte de Pembroke a quitté Milford Haven il y a quelques jours, mais il préfère aller à la cour plutôt que venir ici. William et Philip me tiennent compagnie et nous ne resterons guère plus longtemps à Londres. Nous allons retourner à Ramsbury, où l'air est plus sain, dit-elle d'un air chagrin.

Les paroles de Mary me rappelèrent la statue de William Herbert dans la cour de la Bibliothèque bodléienne. L'homme devant lequel je passais pour me rendre chaque jour à la salle de lecture Duke Humfrey, l'un des plus grands mécènes de la bibliothèque, était le jeune fils de cette dame.

— Quel âge ont vos enfants ? demandai-je en espérant que la question n'était pas trop indiscrète.

Son visage se radoucit.

— William a dix ans et Philip juste six. Ma fille Anne en a sept, mais elle est malade depuis le mois dernier et mon époux a préféré qu'elle reste à Wilton.

— Rien de grave ? s'inquiéta Matthew.

Une ombre passa de nouveau sur le visage de la comtesse.

— Toute maladie qui afflige mes enfants est grave, dit-elle doucement.

— Pardonnez-moi, Mary. J'ai parlé sans réfléchir. Je n'avais pour intention que de vous offrir mon assistance.

La voix de mon mari était teintée de regret. La conversation touchait à une histoire commune dont je n'avais pas connaissance.

— Vous avez protégé du péril ceux que j'aime en bien plus d'une occasion. Je ne l'ai pas oublié, Matthew, pas plus que je ne manquerai de faire appel à vous si nécessaire. Mais Anne souffrait d'une simple fièvre. Les médecins m'assurent qu'elle va se remettre. Avez-vous des enfants, Diana ? demanda-t-elle.

— Pas encore.

Le regard gris de Matthew se posa sur moi un instant. Je tripotai nerveusement le bas de ma basquine. Mary se montra aussitôt compatissante.

— La perte d'un enfant est une grande peine.

— La perte d'un enfant ? répétai-je en regardant Matthew, décontenancée.

— Diana n'était pas mariée avant de m'épouser, dit Matthew.

— Jamais ?

La comtesse parut fascinée par ce fait et s'apprêta à me poser d'autres questions. Matthew la devança.

— Ses parents sont morts quand elle était très jeune. Il ne restait plus personne pour arranger un mariage.

Mary redoubla de compassion.

— C'est triste, mais la vie d'une jeune fille dépend des caprices de ses tuteurs.

— En vérité.

Matthew haussa un sourcil vers moi. Je devinai ce qu'il pensait : j'étais scandaleusement indépendante et Sarah et Em étaient les personnes les moins capricieuses qui soient.

La conversation vira sur la politique et les événements du moment. J'écoutai avec attention pendant un temps, essayant de rapprocher mes vagues souvenirs de cours d'histoire avec les anecdotes compliquées que mes trois compagnons échangeaient. Il était question de guerre, d'une éventuelle invasion espagnole, de sympathisants catholiques, des tensions religieuses en France, mais les noms et les lieux m'étaient souvent inconnus. Gagnée par la tiédeur du salon de Mary et

bercée par leurs bavardages, je laissai mon esprit
dériver.

— J'en ai terminé, Lady Pembroke. Mon domestique Isaac livrera la miniature à la fin de la semaine,
annonça Hilliard en rangeant son matériel.

— Je vous remercie, Maître Hilliard. (La comtesse
tendit une main où étincelaient de nombreuses bagues.
Il la baisa, salua Henry et Matthew d'un signe de tête et
s'en alla.) Quel homme talentueux, continua-t-elle en
s'installant à nouveau dans son fauteuil. Il est devenu
si couru que je suis heureuse d'avoir pu retenir ses services.

Les broderies argentées de ses souliers scintillaient
dans la lueur du feu, prenant des teintes flamboyantes.
Je me demandai distraitement qui avait pu concevoir
ces motifs raffinés. Si j'avais été plus intime, j'aurais
demandé à les toucher. Champier avait pu lire en moi
en effleurant ma chair. Un objet inanimé pouvait-il
fournir des informations de ce genre ?

Bien que mes doigts fussent très loin de ses souliers, je vis le visage d'une jeune femme penchée sur
une feuille de papier portant le dessin des souliers. De
minuscules trous le long des motifs expliquaient
comment ils avaient été reproduits sur le cuir. Je me
concentrai sur le dessin et mon troisième œil remonta
dans le temps. Je vis Mary assise en compagnie d'un
homme à l'expression butée, devant une table couverte d'insectes et de spécimens de plantes. Tous deux
parlaient avec animation d'une sauterelle et, quand
l'homme commença à la décrire en détail, Mary prit sa
plume et en fit une esquisse.

Ainsi donc, elle s'intéresse aux plantes et aux
insectes en plus de l'alchimie, songeai-je, cherchant le

dessin de la sauterelle sur les souliers. Il était bien là, sur le talon. Parfaitement reproduit. Et l'abeille sur le dessus semblait prête à prendre son envol à tout instant.

Un faible bourdonnement me remplit les oreilles alors que l'abeille noir et argent se détachait du soulier de la comtesse et s'élevait dans les airs.

— Oh, non, murmurai-je.

— Quelle étrange abeille, fit Henry en la chassant de la main.

Mais j'étais en train de regarder le serpent qui glissait du soulier de Mary sur le sol.

— Matthew !

Il se leva d'un bond et saisit le serpent par la queue. Le reptile sortit sa langue fourchue et siffla d'indignation devant tant de brutalité. D'un geste du poignet, Matthew le jeta dans le feu, où il grésilla un instant avant de s'enflammer.

— Je ne voulais…

— Ce n'est rien, *mon cœur**. Tu ne pouvais pas te retenir. (Matthew me caressa la joue avant de se tourner vers la comtesse, qui contemplait ses souliers désormais dépareillés.) Nous avons besoin d'un sorcier, Mary. C'est assez urgent.

— Je ne connais nul sorcier, répondit vivement la comtesse de Pembroke. (Matthew haussa les sourcils.) Aucun auquel je présenterais votre épouse. Vous savez que je n'aime pas parler de ces questions, Matthew. Quand il est rentré sans encombre de Paris, Philip m'a dit ce que vous étiez. J'étais une enfant à l'époque et j'ai cru que c'était un conte. C'est ainsi que je préfère que cela reste.

— Et pourtant, vous pratiquez l'alchimie, observa Matthew. Est-ce un conte, cela aussi ?

— Je la pratique pour comprendre le miracle de la création divine ! s'écria Mary. Il n'y a nulle… sorcellerie… dans l'alchimie !

— Le mot que vous cherchiez était *mal*. (Les yeux du vampire étaient noirs et sa mâchoire serrée. La comtesse recula instinctivement.) Vous êtes donc si sûre de vous-même et de votre Dieu que vous prétendez connaître Son esprit ?

Mary sentit la rebuffade, mais elle n'était pas prête à abandonner le combat.

— Mon Dieu et votre Dieu ne sont pas le même, Matthew. (Mon mari plissa les paupières, Henry se tripota nerveusement le nez. La comtesse haussa le menton.) Philip me l'a dit aussi. Vous adhérez toujours au pape et à la messe. Il a bien voulu passer sur les errements de votre religion pour ne voir que l'homme, et j'ai agi de même en espérant qu'un jour vous perceviez la vérité et la suiviez.

— Pourquoi, alors que vous voyez la vérité concernant des créatures comme Diana et moi tous les jours, persistez-vous à la nier ? (Matthew parut las. Il se leva.) Nous ne vous dérangerons plus, Mary. Diana trouvera un sorcier par un autre moyen.

— Pourquoi ne pouvons-nous pas vivre comme naguère sans plus jamais reparler de cela ?

La comtesse me regarda et se mordit la lèvre, incertaine.

— Parce que j'aime mon épouse et que je veux qu'elle soit à l'abri.

Mary le dévisagea un moment, jaugeant sa sincérité. Elle dut être satisfaite.

— Diana n'a nulle raison de me craindre, Matt. Mais personne d'autre à Londres ne peut être informé de son existence. Les nouvelles d'Écosse ont rendu les gens peureux et prompts à accuser autrui de leurs infortunes.

— Je suis désolée pour vos souliers, dis-je gauchement.

Ils étaient irréparables.

— Nous n'en parlerons pas, dit Mary d'un ton ferme en se levant pour prendre congé.

Nous quittâmes Baynard's Castle sans un mot. Pierre surgit du corps de garde derrière nous en enfonçant son bonnet sur sa tête.

— Cela s'est fort bien passé, je trouve, dit Henry, brisant le silence. (Nous nous tournâmes vers lui, incrédules.) Il y a eu des difficultés, certes, se hâta-t-il d'ajouter. Mais il était évident que Mary éprouvait de l'intérêt pour Diana et qu'elle t'est toujours aussi dévouée, Matthew. Il faut la comprendre. Elle n'a pas appris à accorder facilement sa confiance. C'est pour cela que les questions de religion la troublent tant. (Il se drapa dans sa cape. Le vent n'avait pas faibli et la nuit tombait.) Hélas, je dois vous laisser ici. Ma mère est à Aldersgate et m'attend pour le souper.

— S'est-elle remise de son indisposition ? demanda Matthew.

La comtesse douairière s'était plainte d'avoir le souffle court durant la Noël et Matthew craignait que ce soit le cœur.

— Ma mère est une Neville. En conséquence, elle vivra éternellement et causera des ennuis à la moindre occasion ! (Henry m'embrassa sur la joue.) Ne vous souciez pas de Mary ou de cette… euh… autre affaire, conclut-il en haussant les sourcils d'un air entendu avant de nous quitter.

Matthew et moi le regardâmes s'éloigner avant de nous retourner vers Blackfriars.

— Que s'est-il passé ? demanda-t-il.

— Avant, c'étaient mes émotions qui mettaient en branle ma magie. À présent, une simple question suffit à me faire entrevoir ce qui se cache sous la surface des choses. Mais j'ignore totalement comment j'ai donné vie à cette abeille.

— Dieu merci, tu ne pensais qu'aux souliers de Mary. Si tu avais observé ses tapisseries, nous aurions pu nous retrouver au milieu d'une guerre entre les dieux de l'Olympe, ironisa-t-il.

Nous passâmes rapidement devant le parvis de St. Paul's pour gagner le calme relatif de Blackfriars. La frénésie du début de journée avait diminué. Les artisans se retrouvaient sur le seuil de leurs boutiques pour parler affaires, laissant les apprentis terminer les corvées du jour.

— Veux-tu que nous rapportions le dîner ? demanda Matthew en désignant une boulangerie. Ce n'est pas de la pizza, hélas, mais Kit et Walter raffolent des tourtes à la viande de Prior.

Salivant en sentant l'arôme qui s'échappait de l'échoppe, j'acquiesçai.

Maître Prior fut ébranlé en voyant Matthew entrer et confondu quand il fut question en détail de la provenance et de la fraîcheur de sa viande. J'optai finalement pour une tourte au canard. Je ne voulais pas manger de gibier, même s'il avait été tué récemment.

Matthew paya Prior pendant que ses seconds enveloppaient la commande. De temps en temps, ils nous jetaient des regards furtifs. Cela me rappela qu'une sorcière et un vampire attiraient les soupçons des êtres humains comme une chandelle les papillons de nuit.

Le dîner fut agréable et douillet, bien que Matthew parût un peu préoccupé. Je venais à peine de terminer que des pas résonnèrent dans l'escalier. *Pas Kit*, songeai-je en croisant les doigts. *Pas ce soir*.

Quand Françoise ouvrit la porte, deux hommes en familière livrée gris foncé attendaient sur le seuil. Matthew se leva en fronçant les sourcils.

— La comtesse serait-elle malade ? Ou l'un de ses fils ?

— Tous se portent bien, messire. (L'un des serviteurs tendit une feuille de papier soigneusement pliée scellée d'un cachet de cire rouge imprimé d'un motif en forme de pointe de flèche.) De la part de la comtesse de Pembroke, dit-il en s'inclinant, pour mistress Roydon.

Ce fut étrange de voir l'adresse inscrite au recto : *Mistress Diana Roydon, à l'enseigne du Cerf Couronné, Blackfriars*. La frôler du bout des doigts suffit à m'évoquer une image du visage intelligent de Mary Sidney. Je portai la lettre devant le feu, glissai un doigt sous le cachet et m'assis pour la lire. Le papier épais craqua quand je le dépliai. Un petit billet voleta sur mes genoux.

— Que dit Mary ? demanda Matthew en venant se placer derrière moi après avoir congédié les messagers.

— Elle veut que je vienne à Baynard's Castle jeudi. Elle a en cours une expérience alchimique et pense qu'elle pourrait m'intéresser, dis-je, incapable de dissimuler mon incrédulité.

— C'est bien de Mary. Elle est prudente, mais loyale, dit Matthew en posant un baiser sur ma tête. Et elle a toujours eu de stupéfiantes capacités de récupération. Qu'y a-t-il sur l'autre papier ?

Je le ramassai et lus à haute voix les vers qui y étaient inscrits :

Je suis pour plusieurs comme un prodige,
Et toi, tu es mon puissant refuge.

— Eh bien, eh bien, m'interrompit Matthew en gloussant. Mon épouse est arrivée. (Je levai un regard perplexe vers lui.) Le projet le plus cher de Mary n'est pas alchimique, c'est une nouvelle traduction des Psaumes pour les protestants anglais. Son frère Philip l'a commencée et il est mort avant de l'achever. Mary est deux fois plus poète que lui. Parfois, elle s'en doute, même si elle se refuse à l'avouer. C'est le début du psaume LXXI. Elle te l'a envoyé pour montrer à tous que tu fais partie de son cercle, que tu es une confidente et une amie. (Il baissa la voix et ajouta malicieusement :) Même si tu as ruiné ses souliers.

Et sur un dernier gloussement, Matthew se retira dans son étude, Pierre sur ses talons.

J'avais annexé une extrémité de la lourde table du salon en guise de bureau. Comme tous les plans de travail que j'avais occupés dans ma vie, elle était à présent recouverte de déchets et de trésors. Je fouillai un peu et trouvai mes dernières feuilles vierges, choisis une plume neuve et dégageai un peu d'espace.

Il me fallut cinq minutes pour rédiger une brève réponse à la comtesse. Il y avait deux taches embarrassantes sur la page, mais ma cursive était raisonnablement bonne et je me rappelai d'écrire certains mots phonétiquement afin qu'ils n'aient pas l'air trop modernes. Quand je doutais, je doublais une consonne ou je remplaçais un *i* par un *y*. Je sablai la feuille et attendis que l'encre soit absorbée pour la secouer. Une fois la lettre pliée, je me rendis compte que je n'avais ni cire ni sceau. *Il allait falloir régler cela.*

Je mis ma lettre de côté pour Pierre et revins au message. Mary m'avait envoyé deux vers du Psaume LXXI. J'ouvris à la première page le carnet vierge que m'avait acheté Matthew. Après avoir trempé ma plume dans l'encrier, je griffonnai rapidement.

Car mes ennemis parlent de moi,
Et ceux qui guettent ma vie se consultent entre eux
Disant : Dieu l'abandonne ;
Poursuivez, saisissez-le ;
Il n'y a personne pour le délivrer.

Une fois l'encre sèche, je refermai le carnet et le glissai sous l'*Arcadia* de Philip Sidney.

Ce présent de Mary était bien davantage qu'une simple offre d'amitié, j'en étais certaine. Alors que les lignes que j'avais lues à Matthew reconnaissaient les bienfaits qu'il avait eus envers sa famille, et affirmaient qu'elle ne se détournerait plus de lui, les dernières étaient un message pour moi : nous étions surveillés. Quelqu'un suspectait que tout n'était pas ainsi qu'il paraissait à Water Lane et les ennemis de Matthew misaient sur le fait que même ses alliés se retourneraient contre lui une fois qu'ils auraient découvert la vérité.

Il ne fallait pas que Matthew, vampire, serviteur de la reine et membre de la Congrégation, soit surpris à rechercher un sorcier qui puisse me servir de professeur de magie. Et avec l'enfant que j'attendais, trouver rapidement ce professeur était d'autant plus important.

Je pris une feuille de papier et commençai une liste.

Cyre à cacheter
Sceau

Londres était une grande ville. Et j'allais y faire quelques emplettes.

17

— Je sors.

Françoise leva les yeux de son ouvrage. Trente secondes plus tard, Pierre montait l'escalier. Matthew aurait été là qu'il serait sans nul doute apparu lui aussi, mais il était sorti s'occuper de mystérieuses affaires en ville. En me réveillant, j'avais vu ses vêtements trempés sécher auprès du feu. Il avait été absent toute la nuit et n'était revenu que pour repartir aussitôt.

— Vraiment ? demanda Françoise d'un air dubitatif.

Elle soupçonnait que je mijotais quelque chose depuis l'instant où elle m'avait habillée. Au lieu de grommeler sur le nombre de jupons qu'elle me faisait passer, j'en avais ajouté un en flanelle grise. Puis nous nous étions querellées concernant la robe que je devais porter. Je préférais les vêtements confortables que j'avais apportés de France plutôt que les magnifiques tenues de Louisa de Clermont. La sœur de Matthew, avec ses cheveux noirs et son teint de porcelaine, pouvait se permettre de porter une robe de velours turquoise ou une soierie d'un gris-vert maladif (baptisé fort à propos « Espagnol mourant »), mais c'était épouvantable avec mes taches de rousseur et mes cheveux blonds, et trop somptueux pour être porté dans la rue.

— Peut-être que *madame** devrait attendre le retour de master Roydon, proposa Pierre en se dandinant nerveusement d'un pied sur l'autre.

— Non, je ne crois pas. J'ai dressé la liste de choses dont j'ai besoin et je veux aller les acheter moi-même. (Je m'emparai de la bourse en cuir remplie de pièces que m'avait donnée Philippe.) Cela se fait-il de porter un sac ou bien dois-je glisser l'argent sous ma basquine et sortir les pièces chaque fois ?

Dans les fictions historiques, voir des femmes glisser des objets dans leurs robes m'avait toujours fascinée et j'avais hâte de découvrir s'ils étaient aussi faciles à récupérer en public que le prétendaient les romanciers. Le sexe n'était ainsi pas aussi facile à pratiquer au XVIe siècle que certains textes le présentaient. Pour commencer, il y avait l'obstacle des innombrables couches de vêtements.

— *Madame** ne transportera absolument aucun argent !

Françoise désigna Pierre, qui dénoua une bourse qu'il portait à sa ceinture. Elle était apparemment sans fond, et contenait une quantité considérable d'objets pointus tels qu'épingles, aiguilles, une sorte de nécessaire pour crocheter des serrures et une dague. Quand j'y eus ajouté ma propre bourse, elle cliqueta au moindre des mouvements de Pierre.

Une fois dans Water Lane, je pris la direction de St. Paul's d'un pas aussi décidé que me le permettaient mes patins (des socques en bois qui s'enfilaient par-dessus mes souliers et me protégeaient de la boue). Mon manteau bordé de fourrure bouillonnait à mes pieds et l'épaisse étoffe était une barrière efficace contre le brouillard tenace. Les averses récentes nous offraient une accalmie, mais le temps était toujours aussi humide.

Nous nous arrêtâmes d'abord à la boulangerie de Maître Prior pour acheter des petits pains piquetés de baies et de fruits confits. J'avais souvent faim vers la fin de l'après-midi et j'avais envie de sucré. L'étape suivante était près de la ruelle qui reliait Blackfriars au reste de Londres, dans une imprimerie dont l'enseigne était ornée d'une ancre.

— Bonjour, mistress Roydon, dit le propriétaire à peine eus-je franchi le seuil. (Apparemment, mes voisins me connaissaient sans que j'aie été présentée.) Êtes-vous venue prendre le livre de votre époux ? (J'acquiesçai avec assurance même si j'ignorais de quel livre il parlait, et il sortit un mince volume posé sur une haute étagère. En feuilletant quelques pages, je vis qu'il portait sur des questions militaires et balistiques.) Je suis navré qu'il n'y ait pas eu d'exemplaire relié de votre livre de médecine, dit-il en enveloppant mon achat. Quand vous pourrez vous en séparer, je le ferai relier à votre convenance.

C'était donc de là que venait mon traité sur les maladies et les remèdes.

— Je vous remercie, Maître…

— Field, acheva-t-il.

— Maître Field, répétai-je.

Une jeune femme aux yeux pétillants portant un bébé sur la hanche sortit de l'arrière-boutique, un enfant accroché à ses jupes. Elle avait les doigts abîmés et tachés d'encre.

— C'est mistress Roydon, Jacqueline.

— Ah. *Madame** Roydon, dit la jeune femme avec un léger accent français qui me rappela Ysabeau. Votre mari nous a dit que vous étiez une avide lectrice et Margaret Hawley nous a raconté que vous étudiiez l'astronomie.

Jacqueline et son mari en savaient long sur mon compte. Sans doute étaient-ils aussi au fait de ma pointure de souliers et du genre de tourtes que je préférais. Du coup, je trouvai encore plus étrange que personne à Blackfriars n'ait semblé remarquer que j'étais une sorcière.

— Oui, dis-je en tripotant mes gants. Vendez-vous du papier, Maître Field ?

— Bien sûr, s'étonna Field. Avez-vous déjà rempli votre carnet ?

Ah ! C'était de chez lui aussi que provenait cet autre cadeau.

— Il me faut du papier pour ma correspondance, expliquai-je. Et aussi de la cire à cacheter et un sceau. Puis-je les acheter ici ?

La librairie de Yale proposait toutes sortes de papiers, crayons et bâtonnets de cire aussi multicolores qu'inutiles ainsi que des sceaux bon marché gravés d'une initiale. Field et son épouse échangèrent un regard.

— Je vous ferai porter d'autre papier dans l'après-midi, dit-il. Mais il vous faut un orfèvre pour le sceau, afin qu'il puisse être monté en bague. Je n'ai ici que des lettres abîmées de la presse qui attendent d'être fondues et remoulées.

— Vous pourriez aussi voir Nicholas Vallin, suggéra Jacqueline. Il est expert en métaux, mistress Roydon, et il fabrique aussi de fort belles horloges.

— Un peu plus loin dans la rue ? demandai-je.

— Il n'est point orfèvre, protesta Field. Nous ne voulons pas que M. Vallin ait des ennuis.

— Il y a des avantages à habiter Blackfriars, Richard, répliqua Jacqueline, imperturbable. Travailler en dehors des règles des guildes en fait partie. D'ailleurs, la Compagnie des Orfèvres ne viendra point chercher noise à quiconque ici pour un objet aussi insignifiant qu'une bague de femme. Si vous voulez de la cire à cacheter, mistress Roydon, il vous faudra aller chez l'apothicaire.

Le savon figurait aussi sur ma liste de courses. Et les apothicaires utilisaient des appareils de distillation. Même si mon intérêt était passé de l'alchimie à la magie, je n'allais pas laisser passer une occasion d'apprendre quelque chose de plus utile.

— Où se trouve le plus proche ?

Pierre toussota.

— Peut-être devriez-vous consulter master Roydon, dit-il.

Matthew aurait toutes sortes d'avis, la plupart consistant à envoyer Françoise ou Pierre chercher ce dont j'avais besoin. Les Field guettaient ma réaction avec intérêt.

— Peut-être, répondis-je avec un regard indigné. Mais j'aimerais tout de même connaître les recommandations de Maîtresse Field.

— John Hester est fort bien considéré, dit Jacqueline avec un rien de malice en dégageant le petit enfant de ses jupes. Il a fourni une teinture qui a guéri mon fils de ses maux d'oreille.

John Hester, si ma mémoire était bonne, s'intéressait aussi à l'alchimie. Peut-être connaissait-il un sorcier. Mieux encore, peut-être était-il *lui-même* un sorcier, ce qui aurait admirablement répondu à mes véritables intentions. Car ce jour-là, je ne faisais pas simplement des courses. Je me montrais. Les sorciers sont une espèce curieuse. Si je jouais les appâts, l'un d'eux pouvait mordre à l'hameçon.

— On dit que même la comtesse de Pembroke recherche son conseil pour les *migraines**, ajouta son mari.

Tout le voisinage savait donc aussi que j'étais allée à Baynard's Castle. Mary avait raison : on nous épiait.

— L'échoppe de Maître Hester se trouve près des quais de St. Paul's, à l'enseigne de l'alambic, continua-t-elle.

— Je vous remercie, Maîtresse Field.

Les quais de St. Paul's devaient se trouver auprès du parvis et je pourrais y aller dans l'après-midi. Je redessinai mentalement la carte de mon expédition du jour.

Après avoir pris congé, Françoise et Pierre reprirent la direction de la maison.

— Je vais poursuivre vers la cathédrale, dis-je en prenant dans l'autre sens.

En un clin d'œil, Pierre se retrouva devant moi.

— *Milord** ne sera pas content, dit-il.

— *Milord** n'est pas là. Matthew m'a donné pour stricte consigne de n'aller nulle part sans vous. Il n'a pas dit que j'étais prisonnière de ma propre maison. (Je confiai les petits pains et le livre à Françoise.) Si Matthew revient avant moi, dites-lui où nous sommes et que je serai bientôt de retour.

Françoise prit les paquets, échangea un long regard avec Pierre et partit dans Water Lane.

— *Prenez garde, madame**, murmura Pierre alors que je passais devant lui.

— Je fais toujours attention, répondis-je calmement en marchant droit dans une flaque.

Deux coches s'étaient emboutis et bloquaient la rue menant à St. Paul's. Les deux véhicules ressemblaient à des remorques fermées et non pas aux éblouissants attelages des adaptations au cinéma des romans de Jane Austen. Je les contournai, Pierre sur mes talons, en évitant les chevaux irrités et les occupants non moins irrités, qui étaient plantés au milieu de la rue et se querellaient. Seuls les cochers semblaient ne pas s'en soucier et bavardaient tranquillement depuis leur siège par-dessus la pagaille.

— Cela arrive-t-il souvent ? demandai-je à Pierre en rejetant mon capuchon en arrière pour le voir.

— Ces nouveaux véhicules sont une nuisance, dit-il avec aigreur. C'était bien mieux quand on se déplaçait à pied ou à cheval. Mais cela importe peu. Ils n'auront aucun succès.

C'est ce qu'on avait dit à Henry Ford, songeai-je.

— Les quais de St. Paul's sont encore loin ?

— *Milord** n'aime pas John Hester.

— Ce n'est pas ce que j'ai demandé, Pierre.

— Qu'est-ce que *madame** désire acheter là-bas ?

La technique de diversion de Pierre m'était familière à force d'années passées à enseigner. Mais je n'avais aucune intention de dire à quiconque la véritable raison de cette expédition dans les rues de Londres.

— Des livres, répondis-je laconiquement.

Nous arrivâmes sur le parvis de St. Paul's, où le peu d'espace qui n'était pas encombré de papier était occupé par quelqu'un qui vendait une marchandise ou un service. Un aimable monsieur entre deux âges était assis sur un escabeau sous un auvent fixé à un appentis, lui-même adossé à l'un des murs de la cathédrale. Ce n'était aucunement un décor inhabituel en ce lieu. Un groupe se massait devant son étal. Si j'avais un peu de chance, il y aurait un sorcier parmi eux. Je me frayai un chemin dans la cohue. Tous semblaient être humains. Quelle déception.

L'homme leva brusquement le nez d'un document qu'il rédigeait soigneusement pour un client qui attendait. Un écrivain public. *De grâce, faites que ce ne soit pas William Shakespeare*, priai-je.

— Puis-je faire quelque chose pour vous, mistress Roydon ? demanda-t-il avec un accent français.

Non, pas Shakespeare. Mais comment connaissait-il mon identité ?

— Vendez-vous de la cire à cacheter ? Et de l'encre rouge ?

— Je ne suis pas apothicaire, mistress Roydon. Je ne suis qu'un pauvre professeur.

Ses clients commencèrent à grommeler contre les scandaleux profits que faisaient les épiciers, apothicaires et autres escrocs.

— Maîtresse Field m'a dit que John Hester faisait d'excellente cire à cacheter.

Des têtes se tournèrent vers moi.

— Mais plutôt coûteuse. Ainsi que son encre, qu'il tire des fleurs d'iris.

Ce propos me fut confirmé par des murmures dans la foule.

— Pouvez-vous m'indiquer la direction de son échoppe ?

— *Non**, me siffla Pierre à l'oreille en me prenant le coude.

Mais comme cela ne nous valait qu'un surcroît d'attention des humains, il me lâcha aussitôt. L'écrivain public tendit la main vers l'est.

— Vous le trouverez sur le quai de St. Paul's. Allez à Bishop's Head, puis tournez vers le sud. Mais M. Cornu connaît le chemin.

Je jetai un regard à Pierre, qui fixa d'un air absent le vide au-dessus de ma tête.

— Vraiment ? Merci.

— C'est *l'épouse** de Matthew Roydon ? gloussa quelqu'un alors que nous partions. *Mon Dieu**, rien d'étonnant à ce qu'il paraisse si exténué.

Je ne pris pas immédiatement la direction de l'échoppe de l'apothicaire. Au lieu de cela, les yeux fixés sur la cathédrale, j'entrepris d'en faire lentement le tour. Elle était étonnamment gracieuse malgré son énorme volume, mais la foudre qui l'avait malencontreusement frappée avait gâché pour toujours son apparence.

— Ce n'est pas le chemin le plus rapide pour Bishop's Head.

Pierre était un pas derrière moi au lieu des trois habituels et il se cogna donc à moi lorsque je m'arrêtai pour regarder en l'air.

— Combien mesurait le clocher ?

— Presque autant que la longueur du bâtiment. *Milord** était toujours fasciné que l'on ait pu le faire aussi haut.

Le clocher manquant aurait donné un essor à tout le bâtiment, avec sa flèche effilée répondant aux délicates lignes des arcs-boutants et des hautes fenêtres gothiques.

Je sentis un afflux d'énergie qui me rappela le temple de la déesse près de Sept-Tours. Au-dessous de la cathédrale, profondément enfoui, quelque chose sentit ma présence et répondit par un chuchotement, un léger mouvement sous mes pieds, un soupir d'acquiescement – et disparut. Il y avait du pouvoir, ici, le genre qui était irrésistible pour les sorciers.

J'écartai les pans de mon capuchon et balayai lentement du regard les acheteurs et vendeurs sur le parvis de St. Paul's. Je perçus les étincelles de l'attention des démons, sorcières et vampires, mais il y avait trop d'activité pour que l'on puisse me distinguer. Il me fallait un lieu plus isolé.

Je continuai le long du flanc nord de la cathédrale et contournai son extrémité est. Le bruit augmenta. Ici, toute l'attention était concentrée sur un homme juché sur une chaire surélevée en plein air, recouverte d'un toit surmonté d'une croix. Les haut-parleurs n'existant pas, l'homme captivait son auditoire en le haranguant avec des gestes théâtraux et en invoquant les flammes et le soufre.

Une sorcière seule ne pouvait en aucune façon rivaliser avec ces images de l'enfer et de la damnation. À moins que je fasse quelque chose de dangereusement voyant, n'importe quel sorcier qui me repérerait ne verrait en moi qu'une congénère sortie faire ses emplettes un mercredi. Je réprimai un soupir de dépit. Mon plan m'avait paru d'une simplicité infaillible. À Blackfriars, il n'y avait pas de sorciers. Mais ici, à St. Paul's, il y en avait trop. Et la présence de Pierre effraierait toute créature curieuse qui aurait pu m'approcher.

— Restez ici et ne bougez pas, ordonnai-je à Pierre avec un regard impérieux.

Mes chances de capter le regard d'un sorcier ami augmenteraient peut-être s'il n'était pas à côté de moi à irradier sa réprobation de vampire. Pierre s'appuya contre le pilier d'un étal de libraire et fixa son regard sur moi sans rien dire.

Je pénétrai dans la foule au pied de la Croix de St. Paul's en jetant des regards de part et d'autre comme si je cherchais à retrouver une connaissance. Je guettai le fourmillement d'une sorcière. Il y en avait autour de moi. Je les sentais.

— Mistress Roydon ? appela une voix familière. Qu'est-ce qui vous amène à St. Paul's ?

Le visage rougeaud de George Chapman apparut entre les épaules de deux gentilshommes austères qui écoutaient le prédicateur accuser de tous les maux du monde une cabale impie de catholiques et de marchands aventuriers.

Il n'y avait pas de sorcier dans les parages, mais les membres de l'École de la Nuit étaient, comme d'habitude, partout.

— Je cherche de l'encre. Et de la cire à cacheter.

Plus je répétais cela, plus cela me paraissait futile.

— Il vous faut un apothicaire, dans ce cas. Venez, je vais vous mener chez le mien, dit George en me tendant son bras. Il est tout à fait raisonnable ainsi que réputé.

— Il se fait tard, Maître Chapman, dit Pierre en surgissant de nulle part.

— Mistress Roydon devrait prendre l'air tant qu'elle en a l'occasion. Les bateliers disent que la pluie va bientôt revenir et ils se trompent rarement. Et puis l'échoppe de John Chandler est juste hors les murs, sur

Redcross Street. Ce n'est pas même à quelques arpents d'ici.

Être tombé sur George paraissait à présent moins un obstacle qu'un heureux hasard. À n'en pas douter, nous allions croiser un sorcier en chemin.

— Matthew ne trouverait rien à redire à ce que je me promène avec Maître Chapman, surtout si vous nous accompagnez, dis-je à Pierre en prenant le bras de George. Votre apothicaire est-il près des quais de St. Paul's ?

— Tout à fait à l'opposé, dit George. Mais n'allez pas faire vos achats là-bas. John Hester y est le seul apothicaire et ses prix sont au-delà du bon sens. Maître Chandler vous servira mieux et à moitié moins cher.

Je gardai John Hester pour un autre jour et suivis George. Nous quittâmes le parvis par le nord en passant devant de grandioses demeures et jardins.

— C'est ici qu'habite la mère de Henry, dit George en désignant un imposant ensemble de bâtiments sur notre gauche. Il déteste cet endroit et habitait à côté de chez Matt jusqu'à ce que Mary le convainque qu'un tel logement était au-dessous de la dignité d'un comte. À présent, il s'est installé dans une maison sur le Strand. Mary est enchantée, mais Henry la trouve sinistre et ses rhumatismes en supportent mal l'humidité.

Les murs de la ville étaient juste derrière la demeure familiale des Percy. Édifiés par les Romains pour défendre Londinium des envahisseurs, ils en marquaient encore les limites officielles. Une fois que nous eûmes passé Aldersgate et un petit pont, ce ne furent plus que des champs et des maisons blotties autour d'églises. Je portai ma main gantée à mon nez en sentant l'odeur qui accompagnait ce spectacle pastoral.

— Les égouts de la ville, s'excusa George en désignant la rivière de fange qui coulait sous nos pieds. C'est hélas la voie la plus directe. Nous retrouverons un air respirable bientôt.

J'essuyai mes yeux larmoyants en espérant sincèrement qu'il disait vrai. George me mena le long d'une rue assez large pour laisser passer coches, chariots remplis de marchandises, et même un équipage de bœufs. En chemin, il me parla de sa visite à son éditeur, William Ponsonby. Chapman fut désemparé que je ne reconnaisse pas le nom. Connaissant mal les subtilités du commerce des livres à l'époque d'Élisabeth, j'en profitai pour qu'il m'en dise plus sur ce sujet. George fut ravi de me parler des nombreux dramaturges que Ponsonby refusait, Kit y compris. Ponsonby préférait travailler avec les gens sérieux, et son écurie d'auteurs était en effet illustre : Edmund Spenser, la comtesse de Pembroke, Philip Sidney.

— Ponsonby voulait publier aussi les poésies de Matt, mais il a refusé, s'étonna George.

— Ses poésies ?

Je m'immobilisai brusquement. Je savais que Matthew admirait la poésie, mais pas qu'il en écrivait.

— Oui. Matt soutient que ses vers sont seulement dignes d'être lus par ses amis. Nous aimons tous beaucoup son élégie pour le frère de Mary, Philip Sidney. *Toute pensée, tout œil et toute ouïe / De ses douces perfections étaient épris*, sourit George. C'est une œuvre merveilleuse. Mais Matthew ne s'intéresse pas à l'impression et se plaint qu'elle n'a suscité que des discordes et des opinions inconsidérées.

Malgré son laboratoire moderne, Matthew était un vieux maniaque avec son amour des antiquités et des voitures anciennes. Je réprimai un sourire devant cette nouvelle preuve de son traditionalisme.

— De quoi parlent ses poèmes ?

— D'amour et d'amitié pour la plupart mais, récemment, Walter et lui ont échangé des vers sur des sujets plus... sombres. Ils semblent avoir les mêmes préoccupations, ces derniers temps.

— Plus sombres ? m'inquiétai-je.

— Walter et lui n'approuvent pas ce qui se passe autour d'eux, dit George en baissant la voix et en jetant des regards autour de lui. Ils sont sujets à l'impatience – surtout Walter – et dénoncent souvent les mensonges aux puissants. C'est une attitude dangereuse.

— Dénoncer les mensonges, répétai-je pensivement, songeant à un célèbre poème intitulé *Le Mensonge*, anonyme, mais attribué à Walter Raleigh. *« Dis à la cour qu'elle resplendit et scintille comme le bois pourri »* ?

— Ainsi, Matt vous a fait lire ses poèmes, soupira une fois encore George. Il parvient à exprimer en peu de mots maints sentiments et sens différents. C'est un talent que je lui envie.

Bien que le poème me fût familier, son lien avec Matthew ne l'était pas. Mais j'aurais tout le temps voulu le soir pour m'occuper des entreprises littéraires de mon mari. J'abandonnai le sujet et écoutai George qui se demandait si les écrivains devaient désormais publier en trop grande quantité pour survivre et réclamait des correcteurs compétents pour que les livres imprimés contiennent moins d'erreurs.

— Voici l'échoppe de Chandler, près de Barbican Cross, dit-il en désignant le carrefour où une croix penchée se dressait sur un piédestal.

Des gamins étaient en train d'arracher une pierre de sa base. Nul n'avait besoin d'être sorcier pour prévoir que cette pierre allait finir dans les vitres d'une boutique.

Plus nous approchions de Barbican Cross, plus l'air me parut froid. Tout comme à St. Paul's, je sentis un autre afflux d'énergie, mais une oppressante atmosphère de pauvreté et de désespoir planait sur ce quartier. Une tour antique était écroulée au bout de la rue et les maisons qui l'entouraient semblaient prêtes à être balayées par le moindre coup de vent. Deux gamins se rapprochèrent et nous lorgnèrent avec curiosité, mais un sifflement de Pierre les arrêta aussitôt.

L'échoppe de John Chandler était en parfaite harmonie avec cette atmosphère gothique. Elle était sombre et troublante et il s'en exhalait une odeur âcre. Une chouette empaillée était suspendue au plafond et les mâchoires hérissées de dents d'une malheureuse bestiole étaient accrochées au-dessus du croquis d'un corps aux membres brisés et amputés, transpercé d'armes. Un poinçon de menuisier était enfoncé dans l'œil de la pauvre créature.

Un vieillard voûté émergea de derrière une tenture poussiéreuse en essuyant ses mains sur les manches de sa blouse en bombasin noir. Elle ressemblait aux toges d'université que portent les étudiants d'Oxford et de Cambridge et était tout aussi froissée. Ses vifs yeux bleus plongèrent sans hésitation dans les miens et je sentis des fourmillements. Chandler était un sorcier. Après avoir traversé la moitié de Londres, j'avais enfin trouvé l'un des miens.

— Les rues de votre quartier sont chaque semaine plus dangereuses, Maître Chandler, dit George en jetant un regard par la porte à la petite bande qui rôdait dehors.

— Cette horde de gamins est déchaînée, dit Chandler. Que puis-je pour vous aujourd'hui, Maître Chapman ? Souhaitez-vous quelque tonique ? Vos migraines sont-elles revenues ?

George exposa en détail ses nombreux maux et douleurs. Chandler émettait çà et là des murmures compatissants tout en prenant un registre. Ils se penchèrent dessus, ce qui me donna le temps de jeter un coup d'œil autour de moi.

Les échoppes d'apothicaires élisabéthains étaient de toute évidence les bazars de l'époque, et le petit espace était bourré du sol au plafond de marchandises. Il y avait des piles de placards crûment illustrés comme celui du blessé affiché au mur, et des bocaux de fruits candis. Des livres d'occasion étaient posés sur une table, à côté de récentes parutions. Un ensemble de pots émaillés portant les noms d'épices et d'herbes médicinales éclairaient cette pièce autrement obscure. Outre la chouette empaillée et la mâchoire étaient exposés quelques rongeurs desséchés suspendus par la queue. Je repérai des flacons d'encre, des plumes et des pelotes de ficelle.

La boutique était organisée selon des thèmes assez vagues. L'encre était avec les plumes et les livres d'occasion, sous la sage vieille chouette. Les souris étaient accrochées au-dessus du pot portant les mots « Mort-aux-rats », à côté d'un livre promettant de vous aider non seulement à prendre du poisson, mais à fabriquer *« variés engins et pyèges afin de prendre putoys, buzards, rats et souris et toutes espèces de vermines et bestes »*. Moi qui me demandais comment me débarrasser des locataires indésirables du grenier de Matthew… Les procédés décrits dans ce traité dépassaient mes compétences de bricoleuse, mais je trouverais quelqu'un pour les mettre à exécution. S'il fallait en juger par les dépouilles de souris de la boutique, les pièges de Chandler devaient certainement fonctionner.

— Excusez-moi, mistress, murmura Chandler en tendant le bras devant moi pour en décrocher une.

Fascinée, je le vis la poser sur sa paillasse et lui couper les oreilles avec minutie.

— À quoi cela sert-il ? demandai-je à George.

— La poudre d'oreilles de souris est efficace contre les verrues, expliqua-t-il très sérieusement pendant que Chandler maniait son pilon.

Soulagée de ne pas souffrir de ce mal particulier, je m'approchai de la chouette qui présidait au rayon papeterie. Je trouvai un flacon d'encre rouge foncé.

Votre ami wearh *n'appréciera point de devoir porter ce flacon chez vous, mistress. Cette encre est faite de sang de faucon et sert à rédiger des sorts d'amour.*

Chandler avait donc le pouvoir de parole silencieuse. Je reposai l'encre à sa place et pris une brochure cornée. Les images de la première page montraient un loup attaquant un petit enfant et un homme affreusement torturé avant d'être exécuté. Cela me rappela les tabloïds présentés aux caisses dans les magasins modernes. Quand je retournai la feuille, je fus stupéfaite de lire un article sur un certain Stubbe Peter, qui apparaissait sous la forme d'un loup et se repaissait du sang d'hommes, de femmes et d'enfants jusqu'à ce qu'ils en meurent. Les sorcières écossaises n'étaient pas les seules à préoccuper l'époque. Il y avait aussi les vampires.

Je parcourus le texte. Je notai avec soulagement que Stubbe vivait en Allemagne. Mon angoisse revint quand je vis que l'oncle d'une de ses victimes tenait la brasserie entre notre maison et Baynard's Castle. Je fus épouvantée par les détails crus des tueries et par la peine que se donnaient les êtres humains pour s'accommoder de la présence des créatures parmi eux. Ici, Stubbe Peter était décrit comme un sorcier et son étrange comportement était attribué à un pacte avec le diable qui lui permettait de changer de forme et de satisfaire son goût antinaturel pour le sang. Mais il était bien plus probable que l'homme fût un vampire. Je glissai le placard sous mon autre livre et retournai au comptoir.

— Mistress Roydon a besoin d'encre et de cire à cacheter, expliqua George à l'apothicaire quand je les rejoignis.

L'esprit de Chandler devint prudemment neutre à la mention de mon nom.

— Oui, dis-je lentement. De l'encre rouge, si vous en avez. Ainsi que du savon parfumé, pour la toilette.

— Certes. (Le sorcier chercha parmi des récipients d'étain. Quand il eut trouvé le bon, il le posa sur le comptoir.) Désirez-vous une cire à cacheter assortie à l'encre ?

— Ce que vous aurez me conviendra, Maître Chandler.

— Je vois que vous avez l'un des livres de Maître Hester, dit George en prenant un livre posé à côté. J'ai dit à mistress Roydon que votre cire était aussi bonne que la sienne et moitié moins chère.

L'apothicaire sourit faiblement devant ce compliment et posa plusieurs bâtonnets de cire rouge sur la table à côté du flacon d'encre. Je posai le traité sur la vermine et le placard sur le vampire allemand à côté. Chandler leva vers moi un regard circonspect.

— Oui, dit-il. L'imprimeur d'en face m'a laissé quelques exemplaires en dépôt, car il traite d'un sujet médical.

— Ce sera d'un grand intérêt pour mistress Roydon aussi, dit George en le posant sur ma pile.

Je me demandai, une fois de plus, comment les êtres humains se rendaient aussi peu compte de ce qui se passait autour d'eux.

— Mais je ne suis pas sûr que ce traité soit convenable pour une dame…

Chandler n'acheva pas et fixa d'un air entendu ma bague de mariage.

— Oh, son époux n'y verra rien à redire, répondit George, couvrant la réplique que je formulais intérieurement. Elle étudie l'alchimie.

— Je le prends, dis-je d'un ton décidé.

Pendant que Chandler enveloppait nos achats, George lui demanda s'il pouvait lui recommander un fabricant de bésicles.

— Mon éditeur, Maître Ponsonby, redoute que mes yeux me trahissent avant que ma traduction d'Homère soit achevée, expliqua-t-il, très imbu de lui-même. J'ai une recette d'une domestique de ma mère, mais cela ne m'a fait aucun bien.

— Ces remèdes de vieilles femmes sont parfois utiles, répondit négligemment l'apothicaire, mais le mien est plus fiable. Je vous ferai porter un emplâtre à base de blancs d'œufs et d'eau de rose. Trempez-y des tampons de lin et appliquez-les sur vos yeux.

Pendant que Chandler et George marchandaient le prix du remède et convenaient de sa livraison, Pierre prit les paquets et se posta à la porte.

— Au revoir, mistress Roydon, dit Chandler en s'inclinant.

— Merci de votre assistance, Maître Chandler, répondis-je. *Je suis nouvelle en ville et je cherche un sorcier qui puisse m'aider.*

— Je vous en prie, dit-il aimablement. Mais il y a d'excellents apothicaires à Blackfriars. *Londres est une ville dangereuse. Prenez garde auprès de qui vous demandez assistance.*

Avant que j'aie pu lui demander comment il savait où j'habitais, George m'entraîna dehors. Pierre était si proche derrière moi que je sentais de temps en temps son haleine glacée.

Le contact des regards était impossible à manquer alors que nous revenions en ville. L'alarme avait été sonnée pendant que j'étais dans l'échoppe de Chandler et la nouvelle de la présence d'une sorcière inconnue s'était répandue dans le quartier. Enfin, j'avais atteint mon but pour cet après-midi. Deux sorcières sortirent sur le pas de leur porte, bras dessus, bras dessous, et me scrutèrent avec une hostilité qui me picota. Elles se ressemblaient tellement que je me demandai si elles étaient jumelles.

— *Wearh*, marmonna l'une en crachant vers Pierre et en faisant un signe de protection contre le diable.

— Venez, mistress, il est tard, dit Pierre en me prenant par le coude.

Avec son désir de nous faire quitter St. Giles au plus vite et l'envie de George de prendre un verre de vin, le retour dura nettement moins de temps que l'aller. Une fois que nous fûmes rentrés sans encombre au Cerf Couronné, Matthew n'était nulle part ; Pierre partit à sa recherche. Peu après, Françoise fit ostensiblement remarquer qu'il était tard et que j'avais besoin de repos. Chapman comprit l'allusion et s'en alla.

Françoise s'assit près de la cheminée, son ouvrage à côté d'elle, et fixa la porte. J'essayai ma nouvelle encre en cochant sur ma liste les tâches effectuées et en ajoutant « pyèges à rats ». Ensuite, je m'intéressai au livre de John Hester. La feuille blanche qui lui servait de couverture masquait la salacité du titre. Il y était énuméré nombre de remèdes contre les maladies vénériennes, pour la plupart à base de doses toxiques de mercure. Pas étonnant que Chandler ait eu quelque réticence à le vendre à une femme mariée. Je venais d'entamer le passionnant deuxième chapitre quand j'entendis des murmures provenant de l'étude de Matthew. Françoise pinça les lèvres et secoua la tête.

— Il aura besoin de plus de vin ce soir que nous n'en avons à la maison, observa-t-elle en allant à l'escalier avec l'une des cruches vides qui attendaient près de la porte.

J'allai dans la direction de la voix de mon mari. Matthew était encore dans son étude, en train d'ôter ses vêtements et de les jeter dans le feu.

— C'est un homme malfaisant, *milord**, dit Pierre d'un ton lugubre en débouclant l'épée de Matthew.

— *Malfaisant*, c'est bien loin de le décrire. Le mot qui conviendrait n'a pas encore été inventé. Après cette journée, je jurerais devant des juges que c'est le diable lui-même.

Les longs doigts de Matthew dénouèrent les aiguillettes de ses chausses. Elles tombèrent par terre, il se baissa pour les ramasser et les jeta dans le feu, mais pas assez vite pour que je ne voie pas les taches de sang. Une odeur musquée de pierre humide et de terre m'évoqua brusquement ma captivité à La Pierre. Une nausée monta dans ma gorge. Matthew fit volte-face.

— Diana.

Il perçut instantanément mon désarroi et enleva sa chemise avant d'enjamber ses bottes renversées par terre et de me rejoindre, vêtu seulement de ses chausses. La lueur du feu joua sur ses épaules et l'une de ses nombreuses cicatrices – celle-ci, longue et profonde, juste au-dessous de l'articulation.

— Es-tu blessé ? demandai-je péniblement, la gorge serrée, le regard fixé sur les vêtements qui brûlaient dans la cheminée.

Il suivit mon regard et murmura un juron.

— Ce n'est pas mon sang. (Savoir qu'il avait sur lui le sang d'un autre n'était guère plus réconfortant.) La reine m'a demandé d'être présent pendant qu'on... questionnait un prisonnier. (Je compris à son hésitation que le mot qu'il avait voulu éviter était « torturait ».) Laisse-moi me laver et je te retrouverai pour le souper.

C'étaient des paroles chaleureuses, mais il paraissait fatigué et fâché. Et il prenait grand soin de ne pas me toucher.

— Tu étais sous terre, dis-je, tant l'odeur était reconnaissable.

— J'étais à la Tour.

— Et ton prisonnier… Est-il mort ?

— Oui. (Il se passa une main sur le visage.) J'espérais arriver assez tôt pour tout arrêter – cette fois –, mais j'ai mal calculé les marées. Je n'ai rien pu faire d'autre que demander qu'on mette fin à ses souffrances.

Matthew avait déjà vécu cette scène. Aujourd'hui, il aurait pu rester chez lui sans se soucier de cette âme perdue à la Tour. C'est ainsi qu'aurait agi un être moins noble. Je voulus le toucher, mais il recula.

— La reine voudra avoir ma peau quand elle apprendra que l'homme est mort sans révéler ses secrets, mais peu m'importe. Comme la plupart des humains, Élisabeth a le don de regarder ailleurs quand cela l'arrange, dit-il.

— Qui était-ce ?

— Un sorcier, répondit-il sans détour. Ses voisins l'ont dénoncé pour possession d'une poupée aux cheveux roux. Ils craignaient que ce soit une image de la reine. Et la reine craignait que le comportement des sorciers écossais, Agnes Sampson et John Fian, encourage les sorciers anglais à s'en prendre à elle. Non, Diana, insista-t-il en voyant que je voulais m'approcher pour le réconforter. Tu ne peux approcher davantage de la Tour et de ce qui s'y trame. Va dans le salon. Je te rejoins sous peu.

Ce fut difficile de le laisser, mais exaucer sa demande, c'était tout ce que je pouvais faire pour lui pour l'instant. Le vin, le pain et le fromage qui attendaient sur la table ne me disaient rien, mais je pris un morceau des petits pains que j'avais achetés le matin et le réduisis lentement en miettes.

— Tu n'as plus d'appétit.

Matthew se glissa dans la pièce, silencieux comme un chat, et se servit du vin. Il le but d'un trait et remplit le gobelet.

— Toi non plus, dis-je. Tu ne te nourris pas régulièrement.

Gallowglass et Hancock ne cessaient de le convier à se joindre à eux dans leurs chasses nocturnes, mais Matthew déclinait chaque fois.

— Je ne veux pas parler de cela. Raconte-moi plutôt ta journée.

Aide-moi à oublier. Les paroles muettes de Matthew résonnèrent dans la pièce.

— Nous sommes allés faire des achats. J'ai pris le livre que tu avais commandé chez Richard Field et j'ai fait la connaissance de sa femme Jacqueline.

— Ah, dit-il en souriant enfin. La nouvelle Mrs. Field. Elle a survécu à son premier mari et maintenant, elle emmène le second dans une joyeuse danse. Vous serez très amies avant la fin de la semaine. As-tu vu Shakespeare ? Il habite chez eux.

— Non, répondis-je en faisant grossir mon tas de miettes. Je suis allée à la cathédrale. (Matthew se pencha un peu en avant.) Pierre m'accompagnait, ajoutai-je précipitamment en abandonnant le petit pain. Et j'ai croisé George.

— Il rôdait sans aucun doute autour de Bishop's Head en espérant que William Ponsonby lui fasse quelque compliment, gloussa Matthew.

— Je ne suis pas allée aussi loin, avouai-je. George était à St. Paul's, il écoutait un sermon.

— La foule qui se rassemble là-bas pour écouter les prédicateurs peut se révéler imprévisible, dit-il à mi-voix. Pierre devrait savoir qu'il ne fait pas bon s'y attarder.

Comme par magie, son serviteur apparut.

— Nous ne sommes pas restés longtemps. George m'a emmenée chez son apothicaire. J'ai acheté d'autres livres, de la cire à cacheter et de l'encre rouge.

— L'apothicaire de George est à Cripplegate, dit froidement Matthew en levant les yeux vers Pierre. Quand les Londoniens se plaignent d'un crime, le bailli va là-bas et s'empare de quiconque a l'air oisif ou étrange. Il n'a que l'embarras du choix.

— Si le bailli s'en prend à Cripplegate, pourquoi y a-t-il tant de créatures près de Barbican Cross et si peu ici à Blackfriars ?

Ma question prit Matthew de court.

— Blackfriars était autrefois une terre chrétienne consacrée. Démons, sorciers et vampires avaient pris depuis longtemps l'habitude de résider ailleurs et ils n'y sont pas revenus. Barbican Cross, en revanche, a été élevée sur le terrain où se trouvait le cimetière juif il y a des siècles. Après leur expulsion d'Angleterre, les autorités de la ville ont utilisé ce cimetière non consacré pour les criminels, traîtres et excommuniés. Les humains évitent cet endroit qu'ils considèrent comme hanté.

— Donc, c'était le malheur des morts que j'ai ressenti, pas seulement celui des vivants. (Les paroles franchirent mes lèvres avant que j'aie pu me retenir. Matthew plissa les paupières. Notre conversation ne le réconfortait pas et mon malaise grandissait de minute en minute.) Jacqueline m'a recommandé John Hester quand je me suis enquise d'un apothicaire, mais George a déclaré que le sien était tout aussi bon et moins cher. Je n'ai pas posé de questions sur le quartier.

— Le fait que John Chandler ne vende pas des opiats à ses clients comme Hester m'importe plus que ses tarifs raisonnables. Cependant, je ne veux pas que tu ailles à Cripplegate. La prochaine fois que tu as besoin de papeterie, envoie Pierre ou Françoise les acheter. Mieux encore, va chez l'apothicaire qui est à trois portes d'ici sur Water Lane.

— Maîtresse Field n'a pas dit à *madame** qu'il y avait un apothicaire à Blackfriars. M. de Laune et Jacqueline n'étaient pas d'accord sur le meilleur traitement à donner à l'infection de la gorge de son fils aîné, murmura Pierre en guise d'explication.

— Peu m'importerait même si Jacqueline et Laune s'étaient battus en duel dans la nef de St. Paul's à midi. Il n'est pas question que Diana se promène en ville.

— Il n'y a pas que Cripplegate qui est dangereux, dis-je en faisant glisser vers lui la brochure sur le vampire allemand. J'ai acheté chez Chandler le traité de Hester sur la syphilis et un livre sur les pièges pour animaux. Et il y avait ceci en vente également.

— Qu'est-ce que tu as acheté ? demanda Matthew en manquant de s'étrangler, le regard posé sur le livre qu'il ne fallait pas.

— Oublie Hester. Cette brochure raconte l'histoire d'un homme de mèche avec le diable, capable de se changer en loup et qui boit du sang. L'une des personnes impliquées dans sa publication est notre voisin, le brasseur à côté de Baynard's Castle, dis-je en tapant de l'index sur la couverture pour souligner mes paroles.

Matthew l'attira vers lui. Il retint son souffle en parvenant à la partie qui était importante. Puis il le tendit à Pierre, qui le parcourut rapidement à son tour.

— Stubbe est un vampire, n'est-ce pas ?

— Oui. Je ne pensais pas que la nouvelle de sa mort était parvenue aussi loin. Kit est censé me rapporter les ragots des placards et de la presse populaire pour que nous puissions nous en occuper si nécessaire. Celui-ci a dû lui échapper. Assurez-vous que quelqu'un se charge de ce travail, désormais, dit-il avec un regard lugubre à Pierre. Et que Kit ne soit pas au courant.

Pierre acquiesça.

— Alors ces légendes sur les loups-garous ne sont rien de plus que d'autres pitoyables tentatives humaines pour nier leur connaissance des vampires, dis-je en secouant la tête.

. — Ne sois pas si dure avec eux, Diana. Pour le moment, ils se préoccupent des sorciers. Ce sera celui des démons dans un siècle, grâce à la réforme des asiles. Ensuite, ils s'en prendront aux vampires et les sorcières ne seront plus qu'un cruel conte de fées pour effrayer les enfants.

Matthew avait l'air inquiet, malgré le ton de ses paroles.

— Notre voisin se préoccupe des loups-garous, pas des sorcières. Et si on peut te prendre pour l'un d'eux, j'aimerais que tu cesses de te faire du souci pour moi et que tu fasses attention à toi. Par ailleurs, il ne devrait pas s'écouler bien longtemps avant qu'un sorcier vienne frapper à notre porte.

Je m'accrochais à la certitude que ce serait trop dangereux pour Matthew de rechercher un sorcier. Une mise en garde flamboya dans le regard de mon mari, mais il resta coi, le temps de maîtriser sa colère.

— Je sais que le besoin d'indépendance te démange, mais la prochaine fois que tu décides de prendre les choses en main, promets-moi que nous en discuterons avant.

La réaction de Matthew était plus conciliante que je ne m'y attendais.

— Seulement si tu me promets d'écouter. Tu es surveillé, Matthew. J'en suis sûre, et Mary Sidney aussi. Occupe-toi des affaires de la reine et du problème en Écosse, et laisse-moi m'occuper de celui-ci. (Le voyant s'apprêter à répliquer, je secouai la tête.) *Écoute-moi.* Un sorcier va venir. Je te le promets.

18

Matthew m'attendait dans le salon d'hiver de Mary à Baynard's Castle le lendemain après-midi, tout en contemplant la Tamise avec une expression amusée. Il se retourna à mon arrivée, souriant narquoisement de me voir revêtue de la version élisabéthaine de la blouse de laboratoire qui recouvrait ma basquine brun doré et mes jupes. Les manches blanches qui jaillissaient des épaules étaient ridiculement bouffantes, mais la petite collerette ne me gênait pas, ce qui en faisait une tenue parmi mes plus confortables.

— Mary ne peut pas abandonner son expérience. Elle dit que nous devrions venir à l'heure du dîner lundi, annonçai-je en me jetant à son cou et en l'embrassant bruyamment.

— Pourquoi sens-tu le vinaigre ? demanda-t-il en faisant un saut en arrière.

— Mary lave tout avec. Cela nettoie les mains plus efficacement que le savon.

— Tu as quitté ma maison embaumant le pain et le miel et la comtesse de Pembroke te rend à moi parfumée comme un cornichon. (Il posa le nez derrière mon oreille.) Je savais que je pourrais trouver un endroit que ce vinaigre n'aurait pas atteint.

— Matthew, murmurai-je.

Joan, la servante de la comtesse, attendait derrière nous.

— Tu te comportes plus comme une prude victo-rienne que comme une tapageuse élisabéthaine, dit-il en riant et en se redressant avec une dernière caresse à mon cou. Comment s'est passé ton après-midi ?

— As-tu vu le laboratoire de Mary ? (J'échangeai la blouse grise informe contre ma cape avant de ren-voyer Joan à ses autres devoirs.) Elle a investi les tours du château et peint les murs avec des images de la pierre philosophale. On se croirait à l'intérieur d'un rouleau de Ripley ! J'ai vu l'exemplaire Beinecke à Yale, mais il ne mesure que six mètres de long. Les fresques de Mary sont deux fois plus grandes. Cela ne facilite pas la concentration au travail.

— Quelle expérience faisiez-vous ?

— Nous avons chassé le lion vert, répondis-je fière-ment, faisant allusion au stade du processus alchimique qui combinait deux solutions acides et produisait de surprenants changements de couleur. Nous l'avons presque attrapé, mais quelque chose a mal tourné et le ballon a explosé. C'était fantastique !

— Je suis heureux que vous ne travailliez pas dans mon laboratoire. En règle générale, il est préférable d'éviter les explosions quand on utilise de l'acide nitrique. Vous devriez faire quelque chose d'un peu moins détonant la prochaine fois, comme distiller de l'eau de rose. Vous n'avez pas utilisé du mercure ? demanda-t-il.

— Ne t'inquiète pas. Je ne ferais jamais rien qui puisse être nocif pour le bébé, protestai-je.

— Chaque fois que je parle de ton bien-être, tu imagines que mes inquiétudes sont ailleurs, dit-il en se renfrognant.

Avec sa barbe noire et sa moustache – auxquelles je n'étais toujours pas totalement habituée –, Matthew avait l'air encore plus intimidant. Mais je ne voulais pas me quereller avec lui.

— Je suis désolée, me hâtai-je de dire avant de changer de sujet. La semaine prochaine, nous allons mélanger un nouvel ensemble de *prima materia*. Il y a du mercure dedans, mais je promets de ne pas y toucher. Mary veut voir s'il se putréfiera en crapaud alchimique avant la fin du mois de janvier.

— Cela a l'air d'un début d'année tout à fait festif, dit Matthew.

— Que regardais-tu ? demandai-je en me tournant vers les fenêtres.

— Des gens qui préparent un feu de joie de l'autre côté de la Tamise pour le réveillon du Nouvel An. Chaque fois qu'ils déchargent un nouveau chariot de fagots, les habitants ont pillé ce qu'ils avaient déjà apporté. Le tas diminue d'heure en heure. C'est comme regarder Pénélope défaire sa tapisserie.

— Mary dit que personne ne va travailler demain. Oh, et il faut demander à Françoise d'acheter de la faluche – c'est bien du pain, n'est-ce pas ? – et de la faire tremper dans du lait et du miel afin de la ramollir pour le petit déjeuner de samedi. (C'était pour ainsi dire du pain perdu.) Je crois que Mary redoute que je meure de faim dans une maison tenue par des vampires.

— Lady Pembroke a pour politique de ne pas poser de questions et de ne faire aucun commentaire quand

412

il s'agit des créatures et de leurs habitudes, observa Matthew.

— En tout cas, elle n'a absolument rien dit concernant ses souliers, dis-je pensivement.

— Mary Sidney survit comme le faisait sa mère : en faisant semblant de ne pas voir les vérités qui dérangent. Les femmes de la famille Dudley y étaient bien obligées.

— Dudley ?

C'était une famille de fauteurs de troubles bien connus – rien à voir avec Mary qui n'était que douceur.

— La mère de Lady Pembroke était Mary Dudley, une amie de Sa Majesté et la sœur du favori de la reine, Robert, dit Matthew avec une grimace. Elle était brillante, tout comme sa fille. Mary Dudley s'est rempli la tête d'idées pour qu'il ne reste plus aucune place pour le souvenir de la trahison de son père ou des faux pas de son frère. Quand elle a attrapé la petite vérole à cause de notre chère souveraine, Mary Dudley n'a jamais reconnu que la reine et son propre mari préféraient la compagnie des autres plutôt que d'affronter sa défiguration.

— Que lui est-il arrivé ? demandai-je, choquée.

— Elle est morte seule et aigrie, comme la plupart des femmes Dudley avant elle. Son plus grand triomphe a été de marier à quinze ans sa fille prénommée comme elle au comte de Pembroke, qui en avait quarante.

— Mary Sidney s'est mariée à quinze ans ?

Cette femme animée et intelligente dirigeait une énorme maisonnée, élevait une meute d'enfants intenables et se consacrait à ses expériences alchimiques, le tout apparemment sans effort. À présent, je comprenais comment. Lady Pembroke avait quelques années de moins que moi, mais à trente ans, elle avait déjà passé la moitié de sa vie à jongler avec toutes ces responsabilités.

— Oui, mais la mère de Mary lui a fourni tout le nécessaire pour sa survie : une discipline de fer, un profond sens du devoir, les meilleures études possibles, un amour de la poésie et sa passion pour l'alchimie.

Je touchai ma basquine, songeant à la vie qui grandissait en moi. De quoi allait-il avoir besoin, cet enfant, pour survivre dans ce monde ?

Nous parlâmes chimie durant le trajet du retour. Matthew expliqua que les cristaux que Mary couvait comme une poule étaient du minerai d'oxyde de fer et qu'elle allait les distiller dans un ballon pour fabriquer de l'acide sulfurique. Je m'étais toujours plus intéressée au symbolisme de l'alchimie qu'à ses aspects pratiques, mais mon après-midi avec la comtesse de Pembroke m'avait montré combien les liens entre les deux pouvaient intriguer.

Nous fûmes bientôt rentrés au Cerf Couronné et je bus une tisane chaude au citron et à la menthe. Les élisabéthains connaissaient les infusions, mais uniquement à base d'herbes. Je continuais à parler de Mary quand je remarquai le sourire de Matthew.

— Qu'est-ce qu'il y a de si drôle ?

— Je ne t'ai encore jamais vue comme cela, commenta-t-il.

— Comme quoi ?

— Si animée, débordante de questions, à me raconter ce que Mary et toi avez fait et comptez faire la semaine prochaine.

— Cela me plaît d'être de nouveau étudiante, avouai-je. Au début, c'était difficile de ne pas avoir toutes les réponses. Avec les années, j'ai oublié à quel point c'est plaisant de n'avoir rien d'autre que des questions.

— Et tu te sens libre, ici, d'une manière que tu ne connaissais pas à Oxford. Les secrets sont une affaire bien solitaire, dit-il en me caressant la joue.

— Jamais je ne me suis sentie seule.

— Mais tu l'étais. Je crois que tu es toujours solitaire, ajouta-t-il doucement.

Avant que j'aie pu songer à une réponse, Matthew m'avait soulevée de mon siège et entraînée contre le mur près de la cheminée. Pierre fit soudain son apparition dans l'embrasure.

Puis on frappa à la porte. Matthew se raidit et une dague apparut dans sa main. Sur un signe de tête, Pierre alla ouvrir la porte d'entrée.

— Nous avons un message du Père Hubbard.

Deux vampires étaient sur le seuil, tous deux vêtus de riches costumes bien hors de portée de bourse de simples messagers. Ni l'un ni l'autre n'avait plus de quinze ans. Je n'avais encore jamais vu de vampire adolescent, et j'avais toujours pensé qu'il devait y avoir une interdiction les concernant.

— Master Roydon. (Le plus grand se toucha le bout du nez et étudia Matthew avec des yeux couleur d'indigo. Puis son regard passa sur moi et je sentis une brûlure glacée.) Mistress.

La main de Matthew se raidit sur sa dague et Pierre alla s'interposer entre eux et nous.

— Le Père Hubbard désire vous voir, dit le plus petit en jetant un regard méprisant à la dague. Venez au septième coup de cloche.

— Dites à Hubbard que je viendrai quand cela me conviendra, répliqua Matthew d'un ton venimeux.

— Pas seulement vous, dit le grand.

— Je n'ai pas vu Kit, répliqua Matthew avec impatience. S'il a des ennuis, ton maître sait mieux que moi où le chercher, Corner.

Le nom allait au garçon comme un gant. Il n'était qu'angles et pointes.

— Marlowe était auprès du Père Hubbard toute la journée, répondit Corner d'un ton las.

— Vraiment ? demanda Matthew.

— Oui. Le Père Hubbard demande la sorcière, dit le compagnon de Corner.

— Je vois. (Il y eut un tourbillon noir et argent et la dague se retrouva fichée, tremblante, dans l'embrasure juste à côté de l'œil de Corner. Matthew marcha d'un pas décidé vers eux. Les deux vampires reculèrent involontairement.) Merci du message, Leonard, dit Matthew en fermant la porte du bout du pied.

Pierre et lui échangèrent sans un mot un long regard pendant que les pas des jeunes gens dévalaient l'escalier.

— Hancock et Gallowglass, ordonna Matthew.

— Tout de suite, dit Pierre.

Il sortit dans un tourbillon de la pièce, manquant de justesse Françoise qui était en train d'enlever la dague de la porte.

— Nous avons eu des visiteurs, expliqua Matthew avant qu'elle ait pu se plaindre de l'état des boiseries.

— De quoi s'agit-il, Matthew ? demandai-je.

— Toi et moi, nous allons rendre visite à un vieil ami, dit-il d'une voix égale qui n'annonçait rien de bon.

— Ce vieil ami est-il un vampire ? m'enquis-je en lorgnant la dague posée sur la table.

— Du vin, Françoise.

Matthew prit quelques feuilles, dérangeant mes papiers soigneusement classés. J'émis une protestation étouffée en le voyant prendre l'une de mes plumes et griffonner à toute allure. Il ne m'avait pas regardée depuis le coup à la porte.

— Il y a du sang frais de chez le boucher. Peut-être que vous…

Matthew leva la tête, les lèvres pincées. Françoise lui servit un grand gobelet de vin sans plus de discussion. Quand elle eut terminé, il lui rendit deux lettres.

— Portez celle-ci au comte de Northumberland à Russell House. L'autre à Walter Raleigh, qui doit être à Whitehall.

Françoise partit immédiatement et Matthew se posta à la fenêtre pour regarder la rue. Ses cheveux étaient emmêlés dans son col haut et j'éprouvai brusquement le besoin de les lui arranger, mais son attitude crispée me fit comprendre qu'il n'accepterait pas un geste aussi intime.

— Le Père Hubbard ? lui rappelai-je.

Mais Matthew avait l'esprit ailleurs.

— Tu vas te faire tuer, dit-il d'un ton brusque sans se retourner. Ysabeau m'a averti que tu n'avais aucun instinct de conservation. Combien de fois faudra-t-il que ce genre de choses arrive avant que tu l'acquières ?

— Qu'est-ce que j'ai encore fait ?

— Tu as voulu qu'on te voie, Diana, répondit-il brutalement. Eh bien, on t'a vue.

— Cesse de regarder par la fenêtre. Je suis fatiguée de parler à ton dos, dis-je calmement, bien que cherchant à l'aiguillonner. Qui est le Père Hubbard ?

— Andrew Hubbard est un vampire. Il dirige Londres.

— Qu'est-ce que cela veut dire, « il dirige Londres » ? Tous les vampires de la ville lui obéissent ?

Au XXIe siècle, les vampires de Londres étaient connus pour leur allégeance à la meute, leurs habitudes nocturnes et leur loyauté – en tout cas, c'est ce que disaient les sorciers. Pas aussi flamboyants que les vampires de Paris, Venise ou Istanbul, ni aussi sanguinaires que ceux de Moscou, New York et Pékin, ceux de Londres étaient un groupe très organisé.

— Pas seulement les vampires. Les sorciers et les démons également. (Matthew tourna vers moi un regard glacial.) Andrew Hubbard est un ancien prêtre, qui a fait peu d'études et qui connaît juste assez de théologie pour provoquer des ennuis. Il est devenu vampire lors de la première peste de Londres qui a tué presque la moitié de la ville en 1349. Hubbard a survécu à la première vague d'épidémie, il a soigné les malades et enseveli les morts, mais il a fini par succomber à son tour.

— Et quelqu'un l'a sauvé en faisant de lui un vampire.

— Oui, bien que je n'aie jamais réussi à découvrir qui. Cependant, il y a beaucoup de légendes, la plupart sur sa prétendue résurrection divine. On raconte que lorsqu'il a été certain qu'il allait mourir, il a creusé une fosse dans le cimetière et s'y est allongé pour attendre Dieu. Et que quelques heures plus tard, il s'est relevé et a marché parmi les vivants. (Matthew marqua une pause.) Je crois qu'il n'a plus toute sa tête depuis. Hubbard rassemble les âmes perdues. Elles étaient innombrables, à cette époque. Il les a tous accueillis

– orphelins, veuves, hommes qui avaient perdu toute leur famille en l'espace d'une semaine. Ceux qui tombaient malades, il en a fait des vampires, les a rebaptisés et s'est assuré qu'ils avaient un toit, à manger et un travail. Il les considère comme ses enfants.

— Même les sorciers et les démons ?

— Oui. Il accomplit une sorte de rituel d'adoption, mais qui n'a rien à voir avec celui de Philippe. Hubbard boit un peu de leur sang. Il prétend que cela révèle le contenu de leur âme et offre la preuve que Dieu les lui a confiés.

— Et cela lui révèle aussi leurs secrets, dis-je posément.

Matthew hocha la tête. Pas étonnant qu'il veuille que je reste loin du Père Hubbard. Si un vampire goûtait mon sang, il saurait que j'attendais un enfant – et qui était son père.

— Philippe et Hubbard ont conclu un accord qui exemptait la famille de Clermont de ses rituels et obligations. J'aurais probablement dû lui dire que tu étais mon épouse avant que nous arrivions en ville.

— Mais tu as décidé de ne pas le faire, dis-je prudemment, les poings serrés.

À présent, je comprenais pourquoi Gallowglass avait exigé que nous abordions ailleurs qu'au pied de Water Lane. Philippe avait vu juste. Parfois, Matthew se comportait comme un imbécile ou comme le plus arrogant qui soit.

— Hubbard ne m'approche pas, et j'en fais autant. Dès qu'il saura que tu es une Clermont, il te laissera tranquille toi aussi. (Matthew repéra quelque chose dans la rue.) Dieu merci. (Des pas lourds résonnèrent dans l'escalier et, une minute plus tard, Gallowglass et Hancock étaient dans le salon.) Il vous a fallu du temps.

— Et bonjour aussi à toi, Matthew, répliqua Gallowglass. Alors, Hubbard a enfin demandé une audience. Et avant que tu le suggères, ne songe surtout pas à l'agacer en laissant ma tante ici. Quel que soit le plan, elle nous accompagne.

Contrairement à son habitude, Matthew se passa la main dans les cheveux d'arrière en avant.

— Diantre, dit Hancock en voyant le geste. (Apparemment, hérisser ses cheveux comme une crête était un autre des signes qui trahissaient Matthew – qui signifiait cette fois qu'il était arrivé au bout de ses dérobades et de ses demi-vérités.) Ton unique plan était d'éviter Hubbard. Tu n'en as pas d'autre. Nous n'avons jamais su avec certitude si tu étais un brave ou un imprudent, Clermont, mais je crois que cela va trancher, et pas en ta faveur.

— J'avais l'intention de présenter Diana à Hubbard lundi.

— Dix jours après son arrivée en ville, observa Gallowglass.

— Il n'était pas nécessaire de se précipiter. Diana est une Clermont. Par ailleurs, nous ne sommes pas dans la ville, se hâta de dire Matthew. (Puis, voyant ma perplexité :) Blackfriars ne fait pas vraiment partie de Londres.

— Je ne vais pas aller dans l'antre de Hubbard discuter encore une fois de la géographie de Londres avec lui, dit Gallowglass en faisant claquer ses gants sur sa cuisse. Il n'était pas d'accord quand tu as présenté cet argument afin de pouvoir stationner la fraternité dans la Tour quand nous sommes arrivés pour aider les lancastriens en 1485, et il ne va pas l'accepter davantage aujourd'hui.

— Ne le faisons pas attendre, dit Hancock.

— Nous avons tout le temps, répondit Matthew.

— Tu n'as jamais compris les marées, Matthew. J'imagine que nous passerons par le fleuve, puisque tu estimes que la Tamise ne fait pas partie de la ville non plus. Auquel cas, nous sommes déjà en retard. Allons.

Pierre nous attendait à la porte en enfilant des gants de cuir noir. Il avait échangé sa cape marron habituelle pour une autre, noire, et bien trop longue pour être à la mode. Un objet en argent couvrait son bras droit : un serpent encerclant une croix, avec un croissant de lune dans le quart supérieur. C'était le blason de Philippe, qui ne différait de celui de Matthew que par l'absence d'étoile et de *fleur de lys**.

Une fois Gallowglass et Pierre équipés de la même façon, Françoise drapa une cape semblable sur les épaules de Matthew. Ses lourds plis frôlaient le sol, le grandissant et lui donnant l'air encore plus imposant. Tous les quatre ensemble, ils formaient un spectacle intimidant qui ne pouvait qu'inspirer tous les récits humains où les vampires étaient ainsi vêtus.

En bas de Water Lane, Gallowglass balaya du regard les embarcations disponibles.

— Celle-ci pourra nous prendre tous, dit-il en désignant une longue barque et en émettant un sifflement perçant.

Quand l'homme qui se tenait à côté demanda où nous allions, le vampire se lança dans une longue série d'instructions sur l'itinéraire à prendre, le quai où il fallait aborder et qui ramerait. Une fois que Gallowglass eut achevé dans un grondement, le pauvre homme se blottit près de la lanterne de son bateau en jetant de temps à autre des regards apeurés par-dessus son épaule.

— Effrayer tous les bateliers que nous croisons ne va pas améliorer les relations de voisinage, commentai-je pendant que Matthew embarquait en fixant la brasserie voisine de notre demeure.

Hancock me souleva sans cérémonie et me passa à mon mari. Matthew m'enlaça fermement tandis que le bateau s'élançait sur le fleuve. Même le batelier resta stupéfait devant notre vitesse.

— Ce n'est pas la peine d'attirer l'attention, Gallowglass, dit vivement Matthew.

— Tu préfères ramer pendant que je tiens chaud à ton épouse ? (Comme Matthew ne répondait pas, Gallowglass ricana :) Je me disais bien aussi.

La lueur des lanternes du Pont de Londres perçait l'obscurité devant nous et les clapotis de l'eau se faisaient plus forts à chaque coup de rame de Gallowglass. Matthew scruta la rive.

— Aborde à Old Swan Steps. Je veux être revenu à ce bateau et remonter le fleuve avant la marée descendante.

— Silence, dit Hancock. Nous sommes censés surprendre Hubbard. Avec tout le bruit que vous faites, nous aurions aussi bien pu prendre par Cheapside avec tambours et trompettes.

Gallowglass se retourna vers la poupe et donna deux puissants coups de rame à bâbord. Peu après, nous accostâmes devant quelques marches branlantes fixées à des piliers qui piquaient du nez où quelques hommes attendaient. Le batelier les chassa d'un geste avant de sauter de l'embarcation dès qu'il le put.

Nous remontâmes jusqu'à la rue et prîmes en silence des ruelles serpentant entre des maisons et de petits jardins. Les vampires étaient furtifs comme des chats. J'avançais avec moins d'assurance, trébuchant sur les pavés inégaux et dans les trous remplis d'eau. Nous arrivâmes enfin dans une large rue. Des rires s'élevaient à l'autre bout et la lumière de larges fenêtres inondait la chaussée. Je me frottai les mains, attirée par cette chaleur. Peut-être était-ce notre destination. Peut-être que ce serait simple, qu'il suffirait de voir Andrew Hubbard et de lui montrer ma bague de mariage pour rentrer ensuite.

Mais Matthew nous fit traverser la rue pour entrer dans un cimetière désolé aux pierres tombales penchées les unes vers les autres, comme si les morts cherchaient à se consoler mutuellement. Pierre sortit un gros trousseau de clés et Gallowglass en introduisit une dans la serrure de la porte près du clocher. Nous traversâmes une nef délabrée, puis nous franchîmes une porte à gauche de l'autel. Un étroit escalier de pierre descendait dans l'obscurité. Avec ma médiocre vision de sang-chaud, j'avais beaucoup de mal à m'orienter alors que nous tournions et passions d'étroits couloirs en vastes caves qui sentaient le vin, le bois vermoulu et la pourriture. C'était digne des légendes que les humains racontent pour décourager ceux qui voudraient s'attarder dans les catacombes des églises et dans les cimetières.

Nous nous enfonçâmes encore plus dans un dédale de tunnels et de salles souterraines avant d'arriver dans une crypte faiblement éclairée. Les orbites creuses des crânes d'un petit ossuaire fixaient le vide. Une vibration dans les dalles du sol et un carillon étouffé indiquèrent que quelque part au-dessus de nous, les cloches sonnaient 7 heures. Matthew nous entraîna rapidement dans un autre tunnel au bout duquel brillait une lueur. Nous entrâmes dans une cave qui servait à conserver le vin déchargé des navires sur la Tamise. Quelques tonneaux étaient empilés près des murs et l'odeur de sciure fraîche le disputait à celle du vieux vin. Je repérai d'où provenait la première : des cercueils soigneusement empilés, rangés par tailles, depuis les longues boîtes capables d'accueillir la grande carcasse de Gallowglass jusqu'aux plus minuscules pour les nouveau-nés. Des ombres flottaient dans les coins et au centre de la salle se déroulait une sorte de rituel devant une foule de créatures.

— Mon sang est tien, Père Hubbard, disait un homme effrayé. Je le donne volontiers, pour que tu connaisses mon cœur et me comptes parmi ta famille.

Il y eut un silence, suivi d'un cri de douleur. Puis l'air fut rempli d'une tension et d'une attente.

— J'accepte ton présent, James, et te promets de te protéger comme mon enfant, répondit une voix rauque. En échange, tu m'honoreras comme ton père. Salue tes frères et tes sœurs.

Dans les acclamations de bienvenue, ma peau perçut une sensation glacée.

— Vous êtes en retard. (Le grondement rocailleux trancha dans le concert de voix et me hérissa les poils sur la nuque.) Et vous venez avec toute ta suite, à ce que je vois.

— C'est impossible, puisque nous n'avions pas rendez-vous.

Matthew m'empoigna le coude alors que des dizaines de regards me tapotaient, me picotaient et me glaçaient.

424

Des pas s'approchèrent doucement et nous encerclèrent. Un grand homme maigre apparut juste devant moi. Je soutins son regard sans broncher, sachant qu'il ne fallait pas montrer sa peur à un vampire. Hubbard avait des yeux profondément enfoncés dans leurs orbites sous un front lourd et des yeux d'un gris d'ardoise mouchetés de bleu, de vert et de brun.

C'était tout ce qu'il y avait comme couleur en lui. Le reste était d'une pâleur surnaturelle, avec des cheveux ras d'un blond presque blanc, des sourcils et des cils quasi invisibles et des lèvres minces fendant son visage rasé de près. Son long manteau noir, entre la toge d'universitaire et la soutane, accentuait son allure cadavérique. Ses larges épaules légèrement voûtées exsudaient la force, mais le reste de sa personne était pratiquement squelettique.

Dans un tourbillon flou, des doigts puissants me saisirent au menton et me tournèrent brusquement la tête sur le côté. Au même instant, Matthew saisit le vampire au poignet.

Le regard glacé de Hubbard toucha mon cou, vit la cicatrice sur ma carotide. Pour une fois, je regrettai que Françoise ne m'ait pas affublée de la collerette la plus épaisse qu'elle aurait pu trouver. Il poussa un soupir glacial qui sentait le cinabre et le sapin avant de crisper sa large bouche, les lèvres virant du rose pâle au blanc.

— Nous avons un problème master Roydon, dit Hubbard.

— Nous en avons plusieurs, Père Hubbard. Le premier est que vos mains touchent quelque chose qui m'appartient. Si vous ne les ôtez point, je dévasterai cet antre avant l'aube. Et avec ce qui arrivera ensuite, toutes les créatures de cette ville – démons, humains, *wearhs* et sorciers – croiront venue la fin des temps, répliqua Matthew d'une voix vibrante de fureur.

Des créatures émergèrent de la pénombre. Je vis John Chandler, l'apothicaire de Cripplegate, qui croisa mon regard d'un air de défi. Kit était là également, en compagnie d'un autre démon. Quand celui-ci passa son bras dans le sien, Kit se dégagea légèrement.

— Bonsoir, Kit, dit Matthew d'une voix sourde. Je pensais que tu aurais déjà couru te cacher.

Hubbard me tint le menton encore un peu, le temps de tourner à nouveau mon visage face à lui. Ma colère contre Kit et le sorcier qui nous avaient trahis devait se voir, car il secoua la tête pour me mettre en garde.

— *Tu ne haïras point ton frère dans ton cœur*, murmura-t-il en me lâchant. (Il balaya la salle du regard.) Laissez-nous.

Matthew me prit le visage dans ses mains et me caressa le menton pour effacer l'odeur de Hubbard.

— Va auprès de Gallowglass. Je te retrouverai sous peu.

— Elle reste, dit Hubbard.

Matthew se crispa. Il n'avait pas l'habitude de recevoir des ordres. Après un long moment, il demanda à nos compagnons d'attendre dehors. Hancock fut le seul à ne pas obéir immédiatement.

— Ton père dit qu'un sage peut voir davantage depuis le fond d'un puits qu'un sot depuis le sommet d'une montagne. Espérons qu'il a raison, murmura-t-il, car c'est dans un damné trou que tu nous as fourrés ce soir.

Avec un dernier regard, il suivit Gallowglass et Pierre par une brèche dans le mur du fond. Une lourde porte se referma et ce fut le silence.

Il ne resta plus que nous trois, si proches que je pus entendre le souffle de Matthew. Quant à Hubbard, je me demandai si la peste n'avait fait que le rendre fou. Il avait une peau cireuse, comme s'il souffrait encore des séquelles de son mal.

— Puis-je vous rappeler, monsieur de Clermont, que je ne fais que vous tolérer, dit Hubbard en prenant place sur l'unique grandiose fauteuil de la salle. Même si vous représentez la Congrégation, je n'autorise votre présence à Londres que parce que votre père l'exige. Mais vous avez ouvertement négligé nos coutumes et autorisé votre épouse à pénétrer dans la cité sans la présenter, ni à moi ni à mes ouailles. Ensuite, il y a la question de vos chevaliers.

— La plupart des chevaliers qui m'accompagnent habitent dans cette cité depuis plus longtemps que vous, Andrew. Quand vous avez réclamé qu'ils se joignent à vos « ouailles » ou qu'ils demeurent au-delà des limites de la cité, ils se sont installés hors les murs. Mon père et vous êtes convenus que les Clermont ne feraient pas venir *d'autres* membres de la fraternité dans la cité. Je ne l'ai pas fait.

— Et vous pensez que mes enfants se soucient de telles subtilités ? J'ai vu les bagues qu'ils portaient et de quoi sont ornées leurs capes. (Hubbard se pencha en avant avec un regard menaçant.) Je croyais que vous étiez en route pour l'Écosse. Pourquoi êtes-vous encore là ?

— Peut-être ne payez-vous point assez vos informateurs, suggéra Matthew. Kit n'a pas beaucoup d'argent, ces temps-ci.

— Je n'achète ni l'amour ni la loyauté, pas plus que je ne recours à l'intimidation et au tourment pour parvenir à mes fins. Christopher fait ce que je demande de son plein gré, comme tous les enfants pieux qui aiment leur père.

La conception de Hubbard sur les relations familiales était cohérente avec les traités de l'époque – idéaliste et patriarcale à l'extrême.

— Kit a trop de maîtres pour être fidèle à aucun.

— La même chose ne se pourrait-elle dire de vous ? (Ayant ainsi défié Matthew, Hubbard se tourna vers moi et inspira mon odeur. Il laissa échapper un geignement chagrin.) Mais parlons de votre mariage. Certains de mes enfants estiment que les relations entre une sorcière et un *wearh* sont une abomination. Mais la Congrégation et son pacte ne sont pas plus bienvenus dans ma cité que les chevaliers vengeurs de votre père. Les uns comme les autres sont une entrave au désir de Dieu que nous formions une seule famille. En outre, votre épouse est une fileuse de temps. Et je n'approuve pas les fileuses de temps, car elles tentent les hommes et les femmes avec des idées qui n'ont point leur place ici.

— Des idées comme le choix et la liberté de penser ? coupai-je. De quoi avez-vous peur...

— Ensuite, coupa Hubbard sans quitter Matthew du regard, comme si j'étais invisible, il y a cette autre question : vous vous nourrissez d'elle. (Son regard glissa sur la cicatrice que Matthew avait laissée sur mon cou.) Quand les sorciers l'apprendront, ils exigeront une enquête. Si votre épouse est reconnue coupable d'avoir volontairement offert son sang à un vampire, elle sera bannie et chassée de Londres. Si vous êtes reconnu coupable de l'avoir pris sans son consentement, vous serez mis à mort.

— Bravo pour les sentiments familiaux, murmurai-je.

— Diana, m'avertit Matthew. Cesse de lui tendre des perches.

Hubbard joignit les mains et étudia Matthew.

— Et enfin, elle attend un enfant. Le père viendra-t-il la chercher ?

Cela me cloua le bec. Hubbard n'avait pas encore découvert notre plus grand secret – que Matthew était le père de mon enfant. Je luttai contre la panique. *Réfléchis – et reste en vie.* Peut-être que la mise en garde de Philippe nous permettrait de nous sortir de cette périlleuse situation.

— Non, répondit laconiquement Matthew.

— Son père est donc mort, de cause naturelle ou de votre main, dit Hubbard en jetant un long regard sur Matthew. Auquel cas, l'enfant de la sorcière sera amené au sein de mon troupeau quand il sera né. Sa mère deviendra l'une de mes enfants dès à présent.

— Non, répéta Matthew.

— Combien de temps imaginez-vous pouvoir survivre tous les deux en dehors de Londres quand le reste de la Congrégation apprendra ces crimes ? interrogea Hubbard. Votre épouse sera en sécurité ici aussi longtemps qu'elle fera partie de ma famille et qu'il n'y aura plus de sang partagé entre vous.

— Vous ne ferez pas subir à Diana votre cérémonie pervertie. Dites à vos *enfants* qu'elle vous appartient, si vous y tenez, mais vous ne prendrez ni son sang ni celui de son enfant.

— Je ne mentirai point aux âmes dont j'ai charge. Comment se fait-il, mon fils, que secrets et guerres soient les seules réponses dont vous disposez quand

Dieu vous met à l'épreuve ? Elles ne peuvent mener qu'à la destruction. Dieu réserve le salut à ceux qui croient en quelque chose de plus grand qu'eux-mêmes, Matthew, dit Hubbard d'une voix vibrante d'émotion.

Avant qu'il ait pu répliquer, je l'apaisai en posant ma main sur son bras.

— Pardonnez-moi, Père Hubbard, dis-je. Si j'entends bien, les Clermont ne sont pas soumis à votre autorité ?

— C'est exact, mistress Roydon. Mais *vous* n'êtes pas une Clermont. Vous êtes tout au plus mariée à l'un d'eux.

— C'est faux, rétorquai-je, toujours cramponnée à mon époux. Je suis la fille de Philippe de Clermont par le serment du sang ainsi que l'épouse de Matthew. Je suis une Clermont par deux fois et ni moi ni mon enfant ne vous appellerons jamais père.

Andrew Hubbard resta stupéfait. Tandis que je remerciais intérieurement Philippe d'avoir toujours tout prévu avant tout le monde, je sentis que Matthew se détendait. Bien que loin en France, son père avait une fois de plus assuré notre sécurité.

— Vérifiez si vous le voulez. Philippe a marqué mon front ici, dis-je en touchant le point entre mes sourcils où se trouvait mon troisième œil, qui somnolait sans se soucier des vampires.

— Je vous crois, mistress Roydon, dit finalement Hubbard. Personne n'aurait la témérité de mentir sur un tel sujet dans la maison de Dieu.

— Peut-être pourrez-vous alors m'aider. Je suis à Londres à la recherche d'aide sur quelques points complexes de magie et de sorcellerie. Qui parmi vos enfants recommanderiez-vous pour cela ?

Ma question fit disparaître le sourire de Matthew.

— Diana, gronda-t-il.

— Mon père serait très reconnaissant si vous pouviez m'y assister, dis-je sans relever.

— Et quelle forme prendrait cette reconnaissance ?

Andrew Hubbard était lui aussi un prince de la Renaissance, avide de gagner quelque avantage stratégique.

— D'abord, mon père serait heureux d'apprendre que nous avons passé une calme soirée chez nous à la veille du Nouvel An, dis-je en plongeant mon regard dans le sien. Tout ce que je lui ferai savoir dans ma prochaine missive dépendra du sorcier que vous enverrez au Cerf Couronné.

Hubbard réfléchit à ma demande.

— Je discuterai de vos demandes avec mes enfants et déciderai lequel vous servira le mieux.

— Dans tous les cas, ce sera un espion, m'avertit Matthew.

— Tu en es un aussi, fis-je remarquer. Je suis lasse. Je désire rentrer.

— Nos affaires sont réglées ici, Hubbard. J'estime donc que Diana, comme tous les Clermont, est à Londres avec votre permission et sous votre protection, dit Matthew en tournant les talons sans attendre de réponse.

— Même les Clermont doivent prendre garde dans cette ville, lança Hubbard derrière nous. Veillez à vous en souvenir.

Durant le retour en barque, Matthew et Gallowglass conversèrent à voix basse, mais je restai coite. Je refusai qu'on m'aide à descendre sur le quai et commençai à monter vers Water Lane sans les attendre. Malgré tout, Pierre se retrouva devant moi et

Matthew à mes côtés avant que j'atteigne la ruelle donnant sur le Cerf Couronné. À l'intérieur, Walter et Henry qui nous attendaient se levèrent d'un bond.

— Dieu merci, dit le premier.

— Nous sommes venus dès que nous avons appris. George est malade et alité et Kit et Tom étaient introuvables, expliqua le second en nous jetant des regards inquiets.

— Je suis navré de vous avoir fait appeler. L'alerte était prématurée, dit Matthew en ôtant sa cape.

— Si cela concerne l'ordre…, commença Walter en regardant la cape.

— Pas du tout, l'assura Matthew.

— Cela *me* concerne, dis-je. Et avant que vous échafaudiez quelque nouveau plan désastreux, comprenez ceci : c'est *moi* qui m'occupe des sorciers. Matthew est surveillé, et pas seulement par Andrew Hubbard.

— Il y est accoutumé, grommela Gallowglass. Faites fi des regards, ma tante.

— Je dois trouver mon professeur, Matthew, dis-je, ma main glissant sur la pointe de ma basquine. Aucune sorcière ne partagera ses secrets avec moi tant que vous serez dans les parages. Quiconque entre dans cette demeure est un *wearh*, un philosophe ou un espion. En d'autres termes, aux yeux des miens, n'importe qui d'entre vous pourrait les dénoncer aux autorités. Berwick semble peut-être loin, mais la panique se répand. (Matthew avait un regard glacial, mais au moins, il écoutait.) Si tu ordonnes qu'une sorcière vienne ici, il en viendra une. Matthew Roydon est toujours obéi. Mais au lieu d'être aidée, j'aurai droit à un autre numéro comme celui que nous a fait la veuve Beaton. Et ce n'est pas de cela que j'ai besoin.

— Vous avez encore moins besoin de l'aide de Hubbard, pesta Hancock.

— Nous n'avons pas beaucoup de temps, rappelai-je à Matthew.

Hubbard ignorait que l'enfant était de lui et Hancock et Gallowglass n'avaient pas encore perçu le changement de mon odeur. Mais les événements de la soirée avaient souligné notre position précaire.

— Très bien, Diana. Nous te laisserons les sorciers. Mais pas de mensonges ni de secrets. L'un de nous doit savoir où tu es à tout instant.

— Matthew, protesta Walter, tu ne peux pas…

— Je fais confiance au jugement de mon épouse, affirma Matthew.

— C'est ce que Philippe dit de mère-grand, murmura Gallowglass. Juste avant que l'enfer se déchaîne.

19

— Si c'est à cela que doit ressembler l'enfer, murmura Matthew la semaine suivant notre entrevue avec Hubbard, Gallowglass va être tristement déçu.

En effet, la sorcière de quatorze ans qui se tenait devant nous dans le salon évoquait fort peu les flammes et le soufre.

— Chut, dis-je, soucieuse de la sensibilité d'une enfant de cet âge. Le Père Hubbard t'a-t-il expliqué pourquoi tu étais là, Annie ?

— Oui, mistress, répondit Annie d'un air accablé. (C'était difficile de savoir si le teint livide de la fille était habituel ou dû à un mélange de terreur et de malnutrition.) Je dois vous servir et vous accompagner dans la cité lorsque vous vaquez à vos affaires.

— Non, ce n'était pas notre accord, répliqua Matthew en frappant le sol de sa botte avec une impatience qui fit frémir Annie. As-tu quelque savoir ou pouvoir d'aucune sorte, ou bien Hubbard nous joue-t-il un tour ?

— J'ai un petit don, bafouilla Annie, ses yeux bleus exorbités. Mais il me faut un logis et le Père Hubbard a dit…

— Oh, j'imagine fort bien ce qu'a dit le Père Hubbard, ricana Matthew avec mépris.

Je lui jetai un tel regard qu'il se tut.

— Laisse-lui la possibilité de s'expliquer, dis-je vivement avant de faire à la fille un sourire encourageant. Poursuis, Annie.

— Outre vous servir, le Père Hubbard m'a dit de vous mener à ma tante quand elle reviendra à Londres. Elle assiste une accouchée pour l'heure et a refusé de partir tant que la femme avait encore besoin d'elle.

— Ta tante est une sage-femme en plus d'être une sorcière ? demandai-je gentiment.

— Oui, mistress. Une excellente sage-femme et une puissante sorcière, dit fièrement Annie en se redressant.

Ses jupes trop courtes découvrirent ses maigres chevilles. Andrew Hubbard vêtait ses fils de vêtements chauds et à leur taille, mais ses filles ne bénéficiaient pas d'autant d'égards. Je réprimai mon irritation. Françoise allait devoir sortir ses aiguilles.

— Et comment es-tu devenue membre de la famille du Père Hubbard ?

— Ma mère n'était pas une femme vertueuse, murmura Annie en tordant ses mains devant sa mince cape. Le Père Hubbard m'a trouvée dans la crypte de l'église St. Anne's, près d'Aldersgate, à côté du cadavre de ma mère. Ma tante venait de se marier et avait des enfants. J'avais six ans. Son mari ne voulait pas m'élever en compagnie de ses fils, de peur que je les corrompe.

Ainsi, Annie, désormais adolescente, avait vécu la majeure partie de sa vie avec Hubbard. Cette perspective était aussi glaçante qu'était incompréhensible l'idée qu'une fillette de six ans pût corrompre quiconque, mais son histoire expliquait à la fois son allure déjetée et son nom de famille si particulier : Annie Crypt.

— Pendant que Françoise te prépare quelque chose à manger, je vais te montrer où tu dormiras. (J'étais montée au troisième étage le matin pour inspecter le petit lit, le tabouret et la vieille commode.) Je vais t'aider à transporter tes affaires.

— Mistress ? fit Annie, prise de court.

— Elle n'a rien apporté, dit Françoise avec un regard réprobateur sur la dernière venue dans la maisonnée.

— Ce n'est pas grave. Elle en aura bien assez tôt, dis-je avec un sourire à Annie, qui resta hésitante.

Françoise et moi passâmes la fin de la semaine à veiller à ce qu'Annie soit propre comme un sou neuf, convenablement vêtue et chaussée, et à vérifier qu'elle connaissait assez le calcul pour faire quelques achats pour moi. Pour l'éprouver, je l'envoyai chez le plus proche apothicaire acheter pour un penny de plumes et une demi-livre de cire à cacheter (Philippe avait raison : Matthew épuisait les fournitures à une allure inquiétante) et elle revint rapidement avec la monnaie correspondante.

— Il en voulait un shilling ! se plaignit-elle. Cette cire n'est pas même bonne pour des chandelles, si ?

Pierre se prit d'affection pour la fille et se mit en devoir de lui arracher de rares sourires dès qu'il en avait l'occasion. Il lui apprit des jeux de ficelle et se porta volontaire pour la promener le dimanche quand Matthew laissa lourdement entendre qu'il souhaitait qu'on nous laissât seuls pendant quelques heures.

— Il ne… profitera pas d'elle ? demandai-je à Matthew alors qu'il déboutonnait mon vêtement préféré

– un justaucorps de garçon en fine laine noire que je portais avec des jupes et une robe quand nous étions à la maison.

— Pierre ? Seigneur, non, s'amusa Matthew.

— C'est une question sensée.

Mary Sidney n'était guère plus âgée quand elle avait été mariée au plus offrant.

— Et je t'ai fait une réponse sincère. Pierre ne couche pas avec des fillettes. (Sa main s'immobilisa sur le dernier bouton.) Que voilà une plaisante surprise. Tu ne portes pas de corset.

— C'est inconfortable, à cause du bébé, je pense. (Il m'enleva le justaucorps avec un sifflement admiratif.) Et il empêchera les autres hommes de l'importuner ?

— Cette conversation peut-elle être remise à plus tard ? s'exaspéra-t-il. Avec ce froid, ils ne seront pas partis longtemps.

— Tu es très impatient, dans la chambre à coucher, fis-je observer en glissant mes mains dans son encolure.

— Vraiment ? fit-il mine de s'étonner en haussant ses aristocratiques sourcils. Et moi qui pensais que le problème était mon admirable retenue.

Il passa les heures suivantes à me démontrer à quel point sa patience était sans limites dans une maison vide un dimanche. Quand tout le monde rentra, nous étions agréablement épuisés et dans un état d'esprit nettement mieux disposé.

Cependant, tout reprit son cours habituel le lundi. Matthew se montra distrait et irrité dès que les premiers courriers furent arrivés à l'aube, et envoya ses excuses à la comtesse de Pembroke quand il devint clair que les obligations de ses nombreuses occupations ne lui permettraient pas de m'accompagner à notre déjeuner.

Mary m'écouta sans surprise lui expliquer la raison de l'absence de Matthew et regarda Annie en clignant des paupières comme une chouette curieuse avant de l'expédier dans les cuisines auprès de Joan. Nous partageâmes un délicieux déjeuner durant lequel elle me raconta en détail la vie privée de tous les habitants des environs de Blackfriars. Ensuite, nous nous retirâmes dans son laboratoire, assistées de Joan et d'Annie.

— Et comment se porte votre mari, Diana ? demanda-t-elle en retroussant ses manches, le regard rivé sur le livre posé devant elle.

— À merveille, répondis-je, ayant appris que c'était l'équivalent élisabéthain de « très bien ».

— Voilà une agréable nouvelle. (Elle se retourna pour remuer un liquide aussi nauséabond d'allure que d'odeur.) Beaucoup de choses en dépendent, je le crains. La reine compte sur lui plus que sur quiconque dans le royaume en dehors de Lord Burghley.

— J'aimerais pouvoir autant compter sur sa bonne humeur. Matthew est exécrable ces temps-ci. Un instant, il est possessif et l'instant d'après, il m'ignore comme si je faisais partie des meubles.

— C'est ainsi que les hommes traitent leurs biens, dit-elle en prenant un pichet d'eau.

— Je ne suis pas sa propriété, répondis-je.

— Ce que vous et moi savons, ce que dit la loi et ce qu'estime Matthew sont trois choses parfaitement distinctes.

— Elles ne le devraient point, dis-je, prête à débattre de la question.

Mary me fit taire d'un sourire résigné.

— Vous et moi avons moins de mal avec nos époux que les autres femmes, Diana. Nous avons nos livres, et le loisir de nous adonner à nos passions, Dieu soit loué. La plupart ne le peuvent point.

Elle agita une dernière fois le contenu de son récipient et le décanta dans un autre.

Je songeai à Annie : une mère morte seule dans la crypte d'une église, une tante qui ne pouvait la prendre avec elle à cause du refus de son mari, une vie qui promettait peu en matière de confort et d'espoir.

— Enseignez-vous la lecture à vos servantes ?

— Certainement, répondit aussitôt Mary. Elles apprennent à lire et à compter aussi. De tels savoirs les rendent plus précieuses pour un bon mari – un homme qui aime gagner de l'argent comme le dépenser.

Elle fit signe à Joan, qui l'aida à déplacer sur le feu le fragile ballon de verre rempli de produits chimiques.

— Alors Annie devrait aussi apprendre, dis-je en faisant signe à la fillette.

Elle restait tapie dans la pénombre, ses cheveux blonds et son pâle visage lui donnant l'air d'un spectre. L'étude lui donnerait confiance. Elle avait déjà l'air plus sûre d'elle depuis qu'elle avait su marchander le prix de la cire chez l'apothicaire.

— L'avenir lui donnera des raisons de vous en remercier, dit Mary, l'air grave. Nous autres femmes ne possédons rien dans l'absolu, hormis ce que nous avons dans la tête. Notre vertu appartient d'abord à notre père, puis à notre époux. Nous consacrons nos devoirs à notre famille. À peine partageons-nous nos pensées avec quelqu'un, que nous écrivons ou que nous manions l'aiguille, tout ce que nous faisons et créons appartient à quelqu'un d'autre. Tant qu'elle aura des mots et des idées, Annie possédera toujours quelque chose qui n'appartiendra qu'à elle seule.

— Que ne feriez-vous pas si vous étiez un homme, Mary, m'extasiai-je.

La comtesse de Pembroke était capable de plier à ses caprices n'importe qui, homme ou femme.

— Ah, mais considérez tout ce que je ne pourrais faire, dit-elle, le regard pétillant. Fussé-je un homme, je serais dans mes terres ou à la cour auprès de Sa Majesté comme Henry, ou à m'occuper d'affaires de l'État comme Matthew. Au lieu de quoi, je suis ici dans mon laboratoire avec vous. Tout bien pesé, je crois que nous sommes les mieux loties, même si nous sommes parfois mises sur un piédestal ou confondues avec un tabouret de cuisine.

— Vous avez peut-être raison, dis-je en riant.

— Si vous étiez jamais allée à la cour, vous n'auriez aucun doute à cet égard. Venez, dit-elle en revenant à son expérience. À présent, nous allons attendre que la *prima materia* soit exposée à la chaleur. Si nous avons bien procédé, c'est ce qui engendrera la Pierre Philosophale. Étudions les prochaines étapes du processus en espérant que cette expérience réussisse.

Je perdais toujours la notion du temps quand il y avait des manuscrits alchimiques autour de moi, et je levai les yeux, étourdie, quand Matthew et Henry entrèrent dans le laboratoire. Mary et moi avions longuement devisé sur les images d'un recueil de textes alchimiques connus sous le nom de *Pretiosa margarita novella – La Nouvelle Perle précieuse*. Était-ce déjà la fin de l'après-midi ?

— Il ne peut déjà être l'heure de partir, protestai-je. Mary a un manuscrit…

— Matthew connaît l'ouvrage, car c'est son frère qui me l'a donné. Maintenant que Matthew a une épouse érudite, il regrettera peut-être d'avoir agi ainsi, dit Mary en riant. Des rafraîchissements nous attendent dans le salon d'hiver. J'espérais vous voir tous les deux aujourd'hui.

À ces mots, Henry fit un sourire de conspirateur à Mary.

— C'est très aimable, Mary, dit Matthew en m'embrassant sur la joue. Apparemment, vous n'avez pas encore atteint le stade du vinaigre. Vous sentez encore le vitriol et la magnésie.

À contrecœur, je posai le livre et me lavai les mains pendant que Mary terminait de noter l'ouvrage de la journée. Une fois que nous fûmes installés dans le salon, Henry ne put retenir plus longtemps son enthousiasme.

— C'est le moment, à présent, Mary ? demanda-t-il en se trémoussant sur son siège.

— Vous êtes tout aussi empressé de faire des présents que le petit William, répondit-elle en riant. Henry et moi voulons vous offrir quelque chose en l'honneur du Nouvel An et pour votre mariage.

Mais nous n'avions rien à leur donner en retour. Je regardai Matthew, gênée par cet échange univoque.

— Je te souhaite bon courage, Diana, si tu espères distancer Mary et Henry quand il s'agit de présents, répondit-il.

— Balivernes, dit Mary. Matthew a sauvé la vie de mon frère Philip et les biens de Henry. Aucun présent ne pourrait rembourser une telle dette. Ne gâchez point notre plaisir avec ces sottises. Il est de tradition d'offrir un présent aux nouveaux mariés et c'est la Nouvelle Année. Qu'avez-vous offert à la reine, Matthew ?

— Après qu'elle a envoyé au pauvre roi Jacques une horloge de plus pour lui rappeler de prendre patience sans mot dire, j'ai songé à lui offrir un sablier. Je pensais que ce serait une manière utile de lui rappeler qu'elle est mortelle, ironisa Matthew.

— Non, ce n'est pas vrai, s'horrifia Henry.

— L'idée m'était venue dans un moment de dépit, le rassura Matthew. Je lui ai offert une tasse couverte, bien sûr.

— N'oubliez pas notre présent, Henry, dit Mary, maintenant tout aussi impatiente.

Henry sortit une bourse de velours et me la présenta. Je dénouai les cordons et en sortis enfin un lourd médaillon en or accroché à une chaîne tout aussi lourde. Le dessus était en filigrane d'or serti de rubis et de diamants, avec la lune et l'étoile de Matthew en son centre. Je l'ouvris et étouffai un cri devant le splendide ouvrage d'émail avec ses fleurs et ses vrilles. Je le soulevai et admirai le portrait miniature de Matthew qui se trouvait en dessous.

— Maître Hilliard a fait les premières esquisses quand il était là. Avec les fêtes, il a été si occupé que son élève Isaac a dû l'aider pour finir la peinture, expliqua Mary.

La miniature au creux de la main, je l'inclinai d'un côté et de l'autre. Matthew était représenté tel qu'il était chez nous quand il travaillait la nuit dans son étude. Avec son encolure de dentelle ouverte, son regard croisait celui du spectateur avec un sourcil haussé dans ce familier mélange de sérieux et d'humour moqueur. Ses cheveux noirs étaient rejetés en arrière, dépeignés comme à l'accoutumée, et les longs doigts de sa main gauche tenaient un médaillon. C'était une image étonnamment franche et érotique pour l'époque.

— Est-ce à votre goût ? demanda Henry.

— Je l'adore, dis-je, incapable de détacher mon regard de ce nouveau trésor.

— Isaac est plus… audacieux dans sa composition que son maître, mais quand je lui ai dit que c'était un présent de mariage, il m'a convaincue qu'un tel médaillon demeurerait le secret de l'épouse qui révélerait l'homme privé plutôt que sa version publique. (Mary jeta un coup d'œil par-dessus mon épaule.) La ressemblance est réussie, mais j'aimerais vraiment que Maître Hilliard soit meilleur pour rendre les mentons.

— Il est parfait et je le chérirai à jamais.

— Celui-ci est pour toi, dit Henry en tendant à Matthew une bourse identique. Hilliard ayant pensé que tu voudrais le montrer aux autres et le porter à la cour, il est plus, disons… circonspect.

— Est-ce le médaillon que Matthew tient dans sa miniature ? demandai-je en désignant la pierre laiteuse dans sa monture d'or toute simple.

— Je crois, oui. C'est une pierre de lune, Henry ?

— Un spécimen ancien, dit fièrement celui-ci. Elle faisait partie de mon cabinet de curiosités et j'ai souhaité te la donner. L'intaille représente la déesse Diane, vois-tu.

La miniature intérieure était beaucoup plus respectable, mais tout aussi saisissante. Je portais une jaquette brodée avec une délicate encolure de tulle ouverte sur mes épaules et mon cou. Mes cheveux étaient coiffés et je portais plusieurs colliers.

— Le fond bleu souligne les yeux de Diana. Et la moue est criante de vérité, dit Matthew, lui aussi bouleversé par le cadeau.

— J'ai fait fabriquer un cadre, dit Mary en faisant signe à Joan, afin de les exposer quand ils ne sont pas portés.

C'était en fait un écrin plat, pourvu de deux creux ovales tapissés de velours noir. Les deux miniatures s'y logeaient parfaitement et donnaient l'impression d'une paire de portraits.

— C'était une belle attention de Mary et Henry de nous offrir ce cadeau, dit Matthew un peu plus tard quand nous fûmes rentrés au Cerf Couronné. (Il m'enlaça par-derrière en joignant les mains sur mon ventre.) Je n'ai même pas eu le temps de te prendre en photo. Jamais je n'aurais imaginé que le premier portrait que j'aurais de toi serait signé Nicholas Hilliard.

— Les portraits sont magnifiques, dis-je en posant mes mains sur les siennes.

— Mais… ? demanda-t-il en reculant.

— Les miniatures de Nicholas Hilliard sont très recherchées, Matthew. Celles-ci ne vont pas disparaître quand nous repartirons. Et elles sont si exquises que je ne supporterais pas de devoir les détruire avant. (Le temps était comme ma collerette : c'était une étoffe plate et lisse au tissage serré. Puis il était tordu, coupé et replié sur lui-même.) Nous n'arrêtons pas de toucher au passé d'une manière qui est vouée à laisser des traces dans le présent.

— Peut-être est-ce ce que nous sommes censés faire, avança Matthew. Peut-être que l'avenir dépend de cela.

— Je ne vois pas comment.

— Pas tout de suite. Mais il est possible qu'un jour, nous regardions en arrière et que nous découvrions que ce sont les miniatures qui auront tout changé, sourit-il.

— Imagine ce que serait la découverte de l'Ashmole 782, dans ce cas. (Je levai les yeux vers lui. Voir certains des livres alchimiques enluminés de Mary avait ramené au premier plan de mes préoccupations le mystérieux volume et notre quête.) George n'a pas réussi à le trouver à Oxford, mais il doit être quelque part en Angleterre. Ashmole l'a acquis auprès de quelqu'un. Plutôt que de chercher le manuscrit, nous devrions chercher la personne qui le lui a vendu.

— À cette époque, le trafic de manuscrits est florissant. L'Ashmole 782 pourrait se trouver n'importe où.

— Ou bien il pourrait être tout simplement ici, insistai-je.

— Tu as peut-être raison, convint Matthew, d'un ton distrait qui me laissa entendre qu'il avait des soucis plus immédiats que notre introuvable livre. Je vais envoyer George se renseigner auprès des libraires.

Mais toutes les pensées concernant l'Ashmole 782 s'envolèrent le lendemain matin, quand un billet arriva de la tante d'Annie, la sage-femme. Elle était revenue à Londres.

— La sorcière ne viendra pas dans la maison de quelqu'un connu comme un *wearh* et un espion, déclara Matthew après l'avoir lu. Son mari a des objections à ce projet, de peur que cela ruine sa réputation. Nous devons aller à son domicile près de l'église St. James's, sur Garlic Hill. (Comme je ne réagissais pas, il se renfrogna et poursuivit.) C'est de l'autre côté de la ville, à un jet de pierre de l'antre d'Andrew Hubbard.

— Tu es un vampire, lui rappelai-je. Et c'est une sorcière. Nous ne sommes pas censés nous fréquenter. Le mari de cette femme a raison d'être prudent.

Matthew insista tout de même pour nous accompagner Annie et moi. Le quartier entourant St James's était bien plus prospère que Blackfriars, avec de larges rues bien entretenues, de grandes demeures, des échoppes très fréquentées et un cimetière propret. Annie nous entraîna dans une ruelle en face de l'église qui, bien que sombre, était d'une propreté irréprochable.

— Voici, master Roydon, dit-elle en tendant le bras vers une enseigne ornée d'un moulin à vent, puis en s'élançant avec Pierre pour prévenir la maison de notre arrivée.

— Tu n'es pas obligé de rester, dis-je à Matthew.

La visite était assez déroutante sans avoir besoin de lui en train de rôder et de gronder.

— Je ne m'en irai pas, répondit-il d'un ton lugubre.

Nous fûmes accueillis par une femme au visage rond et au nez retroussé, au menton aimable et aux cheveux bruns comme ses yeux. Elle avait un visage serein, mais son regard flamboyait d'irritation. Elle avait arrêté Pierre sur le seuil et seule Annie avait pu entrer. La fillette, plantée dans l'entrée, regardait l'impasse d'un air désemparé.

Je m'arrêtai net, bouche bée de surprise. La tante d'Annie était le portrait craché de Sophie Norman, la jeune démone que j'avais quittée à la maison des Bishop à Madison.

— *Mon Dieu**, murmura Matthew en me regardant, stupéfait.

— Ma tante, Susanna Norman, chuchota Annie. (Notre réaction l'avait désarçonnée.) Elle dit…

446

— Susanna *Norman* ? répétai-je, incapable de détacher mon regard de son visage, convaincue que le nom et la forte ressemblance avec Sophie ne pouvaient être une coïncidence.

— Comme vous l'a dit ma nièce. Vous ne semblez pas être dans votre élément, mistress Roydon, dit Maîtresse Norman. Et vous n'êtes pas bienvenu ici, *wearh*.

— Mistress Norman, dit Matthew en s'inclinant.

— N'avez-vous point reçu ma lettre ? Mon époux ne veut rien avoir à faire avec vous. (Deux garçons surgirent.) Jeffrey ! John !

— Est-ce lui ? demanda l'aîné.

Il dévisagea Matthew avec intérêt, puis il se tourna vers moi. L'enfant avait du pouvoir. Bien qu'encore à peine adolescent, ses capacités étaient perceptibles dans le crépitement de magie indisciplinée qui l'auréolait.

— Use des talents que Dieu t'a donnés, Jeffrey, et ne pose pas de questions inutiles. (La sorcière me jaugea du regard.) Vous avez en tout cas fait dresser l'oreille au Père Hubbard. Très bien. Entrez. (Alors que nous avancions, elle leva la main.) Pas vous, *wearh*. Mon affaire concerne votre épouse. Il y a de bons vins à l'Oie d'Or si vous tenez à rester dans les parages. Mais il serait mieux pour tout le monde que vous laissiez votre serviteur se charger de raccompagner mistress Roydon.

— Merci pour votre conseil, Maîtresse. Je ne doute pas que je trouverai mon bonheur à la taverne. Pierre attendra dans la cour. Le froid lui est égal.

Matthew lui fit un sourire carnassier. Susanna fit la grimace et se retourna.

— Viens, Jeffrey, cria-t-elle par-dessus son épaule. (Jeffrey entraîna son cadet, jeta un dernier regard curieux à Matthew et suivit sa tante.) Rejoignez-moi quand vous voudrez, mistress Roydon.

— Je n'en reviens pas, murmurai-je à peine les Norman eurent disparu à l'intérieur. Cela ne peut être qu'une aïeule de Sophie.

— Sophie doit descendre de Jeffrey ou de John, répondit Matthew en se frottant le menton. L'un de ces garçons est le maillon manquant dans l'enchaînement de circonstances qui mène de Kit et de la pièce d'échecs en argent à la famille Norman et à la Caroline du Nord.

— L'avenir se corrige vraiment tout seul, dis-je.

— C'est ce que j'avais escompté. Quant à maintenant, Pierre va rester ici et je ne serai pas loin.

Ses rides se creusèrent. Il n'aimait pas être à plus de vingt centimètres de moi dans le pire des cas.

— Je ne sais pas combien de temps cela va prendre, dis-je en lui touchant le bras.

— Peu importe, m'assura-t-il en me frôlant les lèvres d'un baiser. Reste tout le temps qu'il te faudra.

Une fois que je fus entrée, Annie m'ôta précipitamment ma cape et retourna à la cheminée où elle surveillait quelque chose.

— Fais bien attention, Annie, dit Susanna d'une voix épuisée à la fillette qui soulevait précautionneusement une poêle d'un trépied posé dans les braises. La fille de Maîtresse Hackett a besoin de cette potion pour dormir et les ingrédients sont coûteux.

— Je ne parviens point à la deviner, maman, dit Jeffrey en me fixant d'un regard si sage pour sa jeunesse que c'en était déconcertant.

— Moi non plus, Jeffrey, moi non plus. Mais c'est probablement pour cela qu'elle est ici. Emmène ton frère dans l'autre chambre. Et ne faites nul bruit. Ton père dort et il ne faut pas le réveiller.

— Oui, maman. (Jeffrey ramassa deux soldats en bois et un bateau sur la table.) Cette fois, je te laisserai être Walter Raleigh pour que tu gagnes la bataille, promit-il à son frère.

Susanna et Annie me fixèrent dans le silence qui suivit. Les légères pulsations d'énergie d'Annie m'étaient déjà familières. Mais je n'étais pas préparée à subir le torrent interrogateur que Susanna lança vers moi. Mon troisième œil s'ouvrit. Enfin, quelqu'un avait éveillé ma curiosité de sorcière.

— C'est inconfortable, dis-je en tournant la tête pour esquiver l'intense regard de la femme.

— C'est ainsi que cela doit être, répondit-elle calmement. Pourquoi avez-vous besoin de mon aide, mistress ?

— J'ai été ensorcelée. Ce n'est pas ce que vous croyez, ajoutai-je en voyant Annie reculer aussitôt. Mes deux parents étaient sorciers, mais ni l'un ni l'autre ne comprenaient la nature de mes dons. Comme ils ne voulaient pas qu'il m'arrive malheur, ils m'ont liée par un sort. Les liens se sont cependant relâchés et d'étranges choses surviennent.

— De quelle espèce ? demanda Susanna en désignant une chaise à Annie.

— J'ai invoqué l'eau sorcière quelques fois, mais pas récemment. Il m'arrive de voir des couleurs autour des gens, mais pas toujours. Et un coing s'est desséché quand je l'ai touché.

Je pris soin de ne pas mentionner mes exploits magiques plus spectaculaires. Ni les étranges filaments bleus et ambrés dans les coins des pièces, ni la manière dont l'écriture s'était échappée des livres de Matthew ou les serpents des souliers de Mary.

— L'un de vos parents avait-il le pouvoir de l'eau sorcière ? demanda Susanna, essayant d'y voir plus clair.

— Je l'ignore, répondis-je sincèrement. Ils sont morts quand j'étais petite.

— Peut-être êtes-vous plus douée pour les sorts, alors. Bien que beaucoup aimeraient posséder les rudiments de la magie de l'eau et du feu, ils ne sont pas faciles à maîtriser, dit-elle avec un rien de pitié.

Ma tante Sarah considérait comme des dilettantes les sorciers s'appuyant sur la magie des éléments. En revanche, Susanna était encline à voir dans les sorts une forme moins élevée de savoir magique. Je réprimai mon agacement devant ces étranges préjugés. Tous n'étaient-ils pas sorciers ?

— Ma tante n'a pas été en mesure de m'enseigner beaucoup de sorts. Parfois, j'arrive à allumer une chandelle. J'ai réussi à faire venir à moi des objets.

— Mais vous êtes une femme adulte ! dit Susanna, les mains sur les hanches. Même Annie a plus de dons que cela alors qu'elle n'a que quatorze ans. Savez-vous concocter des philtres avec des simples ?

— Non.

Sarah avait voulu m'enseigner à préparer des potions, mais j'avais refusé.

— Êtes-vous guérisseuse ?

— Non.

Je commençais à comprendre pourquoi Annie avait cet air intimidé.

— Pourquoi Andrew Hubbard a demandé mon assistance, je l'ignore, soupira Susanna. J'ai déjà bien assez à faire avec mes patients, un époux infirme et deux fils qui grandissent. (Elle prit un bol ébréché sur une étagère et un œuf brun dans le garde-manger de la fenêtre. Elle posa les deux sur la table et tira une chaise.) Asseyez-vous et mettez vos mains sous vos cuisses. (Médusée, j'obéis.) Annie et moi allons nous rendre chez la veuve Hackett. En notre absence, vous devez mettre le contenu de cet œuf dans ce bol sans user de vos mains. Cela nécessite deux sorts : un sort de mouvement et un simple sort d'ouverture. Mon fils John a huit ans et sait déjà le faire sans réfléchir.

— Mais…

— Si l'œuf n'est pas dans le bol à mon retour, personne ne pourra vous aider, mistress Roydon. Vos parents ont peut-être eu raison de vous lier si votre pouvoir est si faible que vous ne pouvez casser un œuf.

Annie me lança un regard désolé en prenant la poêle. Susanna y posa un couvercle.

— Viens, Annie.

Restée seule dans la pièce, je contemplai l'œuf et le bol.

— Quel cauchemar, murmurai-je en espérant que les garçons soient trop loin pour m'entendre.

Je pris une profonde inspiration et rassemblai mon énergie. Je connaissais les paroles des deux sorts et je voulais que l'œuf bouge – désespérément. La magie n'était rien de plus qu'un désir devenu réalité, me rappelai-je.

Je concentrai mon désir sur l'œuf. Il sautilla sur la table, une fois, puis s'immobilisa. Silencieusement, je répétai le sort. Plusieurs fois.

Quelques minutes plus tard, le seul résultat de mes efforts était un front ruisselant de sueur. On ne me demandait que de soulever l'œuf et de le casser. Et j'en avais été incapable.

— Je suis désolée, murmurai-je à mon ventre encore plat. Espérons que tu tiendras de ton père.

Mon estomac gargouilla. Les nerfs et les modifications hormonales me rendaient la digestion difficile.

Les poules avaient-elles des nausées matinales ? J'inclinai la tête et regardai l'œuf. Une pauvre poule avait été privée de son poussin pas encore né pour nourrir la famille Norman. Ma nausée augmenta. Peut-être faudrait-il que je devienne végétarienne, du moins durant ma grossesse.

Mais peut-être qu'il n'y avait pas de poussin du tout, me rassurai-je. Tous les œufs n'étaient pas fécondés. Mon troisième œil scruta la surface de la coquille, passa les couches d'albumen pour parvenir au jaune. Des traces de vie apparaissaient dans les minces filaments rouges qui en striaient la surface.

— Fécondé, soupirai-je.

Je me tortillai sur ma chaise. Em et Sarah avaient élevé des poules pendant un temps. Il ne fallait que trois semaines à une poule pour que son œuf éclose. Trois semaines de chaleur et d'attention et un poussin naissait. Cela ne me paraissait pas juste de devoir attendre encore huit mois avant que notre enfant voie la lumière du jour.

De l'attention et de la chaleur. Des choses si simples, qui pourtant assuraient la vie. Qu'avait dit

Matthew ? *Tout ce dont un enfant a besoin, c'est qu'on l'aime, qu'un adulte s'occupe de lui et le fasse naître dans un environnement confortable.* Il en était de même pour les poussins. J'imaginai ce que serait la sensation d'être blottie dans la chaleur duveteuse d'une mère poule, couvée et protégée des plaies et des bosses. Notre enfant éprouvait-il cela, tandis qu'il flottait dans les profondeurs de mon ventre ? Sinon, y avait-il un sort pour cela ? Un sort tissé avec la responsabilité, qui envelopperait le bébé d'amour, de chaleur et de soins, mais qui serait assez léger pour qu'il bénéficie à la fois de la sécurité et de la liberté ?

— C'est cela mon vrai désir, chuchotai-je.

Pip.

Je regardai autour de moi. Dans bien des maisons, il y avait des poulets qui picoraient auprès de l'âtre.

Pip. Cela venait de l'œuf sur la table. Il y eut un craquement, puis un bec apparut. Deux yeux noirs effarés clignèrent devant moi dans une petite tête toute mouillée.

Derrière moi, quelqu'un poussa un cri. Annie, une main devant sa bouche, fixait le poussin sur la table.

— Tante Susanna, dit-elle. Est-ce que...

Elle n'acheva pas et tendit le bras vers moi.

— Oui. C'est la *luur* qui demeure après le nouveau sort de mistress Roydon. Va. Cours chercher Goody Alsop.

Susanna retourna sa nièce et la renvoya dans la rue.

— Je n'ai pas réussi à mettre l'œuf dans le bol, Maîtresse Norman, m'excusai-je. Les sorts n'ont rien donné.

Le poussin encore mouillé protesta à grand renfort de pépiements indignés.

— Rien donné ? Je commence à me dire que vous ne savez rien de ce qu'est être une sorcière, dit Susanna, incrédule.

Je commençais de mon côté à me dire qu'elle avait raison.

20

Phoebe trouvait troublant le silence des bureaux de Sotheby's sur Bond Street, cette nuit-là. Bien que travaillant depuis deux semaines dans la firme londonienne de ventes aux enchères, elle n'était toujours pas habituée à l'immeuble. Le bourdonnement des néons, le vigile qui tournait chaque poignée de porte pour vérifier qu'elle était bien verrouillée, les rires préenregistrés lointains d'une télévision – chaque bruit la faisait sursauter.

Étant nouvelle dans le service, c'était à Phoebe qu'il avait incombé d'attendre derrière une porte fermée l'arrivée du Dr Whitmore. Sylvia, sa chef, avait été inflexible : quelqu'un devait recevoir ce monsieur après les heures de bureau. Phoebe soupçonnait que cette requête allait à l'encontre du règlement, mais elle était trop nouvelle pour oser protester.

— Évidemment que vous allez rester. Il sera là à 19 heures, avait dit suavement Sylvia en tripotant son rang de perles avant de prendre les billets pour le ballet dans son tiroir. De toute façon, vous n'avez rien d'autre à faire, n'est-ce pas ?

Sylvia avait raison. Phoebe n'avait effectivement rien d'autre à faire.

— Mais qui est-ce ? avait-elle demandé.

La question était tout à fait légitime, pourtant Sylvia avait eu l'air outré.

— Il vient d'Oxford et c'est un client important de la maison. Vous n'avez nul besoin d'en savoir davantage. Sotheby's est très à cheval sur la confidentialité, à moins que cela vous ait échappé durant votre formation ?

C'est ainsi que Phoebe se retrouvait encore à son bureau. Elle attendit bien après l'heure convenue du rendez-vous. Pour passer le temps, elle feuilleta les dossiers pour en apprendre un peu plus sur le visiteur. Elle n'aimait pas rencontrer des gens sans rien savoir d'eux. Sylvia estimait peut-être qu'elle n'avait besoin que d'un nom et de vagues recommandations, mais Phoebe n'était pas de cet avis. Sa mère lui avait enseigné qu'une information personnelle est une arme précieuse que l'on peut dégainer dans les soirées et les dîners en ville. Cependant, Phoebe n'avait pas réussi à trouver le moindre Whitmore dans les archives de Sotheby's, et le numéro client ne menait qu'à une simple carte dans un classeur à tiroir verrouillé indiquant « Famille Clermont – voir auprès du président ».

À neuf heures moins cinq, elle entendit quelqu'un devant sa porte. La voix de l'homme était bourrue, mais étrangement mélodieuse.

— C'est la troisième piste éventée sur laquelle vous m'envoyez en autant de jours, Ysabeau. Veuillez essayer de vous rappeler que j'ai des choses à faire. Envoyez Alain, la prochaine fois. (Il y eut une brève pause, puis :) Vous pensez que je ne suis pas occupé ? Je vous rappellerai une fois que je les aurai vus. (Un juron étouffé.) Dites à votre intuition de prendre des vacances, pour l'amour du ciel.

L'homme était étrange à entendre : mi-américain, mi-anglais, avec certaines intonations qui laissaient penser qu'il parlait d'autres langues. Le père de Phoebe, qui avait servi dans le corps diplomatique de la reine, avait le même genre de voix, comme s'il venait à la fois de partout et de nulle part.

La sonnette stridente la fit de nouveau sursauter, alors qu'elle l'attendait. Elle quitta son bureau et traversa la pièce. Elle portait des talons noirs qui avaient coûté une fortune, mais qui la faisaient paraître plus grande et qui, se répétait-elle, lui conféraient une certaine autorité. C'était une astuce qu'elle avait apprise de Sylvia lors de leur premier entretien, où elle était venue en souliers plats. Depuis, elle s'était juré de ne plus jamais donner l'impression d'être « adorablement menue ».

Elle jeta un coup d'œil au judas et vit un front lisse, des cheveux blonds ébouriffés et de vifs yeux bleus. Ce ne pouvait pas être le Dr Whitmore.

Un coup frappé à la porte la fit sursauter une fois de plus. Qui que ce fût, cet homme était mal élevé. Irritée, Phoebe appuya sur l'interphone.

— Oui ? demanda-t-elle avec agacement.

— Marcus Whitmore, pour Mrs Thorpe.

Phoebe regarda de nouveau au judas. Impossible. Personne d'aussi jeune ne pouvait retenir l'attention de Sylvia.

— Puis-je voir une pièce d'identité ? demanda-t-elle sèchement.

— Où est Sylvia ?

— Au spectacle. *Coppelia*, je crois.

Les places de Sylvia étaient les meilleures de la salle, une extravagance qui passait en frais professionnels.

L'homme plaqua une carte d'identité sur le judas. Phoebe recula.

— Voudriez-vous être assez aimable pour l'éloigner ? Elle est trop près pour que je voie.

La carte s'écarta un peu de la porte.

— Vraiment, Miss… ?

— Taylor.

— Miss Taylor, je suis pressé.

La carte disparut, remplacée par les deux fanaux bleus. Phoebe recula encore une fois, mais elle avait eu le temps de lire le nom sur la carte et le lien avec un projet de recherches scientifiques à Oxford. C'était bien le Dr Whitmore. Quel rapport un scientifique d'Oxford pouvait-il bien avoir avec Sotheby's ? Phoebe déverrouilla la porte.

À peine eut-il entendu le déclic que Whitmore poussa le battant. Il était habillé comme pour sortir à Soho, avec son jeans noir, un vieux t-shirt gris U2 et une paire de ridicules Converse montantes également grises. Un lacet de cuir pendait à son cou avec une poignée de babioles de provenance douteuse et de peu de valeur. Phoebe rajusta son chemisier immaculé et le regarda avec irritation.

— Merci, dit Whitmore en se rapprochant plus que ne l'autorisent les convenances. Sylvia a laissé un paquet pour moi.

— Si vous voulez bien prendre un siège, Dr Whitmore, dit Phoebe en désignant le fauteuil devant son bureau.

Il y jeta un bref coup d'œil avant de la regarder de nouveau.

— Je dois vraiment ? Cela ne prendra guère de temps. Je suis seulement venu ici confirmer que ma grand-mère ne voit pas des zèbres alors qu'il ne s'agit que de chevaux.

— Pardon ?

Phoebe se rapprocha de son bureau. Il y avait un signal d'alarme sous le plan de travail, à côté du tiroir. Si cet homme continuait de mal se conduire, elle allait appuyer dessus.

— Le paquet. (Whitmore continuait de la dévisager. Elle lut une étincelle d'intérêt dans son regard. Phoebe la reconnut et croisa les bras pour le décourager. Il désigna le coffret plat sur le bureau sans même le regarder.) Je devine que c'est ceci.

— Veuillez vous asseoir, Dr Whitmore. L'heure de la fermeture est passée depuis longtemps, je suis fatiguée, et il y a des documents à remplir avant que je puisse vous laisser examiner ce que Sylvia vous a laissé de côté.

Elle se massa la nuque, endolorie à force de se dévisser le cou pour le regarder. Les narines de Whitmore se dilatèrent et il baissa les paupières. Phoebe remarqua qu'il avait les cils plus foncés que les cheveux, et qu'ils étaient plus longs que les siens. N'importe quelle femme aurait tué pour en avoir de semblables.

— Je pense vraiment que vous feriez mieux de me donner le paquet et de me laisser partir, Miss Taylor.

La voix bourrue s'était adoucie et assourdie, se faisant menaçante, sans que Phoebe comprenne pourquoi. Qu'est-ce qu'il comptait faire ? Voler le paquet ? De nouveau, elle songea à l'alarme, mais se ravisa. Sylvia serait furieuse si elle offensait un client en appelant les vigiles.

Elle se contenta donc de prendre un papier et un stylo et de les tendre à son visiteur.

— Très bien. Je serai ravie de faire cela sans m'asseoir si vous préférez, Dr Whitmore, même si c'est nettement moins confortable.

— On ne m'a pas proposé mieux depuis longtemps, grimaça Whitmore. Si nous devons procéder selon Hoyle, je crois que vous devriez m'appeler Marcus.

— Hoyle ? (Phoebe rougit et se redressa de toute sa hauteur. Whitmore se fichait d'elle.) Je ne crois pas qu'il travaille ici.

— Je l'espère sincèrement, répliqua-t-il en signant à la hâte. Edmond Hoyle est mort depuis 1769.

— Je suis nouvelle chez Sotheby's. Vous devrez me pardonner de ne pas saisir la référence.

Phoebe renifla. Cette fois encore, elle était trop loin du bouton pour appuyer dessus. Whitmore n'était peut-être pas un voleur, mais elle commençait à se dire qu'il était fou.

— Voici votre stylo, dit poliment Marcus. Et votre formulaire. Voyez, ajouta-t-il en se penchant, j'ai fait exactement ce que vous m'avez demandé. Je suis vraiment très bien élevé. Mon père y a veillé.

En reprenant le formulaire et le stylo, Phoebe effleura du bout des doigts le dos de la main de Whitmore. Elle était si froide qu'elle frissonna. Elle remarqua qu'il portait une grosse alliance en or au petit doigt. Elle avait l'air médiéval, mais personne ne se promenait à Londres avec un bijou aussi rare et précieux. Ce devait être un faux – mais réussi.

Phoebe vérifia le formulaire en revenant à son bureau. Tout semblait en ordre, et si cet homme se révélait être une sorte de criminel – ce qui ne la surprendrait pas le moins du monde –, au moins elle n'aurait pas été coupable d'enfreindre le règlement. Phoebe souleva le couvercle du coffret, pour en soumettre le contenu à cet étrange Dr Whitmore. Après quoi, elle pourrait heureusement rentrer chez elle.

— Oh, s'exclama-t-elle, surprise.

Elle s'attendait à voir une fabuleuse rivière de diamants ou un ensemble victorien d'émeraudes montées sur un filigrane d'or maniéré – quelque chose qui aurait plu à sa grand-mère.

En fait de quoi, l'écrin contenait deux miniatures ovales posées dans deux niches parfaitement ajustées afin de les protéger. L'une représentait une femme aux cheveux blonds coiffés en chignon. Une collerette en fraise encadrait son visage et on apercevait autour une robe brodée en soie dorée. Ses yeux clairs regardaient le spectateur avec calme et assurance et sa bouche s'incurvait en un aimable sourire. L'arrière-plan était de ce bleu vif courant dans les œuvres de l'enlumineur élisabéthain Nicholas Hilliard. L'autre miniature représentait un homme aux cheveux noirs rejetés en arrière. Sa barbe et sa moustache irrégulières le faisaient paraître plus jeune que ses yeux noirs le laissaient penser, et sa chemise blanche était ouverte au cou, montrant une peau encore plus laiteuse que l'étoffe. Ses longs doigts tenaient un bijou accroché à une chaîne. Derrière lui, se tordaient des flammes du même or que la robe de soie de la femme.

— Seigneur, fit Whitmore, comme s'il avait vu un fantôme.

— Ils sont magnifiques, n'est-ce pas ? Ce doit être la paire de miniatures qui viennent d'arriver. Un vieux couple du Shropshire les a trouvées cachées au fond de

461

leur ménagère alors qu'ils cherchaient à ranger de nouvelles pièces d'argenterie. D'après Sylvia, elles atteindront un bon prix.

— Oh, cela ne fait aucun doute, dit Marcus en passant un appel.

— *Oui ?* dit une voix impérieuse à l'autre bout du fil.

C'était le problème, avec les portables, songea Phoebe. Les gens hurlaient dedans et tout le monde pouvait entendre les conversations personnelles.

— Vous aviez raison pour les miniatures, *grandmère**.

Une petite exclamation satisfaite se fit entendre.

— Ai-je votre complète attention, à présent, Marcus ?

— Non. Et remerciez-en le ciel. La plupart des gens regrettent quand je leur consacre ma complète attention. (Il jeta un regard à Phoebe et sourit. L'homme était charmant, s'avoua-t-elle avec réticence.) Mais donnez-moi quelques jours avant de m'envoyer faire d'autres courses. Combien au juste êtes-vous prête à payer pour cela ou bien est-ce une question inutile ?

— *N'importe quel prix**.

Le genre de phrase qui comblait les commissaires-priseurs, se dit Phoebe en fixant les miniatures. Elles étaient vraiment exceptionnelles.

Whitmore et sa grand-mère conclurent leur conversation et le jeune homme pianota aussitôt sur son clavier pour envoyer un message.

— Hilliard estimait que ses miniatures étaient faites pour être regardées en privé, médita Phoebe à voix haute. Il trouvait que l'art de l'enluminure exposait beaucoup trop des secrets de ses sujets. On voit bien pourquoi. Ces deux-là ont l'air d'avoir eu toutes sortes de secrets.

— Vous avez bien raison, murmura Marcus.

Il était tout près et Phoebe pouvait mieux voir ses yeux. Elle les trouva plus bleus qu'elle n'avait cru au départ, plus bleus même que l'outremer enrichi à l'azurite qu'utilisait Hilliard.

Le téléphone sonna. Le temps que Phoebe décroche, elle eut l'impression que la main de Whitmore avait frôlé sa taille juste un instant.

— Donnez ses miniatures au client, Phoebe.

C'était Sylvia.

— Je ne comprends pas, dit-elle, confuse. Je ne suis pas autorisée…

— Il les a achetées. Notre obligation était d'obtenir le prix le plus élevé possible pour ces pièces. C'est ce que nous avons fait. Les Taverner vont pouvoir passer leurs derniers jours à Monaco s'ils le souhaitent. Et vous pouvez dire à Marcus que si j'ai manqué la *danse de fête**, je serai ravie d'utiliser leur loge familiale pour les représentations de la prochaine saison.

Sylvia coupa.

Le silence régnait dans la pièce. Les doigts de Marcus Whitmore étaient délicatement posés sur la monture en or de la miniature de l'homme. On aurait dit qu'il cherchait à communiquer avec cet inconnu mort depuis si longtemps.

— Je crois presque qu'il pourrait m'entendre si je parlais, dit mélancoliquement Marcus.

Il y avait anguille sous roche. Phoebe n'aurait su préciser quoi, mais l'enjeu dépassait ici la simple acquisition de deux miniatures du XVIe siècle.

— Votre grand-mère doit avoir un compte bancaire très confortable, Dr Whitmore, pour payer une telle somme ces deux portraits élisabéthains non identifiés. Comme vous êtes un de nos clients, je me dois de vous avertir que vous avez payé un prix trop élevé. Un portrait de la reine Élisabeth Ire de cette période peut atteindre un nombre à six chiffres auprès des connaisseurs, mais pas ceux-ci. (L'identité de la personne représentée était capitale pour l'estimation.) Nous ne saurons jamais qui étaient ces deux personnes, après tant de siècles. Les noms sont importants.

— C'est ce que dit ma grand-mère.

— Dans ce cas, elle est consciente que sans identification certaine, la cote de ces miniatures ne va probablement pas monter.

— Très franchement, dit Marcus, ma grand-mère n'a pas besoin de faire fructifier son investissement. Et Ysabeau préférerait que personne d'autre ne sache qui ils sont. (Phoebe fronça les sourcils devant cette étrange affirmation. Sa grand-mère s'imaginait-elle le *savoir* ?) Cela a été un plaisir de traiter avec vous, Phoebe, même si nous sommes restés debout. Cette fois. (Il marqua une pause et lui décocha son sourire charmeur.) Cela ne vous ennuie pas que je vous appelle Phoebe ? (Si, cela lui déplaisait. Elle se frotta le cou avec exaspération, repoussant ses cheveux noirs mi-longs. Les yeux de Marcus s'attardèrent sur la courbe de ses épaules. Comme elle ne répondait pas, Marcus referma l'écrin, le fourra sous son bras et recula.) J'aimerais vous inviter à dîner, dit-il aimablement, ne se rendant apparemment pas compte qu'elle ne lui manifestait aucun intérêt. Nous pouvons fêter la bonne fortune des Taverner, ainsi que la coquette commission que vous partagerez avec Sylvia. (Sylvia ? Partager une commission ? Phoebe resta bouche bée d'incrédulité. Les chances que sa chef le fasse frôlaient zéro. L'expression de Marcus s'assombrit.) C'était une condition de l'accord que Sylvia partage la commission avec vous. Ma grand-mère refuse qu'il en soit autrement. Dîner ?

— Je ne vais pas dîner avec des inconnus.

— Alors je vous inviterai à dîner demain, après que nous aurons déjeuné ensemble. Une fois que vous aurez passé deux heures en ma compagnie, je ne serai plus un étranger pour vous.

— Oh, mais vous resterez étrange, murmura Phoebe. Et je ne sors pas déjeuner. Je prends ma pause à mon bureau.

Elle se détourna, confuse. Avait-elle vraiment prononcé sa première phrase à haute voix ?

— Je viendrai vous prendre à 13 heures, dit Marcus en souriant de plus belle. (Phoebe s'effondra intérieurement. Effectivement, elle l'avait dite à haute voix.) Et ne vous inquiétez pas, nous n'irons pas bien loin.

— Pourquoi pas ?

Pensait-il qu'elle avait peur de lui ou qu'elle aurait du mal à le suivre avec ses grandes enjambées ? Oh, comme elle s'en voulait d'être petite.

— Je voulais juste vous dire que vous pourriez porter ces chaussures sans craindre de vous rompre le cou, dit innocemment Marcus. (Son regard glissa du bout de ses pieds à ses chevilles, puis remonta le long de son mollet.) Elles me plaisent.

Qui cet homme s'imaginait-il qu'elle était ? Il se comportait comme un libertin du XVIIIᵉ siècle. Phoebe fit quelques pas vers la porte, ravie du cliquetis décidé de ses talons. Elle poussa le bouton d'ouverture et s'effaça en tenant le battant. Marcus la suivit avec un murmure approbateur.

— Je ne devrais pas être aussi direct. Ma grand-mère réprouve cela presque autant que d'être écartée d'une affaire. Mais voici, Phoebe, dit-il en s'approchant tout près de son oreille et en chuchotant. Contrairement aux hommes qui vous ont invitée à dîner et vous ont peut-être raccompagnée chez vous pour autre chose, votre sens des convenances et vos manières réservées ne m'effraient pas. Tout au contraire. Et je ne peux m'empêcher d'imaginer comment vous êtes quand cette glace commence à fondre. (Phoebe s'étrangla. Marcus lui prit la main et la baisa sans la quitter des yeux.) À demain. Et assurez-vous que la porte soit bien verrouillée derrière moi. Vous avez assez d'ennuis comme cela.

Le Dr Whitmore sortit à reculons, lui fit un dernier sourire radieux, tourna les talons et disparut.

La main de Phoebe tremblait. Cet homme – cet étrange effronté avec d'extraordinaires yeux bleus – lui avait baisé la main. À son bureau. Sans sa permission.

Et elle ne l'avait pas giflé, ce que les filles de diplomates bien élevées apprenaient à faire en dernier recours pour repousser des avances indésirables ici comme partout dans le monde.

Effectivement, elle était dans de beaux draps.

21

— Ai-je eu raison de vous appeler, Goody Alsop ?
demanda Susanna en se tordant les mains dans son
tablier et en me regardant avec inquiétude. J'ai failli la
renvoyer chez elle, dit-elle faiblement. Si j'avais…

— Mais vous ne l'avez pas fait, Susanna.

Goody Alsop était si vieille et maigre qu'elle n'avait
que la peau sur les os des mains et des poignets. Cependant, la voix de la sorcière était curieusement enjouée
pour quelqu'un d'aussi frêle, et son regard brillait
d'intelligence. C'était peut-être une octogénaire, mais
personne n'aurait osé la traiter d'infirme.

Maintenant qu'elle était arrivée, la salle commune
de la maison des Norman débordait de monde. Avec
une certaine réticence, Susanna autorisa Matthew et
Pierre à rester dans l'entrée, à condition qu'ils ne
touchent rien. Jeffrey et John divisaient leur attention
entre les vampires et le poussin, désormais douillette-
ment blotti dans le bonnet de John auprès du feu. Dans
la chaleur, son duvet commençait à sécher et il avait
Dieu merci cessé de pépier. J'étais assise sur un
tabouret auprès de l'âtre à côté de Goody Alsop, qui
occupait l'unique chaise de la pièce.

— Laissez-moi vous regarder, Diana. (Alors que la
vieille femme tendait les doigts vers mon visage tout

comme l'avaient fait Champier et la veuve Beaton, je tressaillis. La sorcière s'arrêta et fronça les sourcils.) Qu'y a-t-il, mon enfant ?

— Un sorcier en France a essayé de lire ma peau. Cela a été comme des couteaux, expliquai-je dans un chuchotement.

— Ce ne sera pas très agréable – comme tout examen –, mais cela ne devrait pas vous faire souffrir.

Ses doigts parcoururent mon visage. Ses mains étaient fraîches et sèches, avec des veines saillantes sur les doigts crochus à la peau tavelée. J'éprouvai une légère sensation, comme si elle creusait, mais ce n'était en aucun cas la douleur que j'avais subie sous les mains de Champier.

— Ah, fit-elle en arrivant sur mon front.

Mon œil sorcier, qui s'était replongé dans sa frustrante inactivité coutumière dès que Susanna et Annie m'avaient retrouvée avec le poussin, s'ouvrit complètement. Goody Alsop était une sorcière qui valait la peine d'être connue.

En regardant dans son troisième œil, je plongeai dans un univers de couleurs. J'avais beau m'y efforcer, ces fils multicolores entrelacés refusaient de former quelque chose de reconnaissable, même si je sentais vaguement qu'ils pouvaient être d'une certaine utilité. Les doigts de Goody Alsop me chatouillèrent alors qu'elle sondait mon corps et mon esprit avec sa double vue et que l'énergie palpitait autour d'elle avec une lueur orangée tirant sur le violet. Selon mon expérience limitée, personne n'avait encore manifesté ce mélange particulier de couleurs. Elle claqua à plusieurs reprises de la langue d'un air approbateur.

— Elle est étrange, celle-là, hein ? chuchota Jeffrey en regardant par-dessus l'épaule de la vieille femme.

— Jeffrey ! s'écria Susanna, gênée des mauvaises manières de son fils. Mistress Roydon, je te prie !

— Très bien. Elle est étrange, mistress Roydon, dit Jeffrey, impénitent, en se baissant, les mains sur les genoux.

— Que vois-tu, mon petit Jeffrey ? demanda Goody Alsop.

— Elle… mistress Roydon… est de toutes les couleurs de l'arc-en-ciel. Son œil sorcier est bleu, alors que tout le reste de sa personne est vert et argent comme la déesse. Et pourquoi y a-t-il cette bordure noire et rouge, là ? demanda-t-il en désignant mon front.

— C'est la marque d'un *wearh*, dit Goody Alsop en la caressant du bout des doigts. Elle nous apprend qu'elle appartient à la famille de master Roydon. Quand tu vois cela, Jeffrey – et c'est fort rare –, tu dois le considérer comme une mise en garde. Le *wearh* qui l'a faite ne sera point heureux si tu te mêles de toucher au sang-chaud qu'il marque comme sien.

— Cela fait mal ? demanda l'enfant.

— Jeffrey ! s'écria Susanna. Tu sais bien qu'il ne faut pas harceler Goody Alsop de questions.

— Nous devons nous attendre à un avenir sombre si les enfants cessent d'en poser, Susanna, fit remarquer la sorcière.

— Le sang d'un *wearh* peut soigner, mais il ne fait pas de mal, dis-je au garçon avant que Goody Alsop ait pu répondre.

Ce n'était pas la peine qu'un jeune sorcier de plus grandisse dans la peur de ce qu'il ne comprenait pas.

Mon regard glissa vers Matthew, dont les prérogatives sur moi allaient bien plus loin que le serment du sang de son père. Matthew était disposé à laisser Goody Alsop poursuivre son examen – pour le moment –, mais il ne quittait pas la femme des yeux. Je m'efforçai de sourire et ses lèvres tressaillirent imperceptiblement en réponse.

— Oh, fit Jeffrey, apparemment vaguement intéressé par cette information. Vous pouvez refaire la *luur*, mistress Roydon ?

À leur grand chagrin, les garçons avaient manqué cette manifestation d'énergie magique.

Goody Alsop posa l'index entre le nez et la lèvre de Jeffrey, ce qui le fit efficacement taire.

— Il faut que je parle à Annie, à présent. Quand nous aurons fini, le serviteur de master Roydon va vous emmener tous les trois à la rivière. Quand vous reviendrez, vous pourrez me demander ce que vous désirez.

Matthew inclina la tête vers la porte et Pierre se chargea des deux garçons qu'il emmena attendre en bas après un regard circonspect à la vieille femme. Comme Jeffrey, Pierre avait besoin de vaincre sa peur des autres créatures.

— Où est la fille ? demanda Goody Alsop en tournant la tête.

— Je suis là, Goody, répondit Annie en sortant de la pénombre.

— Dis-nous la vérité, Annie, demanda Goody Alsop d'un ton ferme. Qu'as-tu promis à Andrew Hubbard ?

— Rien, bégaya Annie en me jetant un regard.

— Ne mens pas, Annie. C'est un péché, la gronda Goody Alsop. Parle.

— Je dois le prévenir si master Roydon prévoit de quitter de nouveau Londres. Et le Père Hubbard envoie un de ses hommes quand master et mistress Roydon sont encore au lit pour m'interroger sur ce qui se passe dans la maison.

Elle débita tout cela d'une traite et quand elle eut terminé, elle porta les mains à sa bouche somme si elle n'en revenait pas d'avoir autant révélé.

— Nous devons nous plier à la lettre à l'accord entre Annie et Hubbard, sinon à l'esprit. (Goody Alsop réfléchit un instant.) Si mistress Roydon quitte la ville pour une raison quelconque, Annie me préviendra d'abord. Attends une heure avant de le faire savoir à Hubbard, Annie. Et si tu dis un mot de ce qui s'est passé ici, je jetterai un sort sur ta langue que treize sorcières réunies ne parviendront pas à rompre. (Annie eut l'air légitimement terrifiée à cette perspective.) Va retrouver les garçons, mais ouvre toutes les portes et fenêtres avant de partir. Je t'enverrai chercher quand le moment sera venu.

Annie ouvrit portes et volets avec une telle expression désolée et apeurée que je lui fis un petit signe d'encouragement. La pauvre enfant n'était pas en mesure de s'opposer à Hubbard et elle avait fait ce qu'elle pouvait afin de survivre. Et sur un dernier regard effrayé à Matthew, qui demeurait glaçant envers elle, la fillette s'en alla.

La maison devenue silencieuse, un courant d'air s'enroulant autour de mes chevilles et de mes épaules, Matthew prit finalement la parole, toujours appuyé au chambranle, ses vêtements noirs absorbant le peu de lumière qu'il y avait dans la pièce.

— Pouvez-vous nous aider, Goody Alsop ? demanda-t-il d'un ton courtois qui n'avait rien à voir avec le traitement hautain qu'il avait réservé à la veuve Beaton.

— Je le crois, master Roydon, répondit-elle.

— Veuillez prendre vos aises, dit Susanna en désignant à Matthew un tabouret. (Il y avait malheureusement peu de chances que Matthew, avec sa haute taille, soit à l'aise sur le minuscule siège, mais il l'enfourcha sans se plaindre.) Mon époux dort dans la pièce voisine. Il ne doit pas entendre le *wearh*, ni notre conversation.

Goody Alsop toucha l'étoffe de laine grise qui couvrait son cou et écarta ses doigts comme si elle retirait quelque chose d'invisible. Puis elle tendit le bras et d'un geste sec du poignet, elle libéra une silhouette obscure dans la pièce. Son exacte réplique s'en alla dans la chambre de Susanna.

— Qu'est-ce que c'était que cela ? demandai-je, osant à peine respirer.

— Mon empuse. Elle va veiller sur Maître Norman et s'assurer que nous ne sommes pas dérangés. (Elle murmura quelque chose et les courants d'air cessèrent.) Maintenant que les portes et fenêtres sont scellées, personne d'autre ne pourra non plus nous entendre. Tu n'as pas à t'inquiéter de cela, Susanna.

C'étaient là deux sorts qui pouvaient se révéler utiles dans la maison d'un espion. Je voulus demander à Goody Alsop comment elle faisait, mais avant que j'aie pu prononcer un mot, elle leva la main en gloussant.

— Vous êtes bien curieuse pour une femme de votre âge. Je crains que vous épuisiez la patience de

Susanna encore plus facilement que Jeffrey. (Elle se radossa et me considéra avec contentement.) Cela faisait longtemps que je vous attendais, Diana.

— Moi ? demandai-je, dubitative.

— Sans le moindre doute. Cela fait des années que les premiers augures ont prédit votre arrivée, et avec le temps qui passait, certains d'entre nous ont perdu espoir. Mais quand nos sœurs nous ont parlé des signes aperçus dans le nord, j'ai su que je devais vous attendre.

Goody Alsop faisait allusion à Berwick et à d'étranges événements en Écosse. Je m'avançai sur mon siège, prête à la questionner, mais Matthew secoua légèrement la tête. Il n'était pas encore certain de pouvoir se fier à la sorcière. Goody Alsop vit la réaction de mon mari et gloussa de nouveau.

— Alors j'avais raison, dit Susanna, soulagée.

— Oui, mon enfant. Diana est en vérité une tisseuse.

Les paroles de Goody Alsop résonnèrent dans la pièce avec la force d'un sortilège.

— Qu'est-ce que c'est que cela ? chuchotai-je.

Les réponses de Goody Alsop ne faisaient généralement que susciter d'autres questions.

— Il y a beaucoup de choses que nous ne comprenons pas sur notre situation présente, Goody Alsop, dit Matthew en me prenant la main. Peut-être devriez-vous nous traiter comme Jeffrey et nous l'expliquer comme vous le feriez avec un enfant.

— Diana est une faiseuse de sortilèges, dit Goody Alsop. Nous autres tisseuses, nous sommes des créatures rares. C'est pour cela que la déesse vous a envoyée à moi.

— Non, Goody Alsop. Vous vous trompez, me récriai-je. Je suis incapable de jeter des sorts. Ma tante Sarah est très douée, mais même elle n'a jamais pu m'enseigner l'art de la sorcellerie.

— Bien sûr que vous ne pouvez pas jeter les sorts des autres sorciers. Vous devez concevoir les vôtres.

Les paroles de Goody Alsop allaient à l'encontre de tout ce que l'on m'avait appris. Je la regardai, stupéfaite.

— Les sorciers apprennent les sorts. Nous ne les inventons pas.

Les sortilèges étaient transmis de génération en génération, au sein des familles et entre membres des covens. Nous conservions jalousement ce savoir, consignant les paroles et les procédures dans des grimoires avec les noms des sorciers qui maîtrisaient la magie les accompagnant. Les sorciers plus expérimentés enseignaient aux membres plus jeunes des covens à suivre leur exemple, en prenant garde aux nuances de chaque sort et à l'expérience passée de chaque sorcier qui l'accompagnait.

— Les tisseuses, si.

— Je n'ai jamais entendu parler de tisseuses, dit prudemment Matthew.

— Rares sont ceux qui les connaissent. Nous sommes un secret, master Roydon, un secret que peu de sorciers découvrent, et encore moins les *wearhs*. Les secrets et leur dissimulation ne vous sont pas étrangers, ce me semble, ajouta-t-elle avec un regard pétillant de malice.

— J'ai vécu de nombreuses années, Goody Alsop. J'ai du mal à croire que des sorciers ont pu dissimuler pendant si longtemps l'existence de tisseuses aux yeux de toutes les autres créatures, se renfrogna Matthew. Est-ce encore un petit jeu de Hubbard ?

— Je suis trop vieille pour les jeux, monsieur de Clermont. Oh, oui, je sais qui vous êtes vraiment, et quelle position vous occupez dans notre monde, ajouta-t-elle devant l'air surpris de Matthew. Peut-être que vous ne pouvez dissimuler la vérité aux sorciers aussi bien que vous le pensez.

— Peut-être pas, répondit Matthew dans un feulement menaçant qui ne fit qu'amuser la vieille femme.

— Ce petit tour peut effrayer des enfants comme Jeffrey et John, et des démons touchés par la lune comme votre ami Christopher, mais il ne me fait pas peur. (Elle prit un ton grave.) Les tisseuses se cachent parce qu'autrefois, nous avons été traquées et tuées, tout comme les chevaliers de votre père. Notre pouvoir n'était pas du goût de tout le monde. Comme vous le savez, il est plus facile de survivre quand vos ennemis croient que vous êtes déjà mort.

— Mais qui ferait cela, et pourquoi ?

J'espérai que la question n'allait pas nous ramener à l'éternelle inimitié entre les vampires et les sorciers.

— Ce ne sont pas les *wearhs* ou les démons qui nous ont traquées, mais d'autres sorciers, répondit calmement Goody Alsop. Ils nous craignent parce que nous sommes différentes. La peur donne naissance au mépris, puis à la haine. C'est une histoire éternelle. Autrefois, des sorciers ont anéanti des familles entières de peur que leurs enfants deviennent des tisseuses à leur tour. Les rares qui ont survécu ont caché leurs enfants. L'amour des parents pour un enfant est puissant, comme vous allez bientôt le découvrir l'un et l'autre.

— Vous connaissez l'existence de l'enfant, dis-je en posant les mains sur mon ventre dans un geste protecteur.

— Oui, dit-elle en hochant gravement la tête. Vous êtes en train de tisser quelque chose de puissant, Diana. Vous ne pourrez pas le dissimuler longtemps aux autres sorciers.

— Un enfant ? dit Susanna en ouvrant de grands yeux. Conçu entre une sorcière et un *wearh* ?

— Pas n'importe quelle sorcière. Seules les tisseuses peuvent opérer une telle magie. Il y a une raison pour laquelle la déesse t'a choisie pour cette tâche, Susanna, tout comme il y a une raison pour laquelle elle m'a appelée. Tu es une sage-femme et tous tes dons vont être nécessaires dans les jours qui nous attendent.

— Je n'ai aucune expérience qui puisse aider mistress Roydon, protesta Susanna.

— Tu assistes des femmes qui accouchent depuis des années, répliqua Goody Alsop.

— Des sangs-chauds, Goody, qui ont des enfants sangs-chauds ! s'indigna Susanna. Pas des créatures comme…

— Les *wearhs* ont bras et jambes tout comme nous autres, coupa Goody Alsop. Je n'imagine pas que cet enfant puisse être différent.

— Ce n'est pas parce qu'il aura dix doigts et orteils qu'il aura une âme, dit Susanna en regardant Matthew d'un air soupçonneux.

— Tu me surprends, Susanna. L'âme de master Roydon est aussi claire pour moi que la tienne. Aurais-tu encore prêté l'oreille aux sornettes de ton époux sur le mal qui habite les *wearhs* et les démons ?

— Et si c'était le cas, Goody ? se crispa Susanna.

— Tu serais une sotte. Les sorcières voient la vérité, même si leur époux leur raconte d'absurdes balivernes.

— Ce n'est pas une affaire aussi simple que tu la présentes, murmura Susanna.

— Elle n'a pas pour autant besoin d'être difficile. La tisseuse attendue depuis si longtemps est parmi nous et nous devons nous préparer.

— Merci, Goody Alsop, dit Matthew, soulagé que quelqu'un soit enfin d'accord avec lui. Vous avez raison. Diana doit apprendre ce qui est nécessaire au plus vite. Elle ne peut pas mettre l'enfant au monde ici.

— Ce n'est pas entièrement à vous d'en décider, master Roydon. S'il est écrit que l'enfant doit naître à Londres, c'est ici qu'il naîtra.

— Diana n'a pas sa place ici, dit Matthew. À Londres, se hâta-t-il d'ajouter.

— Dieu nous en est témoin, c'est assez évident. Mais comme c'est une fileuse de temps, la déplacer ailleurs ne changera rien. Diana se fera tout autant remarquer à Canterbury ou à York.

— Alors vous connaissez un autre de nos secrets, dit Matthew en lui jetant un regard glacial. Comme vous savez tant de choses, vous avez dû aussi deviner que Diana ne retournera pas dans son époque seule. L'enfant et moi partirons avec elle. Vous lui enseignerez ce qu'il faut pour qu'elle y parvienne.

Matthew prenait les commandes, ce qui signifiait que la situation allait comme d'habitude se gâter.

— L'éducation de votre épouse est mon affaire à présent, master Roydon, à moins que vous pensiez en savoir plus que moi sur ce qu'est la condition de tisseuse, dit suavement Goody Alsop.

— Il sait que c'est une affaire qui ne concerne que les sorcières, dis-je à Goody Alsop en posant la main sur le bras de Matthew. Il ne s'en mêlera point.

— Tout ce qui touche à mon épouse me concerne, Goody Alsop, dit Matthew. (Il se tourna vers moi.) Et ce n'est pas une affaire qui ne concerne que les sorcières. Pas si les sorcières ici présentes risquent de s'en prendre à ma compagne et à mon enfant.

— Ainsi, c'était une sorcière et non un *wearh* qui vous a blessée, dit doucement Goody Alsop. J'ai ressenti une douleur et compris qu'une sorcière y était mêlée, mais j'espérais que c'était pour soigner les blessures qui vous avaient été faites et non pour les causer. Qu'est devenu le monde pour qu'une sorcière fasse subir cela à une autre ?

— Peut-être que la sorcière avait aussi compris que Diana était une tisseuse, dit Matthew.

Je n'avais pas songé que Satu l'avait peut-être deviné. Étant donné ce que venait de me confier Goody Alsop sur le comportement de mes congénères envers les tisseuses, mon sang ne fit qu'un tour à l'idée que Peter Knox et ses acolytes de la Congrégation puissent me soupçonner d'abriter un tel secret.

— C'est possible, mais je ne puis l'affirmer, regretta Goody Alsop. Cependant, nous devons faire tout notre possible dans le temps que la déesse nous accorde afin de préparer Diana à ce qui l'attend.

— Arrêtez, dis-je en frappant la table, faisant tinter la bague d'Ysabeau sur le bois. Vous parlez tous comme si cette histoire de tisseuse était entendue. Mais je ne suis même pas capable d'allumer une bougie. Mes dons sont magiques. J'ai le vent, l'eau, et même le feu dans le sang.

— Si je peux lire dans l'âme de votre époux, Diana, vous ne serez point surprise que j'aie aussi vu votre pouvoir. Mais vous n'êtes pas une sorcière de feu ou d'eau, quoi que vous croyiez. Vous ne pouvez pas commander à ces éléments. Si vous étiez assez imprudente pour le tenter, vous seriez anéantie.

— Mais j'ai failli me noyer dans mes propres larmes, m'entêtai-je. Et pour sauver Matthew, j'ai tué un *wearh* avec une flèche de feu sorcier. Ma tante a reconnu l'odeur.

— Une sorcière de feu n'a pas besoin de flèches. Le feu la quitte et parvient à sa cible dans l'instant, dit Goody Alsop. Ce n'étaient que de simples sorts, mon enfant, tissés par le chagrin et l'amour. La déesse vous a dotée du don d'emprunter les pouvoirs dont vous avez besoin mais sans en maîtriser aucun entièrement.

— Les emprunter. (Je songeai aux événements frustrants des derniers mois et aux chatoiements de magie qui ne se comportaient jamais comme ils le devaient.) C'est pour cela que ces capacités apparaissent et disparaissent. Elles ne seront jamais à moi.

— Aucune sorcière ne pourrait détenir autant de pouvoir en elle sans bouleverser l'équilibre des mondes. Une tisseuse choisit avec discernement dans la magie qui l'entoure et l'utilise pour façonner quelque chose de nouveau.

— Mais il doit y avoir des milliers de sortilèges, sans parler des charmes et des potions. Rien de ce que je peux faire ne pourrait être original.

Je passai la main sur mon front, et l'endroit où Philippe avait marqué le serment du sang me parut froid.

— Tous les sortilèges ont une origine, Diana : un moment de besoin, un désir, un défi qui ne peut être relevé d'aucune autre manière. Et ils viennent aussi de quelqu'un.

— La première sorcière, murmurai-je.

Certaines créatures croyaient que l'Ashmole 782 était le premier grimoire, un livre recelant les enchantements et charmes originels conçus par notre peuple. C'était là un autre lien entre moi et le mystérieux manuscrit. Je levai les yeux vers Matthew.

— La première tisseuse, corrigea gentiment Goody Alsop, ainsi que celles qui l'ont suivie. Les tisseuses ne sont pas simplement des sorcières, Diana. Susanna est une grande sorcière, qui a plus de connaissances de la magie de la terre et de ses légendes qu'aucune autre de nos sœurs à Londres. Mais malgré tous ses dons, elle ne peut pas tisser de nouveau sortilège. Vous le pouvez.

— Je ne saurais même pas par où commencer, dis-je.

— Vous avez fait éclore ce poussin, dit Goody Alsop en désignant la petite boule de duvet jaune ensommeillée.

— Mais j'essayais de casser l'œuf ! protestai-je.

Maintenant que je savais ce qu'était l'adresse au tir à l'arc, je me rendais compte que c'était mon problème. Ma magie, comme mes flèches, avait manqué sa cible.

— De toute évidence non. Si vous aviez essayé de casser l'œuf, vous seriez en train de goûter à l'excellente crème pâtissière de Susanna. Vous aviez autre chose en tête.

Le poussin confirma en émettant un pépiement particulièrement strident.

Elle avait raison. J'avais en effet d'autres choses en tête : notre enfant, comment j'allais subvenir à ses besoins, le protéger.

— C'est bien ce qu'il me semblait, opina Goody Alsop.

— Je n'ai pas prononcé un mot, exécuté aucun rituel et rien concocté, dis-je, m'accrochant à ce que Sarah m'avait enseigné sur la technique. J'ai simplement posé quelques questions. Et elles n'étaient pas particulièrement bonnes.

— Toute magie naît d'un désir. Les mots viennent beaucoup, beaucoup plus tard, expliqua Goody Alsop. Et même à ce moment, une tisseuse ne peut réduire un sortilège à quelques mots qu'une autre sorcière pourrait prononcer à son tour. Certains tissages résistent, malgré tous nos efforts. Ils ne sont réservés qu'à nous. C'est pour cela que nous sommes craintes.

— *Au commencement étaient l'absence et le désir*, murmurai-je.

Le passé et le présent s'entrechoquèrent de nouveau alors que je répétais le premier vers du poème qui accompagnait l'unique page de l'Ashmole 782 que quelqu'un avait autrefois envoyée à mes parents. Cette fois, quand les coins de la pièce s'allumèrent et éclairèrent les grains de poussière de bleu et d'or, je ne détournai pas les yeux. Goody Alsop non plus. Matthew et Susanna suivirent nos regards, mais ni l'un ni l'autre ne vit quoi que ce soit de particulier.

— Exactement. Voyez là comment le Temps sent votre absence et vous réclame pour que vous reveniez dans le tissu de votre ancienne vie, rayonna-t-elle en battant des mains comme si j'avais fait un dessin de maison particulièrement réussi et qu'elle comptait l'afficher sur la porte du réfrigérateur. Bien sûr, le Temps n'est pas encore prêt pour vous. Sinon, le bleu aurait été beaucoup plus brillant.

— À vous entendre, il est possible de combiner la magie et la technique, mais elles sont distinctes, dis-je, toujours un peu décontenancée. La sorcellerie utilise des sortilèges, et la magie est un pouvoir hérité, sur un élément comme l'air ou le feu.

— Qui vous a enseigné de telles absurdités ? ricana Goody Alsop tandis que Susanna paraissait consternée. La magie et la sorcellerie ne sont rien de plus que deux voies qui se croisent dans la forêt. Une tisseuse est capable de se tenir à la croisée des chemins, un pied sur chaque chemin. Elle peut occuper l'endroit entre les deux, là où les pouvoirs sont les plus grands.

Le Temps attesta de cette révélation avec un cri sonore.

— *Une enfant entre les deux, une sorcière à part*, murmurai-je, émerveillée. (Le fantôme de Bridget Bishop m'avait mise en garde contre les dangers associés à une position aussi vulnérable.) Avant que nous venions ici, le fantôme de l'une de mes ancêtres – Bridget Bishop – m'a dit que c'était mon destin. Elle devait savoir que j'étais une tisseuse.

— Tout comme le savaient vos parents, dit Goody Alsop. Je peux voir les derniers fils du sortilège qui vous a liée. Votre père était un tisseur aussi. Il savait que vous suivriez sa voie.

— Son père ? demanda Matthew.

— Les tisseurs sont encore plus rares que les tisseuses, Goody Alsop, rappela Susanna.

— Le père de Diana était un tisseur très doué, mais sans entraînement. Son sortilège a été moins tissé que façonné. Cependant, il a été fait avec beaucoup d'amour et a rempli son rôle pendant un moment, un peu comme la chaîne qui vous lie à votre *wearh*, Diana.

La chaîne était mon arme secrète, qui me procurait la réconfortante sensation, dans mes moments les plus sombres, d'être ancrée à Matthew.

— Bridget m'a dit autre chose la même nuit : *Il n'y a aucune voie devant toi qui ne conduise à lui.* Elle devait savoir aussi pour Matthew, avouai-je.

— Tu ne m'avais jamais parlé de cette conversation, *mon cœur**, dit Matthew, l'air plus curieux qu'agacé.

— Carrefours, chemins et vagues prophéties ne me semblaient pas importants sur le moment. Avec tout ce qui s'est produit ensuite, j'ai oublié. (Je me tournai vers Goody Alsop.) D'ailleurs, comment aurais-je pu fabriquer des sorts sans le savoir ?

— Les tisseuses sont entourées de mystère, dit-elle. Nous n'avons pas le temps de chercher les réponses à toutes vos questions pour le moment, nous devons plutôt nous attacher à vous enseigner comment manipuler la magie qui coule en vous.

— Mes pouvoirs se sont mal conduits, avouai-je, songeant aux coings fripés et aux souliers abîmés de Mary. Je ne sais jamais ce qui va se passer.

— Ce n'est pas inhabituel pour une tisseuse qui commence à exercer son pouvoir. Mais on peut voir et sentir votre lumière, même les humains le peuvent. (Goody Alsop se radossa et me dévisagea.) Si une sorcière voit votre *luur*, ainsi qu'Annie l'a pu, elle peut vouloir en tirer parti. Nous ne vous laisserons pas tomber dans les griffes de Hubbard, vous et l'enfant. Je suppose que vous pouvez vous occuper de la Congrégation ? demanda-t-elle à Matthew. (Comme le voulait la tradition du droit anglais, Goody Alsop prit le silence de Matthew comme un consentement.) Fort bien, alors. Venez me voir le lundi et le jeudi, Diana. Maîtresse Norman vous verra le mardi. Je ferai mander Marjorie Cooper le mercredi et Elizabeth Jackson et Catherine Streeter le vendredi. Diana aura besoin de leur aide pour concilier le feu et l'eau dans son sang, faute de quoi elle ne pourra jamais rien produire d'autre que de la vapeur.

— Peut-être n'est-il point prudent de mettre toutes ces sorcières dans le secret, Goody, dit Matthew.

— Master Roydon a raison. Il court déjà trop de rumeurs sur la sorcière. John Chandler a parlé d'elle à Hubbard pour s'attirer ses bonnes grâces. Nous pouvons lui enseigner nous-mêmes, dit Susanna.

— Et depuis quand es-tu une sorcière de feu ? rétorqua Goody Alsop. Le sang de l'enfant est rempli de flammes. Mes dons sont dominés par le vent sorcier, et les tiens sont enracinés dans la terre. Nous ne suffirons pas pour cette tâche.

— Notre réunion attirera trop d'attention si nous suivons ton projet. Nous ne sommes que treize sorcières, mais tu proposes de recourir à cinq d'entre elles. Laissons un autre groupe s'occuper du problème de mistress Roydon – celui de Moorgate, peut-être, ou d'Aldgate.

— Le groupe d'Aldgate est devenu trop grand, Susanna. Il ne peut gouverner ses propres affaires, et encore moins s'occuper de l'éducation d'une tisseuse. Par ailleurs, c'est trop loin pour moi et le mauvais air des fossés de la cité aggrave mes rhumatismes. Nous la formerons dans cette paroisse, comme la déesse en avait l'intention.

— Je ne peux…, commença Susanna.

— Je suis ton aînée, Susanna. Si tu désires contester encore, tu devras requérir le jugement du Rede.

L'atmosphère s'alourdit désagréablement.

— Très bien, Goody. Je soumettrai ma requête à Queenhithe, dit Susanna, qui paraissait stupéfaite de sa propre audace.

— Qui est Queenhithe ? demandai-je à Matthew à mi-voix.

— C'est un endroit, pas une personne, murmura-t-il. Et qu'est-ce que c'est que cette histoire de Rede ?

— Je n'en ai aucune idée, avouai-je.

— Cessez vos messes basses, s'agaça Goody Alsop. Avec le charme sur les fenêtres et les portes, vos murmures agitent l'air et me font mal aux oreilles. (Une fois le silence revenu, elle continua :) Susanna a remis en question mon autorité dans cette affaire. Comme je dirige le collège de Garlickhythe – et que je suis aussi l'aînée du quartier de Vintry –, Maîtresse Norman doit présenter ses doléances aux autres anciens de Londres. Ils décideront de la marche à suivre, comme c'est le cas lors d'un différend entre deux sorcières. Il y a vingt-six anciens et ensemble, nous formons le Rede.

— Ce n'est donc qu'une affaire de politique ? demandai-je.

— De politique et de prudence. Si nous ne disposions point d'un moyen de régler nos disputes, le Père Hubbard viendrait encore davantage mettre son nez de *wearh* dans nos affaires, expliqua Goody Alsop. Pardonnez-moi si je vous ai offensé, master Roydon.

— Je ne l'ai pas pris pour moi, Goody Alsop. Mais si vous soumettez cette affaire à votre Rede, l'identité de Diana sera connue dans tout Londres, dit Matthew en se levant. Je ne peux le permettre.

— Tous les sorciers de la ville ont déjà entendu parler de votre épouse. Les nouvelles vont vite, ici, et n'en remerciez pas votre ami Christopher Marlowe, dit Goody Alsop en redressant la tête pour le regarder. Asseyez-vous, master Roydon. Mes vieux os ne peuvent plus se plier ainsi. (À ma surprise, Matthew obéit.) Les sorciers de Londres ignorent encore que vous êtes une tisseuse, Diana, et c'est cela le plus important, continua-t-elle. Le Rede devra en être informé, bien sûr. Quand d'autres sorciers apprendront que vous avez été convoquée devant les anciens, ils penseront que vous avez été réprimandée pour votre relation avec master Roydon, ou que vous êtes liée d'une façon ou d'une autre pour l'empêcher de pouvoir accéder à votre sang et votre pouvoir.

— Quoi qu'ils décident, serez-vous toujours mon professeur ?

J'avais l'habitude d'être l'objet du mépris des autres sorciers et je me doutais bien qu'il ne fallait pas compter que ceux de Londres approuvent ma relation avec Matthew. Peu m'importait que Marjorie Cooper, Elizabeth Jackson et Catherine Streeter (quelles qu'elles fussent) participent à la formation conçue par Goody Alsop. Mais je ne la mettais pas dans le même sac. C'était une sorcière dont je souhaitais avoir l'aide et l'amitié.

— Je suis la dernière de notre espèce à Londres et l'une des trois seules autres tisseuses connues dans cette partie du monde. La tisseuse d'Écosse gît dans une geôle d'Édimbourg. Personne n'a vu ni eu de nouvelles de celle d'Irlande depuis plus de dix ans. Le Rede n'a pas d'autre choix que de me laisser vous guider, m'assura Goody Alsop.

— Quand le Rede se réunit-il ?

— Dès que cela pourra être organisé, promit-elle.

— Nous serons prêts, lui assura Matthew.

— Il y a quelques choses que votre épouse doit faire, master Roydon. Porter l'enfant et voir le Rede en font partie. La confiance n'est pas chose facile pour un *wearh*, je le sais, mais vous devez essayer, pour son bien.

— J'ai confiance en mon épouse. Puisque vous avez senti ce que des sorciers lui ont fait, vous ne serez pas surprise que je ne me fie à aucun de vos congénères quand il est question d'elle, répondit-il.

— Vous devez essayer, répéta Goody Alsop. Vous ne pouvez offenser le Rede. Sinon, Hubbard sera forcé d'intervenir. Le Rede ne souffrira point cette insulte supplémentaire et exigera l'intervention de la Congrégation. Quels que soient nos autres différends, personne ici ne désire que la Congrégation s'intéresse à ce qui se passe à Londres, master Roydon.

Matthew jaugea Goody Alsop. Puis il acquiesça.

— Très bien, Goody.

J'étais une tisseuse.

Bientôt, j'allais être mère.

Une enfant entre les deux, une sorcière à part, chuchota la voix fantomatique de Bridget Bishop.

Un reniflement de Matthew m'indiqua qu'il avait décelé un changement dans mon odeur.

— Diana est lasse et a besoin de rentrer.

— Elle n'est point lasse, mais effrayée. Le temps de la peur est passé, Diana. Vous devez affronter celle que vous êtes vraiment, dit mélancoliquement Goody Alsop.

Mais mon angoisse continua de monter même lorsque nous fûmes rentrés à l'abri du Cerf Couronné. Une fois là, Matthew ôta sa jaquette matelassée et la posa sur mes épaules pour me protéger de l'air glacial. L'étoffe sentait comme lui le clou de girofle et la cannelle, avec un soupçon de la fumée de l'âtre de Susanna et de l'air humide de Londres.

— Je suis une tisseuse. (Peut-être qu'à force de le répéter, je commencerais à comprendre ce que cela signifiait.) Mais je ne sais pas ce que cela veut dire ni qui je suis.

— Tu es Diana Bishop, historienne et sorcière, dit-il en me prenant par les épaules. Peu importe ce que tu as été ou pourrais être un jour, c'est ce que tu es. Et tu es ma vie.

— Ton épouse, corrigeai-je.

— Ma vie, répéta-t-il. Tu n'es pas que mon cœur, tu es sa pulsation. Avant, je n'étais qu'une ombre comme l'empuse de Goody Alsop. À présent, je suis de chair et de sang, dit-il d'une voix rauque d'émotion.

— Je devrais être soulagée de connaître enfin la vérité, dis-je en montant dans le lit et en claquant des dents, tant le froid m'avait glacée jusqu'aux os. Toute ma vie, je me suis demandé pourquoi j'étais différente. Maintenant que je le sais, cela ne m'aide pas beaucoup.

— Un jour, cela t'aidera, promit-il en me rejoignant sous l'édredon et en me prenant dans ses bras.

Nous enlaçâmes nos jambes comme des racines d'arbre. Au fond de moi, la chaîne que j'avais d'une certaine façon forgée par amour et par désir pour quelqu'un que je n'avais pas encore rencontré bougea entre nous et devint fluide. Elle était épaisse et impossible à briser, remplie d'une sève porteuse de vie qui coulait de la sorcière au vampire avant de me revenir. Bientôt, je ne me sentis plus entre deux, mais bienheureusement et complètement au centre. Je pris une profonde inspiration, puis une autre. Quand je voulus m'éloigner, Matthew me retint.

— Je ne suis pas encore prêt à te laisser partir, dit-il en me rapprochant de lui.

— Tu as du travail à faire pour la Congrégation, pour Philippe, pour Élisabeth. Tout va bien pour moi, Matthew, insistai-je, même si je voulais rester exactement là où j'étais le plus longtemps possible.

— Le sens du temps est différent pour les vampires et les sangs-chauds, dit-il, refusant de me lâcher.

— Combien de temps dure une minute de vampire, alors ? demandai-je en me blottissant sous son menton.

— C'est difficile à dire, murmura-t-il. Quelque chose entre une minute ordinaire et l'éternité.

22

Réunir les vingt-six plus puissantes sorcières de Londres n'était pas un mince exploit. Le Rede ne se déroulait pas comme je me l'étais imaginé – comme une unique réunion dans une sorte de salle de tribunal, les sorcières alignées en arc de cercle et moi debout devant elles. En réalité, il se déroula sur plusieurs jours dans des échoppes, des tavernes et des salons dans toute la ville. Il n'y eut pas de présentation officielle et personne ne perdit de temps en politesses inutiles. Je vis tellement de visages nouveaux qu'ils finirent par se fondre ensemble.

Cependant, certains aspects furent marquants. Pour la première fois, je ressentis le pouvoir indiscutable d'une sorcière de feu. Goody Alsop ne m'avait pas menti : il était impossible de se méprendre sur l'intensité brûlante du regard ou du contact de la sorcière rousse. Bien que les flammes dans mon sang se missent à bondir et à danser auprès d'elle, je n'en étais de toute évidence pas une. Ce fut confirmé quand je me trouvai en présence de deux autres sorcières de feu dans un cabinet privé de la Mitre, une taverne de Bishopgate.

— Elle sera difficile, observa l'une après avoir terminé de lire ma peau.

— Une tisseuse et fileuse de temps avec abondance d'eau et de feu en elle, opina l'autre. Ce n'est pas un mélange que je pensais voir de mon vivant.

Les sorcières de vent du Rede se rassemblèrent dans la maison de Goody Alsop, qui était plus spacieuse que ne le suggérait son modeste extérieur. Deux fantômes erraient dans les pièces, tout comme l'empuse de Goody Alsop, qui allait accueillir les visiteuses à la porte et glissait ensuite sans un bruit après s'être assurée que tout le monde était à son aise.

Les sorcières de vent étaient beaucoup moins effrayantes que les sorcières de feu et c'est d'une main légère et sèche qu'elles évaluèrent silencieusement mes forces et mes faiblesses.

— Une orageuse, murmura une sorcière aux cheveux blancs d'une cinquantaine d'années, menue et gracieuse, qui bougeait à une telle vitesse qu'on aurait cru que la pesanteur n'avait pas le même effet sur elle que sur le commun des mortels.

— Trop d'autorité, se lamenta une autre. Il faut qu'elle laisse les choses suivre leur cours, ou le moindre courant d'air risque de devenir une tempête déchaînée.

Goody Alsop accueillit leurs commentaires en les remerciant, mais parut soulagée quand elles partirent.

— Je vais me reposer, à présent, mon enfant, dit-elle d'une voix faible en se levant de sa chaise et en gagnant l'arrière de la maison, suivie de son empuse comme d'une ombre.

— Y a-t-il des hommes dans le Rede, Goody Alsop ? demandai-je en la soutenant.

— Seule une poignée demeurent. Tous les jeunes sorciers sont partis à l'université étudier la philosophie naturelle, soupira-t-elle. C'est une étrange époque, Diana. Tout le monde est si pressé de nouveauté, et les sorciers pensent que les livres leur enseigneront mieux que l'expérience. Je vais me retirer, à présent. Mes oreilles bourdonnent encore de tous ces bavardages.

Une sorcière d'eau solitaire vint au Cerf Couronné le jeudi matin. J'étais allongée, épuisée de mes équipées de la veille par toute la ville. Grande et souple, la sorcière d'eau entra moins qu'elle coula dans la maison. Elle tomba cependant sur un obstacle : la muraille de vampires dans l'entrée.

— Tout va bien, Matthew, dis-je depuis le seuil de la chambre en faisant signe à la femme de me rejoindre.

Quand nous fûmes seules, la sorcière d'eau me toisa de la tête aux pieds. Son regard me chatouilla la peau comme de l'eau salée et fut aussi revigorant qu'un plongeon dans l'océan un jour d'été.

— Goody Alsop avait raison, dit-elle d'une voix grave et mélodieuse. Il y a trop d'eau dans votre sang. Nous ne pouvons pas vous accueillir en groupe au risque de provoquer un déluge. Vous devrez nous voir une par une. Cela va prendre la journée, j'en ai bien peur.

Et c'est ainsi qu'au lieu d'aller aux sorcières d'eau, les sorcières d'eau vinrent à moi. Elles s'infiltrèrent puis s'écoulèrent, rendant fous Matthew et Françoise. Mais il était impossible de nier mon affinité avec elles ou le courant souterrain que je ressentais en présence d'une sorcière d'eau.

— L'eau n'a pas menti, murmura l'une d'elles après avoir laissé glisser ses doigts sur mon front et mes épaules.

Elle retourna mes mains pour m'examiner les paumes. Elle était à peine plus âgée que moi, avec un mélange de couleurs frappant : une peau d'albâtre, des cheveux noirs et des yeux couleur de lagon.

— Quelle eau ? demandai-je alors qu'elle suivait le tracé des affluents de ma ligne de vie.

— Toutes les sorcières d'eau de Londres ont recueilli la pluie depuis l'été jusqu'à Mabon, puis elles l'ont versée dans la coupe de divination du Rede. Elle a révélé que la tisseuse attendue depuis si longtemps aurait de l'eau dans les veines. (Elle poussa un soupir de soulagement et me lâcha les mains.) Nous avons besoin de nouveaux sortilèges après avoir aidé à repousser la flotte espagnole. Goody Alsop a été capable de remplir la réserve des sorcières de vent, mais comme la tisseuse écossaise avait le don de la terre, elle n'aurait pas pu nous aider – même si elle avait voulu. Mais vous êtes une authentique fille de la lune, et vous nous servirez bien.

Le vendredi matin, un messager vint à la maison me demander de me rendre à 11 heures à une adresse sur Bread Street pour rencontrer les derniers membres du Rede : les deux sorcières de terre. La plupart des sorcières avaient une certaine quantité de magie de terre en elles. C'étaient les fondations de leur art et dans les covens modernes, les sorcières de terre ne faisaient l'objet d'aucune distinction particulière. J'étais curieuse de voir si celles de l'époque d'Élisabeth étaient différentes.

Matthew et Annie m'accompagnèrent, car Pierre était occupé par une course pour mon époux et Françoise sortie faire des achats. Nous venions de quitter le parvis de St. Paul's quand Matthew s'en prit à un petit vagabond au visage crasseux et aux jambes affreusement maigres. La lame de Matthew fut à l'oreille du gamin en un éclair.

— Bouge ce doigt ne serait-ce que d'un cheveu, mon garçon, et je te coupe l'oreille, dit-il calmement.

Je baissai les yeux et vis avec surprise la main de l'enfant frôler la bourse que je portais à ma ceinture.

La violence affleurait toujours chez Matthew, même dans le présent, mais dans le Londres d'Élisabeth, elle était encore plus proche de la surface. Cependant, il n'était pas nécessaire de s'en prendre à un être aussi chétif.

— Matthew, cesse, l'avertis-je en remarquant l'expression terrorisée de l'enfant.

— Tout autre que moi t'aurait coupé l'oreille ou livré au bailli, dit Matthew en plissant les paupières, faisant blêmir encore plus l'enfant.

— Assez, dis-je. (Je pris par l'épaule l'enfant qui tressaillit. En un éclair, de mon œil sorcier, je vis la lourde main d'un homme frapper l'enfant et le projeter contre un mur. Entre mes doigts, caché par l'unique rude chemise qu'il avait pour se protéger du froid, il y avait un horrible bleu.) Comment t'appelles-tu ?

— Jack, ma dame, chuchota-t-il.

Le couteau de Matthew était toujours collé contre son oreille et nous commencions à attirer l'attention.

— Rengaine cette dague, Matthew. L'enfant n'est plus un danger pour toi ou moi. (Matthew la retira avec un sifflement.) Où sont tes parents ?

— J'en ai point, ma dame.

— Annie, ramène ce garçon à la maison et dis à Françoise de lui donner à manger et des vêtements.

Fais-lui connaître l'eau chaude, si tu peux, et couche-le dans le lit de Pierre. Il paraît épuisé.

— Tu ne peux pas adopter tous les orphelins de Londres, Diana, protesta Matthew en rengainant bruyamment sa dague.

— Françoise aurait bien besoin de quelqu'un pour l'aider aux courses. (Je recoiffai le garçon.) Tu veux bien travailler pour moi, Jack ?

— Oui, mistress.

Son ventre gargouilla et il leva vers moi un regard inquiet et plein d'espoir. Mon troisième œil s'ouvrit tout grand, plongea dans son ventre creux, vit ses jambes tremblantes. Je sortis quelques pièces de ma bourse.

— Achète-lui une tranche de tourte en chemin chez Maître Prior, Annie. Il s'évanouirait de faim, et cela le soutiendra le temps que Françoise lui prépare un repas décent.

— Oui, mistress, dit Annie en prenant le bras de Jack et en le remorquant vers Blackfriars. Matthew les regarda s'éloigner avec humeur.

— Tu ne rends pas service à cet enfant. Ce Jack – si tant est que c'est son vrai nom, ce dont je doute sincèrement – ne passera pas l'année s'il continue à voler.

— Il ne passera pas la semaine si aucun adulte ne s'occupe de lui. Quelle était ton expression ? De l'amour, qu'un adulte s'occupe de lui et un environnement confortable ?

— Ne te sers pas de ces paroles contre moi, Diana. Je parlais de notre enfant, pas d'un gosse des rues.

Matthew, qui avait subi plus de sorcières ces derniers jours que la plupart des vampires dans toute une vie, était prêt à se chamailler.

— Moi aussi, j'ai été une orpheline. (Il recula comme si je l'avais giflé.) C'est moins facile de se désintéresser de lui, à présent, n'est-ce pas ? (Je n'attendis pas qu'il réponde.) Si Jack ne vient pas avec nous, autant le livrer directement à Andrew Hubbard. Là-bas, il finira dans un cercueil ou servira de repas. Dans un cas comme dans l'autre, cela vaudra mieux pour lui que d'être livré à lui-même dans les rues.

— Nous avons assez de serviteurs, insista Matthew.

— Et tu as de l'argent en quantité. Si tu n'as pas les moyens, je paierai ses gages sur mes propres fonds.

— Tu ferais bien d'inventer un conte de fées pour le bercer avant de dormir, pendant que tu y es, dit Matthew en me saisissant par le coude. Penses-tu qu'il ne remarquera pas qu'il habite avec trois *wearhs* et deux sorcières ? Les enfants humains perçoivent plus clairement le monde des créatures que les adultes.

— Et toi, penses-tu que Jack se souciera de ce que nous sommes du moment qu'il a un toit au-dessus de sa tête, à manger dans son assiette et un lit où il peut dormir en sécurité ?

Une femme, déconcertée, nous regarda depuis l'autre côté de la rue. Un vampire et une sorcière n'avaient pas à se quereller ainsi en public. Je ramenai mon capuchon sur mon visage.

— Plus nous laissons des créatures s'insinuer dans notre vie ici, plus tout cela va devenir compliqué, dit Matthew. (Remarquant la femme qui nous dévisageait, il me lâcha le bras.) Et c'est deux fois pire pour les humains.

Après avoir rendu visite aux deux solides et graves sorcières de terre, Matthew et moi nous retirâmes chacun à un bout de nos appartements le temps de retrouver notre calme. Matthew s'attaqua à son courrier, appelant Pierre en beuglant et lâchant une abondante bordée de jurons contre le gouvernement de Sa Majesté, les caprices de son père, et la folie du roi Jacques en Écosse. Je passai le temps à expliquer à Jack quels seraient ses devoirs. Si le garçon était fort doué pour crocheter les serrures, voler à la tire et berner les nigauds à tous les jeux de hasard, il ne savait pas lire, écrire, cuisiner, coudre ou faire quoi que ce fût qui puisse aider Françoise et Annie. Cependant, Pierre s'intéressa particulièrement à lui, notamment après avoir récupéré son porte-bonheur dans la poche du gamin.

— Viens avec moi, Jack, dit Pierre en ouvrant la porte et en désignant l'escalier du menton.

Il partait chercher les derniers messages des informateurs de Matthew et avait manifestement l'intention de profiter de la connaissance de la lie de Londres qu'avait le garçon.

— Oui, messire, s'empressa de répondre Jack, qui avait déjà meilleure mine rien qu'après un simple repas.

— Rien de dangereux, dis-je à Pierre.

— Bien sûr que non, *madame**, dit le vampire avec un air innocent.

— Je ne plaisante pas, rétorquai-je. Et qu'il soit rentré avant la tombée de la nuit.

J'étais en train de trier mes papiers sur ma table quand Matthew sortit de son étude. Françoise et Annie étaient parties à Smithfield chercher de la viande et du sang chez les bouchers et nous avions la maison pour nous seuls.

— Je suis désolé, *mon cœur**, dit Matthew en venant par-derrière m'enserrer à la taille et déposer un baiser dans mon cou. Entre le Rede et la reine, la semaine a été longue.

— Je suis désolée aussi. Je comprends pourquoi tu ne veux pas de Jack ici, Matthew, mais je n'ai pas pu rester indifférente. Il souffrait, il avait faim.

— Je sais, dit Matthew en m'étreignant de plus belle.

— Aurais-tu réagi différemment si nous avions trouvé le gamin dans l'Oxford d'aujourd'hui ? demandai-je en contemplant le feu.

Depuis l'incident avec Jack, je me demandais si le comportement de Matthew était dû à la génétique des vampires ou à la morale élisabéthaine.

— Probablement pas. Ce n'est pas facile pour les vampires de vivre parmi des sangs-chauds, Diana. Faute de lien affectif, un sang-chaud n'est rien de plus qu'une source de nourriture. Aucun vampire, si civilisé et bien élevé soit-il, ne peut rester à proximité sans éprouver le besoin irrésistible de s'en nourrir.

Je sentis son souffle froid sur mon cou, à l'endroit que Miriam avait enduit de son sang pour soigner la blessure que Matthew y avait faite.

— Tu n'as pas l'air d'avoir envie de te nourrir de moi.

Rien n'indiquait que Matthew luttait contre un tel besoin et il avait catégoriquement refusé de boire mon sang comme le suggérait son père.

— Je peux maîtriser mes désirs bien mieux que lorsque nous nous sommes connus. À présent, mon envie de ton sang est moins alimentaire qu'autoritaire.

Me nourrir de toi serait surtout une affirmation de domination, maintenant que nous nous sommes unis.

— Et pour cela, nous avons le sexe, dis-je.

Matthew était un amant généreux et inventif, mais il considérait sans équivoque la chambre comme son domaine à lui.

— Pardon ? demanda-t-il.

— Le sexe et la domination. C'est ainsi que les humains modernes considèrent les relations avec les vampires, dis-je. Leurs histoires sont remplies de vampires dominateurs qui chargent les femmes sur leur épaule avant de les traîner à un dîner et de les séduire.

— Dîner et les séduire ? répéta Matthew, consterné. Tu veux dire…

— Oui, oui. Tu devrais voir ce que lisent les amies de Sarah au coven de Madison. Le vampire rencontre la fille, le vampire mord la fille, la fille est bouleversée de découvrir que les vampires existent vraiment. Peu après, il est question de sexe, de sang et de comportement surprotecteur. C'est même parfois assez explicite. (Je marquai une pause.) On ne se perd pas en câlins, dans ces livres, c'est certain. Je ne me rappelle pas qu'il y soit question de poésie ou de danse non plus.

— Je comprends pourquoi ta tante voulait toujours savoir si j'avais faim.

— Tu aurais vraiment dû lire ces trucs, ne serait-ce que pour savoir ce que s'imaginent les humains. C'est un cauchemar pour attaché de presse. Bien pire que ce que les sorcières doivent surmonter. (Je me retournai pour le regarder.) Tu serais surpris du nombre de femmes qui rêvent d'avoir un petit copain vampire, cela dit.

— Et si leur petit copain vampire se comportait comme les salauds impitoyables qui menacent des orphelins faméliques dans les rues ?

— La plupart des vampires de fiction ont un cœur d'or, si l'on fait exception des accès occasionnels de fureur et des éventrements qui en découlent, répondis-je en lui caressant les cheveux.

— Je n'en reviens pas que nous ayons une conversation pareille.

— Pourquoi ? Les vampires lisent des livres sur les sorcières. Le fait que le *Docteur Faust* de Kit soit une pure invention ne t'empêche pas d'apprécier un récit surnaturel réussi.

— Oui, mais toutes ces manipulations et puis ces débordements sexuels…

— Tu m'as manipulée, comme tu dis si suavement. Il me semble me rappeler avoir été soulevée dans tes bras à Sept-Tours en plus d'une occasion, lui fis-je remarquer.

— Uniquement quand tu étais blessée ! s'indigna Matthew. Ou fatiguée.

— Ou quand tu voulais que je sois à tel endroit quand j'étais ailleurs. Ou quand le cheval était trop grand, le lit trop haut, la mer trop agitée. Franchement, Matthew. Tu as une mémoire très sélective, quand cela t'arrange. Quant à l'amour, ce n'est pas toujours aussi tendre que tu le décris. Pas dans les livres que j'ai lus. Parfois, c'est juste une bonne et…

Avant que j'aie eu le temps de terminer, un grand et séduisant vampire me jeta sur son épaule.

— Nous allons poursuivre cette conversation en privé.

— Au secours ! Je crois que mon mari est un vampire ! dis-je en riant et en lui tambourinant l'arrière des cuisses.

— Silence, gronda-t-il. Sinon, tu auras affaire à Maîtresse Hawley.

— Si j'étais humaine et non pas sorcière, ce grondement que tu viens de faire m'aurait fait défaillir. J'aurais été toute à toi et tu aurais pu faire ce que tu voulais de moi.

— Tu es déjà à moi, fit-il remarquer en me déposant sur le lit. Je modifie ce scénario ridicule, au fait. Dans l'intérêt de l'originalité, sans parler de vraisemblance, nous allons sauter l'étape du dîner pour passer directement à la séduction.

— Les lectrices adoreraient un vampire qui dirait cela !

Matthew ne semblait pas se soucier de mes contributions à la littérature, tout occupé qu'il était à trousser mes jupes. Nous allions faire l'amour tout habillés. Comme c'était délicieusement élisabéthain.

— Attends un peu. Laisse-moi au moins enlever ma vertugade.

Mais Matthew n'avait pas envie d'attendre.

— Au diable la vertugade.

Il dégrafa le devant de ses lodiers, m'empoigna les mains et les plaqua au-dessus de ma tête avant de me pénétrer d'un seul coup.

— Je n'imaginais pas que la littérature populaire pouvait avoir un tel effet sur toi, dis-je, le souffle coupé. Rappelle-moi d'aborder le sujet plus souvent.

Nous venions de nous attabler pour le souper quand je fus appelée chez Goody Alsop. Le Rede avait formulé son jugement.

Quand Annie et moi arrivâmes avec les deux vampires qui nous escortaient et Jack qui fermait la marche, nous la trouvâmes dans le salon avec Susanna et trois sorcières que je ne connaissais pas. Goody Alsop envoya les hommes à l'Oie d'Or et me mena au groupe auprès de l'âtre.

— Venez rencontrer vos professeurs, Diana.

L'empuse de Goody Alsop me désigna un siège libre et se retira dans l'ombre de sa maîtresse. Les cinq sorcières m'examinèrent. Elles avaient l'air d'un groupe de matrones prospères, avec leurs épaisses robes de laine de couleur sombre. Seuls leurs regards qui chatouillaient trahissaient qu'elles étaient des sorcières.

— Le Rede a donc accepté notre projet initial, dis-je lentement en essayant de soutenir leurs regards.

Ce n'était jamais bon de montrer à un professeur qu'on le craignait.

— En effet, dit Susanna, résignée. Vous me pardonnerez, mistress Roydon. J'ai deux garçons à charge et un mari trop malade pour subvenir à nos besoins. Je pourrais perdre la bonne volonté du voisinage du jour au lendemain.

— Laissez-moi vous présenter les autres, dit Goody Alsop en se tournant légèrement vers la femme à sa droite. (La soixantaine, de petite taille, elle avait un visage rond et, à en juger par son sourire, un tempérament généreux.) Voici Marjorie Cooper.

— Diana, dit Marjorie avec un petit signe de tête qui fit bruisser sa collerette. Bienvenue dans notre petit collège.

Durant mes entretiens avec le Rede, j'avais appris que les sorcières élisabéthaines utilisaient le mot « collège » comme les modernes le mot « coven » pour désigner une communauté reconnue de sorcières. Comme tout le reste à Londres, les collèges de la ville coïncidaient avec les paroisses. Bien que ce fût un peu étrange de se dire que les covens de sorcières et les églises chrétiennes se correspondaient, c'était une organisation aussi logique que sensée qui fournissait un surcroît de sécurité, puisque les affaires des sorciers restaient entre proches voisins.

Il y avait donc plus de cent collèges dans Londres elle-même et une vingtaine d'autres hors les murs. Comme les paroisses, les collèges étaient organisés en plus grandes sections appelées quartiers. Chaque quartier envoyait l'un de ses aînés au Rede, qui supervisait toutes les affaires des sorciers dans la ville.

Avec la panique et les chasses aux sorcières qui couvaient, le Rede craignait que cet ancien système de gouvernement ne tienne plus. Londres débordait déjà de créatures et il en arrivait d'autres chaque jour. J'avais entendu parler de la taille du collège d'Aldgate – qui comprenait plus de soixante sorciers au lieu du nombre habituel entre treize et vingt – ainsi que des plus grands collèges de Cripplegate et Southwark. Pour éviter d'être remarqués des humains, certains collèges avaient commencé à « essaimer » en se divisant. Mais les nouveaux collèges dotés de chefs sans expérience se révélaient problématiques en ces temps difficiles. Selon ceux des membres du Rede qui étaient doués de double vue, des épreuves nous attendaient.

— Marjorie est douée de la magie de terre, comme Susanna. Son don particulier est la mémoire, expliqua Goody Alsop.

— Je n'ai nul besoin de grimoires ou de ces almanachs que les libraires proposent, déclara fièrement Marjorie.

— Elle se souvient parfaitement de chaque sortilège qu'elle a maîtrisé et peut se rappeler la configuration précise des étoiles pour chaque année de sa vie et les nombreuses autres qui ont précédé sa naissance.

— Goody Alsop redoutait que vous ne puissiez consigner tout ce que vous apprenez ici pour l'emporter avec vous. Non seulement je vais vous aider à trouver les mots nécessaires pour qu'une autre sorcière puisse utiliser les sortilèges que vous concevez, mais je vous enseignerai comment ne faire qu'une avec ces mots afin que personne ne puisse vous les prendre. (Le regard de Marjorie étincela et elle baissa la voix.) Et mon époux est un négociant en vins. Il peut vous en obtenir de meilleurs que celui que vous buvez en ce moment. Je crois savoir que le vin est important pour les *wearhs*.

J'éclatai de rire et les autres sorcières se joignirent à moi.

— Merci, Maîtresse Cooper. Je ferai connaître votre offre à mon époux.

— Appelez-moi Marjorie. Nous sommes toutes des sœurs, ici.

Pour une fois, je ne me raidis pas en entendant une autre sorcière m'appeler ainsi.

— Je suis Elizabeth Jackson, dit la deuxième femme, qui était d'un âge intermédiaire entre Marjorie et Goody Alsop.

— Vous êtes une sorcière d'eau, dis-je, sentant notre affinité à peine eut-elle parlé.

— Si fait.

Elizabeth avait des cheveux gris comme ses yeux et était aussi grande et droite que Marjorie était petite et ronde. Alors que beaucoup des sorcières d'eau du Rede étaient sinueuses et ondoyantes, Elizabeth avait la limpide vivacité d'un torrent de montagne. Je sentis qu'elle me dirait toujours la vérité, même lorsque cela ne me plairait pas de l'entendre.

— Elizabeth est une prophétesse douée. Elle vous enseignera l'art de lire l'avenir.

— Ma mère était connue pour son don de double vue, dis-je avec hésitation. J'aimerais suivre ses traces.

— Mais elle ne possédait pas le feu, dit Elizabeth sans ambages. Vous ne pourrez peut-être pas suivre ses traces dans tous les domaines, Diana. Le feu et l'eau sont un mélange puissant, à condition qu'ils ne s'annihilent pas l'un l'autre.

— Nous veillerons à ce que cela n'arrive point, promit la dernière sorcière en posant son regard sur moi.

Jusqu'à cet instant, elle l'avait scrupuleusement détourné. À présent, je comprenais pourquoi : ses yeux étaient pailletés d'or et mon troisième œil s'ouvrit brusquement, alarmé. Grâce à cette vision supplémentaire, je vis l'auréole de lumière qui la nimbait. Ce devait être Catherine Streeter.

— Vous êtes encore plus puissante que les sorcières de feu du Rede, bafouillai-je.

— Catherine est une sorcière particulière, admit Goody Alsop. Une sorcière de feu née de parents qui l'étaient tous les deux. Cela arrive rarement, comme si la nature elle-même savait qu'une telle lumière ne se peut cacher.

Quand mon troisième œil se referma, ébloui par le spectacle de cette sorcière de feu triplement douée, Catherine sembla se ternir. Ses cheveux bruns perdirent leur éclat, la lumière disparut de ses yeux et son visage resta avenant, mais pas remarquable. En revanche, sa magie jaillit dès qu'elle parla.

— Vous possédez plus de feu que je n'imaginais, dit-elle pensivement.

— C'est pitié qu'elle n'ait été là quand l'Armada attaqua, dit Elizabeth.

— C'est donc vrai ? Le fameux « vent anglais » qui a repoussé les vaisseaux espagnols des rivages anglais a été invoqué par les sorciers ? demandai-je.

Cela faisait partie des histoires que l'on racontait, mais j'avais toujours considéré que ce n'était qu'un mythe.

— Goody Alsop a été de grand service à Sa Majesté, dit fièrement Elizabeth. Eussiez-vous été là, je crois que nous aurions pu lancer de l'eau bouillante ou faire pleuvoir du feu, à tout le moins.

— Ne nous précipitons pas, dit Goody Alsop en levant la main. Diana n'a pas encore fait son *primesort* de tisseuse.

— *Primesort ?* répétai-je.

Le mot m'était tout aussi inconnu que Rede et collège.

— Un *primesort* révèle la forme des dons de la tisseuse. Ensemble, nous allons former un cercle sacré. À l'intérieur, nous libérerons temporairement vos pouvoirs pour les laisser s'exprimer sans qu'ils soient retenus par des paroles ou des désirs, répondit Goody Alsop. Cela nous apprendra beaucoup sur vos dons et de quelle manière les faire fructifier, ainsi que votre familier.

— Les sorcières n'ont pas de familier.

C'était là aussi un préjugé des humains, comme prétendre que nous adorions le diable.

— Les tisseuses, si, dit sereinement Goody Alsop en désignant son empuse. Voici le mien. Comme tous les familiers, c'est une incarnation de mes dons.

— Je ne suis pas sûre qu'avoir un familier soit une bonne idée dans mon cas, dis-je en pensant aux coings noircis, aux souliers de Mary et au poussin. J'ai déjà assez de préoccupations comme cela.

— C'est pour cette raison que vous allez lancer un *primesort* – afin d'affronter vos peurs les plus intimes pour pouvoir opérer plus librement votre magie. Cependant, cela peut être un moment pénible. Nous avons vu des tisseuses entrer dans le cercle avec des cheveux couleur d'aile de corbeau et en ressortir avec une chevelure blanche comme neige, avoua Goody Alsop.

— Mais ce ne sera pas aussi déchirant que la nuit où la *wearh* a laissé Diana et les eaux jaillir en elle, dit Elizabeth à mi-voix.

— Ou aussi éprouvant que celle où elle a été enfermée sous terre, frissonna Susanna, tandis que Marjorie opinait.

— Ni aussi effrayant que la fois où la sorcière de feu a tenté de vous ouvrir, m'assura Catherine, dont les doigts virèrent à l'orange de fureur.

— Ce sera lune noire vendredi. La Chandeleur n'est qu'à quelques semaines. Et nous entrons dans une semaine propice pour les sortilèges incitant les enfants à l'étude, fit remarquer Marjorie, plissant le front alors qu'elle se concentrait pour puiser toutes les informations nécessaires dans son étonnante mémoire.

— Je croyais que c'était la semaine pour les charmes contre les morsures de serpents ? dit Susanna en tirant un petit almanach des plis de sa robe.

Alors que Marjorie et Susanna discutaient des subtilités magiques du calendrier, Goody Alsop, Elizabeth et Catherine me fixaient avec attention.

— Je me demande…, fit Goody Alsop en se tapotant les lèvres du bout des doigts.

— Certainement pas, dit Elizabeth à mi-voix.

— Nous ne devons pas nous précipiter, n'oubliez pas, intervint Catherine. La déesse nous a assez comblées. (En même temps, ses yeux bruns se mouchetèrent successivement de vert, d'or, de rouge puis de noir.) Mais peut-être…

— L'almanach se trompe. Diana tissera son *primesort* jeudi prochain, sous la lumière de la lune ascendante, dit Marjorie en battant des mains, ravie.

— Ooh, conclut Goody Alsop en se bouchant les oreilles pour se protéger des perturbations de l'air. Doucement, Marjorie, doucement.

Le Cerf Couronné continuait de servir de repaire pour l'École de la Nuit et de quartier général pour les missions de Matthew. Des messagers allaient et venaient avec des rapports et du courrier, George s'arrêtait souvent pour jouer les pique-assiette et nous conter les derniers vains efforts de sa quête de l'Ashmole 782. Hancock et Gallowglass venaient déposer leur linge et traînaient pendant des heures devant ma cheminée, fort peu vêtus, jusqu'à ce qu'on le leur rende. Kit et Matthew étaient parvenus à une trêve embarrassée après l'affaire avec Hubbard et John Chandler, et du coup, je trouvais souvent le dramaturge dans le salon, le regard perdu dans le vide, puis griffonnant fébrilement. Le fait qu'il se serve dans ma réserve de papier était une cause supplémentaire d'agacement.

Puis il y avait Annie et Jack. Intégrer deux enfants dans la maisonnée m'occupait à plein-temps. Jack, que je supposais avoir sept ou huit ans (il ignorait lui-même son âge), s'amusait à taquiner l'adolescente. Il la suivait partout en singeant sa façon de parler. Annie fondait en larmes et courait à l'étage se jeter sur son lit. Quand je grondais Jack pour son comportement, il boudait. Cherchant désespérément un peu de tranquillité, je trouvai un maître d'école disposé à leur apprendre à lire, à écrire et à calculer, mais les deux enfants le découragèrent rapidement avec leurs regards vides et leurs faux airs innocents. Ils préféraient courir au marché avec Françoise et arpenter Londres avec Pierre plutôt que rester en silence à faire des additions.

— Si notre enfant se comporte ainsi, je le noierai, dis-je à Matthew dans l'étude duquel j'étais venue chercher un peu de répit.

— Elle se comportera ainsi, tu peux en être certaine. Et tu ne la noieras pas, dit Matthew en posant sa plume.

Nous n'étions toujours pas d'accord sur le sexe de l'enfant.

— J'ai tout essayé. La raison, les cajoleries, les supplications. J'ai même essayé de les acheter.

Les gâteaux de Maître Prior n'avaient fait que donner à Jack un surcroît d'énergie.

— Tous les parents font ce genre d'erreur, dit-il en riant. Tu essaies d'être leur amie. Il faut les traiter comme des chiots. Une petite tape sur le museau assoira ton autorité bien mieux qu'une tourte aux fruits secs.

— Serais-tu en train de me donner des astuces tirées du règne animal ? demandai-je, songeant à ses recherches sur les loups.

— En effet. Si ce chahut continue, ils auront affaire à moi, et je ne donne pas de petites tapes, je mords.

Il jeta un regard furibond vers la porte en entendant un grand fracas suivi d'un lamentable « pardon, Maîtresse ».

— Merci, mais je ne suis pas arrivée au point de recourir au dressage. Pas encore, dis-je en le laissant.

Deux jours à jouer les maîtresses d'école et à les envoyer au coin amenèrent un peu d'ordre, mais les enfants avaient constamment besoin d'activité pour canaliser leur exubérance. J'abandonnai mes livres et mes papiers et les emmenai faire de longues promenades dans Cheapside et jusqu'aux faubourgs de l'ouest. Nous allâmes au marché avec Françoise et regardâmes les bateaux décharger leurs marchandises sur les quais de Vintry. Nous imaginions d'où elles provenaient et spéculions sur l'origine des équipages.

Au bout d'un certain temps, je cessai d'avoir l'impression d'être une touriste et je commençai à considérer le Londres élisabéthain comme chez moi.

Nous faisions nos emplettes à la halle de Leadenhall, le meilleur marché d'épicerie fine, quand je vis un mendiant amputé d'une jambe. Je cherchais un sou dans ma bourse pour le lui donner quand les enfants s'engouffrèrent dans l'échoppe d'un chapelier. Dans pareil endroit, ils pouvaient faire des dégâts – et des dégâts coûteux.

— Annie ! Jack ! m'écriai-je en laissant tomber la pièce dans la main du mendiant. Ne touchez à rien !

— Vous êtes loin de chez vous, mistress Roydon, dit une voix grave.

Je sentis dans mon dos un regard glacé et me retournai pour me trouver nez à nez avec Andrew Hubbard.

— Père Hubbard, dis-je.

Le mendiant s'éloigna discrètement.

— Où est votre servante ? demanda Hubbard en regardant autour de lui.

— Si vous voulez parler de Françoise, elle est dans la halle, répondis-je d'un ton acerbe. Annie est également avec moi. Je n'ai pas eu l'occasion de vous remercier de nous l'avoir envoyée. Elle nous est fort utile.

— Je crois savoir que vous avez vu Goody Alsop. (Je ne répondis pas à cette tentative aussi patente de me tirer les vers du nez.) Depuis la venue des Espagnols, elle ne quitte sa maison que si elle a une bonne raison. (Je restai coite. Hubbard sourit.) Je ne suis pas votre ennemi, mistress.

— Je n'ai rien dit de tel, Père Hubbard. Mais qui je vois et pour quelle raison est mon affaire.

— Oui. Votre beau-père – à moins que vous le considériez comme votre père ? – a été fort clair à ce sujet dans sa missive. Philippe m'a remercié de vous avoir assistée, bien sûr. Avec le chef de la famille Clermont, les remerciements précèdent toujours les menaces. Cela change agréablement du comportement habituel de votre époux.

— Qu'est-ce que vous désirez exactement, Père Hubbard ? demandai-je avec un regard appuyé.

— Je souffre la présence des Clermont parce que je le dois. Mais je ne suis nullement obligé de continuer s'il y a des troubles. (Il se pencha vers moi et je sentis son haleine givrée.) Et vous suscitez des troubles. J'en sens l'odeur. Et la saveur. Depuis votre venue, les sorciers sont… difficiles.

— C'est une infortunée coïncidence, dis-je, mais je n'en suis point coupable. Je suis si ignare dans l'art de la magie que je ne saurais pas même casser un œuf dans un bol.

Françoise sortit de la halle. Je fis une révérence à Hubbard et m'apprêtais à le planter là, quand d'un geste vif, il me saisit le poignet. Je baissai les yeux vers ses doigts glacés.

— Il n'y a pas que les créatures qui exhalent une odeur, mistress Roydon. Saviez-vous que les secrets ont chacun leur propre senteur ?

— Non, dis-je en me dégageant.

— Les sorcières peuvent deviner quand quelqu'un ment. Les *wearhs* peuvent sentir un secret comme un chien lève un cerf. Vous aurez beau essayer de le cacher, je trouverai votre secret, mistress Roydon.

— Êtes-vous prête, *madame** ? demanda Françoise en s'approchant, sourcils froncés.

Elle était accompagnée de Jack et d'Annie, qui blêmit en voyant Hubbard.

— Oui, Françoise, dis-je en me détournant des yeux étrangement striés de Hubbard. Merci de vos conseils, Père Hubbard, et de vos renseignements.

— Si le garçon est une trop lourde charge pour vous, je serai heureux de m'occuper de lui, murmura Hubbard alors que je m'éloignais.

Je fis volte-face et revins vers lui.

— Ne touchez point à ce qui est mien. (Nos regards se croisèrent et ce fut Hubbard qui détourna le sien le premier. Je repartis trouver ma vampiresse, ma sorcière et mon humain. Jack, l'air inquiet, dansait d'un pied sur l'autre, comme prêt à détaler.) Rentrons manger du pain d'épice, dis-je en lui prenant le bras.

— Qui est cet homme ? demanda-t-il à mi-voix.

— Le Père Hubbard, chuchota Annie.

— Celui des chansons ? demanda le garçon en jetant un coup d'œil par-dessus son épaule.

— Oui, et quand…

— Assez, Annie. Qu'avez-vous vu chez le chapelier ? demandai-je en tenant Jack d'une main et en tendant l'autre vers le panier débordant d'achats. Laissez-moi prendre cela, Françoise.

— Cela n'aidera guère, *madame**, dit-elle en me le donnant tout de même. *Milord** saura que vous avez été en présence de ce monstre. Même l'odeur du chou ne pourra le dissimuler.

Jack tourna la tête, l'air intéressé par cette nouveauté, et je lançai à Françoise un regard d'avertissement.

— À trop parler du diable…, dis-je alors que nous reprenions le chemin de la maison.

Revenue au Cerf Couronné, je me débarrassai du panier, de ma cape, de mes gants et des enfants et allai porter un gobelet de vin à Matthew, penché sur des papiers à sa table. Mon cœur s'allégea devant ce spectacle désormais familier.

— Toujours là-dessus ? demandai-je en me penchant par-dessus son épaule pour déposer le gobelet devant lui. (Je fronçai les sourcils. La feuille était couverte de schémas, de X et de O et de ce qui avait l'air de formules scientifiques modernes. Je doutai que cela eût un rapport avec l'espionnage ou la Congrégation, à moins qu'il fût en train de concocter un code.) Que fais-tu ?

— J'essaie juste de comprendre quelque chose, dit-il en écartant la feuille.

— Quelque chose de génétique ?

Les X et les O me rappelaient la biologie et les lois de Gregor Mendel. Je rapprochai le papier. Il n'y avait pas que des X et des O sur la page. Je reconnus des initiales de membres de la famille de Matthew : YC, PC, MC, MW. D'autres appartenaient à la mienne : DB, RB, SB, SP. Matthew avait tracé des flèches entre chaque individu et les lignes s'entrecroisaient de génération en génération.

— Pas à strictement parler, dit Matthew, interrompant mon examen, éludant comme à son habitude.

— J'imagine qu'il te faudrait du matériel, pour cela.

Au bas de la page, deux lettres étaient entourées : BC – Bishop Clermont. Notre enfant. Cela avait un rapport avec le bébé.

— Afin de tirer des conclusions, certainement, oui, dit Matthew en prenant le vin qu'il porta à ses lèvres.

— Quelle est ton hypothèse, alors ? demandai-je. Et s'il s'agit de l'enfant, je tiens à savoir ce que c'est.

Matthew se figea, narines dilatées. Il posa délicatement le vin, me prit la main et me baisa le poignet dans un geste apparemment affectueux. À peine ses lèvres touchèrent-elles ma peau que ses yeux virèrent au noir.

— Tu as vu Hubbard ! m'accusa-t-il.

— Ce n'est pas comme si je l'avais souhaité, dis-je. Je me dégageai. C'était une erreur.

— Ne fais pas cela, dit-il d'une voix rauque en resserrant son étreinte. Hubbard t'a touchée au poignet. Uniquement là. Sais-tu pourquoi ?

— Parce qu'il essayait de retenir mon attention.

— Non. Il voulait attirer la mienne. C'est là que bat le pouls, dit-il en caressant la veine du pouce. (Je tressaillis.) Le sang est si proche de la surface que je peux le voir autant que le sentir. Sa chaleur amplifie toute odeur étrangère qui s'y trouve. (Ses doigts entouraient mon poignet comme un bracelet.) Où était Françoise ?

— Dans la halle de Leadenhall. Jack et Annie étaient avec moi. Il y avait un mendiant et…

Je sentis une brève et vive douleur. Je baissai les yeux et vis qu'à mon poignet déchiré, du sang affleurait à de petites marques. Des *marques de dents.*

— Hubbard aurait tout aussi rapidement pu prendre ton sang et tout savoir de toi, dit Matthew en appuyant avec le pouce sur la blessure.

— Mais je ne t'ai pas vu bouger, dis-je, abasourdie.

— Tu n'aurais pas pu, dit-il, une lueur dans ses yeux noirs. Pas plus que tu n'aurais vu Hubbard s'il avait voulu frapper.

Peut-être que Matthew n'était pas aussi surprotecteur que je le pensais.

— Ne le laisse pas t'approcher et te toucher de nouveau. C'est bien clair ?

J'acquiesçai et Matthew entreprit de calmer lentement sa colère. C'est seulement quand il se fut maîtrisé qu'il répondit à ma question.

— J'essaie de déterminer la probabilité de transmettre ma fureur sanguinaire à notre enfant, dit-il avec un rien d'amertume. Benjamin en est affligé. Pas

Marcus. Je m'en voudrais de pouvoir accabler un enfant innocent d'une telle malédiction.

— Sais-tu pourquoi Marcus et ton frère Louis y ont été résistants, alors que toi, Louisa et Benjamin ne l'avez pas été ?

Je me gardai bien d'imaginer que tous ses enfants étaient concernés. Matthew m'en dirait davantage quand il le pourrait – s'il le pouvait.

— Louisa est morte longtemps avant qu'il soit possible de pratiquer des analyses dignes de ce nom. Je n'ai pas assez d'éléments pour tirer des conclusions fiables.

— Mais tu as une théorie, dis-je en songeant aux schémas.

— J'ai toujours considéré la fureur sanguine comme une sorte d'infection, et supposé que Marcus et Louis y étaient naturellement résistants. Mais quand Goody Alsop nous a dit que seule une tisseuse pouvait porter l'enfant d'un *wearh*, je me suis demandé si je n'étudiais pas le problème sous le mauvais angle. Peut-être que ce n'est pas quelque chose chez Marcus qui est résistant, mais quelque chose en moi qui est réceptif, tout comme une tisseuse est réceptive à la semence d'un *wearh*, contrairement à toute autre femme sang-chaud.

— Une prédisposition génétique ? demandai-je, essayant de suivre son raisonnement.

— Peut-être. Il est possible que ce soit un caractère récessif qui apparaît rarement dans la population sauf quand les deux parents portent le gène. Je ne cesse de penser à ton amie Catherine Streeter, que tu qualifies de « triplement douée », comme si son total génétique était en quelque sorte plus grand que la somme des parties. (Matthew était perdu dans les intrications de son puzzle génétique.) Ensuite, j'ai commencé à me demander si le fait que tu sois une tisseuse suffisait à expliquer ta capacité à concevoir. Et si c'était une combinaison de caractéristiques génétiques récessives – non seulement chez toi, mais aussi chez moi ?

Le voyant passer la main dans ses cheveux, je conclus que son accès de fureur sanguinaire était terminé et je poussai un long soupir de soulagement.

— Quand nous retournerons à ton labo, tu pourras vérifier ta théorie, dis-je en baissant la voix. Et une fois que Sarah et Em auront appris qu'il va y avoir un nouveau membre dans la famille, tu n'auras aucun problème à leur prélever un peu de sang – ou leur demander de jouer les baby-sitters. Elles ont toutes les deux des envies de jouer les mamies et cela fait des années qu'elles empruntent les enfants des voisins pour les assouvir.

Cela lui arracha enfin un sourire.

— Des envies de jouer les mamies ? Quelle drôle d'expression, dit-il en s'approchant de moi. Ysabeau doit aussi en avoir, au bout de tous ces siècles.

— Je n'ose même pas y penser, dis-je en faisant mine de frissonner.

C'était dans ces moments – quand nous discutions des réactions de notre entourage à la nouvelle, au lieu d'analyser comment nous-mêmes y réagirions – que je me sentais vraiment enceinte. Mon organisme avait à peine pris conscience de ce petit être qu'il portait en lui et dans l'agitation du quotidien au Cerf Couronné, il était trop facile d'oublier que nous allions bientôt être parents. Je pouvais passer des jours sans y penser, ne me rappelant mon état que lorsque Matthew venait auprès de moi, au cœur de la nuit, pour poser les mains sur mon ventre dans une communion silencieuse et guetter les signes d'une nouvelle vie.

— Pas plus que je n'ose penser que tu sois en danger, dit-il en me prenant dans ses bras. Sois prudente, *ma lionne**, murmura-t-il dans mes cheveux.

— Je le serai. Je le promets.

— Tu ne verrais pas le danger s'il arrivait avec une pancarte. (Il recula et plongea son regard dans le mien.) N'oublie pas : les vampires ne sont pas comme les sangs-chauds. Ne sous-estime pas le danger mortel que nous représentons.

L'avertissement de Matthew résonna en moi encore longtemps après. Je me surpris à guetter chez les autres vampires de la maison le moindre signe indiquant qu'ils pensaient à s'en aller, qu'ils avaient faim, qu'ils étaient fatigués, impatients ou s'ennuyaient. Ces signes étaient subtils et faciles à manquer. Quand Annie passait devant Gallowglass, il baissait les paupières pour dissimuler l'expression avide de son regard, mais elle était si fugace que je pouvais mettre cela sur le compte de mon imagination, tout comme les narines de Hancock qui se dilataient quand un groupe de sangs-chauds passaient sous nos fenêtres.

En revanche, les continuelles lessives pour nettoyer les taches de sang de leurs vêtements n'étaient pas un effet de mon imagination. Gallowglass et Hancock chassaient et se nourrissaient dans la ville, même si Matthew ne se joignait pas à eux. Il se contentait de ce que Françoise lui rapportait des boucheries.

Quand Annie et moi allâmes voir Mary le vendredi après-midi, comme de coutume, je fus plus consciente de ce qui m'entourait qu'au début de notre séjour. À présent, ce n'était pas pour enregistrer les détails du quotidien élisabéthain, mais pour m'assurer que nous n'étions ni épiées ni suivies. Je gardai toujours Annie à portée de main et Pierre ne lâcha pas Jack. Nous avions appris à nos dépens que c'était la seule manière d'empêcher le garçon de « faire la pie voleuse », comme disait Hancock. En dépit de nos efforts, Jack parvenait tout de même à multiplier les petits larcins. Matthew instaura un nouveau rituel domestique pour tenter de combattre sa tendance : Jack devait vider ses poches chaque soir et avouer comment il s'était procuré son extraordinaire assortiment hétéroclite. Pour le moment, cela ne l'avait pas découragé dans ses activités.

Étant donné ses mains baladeuses, on ne pouvait lui faire confiance dans la demeure remplie d'objets de la comtesse. Annie et moi prîmes congé de Jack et Pierre et l'expression de la fillette s'éclaira considérablement à la perspective de bavarder longuement avec Joan, la servante de Mary, tout en échappant pendant quelques heures aux attentions importunes de Jack.

— Diana ! s'écria Mary quand je franchis le seuil de son laboratoire. (J'avais beau connaître cet endroit, chaque fois, j'avais le souffle coupé devant la beauté des fresques illustrant la fabrication de la pierre philosophale.) Venez, j'ai quelque chose à vous montrer.

— Est-ce votre surprise ?

Mary avait laissé entendre qu'elle me régalerait bientôt en me montrant l'étendue de son savoir alchimique.

— Oui, répondit-elle en prenant un carnet sur sa table. Voyez ici, nous sommes à présent le 15 de janvier et j'ai commencé mon travail le 7 de décembre. Cela a pris exactement quarante jours, ainsi que l'avaient promis les sages.

Quarante était un nombre important dans l'ouvrage alchimique, et Mary avait pu entreprendre quantité d'expériences. Je parcourus les notes afin d'essayer de deviner sur quoi elle avait travaillé. Au cours des deux semaines, j'avais appris à déchiffrer ses abréviations et les symboles qu'elle utilisait pour les différents métaux et substances. Si je ne me méprenais pas, Mary avait commencé cette expérience avec une once d'argent dissoute dans de l'*aqua fortis* – l'eau-forte des alchimistes, connue à mon époque sous le nom d'acide nitrique. Ensuite, elle y avait ajouté de l'eau distillée.

— Est-ce votre marque pour le mercure ? demandai-je en désignant un symbole inconnu.

— Oui, mais seulement le mercure que j'obtiens des meilleures sources en Allemagne.

Mary ne regardait pas à la dépense pour son laboratoire, ses ingrédients et son matériel. Elle m'entraîna vers un autre objet qui démontrait cette obsession de la qualité à tout prix : un grand récipient de verre. Il ne comportait aucun défaut et était clair comme du cristal, ce qui indiquait qu'il provenait de Venise. Le verre anglais fabriqué dans le Sussex contenait de petites bulles et des marbrures. La comtesse de Pembroke préférait la qualité vénitienne et pouvait se l'offrir.

Quand je vis ce qu'il contenait, un doigt prémonitoire effleura mon épaule. Au fond du récipient poussait un arbre d'argent à partir d'une petite graine. Des branches étaient déjà sorties du tronc et divisées, remplissant le haut du récipient de fils scintillants. De minuscules perles au bout des rameaux suggéraient des fruits, comme si l'arbre était prêt pour la récolte.

— L'*arbor Dianae*, dit fièrement Mary. C'est comme si Dieu m'avait inspiré de le créer afin qu'il soit là pour vous accueillir. J'ai déjà essayé d'en faire pousser un, mais jamais il n'a pris racine. En voyant un tel prodige, personne ne pourrait douter de la vérité et de la puissance de l'art alchimique.

L'arbre de Diane était spectaculaire. Sous mes yeux, il se mit à luire et pousser encore, de nouveaux rameaux remplissant l'espace restant dans le récipient. Savoir que ce n'était rien de plus qu'un amalgame dendritique d'argent cristallisé ne diminuait en rien mon émerveillement devant ce fragment de métal qui semblait subir un processus végétatif.

Sur la fresque du mur d'en face, un dragon trônait sur un récipient similaire à celui que Mary avait utilisé pour accueillir son *arbor Dianae*. Le dragon se mordait la queue et des gouttes de sang tombaient dans le liquide argenté au-dessous de lui. Je cherchai l'image suivante dans la série : l'oiseau d'Hermès qui volait vers les noces chymiques. L'oiseau me rappela l'illustration de ces noces dans l'Ashmole 782.

— Je pense qu'il serait peut-être possible de concevoir une méthode plus rapide pour parvenir au même résultat, dit Mary. (Elle prit une plume fichée dans son chignon, laissant une tache noire au-dessus de son oreille.) Qu'arriverait-il, selon vous, si nous limions le fer avant que de le dissoudre dans l'*aqua fortis* ?

Nous passâmes un agréable après-midi à discuter des nouvelles manières de fabriquer un *arbor Dianae*, mais il se termina bien trop tôt.

— Vous verrai-je demain ? demanda-t-elle.

— J'ai hélas une autre obligation, répondis-je.

J'étais attendue chez Goody Alsop avant le coucher du soleil.

— Vendredi, alors ? demanda Mary, déçue.

— Vendredi, acquiesçai-je.

— Diana, demanda-t-elle en hésitant. Allez-vous bien ?

— Oui, répondis-je, surprise. Vous parais-je malade ?

— Vous êtes pâle et semblez lasse, admit-elle. Comme la plupart des mères, je suis sensible à… oh ! (Elle s'interrompit brusquement et rosit. Elle baissa les yeux vers mon ventre puis me regarda à nouveau.) Vous êtes grosse d'enfant.

— Et vous êtes la première amie à connaître notre secret, dis-je en lui prenant la main. J'aurai bien des questions dans les semaines à venir.

— À combien de semaines êtes-vous ? demanda-t-elle.

— Assez peu, répondis-je, restant volontairement vague.

— Mais l'enfant ne peut être de Matthew. Un *wearh* ne peut concevoir d'enfant, dit-elle, une main sur la joue. Matthew accepte l'enfant, même s'il n'est point de lui ?

Bien que Matthew m'eût avertie que tout le monde penserait que l'enfant était d'un autre, nous n'avions pas encore discuté de la réponse que nous donnerions. J'allais devoir botter en touche.

— Il le considère comme de son sang, dis-je avec assurance.

Ma réponse sembla ne faire qu'accroître son inquiétude.

— Vous êtes fortunée que Matthew soit si désintéressé quand il s'agit de protéger ceux qui sont dans le besoin. Et vous… pouvez-vous aimer l'enfant, même si vous avez été prise contre votre volonté ?

Mary pensait que j'avais été violée – et que Matthew ne m'avait épousée que pour me protéger de l'opprobre de la condition de fille mère.

— L'enfant est innocent. Je ne peux lui refuser mon amour. (Je pris soin de ne pas confirmer ni nier les soupçons de Mary. Heureusement, elle se satisfit de ma réponse et, comme à son habitude, n'alla pas chercher plus loin.) Comme vous l'imaginez, ajoutai-je, nous tenons à garder cela secret le plus longtemps possible.

— Bien sûr, acquiesça-t-elle. Je ferai préparer par Joan une crème sucrée qui fortifie le sang tout en étant apaisante pour le ventre si vous la consommez avant que de vous coucher. Elle m'a été d'un grand secours durant ma dernière grossesse et a semblé atténuer mes nausées matinales.

— J'ai eu le bonheur de ne pas en connaître jusqu'à présent, dis-je en enfilant mes gants. Matthew m'assure qu'elles devraient commencer d'un jour à l'autre.

— Mmm, fit pensivement Mary. (Une ombre passa sur son visage. Je fronçai les sourcils, me demandant ce qui l'inquiétait à présent. Voyant mon expression, Mary me fit un grand sourire.) Vous devriez prendre garde à toute fatigue. Quand vous venez ici le vendredi, ne restez pas debout aussi longtemps, mais prenez vos aises sur un escabeau pendant que nous travaillons. (Elle m'aida à ajuster ma cape.) Évitez les courants d'air. Et faites-vous préparer par Françoise un emplâtre pour vos pieds s'ils commencent à enfler. Je vous ferai tenir la recette en même temps que la crème. Voulez-vous que mon batelier vous ramène à Water Lane ?

— Ce n'est qu'à cinq minutes de marche ! protestai-je en riant.

Finalement, Mary me laissa partir à pied, mais seulement une fois que je lui eus assuré que j'éviterais non seulement les courants d'air, mais aussi l'eau froide et le bruit.

Cette nuit-là, je rêvai que je dormais sous les branches d'un arbre qui poussait dans mon ventre. Son feuillage me protégeait du clair de lune tandis qu'un dragon traversait le ciel. Quand il arriva à la lune, sa queue s'enroula autour et l'astre argenté devint rouge. Je me réveillai seule dans des draps trempés de sang.

— Françoise ! criai-je en sentant soudain une vive douleur.

C'est Matthew qui accourut. Son expression effondrée quand il arriva auprès de moi confirma mes craintes.

23

— Nous avons toutes perdu des enfants, Diana, dit tristement Goody Alsop. C'est un chagrin que connaissent la plupart des femmes.

— Toutes ?

Je balayai du regard les sorcières du collège de Garlickhythe qui m'entouraient dans l'arrière-cuisine de Goody Alsop. Elles m'égrenèrent les histoires d'enfants mort-nés, d'autres décédés à six mois ou à six ans. Je ne connaissais aucune femme qui ait fait une fausse couche – ou du moins, il ne me semblait pas. L'une de mes amies avait-elle souffert de cette peine sans que je le sache ?

— Vous êtes jeune et forte, dit Susanna. Il n'y a pas de raison de penser que vous ne puissiez concevoir un autre enfant.

Absolument aucune raison, hormis le fait que mon époux refusait de me toucher tant que nous ne serions pas rentrés au pays de la contraception et de l'échographie.

— Peut-être, dis-je vaguement.

— Où est master Roydon ? demanda doucement Goody Alsop.

Son empuse flotta dans le salon comme si elle pensait pouvoir le trouver assis à la fenêtre ou au sommet d'un placard.

— Parti s'occuper d'affaires, dis-je en ramenant autour de moi le châle prêté par Susanna, qui sentait tout comme elle le caramel et la camomille.

— J'ai entendu dire qu'il était au Middle Temple Hall avec Christopher Marlowe la nuit dernière. Ils assistaient à une représentation de théâtre, dit Catherine en faisant passer à la ronde la boîte de fruits candis qu'elle avait apportée à Goody Alsop.

— Les hommes ordinaires peuvent affreusement souffrir de la mort d'un enfant. Je ne suis pas surprise qu'un *wearh* trouve cela particulièrement pénible. Ils sont possessifs, après tout, dit-elle en prenant un fruit rouge et gélatineux. Merci, Catherine.

Les femmes attendirent en silence, espérant que je répondrais à l'invitation prudente de Goody Alsop et Catherine et leur dirais comment Matthew et moi prenions la situation.

— Il surmontera l'épreuve, dis-je, pincée.

— Il devrait être là, intervint brusquement Elizabeth. Je ne vois pas pourquoi son chagrin devrait être plus douloureux que le vôtre !

— Parce que Matthew a souffert mille années de peines et que je n'en ai connu que trente-trois, dis-je du même ton tranchant. C'est un *wearh*, Elizabeth. Regretté-je qu'il soit avec Kit plutôt qu'ici avec moi ? Bien sûr. Le supplierais-je de demeurer au Cerf Couronné pour moi ? Certainement pas.

J'avais haussé le ton à mesure que je laissais percer ma peine et ma frustration. Matthew était immanquablement charmant et tendre avec moi quand il était à la maison. Il m'avait réconfortée alors que j'étais seule avec les centaines de fragiles rêves d'avenir qui avaient été détruits le matin où j'avais fait cette fausse couche.

C'étaient les heures qu'il passait ailleurs qui me causaient des inquiétudes.

— Ma tête me dit qu'il faut que je laisse à Matthew la possibilité de faire son deuil à sa façon, dis-je. Mon cœur me dit qu'il m'aime, même s'il préfère être avec ses amis en ce moment. Je regrette seulement qu'il ne puisse me toucher sans éprouver de regret.

Je le sentais chaque fois qu'il me regardait, qu'il m'étreignait et qu'il prenait ma main. C'était insupportable.

— Je suis navrée, Diana, dit Elizabeth.

— Ce n'est rien, lui assurai-je.

Mais ce n'était pas rien. Le monde entier me paraissait retourné et sans harmonie, rempli de couleurs trop vives et de bruits trop forts qui me faisaient sursauter. Je me sentais vide et j'avais beau m'efforcer de lire, je ne parvenais pas à concentrer mon attention sur les phrases.

— Nous vous verrons demain comme prévu, dit Goody Alsop alors que les sorcières s'en allaient.

— Demain ? me renfrognai-je. Je ne suis pas d'humeur à faire de la magie, Goody Alsop.

— Et comme moi je ne suis pas d'humeur à entrer dans la tombe sans vous avoir vue tisser votre premier sort, je vous attendrai au sixième coup de cloche.

Cette nuit-là, je fixai le feu tandis que les cloches sonnaient six, puis sept, puis huit, neuf, et dix coups. Quand elles sonnèrent 3 heures, j'entendis du bruit dans l'escalier. Pensant que c'était Matthew, j'allai à la porte. L'escalier était vide, mais des objets étaient déposés sur les marches : une chaussette d'enfant, un brin de houx, un ruban de papier avec le nom d'un homme griffonné dessus. Je les ramassai et me laissai tomber sur l'une des marches usées en serrant le châle de Susanna autour de moi.

J'essayais encore de comprendre ce que signifiaient ces objets et comment ils étaient arrivés là quand Matthew surgit dans un tourbillon silencieux dans l'escalier. Il s'arrêta brusquement.

— Diana.

Il passa le dos de sa main sur ses lèvres. Il avait les yeux verts et vitreux.

— Au moins, tu te nourris quand tu es avec Kit, dis-je en me levant. C'est bien de savoir que votre amitié ne se limite pas à la poésie et aux échecs.

Matthew posa sa botte sur la marche où reposaient mes pieds. De son genou, il me plaqua contre le mur, me prenant au piège. Son haleine avait une odeur douceâtre et un peu métallique.

— Tu vas te détester demain matin, dis-je calmement en me détournant. (Je n'étais pas assez imprudente pour m'enfuir quand il restait une odeur de sang sur ses lèvres.) Kit aurait dû te garder le temps que tu aies évacué la drogue de ton organisme. Tout le sang de Londres contient-il donc des opiats ?

C'était la deuxième fois de suite que Matthew sortait avec Kit et rentrait totalement défoncé.

— Pas tout, ronronna-t-il. Mais c'est le plus facile à se procurer.

— Qu'est-ce que c'est que cela ? demandai-je en levant la chaussette, le houx et le ruban de papier.

— C'est pour toi, dit Matthew. Il en arrive chaque soir. Pierre et moi les ramassons avant que tu te réveilles.

— Quand cela a-t-il commencé ?

Je préférai ne pas demander davantage.

— La semaine avant… La semaine où tu as vu les membres du Rede. La plupart sont des demandes d'aide. Depuis que tu… Depuis lundi, ce sont des cadeaux pour toi. (Il tendit la main.) Je vais m'en occuper.

— Où sont les autres ? demandai-je en les serrant contre moi.

Matthew se crispa, mais il me montra où il avait rangé le reste : dans un coffre au grenier, glissé sous l'un des bancs. J'examinai le contenu, qui était assez semblable à ce que Jack sortait de ses poches chaque soir : boutons, morceaux de ruban, un morceau d'assiette. Il y avait des mèches de cheveux, aussi, et des dizaines de papiers portant des noms. Bien qu'invisibles pour la plupart des gens, je distinguai les fils dépenaillés qui pendaient de chaque trésor, attendant tous d'être renoués, réunis ou réparés.

— Ce sont des demandes de magie, dis-je en levant les yeux vers Matthew. Tu n'aurais pas dû me les cacher.

— Je ne tiens pas à ce que tu fasses des sortilèges pour toutes les créatures de Londres, répondit-il, le regard de plus en plus noir.

— Eh bien, moi, je ne veux pas que tu dînes dehors tous les soirs avant d'aller boire avec tes amis ! Mais tu es un vampire et parfois, c'est le genre de chose que tu as besoin de faire, rétorquai-je. Moi, je suis une sorcière, Matthew. Les demandes comme celles-ci doivent être traitées avec égards. Ma sécurité dépend de mes relations avec mes voisins. Je ne peux pas voler des barques comme Gallowglass ou rugir sur les gens.

— *Milord**, dit Pierre de l'autre bout du grenier, où un étroit escalier menait à une issue dissimulée derrière les immenses cuves de la lavandière.

— Quoi ? s'impatienta Matthew.

— Agnes Sampson est morte, répondit Pierre, l'air effrayé. Ils l'ont menée à Castlehill, à Édimbourg, samedi, ils l'ont garrottée, et ensuite, ils ont brûlé la dépouille.

— Mon Dieu, blêmit Matthew.

— Hancock fait savoir qu'elle était bien morte quand on a allumé le bûcher. Elle n'a rien pu sentir, continua Pierre. (C'était un petit geste de pitié, du genre que l'on n'offrait pas toujours à une sorcière reconnue coupable.) Ils ont refusé de lire votre lettre, *milord**. Il a été dit à Hancock de laisser la politique écossaise au roi d'Écosse, ou on l'écrouerait la prochaine fois qu'il mettrait les pieds à Édimbourg.

— Alors, ce n'est pas seulement la perte de l'enfant qui t'a livré à l'influence sombre de Kit. Tu veux oublier les événements d'Écosse aussi.

— J'ai beau essayer d'arranger les choses, je ne suis apparemment pas capable de briser cette malédiction, dit Matthew. Jadis, en tant qu'espion de la reine, j'étais enchanté des troubles en Écosse. En tant que membre de la Congrégation, je considérais la mort de Sampson comme un prix acceptable à payer pour maintenir le statu quo. Mais à présent…

— Maintenant que tu es marié à une sorcière, dis-je, tout est différent.

— Oui. Je suis tiraillé entre ce que je croyais et ce qui m'est désormais le plus cher, ce que je défendais farouchement comme parole d'Évangile et la monstruosité de ce que je ne reconnais plus.

— Je vais retourner en ville, dit Pierre. Peut-être y apprendrai-je du nouveau.

Je scrutai le visage las de Matthew.

— Tu ne peux pas imaginer comprendre toutes les tragédies de la vie, Matthew. Moi aussi, j'aimerais avoir encore l'enfant. Et je sais que cela semble sans espoir à présent, mais cela ne veut pas dire qu'il n'y a pas un avenir à espérer, un avenir dans lequel nos enfants et notre famille seront à l'abri.

— Une fausse couche aussi tôt dans la grossesse est presque toujours le signe d'une anomalie génétique qui rend le fœtus non viable. Si cela s'est produit une fois...

Il n'acheva pas.

— Il y a des anomalies génétiques qui ne mettent pas la vie de l'enfant en danger, lui fis-je remarquer. Regarde, moi, par exemple.

J'étais une chimère, avec un ADN discordant.

— Je ne supporterai pas de perdre un autre enfant, Diana. C'est tout bonnement impossible pour moi.

— Je sais. (J'étais épuisée et j'avais autant envie que lui de sombrer dans l'oubli bienheureux du sommeil. Je n'avais jamais connu notre enfant comme il avait connu Lucas, et la douleur était tout de même insoutenable.) Je dois être chez Goody Alsop à 6 heures ce soir. Seras-tu sorti avec Kit ?

— Non, dit-il à mi-voix avant de poser ses lèvres sur les miennes, brièvement, plein de regret. Je serai avec toi.

Matthew tint parole et m'escorta chez Goody Alsop avant d'aller à l'Oie d'Or avec Pierre. De la manière la plus courtoise possible, les sorcières expliquèrent que les *wearhs* n'étaient pas les bienvenus. Aider une tisseuse à effectuer son *primesort* nécessitait de mobiliser une quantité considérable d'énergie surnaturelle et magique. Des *wearhs* y feraient obstacle.

Ma tante Sarah aurait observé avec attention comment Susanna et Marjorie préparaient le cercle sacré. Certaines des substances et du matériel utilisé étaient familiers – comme le sel qu'elles saupoudrèrent sur le plancher pour purifier l'espace – mais d'autres non. Les instruments de magie de Sarah se composaient de deux couteaux (l'un avec un manche noir, l'autre avec un manche blanc), du grimoire des Bishop et de diverses herbes et plantes. Les sorcières élisabéthaines avaient besoin d'un plus vaste ensemble pour opérer leur magie, y compris de balais. Je n'avais jamais vu une sorcière avec un balai, hormis à Halloween, où ils étaient *de rigueur**, tout comme le chapeau pointu.

Chacune des sorcières du collège apporta un balai unique en son genre chez Goody Alsop. Celui de Marjorie était taillé dans une branche de cerisier. En haut du manche étaient gravés des glyphes et des symboles. En guise de fibres, Marjorie avait noué des herbes séchées et des brindilles à l'extrémité où la branche se divisait en plusieurs rameaux. Elle m'expliqua que ces herbes étaient capitales pour sa magie – des brins d'aigremoine pour rompre les enchantements, de la matricaire avec ses fleurs blanches et jaunes pour la protection, de solides brins de romarin avec leurs feuilles vert sombre pour la purification et la clarté. Le balai de Susanna était en orme, arbre qui symbolisait les étapes de la vie, depuis la naissance jusqu'à la mort, et qui était lié à son métier de sage-femme. Des plantes étaient également attachées au manche : des feuilles charnues d'ophioglosse pour guérir, des sommités blanches d'eupatoire pour la protection et des feuilles épineuses de séneçon pour la bonne santé.

Marjorie et Susanna balayèrent soigneusement le sel dans le sens des aiguilles d'une montre jusqu'à ce que les petits grains aient parcouru tout le plancher. Marjorie m'expliqua que le sel non seulement nettoierait l'espace, mais qu'il le fixerait afin que mon pouvoir ne se répande pas dans le monde une fois qu'il aurait été libéré.

Goody Alsop condamna les fenêtres, les portes et même la cheminée. Les fantômes de la maison eurent le choix de se réfugier sous les solives du toit ou chez la famille qui habitait au-dessous. Ne voulant rien manquer et un peu jaloux de l'empuse qui n'avait d'autre choix que de rester auprès de sa maîtresse, les fantômes se tapirent entre les poutres en babillant à propos des habitants de Newgate qui ne risqueraient plus de trouver un moment de tranquillité maintenant que les spectres de la reine médiévale Isabella et d'une meurtrière nommée Lady Alice Hungerford avaient recommencé à se quereller.

Elizabeth et Catherine me calmèrent – et couvrirent les épouvantables détails sanglants des méfaits et de la mort de Lady Alice – en me faisant part de leurs premières aventures magiques et en me faisant parler des miennes. Elizabeth fut impressionnée de m'entendre raconter comment j'avais capté l'eau sous le verger de Sarah en l'attirant dans mes mains goutte après goutte. Et Catherine roucoula de ravissement quand je lui expliquai que j'avais senti le poids d'un arc et d'une flèche dans mes mains juste avant que jaillisse le feu sorcier.

— La lune est levée, dit Marjorie en quittant la fenêtre, rosissant d'impatience.

Les volets étaient clos, mais aucune des autres sorcières ne remit son affirmation en question.

— Alors il est temps, dit vivement Elizabeth, toujours très sérieuse.

Chaque sorcière alla d'un coin de la pièce à un autre en brisant un rameau de son balai et en l'y déposant. Mais loin d'être disposées au hasard, les brindilles formaient un pentacle, l'étoile à cinq branches des sorciers.

Goody Alsop et moi prîmes position au centre du cercle. Ses frontières jusque-là invisibles se révélèrent une fois que les autres sorcières eurent pris la place qui leur revenait et que Catherine prononça un sort : une ligne de feu passa de sorcière en sorcière pour former le cercle.

L'énergie jaillit en son centre. Goody Alsop m'avait prévenue que ce que nous faisions cette nuit invoquait d'anciens rites magiques. Rapidement, l'onde palpitante d'énergie fut remplacée par quelque chose qui me chatouilla et me picota comme des milliers de regards de sorcières.

— Regarde autour de toi avec ton œil sorcier, dit Goody Alsop, et dis-moi ce que tu vois.

Quand mon troisième œil s'ouvrit, je m'attendis à moitié à voir l'air lui-même prendre vie, chaque particule chargée de possibilité. Au lieu de cela, la pièce fut remplie de filaments de magie.

— Des fils, dis-je. Comme si le monde n'était rien d'autre qu'une tapisserie.

Goody Alsop hocha la tête.

— Être une tisseuse, c'est être liée au monde autour de toi et en voir les nuances et les fils. Alors que certains liens retiennent votre magie, d'autres attachent la force qui est dans ton sang aux quatre éléments et aux grands mystères qui gisent derrière eux. Les tisseuses apprennent à dénouer les liens qui retiennent et à utiliser les autres.

— Mais je ne sais pas comment les distinguer les uns des autres, dis-je en contemplant les centaines de fils qui frôlaient mes jupes et ma basquine.

— Bientôt, tu les éprouveras, ainsi que l'oiseau essaie ses ailes, pour découvrir quels secrets ils recèlent pour vous. Pour l'heure, nous allons simplement les couper, afin qu'ils puissent te revenir librement. À mesure que je vais couper les fils, tu devras résister à la tentation de t'emparer de la force qui est autour de toi. Comme tu es une tisseuse, tu vas vouloir réparer ce qui est brisé. Laisse tes pensées aller librement et que ton esprit reste vide. Laisse la force agir à sa guise.

Goody Alsop me lâcha le bras et commença à tisser son sortilège en émettant des sons qui ne ressemblaient pas à une langue, mais qui étaient étrangement familiers. À chaque syllabe, je vis des filaments se détacher de moi et s'éloigner en se recroquevillant et en se tordant. Un grondement emplit mes oreilles. Mes bras obéirent à ce bruit comme si c'était un ordre, se levèrent et se tendirent jusqu'à ce que je me retrouve dans la position, bras en croix, où Matthew m'avait mise à Madison lorsque j'avais capté l'eau dans le sol du jardin de Sarah.

La magie, tous ces filaments de force que je pouvais emprunter mais pas posséder revinrent lentement vers moi comme de la limaille de fer attirée par un aimant.

À peine eurent-ils touché mes mains que je résistai à l'envie de les refermer sur eux. Le désir était puissant, comme l'avait prédit Goody Alsop, mais je les laissai glisser sur ma peau comme les rubans de satin dans les contes que ma mère me lisait lorsque j'étais petite.

Pour le moment, tout s'était passé comme Goody Alsop me l'avait annoncé. Mais personne ne pouvait prédire ce qui pourrait arriver quand mes pouvoirs prendraient forme et les sorcières qui nous entouraient se préparèrent à l'inconnu. Goody Alsop m'avait prévenue que les tisseuses ne créaient pas toutes un familier dans leur *primesort* et que je ne devais pas m'attendre à en voir forcément apparaître un. Mais ces derniers mois m'avaient appris qu'avec moi, l'inattendu était plus que probable.

Le grondement s'amplifia et l'air vibra. Une boule de force planait juste au-dessus de ma tête. Elle tirait son énergie de la pièce, mais elle ne cessait de s'effondrer sur elle-même comme un trou noir. Mon œil sorcier se ferma résolument devant ce tourbillon étourdissant.

Quelque chose se mit à palpiter au milieu de cette tempête, puis se libéra et prit une forme diaphane. Immédiatement, Goody Alsop se tut. Elle me jeta un dernier long regard avant de me laisser seule au milieu du cercle.

Il y eut un battement d'ailes, le sifflement d'une queue hérissée d'épines. Une haleine brûlante et humide me frôla le cou. Une créature transparente avec une tête reptilienne de dragon plana dans l'air, claquant ses ailes étincelantes dans les solives et envoyant les fantômes se réfugier dans les coins. Il n'avait que deux pattes, dont les serres incurvées paraissaient aussi mortelles que les épines de sa queue.

— Combien de pattes a-t-il ? s'écria Marjorie, qui le voyait mal depuis sa place. Est-ce juste un dragon ?

Juste un dragon ?

— Il crache le feu. C'est une vouivre, dit Catherine, émerveillée.

Elle leva les bras, prête à jeter un sort de protection s'il décidait de la frapper. Elizabeth Jackson en fit autant.

— Attendez ! s'écria Goody Alsop. Diana n'a pas encore terminé son tissage. Peut-être qu'elle va trouver un autre moyen de la dompter.

La dompter ? Je jetai un regard incrédule à Goody Alsop. Je ne savais même pas si la créature devant moi était une substance ou un esprit. Elle semblait réelle, mais je pouvais voir au travers.

— Je ne sais pas quoi faire, dis-je, paniquée.

Chaque claquement d'aile de la vouivre envoyait un déluge d'étincelles et de flammèches dans la pièce.

— Certains sortilèges naissent d'une idée, d'autres d'une question. Il y a maintes manières de songer à ce qui va suivre : faire un nœud, enrouler une corde, voire forger une chaîne comme celle que tu as façonnée entre toi et ton *wearh*, dit Goody Alsop d'une voix apaisante. Laisse la force couler en toi.

La vouivre rugit d'impatience en tendant ses pattes vers moi. Que voulait-elle ? Me saisir et m'emporter dans les airs ? Trouver un endroit confortable où se percher et reposer ses ailes ?

Sous mes pieds, le sol grinça.

— Écarte-toi ! cria Marjorie.

J'eus tout juste le temps de bouger. Un instant plus tard, un arbre jaillissait de l'endroit où je me trouvais. Le tronc s'éleva, se divisa en deux grosses branches qui se divisèrent à leur tour. Des feuilles vertes apparurent, puis des fleurs blanches et enfin des baies rouges. Quelques secondes plus tard, je me trouvais sous un arbre adulte qui donnait en même temps des fleurs et des fruits.

La vouivre s'agrippa aux branches les plus hautes. Pendant un instant, elle sembla s'y reposer. Une branche grinça et craqua. La créature s'éleva dans les airs, un morceau de bois dans ses serres. Puis elle darda sa langue et un filet de feu embrasa l'arbre. Il y avait beaucoup trop d'objets inflammables dans la pièce, entre le plancher, les meubles et les étoffes. Je songeai uniquement qu'il fallait empêcher le feu de se répandre. Il me fallait de l'eau, et en quantité.

Quelque chose pesa dans ma main droite. Je baissai les yeux, pensant voir un seau. Au lieu de cela, je vis un arc. Du feu sorcier. Mais à quoi cela servait-il de rajouter du feu ?

— Non, Diana ! N'essaie pas de façonner le sortilège ! m'avertit Goody Alsop.

Je balayai toute pensée de pluie et de rivières. Immédiatement, l'instinct prit le dessus, mes deux bras se levèrent devant moi, le droit recula et, lorsque je dépliai les doigts, la flèche vola dans le cœur de l'arbre. D'immenses flammes jaillirent et m'aveuglèrent. La chaleur décrut, et quand je recouvrai la vue, j'étais au sommet d'une montagne sous un immense ciel semé d'étoiles. Un énorme croissant de lune brillait.

— Je t'attendais.

La voix de la déesse n'était qu'un souffle de vent. Elle portait une tunique souple et ses cheveux tombaient en cascade sur son dos. Elle ne tenait aucune de ses armes habituelles, mais un gros chien l'accompagnait, si noir et si grand que cela aurait pu être un loup.

— Toi. (Mon cœur se glaça de terreur. Je m'attendais à voir la déesse depuis que j'avais perdu le bébé.) As-tu pris l'enfant en échange de la vie sauve de Matthew ? demandai-je, mi-furieuse, mi-désespérée.

— Non. Cette dette est payée. J'en ai déjà pris une autre. Un enfant mort ne m'est d'aucune utilité.

Les yeux de la chasseresse étaient aussi verts que les premières pousses d'un saule au printemps. Mon sang se glaça dans mes veines.

— Quelle vie as-tu prise ?

— La tienne.

— La mienne, répétai-je, abasourdie. Suis-je… morte ?

— Bien sûr que non. Quelle utilité aurais-tu alors pour moi ? (La voix de la chasseresse était maintenant aussi stridente et éclatante qu'un rayon de lune.) Tu m'as promis que je pourrais prendre n'importe qui ou n'importe quoi en échange de la vie de celui que tu aimes. C'est toi que j'ai choisie. Et je n'en ai pas encore fini avec toi. (Elle recula d'un pas.) Tu m'as donné ta vie, Diana Bishop. Le moment est venu de m'en servir.

Un cri dans le ciel me fit prendre conscience de la présence de la vouivre. Je levai les yeux, essayant de distinguer sa silhouette devant la lune. Quand je clignai des paupières, son contour apparut, parfaitement visible sur le plafond. J'étais revenue dans la maison de Goody Alsop, je n'étais plus sur une montagne avec la déesse. L'arbre avait été réduit à un tas de cendres. Je clignai de nouveau des paupières.

La vouivre en fit autant. Elle avait des yeux tristes et familiers – noirs, avec des iris argentés. Avec un cri rauque, elle ouvrit ses serres et la branche de l'arbre me tomba dans les bras. C'était comme tenir une flèche, plus lourde et plus volumineuse que sa taille ne le laissait penser. La créature inclina la tête, de la fumée jaillissant de ses naseaux. Je fus tentée de tendre la main pour la toucher, me demandant si sa peau serait chaude et douce comme celle d'un serpent, mais quelque chose me dit que cela ne lui plairait pas. Et je ne voulais pas l'alarmer. Elle risquait de ruer et de percer le plafond avec sa tête. J'étais déjà assez inquiète de l'état de la maison après l'apparition de l'arbre et des flammes.

— Merci, chuchotai-je.

Elle répondit par un gémissement flamboyant et mélodieux, et me dévisagea de ses yeux noir et argent, posant son regard sage et sans âge sur moi, tout en agitant pensivement la queue. Puis elle étendit entièrement ses ailes avant de les replier contre ses flancs et de se volatiliser.

Tout ce qui resta de la vouivre fut une démangeaison dans ma poitrine qui m'indiqua qu'elle était en quelque sorte en moi, attendant que j'aie besoin d'elle. Accablée sous le poids de la créature, je tombai à genoux et la branche roula sur le sol. Les sorcières se précipitèrent.

Goody Alsop fut la première à m'étreindre dans ses bras maigres.

— Tu as très bien agi, mon enfant, très bien, chuchota-t-elle.

Elizabeth prononça un sort qui fit apparaître dans sa main une coupe en argent remplie d'eau. Je la bus entièrement, et quand elle fut vide, elle disparut.

— C'est une grande journée, Goody Alsop, dit Catherine, rayonnante.

— Oui, et fort dure pour une si jeune sorcière, dit la vieille femme. Tu ne fais rien à moitié, Diana Roydon. Pour commencer, tu n'es pas une sorcière ordinaire, mais une tisseuse. Et ensuite, tu tisses un *primesort* qui fait naître un sorbier simplement pour dompter un dragon. Si j'avais eu une telle vision, je n'y aurais pas cru.

— J'ai vu la déesse, expliquai-je. Et un dragon.

— Ce n'était pas un dragon, dit Elizabeth.

— Il n'avait que deux pattes, expliqua Marjorie. Cela en fait non seulement une créature de feu, mais aussi d'eau, capable de se déplacer entre les éléments. La vouivre est l'union des contraires.

— Ce qui est vrai de la vouivre l'est également du sorbier, dit Goody Alsop avec un sourire de fierté. Ce n'est pas tous les jours qu'un sorbier dresse ses branches dans un monde tout en laissant ses racines dans un autre.

Malgré les babillages enchantés des femmes qui m'entouraient, je me surpris à penser à Matthew. Il attendait des nouvelles à l'Oie d'Or. Mon troisième œil s'ouvrit, lançant une vrille noire et rouge qui partait de mon cœur, traversait la pièce et passait par le trou de la serrure jusque dans la rue sombre. Je tirai un coup sec dessus, et la chaîne en moi réagit en tintant.

— Si je ne me trompe, master Roydon va apparaître sous peu pour prendre son épouse, ironisa Goody

Alsop. Nous allons t'aider à te relever, sans quoi il pensera que tu n'étais pas en de bonnes mains.

— Matthew est parfois très protecteur, m'excusai-je. Encore plus depuis…

— Je n'ai jamais connu de *wearh* qui ne le soit, dit Goody Alsop en m'aidant à me mettre debout. C'est dans leur nature.

L'air paraissait de nouveau composé de particules qui me frôlaient la peau à chaque mouvement.

— Master Roydon n'a point lieu d'avoir crainte dans le cas présent, dit Elizabeth. Nous veillerons à ce que tu retrouves ton chemin et sortes des ténèbres, tout comme ton dragon de feu.

— Quelles ténèbres ? (Les sorcières se turent.) Quelles ténèbres ? répétai-je, oubliant ma lassitude.

— Il y a des sorcières, fort peu nombreuses, qui sont capables de se déplacer entre deux mondes, soupira Goody Alsop.

— Les fileuses de temps, acquiesçai-je. Oui, je sais, j'en fais partie.

— Pas entre ce moment et le suivant, Diana, mais entre ce monde et celui au-delà, dit Marjorie en désignant la branche à mes pieds. Entre la vie et la mort. Tu peux être dans ces deux mondes. C'est pour cela que le sorbier t'a choisie, et non l'aulne ou le bouleau.

— Nous nous demandions si ce serait le cas. Tu as été capable de concevoir l'enfant d'un *wearh*, après tout, dit Goody Alsop. (Elle me dévisagea et blêmit.) Qu'y a-t-il, Diana ?

— Les coings. Et les fleurs. (Mes genoux flageolèrent, mais je restai debout.) Le soulier de Mary Sidney. Et le chêne à Madison.

— Et le *wearh*, dit Goody Alsop à mi-voix, comprenant sans que j'en dise davantage. Tous ces signes qui
indiquaient la vérité.

Un coup étouffé résonna à l'extérieur.

— Il ne doit rien savoir, dis-je d'un ton pressant en
prenant la main de Goody Alsop. Pas encore. C'est
trop tôt après le bébé et Matthew ne veut pas que je
sois mêlée à tout ce qui touche à la vie et à la mort.

— Il est un peu tard pour cela, dit-elle tristement.

— Diana ! cria Matthew en donnant un coup sur la
porte.

— Le *wearh* va fendre le bois, observa Marjorie.
Master Roydon ne pourra pas briser le sortilège qui la
scelle, mais la porte va se fendre avec grand fracas.
Songe aux voisins, Goody Alsop.

La vieille femme fit un geste. L'air s'épaissit, puis se
détendit.

Matthew fut à mes côtés en un clin d'œil et ses yeux
gris me parcoururent.

— Que s'est-il passé ici ?

— Si Diana souhaite que vous le sachiez, elle vous
le dira, répondit Goody Alsop avant de se tourner vers
moi. À la lumière de ce que nous avons vécu ce soir,
je crois que tu devrais passer un peu de temps demain
avec Catherine et Elizabeth.

— Merci, Goody, murmurai-je, reconnaissante
qu'elle n'ait pas dévoilé mes secrets.

— Attends. (Catherine ramassa la branche de sorbier et en cassa un petit rameau.) Prends ceci. Tu dois
toujours en porter un morceau sur toi en guise de
talisman. Nous discuterons demain de ce que nous
devons faire du reste, dit-elle en laissant tomber le
morceau de bois dans ma main.

Il n'y avait pas que Pierre qui nous attendait dans la rue : Gallowglass et Hancock étaient là aussi. Ils me firent rapidement monter dans une embarcation au bas de Garlic Hill. Quand nous fûmes rentrés à Water Lane, Matthew renvoya tout le monde et nous nous retrouvâmes dans la bienheureuse quiétude de notre chambre.

— Je n'ai pas besoin de savoir ce qui s'est passé, dit-il avec brusquerie en refermant la porte. Juste d'être sûr que tu vas bien.

— Je vais bien, dis-je en me tournant pour qu'il puisse dénouer les lacets de ma basquine.

— Tu as peur de quelque chose, je peux le sentir, dit-il en me retournant face à lui.

— J'ai peur de ce que je pourrais découvrir sur moi-même, dis-je en le regardant droit dans les yeux.

— Tu trouveras la vérité.

Matthew paraissait si certain, si peu inquiet. Mais il n'était pas au courant de la vouivre et du sorbier ni de ce qu'ils signifiaient pour une tisseuse. Matthew ignorait aussi que ma vie appartenait à la déesse, ni que c'était à cause du marché que j'avais conclu pour le sauver.

— Et si je devenais quelqu'un d'autre qui ne te plairait pas ?

— C'est impossible, m'assura-t-il en m'attirant à lui.

— Même si nous découvrons que les forces de la vie et de la mort courent dans mon sang ? (Il recula.) Ce n'était pas la chance qui t'a sauvé à Madison, Matthew. De la même manière, j'ai insufflé la vie dans les souliers de Mary, tout comme j'ai absorbé celle du chêne de Sarah et des coings à Oxford.

— La vie et la mort sont une énorme responsabilité, dit Matthew, le regard sombre. Mais je t'aimerai tout de même. Tu oublies que j'ai le pouvoir sur la vie et la mort aussi. Le soir où je suis allé chasser à Oxford, ne m'as-tu pas dit qu'il n'y avait aucune différence entre nous ? « Il m'arrive de manger de la perdrix. Et vous du cerf. » Nous sommes plus semblables toi et moi que nous ne l'avions imaginé. Mais si tu crois qu'il y a du bien en moi, en sachant ce que j'ai fait par le passé, tu dois me laisser penser la même chose de toi.

Brusquement, j'eus envie de lui faire part de mes secrets.

— Il y a eu une vouivre, et un arbre…

— Et la seule chose qui importe est que tu sois rentrée saine et sauve à la maison, dit-il en me faisant taire d'un baiser.

Il m'étreignit si longtemps et si étroitement que pendant quelques bienheureux moments, je le crus presque.

Le lendemain, je retournai chez Goody Alsop retrouver Elizabeth Jackson et Catherine Streeter, comme promis. Seule Annie m'accompagna, mais elle fut envoyée chez Susanna le temps que je termine ma première leçon avec mes professeurs.

La branche de sorbier était posée dans une encoignure. En dehors de cela, la pièce paraissait tout à fait ordinaire et absolument pas comme le genre d'endroit où des sorcières dessinaient des cercles sacrés ou invoquaient des dragons de feu. Cependant, j'aurais aimé voir des signes plus évidents de pratiques magiques – un chaudron, peut-être, ou des chandelles de couleur pour symboliser les éléments.

Goody Alsop désigna la table où étaient disposées quatre chaises.

— Viens t'asseoir, Diana. Nous avons pensé qu'il valait mieux commencer par le début. Parle-nous de ta famille. Suivre la lignée d'une sorcière peut révéler beaucoup de choses.

— Mais je croyais que vous alliez m'enseigner comment tisser des sortilèges avec le feu et l'eau ?

— Qu'est-ce que le sang, sinon du feu et de l'eau ? demanda Elizabeth.

Trois heures plus tard, j'étais épuisée à force d'évoquer des souvenirs de mon enfance – l'impression d'être espionnée, la visite de Peter Knox à la maison, la mort de mes parents, les souvenirs qui avaient été révélés dans les yeux de la vouivre. Mais les trois sorcières ne s'en tinrent pas là. Je revécus également chaque moment du lycée et de l'université : les démons qui me suivaient, les rares sortilèges que je parvenais à accomplir sans trop de difficultés, les étranges événements qui étaient survenus seulement après ma rencontre avec Matthew. S'il y avait une logique dans tout cela, je ne parvenais pas à la voir, mais Goody Alsop me renvoya chez moi en m'assurant qu'elles auraient bientôt échafaudé un plan.

Je me traînai à Baynard's Castle. Mary me fit asseoir dans un fauteuil et refusa mon aide, insistant pour que je me repose le temps qu'elle comprenne ce qui n'allait pas avec notre production de *prima materia*. Elle était devenue toute noire et semi-liquide, couverte d'une pellicule verte et visqueuse.

Mes pensées dérivèrent pendant que Mary travaillait. La journée était ensoleillée et un rayon de lumière qui se coulait dans l'air enfumé tombait sur la fresque représentant le dragon alchimique. Je me redressai brusquement.

— Non, dis-je. Cela ne se peut pas.

Mais c'était bien le cas. Ce dragon n'était pas que cela, car il n'avait que deux pattes. C'était une vouivre qui se mordait la queue, comme l'ouroboros de la bannière des Clermont. Sa tête était relevée vers le ciel et elle tenait dans ses mâchoires un croissant de lune, surmonté d'une étoile. *L'emblème de Matthew.* Comment ne l'avais-je pas remarqué avant ?

— Qu'y a-t-il, Diana ? demanda Mary avec inquiétude.

— Feriez-vous quelque chose pour moi, Mary, même si ma demande est saugrenue ?

— Bien sûr. De quoi avez-vous besoin ?

Des ailes de la vouivre ruisselait un filet de sang dans le vaisseau alchimique posé dessous. Le sang coulait dans une mer de mercure et d'argent.

— Je voudrais que vous preniez de mon sang et que vous en versiez dans une solution d'*aqua fortis*, d'argent et de mercure, dis-je. (Mary jeta un bref regard à la fresque.) Car qu'est-ce que le sang, sinon du feu et de l'eau, la conjonction des opposés et des noces chymiques ?

— Très bien, Diana, accepta Mary, médusée, mais sans poser de question.

Avec assurance, je fis glisser mon doigt sur la cicatrice à l'intérieur de mon coude. Cette fois, je n'eus pas besoin de couteau. La peau s'ouvrit ainsi que je l'avais prévu, et le sang coula parce que j'en avais besoin. Joan se précipita avec une petite coupe pour recueillir le liquide vermeil. Sur le mur, les yeux argent et noir du dragon de feu suivaient les gouttes qui tombaient.

— *Au commencement étaient l'absence et le désir, au commencement étaient le sang et la peur*, chuchotai-je.

— *Au commencement était le livre perdu des sortilèges*, répondit le Temps dans un écho venu des origines du monde qui illumina les filaments bleus et dorés rampant contre les parois de pierre de la salle.

24

— Est-ce qu'il va continuer à faire cela ? demandai-je, les mains sur les hanches, en considérant avec perplexité le plafond de la maison de Susanna.

— *Elle*, Diana. Ton dragon est une vouivre, c'est une femelle, dit Catherine, qui regardait elle aussi le plafond, tout autant médusée.

— Elle. Il. Ça, dis-je en levant le bras et en désignant la créature. (J'avais essayé de tisser un sortilège quand ma vouivre s'était échappée de sa prison dans ma poitrine. À présent, collée au plafond, elle soufflait des nuages de fumée et claquait des dents, l'air agité.) Je ne peux pas le – la – laisser voleter dans la pièce quand elle en a envie.

Les conséquences seraient sérieuses si elle décidait de s'envoler à Yale parmi les étudiants.

— Le fait qu'elle se soit échappée n'est qu'un symptôme d'un problème beaucoup plus grave. (Goody Alsop brandit une poignée de cordelettes de soie de couleurs vives, nouées ensemble par une extrémité. L'autre voletait comme les rubans d'un mât de cocagne. Il y en avait neuf en tout : rouge, blanc, noir, argent, or, vert, brun, bleu et jaune.) Tu es une tisseuse et tu dois apprendre à maîtriser ton pouvoir.

— J'en suis tout à fait consciente, Goody Alsop, mais je ne vois toujours pas en quoi ce… tas de ficelles… va m'y aider, m'entêtai-je.

La vouivre acquiesça avec un glapissement qui la rendit brièvement plus matérielle, puis elle reprit son habituelle silhouette fuligineuse.

— Et que sais-tu du métier de tisseuse ? demanda vivement Goody Alsop.

— Pas grand-chose, avouai-je.

— Diana devrait boire cela avant. (Susanna s'approcha avec une tasse fumante et une odeur de camomille et de menthe remplit l'air. Ma vouivre inclina la tête d'un air intéressé.) C'est une boisson calmante qui pourrait apaiser sa bête.

— Ce n'est pas tant la vouivre qui m'inquiète, balaya Catherine. Les faire obéir est toujours difficile – c'est comme essayer de retenir un démon qui a quelque méfait en tête.

Je trouvai que c'était facile à dire pour elle. Elle n'était pas obligée de convaincre la bête de revenir en elle.

— Quelles plantes composent la tisane ? demandai-je en buvant une gorgée.

Après celles de Marthe, j'étais un peu soupçonneuse à l'égard des infusions. À peine eus-je formulé la question que commencèrent à jaillir de la tasse des pousses de menthe, des fleurs de camomille au parfum de paille, de l'angélique mousseuse et des feuilles raides et luisantes que je fus incapable d'identifier. Je poussai un cri de surprise.

— Vous voyez ! dit Catherine en désignant la tasse. C'est ainsi que je le disais. Quand Diane pose une question, la déesse y répond.

Alarmée, Susanna regarda le récipient qui commençait à se fendiller sous la pression des racines qui gonflaient.

— Je pense que tu as raison, Catherine. Mais si elle doit tisser, plutôt que casser des objets, il faudra qu'elle pose de meilleures questions.

Goody Alsop et Catherine avaient percé le secret de mon pouvoir : il était incommodément lié à ma curiosité. À présent, certains événements étaient plus compréhensibles : ma table blanche et ses morceaux de puzzle aux couleurs vives qui venaient à mon secours chaque fois que j'affrontais un problème et le beurre qui jaillissait du réfrigérateur de Sarah à Madison quand je me demandais s'il en restait. Même l'étrange apparition de l'Ashmole 782 à la Bibliothèque bodléienne pouvait s'expliquer : rien que la veille, alors que je me demandais distraitement qui avait écrit l'un des sortilèges dans le grimoire de Susanna, l'encre s'était écoulée de la page pour dessiner sur la table un portrait extraordinairement ressemblant de feu sa grand-mère.

Je promis à Susanna de faire retourner les mots sur la page dès que je saurais comment.

Et c'est ainsi que je découvris que la pratique de la magie n'était pas très différente de celle de l'histoire. L'astuce pour les deux n'était pas de trouver les bonnes réponses, mais de mieux formuler les questions.

— Raconte-nous encore comment tu as invoqué l'eau sorcière, Diana, et aussi l'arc et la flèche qui apparaissent quand quelqu'un que tu aimes est en danger, proposa Susanna. Peut-être que cela nous fournira une méthode que nous pourrons suivre.

Je me remémorai les événements de la nuit où Matthew m'avait laissée à Sept-Tours et où l'eau sorcière avait jailli en torrent de moi, ainsi que le matin où j'avais vu les veines d'eau souterraines dans le verger de Sarah. Et je racontai minutieusement toutes les occasions où l'arc était apparu – même lorsqu'il n'y avait pas de flèche ou que je n'avais pas tiré avec. Quand j'eus terminé, Catherine poussa un soupir satisfait.

— Je vois le problème, à présent. Diana n'est pas pleinement présente sauf lorsqu'elle protège quelqu'un ou qu'elle est forcée à affronter ses peurs, observat-elle. Elle se pose toujours des questions sur le passé ou s'inquiète de l'avenir. Une sorcière doit être entièrement présente ici et maintenant pour opérer la magie.

Ma vouivre opina avec un battement d'ailes qui souleva un souffle d'air chaud dans la pièce.

— Matthew a toujours pensé qu'il y avait un lien entre mes émotions, mes besoins et ma magie, dis-je.

— Parfois, je me demande si ce *wearh* n'est pas un peu sorcier, dit Catherine.

Les autres sorcières se mirent à rire tant il était ridicule d'imaginer que le fils d'Ysabeau de Clermont pouvait avoir une goutte de sang de sorcière en lui.

— Je pense qu'il est sans danger de laisser la vouivre à elle-même pour le moment et de revenir à la question du sortilège de déguisement de Diana, dit Goody Alsop, faisant allusion à mon besoin de dissimuler le surcroît d'énergie qui était libéré quand j'utilisais ma magie. As-tu fait quelque progrès ?

— J'ai senti des rubans de fumée se former autour de moi, dis-je, hésitante.

— Tu dois te concentrer sur tes nœuds, dit Goody Alsop en fixant les cordelettes posées sur mes genoux.

Chaque couleur se retrouvait dans les fils qui me liaient aux mondes, et manipuler ces cordelettes – en les tordant et en les nouant – mettait en œuvre une magie correspondante. Mais avant tout, je devais savoir quels fils utiliser. Je les saisis par le nœud qui les réunissait. Goody Alsop m'enseigna comment souffler délicatement dessus tout en concentrant mes intentions. C'était censé libérer les cordelettes convenant à tel type de sort que j'essayais de tisser.

Je soufflai sur les brins qui se mirent à chatoyer et à danser. Le jaune et le brun se détachèrent et tombèrent sur mes genoux, suivis du rouge, du bleu, de l'argent et du blanc. Je passai les doigts le long des vingt centimètres des cordelettes multicolores de soie tressée. Six brins, cela voulait dire six nœuds différents, chacun plus complexe que le précédent.

Mes talents en matière de nœuds étaient encore sommaires, mais je trouvai cette étape du tissage étrangement apaisante. Quand je pratiquais ces boucles compliquées avec une ficelle ordinaire, le résultat rappelait les antiques entrelacs celtiques. Il y avait un ordre hiérarchique dans ces nœuds. Les deux premiers étaient des nœuds coulants simples. Sarah les utilisait parfois, quand elle faisait un charme d'amour ou quelque chose destiné à lier. Mais seules les tisseuses pouvaient faire les nœuds complexes qui comprenaient jusqu'à neuf croisements et se terminaient avec les deux extrémités de la cordelette magiquement réunies pour former un entrelacs impossible à briser.

Je pris une profonde inspiration et me concentrai à nouveau. Un déguisement était une forme de protection, et la couleur était le violet. Mais il n'y avait pas de cordonnet violet.

Immédiatement, la cordelette rouge et la bleue s'élevèrent et s'enroulèrent ensemble si étroitement que le résultat final ressembla en tout point aux bougies violettes que ma mère posait sur les rebords des fenêtres les nuits où la lune était noire.

— Par le nœud premier, le sort est commencé, murmurai-je en formant un nœud coulant avec la cordelette violette.

La vouivre fredonna en même temps que moi.

Je levai les yeux vers la créature et fus une fois de plus frappée par son apparence changeante. Quand elle expirait, ses contours étaient flous comme de la fumée. Quand elle inspirait, ils se précisaient. Elle était l'équilibre parfait de la substance et de l'esprit, sans être ni l'une ni l'autre. Me sentirais-je un jour aussi cohérente ?

— Par le nœud de deux, il entre en jeu.

Je fis un double nœud sur la même cordelette violette. Me demandant s'il existait un moyen de me fondre dans l'obscurité grise quand je le souhaitais, comme le faisait la vouivre, je fis passer le cordonnet jaune entre mes doigts. Le troisième nœud était le premier véritable nœud de tisseuse que je devais faire. Bien qu'il ne comportât que trois croisements, c'était tout de même un défi.

— Par le nœud de trois, il se déploie.

Je repliai et tordis la cordelette en forme de trèfle, puis je rapprochai les deux extrémités. Elles se fondirent pour former le nœud de tisseuse impossible à briser.

Je le laissai tomber sur mes genoux avec un soupir de soulagement, et il s'échappa de ma bouche un brouillard gris plus léger encore que de la fumée qui m'environna comme un voile. Je poussai un cri de surprise, qui libéra encore plus de ce surnaturel brouillard transparent. Je levai les yeux. Où avait disparu la vouivre ? La cordelette brune sauta dans ma main.

— Par le nœud de quatre, nul ne peut l'abattre.

J'aimais beaucoup la forme de bretzel du quatrième nœud, avec ses courbes et ses entrecroisements sinueux.

— Magnifique tissage, commenta Goody Alsop. (C'était le moment du processus où tout commençait à mal tourner.) Demeure dans le moment et ordonne à ta vouivre de rester avec toi. Si elle le désire, elle te dissimulera des regards curieux.

Il me paraissait vain d'espérer la coopération de la vouivre, mais je formai tout de même le nœud en forme de pentacle avec la cordelette blanche.

— Par le nœud de cinq, sa force croît et vainc.

La vouivre plana jusqu'à moi et se nicha contre ma poitrine.

Resteras-tu avec moi ? demandai-je muettement.

Elle m'enveloppa dans un mince cocon gris. Il atténua le noir de mes jupes et de ma jaquette, qui virèrent au gris foncé. La bague d'Ysabeau brillait moins, le feu au cœur du diamant diminua. Même la cordelette argent sur mes genoux se ternit. Je souris devant la réponse silencieuse de la vouivre.

— Par le nœud de six, ce sort je fixe.

Mon dernier nœud n'était pas aussi symétrique qu'il aurait dû, mais il tint bon malgré tout.

— Tu es en vérité une tisseuse, mon enfant, dit Goody Alsop, qui avait retenu son souffle.

Je me sentis merveilleusement invisible en rentrant chez moi, enveloppée de mon voile magique, mais je redevins moi-même quand je franchis le seuil du Cerf Couronné. Un paquet m'y attendait, ainsi que Kit. Matthew passait encore trop de temps avec l'imprévisible démon. Marlowe et moi échangeâmes un salut glacial et j'entrepris de déballer le paquet quand Matthew poussa un rugissement.

— Par le Christ !

À l'endroit où un instant plus tôt il n'y avait que le vide, Matthew était apparu et fixait une feuille de papier d'un air incrédule.

— Que veut le Vieux Renard, à présent ? demanda Kit d'un ton acerbe en plongeant sa plume dans l'encrier.

— Je viens de recevoir une note de Nicholas Vallin, l'orfèvre de la ruelle, se renfrogna Matthew, tandis que je prenais un air innocent. Voilà qu'il me demande quinze livres pour un piège à souris.

Maintenant que je comprenais mieux la valeur d'une livre – et que je savais que Joan, la servante de Mary, n'en avait que cinq pour gages annuels – je vis pourquoi Matthew était furieux.

— Oh, cela, fis-je en revenant à mon paquet. C'est moi qui lui ai demandé de le fabriquer.

— Vous avez commandé un piège à souris à l'un des meilleurs orfèvres de Londres ? demanda Kit, incrédule. Si vous avez encore de l'argent à dépenser, mistress Roydon, j'espère que vous m'autoriserez à entreprendre une expérience alchimique pour vous. Je transmuterai votre argent et votre or en vin au Galero !

— C'est un piège à rats, pas un piège à souris, murmurai-je.

— Pourrais-je voir ce piège ? demanda Matthew avec un calme de mauvais augure.

Je terminai de déballer le paquet et sortis l'article en question.

— En argent doré. Et gravé, qui plus est, dit Matthew en le retournant dans sa main. *Ars longa, vita brevis*, s'exclama-t-il en lisant la devise. L'art est long, la vie est brève. En vérité.

— Il est censé être fort efficace.

L'engin astucieusement conçu par M. Vallin ressemblait à un félin aux aguets, avec une paire d'oreilles finement ciselées sur la charnière, deux grands yeux gravés sur le croisillon et les bords du piège en forme de mâchoires munies de dents mortelles. Il me rappelait un peu le chat de Sarah, Tabitha. Vallin avait ajouté une petite décoration sous la forme d'une souris en argent perchée sur le museau du chat. La minuscule bestiole ne ressemblait en rien aux monstres aux longues dents qui rôdaient dans notre grenier. La simple pensée qu'ils rongent les papiers de Matthew pendant que nous dormions me faisait frémir.

— Vois. Il a gravé le dessous également, dit Kit en suivant la frise de souris gambadant à la base du piège. Elle porte le reste de la phrase d'Hippocrate – et en latin, rien de moins. *Occasio praeceps, experimentum periculosum, iudicium difficile.*

— C'est peut-être une inscription excessivement sentimentale étant donné la fonction de l'appareil, admis-je.

— Sentimentale ? répéta Matthew. Du point de vue du rat, cela paraît très réaliste : *l'occasion fugitive, l'expérience dangereuse, le jugement difficile.*

Il fit une grimace.

— Vallin a profité de vous, mistress Roydon, estima Kit. Tu devrais refuser de payer, Matthew, et renvoyer le piège.

— Non ! protestai-je. Ce n'est pas sa faute. Nous parlions d'horloges et M. Vallin m'a montré de beaux modèles. Je lui ai montré la brochure que j'avais achetée à l'échoppe de John Chandler à Cripplegate – celle qui indique comment attraper la vermine – et j'ai dit à M. Vallin que nous étions infestés de rats. Et de fil en aiguille…

Je contemplai le piège. C'était vraiment une très belle pièce de mécanique avec ses petits rouages et ses ressorts.

— Tout Londres est infesté de rats, dit Matthew qui peinait à se maîtriser. Pourtant, je ne connais personne qui a besoin d'un piège en argent doré pour résoudre ce problème. Quelques chats peu coûteux suffisent d'ordinaire.

— Je le paierai, Matthew.

Cela viderait probablement ma bourse, et je serais forcée de demander d'autres fonds à Walter, mais je ne pouvais faire autrement. L'expérience était toujours précieuse. Parfois, elle était coûteuse, aussi. Je tendis la main pour reprendre le piège.

— Vallin l'a-t-il conçu pour qu'il sonne l'heure ? Si tel est le cas, et si c'est la seule horloge qui sert en même temps de piège à rats, ce n'est peut-être pas si cher payé. (Matthew essayait de faire la tête, mais un sourire se peignit sur ses lèvres. Au lieu de me donner le piège, il me prit la main et la baisa.) Je paierai la note, *mon cœur**, ne serait-ce que pour avoir le droit de te taquiner à ce propos pendant les soixante années à venir.

Au même instant, George arriva précipitamment dans un courant d'air glacé.

— J'ai des nouvelles ! s'écria-t-il en jetant sa cape, très fier de lui.

Kit gémit et se prit la tête dans les mains.

— Ne me dis rien. Ce sot de Ponsonby est satisfait de ta traduction d'Homère et veut la publier sans faire de corrections supplémentaires.

— Pas même toi ne seras capable de diminuer mon plaisir pour mes exploits du jour, Kit. (George jeta un regard interrogateur autour de lui.) Eh bien ? Aucun d'entre vous n'est le moins du monde curieux ?

— Quelles sont les nouvelles, George ? demanda Matthew d'un air absent en faisant sauter le piège à rats dans sa main.

— J'ai trouvé le manuscrit de mistress Roydon.

Matthew resserra les doigts sur le piège. Le mécanisme s'ouvrit. Quand il détendit ses doigts, l'engin tomba sur la table et claqua bruyamment.

— Où cela ?

George recula instinctivement. J'avais déjà subi le feu des questions de mon époux et je savais combien le brusque sursaut d'attention d'un vampire pouvait être déconcertant.

— Je savais que vous seriez l'homme à la hauteur de la tâche, dis-je chaleureusement à George en retenant Matthew d'une main sur son bras.

Comme prévu, George fut rassuré par mon commentaire et revint à la table.

— Votre confiance représente beaucoup pour moi, mistress Roydon, dit-il en s'asseyant et en ôtant ses gants. Tout le monde ne la partage pas, ajouta-t-il avec dépit.

— Où. Est.-Il ? interrogea Matthew, crispé.

— Dans l'endroit le plus évident qui soit, tellement en évidence qu'il en est invisible. Je suis assez surpris que nous n'y ayons pas pensé depuis le début.

Il marqua de nouveau une pause pour s'assurer qu'il avait capté l'attention de tout le monde. Matthew laissa échapper un grondement agacé.

— George, avertit Kit. Matthew est connu pour avoir mordu des gens.

— C'est le Dr Dee qui le possède, bégaya George en voyant Matthew s'agiter.

— L'astrologue de la reine, dis-je. (George avait raison : nous aurions dû penser à cet homme depuis longtemps. Dee était aussi un alchimiste et possédait la plus vaste bibliothèque d'Angleterre.) Mais il est à Prague.

— Le Dr Dee est revenu de Prague il y a plus d'un an. Il habite en dehors de Londres, à présent.

— Je vous en prie, dites-moi que ce n'est ni un sorcier, ni un démon, ni un vampire, suppliai-je.

— Ce n'est qu'un humain, et un parfait charlatan, répondit Marlowe. Je ne me fierais pas à un seul mot de lui, Matt. Il a utilisé le pauvre Edward d'une manière abominable en le forçant à regarder dans des cristaux et à parler aux anges d'alchimie jour et nuit. Et Dee s'en est attribué tout le mérite !

— Le pauvre Edward ! ricana Walter en entrant sans se faire annoncer. (Il était accompagné de Henry Percy. Aucun membre de l'École de la Nuit ne pouvait se trouver à moins d'une demi-lieue du Cerf Couronné sans être irrésistiblement attiré chez moi.) Ton ami démon l'a mené par le bout du nez pendant des années. Le Dr Dee s'en est bien débarrassé, si tu veux m'en croire. (Walter s'empara du piège à rats.) Qu'est-ce que cela ?

— La déesse de la Chasse s'intéresse à des proies plus modestes, dit Kit, sarcastique.

— Eh bien, c'est un piège à rats. Mais personne ne serait assez fou pour en fabriquer un en argent doré, dit Henry en regardant par-dessus son épaule. J'y vois la main de Nicholas Vallin. Il a fait à Essex une fort belle montre quand il est devenu chevalier de l'ordre de la Jarretière. Est-ce quelque jouet d'enfant ?

Un poing de vampire s'écrasa sur ma table, fendant le plateau.

— George, gronda Matthew. Parle-nous du Dr Dee.

— Ah ! Oui. Bien sûr. Il n'y a pas grand-chose à dire. J'ai fait comme tu m'avais demandé, bafouilla George. J'ai visité les étals des marchands de livres. Il était question d'un volume de poésies grecques qui semblait fort prometteur à traduire – mais je digresse. (Il s'interrompit et déglutit péniblement.) La veuve Jugge m'a suggéré de m'adresser à John Hester, l'apothicaire du quai de St. Paul's. Hester m'a envoyé à High Plat – tu sais, le marchand de vin qui habite à St. James Garlickhythe.

J'écoutais ce pèlerinage abstrait au mieux, espérant être capable de suivre cet itinéraire la prochaine fois que j'irais chez Susanna. Peut-être que Plat et elle étaient voisins.

— Plat est aussi mauvais que Will, souffla Walter. Il passe son temps à noter des choses qui ne sont point ses affaires. Il a demandé la méthode de ma mère pour faire des pâtisseries.

— Maître Plat a dit que le Dr Dee possédait un livre de la bibliothèque de l'empereur. Aucun homme

561

ne le peut lire et il contient aussi d'étranges images, continua George. Plat l'a vu l'an dernier en allant chez le Dr Dee demander des conseils en matière d'alchimie.

Matthew et moi échangeâmes un regard.

— C'est possible, Matthew, dis-je à voix basse. Elias Ashmole a recherché tout ce qui restait de la bibliothèque de Dee après sa mort, et il s'intéressait particulièrement aux ouvrages d'alchimie.

— La mort de Dee. Et comment ce bon docteur a-t-il trépassé, mistress Roydon ? demanda Marlowe en me scrutant.

Henry, qui n'avait pas entendu la question de Kit, parla avant que je puisse répondre.

— Je demanderai à ce qu'on me le montre, dit-il d'un air décidé. Ce sera assez facile à arranger à mon retour de ma visite à la reine, à Richmond.

— Tu pourrais ne pas le reconnaître, Hal, dit Matthew, ignorant lui aussi Kit alors qu'il l'avait entendu. Je viendrai avec toi.

— Tu ne l'as pas vu non plus. (Je secouai la tête, espérant détourner le regard insistant de Marlowe.) D'ailleurs, s'il y a une visite à John Dee de prévue, je tiens à venir.

— Nul besoin de me lancer ce regard féroce, *ma lionne**. Je sais parfaitement que rien ne te convaincra de me laisser faire seul. Surtout s'il s'agit d'un livre et d'un alchimiste. Mais pas de questions. (Il leva un index impérieux, ayant vu quelles catastrophes magiques cela pouvait déclencher.) C'est compris ?

J'acquiesçai, mais j'avais croisé les doigts dans les plis de ma jupe, dans ce geste sans âge destiné à repousser toutes les conséquences néfastes d'une parole non tenue.

— Pas de questions de la part de mistress Roydon ? murmura Walter. Je te souhaite bonne chance pour cela, Matt.

Mortlake était un petit hameau au bord de la Tamise entre Londres et le palais royal de Richmond. Nous fîmes le voyage dans la barque du comte de Northumberland, une splendide embarcation de huit rameurs, avec des sièges rembourrés et des rideaux pour protéger des courants d'air. Ce fut nettement plus confortable – et bien plus calme – que je n'y étais habituée quand Gallowglass maniait les avirons.

Nous avions envoyé une lettre prévenant Dee de notre intention de lui rendre visite. Mrs. Dee, expliqua Henry avec une grande délicatesse, n'appréciait pas les visiteurs qui arrivaient à l'improviste. Bien que je la comprenne, c'était inhabituel à une époque où la porte ouverte de l'hospitalité était la règle.

— La maisonnée sort quelque peu… euh… de l'ordinaire, en raison des centres d'intérêt du Dr Dee, expliqua Henry en rosissant. Et ils ont un nombre prodigieux d'enfants. C'est souvent assez… confus.

— À tel point que les domestiques sont connus pour se jeter dans le puits, fit observer Matthew.

— Oui. Bon. Je doute qu'une telle chose se produise durant notre visite, murmura Henry.

Peu m'importait l'état de la maisonnée. Nous étions sur le point de pouvoir répondre à tant de questions : pourquoi ce livre était si recherché, s'il pourrait nous en apprendre davantage sur la manière dont les créatures étaient apparues. Et bien sûr, Matthew espérait qu'il puisse expliquer pourquoi nous semblions en train de nous éteindre, aussi.

J'ignore si c'était par souci des convenances ou pour éviter sa famille agitée, mais nous trouvâmes le Dr Dee, vêtu d'une robe noire d'université, en pleine promenade dans son jardin clos comme si nous étions au milieu de l'été et non à la fin de janvier. Coiffé d'une sorte de bonnet phrygien, sa longue barbiche pointue saillant à son menton, les bras dans le dos, il faisait lentement le tour du jardin dépouillé.

— Dr Dee ? appela Henry par-dessus le mur.

— Mon seigneur Northumberland ! Vous êtes en bonne santé, j'espère ? demanda Dee.

Il avait une voix rauque, mais il prenait soin (comme la plupart des gens) de parler plus fort pour Henry. Il ôta son bonnet et s'inclina.

— Passable pour cette saison, Dr Dee. Mais nous ne sommes point venus pour ma santé. J'ai avec moi des amis comme je vous l'ai expliqué dans ma lettre. Permettez-moi de vous les présenter.

— Le Dr Dee et moi nous connaissons déjà, dit Matthew avec un sourire carnassier en s'inclinant bien bas.

Après tout, s'il connaissait tous les étranges personnages de l'époque, pourquoi pas le Dr Dee ?

— Master Roydon, répondit Dee avec circonspection.

— Voici mon épouse, Diana, continua Matthew. C'est une amie de la comtesse de Pembroke avec qui elle mène des entreprises alchimiques.

— La comtesse de Pembroke et moi avons correspondu sur de telles questions. (Dee m'oublia et préféra souligner ses liens personnels avec une pairesse du royaume.) Votre message disait que vous vouliez voir l'un de mes livres, Lord Northumberland. Êtes-vous là de la part de Lady Pembroke ?

Avant que Henry ait pu répondre, une femme au visage aigu et aux hanches généreuses sortit de la maison, vêtue d'une robe brune bordée de fourrure qui avait connu des jours meilleurs. Voyant le comte de Northumberland, elle abandonna son air irrité et s'empressa d'arborer un sourire bienveillant.

— Et voici ma chère épouse, annonça Dee avec gêne. Le comte de Northumberland et master Roydon sont arrivés, Jane ! appela-t-il.

— Pourquoi ne les as-tu point fait entrer ? le réprimanda Jane en se tordant les mains. Ils penseront que nous ne sommes pas en état de recevoir des visiteurs, alors que nous le sommes, toujours. Nombreux sont ceux qui recherchent les conseils de mon époux, mon seigneur.

— Oui, et c'est ce qui nous amène aussi. Vous êtes en belle santé, à ce que je vois, Maîtresse Dee. Et je crois savoir par master Roydon que la reine vous a récemment fait la grâce d'une visite.

— En vérité, se rengorgea Jane. John a vu Sa Majesté trois fois depuis novembre. Les deux dernières, elle est apparue à l'improviste à notre grille alors qu'elle chevauchait sur la route de Richmond.

— Sa Majesté a été généreuse avec nous à la Noël, renchérit Dee. (Il tordit son bonnet entre ses mains. Jane lui jeta un regard acerbe.) Nous pensions... mais cela n'a pas d'importance.

— Délicieux, délicieux, se hâta de dire Henry, épargnant de la gêne à Dee. Mais assez de bavardages. Nous désirions voir un livre particulier...

— La bibliothèque de mon époux est plus estimée que sa personne, fit Jane d'un ton maussade. Nos dépenses durant notre visite à l'empereur ont été immenses et nous avons bien des bouches à nourrir. La reine nous a dit qu'elle nous aiderait. Elle nous a fait une petite récompense, mais elle promettait davantage.

— Sans doute la reine aura-t-elle été distraite par des questions plus pressantes, dit Matthew en sortant une petite mais lourde bourse. J'ai le reste de son présent ici. Et je prise considérablement votre mari, Maîtresse Dee, pas seulement ses livres. J'ai ajouté ma part aux gages de Sa Majesté.

— Je vous remercie, master Roydon, bégaya Dee en échangeant des regards avec son épouse. Vous êtes bien bon de vous acquitter des affaires de la reine. Celles de l'État doivent bien sûr toujours prendre le pas.

— Sa Majesté n'oublie pas ceux qui lui ont été de bon service, dit Matthew.

C'était un mensonge éhonté, comme le savaient tous ceux présents dans le jardin enneigé, mais personne ne releva.

— Venez donc tous vous réchauffer auprès du feu, dit Jane, soudain devenue très hospitalière. Je vais vous faire porter du vin et veiller que vous ne soyez pas dérangés. (Elle fit une révérence à Henry, une autre encore plus profonde à Matthew, puis elle repartit à grands pas.) Allons, John, ils vont finir gelés comme glaçons si tu les laisses ainsi dehors.

Vingt minutes passées dans la maison des Dee révélèrent que le maître et la maîtresse étaient de ces couples qui se reprochent constamment défauts et erreurs, tout en étant dévoués l'un à l'autre. Ils échangèrent des piques pendant que nous admirions les tapisseries (cadeau de Lady Walsingham), le pichet à vin (cadeau de Sir Christopher Hatton) et la salière en argent (cadeau de la marquise de Northampton). Ayant épuisé les présents clinquants et les invectives, on nous introduisit – enfin ! – dans la bibliothèque.

— Je vais avoir un mal de chien à te faire ressortir d'ici, chuchota Matthew avec un sourire narquois en voyant mon air émerveillé.

La bibliothèque de John Dee ne ressemblait à rien de ce que j'imaginais. Je pensais que ce serait une vaste pièce comme celle d'un gentleman aisé du XIXᵉ siècle – pour des raisons qui me paraissaient désormais tout à fait indéfendables. Il n'y avait pas d'endroit douillet où fumer la pipe en lisant au coin du feu. N'ayant comme éclairage que des chandelles, la pièce était étonnamment sombre en cette journée hivernale. Quelques chaises et une longue table attendaient les lecteurs près d'une série de fenêtres donnant au sud. Aux murs étaient accrochés des cartes géographiques et célestes, des schémas anatomiques et les grands placards d'almanachs que l'on pouvait acheter pour quelques sous dans toutes les officines d'apothicaires ou librairies de Londres. Ils couraient sur des décennies, probablement conservés comme référence pour les occasions où Dee établissait un horoscope ou effectuait quelque calcul céleste.

Dee possédait plus de livres que n'importe lequel des collèges des universités d'Oxford et de Cambridge, et c'était une bibliothèque de travail, pas pour la galerie. Sans surprise, le bien le plus précieux ici n'était pas la lumière ou les sièges, mais la place sur les rayonnages. Pour l'exploiter au maximum, ceux de

Dee étaient disposés perpendiculairement aux murs, remplis des deux côtés à différentes hauteurs en fonction des tailles des livres de l'époque. Le dessus des rayonnages était muni de deux lutrins inclinés, ce qui permettait d'étudier un texte et de le remettre correctement à sa place.

— Mon Dieu, murmurai-je.

Dee me regarda avec consternation.

— Mon épouse est stupéfaite, Maître Dee, expliqua Matthew. Elle n'a jamais vu une si vaste bibliothèque.

— Il y en a beaucoup d'autres bien plus vastes et recelant bien plus de trésors que la mienne, mistress Roydon.

Jane Dee arriva juste à point pour détourner la conversation sur le dénuement de la maison.

— La bibliothèque de l'empereur Rodolphe est fort belle, dit-elle en apportant un plateau de vin et de friandises. Quand bien même, cela ne l'a pas empêché de voler l'un des meilleurs livres de John. Il a profité de sa générosité et nous n'espérons guère en être payés.

— Allons, Jane, la gronda John. L'empereur nous a donné un livre en échange.

— De quel livre s'agit-il ? demanda prudemment Matthew.

— Un texte rare, maugréa Dee en suivant du regard son épouse qui déposait le plateau sur la table.

— Ce n'étaient que sornettes et images ! rétorqua Jane.

C'était l'Ashmole 782. Ce ne pouvait être que lui.

— Maître Plat nous a justement parlé d'un tel livre. C'est pour cela que nous sommes venus, dit Matthew en prenant un petit traité de médecine ouvert sur le dessus de l'étagère la plus proche. Peut-être pourrions-nous savourer d'abord l'hospitalité de votre épouse et voir ensuite le livre de l'empereur ? proposa-t-il suavement en m'offrant son bras.

Pendant que Jane s'agitait au service en se plaignant du prix des noix durant les fêtes et de son épicier qui l'avait quasiment ruinée, Dee alla à la recherche de l'Ashmole 782. Il parcourut les rayonnages et en sortit un volume.

— Ce n'est pas cela, murmurai-je à Matthew, constatant qu'il était trop petit.

Dee le posa sur la table devant Matthew et souleva la couverture souple en vélin.

— Voyez. Il n'y a rien ici que des paroles sans aucun sens et des images obscènes de femmes au bain.

Jane toussota et sortit en secouant la tête et en marmonnant. Ce n'était pas l'Ashmole 782, mais cependant, je connaissais cet ouvrage : c'était le Manuscrit Voynich, également connu sou le nom de Manuscrit Beinecke 408 de l'université de Yale. Aucun cryptographe ou linguiste n'avait encore réussi à déchiffrer le texte et ni aucun botaniste à identifier les plantes. Nombre de théories prétendaient expliquer ses mystères, notamment une qui avançait qu'il avait été écrit par des extraterrestres. Je poussai un soupir déçu.

— Non ? demanda Matthew.

Je secouai la tête et me mordis la lèvre de dépit. Dee pensa que c'était par agacement vis-à-vis de son épouse et se précipita.

— Veuillez pardonner à mon épouse. Ce livre bouleverse Jane car c'est elle qui l'a découvert dans nos bagages quand nous sommes rentrés de notre séjour chez l'empereur. J'avais emporté un autre livre durant ce voyage – un ouvrage d'alchimie fort précieux qui a appartenu au grand magicien anglais Roger Bacon. Il était plus grand que celui-ci et contenait maints mystères. (Je me penchai en avant sur mon siège.) Mon jeune aide, Edward, était capable de comprendre le texte avec une assistance divine, mais je ne le pouvais, continua Dee. Quand nous étions à Prague, l'empereur Rodolphe exprima un grand intérêt pour cette œuvre. Edward lui avait dit certains des mystères qui y étaient enfermés – sur la génération des métaux et une méthode secrète pour obtenir l'immortalité. (Finalement, Dee avait donc détenu l'Ashmole 782. Et le démon qui l'assistait, Edward Kelley, était capable de lire le texte. Je dus cacher dans les plis de ma jupe mes mains qui tremblaient d'excitation.) Edward a aidé Jane à emballer mes livres lorsqu'il nous a été ordonné de rentrer. Jane pense qu'Edward a volé le livre et l'a remplacé par celui-ci qu'il avait pris dans la collection de Sa Majesté. (Il hésita, l'air chagrin.) Je n'aime point penser à mal d'Edward, car il fut mon fidèle compagnon et nous avons passé beaucoup de temps ensemble. Jane et lui n'ont jamais été en bons termes, et j'ai d'abord jugé qu'elle se trompait.

— Mais à présent, vous pensez qu'elle avait peut-être vu juste, dit Matthew.

— Je me remémore les événements de nos derniers jours, master Roydon, en essayant de trouver un détail qui exonère mon ami. Mais tout ce que je me rappelle ne fait que pointer davantage vers lui l'index accusateur, soupira Dee. Cependant, cet autre texte pourrait bien contenir d'estimables secrets.

— Ce sont des chimères, dit Matthew en le feuilletant et en étudiant les images de plantes. Les feuilles, tiges et fleurs ne correspondent pas : elles proviennent de végétaux différents.

— Qu'est-ce que cela, selon toi ? demandai-je en lui désignant les cercles astronomiques des pages suivantes.

J'étudiai les minuscules lettres inscrites au centre. Amusant. J'avais maintes fois vu le manuscrit, mais je n'avais jamais fait attention à ces notes.

— Ces inscriptions sont rédigées dans la langue de l'ancienne Occitanie, dit Matthew à mi-voix. J'ai connu quelqu'un dont l'écriture était fort semblable à celle-ci. Auriez-vous rencontré un gentilhomme d'Aurillac durant votre séjour à la cour de l'empereur ?

Voulait-il parler de *Gerbert* ? Mon enthousiasme vira à l'angoisse. Gerbert avait-il commis l'erreur de prendre le Manuscrit Voynich pour le mystérieux livre des origines ? À cette question, le texte manuscrit au centre du schéma astrologique se mit à trembloter. Je refermai le livre pour l'empêcher de s'envoler de la page.

— Non, master Roydon, rétorqua Dee en fronçant les sourcils. Si tel avait été le cas, je lui aurais demandé de me parler du célèbre magicien de cette région qui est devenu pape. Il y a bien des vérités cachées dans les vieilles légendes qui se content au coin du feu.

— Oui, opina Matthew. À condition que nous soyons assez sages pour les reconnaître.

— C'est pourquoi je regrette tant la perte de mon livre. La vieille femme qui me l'a vendu m'a confié que son ancien propriétaire, Roger Bacon, y attachait grand prix car il contenait des vérités divines. Il l'appelait le *Verum Secretum Secretorum*. (Dee regarda avec regret le Manuscrit Voynich.) Le recouvrer serait mon vœu le plus cher.

— Peut-être pourrais-je vous être utile, dit Matthew.

— Vous, master Roydon ?

— Si vous voulez bien me permettre de prendre ce livre, je pourrai essayer de le remettre à sa place – et faire que le livre dont vous êtes le légitime propriétaire vous soit rendu, continua Matthew en tirant le manuscrit à lui.

— Je serais éternellement votre débiteur, messire, accepta Dee sans chercher plus loin.

Dès l'instant où nous quittâmes l'embarcadère de Mortlake, je commençai à cribler Matthew de questions.

— Qu'as-tu donc en tête, Matthew ? Tu ne peux pas simplement emballer le Manuscrit Voynich et le renvoyer à l'empereur Rodolphe avec un petit mot l'accusant d'escroquerie. Tu vas devoir trouver quelqu'un d'assez fou pour risquer sa vie en entrant par effraction dans la bibliothèque de l'empereur et voler l'Ashmole 782.

— Si Rodolphe possède l'Ashmole 782, il ne sera pas dans sa bibliothèque, mais dans son cabinet de curiosités, dit distraitement Matthew en fixant l'eau.

— Alors ce Voynich n'est pas le livre que vous cherchiez ? demanda Henry qui avait suivi notre discussion avec un intérêt poli. George sera si désappointé de ne pas avoir résolu votre mystère.

— George ne l'a peut-être pas résolu, Hal, mais il a considérablement éclairé la situation, dit Matthew. Entre mes agents et ceux de mon père, nous récupérerons le livre de Dee.

Ayant pris la marée, le retour fut plus rapide. Les torches étaient allumées sur le débarcadère de Water Lane en vue de notre arrivée, mais deux hommes de la comtesse de Pembroke nous firent signe de poursuivre.

— À Baynard's Castle, si vous le voulez bien, master Roydon ! cria l'un d'eux.

— Il doit y avoir un problème, dit Matthew en se dressant à la proue de la barque.

Henry ordonna aux rameurs de continuer jusqu'au débarcadère de la comtesse, qui était lui aussi illuminé de torches et de lanternes.

— Est-ce l'un des garçons ? demandai-je à Mary lorsqu'elle se précipita dans le hall pour nous accueillir.

— Non. Ils vont bien. Venez au laboratoire. Immédiatement, dit-elle en rebroussant chemin vers la tour.

Le spectacle qui nous attendait suffit à nous arracher un cri de surprise.

— C'est un *arbor Dianae* tout à fait inattendu, dit Mary en se baissant à la hauteur de l'énorme ballon de verre qui contenait les racines d'un arbre noir.

Il était différent du premier, qui était entièrement argenté et d'une structure bien plus délicate. Celui-ci, avec son tronc sombre et massif et ses branches nues, me rappela le chêne de Madison qui nous avait abrités après l'attaque de Juliette. L'arbre dont j'avais aspiré la force vitale pour sauver la vie de Matthew.

— Pourquoi n'est-il pas en argent ? demanda Matthew en posant les mains sur les parois du fragile récipient.

— J'ai usé du sang de Diana, répondit Mary.

Matthew se redressa et me jeta un regard incrédule.

— Regarde le mur, dis-je en lui désignant le dragon qui saignait.

— C'est le dragon vert, le symbole de l'*aqua regia* ou de l'*aqua fortis*, dit-il après y avoir jeté un bref regard.

— Non, Matthew. *Regarde-le.* Oublie ce que tu crois qu'il représente et essaie de le voir comme si c'était la première fois.

— *Mon Dieu*, fit Matthew, sous le choc. Est-ce mon emblème ?

— Oui. Et as-tu remarqué que le dragon se mordait la queue ? Et que ce n'était pas du tout un dragon ? Les dragons ont quatre pattes. Celui-ci en a deux. C'est une vouivre.

— Une vouivre. Comme…

Il poussa un juron.

— Il y a eu des dizaines de théories différentes sur ce qu'était la substance ordinaire servant de premier ingrédient crucial pour la fabrication de la pierre philosophale. Roger Bacon, qui possédait le manuscrit disparu du Dr Dee, pensait que c'était le sang.

J'étais convaincue que ce fait attirerait l'attention de Matthew. Je me baissai pour regarder l'arbre.

— Et en voyant la fresque, tu as suivi ton intuition.

Après une brève pause, Matthew passa l'ongle du pouce sur la cire qui scellait le récipient. Elle se fendit et tomba sur la table.

— Que fais-tu ? m'inquiétai-je.

Mary serait en pleurs s'il gâchait son expérience.

— Je suis une intuition de mon cru et j'ajoute un ingrédient dans le ballon.

Il porta son poignet à sa bouche, le mordit et le tint au-dessus de l'étroit goulot. Quelques gouttes de son sang noir et épais coulèrent dans la solution et tombèrent au fond. Nous fixâmes le récipient.

Au moment où je me disais qu'il n'allait rien se passer, de minces filaments rouges se mirent à s'enrouler autour du tronc de l'arbre. Puis des feuilles dorées jaillirent sur les branches.

— Regarde cela, m'émerveillai-je.

Matthew me fit un sourire teinté de regret, mais où perçait un espoir.

Des fruits rouges apparurent parmi les feuilles, étincelant comme de minuscules rubis. Ouvrant de grands yeux, Mary se mit à murmurer une prière.

— Mon sang a produit le squelette de l'arbre et ton sang lui a fait porter des fruits, dis-je lentement en portant la main à mon ventre désormais vide.

— Oui, mais pourquoi ? répondit Matthew.

Si quelque chose pouvait nous apprendre quelle mystérieuse transformation se produisait quand une sorcière et un *wearh* mélangeaient leur sang, ce seraient les étranges images et le texte mystérieux de l'Ashmole 782.

— Combien de temps disais-tu qu'il faudrait pour récupérer le livre de Dee ? demandai-je à Matthew.

— Oh, je ne pense pas que cela prendra bien longtemps, murmura-t-il. Il suffit que je m'y mette.

— Le plus tôt sera le mieux, dis-je suavement en entrelaçant mes doigts avec les siens tandis que nous contemplions l'évolution du miracle né de notre sang.

25

Après cela, je passai mes matinées en compagnie de Mary et du mystère alchimique de l'*arbor Dianae*. L'étrange arbre continuait de grandir et se développer : ses fruits mûrissaient et tombaient entre ses racines dans le mercure et la *prima materia*. De nouveaux boutons apparaissaient et fleurissaient. Une fois par jour, les feuilles viraient de l'or au vert puis au noir avant de redevenir dorées. Parfois, l'arbre faisait pousser une nouvelle branche ou une autre racine pour se nourrir.

— Je n'ai toujours pas trouvé de bonne explication, dit Mary en désignant les piles de livres que Joan avait descendus des étagères. C'est comme si nous avions créé quelque chose d'entièrement nouveau.

Mes après-midi étaient occupés par des questions plus sorcières. Je tissais et retissais mon invisible cape grise et chaque fois, j'y parvenais plus rapidement et le résultat était plus fin et plus efficace. Marjorie me promit que je serais bientôt capable de mettre des mots sur mon tissage.

Revenue un soir chez moi depuis St. James Garlick-hythe, je montai l'escalier du Cerf Couronné tout en dispersant mon sortilège de déguisement. Annie était de l'autre côté de la cour en train de reprendre le linge lavé chez les blanchisseuses. Jack était avec Pierre et Matthew. Je me demandai ce que Françoise avait préparé pour le dîner. J'étais affamée.

— Si on ne me donne pas à manger dans l'instant, je vais hurler, dis-je en franchissant le seuil de nos appartements.

Cette déclaration fut accompagnée par une pluie d'épingles sur le plancher tandis que j'ôtais le plastron brodé de ma robe et que je le jetais sur la table. Je glissai les doigts sous ma basquine pour la délacer.

Un toussotement me parvint depuis la cheminée. Je fis volte-face, les mains crispées sur l'étoffe.

— Hurler ne sera guère utile, je le crains. (Une voix râpeuse comme du sable qui crisse s'éleva des profondeurs du fauteuil tiré devant le feu.) J'ai envoyé votre domestique chercher du vin et à mon grand âge, je ne suis plus assez ingambe pour satisfaire à vos demandes.

Je fis lentement le tour du fauteuil. L'intrus haussa un sourcil gris et son regard glissa sur ma tenue indécente. Je fronçai les sourcils devant cette audace.

— Qui êtes-vous ?

L'homme n'était ni un démon ni un vampire ni un sorcier, mais tout au plus un septuagénaire humain.

— Je crois que votre époux et ses amis me surnomment le Vieux Renard. Je suis également, Dieu me pardonne, le Lord Trésorier. (L'homme le plus rusé d'Angleterre, et certainement l'un des plus impitoyables, me laissa digérer ses paroles. William Cecil sourit. L'expression aimable de sa bouche ne diminuait en rien son regard aigu. Trop stupéfaite pour me lancer dans la révérence exigée par les circonstances, je restai bouche bée.) Je vous suis donc quelque peu familier. Je suis surpris que ma réputation soit allée aussi loin, car il apparaît clairement, à moi comme à bien d'autres, que vous êtes étrangère ici. (Il leva la main avant que j'aie eu le temps de répondre.) Il est de la plus grande sagesse, madame, de ne pas trop se confier à moi.

— Que puis-je pour vous, Sir William ? demandai-je avec l'impression d'être une écolière envoyée dans le bureau du directeur.

— Ma réputation me précède, mais pas mon titre. *Vanitas vanitatum, et omnia vanitas*, ironisa Cecil. Je suis désormais appelé Lord Burghley, mistress Roydon. La reine est une maîtresse généreuse.

Je m'en voulus silencieusement. Je ne m'étais jamais intéressée aux dates où les membres de la noblesse étaient élevés à des rangs ou des privilèges supérieurs. Quand j'avais besoin de le savoir, je consultais le dictionnaire. Voilà que j'avais insulté le chef de Matthew. Je comptai bien me racheter en le flattant en latin.

— *Honor virtutis praemium*, murmurai-je en reprenant mes esprits.

L'estime est la récompense de la vertu. L'un de mes voisins à Oxford était diplômé de l'Arnold School. Il jouait au rugby et commémorait les victoires du New College en braillant cette phrase à tue-tête au Turf, à la grande joie de ses coéquipiers.

— Ah, la devise des Shirley. Faites-vous partie de cette famille ? demanda Lord Burghley en croisant les mains sous son menton et en me considérant avec grand intérêt. Ils sont connus pour leur propension à s'égarer.

— Non, répondis-je. Je suis une Bishop. (Lord Burghley inclina la tête en réponse. J'éprouvais un absurde besoin de mettre mon âme à nu devant cet homme – ou de m'enfuir en courant.) Y a-t-il quelque chose que je puisse faire pour vous, monseigneur ? répétai-je, vaguement désespérée.

— Je ne crois pas, mistress Roydon. Mais peut-être que moi, je pourrais faire quelque chose pour vous. Je vous conseille de rentrer à Woodstock. Sans délai.

— Pourquoi, monseigneur ? demandai-je, soudain inquiète.

— Parce que c'est l'hiver et que la reine est insuffisamment occupée pour l'heure. (Il regarda ma main gauche.) Et que vous êtes mariée à master Roydon. Sa Majesté est généreuse, mais elle n'approuve pas que l'un de ses favoris se marie sans sa permission.

— Matthew n'est pas le favori de la reine, c'est son espion.

Je portai la main à ma bouche, mais il était trop tard pour me rattraper.

— Favoris et espions ne sont pas incompatibles, sauf en ce qui concerne Walsingham. Son strict sens moral rendait folle la reine et ses airs pincés l'insupportaient. Mais Sa Majesté a beaucoup d'affection pour Matthew Roydon. Certains diraient dangereusement trop. Et votre époux a bien des secrets. (Il se leva péniblement en gémissant et en s'appuyant sur une canne.) Rentrez à Woodstock, mistress. C'est mieux pour tout le monde.

— Je ne quitterai pas mon époux.

Élisabeth pouvait manger des courtisans en guise de petit déjeuner, comme me l'avait dit Matthew, mais elle n'allait pas me forcer à quitter la ville. Surtout maintenant que j'étais enfin installée, que j'avais trouvé des amis et que j'apprenais la magie. Et certainement pas alors que Matthew rentrait chaque soir l'air harassé et passait toute la nuit à répondre aux messages envoyés par les informateurs de la reine, son père et la Congrégation.

— Dites à Matthew que je suis venu vous rendre visite. (Lord Burghley gagna lentement la porte. Il tomba sur Françoise, qui arrivait avec un grand pichet de vin et un air mécontent. En me voyant, elle ouvrit de grands yeux, guère heureuse de me trouver à la maison en train de recevoir un visiteur avec ma basquine défaite.) Merci de votre conversation, mistress Roydon. Elle fut particulièrement éclairante.

Le Lord Trésorier d'Angleterre prit lentement l'escalier. Il était trop vieux pour se déplacer seul en fin de journée en plein mois de janvier. Je le rejoignis sur le palier, suivant sa descente avec inquiétude.

— Accompagnez-le, Françoise, la pressai-je. Et assurez-vous que Lord Burghley retrouve ses serviteurs.

Ils devaient être au Galero en train de s'enivrer avec Kit et Will ou d'attendre dans le fracas des coches en haut de Water Lane. Je ne voulais pas être la dernière personne à avoir vu vivant le premier conseiller de la reine Élisabeth.

— Nul besoin, dit-il par-dessus son épaule. Je suis un vieil homme avec une canne. Les voleurs m'ignoreront au profit de quelque gentilhomme à pourpoint à crevés et boucle d'oreille. Les mendiants, je peux les repousser de ma canne, s'il le faut. Et mes hommes ne sont point loin. N'oubliez pas mon conseil, mistress.

Et sur ces mots, il disparut dans le crépuscule.

— *Mon Dieu**, dit Françoise en se signant, puis en croisant les doigts contre le diable pour faire bonne mesure. C'est un vieillard. Je n'aime point comme il vous a regardée. C'est une bonne chose que *milord** ne soit pas encore rentré. Il ne l'aurait point aimé non plus.

— William Cecil est assez vieux pour être mon grand-père, Françoise, protestai-je en rentrant dans la chaleur du salon et en achevant de dénouer mes lacets, soulagée de ne plus être comprimée.

— Lord Burghley ne vous regardait pas comme s'il voulait vous trousser, dit Françoise en fixant ostensiblement mon corset.

— Non ? Comment me regardait-il, alors ? demandai-je en me servant un peu de vin et en me laissant tomber dans mon fauteuil, songeant que la journée commençait clairement à mal tourner.

— Comme un agneau bon pour l'abattoir et dont on suppute le prix qu'on en va tirer.

— Qui menace de manger Diana au dîner ? demanda Matthew en arrivant aussi furtivement qu'un chat et en ôtant ses gants.

— Ton visiteur. Tu viens de le manquer. (Je bus une gorgée de vin. À peine l'eus-je avalée que Matthew était à côté de moi et m'enlevait le verre des mains.) Ne pourrais-tu pas faire un signe ou me prévenir que tu vas te déplacer, m'exaspérai-je. C'est déroutant quand tu apparais comme cela devant moi.

— Comme tu as deviné que regarder par la fenêtre est un des tics qui me trahissent, je me sens honoré de te dire que changer de sujet est l'un des tiens. (Il but une gorgée de vin et posa le verre sur la table en se massant le visage.) Quel visiteur ?

— William Cecil attendait devant la cheminée quand je suis rentrée. (Matthew se figea.) C'est le vieillard le plus terrifiant que j'aie jamais vu, continuai-je en reprenant le verre. Burghley ressemble peut-être au Père Noël, avec sa barbe et ses cheveux gris, mais je ne lui tournerais pas le dos.

— C'est fort sage, dit Matthew. Que voulait-il ? demanda-t-il à Françoise.

— Je ne sais pas. Il était là quand je suis rentrée avec la tourte au porc de *madame**. Lord Burghley a demandé du vin. Votre maudit démon avait déjà bu tout ce qu'il y avait dans la maison en début de journée, alors j'ai dû sortir en chercher.

Matthew se volatilisa. Il revint à une allure plus mesurée, l'air soulagé. Je me levai d'un bond. *Le grenier – et tous les secrets qui y étaient cachés.*

— A-t-il…

— Non, coupa Matthew. Rien n'a bougé. William a-t-il dit pourquoi il était là ?

— Lord Burghley m'a demandé de te dire qu'il était venu. (J'hésitai.) Et il m'a dit de quitter la ville.

Annie entra, accompagnée d'un Jack babillant et d'un Pierre qui cessa de sourire en voyant le visage de Matthew. Je pris le linge des bras d'Annie.

— Pourquoi n'emmenez-vous pas les enfants au Galero, avec Pierre, Françoise ? dis-je.

— Hourra ! s'écria Jack, ravi à la perspective de cette sortie. Maître Shakespeare m'enseigne à jongler.

— Du moment qu'il n'essaie point de t'apprendre à écrire, je ne vois aucune objection, dis-je en rattrapant le bonnet que le garçon venait de lancer en l'air. Va et dîne là-bas. Et essaie de te rappeler à quoi sert ton mouchoir.

— Je n'oublierai pas, dit Jack en s'essuyant le nez sur sa manche.

— Pourquoi Lord Burghley a-t-il fait tout le chemin jusqu'à Blackfriars pour te voir ? demandai-je une fois que nous fûmes seuls.

— Parce que j'ai reçu des informations d'Écosse aujourd'hui.

— De quoi s'agit-il cette fois ? demandai-je.

Ma gorge se noua. Ce n'était pas la première fois que l'on parlait des sorcières de Berwick en ma présence, mais avec la visite de Burghley, c'était comme si le mal avait franchi notre seuil et commençait à s'insinuer dans notre maison.

— Le roi Jacques continue d'interroger les sorcières. William voulait discuter – si tant est qu'il voulait discuter de quoi que ce soit – de la manière dont la reine devait réagir. (Il fronça les sourcils en flairant le changement de mon odeur dû à la peur.) Tu n'as pas lieu de te soucier de ce qui se passe en Écosse.

— Ne pas s'en soucier n'empêche pas que cela arrive.

— Non, dit Matthew en me caressant le cou pour me détendre. S'en inquiéter non plus.

Le lendemain, je rentrai de chez Goody Alsop chargée d'un petit coffret à sorts en bois – une boîte où laisser mes sortilèges écrits incuber jusqu'à ce qu'ils soient prêts à être utilisés par une autre sorcière. Trouver comment mettre en mots ma magie était l'étape suivante de mon évolution de tisseuse. Pour le moment, le coffret ne contenait que les cordelettes. Pour Marjorie, mon sortilège de déguisement n'était pas encore tout à fait prêt pour d'autres sorcières.

Un sorcier de Thames Street avait façonné la boîte dans la branche de sorbier que la vouivre m'avait donnée la nuit où j'avais fait mon *primesort*. Il avait sculpté dessus un arbre dont les branches et les racines s'entremêlaient tant qu'on ne pouvait les distinguer. Pas un seul clou n'avait été utilisé : tout était assemblé par des queues d'aronde quasi invisibles. Le sorcier était fier de son ouvrage et j'avais hâte de le montrer à Matthew.

Le Cerf Couronné était étrangement silencieux. Aucun feu ni chandelles n'étaient allumés dans le salon. Matthew était seul dans son étude, trois pichets de vin posés devant lui sur la table. Deux d'entre eux devaient être vides. Matthew ne buvait d'ordinaire pas autant.

— Quelque chose ne va pas ?

— Burghley avait raison. Tu aurais dû partir à Woodstock, dit-il en soulevant une feuille de papier dont les plis portaient encore des fragments de cire rouge. Nous sommes appelés à la cour.

— Quand ? demandai-je en me laissant tomber sur le fauteuil en face de lui.

— Sa Majesté nous a gracieusement permis d'attendre jusqu'à demain, ricana Matthew. Son père n'était pas aussi magnanime. Quand Henry voulait que quelqu'un vienne le voir, il l'envoyait chercher, même s'il était couché ou qu'il y avait une tempête.

J'avais eu très envie de voir la reine d'Angleterre – quand j'étais encore à Madison. Après avoir fait la connaissance de l'homme le plus rusé du royaume, je n'avais plus envie de rencontrer la femme qui le surpassait dans ce domaine.

— Sommes-nous obligés ? demandai-je, espérant à moitié que Matthew ne tiendrait pas compte de cette convocation royale.

— Dans sa lettre, la reine a pris la peine de me rappeler les édits qu'elle a pris contre les incantations, enchantements et actes de sorcellerie, dit-il en laissant tomber le papier sur la table. Il semblerait que le révérend Danforth a finalement écrit à l'évêque. Burghley a dissimulé ses doléances, mais elles ont dû refaire surface.

— Alors pourquoi allons-nous à la cour ?

Je me cramponnai à mon coffret. À l'intérieur, les cordelettes s'agitèrent, prêtes à répondre à ma question.

— Parce que si nous ne sommes pas dans la salle d'audience du palais de Richmond avant 14 heures demain après-midi, Élisabeth nous fera arrêter tous les deux. (Les yeux de Matthew ressemblaient à des éclats de verre roulés par la mer.) Dès lors, il ne faudra pas longtemps à la Congrégation pour connaître la vérité sur notre compte.

En apprenant la nouvelle, ce fut le branle-bas de combat dans la maison. L'impatience gagna le quartier quand le lendemain matin, la comtesse de Pembroke arriva peu après l'aube avec assez de vêtements pour habiller toute la paroisse. Elle était venue par la Tamise, alors que la distance n'était que d'une centaine de mètres. Son apparition au débarcadère de Water Lane fut traitée comme un spectacle du plus haut intérêt et pendant un moment, le silence envahit notre rue habituellement si bruyante.

C'est sereine et imperturbable que Mary entra enfin dans le salon, suivie de Joan et de plusieurs autres domestiques de moindre rang.

— Henry me dit que vous êtes attendue cet après-midi à la cour. Vous n'avez rien de convenable à vous mettre.

D'un index impérieux, elle dirigea son entourage vers notre chambre.

— Je pensais porter ma robe de mariage, protestai-je.

— Mais elle est française ! répondit Mary, consternée. Vous ne pouvez pas porter cela !

Des satins brodés, de riches velours, des soieries chatoyantes tissées de fil d'or et d'argent et des brassées d'étoffes diaphanes dont j'ignorais l'utilité me passèrent sous le nez.

— Qu'est-ce que vous avez en tête ? demandai-je en évitant de justesse une dernière servante.

— Nul ne va au combat sans l'armure qui convient, dit Mary avec son habituel mélange de désinvolture et de causticité. Et Sa Majesté, Dieu la garde, est une formidable adversaire. Il vous faudra toute la protection que peut vous offrir ma garde-robe.

Nous passâmes ensemble en revue les possibilités. Comment nous allions faire les retouches nécessaires pour que les vêtements de Mary m'aillent, c'était un mystère, mais je savais qu'il valait mieux ne pas poser de question. J'étais Cendrillon et les oiseaux de la forêt et les fées des bois allaient être convoqués si la comtesse de Pembroke l'estimait utile.

Nous arrêtâmes notre choix sur une robe noire richement brodée de *fleurs de lys** et de roses en fil d'argent. C'était un modèle de l'année précédente, déclara Mary, qui était dépourvu des vastes jupes évasées désormais en vogue. Élisabeth serait ravie de ma frugalité et de mon indifférence aux caprices de la mode.

— Et le noir et l'argent sont les couleurs de la reine. C'est pour cela que Walter les porte, expliqua Mary en lissant les manches gigot.

Mais mon vêtement préféré était de loin le jupon de satin blanc qui apparaîtrait devant entre les pans de ma jupe. Lui aussi était brodé, principalement de fleurs et d'animaux, ainsi que d'éléments architecturaux, instruments scientifiques et personnifications féminines des arts et des sciences. Je reconnus là la main qui avait conçu les souliers de Mary. J'évitai de toucher les broderies pour m'en assurer, ne voulant pas que Dame Alchimie se mette à sauter de l'étoffe avant que j'aie eu l'occasion de la porter.

Il fallut aux quatre femmes deux heures pour m'habiller. D'abord, on me ligota dans mes vêtements, qui étaient si rembourrés et gonflés qu'ils prenaient des proportions ridicules, avec un épais matelassage et un large vertugadin aussi incommode que je l'avais prévu. Ma collerette était large et voyante, comme il convenait, mais pas, m'assura Mary, autant que le serait celle de la reine. Mary accrocha à ma ceinture un éventail en plumes d'autruche qui oscillait comme un pendule à chaque pas. Avec son manche constellé de rubis et de perles, il valait facilement dix fois ce que m'avait coûté mon piège à rats et je fus heureuse qu'il soit solidement accroché à ma hanche.

La question des bijoux souleva une controverse. Mary avait apporté son coffre et sortit une parure sans prix après l'autre. Mais j'insistai pour porter les boucles d'oreilles d'Ysabeau plutôt que les pendentifs en diamants que proposa Mary. Elles allaient étonnamment bien avec le jaseran de perles que Joan me posa sur les épaules. À mon horreur, Mary démonta la chaîne de fleurs de genêts que Philippe m'avait offerte pour mon mariage et piqua l'un des ornements au centre de ma basquine. Elle remonta les perles qu'elle attacha à la broche avec un ruban rouge. Après une longue discussion, Mary et Françoise arrêtèrent leur choix sur un simple tour de cou en perles pour orner mon décolleté. Annie accrocha ma pointe de flèche en or à ma collerette avec une autre broche et Françoise me fit un double chignon en forme de cœur encadrant mon visage. Et pour la touche finale, Mary opta pour une coiffe brodée de perles qui couvrait les nattes.

Matthew, dont l'humeur n'avait cessé d'empirer à mesure qu'approchait l'heure fatale, parvint à sourire et à paraître impressionné comme il convenait.

— J'ai l'impression d'être dans un costume de théâtre, m'amusai-je.

— Tu es ravissante… redoutablement, m'assura-t-il.

Lui aussi était splendide dans son costume de velours noir ponctué des petites touches blanches des manchettes et de la fraise. Et il portait mon portrait miniature au cou. La longue chaîne était passée à un bouton afin que la lune soit à l'extérieur et que mon visage soit au plus près de son cœur.

Ma première vision du palais de Richmond fut le sommet d'une tour blanche, où claquait au vent l'étendard royal. D'autres tours ne tardèrent pas à poindre, étincelantes dans le vif air hivernal, comme un château de conte de fées. Puis l'ensemble de l'édifice apparut : l'étrange arcade rectangulaire au sud-est ; le bâtiment principal de trois étages au sud-ouest, entouré d'un large fossé ; le verger clos s'étendant derrière. Au-delà s'élevaient d'autres tourelles et flèches, ainsi que deux constructions qui me rappelèrent le collège d'Eton. Une énorme grue se dressait derrière le verger et toute une brigade d'hommes déchargeaient des caisses et des paquets pour les cuisines et les réserves du palais. Rétrospectivement, à côté, Baynard's Castle, qui m'avait toujours paru tout à fait grandiose, avait des allures de résidence royale de second ordre.

Les rameurs dirigèrent notre embarcation vers un débarcadère. Matthew ignora les regards et les questions, laissant Pierre et Gallowglass répondre à sa place. Quiconque aurait vu Matthew lui aurait trouvé l'air légèrement las. Mais j'étais assez proche de lui pour voir qu'il scrutait la rive, aux aguets.

Je regardai les deux étages de l'arcade de l'autre côté du fossé. Les arches du rez-de-chaussée étaient ouvertes à tous les vents, mais celles du deuxième étaient munies de vitraux. Des visages impatients y apparurent dans l'espoir d'apercevoir les nouveaux arrivants et glaner quelque ragot. Matthew se hâta de s'interposer entre les courtisans curieux et moi.

Des serviteurs en livrée, portant chacun une épée ou une pique, nous firent traverser un poste de garde et nous menèrent dans la partie principale du palais. Le dédale de salles bruissait d'activité comme n'importe quel immeuble de bureaux moderne, officiers de la cour et serviteurs courant en tous sens pour exécuter les ordres. Matthew tourna à droite, mais nos gardes lui barrèrent poliment le chemin.

— Elle ne te verra en privé qu'après t'avoir mis publiquement sur des charbons ardents, murmura Gallowglass.

Matthew étouffa un juron.

Nous suivîmes docilement notre escorte jusqu'à un grand escalier débordant de gens, dans un mélange d'odeurs de fleurs, d'herbes et de corps qui m'étourdit. Tout le monde portait du parfum pour s'efforcer d'écarter les odeurs déplaisantes, mais je fus forcée de me demander si le résultat n'était pas pire. Quand on repéra Matthew, des murmures s'élevèrent et la foule s'écarta. Il était plus grand que la plupart, et exsudait la même brutalité que la plupart des autres hommes de l'aristocratie que j'avais rencontrés. La différence, c'est que Matthew était vraiment dangereux et que dans une certaine mesure, les sangs-chauds le percevaient.

Après avoir traversé trois antichambres, toutes pleines à craquer de courtisans et de courtisanes de tous âges, parés, parfumés et rembourrés, nous parvînmes enfin devant une porte close. Nous attendîmes. Autour de nous, les chuchotements laissèrent la place aux murmures. Un homme fit une plaisanterie et ses compagnons gloussèrent. Les mâchoires de Matthew se crispèrent.

— Pourquoi attendons-nous ? demandai-je assez bas pour que seuls Matthew et Gallowglass puissent entendre.

— Cela amuse la reine, et montre aux courtisans que je ne suis rien de plus qu'un serviteur.

Quand nous fûmes enfin admis en présence de la souveraine, je fus surprise de voir que cette salle était également remplie de monde. « Privé » était un terme tout relatif à la cour d'Élisabeth. Je cherchai la reine, mais ne la vis nulle part. Je fus démoralisée en craignant que nous ayons encore à attendre.

— Comment se fait-il que pour chaque année qui me voit vieillir, Matthew Roydon semble deux ans plus jeune ? dit une voix étonnamment sonore depuis la cheminée.

Les personnes richement vêtues, lourdement parfumées et maquillées, de la salle se tournèrent pour nous dévisager. Leur mouvement révéla Élisabeth, telle une reine des abeilles dissimulée au centre de son essaim. Mon cœur s'arrêta presque de battre. J'étais devant une légende vivante.

— Je ne vois nul changement en Votre Majesté, répondit Matthew en s'inclinant légèrement. *Semper eadem*, ainsi qu'il se dit.

Les mêmes mots étaient peints sur le ruban sous le blason royal qui ornait la cheminée : *Toujours la même*.

— Même mon Lord Trésorier parvient à s'incliner davantage, messire, et lui souffre de rhumatismes. (Des yeux noirs étincelèrent dans un masque de poudre et de rouge au nez crochu. La reine pinça les lèvres.) Et je préfère une autre devise, ces temps-ci : *video et taceo*.

Je vois et je me tais. Nous étions dans une désagréable situation.

Matthew ne sembla pas remarquer et se redressa comme s'il était un prince du royaume et non l'espion de la reine. Épaules et tête droites, il dépassait sans peine tout le monde dans la salle. Deux personnes approchaient sa taille : Henry Percy, qui se morfondait le long d'un mur, et un homme aux longues jambes d'environ le même âge que le comte, avec une touffe de cheveux bouclés et une expression insolente, qui se tenait tout près de la reine.

— Prenez garde, murmura Burghley en passant près de Matthew, camouflant ses paroles sous le bruit de sa canne. Votre Majesté m'a fait mander ?

— L'Esprit et l'Ombre dans le même lieu. Dites-moi, Raleigh, cela ne viole-t-il pas quelque obscur principe de philosophie ? lâcha le compagnon de la reine.

Ses amis désignèrent Lord Burghley et Matthew en éclatant de rire.

— Si vous étiez allé à Oxford plutôt qu'à Cambridge, Essex, vous connaîtriez la réponse et l'ignominie de poser la question vous serait épargnée, répondit Raleigh en se redressant nonchalamment et en posant la main sur le pommeau de son épée.

— Allons, Robin, dit la reine en lui tapotant gentiment le coude. Vous savez que je n'aime pas quand d'autres usent de mes petits surnoms. Lord Burghley et master Roydon vous en pardonneront pour cette fois.

— Je suppose que la dame est votre épouse, Roydon, dit le comte d'Essex en posant ses yeux bruns sur moi. Nous ignorions que vous étiez marié.

— Quel est ce *nous* ? rétorqua la reine en lui donnant cette fois une petite tape. Ceci n'est point votre affaire, Lord Essex.

— Au moins, Matt ne redoute pas d'être vu en ville en sa compagnie, dit Walter en se caressant le menton. Vous êtes récemment marié aussi, monseigneur. Où est votre épouse en cette belle journée d'hiver ?

Et nous y voilà, songeai-je en voyant Walter et Essex jouter.

— Lady Essex est à Hart Street, chez sa mère, avec l'enfant nouveau-né du comte, répondit Matthew pour Essex. Mes félicitations, monseigneur. Quand j'ai rendu visite à la comtesse, elle m'a dit qu'il porterait votre prénom.

— En effet. Robert a été baptisé hier, dit Essex avec raideur, l'air un peu décontenancé que Matthew se soit trouvé en présence de son épouse et de son fils.

— En vérité, monseigneur, dit Matthew en lui faisant un sourire véritablement terrifiant. C'est étrange que je ne vous aie point vu à la cérémonie.

— Assez de chamailleries ! s'écria Élisabeth, furieuse de ne plus diriger la conversation, en pianotant de ses longs doigts sur l'accoudoir rembourré de son fauteuil. Je n'ai donné à aucun de vous permission de vous marier. Vous êtes tous les deux d'infortunés cupides ingrats. Qu'on m'amène la fille.

Mal à l'aise, je lissai mes jupes et pris le bras de Matthew. La dizaine de pas me séparant de la reine me parurent interminables. Quand j'arrivai enfin devant elle, Walter regarda vivement le sol. Je plongeai dans une révérence et y restai.

— Elle a des manières, au moins, concéda Élisabeth. Qu'on la relève.

Quand je croisai son regard, je constatai que la reine était extrêmement myope. Je n'étais qu'à un mètre d'elle, mais elle plissait les paupières comme si elle ne pouvait distinguer mes traits.

— Humf, décréta-t-elle une fois son inspection terminée. Son visage est grossier.

— Si vous le pensez, il est heureux que vous ne soyez pas mariée avec elle, répliqua Matthew.

— Elle a de l'encre sur les doigts, observa Élisabeth.

Je cachai les doigts coupables derrière mon éventail. Les taches d'encre à base de galle de chêne étaient impossibles à enlever.

— Et quelle fortune vous payé-je, Ombre, que votre épouse se puisse offrir un tel éventail ? demanda Élisabeth avec aigreur.

— Si nous devons débattre des finances de la couronne, peut-être devrions-nous le faire en moindre compagnie, suggéra Lord Burghley.

— Oh, très bien, s'agaça Élisabeth. Restez, William. Et vous aussi, Walter.

— Et moi, dit Essex.

— Pas vous, Robin. Vous devez veiller au banquet. Je désire que l'on me distraie, ce soir. Je suis lasse que l'on me sermonne de leçons d'histoire, comme si j'étais une écolière. Assez de ces contes sur le roi Jean ou de ces aventures de bergères qui se languissent de leurs bergers. Je veux que Symons fasse des acrobaties. S'il doit y avoir une pièce, que ce soit celle avec le nécromancien et la tête de bronze qui devine l'avenir, dit-elle en frappant la table. *Le temps est, le temps était, le temps est passé.* Que j'aime ce vers.

Matthew et moi échangeâmes un regard.

— Je crois que le titre de cette pièce est *L'Honorable Histoire de Frère Bacon et Frère Bungay*, Votre Majesté, souffla une jeune femme à l'oreille de sa maîtresse.

— C'est celle-là, Bess. Veillez-y, Robin, et vous siégerez avec moi.

La reine était une véritable actrice elle aussi. Capable de passer de l'humeur aux cajoleries en l'espace d'une seconde.

Radouci, le comte d'Essex se retira, mais pas avant d'avoir foudroyé Walter du regard. Tout le monde s'en fût après lui. Essex était désormais la personne la plus importante dans les parages et, comme des papillons de nuit attirés par une flamme, les autres courtisans étaient avides de sa lumière. Seul Henry sembla partir à contrecœur, mais il n'avait pas le choix. La porte se referma sur eux.

— Avez-vous apprécié votre visite au Dr Dee, mistress Roydon ? demanda la reine.

Le ton était coupant. C'en était terminé des cajoleries. Le temps était aux affaires.

— Certainement, Votre Majesté, répondit Matthew.

— Je sais fort bien que votre épouse peut parler en son nom, master Roydon. Laissez-la faire.

Matthew fulmina sans répondre.

— Ce fut des plus plaisant, Votre Majesté. (Je venais de parler à la reine Élisabeth Ire. Balayant mon incrédulité, je poursuivis :) J'étudie l'alchimie et ai grand intérêt pour les livres et le savoir.

— Je le sais en effet.

Le danger jaillit autour de moi dans un déchaînement de filaments noirs claquants et gémissants.

— Je suis votre humble servante, Votre Majesté, comme mon époux.

Je gardais les yeux résolument fixés sur les pantoufles de la reine d'Angleterre. Heureusement, elles n'étaient pas particulièrement intéressantes et ne s'animèrent pas.

— J'ai des courtisans et des bouffons en abondance, mistress Roydon. Vous ne gagnerez pas place parmi eux avec cette remarque. (Un flamboiement de mauvais augure passa dans son regard.) Tous mes espions ne sont pas sous les ordres de votre époux. Dites-moi, Ombre, quelle affaire aviez-vous avec le Dr Dee ?

— C'était une affaire privée, répondit Matthew en se maîtrisant avec peine.

— Il n'existe rien de tel dans ce royaume. (Élisabeth dévisagea Matthew.) Vous m'avez enjoint de ne pas confier mes secrets à ceux dont vous n'aviez pas éprouvé le silence, continua-t-elle calmement. Je ne doute pas que l'on puisse douter de ma propre loyauté.

— C'était une affaire privée entre le docteur Dee et moi-même, Votre Majesté, persista Matthew.

— Très bien, master Roydon. Puisque vous êtes déterminé à conserver votre secret, je vais vous parler de *mon* affaire avec le Dr Dee et nous verrons bien si cela vous délie la langue. Je veux le retour d'Edward Kelley en Angleterre.

— Je crois qu'il est désormais Sir Edward, Votre Majesté, corrigea Burghley.

— D'où tenez-vous cela ? demanda la reine.

— De moi, dit suavement Matthew. C'est après tout mon devoir de connaître de telles choses. Pourquoi avez-vous besoin de Kelley ?

— Il sait comment fabriquer la Pierre Philosophale. Et je ne la laisserai point aux mains des Habsbourg.

— Est-ce cela que vous craignez ? demanda Matthew, soulagé.

— Je crains de mourir et de laisser un royaume comme un lambeau de viande que se disputeront les chiens d'Espagne, de France et d'Écosse, dit Élisabeth en s'avançant vers lui. (Plus elle approchait, plus le contraste entre les deux était frappant. Elle était si petite, et pourtant elle avait résisté contre toute attente pendant tellement d'années.) J'ai peur de ce qu'il adviendra de mon peuple quand je ne serai plus là. Chaque jour, je prie Dieu pour qu'il m'aide à sauver l'Angleterre d'un désastre assuré.

— Amen, ponctua religieusement Burghley.

— Edward Kelley n'est pas la réponse de Dieu, je puis vous l'assurer.

— Tout souverain qui possède la Pierre Philosophale disposera d'une réserve inépuisable de richesses, répliqua Élisabeth, le regard flamboyant. Eussé-je plus d'or à ma disposition que je pourrais écraser les Espagnols.

— Avec des si…, commença Matthew.

— Prenez garde à ce que vous dites, Roydon, l'avertit Burghley.

— Sa Majesté propose de naviguer dans des eaux dangereuses, monseigneur, dit Matthew avec une cérémonieuse prudence. Edward Kelley est un démon. Son œuvre alchimique frôle périlleusement la magie, comme Walter peut en attester. La Congrégation tient à ce que la fascination de l'empereur Rodolphe pour l'occulte ne prenne pas un tour dangereux comme avec le roi Jacques.

— Jacques avait toute raison de s'en prendre à ces sorcières ! s'emporta Élisabeth. Tout comme j'ai toute raison de réclamer le bénéfice si un de mes sujets fabriquait la Pierre.

— Avez-vous marchandé aussi âprement avec Walter quand il est parti dans le Nouveau Monde ? s'enquit Matthew. Eût-il trouvé de l'or en Virginie, auriez-vous exigé qu'il vous le remît entièrement ?

— Je crois que c'est exactement ce que notre accord stipulait, dit narquoisement Walter avant de se hâter d'ajouter : bien que je fusse, bien entendu, heureux de l'offrir à Sa Majesté.

— Je savais que je ne pouvais me fier à vous, Ombre. Vous êtes en Angleterre pour me servir, et cependant vous arguez pour le compte de votre Congrégation comme si ses vœux étaient plus importants.

— J'ai le même désir que vous, Votre Majesté : épargner un désastre à l'Angleterre. Si vous suivez le chemin du roi Jacques et traquez sorcières, démons et *wearhs* parmi vos sujets, vous en souffrirez et le royaume avec vous.

— Que proposez-vous que je fasse, alors ? demanda la reine.

— Je propose que nous concluions un accord, guère différent de celui que vous avez passé avec Raleigh. Je veillerai à ce qu'Edward Kelley revienne en Angleterre afin que vous puissiez l'enfermer dans la Tour et le contraindre à fabriquer la Pierre – s'il en est capable.

— Et en retour ?

En bonne fille de son père, Élisabeth savait que rien dans la vie n'est gratuit.

— En retour, vous abriterez autant des sorcières de Berwick que je pourrai faire venir d'Édimbourg, jusqu'à ce que la folie du roi Jacques soit passée.

— Il n'en est pas question ! dit Burghley. Songez, Votre Majesté, à ce qu'il pourrait advenir de vos relations avec nos voisins du nord si vous deviez inviter des hordes de sorcières à franchir notre frontière !

— Il ne reste pas beaucoup de sorcières en Écosse, dit lugubrement Matthew, puisque vous avez refusé mes précédentes propositions.

— Je pensais, Ombre, que l'une de vos tâches en Angleterre était de veiller à ce que votre peuple ne se mêle pas de politique. Et si ces machinations privées étaient découvertes ? Comment expliqueriez-vous vos actes ?

— Je répondrais à Votre Majesté que le malheur vous donne parfois d'étranges compagnons de couche.

La reine pouffa.

— C'est doublement vrai des femmes, s'amusa-t-elle. Très bien. Nous en sommes convenus. Vous irez à Prague chercher Kelley. Et mistress Roydon séjournera à la cour parmi mes dames de compagnie, afin d'assurer votre prompt retour.

— Mon épouse ne fait pas partie de l'accord et il n'est pas nécessaire de m'envoyer en Bohême en janvier. Vous et moi sommes déterminés à voir revenir Kelley. Je veillerai à ce qu'il vous soit livré.

— Vous n'êtes pas un roi ici ! dit la reine en se levant. Vous irez où je vous manderai, master Roydon. Et sinon, je vous ferai jeter, vous et votre sorcière d'épouse, à la Tour pour trahison. Et pire, flamboya-t-elle.

Quelqu'un gratta à la porte.

— Qu'on entre ! tonna Élisabeth.

— La comtesse de Pembroke est là, Votre Majesté, dit un garde.

— Tudieu, jura Élisabeth. Jamais on ne me laissera un instant de paix ? Qu'on la fasse entrer.

Dans un bouillonnement de voiles et de dentelles, Mary Sidney glissa de l'antichambre glaciale à la salle surchauffée où se tenait la reine. Elle s'inclina dans une gracieuse révérence à mi-chemin, flotta encore un peu et fit une deuxième et parfaite révérence.

— Votre Majesté, dit-elle, tête baissée.

— Qu'est-ce qui vous amène à la cour, Lady Pembroke ?

— Votre Majesté m'a naguère accordé une faveur, en prévision de besoins à venir.

— Oui, oui, dit Élisabeth, irritée. Qu'a fait votre époux, cette fois ?

— Rien du tout, dit Mary en se redressant. Je suis venue demander la permission d'envoyer mistress Roydon dans une importante mission.

— Je ne saurais imaginer laquelle, répliqua Élisabeth. Tant elle me semble ni d'utilité ni de ressource.

— J'ai besoin pour mes expériences de verreries spéciales qui ne se peuvent acquérir que dans les fabriques de l'empereur Rodolphe. L'épouse de mon frère – pardonnez-moi, car depuis la mort de Philip, elle est désormais comtesse d'Essex – me fait dire que master Roydon doit être envoyé à Prague. Mistress Roydon ira avec lui, avec votre bénédiction, afin d'y trouver ce qui m'est nécessaire.

— Ce jeune fat ! Le comte d'Essex ne peut résister à faire part au monde entier du moindre lambeau de nouvelles qu'il grappille. (Élisabeth fit volte-face dans un bruissement d'or et d'argent.) Ce freluquet le paiera de sa tête !

— Votre Majesté m'a promis, lorsque mon frère est mort en défendant votre royaume, qu'elle m'accorderait un jour une faveur, dit Mary en nous souriant sereinement.

— Et c'est sur ces deux-là que vous souhaitez la dépenser ? fit Élisabeth, sceptique.

— Autrefois, Matthew a sauvé la vie de Philip. Il est comme un frère pour moi. Si je le vois heureux, cette faveur ne sera pas dépensée en vain, déclara Mary d'un air innocent.

— Vous savez être lisse comme l'ivoire, Lady Pembroke. Je regrette de ne vous voir plus souvent à la cour. Très bien. Je tiendrai ma parole. Mais j'exige qu'Edward Kelley soit en ma présence avant la mi-été – et que cette affaire soit menée aussi rondement que discrètement, l'Europe n'ayant pas à connaître mes affaires. Vous m'avez bien comprise, master Roydon ?

— Oui, Votre Majesté, répondit Matthew, les dents serrées.

— Rendez-vous donc à Prague. Et emmenez votre épouse, puisqu'il plaît ainsi à Lady Pembroke.

— Je vous remercie, Votre Majesté, dit Matthew qui avait l'air dangereusement prêt à arracher la tête emperruquée d'Élisabeth.

— Hors de ma vue, tous, avant que je change d'avis, dit la reine en se laissant retomber dans son fauteuil.

D'un signe de tête, Lord Burghley indiqua que nous étions censés obéir à l'ordre de la reine. Mais Matthew refusait de laisser l'affaire où elle en était.

— Un conseil de prudence, Votre Majesté. Ne placez point votre confiance dans le comte d'Essex.

— Vous ne l'aimez point, master Roydon. William non plus. Mais grâce à lui, je me sens rajeunir. (Elle posa ses yeux noirs sur lui.) Naguère, vous avez rempli cet office auprès de moi et m'avez rappelé des temps plus heureux. Maintenant que vous en avez trouvé une autre, je suis abandonnée.

— *Mon affection est comme mon ombre au soleil / Elle me suit et s'enfuit quand je la veux saisir / Elle se tient allongée près de moi et fait ce que j'ai fait*, dit doucement Matthew. Je suis l'Ombre de Votre Majesté et je n'ai de choix que d'aller où vous me menez.

— Et moi, je suis lasse et je n'ai nul goût pour la poésie, répondit Élisabeth en se détournant. Laissez-moi.

— Nous n'irons pas à Prague, dit Matthew dès que nous fûmes revenus sur la barque de Henry pour retourner à Londres. Nous devons rentrer chez nous.

— La reine ne vous laissera point en paix simplement parce que vous vous serez enfui à Woodstock, Matthew, tenta de le raisonner Mary en se pelotonnant dans une couverture en fourrure.

— Il ne parle pas de Woodstock, Mary, expliquai-je. Mais d'un autre endroit. Plus loin.

— Ah ! fit Mary en fronçant les sourcils. Oh ! (Elle resta prudemment sans expression.)

— Mais nous sommes si près d'obtenir ce que nous cherchons, dis-je. Nous savons où est le manuscrit et il pourrait répondre à toutes nos questions.

— Et il pourrait n'être qu'absurdités, tout comme le manuscrit chez le Dr Dee, s'impatienta Matthew. Nous l'obtiendrons autrement.

Mais plus tard, Walter convainquit Matthew que la reine était sérieuse et nous jetterait tous les deux à la Tour si nous ne lui obéissions pas. Quand j'en parlai à Goody Alsop, elle s'opposa au voyage à Prague tout autant que Matthew.

— Une fileuse de temps ne peut rester en dehors de son époque si longtemps sans conséquences. Même si tu restes ici, je redoute les semaines qu'il nous faudra pour préparer le sortilège destiné à te ramener dans ton présent. La magie a des règles et des principes que tu dois encore maîtriser, Diana. Tout ce que tu as pour le moment, c'est une vouivre qui n'en fait qu'à sa tête, une *luur* qui est aveuglante et une tendance à poser des questions dont les réponses sont malicieuses. Tu ne possèdes pas une connaissance suffisante de ton art pour que ton projet réussisse.

— Je continuerai d'étudier à Prague, je le jure, dis-je en lui prenant les mains. Matthew a fait une promesse à la reine qui pourrait permettre de protéger des dizaines de sorciers. Nous ne pouvons pas être séparés. C'est trop dangereux. Je ne peux le laisser partir à la cour de l'empereur sans moi.

— Non, dit-elle avec un triste sourire. Pas tant qu'il restera un souffle en toi. Très bien. Pars à Prague. Mais sache ceci, Diana Roydon : tu ouvres une nouvelle voie. Et je ne puis prédire où elle mène.

— Te souviens-tu de ce que le fantôme de Bridget Bishop m'a dit ? *Il n'y a aucune voie devant toi qui ne conduise à lui.* Quand je sens que notre existence tournoie vers l'inconnu, je trouve un réconfort dans ces paroles. Tant que Matthew et moi serons ensemble, Goody Alsop, la direction que nous prendrons n'aura pas d'importance.

Trois jours plus tard, nous fîmes voile pour la mer du Nord afin de commencer notre long voyage pour voir le souverain du Saint-Empire, retrouver un démon anglais égaré et enfin, enfin poser les yeux sur l'Ashmole 782.

26

Assis dans sa maison de Berlin, Verin de Clermont fixait le journal avec incrédulité.

The Independent
7 février 2010
Une femme du Surrey a découvert un manuscrit appartenant à Mary Sidney, célèbre poétesse élisabéthaine et sœur de Sir Philip Sidney.
« Il était dans l'armoire à linge de ma mère en haut de l'escalier », a déclaré à nos envoyés Henrietta Barber, soixante-deux ans, qui l'a découvert en débarrassant les affaires de sa mère avant son départ en maison de retraite. « J'ai pris cela pour un tas de vieilles paperasses. »
Le manuscrit, selon les experts, est celui d'un carnet de travaux alchimiques tenu par la comtesse de Pembroke durant l'hiver 1590-1591. On considérait jusqu'ici que les écrits scientifiques de la comtesse avaient été détruits dans un incendie à Wilton House au XVIIᵉ siècle. La manière dont l'objet est parvenu entre les mains de la famille Barber demeure un mystère.

« Nous nous rappelons surtout Mary Sidney comme poétesse, a déclaré un représentant de la maison de vente aux enchères Sotheby's, qui proposera l'objet aux acquéreurs en mai, mais en son temps, elle était considérée comme une grande alchimiste. »

Le manuscrit est d'un intérêt particulier en ce qu'il indique que la comtesse ne menait pas ses travaux en solitaire. Pour une expérience intitulée « fabrication de l'*arbor Dianae*, elle nomme son assistant avec les initiales DR. « Nous ne serons peut-être jamais en mesure d'identifier cet homme, a expliqué l'historien Nigel Warminster de l'université de Cambridge, mais ce manuscrit nous apprend cependant quantité de choses sur le nombre croissant d'expérimentations qui avaient lieu lors de la révolution scientifique. »

— Qu'y a-t-il, mon trésor ? demanda Ernst en posant un verre de vin devant sa femme.

Il la trouvait bien trop sérieuse pour un lundi soir. Elle avait plutôt sa tête du vendredi.

— Rien, murmura-t-elle, le regard toujours fixé sur l'article. Une affaire familiale pas encore totalement réglée.

— Baldwin y est mêlé ? A-t-il perdu un million d'euros, aujourd'hui ?

Son beau-frère n'était pas du goût de tout le monde et Ernst ne lui faisait pas entièrement confiance. Baldwin l'avait initié aux subtilités du commerce international quand Ernst était encore un jeune homme. Il avait à présent soixante ans et faisait l'envie de ses amis avec sa jeune épouse. Leurs photos de mariage, où Verin avait exactement la même allure qu'aujourd'hui et qu'à ses vingt-cinq ans, étaient soigneusement conservées sous clé.

— Baldwin n'a jamais perdu un million de quoi que ce soit de toute sa vie.

Ernst songea que Verin n'avait pas exactement répondu à sa question. Il fit glisser vers lui le journal anglais et lut ce qui y était écrit.

— Pourquoi t'intéresses-tu à un vieux livre ?

— Laisse-moi d'abord passer un coup de fil, répondit-elle, cachottière.

Elle s'empara du téléphone d'une main ferme, mais Ernst reconnut l'expression de ses yeux d'un gris peu courant. Elle était en colère, effrayée, et elle pensait au passé. Il avait vu ce même regard juste avant que Verin lui sauve la vie en l'arrachant aux griffes de sa belle-mère.

— Tu appelles Mélisande ?

— Ysabeau, répondit machinalement Verin en composant le numéro.

— Ysabeau, bien sûr, dit Ernst.

Il était compréhensible qu'il ait du mal à appeler la belle-mère de Verin par un autre nom que celui sous lequel la matriarche de la famille Clermont se présentait lorsqu'elle avait tué le père d'Ernst après la guerre.

L'appel de Verin mit un temps inhabituellement long à aboutir. Ernst entendit de curieux déclics, presque comme si la communication était transférée à plusieurs reprises. Finalement, il entendit la sonnerie.

— Qui est-ce ? demanda une voix juvénile.

Un Américain, ou un Anglais, peut-être, mais sans presque plus aucun accent.

Verin raccrocha aussitôt. Elle jeta le téléphone sur la table et s'enfouit le visage dans les mains.

— Oh, mon Dieu, c'est vraiment en train d'arriver. Exactement comme l'avait prédit mon père.

— Tu me fais peur, mon trésor, dit Ernst. (Il avait vu des horreurs dans sa vie, mais rien d'aussi intense que ce qui tourmentait Verin les rares fois où elle dormait vraiment. Les cauchemars concernant Philippe suffisaient à effondrer son épouse habituellement si maîtrisée.) Qui a répondu ?

— Ce n'était pas celui qui aurait dû le faire, répondit-elle d'une voix étouffée. (Elle leva les yeux vers lui.) C'est Matthew qui aurait dû répondre, mais il ne peut pas. Parce qu'il n'est pas là. Il est là-bas, dit-elle en regardant le journal.

— Verin, ce que tu dis ne tient pas debout, répondit sévèrement Ernst.

Il n'avait jamais rencontré son remuant beau-frère, l'intellectuel et mouton noir de la famille.

Mais elle avait repris le téléphone et rappelé. Cette fois, la communication aboutit immédiatement.

— Tante Verin. J'imagine que tu as lu les journaux. J'attendais ton appel depuis des heures.

— Où es-tu, Gallowglass ?

Son neveu était un errant. Dans le temps, il envoyait des cartes postales ne portant qu'un numéro de téléphone sur la route où il se trouvait sur le moment : un *Autobahn* en Allemagne, la Route 66 aux États-Unis, Trollstigen en Norvège, la route du Tunnel de Guolian en Chine. Elle recevait moins de ces communications laconiques depuis que les portables internationaux existaient. Avec le GPS et l'Internet, elle pouvait localiser Gallowglass partout. Mais les cartes postales lui manquaient, malgré tout.

— Quelque part aux environs de Warrnambool, répondit-il vaguement.

— Où se trouve ce fichu endroit ? demanda-t-elle.

— En Australie, répondirent Ernst et Gallowglass au même moment.

— C'est un accent allemand, que j'ai entendu ? Te serais-tu trouvé un nouveau petit ami ? la taquina Gallowglass.

— Surveille-toi, jeune chiot, répliqua sèchement Verin. Tu es peut-être de la famille, mais je peux encore t'arracher la gorge. C'est mon mari, Ernst.

Ernst s'avança sur sa chaise en secouant la tête. Il était mal à l'aise quand son épouse s'en prenait à un vampire – même si elle était plus forte que la plupart d'entre eux. Verin balaya ses inquiétudes d'un geste.

Gallowglass gloussa et Ernst estima que ce vampire inconnu n'était peut-être pas dangereux.

— Voilà bien ma terrifiante tante Verin. C'est agréable d'entendre ta voix après toutes ces années. Et ne prétends pas que tu as été plus surprise de lire cet article que moi de recevoir ton coup de fil.

— J'espérais plus ou moins qu'il radotait, avoua Verin en se rappelant la nuit où Gallowglass et elle, au chevet de Philippe, l'avaient écouté délirer.

— Tu t'es imaginé que c'était contagieux et que je radotais aussi ? ricana Gallowglass.

Verin trouva qu'il ressemblait de plus en plus à Philippe, ces derniers temps.

— Pour tout te dire, j'espérais que oui.

Cela avait été plus facile à croire que cette sorcière qui voyageait dans le temps dont leur avait parlé son père.

— Tu tiendras quand même ta promesse ? demanda doucement Gallowglass.

Verin hésita. Cela ne dura qu'un instant, mais Ernst s'en aperçut. Verin tenait toujours ses promesses. À l'époque où il était un garçonnet terrifié, Verin lui avait promis qu'il deviendrait un homme. Ernst s'était accroché à cette certitude alors qu'il n'avait que six ans, tout comme il s'était accroché aux promesses que lui avait faites Verin depuis.

— Tu n'as pas vu Matthew avec elle. Quand tu verras…

— Je trouverai que mon demi-frère est encore plus pénible ? Impossible.

— Donne-lui une chance, Verin. C'est la fille de Philippe aussi. Et il a toujours eu un goût excellent en matière de femmes.

— La sorcière n'est pas sa véritable fille, dit vivement Verin.

Sur une route quelque part dans les environs de Warrnambool, Gallowglass pinça les lèvres, refusant de répondre. Verin en savait peut-être plus sur Diana et Matthew que quiconque dans la famille, mais elle n'en savait pas autant que lui. Il y aurait amplement l'occasion de discuter de vampires et d'enfants une fois que le couple serait revenu. Ce n'était pas utile d'en débattre pour l'instant.

— D'ailleurs, Matthew n'est pas là, dit Verin en regardant le journal. J'ai appelé le numéro. Quelqu'un d'autre a répondu et ce n'était pas Baldwin.

C'était pour cela que Verin avait coupé précipitamment. Si Matthew ne dirigeait pas la fraternité, le numéro de téléphone aurait dû être transmis au seul fils survivant entièrement du sang de Philippe. Le « numéro » avait été créé dans les premières années du téléphone. Philippe l'avait choisi : 831, la date de l'anniversaire d'Ysabeau le 31 août. Avec chaque nouvelle technologie et chaque modification successive dans les systèmes de numérotation nationaux et internationaux, le numéro avait continué à servir. Il était simplement transféré à son équivalent moderne.

— C'est Marcus qui a répondu, dit Gallowglass, qui avait lui aussi appelé le numéro.

— Marcus ? répéta Verin, consternée. L'avenir des Clermont dépend de *Marcus* ?

— Donne-lui sa chance, tante Verin. C'est un bon garçon. Quant à l'avenir de la famille, il repose sur nous tous. Philippe le savait, sinon il ne nous aurait pas fait promettre de retourner à Sept-Tours.

Philippe de Clermont avait été très précis avec sa fille et son petit-fils. Ils devaient guetter des signes : des rumeurs concernant une jeune sorcière américaine dotée de grands pouvoirs ; le nom Bishop ; l'alchimie ; une vague de découvertes historiques constituant des anomalies.

À ce moment-là, et pas avant, Gallowglass et Verin devaient retourner au berceau de la famille Clermont. Philippe n'avait pas voulu dévoiler pourquoi c'était si important que la famille se retrouve réunie, mais Gallowglass le savait.

Pendant des dizaines d'années, Gallowglass avait attendu. Puis il avait entendu parler d'une sorcière au Massachusetts du nom de Rebecca, l'une des dernières descendantes de la Bridget Bishop de Salem. Les rumeurs sur son pouvoir s'étaient répandues partout, ainsi que la nouvelle de sa mort tragique. Gallowglass avait retrouvé la trace de sa fille dans l'État de New York. Il s'était tenu régulièrement au courant, la surveillant dans la cour de récréation sur la cage à écureuils, quand elle allait aux fêtes d'anniversaire, puis à sa remise de diplôme à l'université. Gallowglass en avait été fier comme un père de sa fille quand il l'avait vue réussir son oral à Oxford. Et il se postait régulièrement tout en haut du clocher de la Harkness Tower de Yale, laissant le puissant carillon résonner en lui, pendant que la jeune professeur traversait le campus. Ses vêtements étaient différents, mais la démarche déterminée de Diana était immanquable, qu'elle porte un vertugadin et une fraise ou un pantalon et un blouson d'homme si peu flatteur.

Gallowglass avait essayé de garder ses distances, mais parfois, il avait dû intervenir, comme le jour où l'énergie de la jeune femme avait attiré un démon vers elle et que la créature s'était mise à la suivre. Cependant, Gallowglass s'enorgueillissait de s'être retenu des centaines de fois de dévaler l'escalier du clocher pour se jeter au cou de la jeune professeur Bishop et lui dire combien il était heureux de la revoir après tant d'années.

Quand il avait appris que Baldwin avait été appelé à Sept-Tours par Ysabeau pour une question urgente concernant Matthew, le Gallois avait compris que ce ne serait qu'une question de temps avant qu'apparaissent les anomalies historiques. Gallowglass avait vu l'annonce de la découverte d'une paire de miniatures élisabéthaines jusque-là inconnues. Le temps qu'il parvienne chez Sotheby's, elles avaient déjà été achetées. Gallowglass avait paniqué, pensant qu'elles étaient tombées dans de mauvaises mains. Mais il avait sous-estimé Ysabeau. Quand il avait parlé à Marcus ce matin, le fils de Matthew avait confirmé que les portraits étaient à l'abri dans le bureau d'Ysabeau à Sept-Tours. Cela faisait plus de quatre siècles que Gallowglass avait dérobé discrètement les miniatures dans une maison du Shropshire. Ce serait agréable de les revoir – ainsi que les êtres qu'elles représentaient.

En attendant, il se préparait à l'orage qui s'annonçait comme toujours en pareil cas : en partant le plus loin possible. Autrefois, cela avait été par mer, puis dans des trains, mais désormais, Gallowglass préférait la route et enfilait sur sa moto virages en épingle à cheveux et routes montagneuses. Le vent qui s'engouffrait dans sa tignasse hirsute, son blouson de cuir fermé jusqu'au cou pour dissimuler une peau qui ne bronzait jamais, Gallowglass se préparait à l'appel du devoir et à tenir la promesse de défendre les Clermont quel qu'en soit le coût.

— Gallowglass ? Tu es toujours là ? grésilla la voix de Verin dans le téléphone, tirant son neveu de ses rêveries.

— Toujours, ma tante.

— Quand pars-tu ? soupira Verin, tête baissée.

Elle ne pouvait se résoudre à regarder encore Ernst. Le pauvre, qui avait épousé une vampiresse en connaissance de cause et qui, ce faisant, s'était retrouvé involontairement mêlé à une histoire compliquée de sang et de désir qui courait et serpentait sur des siècles. Mais elle avait fait une promesse à son père, et même si Philippe était mort, Verin n'avait aucune intention de le décevoir à présent, et pour la première fois.

— J'ai dit à Marcus de m'attendre après-demain.

Gallowglass ne voulait pas plus avouer qu'il était soulagé de la décision de sa tante que Verin admettre qu'elle avait dû réfléchir avant de décider si elle respecterait son serment.

— Nous nous retrouverons là-bas.

Cela laisserait à Verin assez de temps pour annoncer à Ernst qu'il allait devoir séjourner sous le toit de sa belle-mère. Et cela n'allait pas l'enchanter.

— Bon voyage, tante Verin, parvint à dire Gallowglass avant qu'elle coupe.

Il rangea le portable dans sa poche et contempla la mer. Il avait fait naufrage autrefois sur cette portion de la côte australienne. Gallowglass avait de l'affection pour les lieux où il avait échoué, tel un triton, jeté sur le rivage par une tempête, qui découvre qu'il peut finalement vivre sur la terre ferme. Comme conduire une moto sans casque, fumer était un pied de nez à l'univers qui lui avait donné l'immortalité d'une main tout en lui enlevant de l'autre tous ceux qu'il aimait.

— Et tu me prendras ceux-là aussi, n'est-ce pas ? demanda Gallowglass au vent qui soupira en réponse.

Matthew et Marcus avaient des opinions très arrêtées sur le tabagisme passif. Ce n'était pas parce que cela ne pouvait pas les tuer, disaient-ils, qu'il fallait continuer à assassiner les autres.

— Si nous les exterminons, qu'est-ce que nous mangerons ? avait fait remarquer Marcus avec son imparable logique.

C'était une idée un peu curieuse pour un vampire, mais Marcus était connu pour en avoir de ce genre, et

Matthew ne valait pas mieux. Pour Gallowglass, c'était parce qu'ils avaient fait trop d'études.

Gallowglass finit sa cigarette et sortit de sa poche intérieure une petite bourse en cuir. Elle contenait vingt-quatre disques d'un diamètre de deux centimètres et demi et d'environ cinq millimètres d'épaisseur. Ils étaient taillés dans une branche qu'il avait arrachée d'un frêne qui poussait près de la maison de ses ancêtres. Chacune portait une marque au fer rouge, une lettre d'un alphabet que plus personne n'utilisait.

Il avait toujours eu un sain respect pour la magie, même avant de connaître Diana Bishop. Il y avait des forces en liberté sur la terre et les mers qu'aucune créature ne comprenait, et Gallowglass avait la prudence de se détourner quand elles approchaient. Mais il ne pouvait résister aux runes. Elles l'aidaient à naviguer dans les eaux traîtresses de sa destinée.

Gallowglass laissa les petits disques glisser entre ses doigts comme de l'eau. Il voulait savoir de quel côté allait le courant : avec les Clermont, ou contre eux ?

Quand ses doigts s'immobilisèrent, il sortit la rune qui lui dirait ce qu'il en était à présent. *Nyd*, la rune de l'absence et du désir. Gallowglass plongea de nouveau la main dans la bourse pour mieux comprendre ce que l'avenir réservait. *Odal*, la rune du foyer, de la famille et de l'héritage. Il en tira une dernière, celle qui lui montrerait comment assouvir le désir de trouver sa place qui le rongeait.

Rad. C'était une rune déroutante, celle qui représentait à la fois une arrivée et un départ, le début et la fin d'un voyage, une première rencontre comme des retrouvailles longtemps attendues. Gallowglass referma la main sur le petit morceau de bois. Cette fois, le sens était clair.

— Fais bon voyage aussi, tante Diana. Et ramène-moi mon oncle, dit-il à la mer et au ciel avant de remonter sur sa moto et de rouler vers un avenir qu'il ne pouvait plus ni imaginer ni retarder.

QUATRIÈME PARTIE

L'Empire : Prague

27

— Où sont mes chausses rouges ? (Matthew dévala bruyamment l'escalier et se renfrogna devant les caisses éparpillées sur le sol. Il était d'une humeur massacrante depuis la moitié de nos quatre semaines de voyage lorsque nous avions laissé Pierre, les enfants et nos bagages à Hambourg. Les enfants et Pierre devaient arriver plus tard.) Jamais je ne les trouverai dans cette pagaille ! s'écria-t-il en passant ses nerfs sur mes jupons.

Nous avions tenu uniquement sur nos fontes et une unique malle pour deux pendant des semaines et nos bagages venaient d'arriver trois jours après nous dans la haute et étroite maison perchée en haut de la Sporrengasse, la rue en pente raide menant au Château. Si on l'avait ainsi baptisée rue de l'Éperon, c'était sans doute parce que c'était le seul moyen de convaincre un cheval de la gravir.

— Je ne savais pas que tu possédais des chausses rouges, dis-je en me redressant.

— Si, répondit-il en commençant à fouiner dans la caisse contenant mon linge.

— Elles ne risquent pas de s'y trouver, dis-je, faisant remarquer cette évidence.

— J'ai regardé partout ailleurs, gronda-t-il.

— Je vais les trouver. (Je jetai un coup d'œil à ses chausses noires tout à fait respectables.) Pourquoi des rouges ?

— Parce que j'essaie d'attirer l'attention du souverain du Saint-Empire romain ! répondit-il en plongeant dans mes vêtements.

Des collants rouges risquaient d'attirer bien plus que des regards distraits, étant donné que l'homme qui entendait les porter était un vampire d'un mètre quatre-vingt-dix pratiquement tout en jambes. Mais Matthew refusait de se laisser dissuader. Je me concentrai, demandai aux chausses de se montrer et suivis les fils rouges. Retrouver des gens et des objets était un bénéfice marginal inattendu de mon état de tisseuse et j'avais eu bien des occasions de m'en servir durant notre voyage.

— Le messager de mon père est-il arrivé ? demanda Matthew en ajoutant un autre jupon sur l'amas neigeux qui grandissait entre nous.

— Oui, il est à la porte. (Je fouillai dans le contenu d'un coffre qui lui avait échappé : gants en mailles, bouclier orné d'un aigle à deux têtes, ainsi qu'une coupe finement ciselée. Je brandis triomphalement les deux longs tubes rouges.) Je les ai !

Matthew avait oublié le drame des chausses. Le paquet de son père avait mobilisé toute son attention. Je vins voir ce qui le fascinait à ce point.

— Est-ce un… Bosch ?

Je connaissais l'œuvre de Jérôme Bosch en raison de son étrange recours aux objets et aux symbolismes alchimiques. Il couvrait ses tableaux de poissons volants, d'insectes, d'énormes objets ménagers et de fruits aux formes obscènes. Bien avant que le psychédélisme soit en vogue, Bosch avait vu le monde dans des couleurs éclatantes et des mélanges troublants.

Cependant, comme les Holbein de Matthew à Old Lodge, cette œuvre ne m'était pas familière. C'était un triptyque de panneaux de bois. Destiné à trôner sur un autel, un triptyque était gardé replié en dehors des fêtes religieuses particulières. Dans les musées modernes, la face extérieure était rarement exposée. Je me demandai quelles autres éblouissantes images je n'avais pas encore vues jusqu'ici.

L'artiste avait recouvert les faces extérieures d'un pigment noir velouté. Un arbre rabougri luisant dans un clair de lune s'étalait sur les deux panneaux frontaux. Un minuscule loup était accroupi parmi ses racines et une chouette perchée sur les plus hautes branches. Les deux animaux jetaient un regard entendu au spectateur. Une dizaine d'autres yeux brillaient dans l'arrière-plan autour de l'arbre, fixes et désincarnés. Derrière ce chêne mort, un bosquet d'arbres trompeusement ordinaires, avec leurs troncs pâles et leurs branches d'un vert irisé éclairaient encore la scène. C'est seulement en y regardant de plus près que je vis les oreilles de part et d'autre de ces paires d'yeux, comme s'ils écoutaient les bruits de la nuit.

— Qu'est-ce qu'il signifie ? demandai-je en regardant l'œuvre, émerveillée.

— C'est un vieux proverbe flamand, dit Matthew, très occupé à agrafer son pourpoint : *La forêt a des yeux et les bois ont des oreilles. Aussi je verrai, je me tairai et j'écouterai.*

Ces mots résumaient à la perfection l'existence secrète que menait Matthew et me rappelèrent la devise favorite d'Élisabeth.

L'intérieur du triptyque montrait trois scènes corrélées : un panneau représentait des anges déchus tombant des cieux sur le même fond noir velouté. Au premier regard, on aurait plutôt dit des libellules, avec leurs ailes doubles et chatoyantes, mais ils avaient des corps humains, avec des têtes et des jambes convulsées de douleur. Sur le panneau opposé, les morts se levaient pour le Jugement dernier dans une scène bien plus macabre que les fresques de Sept-Tours. Les mâchoires béantes de poissons et de loups représentant l'entrée de l'enfer engloutissaient les damnés en les vouant à une éternité de souffrances et de tourments.

Cependant, le centre montrait une image toute différente de la mort : Lazare le Ressuscité sortait de son cercueil. Avec ses longues jambes, ses cheveux noirs et son air grave, il ressemblait assez à Matthew. Tout autour sur les bordures, des lianes sans vie portaient d'étranges fruits et fleurs. Certains dégouttaient de sang. D'autres laissaient échapper des animaux et des êtres humains. Et il n'y avait pas un Jésus en vue.

— Lazare te ressemble. Pas étonnant que tu ne veuilles pas que Rodolphe l'ait, dis-je à Matthew en lui tendant ses chausses. Bosch devait savoir lui aussi que tu étais un vampire.

— Jeroen (Jérôme, comme tu dis) a vu quelque chose qu'il n'aurait pas dû voir, répondit sombrement Matthew. Je n'ai su qu'il m'avait surpris en train de me nourrir que lorsque j'ai vu les esquisses qu'il a faites de moi avec un sang-chaud. De ce jour, il est resté convaincu que tous les êtres possédaient une nature double, mi-humaine, mi-animale.

— Et parfois aussi végétale, dis-je en examinant une femme qui avait une fraise en guise de tête et des cerises à la place des mains, en train de fuir un démon à tête de cigogne armé d'une fourche. (Matthew pouffa discrètement.) Rodolphe sait-il que tu es un vampire, comme Élisabeth et Bosch ?

— Oui. Et il sait aussi que je fais partie de la Congrégation. (Il fit un gros nœud avec les chausses.) Merci de les avoir trouvées.

— Préviens-moi maintenant si tu as l'habitude de perdre tes clés de voiture, parce que je n'ai aucune envie de subir ce genre de panique le matin quand tu t'apprêtes à partir travailler, dis-je en le prenant par la taille et posant ma tête contre son cœur, dont le lent battement régulier me calmait toujours.

— Qu'est-ce que tu ferais ? Tu divorcerais ? répondit-il en posant sa tête sur la mienne.

— Tu m'as juré que les vampires ne divorçaient pas, dis-je en le pinçant gentiment. Tu vas avoir l'air d'un personnage de dessin animé si tu mets ces chausses rouges. Je m'en tiendrais aux noires, si j'étais toi. On te remarquera quand même.

— Sorcière, me dit-il en me lâchant avec un baiser.

Matthew monta au château vêtu de sobres chausses noires, porteur d'un long et alambiqué message (en partie en vers) proposant à Rodolphe un merveilleux livre pour sa collection. Il revint quatre heures plus tard, les mains vides, ayant livré son message à un laquais impérial. Il n'y avait pas eu d'audience avec l'empereur. Matthew avait dû attendre avec tous les autres ambassadeurs sollicitant une audience.

— C'était comme être coincé dans un wagon à bestiaux avec tous ces corps chauds serrés les uns contre les autres. J'ai essayé de trouver un endroit pour respirer un peu, mais les salles voisines étaient remplies de sorcières et de sorciers.

— Des sorcières et des sorciers ? demandai-je en sautant de la table où je m'étais juchée pour cacher l'épée de Matthew en haut de l'armoire en prévision de l'arrivée de Jack.

— Des dizaines. Ils se plaignaient de l'Allemagne. Où est Gallowglass ?

— Il est parti acheter des œufs et s'assurer les services d'une gouvernante et d'une cuisinière. (Françoise avait sèchement refusé de nous accompagner en Europe centrale, qu'elle considérait comme une terre de luthériens abandonnée de Dieu. Elle était retournée à Old Lodge où elle gâtait Charles. Gallowglass me servait de page et d'homme à tout faire en attendant l'arrivée des autres. Il parlait fort bien l'allemand et l'espagnol, ce qui le rendait indispensable quand il s'agissait de pourvoir à notre quotidien.) Dis-m'en plus sur ces sorcières.

— La ville est un refuge sûr pour toutes les créatures d'Europe centrale qui craignent pour leur sécurité – démons, vampires, sorciers. Mais ces derniers sont particulièrement bien en cour auprès de Rodolphe, car il convoite leur savoir. Et leur pouvoir.

— Intéressant, dis-je. (À peine avais-je commencé à m'interroger sur leurs identités qu'une série de visages apparut à mon troisième œil.) Qui est le sorcier à barbe rousse ? Et la sorcière qui a un œil bleu et l'autre vert ?

— Nous n'allons pas rester assez longtemps pour que leurs identités soient importantes, dit Matthew d'un ton menaçant en sortant. (S'étant acquitté de la mission pour Élisabeth, il comptait traverser la Vltava vers la Vieille Ville pour le compte de la Congrégation.) Je te retrouve avant la tombée de la nuit. Reste ici en attendant le retour de Gallowglass. Je ne tiens pas à ce que tu te perdes.

Plus exactement, il ne tenait pas à ce que je tombe sur l'un de ces sorciers.

Le neveu de Matthew revint de la Sporrengasse avec deux vampires et un bretzel. Il m'offrit ce dernier et me présenta à mes nouveaux domestiques.

Karolina (la cuisinière) et Tereza (la gouvernante) faisaient partie de ce vaste clan de vampires de Bohême qui se consacraient à servir l'aristocratie et les importants visiteurs étrangers. Comme le personnel des Clermont, ils devaient leur réputation – et leur salaire inhabituellement élevé – à leur longévité surnaturelle et à leur féroce loyauté. À condition de payer le prix, ils pouvaient également acheter des assurances de secret auprès de l'aîné de leur clan, qui avait débauché ces femmes jusque-là au service du légat du pape. L'ambassadeur avait aimablement accepté par déférence pour les Clermont. Après tout, ils avaient joué un rôle essentiel dans la fraude de la dernière élection papale et le légat savait où se trouvaient ses intérêts. Tout ce qui m'importait, c'était que Karolina sache préparer des omelettes.

Notre maisonnée installée, Matthew gravit la colline chaque matin pour gagner le château pendant que je déballais nos affaires, rencontrais mes voisins dans Malá Strana, notre quartier situé sous les remparts du château, et guettais l'arrivée du reste de notre compagnie. La bonne humeur et l'ouverture d'esprit d'Annie me manquaient, ainsi que le don qu'avait Jack de s'attirer des ennuis. Nos rues tortueuses étaient remplies d'enfants de tous âges et nationalités, puisque la plupart des ambassadeurs vivaient dans le voisinage. Il se trouva que Matthew n'était pas le seul étranger à Prague que l'empereur cherchait à éviter. Tous les gens que je croisais racontaient à Gallowglass comment Rodolphe avait snobé tel ou tel important personnage simplement pour passer quelques heures avec un marchand de livres anciens d'Italie ou quelque humble mineur de Saxe.

Nous étions en fin d'après-midi et il commençait à flotter dans la maison un parfum de porc et de beignets quand un gamin hirsute se jeta sur moi.

— Mistress Roydon ! s'écria-t-il en enfouissant son visage dans mes jupes et en me serrant dans ses bras. Vous saviez que Prague était en réalité quatre villes en une ? Londres n'en est qu'une seule. Et il y a un château aussi et une rivière. Pierre va me montrer les moulins demain.

— Bonjour, Jack, dis-je en lui caressant les cheveux. (Pendant cet épuisant voyage dans le froid jusqu'à Prague, il avait réussi à grandir de quelques centimètres. Pierre devait le gaver. Je levai la tête et souris à Pierre et à Annie.) Matthew va être tellement heureux que vous soyez arrivés. Vous lui manquiez.

— Il nous a manqué aussi, dit Jack en levant la tête vers moi.

Il avait des cernes noirâtres et bien qu'ayant grandi, il paraissait faible.

— Es-tu malade ? demandai-je en posant la main sur son front.

Les rhumes pouvaient être mortels dans un climat aussi dur, et on parlait d'une mauvaise épidémie dans la Vieille Ville que Matthew pensait être une souche de grippe.

— Il a du mal à dormir, dit Pierre.

À son air grave, je sentis qu'il ne me disait pas tout, mais cela pouvait attendre.

— Eh bien, tu dormiras ce soir. Il y a un énorme lit dans ta chambre. Suis Tereza, elle va te montrer où sont tes affaires et te fera baigner avant le dîner.

Pour respecter le sens des convenances des vampires, les sangs-chauds dormiraient avec Matthew et moi au deuxième étage, puisque l'étroitesse de la maison ne permettait d'abriter qu'une cuisine et un office au rez-de-chaussée. Dès lors, le premier étage était réservé à la réception des invités. Le reste des vampires de la maisonnée avait réquisitionné le vaste troisième étage, avec sa vue imprenable et ses fenêtres qui pouvaient être ouvertes à tous les éléments.

— Master Roydon ! piailla Jack en se jetant sur la porte pour l'ouvrir.

Comment il avait décelé Matthew, c'était un mystère, étant donné qu'il faisait nuit et que Matthew avait adopté une tenue gris foncé de la tête aux pieds.

— Du calme, dit Matthew en le retenant avant qu'il se cogne à deux solides jambes de vampire. Gallowglass attrapa le bonnet de Jack au passage et lui ébouriffa les cheveux.

— Nous avons failli geler. Dans la rivière. Le traîneau s'est retourné une fois, mais le chien n'a pas été blessé. J'ai mangé du sanglier rôti. Et Annie a accroché sa jupe dans la roue du chariot et a failli tomber, débita Jack presque d'une seule traite. Et j'ai vu une étoile filante. Elle n'était guère grande, mais Pierre m'a dit que je devais en faire part à Maître Harriot quand nous rentrerions. J'ai fait un dessin pour lui.

Il glissa la main dans son pourpoint crasseux et en sortit une feuille de papier tout aussi crasseuse qu'il présenta à Matthew avec la vénération que l'on accorde d'habitude à une sainte relique.

— Voilà qui est fort bien tourné, dit Matthew en examinant le dessin avec l'attention qui convenait. J'aime la manière dont tu as montré la courbe de la queue. Et les autres étoiles autour. C'était fort sage, Jack. Maître Harriot sera ravi de ton don d'observation.

Jack rougit.

— C'était ma dernière feuille. Est-ce qu'on vend du papier, à Prague ?

À Londres, Matthew avait pris l'habitude de lui fournir chaque matin une poignée de bouts de papier. Il y avait matière à se demander comment Jack avait épuisé sa provision.

— La ville en est pleine, répondit Matthew. Pierre t'emmènera dans une échoppe de Malá Strana demain.

Après cette excitante promesse, ce fut difficile de faire monter les enfants, mais Tereza se révéla posséder le mélange requis de gentillesse et de résolution pour y parvenir. Ce qui laissa aux quatre adultes la possibilité de discuter librement.

— Jack a été malade ? demanda Matthew à Pierre d'un air soucieux.

— Non, *milord**. Depuis que nous vous avons quittés, il a eu du mal à dormir. Je crois que les méfaits de son passé le hantent, ajouta-t-il après une hésitation.

— Et en dehors de cela, le voyage s'est passé comme prévu ? continua Matthew.

C'était sa manière de demander si des brigands leur avaient tendu un guet-apens ou s'ils avaient été harcelés par des créatures.

— Il fut long et froid, répondit Pierre. Et les enfants avaient toujours faim.

— Eh bien, cela semble s'être bien passé, dit Gallowglass en éclatant de rire.

— Et vous, *milord** ? demanda Pierre en me jetant un regard oblique. Prague est-elle comme vous l'attendiez ?

— Rodolphe ne m'a point reçu. On raconte que Kelley fait exploser des alambics et Dieu sait quoi d'autre au dernier étage de la Tour des Poudres.

— Et la Vieille Ville ? demanda délicatement Pierre.

— Elle n'a guère changé, répondit Matthew avec une nonchalance qui indiquait qu'il était en réalité préoccupé.

— Du moment que l'on ne prête point oreille aux rumeurs qui viennent du quartier juif. L'une de leurs sorcières a façonné une créature en argile qui rôde la nuit dans les rues. (Gallowglass regarda son oncle d'un air innocent.) En dehors de cela, elle n'a presque pas changé depuis la dernière fois que nous sommes venus pour aider l'empereur Ferdinand à s'emparer de la cité en 1547.

— Merci, Gallowglass, dit Matthew d'un ton aussi glacial que le vent qui soufflait sur la rivière.

Il devait certainement falloir un sortilège sortant de l'ordinaire pour façonner une créature dans de l'argile et la mettre en branle. Une telle rumeur ne pouvait signifier qu'une seule chose : que quelque part à Prague se trouvait une tisseuse comme moi, capable de se mouvoir entre le monde des vivants et celui des morts. Mais je n'eus pas besoin de reprocher à Matthew d'avoir gardé le secret. Gallowglass me devança.

— Tu ne pensais pas que tu pourrais dissimuler l'existence de la créature d'argile à ma tante ? ricana-t-il. Tu ne passes pas assez de temps au marché. Les femmes de Malá Strana savent tout, y compris ce que l'empereur mange au petit déjeuner et qu'il a refusé de te recevoir.

Matthew caressa du bout des doigts la surface du triptyque et soupira.

— Il va falloir porter ceci au palais, Pierre.

— Mais c'est le retable de l'autel de Sept-Tours, s'indigna Pierre. L'empereur est connu pour sa prudence. À n'en pas douter, il vous recevra dans quelques jours.

— Le temps est un bien que nous n'avons pas. Et les Clermont ont une abondance de retables, dit Matthew d'un ton navré. Laisse-moi rédiger un billet pour l'empereur et tu pourras partir.

Matthew envoya Pierre et la peinture peu après. Son serviteur revint les mains tout aussi vides que lui, sans la moindre assurance d'une audience prochaine.

Tout autour de moi, les fils qui liaient les mondes se resserraient et bougeaient pour tisser une étoffe trop vaste pour que je la perçoive ou la comprenne. Mais quelque chose couvait à Prague, je le sentais.

Cette nuit-là, je me réveillai en entendant parler à voix basse dans la pièce voisine de notre chambre. Matthew n'était plus allongé à côté de moi en train de lire comme lorsque je m'étais endormie. Je gagnai la porte sur la pointe des pieds pour voir qui était avec lui.

— Tu vois ce qui arrive quand tu ombres le côté de la tête du monstre ?

La main de Matthew se déplaça rapidement sur la grande feuille de papier.

— On dirait qu'il est plus loin ! chuchota Jack, fasciné par la transformation.

— Essaie, dit Matthew en lui donnant son crayon. (Jack le prit, très concentré, tirant un peu la langue. Matthew lui frotta doucement le dos. L'enfant, à moitié assis sur ses genoux s'appuyait contre lui.) Que de monstres, murmura Matthew en croisant mon regard.

— Vous voulez dessiner le vôtre ? demanda Jack en poussant le papier vers lui. Comme cela, vous pourriez dormir aussi.

— Tes monstres ont fait peur aux miens, dit Matthew en se retournant vers Jack, l'air grave.

J'avais de la peine pour le garçonnet en sachant tout ce qu'il avait enduré durant sa pénible et courte vie. Matthew croisa de nouveau mon regard et m'indiqua d'un bref signe de tête qu'il s'occupait de tout. Je lui soufflai un baiser et retournai dans le nid douillet de notre lit.

Le lendemain, nous reçumes une missive de l'empereur, cachetée à la cire et de rubans.

— La peinture a fait son œuvre, *milord**, dit Pierre d'un air navré.

— Cela ne m'étonne pas. J'adorais ce retable. Maintenant, je vais avoir un mal du diable à le récupérer, dit celui-ci.

Il se radossa dans son fauteuil qui gémit, et tendit la main. L'écriture était entortillée, avec tellement de volutes et de fioritures que les lettres étaient quasiment méconnaissables.

— Pourquoi l'écriture est-elle aussi ornée ? demandai-je.

— Les Hoefnagel sont arrivés de Vienne et ils ne savaient pas quoi faire de leur temps. Pour Sa Majesté, plus l'écriture est compliquée, mieux c'est, répondit énigmatiquement Pierre.

— Je dois aller voir l'empereur cet après-midi, dit Matthew en repliant le message avec un sourire satisfait. Mon père sera ravi. Il a fait porter de l'argent et des bijoux, mais il semble que les Clermont s'en soient tirés à bon compte, cette fois.

— L'empereur a ajouté un mot. De sa propre main, dit Pierre en lui tendant un autre billet plus petit dont l'écriture était plus simple.

Je regardai par-dessus l'épaule de Matthew.

— *Bringen Sie das Buch. Und die Hexe.*

La signature toute en courbes de l'empereur, avec les boucles du R, du D et du L et les deux F, figurait en bas.

Mon allemand était sommaire, mais le message était clair : *Apportez le livre. Et amenez la sorcière.*

— J'ai parlé trop vite, murmura Matthew.

— Je t'avais dit de l'appâter avec la grande toile de Vénus et Cupidon que votre grand-père avait prise au roi Philippe alors que son épouse ne voulait pas, fit observer Gallowglass. Comme son oncle, Rodolphe a toujours eu un penchant immodéré pour les blondes. Et les images salaces.

— Et les sorcières, murmura mon mari en jetant la lettre sur la table. Ce n'est pas le retable qui a éveillé son intérêt, mais Diana. Peut-être devrais-je refuser son invitation.

— C'était un ordre, mon oncle, dit Gallowglass.

— Et Rodolphe détient l'Ashmole 782, dis-je. Il ne va pas nous apparaître devant les Trois Corbeaux sur Sporrengasse. Nous allons devoir aller le chercher.

— Nous traiteriez-vous de corbeaux, ma tante ? fit mine de s'offusquer Gallowglass.

— Je parle de l'enseigne de la maison, grand benêt de Viking.

Comme toutes les autres dans la rue, notre demeure portait au-dessus de la porte un symbole plutôt qu'un numéro. Après l'incendie du quartier au milieu du siècle, le grand-père de l'empereur avait exigé qu'on crée un moyen d'identifier les maisons autrement que par le traditionnel *sgraffito* gravé dans le plâtre.

— J'avais très bien compris, sourit Gallowglass. Mais j'adore vous voir rougir et briller comme cela quand on éveille votre *luur*. (Je lançai mon sortilège de déguisement autour de moi pour ramener ma lueur rouge à un niveau humain plus acceptable.) Par ailleurs, continua-t-il, chez les miens, c'est un grand compliment d'être comparé à un corbeau. Je serai Muninn et nous appellerons Matthew Huginn. Et vous, ma tante, vous serez Göndul. Vous ferez une fort belle Walkyrie.

— Qu'est-ce qu'il raconte ? demandai-je à Matthew.

— Il parle des corbeaux d'Odin. Et de ses filles.

— Oh, merci Gallowglass, dis-je gauchement.

Ce ne pouvait être une mauvaise chose que d'être comparée à une fille du dieu du Tonnerre.

— Même si le livre de Rodolphe est l'Ashmole 782, nous ne sommes pas sûrs qu'il contienne les réponses à nos questions.

Notre déception avec le Manuscrit Voynich continuait d'ennuyer Matthew.

— Les historiens ne savent jamais si un texte fournira des réponses. Si nous ne les trouvons pas, cependant, nous aurons au moins de meilleures questions.

— C'est entendu, fit Matthew avec une grimace. Comme l'empereur n'accepte de me recevoir et de me laisser dans sa bibliothèque qu'avec toi, et que nous ne voulons pas quitter Prague sans le livre, nous n'avons pas le choix. Nous irons tous les deux au palais.

— Tu as été pris à ton propre piège, mon oncle, dit Gallowglass avec entrain en me faisant un gros clin d'œil.

En comparaison de notre expédition à Richmond, la montée de la côte menant au palais de l'empereur était un peu comme aujourd'hui passer chez le voisin pour emprunter du sucre – même si cela exigeait une tenue plus formelle. La maîtresse du légat du pape était à peu près de ma taille et nous avions trouvé dans sa garde-robe un costume du luxe et de la tenue convenant à un dignitaire anglais – ou une Clermont, s'empressa-t-elle d'ajouter. J'appréciai le style de vêtements que portaient les femmes fortunées de Prague : une robe simple à col haut, une jupe en cloche, une jaquette brodée à manches bordées de fourrure. Et la petite collerette protégeait efficacement des aléas du climat.

Matthew avait par bonheur renoncé à son idée de chausses rouges pour se replier sur l'habituel gris et noir, souligné d'un vert foncé qui était la plus séduisante couleur que j'aie vue sur lui. En cet après-midi, elle transparaissait par les crevés de sa culotte bouffante et le col de sa jaquette.

— Tu as fière allure, dis-je en le voyant.

— Et toi, tu fais une parfaite aristocrate de Bohême, répondit-il en me baisant la joue.

— Nous pouvons partir, maintenant ? trépigna Jack, que l'on avait vêtu d'une livrée noir et argent avec une croix sur la manche.

— Donc nous nous présentons en tant que Clermont, et non Roydon, observai-je.

— Non. Nous sommes Matthew et Diana Roydon, corrigea Matthew. Nous voyageons avec les domestiques de la famille Clermont.

— Personne ne va rien y comprendre, commentai-je alors que nous quittions la maison.

— Précisément, sourit-il.

Si nous avions été des gens ordinaires, nous aurions pris l'escalier du palais qui longeait les remparts et était tout à fait sûr pour les piétons. Mais nous remontâmes Sporrengasse à cheval comme il sied à un représentant de la reine d'Angleterre, ce qui me permit de bien voir les maisons penchées avec leurs *sgraffiti* colorés et leurs enseignes peintes. Nous passâmes devant le Lion Rouge, l'Étoile d'Or, le Cygne et les Deux Soleils. Au sommet de la côte, nous tournâmes dans Hradčany, le quartier où se dressaient les demeures des aristocrates et des courtisans.

Ce n'était pas la première fois que je voyais le château, car il dominait le paysage depuis nos fenêtres. Mais je ne l'avais encore jamais approché. De près, il paraissait encore plus vaste, comme une cité indépendante et bouillonnante d'une fébrile activité. Devant se dressaient les flèches de la cathédrale Saint-Guy et des tours rondes ponctuaient les remparts. Bien que construites comme défenses, ces tours abritaient désormais les ateliers des centaines d'artisans installés à la cour de Rodolphe.

La garde du palais nous fit entrer par la porte ouest dans une cour fermée. Une fois que Jack et Pierre se furent chargés des chevaux, une escorte armée nous conduisit vers un ensemble de bâtiments adossés aux murailles du palais. Ils étaient de construction relativement récente et la pierre aux arêtes vives était éclatante. Ils avaient l'air de bâtiments administratifs, mais derrière, j'aperçus de hauts toits et des maçonneries médiévales.

— Que faisons-nous, maintenant ? chuchotai-je à Matthew. Pourquoi n'entrons-nous pas ?

— Parce qu'il n'y a ici personne d'important, dit Gallowglass.

Il portait le Manuscrit Voynich enveloppé de cuir et serré dans des courroies pour le protéger de l'humidité.

— Rodolphe trouvait l'ancien palais royal sombre et plein de courants d'air, expliqua Matthew en m'aidant à marcher sur les pavés couverts de neige. Le nouveau palais donne au sud sur des jardins privés. Ainsi, il est à l'écart de la cathédrale – et des prêtres.

Des gens allaient et venaient dans les bruyantes salles de la résidence et plus nous approchions de Rodolphe, plus l'activité était fébrile. Nous traversâmes une salle remplie de gens qui argumentaient devant des croquis d'architecture. Dans une autre avait lieu un débat animé sur les mérites d'une coupe en pierre et en or façonnée en forme de coquille. Enfin, les gardes nous menèrent dans un confortable salon meublé de lourds fauteuils, d'un poêle en céramique qui dégageait une forte chaleur et où deux hommes étaient plongés dans une grande conversation. Ils se tournèrent vers nous.

— Bonjour, mon vieil ami, dit un aimable sexagénaire en anglais en faisant un sourire rayonnant à Matthew.

— Tadeàš ? dit Matthew en lui prenant le bras. Vous avez bonne mine.

— Et vous paraissez si jeune, répondit l'autre avec un regard pétillant qui ne provoqua aucun chatouillement sur ma peau. Et voici la femme dont tout le monde parle. Je suis Tadeàš Hájek.

L'homme s'inclina et je répondis par une révérence. Un svelte gentilhomme au teint mat et aux cheveux presque aussi noirs que ceux de Matthew s'avança vers nous d'un pas alerte.

— Maître Strada, dit Matthew en s'inclinant, apparemment moins heureux de voir cet homme que le premier.

— Est-ce vraiment une sorcière ? demanda-t-il en me scrutant avec intérêt. Auquel cas, ma sœur Katrina aimerait la connaître. Elle est grosse d'enfant et ne se sent pas bien.

— Tadeàš, étant le médecin de la cour, est certainement mieux placé pour veiller à la naissance d'un enfant de l'empereur, dit Matthew. À moins que la situation de votre sœur ait changé ?

— L'empereur la considère toujours comme un trésor, répondit Strada, glacial. Ses caprices devraient dont être exaucés ne serait-ce que pour cette raison.

— Avez-vous vu Joris ? Il ne parle plus que de votre retable depuis que Sa Majesté l'a ouvert, dit Tadeàš, changeant de sujet.

— Non, pas encore, dit Matthew en regardant la porte. L'empereur est là ?

— Oui. Il examine une nouvelle peinture de Maître Spranger. Elle est fort grande et… euh… détaillée.

— Une autre représentation de Vénus, renifla Strada.

— Celle-ci ressemble assez à votre sœur, messire, sourit Hájek.

— *Ist es Matthäus, dem ich höre ?* demanda une voix nasillarde de l'autre bout de la pièce. (Tout le monde se retourna et s'inclina profondément. Machinalement, je fis la révérence. J'allais avoir du mal à suivre la conversation, m'étant attendue à entendre Rodolphe parler latin et non allemand.) *Und ich verstehe, dass Sie das Buch und die Hexe mitgebracht haben. Und den norwegischen Wolf.*

Rodolphe était un homme de petite taille avec un menton d'une longueur disproportionnée et prognathe. Les lèvres charnues des Habsbourg soulignaient d'autant plus le bas de son visage, mais c'était quelque peu contrebalancé par ses yeux pâles et exorbités et son nez camus. Des années de bonne chère lui donnaient une silhouette imposante, mais ses jambes étaient restées maigres et osseuses. Il vint nous rejoindre en trottinant sur des souliers rouges à hauts talons ornés de boucles d'or.

— J'ai amené mon épouse comme Votre Majesté l'a ordonné, dit Matthew en appuyant sur le mont *épouse*.

Gallowglass traduisit l'anglais dans un allemand parfait, comme si mon mari ignorait cette langue. Pourtant, Gallowglass le savait, ayant voyagé avec lui depuis Hambourg jusqu'à Wittenberg, puis Prague.

— *Y su talento para los juegos, también*, répondit Rodolphe en passant sans aucun effort à l'espagnol, comme si cela avait pu convaincre Matthew de converser directement avec lui. (Il me dévisagea longuement, s'attardant sur les courbes de ma silhouette avec une insistance qui me donna envie de me laver dès que je le pourrais.) *¿ Es una lástima que se caso ? En absoluto, pero aún más lamentable que ella se caso con usted.*

— Très regrettable, Votre Majesté, répliqua Matthew sans démordre de l'anglais. Mais je vous assure que nous sommes parfaitement mariés. Mon père y a tenu. Ainsi que madame.

La remarque ne fit qu'aiguiser plus encore l'intérêt de Rodolphe pour ma personne.

Gallowglass me prit en pitié et déposa bruyamment le livre sur la table.

— *Das Buch.*

Cela éveilla l'attention de tous. Strada le déballa, pendant que Hájek et Rodolphe se demandaient à quel point cette nouvelle merveille allait embellir la bibliothèque impériale. Cependant, quand il apparut à leurs yeux, l'atmosphère vira à la déception.

— Quelle est cette plaisanterie ? aboya Rodolphe en allemand.

— Je crains de ne pas entendre Votre Majesté, répondit Matthew, attendant que Gallowglass traduise.

— Je dis que je connais déjà ce livre, bafouilla Rodolphe.

— Cela ne me surprend point, puisque Votre Majesté l'a offert à John Dee – par erreur, me semble-t-il, dit Matthew en s'inclinant.

— L'empereur ne fait pas d'erreurs ! dit Strada en repoussant le livre d'un air dégoûté.

— Nous en faisons tous, Signor Strada, dit aimablement Hájek. Je suis cependant sûr qu'il se peut expliquer autrement pourquoi ce livre a été rendu à l'empereur. Peut-être que le Dr Dee en a découvert les secrets.

— Ce ne sont que dessins d'enfant, rétorqua Strada.

— Est-ce pour cela que le livre s'est retrouvé dans les bagages du Dr Dee ? Espériez-vous qu'il saurait comprendre ce qui vous était obscur ? (En entendant cela, Strada s'empourpra.) Peut-être avez-vous emprunté le livre du Dr Dee, Signor Strada, celui de la bibliothèque de Roger Bacon qui contient des images alchimiques, dans l'espoir qu'il vous aiderait à déchiffrer celui-ci. C'est plus plaisant qu'imaginer que vous auriez dérobé ce trésor au Dr Dee. Bien sûr, Sa Majesté ne pouvait connaître une telle malversation, dit Matthew avec un sourire glaçant.

— Et ce livre que vous prétendez que je possède, est-il le seul de mes trésors que vous convoitez de rapporter en Angleterre ? demanda vivement Rodolphe. Ou bien votre cupidité s'étend-elle à mes laboratoires ?

— Si vous voulez parler d'Edward Kelley, la reine désire être assurée qu'il est ici de son plein gré. Rien de plus, mentit Matthew avant de passer à un sujet moins éprouvant. Son nouveau retable plaît-il à Votre Majesté ?

Matthew avait fourni à l'empereur juste ce qu'il fallait pour qu'il se ressaisisse et sauve la face.

— Le Bosch est exceptionnel. Mon oncle sera fort chagriné d'apprendre que je l'ai acquis. (Rodolphe balaya la pièce d'un regard circulaire.) Hélas, ce salon ne convient point pour l'exposer. Je voulais le montrer à l'ambassadeur d'Espagne, mais ici, on ne peut se reculer assez pour voir la peinture ainsi qu'il convient. C'est une œuvre dont il faut s'approcher lentement, afin de laisser ses détails apparaître naturellement. Venez voir où je l'ai accroché.

Matthew et Gallowglass se placèrent de manière à ce que Rodolphe ne puisse trop s'approcher de moi tandis que nous sortions pour gagner une pièce qui ressemblait aux réserves d'un musée débordant autant d'œuvres que manquant de personnel. Rayonnages et vitrines contenaient tant de coquillages, de livres, d'oiseaux empaillés et de fossiles qu'ils menaçaient de s'effondrer. D'immenses toiles – dont la nouvelle peinture de Vénus, qui n'était pas simplement détaillée mais clairement érotique – étaient entassées contre des statues. Ce devait être le fameux cabinet de curiosités de Rodolphe, l'endroit où il conservait ses merveilles.

— Votre Majesté a besoin de plus d'espace, ou de moins d'objets, observa Matthew en rangeant une porcelaine qui risquait de tomber.

— Je trouverai toujours une place pour de nouveaux trésors, répondit l'empereur en laissant de nouveau glisser son regard sur moi. Je fais construire quatre nouvelles salles pour les contenir tous. On voit le chantier d'ici. (Il désigna une fenêtre où deux tours et un long bâtiment étaient en cours de jonction avec les appartements de l'empereur et un bâtiment en cours de construction.) En attendant, Ottavio et Tadeàš dressent le catalogue de mes collections et indiquent aux architectes ce que je requiers. Il n'est pas question que je fasse tout installer dans la nouvelle *Kunstkammer* et qu'elle soit rapidement trop petite.

Rodolphe nous mena par un dédale de réserves jusqu'à une longue galerie percée de fenêtres des deux côtés. Elle était si lumineuse qu'y pénétrer après la pénombre des pièces précédentes fut comme prendre une pleine bouffée d'air pur.

Ce que je vis au centre de la pièce m'arrêta tout net. Le retable de Matthew était posé, ouvert, sur une longue table recouverte d'un épais feutre vert. L'empereur avait raison : on ne pouvait en apprécier pleinement les couleurs qu'en s'en approchant progressivement.

— Il est magnifique, Dona Diana, dit Rodolphe, profitant de ma surprise pour me prendre la main. Voyez comment on en perçoit les changements à chaque pas. Seuls des objets vulgaires peuvent être vus d'un seul coup, car ils n'ont nul mystère à révéler.

Strada me considérait avec une animosité non déguisée. Hájek avec pitié. Matthew, lui, regardait l'empereur.

— À propos de quoi, Votre Majesté, pourrais-je voir le livre de Dee ? J'ai ouï dire qu'il recelait maints mystères.

Matthew avait une expression innocente, mais personne n'en fut dupe un instant. Le loup était en chasse.

— Qui sait où il se trouve ? dit Rodolphe, forcé de me lâcher la main pour désigner les salles précédentes d'un geste vague.

— Signor Strada doit négliger ses devoirs, si un manuscrit aussi précieux ne peut être présenté à l'empereur lorsqu'il le demande, dit suavement Matthew.

— Ottavio est fort occupé pour l'heure à des affaires d'importance, répliqua l'empereur avec un regard noir. Et je ne me fie point au Dr Dee. Votre reine devrait prendre garde à ses fausses promesses.

— Mais vous faites confiance à Kelley. Peut-être sait-il où se trouve le livre ?

— Je ne souhaite pas que l'on dérange Edward, dit l'empereur, gêné. Il est à une étape fort délicate de l'œuvre alchimique.

— Prague a bien des charmes, et Diana a été chargée par la comtesse de Pembroke d'acquérir plusieurs vaisseaux de verre. Nous nous y occuperons jusqu'à ce que Sir Edward puisse recevoir des visiteurs. Peut-être que le Signor Strada sera en mesure de retrouver le livre disparu d'ici là.

— Cette comtesse de Pembroke est-elle la sœur du héros de la reine, Sir Philip Sidney ? demanda Rodolphe, intéressé. C'est l'affaire de Dona Diana, poursuivit-il en intimant le silence à Matthew. Laissons-la répondre.

— Oui, Votre Majesté, répondis-je en espagnol.

Ma prononciation était atroce. J'espérai que cela refroidirait ses attentions.

— Charmant, murmura l'empereur. (*Raté.*) Très bien, dans ce cas, Dona Diana doit visiter mes ateliers. J'aime à exaucer les désirs d'une dame.

Nous ne fûmes pas sûrs de quelle dame il s'agissait.

— Quant à Kelley et au livre, nous verrons. Nous verrons. (Rodolphe se retourna vers le triptyque.) *Je verrai, je me tairai et j'écouterai.* N'est-ce pas le proverbe ?

28

— Avez-vous vu le loup-garou, *Frau* Roydon ?
C'est le garde-chasse de l'empereur, et ma voisine
Frau Habermel l'a entendu hurler la nuit. On dit qu'il
se nourrit des cerfs impériaux qui sont en liberté dans
le Fossé aux Cerfs.

Frau Huber prit un chou dans sa main gantée et le
renifla d'un air soupçonneux. *Herr* Huber avait été
négociant au marché du Steelyard de Londres, et bien
qu'elle ne portât pas la cité dans son cœur, elle parlait
anglais couramment.

— Peuh ! Il n'y a pas de loup-garou, dit Signorina
Rossi en tournant son long cou, indignée par le prix des
oignons. Mon Stefano m'a dit qu'il y avait bien des
démons au palais, en revanche. Les évêques de la
cathédrale voudraient les exorciser, mais l'empereur
refuse.

Comme *Frau* Huber, Rossi avait passé du temps à
Londres. Ensuite, elle avait été la maîtresse d'un artiste
italien qui voulait faire connaître le maniérisme aux
Anglais. À présent, elle était celle d'un autre artiste italien qui voulait importer l'art du cristal taillé à Prague.

— Je n'ai vu ni loups-garous ni démons, avouai-je
à la grande déception des deux femmes. Mais j'ai
vu l'un des nouveaux tableaux de l'empereur. Il

représentait Vénus. Sortant de son bain, ajoutai-je en baissant la voix avec un regard entendu.

Faute de ragots surnaturels, elles devraient se contenter des perversions impériales. *Frau* Huber se redressa.

— L'empereur Rodolphe a besoin d'une épouse. Une bonne Autrichienne qui lui fera la cuisine. (Elle condescendit à acheter le chou au marchand reconnaissant qui subissait ses critiques depuis presque une demi-heure.) Parlez-nous encore de la corne de licorne. On dit qu'elle possède de miraculeuses propriétés curatives.

C'était la quatrième fois en deux jours que l'on me demandait de parler des merveilles de la collection de l'empereur. La nouvelle de notre audience dans les appartements privés de Rodolphe avait précédé notre retour aux Trois Corbeaux, et les dames de Malá Strana avaient impatiemment attendu le lendemain matin pour recueillir mes impressions.

Depuis, leur curiosité avait été attisée par l'apparition de messagers du palais à la maison, ainsi que des serviteurs en livrée de dizaines d'aristocrates de Bohême et de dignitaires étrangers. Maintenant que Matthew avait été reçu à la cour, son étoile était suffisamment haut dans le firmament impérial pour que ses anciens amis soient disposés à reconnaître sa présence en ville – et lui demander son aide. Pierre sortit les registres et bientôt, la branche praguoise de la banque des Clermont commença à faire des affaires, même si je ne vis guère de fonds entrer mais beaucoup sortir pour régler les dettes auprès des fournisseurs de la Vieille Ville.

— Tu as reçu un paquet de l'empereur, m'annonça Matthew à mon retour du marché en désignant de sa plume un sac rebondi. Si tu l'ouvres, Rodolphe s'attendra à ce que tu exprimes personnellement ta gratitude.

— Qu'est-ce que cela pourrait être ? demandai-je en palpant le sac.

Ce n'était pas un livre.

— Quelque chose que nous allons regretter d'avoir reçu, je te le garantis, dit Matthew en fourrant rageusement sa plume dans l'encrier et en éclaboussant la table. Rodolphe est un collectionneur, Diana. Et il ne s'intéresse pas qu'aux cornes de narvals et aux bézoards. Il convoite les gens autant que les objets, et il a tendance à ne plus vouloir s'en séparer une fois qu'il les a acquis.

— Comme Kelley, dis-je en dénouant les cordons. Mais je ne suis pas à vendre.

— Nous sommes tous à vendre. Seigneur ! dit-il en ouvrant de grands yeux.

Une statue de Diane en or et argent d'une soixantaine de centimètres se dressait devant nous, seulement vêtue de son carquois, assise en amazone sur le dos d'un cerf, les chevilles pudiquement croisées. Deux chiens de chasse étaient couchés à ses pieds.

— Eh bien, siffla Gallowglass, je dirais que l'empereur a clairement exprimé ses désirs, pour le coup.

Mais j'étais trop occupée à examiner la statue pour y prêter attention. Une petite clé était enchâssée à la base. Je la tournai et le cerf s'élança sur le sol.

— Regarde, Matthew. Tu as vu cela ?

— Vous ne risquez pas de perdre l'attention de mon oncle, m'assura Gallowglass. (C'était vrai : Matthew fixait la statue d'un air furibond.) Holà, petit Jack, dit Gallowglass en empoignant le gamin par le col.

Mais Jack était un voleur professionnel et ce genre de tactique était inutile quand il flairait quelque chose de valeur. Il glissa souplement sur le sol en laissant sa jaquette dans la main de Gallowglass et bondit après le cerf.

— C'est un jouet ? Il est pour moi ? Pourquoi la dame ne porte point d'habits ? Elle n'a point froid ? débita-t-il d'une traite.

Tereza, que tout spectacle attirait, comme toutes les femmes de Malá Strana, vint voir d'où venait ce chahut. Elle étouffa un cri en voyant la femme nue dans l'étude de son maître et cacha les yeux de Jack de ses mains.

Gallowglass jeta un coup d'œil aux seins de la statue.

— Oh, oui, Jack, je dirais qu'elle a froid.

Ce qui lui valut une taloche de la part de Tereza, qui n'avait pas lâché le remuant gamin.

— C'est un automate, Jack, dit Matthew en ramassant l'objet. (À ce geste, la tête du cerf s'ouvrit soudainement, révélant l'intérieur creux.) L'empereur aime surprendre ses convives. Celui-ci est fait pour courir sur la table. Quand il s'arrête, l'invité le plus proche doit boire ce qu'il contient. Va le montrer à Annie, dit-il en refermant la tête et en donnant le précieux automate à Gallowglass. Quant à nous, nous avons à parler, ajouta-t-il avec un regard grave.

Gallowglass entraîna Tereza et Jack hors de la pièce avec des promesses de parties de patin et de bretzels.

— Tu es en territoire périlleux, mon amour, dit-il en se passant une main dans les cheveux dans ce geste qui ne manquait jamais de le rendre plus séduisant encore. J'ai prétendu à la Congrégation que te présenter comme mon épouse était une invention pour te protéger des accusations de sorcellerie et assurer que la chasse aux sorcières de Berwick reste confinée à l'Écosse.

— Mais nos amis et tes congénères vampires savent que c'est bien davantage, dis-je. (L'odorat des vampires était infaillible et l'odeur personnelle de Matthew recouvrait toute ma personne.) Et les sorcières savent que notre relation va plus loin que ce dont elle a l'air.

— Peut-être, mais Rodolphe n'est ni vampire ni sorcier. L'empereur aura été assuré par ses propres contacts au sein de la Congrégation qu'il n'y a aucune relation entre nous. En conséquence, rien ne l'empêche de te courtiser. Je ne partage pas, Diana, dit-il en caressant ma joue. Et si Rodolphe allait trop loin…

— Tu saurais maîtriser ta colère, achevai-je en posant ma main sur la sienne. Tu sais que je ne vais pas me laisser séduire ni par le souverain du Saint-Empire ni par quiconque. Nous avons besoin de l'Ashmole 782. Peu importe que Rodolphe me dévore des yeux.

— Des yeux, je le supporte, dit-il en m'embrassant. Il faudrait que tu saches autre chose avant d'aller remercier l'empereur. La Congrégation satisfait depuis un certain temps ses appétits en matière de femmes et de curiosités afin de gagner sa coopération. Si l'empereur désire t'avoir, et qu'il soumet la question aux huit autres membres, leur jugement ne sera pas en notre faveur. La Congrégation te livrera à lui parce qu'elle ne peut pas se permettre que Prague tombe dans les mains d'hommes comme l'archevêque de Trèves et ses amis jésuites. Ni que Rodolphe devienne un nouveau roi Jacques assoiffé du sang des créatures. Prague apparaît peut-être comme une oasis pour le surnaturel. Mais comme toutes les oasis, ce refuge est un mirage.

— Je comprends, dis-je.

Pourquoi tout ce qui touchait Matthew devait-il être aussi compliqué ? Nos vies me faisaient penser aux nœuds des cordelettes de mon coffret à sortilèges. J'avais beau les séparer, chaque fois, elles s'emmêlaient de nouveau.

— Quand tu iras au palais, fais-toi accompagner de Gallowglass.

— Tu ne viendras pas ?

Étant donné ses inquiétudes, j'étais choquée que Matthew me laisse y aller sans lui.

— Non. Plus Rodolphe nous voit ensemble, plus cela excitera son imagination et son désir de s'emparer de toi. Et Gallowglass pourrait trouver le moyen de pénétrer dans le laboratoire de Kelley. Mon neveu est beaucoup moins charmant que moi, conclut Matthew avec un sourire qui n'allégea en rien son regard sombre.

Gallowglass soutenait avoir un plan qui me permettrait de ne pas avoir à parler à Rodolphe en privé tout en exprimant publiquement ma gratitude. C'est seulement quand j'entendis les cloches sonner 3 heures que j'entraperçus ce que cela impliquait. La foule des gens qui essayaient d'entrer dans la cathédrale Saint-Guy par la porte latérale me le confirma.

— Et voilà Sigismond, dit Gallowglass en se penchant à mon oreille. (Le vacarme des cloches était assourdissant et je l'entendais à peine. Voyant que je ne comprenais pas, il leva le bras vers une grille dorée du clocher voisin.) Sigismond. Le bourdon. C'est grâce à cette cloche que l'on sait qu'on est à Prague.

La cathédrale Saint-Guy était l'archétype du gothique avec ses arcs-boutants aériens et ses flèches effilées. Par un sombre après-midi d'hiver, c'était encore plus criant. À l'intérieur, c'était un flamboiement de cierges, mais dans cet immense espace, ils n'étaient plus que des petits points jaunes dans l'obscurité. Le jour était tombé si vite que les vitraux multicolores et les fresques éclatantes ne parvenaient guère à dissiper une atmosphère lourde et oppressante. Gallowglass nous plaça prudemment sous une torchère.

— Dissipez un peu votre sortilège de déguisement, proposa-t-il. Il fait si sombre ici que Rodolphe risque de ne pas vous voir.

— Vous voulez que je brille ? dis-je avec un air d'institutrice intraitable qui le fit sourire.

Nous attendîmes que la messe commence, en compagnie d'un intéressant éventail d'humbles serviteurs du palais, officiers de l'empereur et aristocrates. Certains des artisans portaient les taches et les marques de leur travail, et la plupart avaient l'air épuisés. Après avoir balayé la foule du regard, je levai les yeux vers les hauteurs.

— Quelle voûte impressionnante, murmurai-je en voyant l'agencement bien plus complexe que la plupart des cathédrales gothiques anglaises.

— C'est ce qui arrive quand Matthew se met une idée dans le crâne, commenta Gallowglass.

— Matthew ? m'étranglai-je.

— Il passait par Prague et Peter Parler, le nouvel architecte, était un peu atterré d'avoir reçu une telle commande. La première vague de la peste avait décimé la plupart des maîtres maçons et il ne restait plus que lui pour tout diriger. Matthew l'a pris sous son aile et ils ont été pris de folie. Je ne peux pas dire que j'aie jamais compris ce que lui et le jeune Peter cherchaient à accomplir, mais cela attire le regard. Attendez de voir ce qu'ils ont fait dans la grande salle.

J'allais poser une autre question quand le silence tomba sur le collège. Rodolphe venait d'arriver. Je me dévissai le cou pour l'apercevoir.

— Le voici, murmura Gallowglass avec un coup de menton sur sa droite.

Rodolphe était entré dans la cathédrale au deuxième étage, par une galerie fermée que j'avais aperçue enjambant la cour entre le palais et Saint-Guy. Il se tenait au balcon décoré d'écussons multicolores représentant ses innombrables titres. Comme la voûte, le balcon reposait sur des arches lourdement décorées, qui en l'occurrence évoquaient les branches tordues d'un arbre. En comparaison de la pureté des autres traits architecturaux de l'édifice, je songeai que ce ne devait pas être l'œuvre de Matthew.

Rodolphe s'assit au-dessus de la nef centrale pendant que la foule s'inclinait et faisait la révérence face à la loge impériale. Rodolphe eut l'air gêné d'avoir été remarqué. Dans ses appartements privés, il était à l'aise avec ses courtisans, mais ici, il paraissait timide et réservé. Il se tourna pour écouter quelqu'un qui lui chuchotait à l'oreille et il m'aperçut. Il inclina aimablement la tête en souriant. La foule se retourna pour voir qui l'empereur avait ainsi distingué.

— Révérence, siffla Gallowglass.

Je plongeai aussitôt.

Nous parvînmes au bout de la messe sans autre incident. Je fus soulagée de voir que personne, pas même l'empereur, n'était censé communier et toute la cérémonie fut rapidement terminée. En cours de route, Rodolphe s'éclipsa discrètement dans ses appartements, sans doute pour contempler ses trésors.

L'empereur et les prêtres partis, la nef devint un lieu de réunion d'amis qui échangeaient nouvelles et commérages. J'aperçus au loin Ottavio Strada en grande conversation avec un gentilhomme rougeaud vêtu d'une riche robe de laine. Le Dr Hájek était là aussi, riant et bavardant avec un jeune couple manifestement amoureux. Je lui souris et il s'inclina légèrement. Strada, je m'en passais aisément, mais j'aimais bien le médecin de l'empereur.

— Gallowglass ? Ne devrais-tu pas hiberner comme les autres ours ?

Un homme mince aux yeux profondément enfoncés dans leurs orbites s'approcha en souriant. Il était simplement, mais richement vêtu, et ses bagues en or indiquaient toute sa prospérité.

— Nous devrions tous hiberner par un temps pareil. Il est bon de te voir en si belle santé, Joris, répondit Gallowglass en lui assenant dans le dos une claque qui faillit renverser l'homme.

— Je dirais bien la même chose de toi, mais comme tu es toujours en belle santé, je nous épargnerai à tous les deux cette courtoisie. Et voici *La Diosa*, dit-il en se tournant vers moi.

— Diana, répondis-je en m'inclinant.

— Ce n'est pas votre nom ici. Rodolphe vous appelle *La Diosa de la Caza*. Cela signifie *la déesse de la Chasse* en espagnol. L'empereur a ordonné à ce pauvre Maître Spranger d'abandonner ses dernières esquisses de Vénus au bain pour un nouveau sujet : Diana surprise à sa toilette. Nous attendons tous avec impatience de voir si Spranger va pouvoir faire un si vaste changement en si peu de temps. Je suis Joris Hoefnagel.

— Le calligraphe, dis-je en repensant à la remarque de Pierre sur l'écriture toute en volutes de la convocation de Matthew à l'audience impériale.

Mais le nom m'était familier…

— Le peintre, corrigea aimablement Gallowglass.

— La Diosa, dit un homme décharné en ôtant son bonnet d'une main couturée de cicatrices. Je suis Erasmus Habermel. Me feriez-vous l'honneur de visiter mon atelier dès que vous en aurez la possibilité ? Sa Majesté voudrait vous offrir un compendium astronomique afin de mieux connaître les phases de la capricieuse lune, mais il doit être entièrement à votre goût.

Habermel était aussi un nom familier…

— Elle viendra me voir demain. (Un homme corpulent d'une trentaine d'années se fraya un passage dans la cohue. Son accent était distinctement italien.) La Diosa doit poser pour un portrait. L'empereur désire qu'il soit gravé dans la pierre comme symbole de la permanence des affections qu'il lui porte.

— Signor Miseroni ! s'exclama un autre Italien en joignant les mains sur sa poitrine dans une pose mélodramatique. Je croyais que nous nous étions compris. La Diosa doit se former aux danses afin de pouvoir prendre part au divertissement souhaité par Sa Majesté la semaine prochaine.

— Mais mon épouse n'aime pas danser, dit une voix glaciale derrière moi. (Un long bras s'enroula autour de moi et me prit la main.) N'est-ce pas, *mon cœur** ? ajouta-t-il avec un baiser sur mes doigts et petit mordillement d'avertissement.

— Matthew arrive à point nommé, comme toujours, dit Joris avec un rire jovial. Comment te portes-tu ?

— Déçu de ne point trouver Diana chez elle, dit Matthew d'un air chagrin. Mais même un époux dévoué doit le céder à Dieu dans les affections de sa femme.

Hoefnagel scruta attentivement Matthew, jaugeant le moindre changement d'expression. Je compris soudain qui il était : le grand peintre était un observateur si juste de la nature que ses illustrations de la flore et de la faune semblaient sur le point de s'animer comme les créatures des souliers de Mary.

— Eh bien, Dieu en a fini avec elle pour aujourd'hui. Je crois que vous êtes libre de l'emmener chez vous, dit aimablement le peintre. Vous promettez de donner de la vie à ce qui aurait autrement été un bien morne printemps, La Diosa. De cela, nous vous sommes tous redevables.

Tous se dispersèrent après s'être assurés que Gallowglass garderait en mémoire mes différents rendez-vous. Hoefnagel fut le dernier à partir.

— Je garderai l'œil sur votre épouse, *Schaduw*. Peut-être devriez-vous en faire autant.

— Mon attention est toujours sur mon épouse, comme il se doit. Sans quoi, comment aurais-je eu l'idée de venir ici ?

— Bien sûr. Pardonnez-moi. *La forêt a des oreilles et les champs ont des yeux*, dit Hoefnagel en s'inclinant. Je vous reverrai à la cour, La Diosa.

— Son nom est Diana, dit Matthew, pincé. Mme de Clermont convient également.

— Et moi qui avais cru comprendre que c'était Roydon, dit Hoefnagel en reculant. Bonne soirée, Matthew.

Ses pas résonnèrent sur les dalles et décrurent dans le silence.

— *Schaduw ?* demandai-je. Cela signifie-t-il ce que je crois ?

— C'est *Ombre* en néerlandais. Élisabeth n'est pas la seule à m'appeler ainsi. Quel est ce divertissement prévu la semaine prochaine ? demanda Matthew à Gallowglass.

— Oh, rien d'extraordinaire. La mascarade sera sans doute de thème mythologique, avec une musique affreuse et des danses pires encore. Ayant trop bu, les courtisans finiront tous dans les mauvaises chambres à la fin de la soirée. Neuf mois plus tard, il y aura un déluge de nobles nourrissons d'ascendance incertaine. Comme d'habitude.

— *Sic transit gloria mundi*, murmura Matthew. Rentrons-nous, La Diosa ? demanda-t-il en s'inclinant devant moi. (Le surnom me mettait mal à l'aise dans la bouche d'inconnus, mais dans celle de Matthew, il était presque supportable.) Jack m'a dit que le ragoût de ce soir était particulièrement appétissant.

Matthew fut distant toute la soirée et me considéra avec un regard lourd tandis que les enfants racontaient leur journée et que Pierre l'informait des différentes nouvelles de Prague. Les noms m'étaient inconnus, et le récit si déroutant que je renonçai à le suivre et allai me coucher.

Les cris de Jack me réveillèrent et je me précipitai à son chevet, où Matthew se trouvait déjà. Il s'agitait en tous sens et poussait des cris désespérés.

— Mes os se disjoignent ! répétait-il. J'ai mal, j'ai mal !

Matthew le serra contre lui pour l'empêcher de bouger.

— Chut, c'est fini, à présent.

Il continua de le serrer jusqu'à ce que l'enfant se calme.

— Les monstres avaient l'air d'êtres humains ordinaires, ce soir, master Roydon, dit Jack en se blottissant dans les bras de mon mari.

Il avait l'air épuisé et les cernes bleuâtres sous ses yeux le faisaient paraître bien plus âgé qu'il n'était.

— C'est souvent ainsi, Jack, répondit Matthew. Souvent.

Les semaines suivantes furent un tourbillon de rendez-vous – chez le joaillier de l'empereur, son luthier, son maître de ballet. Chaque rencontre me faisait pénétrer plus loin au cœur de l'amas de bâtiments qui composaient le palais impérial, dans des ateliers et des résidences qui étaient réservées aux artistes et aux intellectuels que privilégiait Rodolphe.

Entre les rendez-vous, Gallowglass m'emmena dans des parties du palais que je n'avais pas encore vues. À la ménagerie, où Rodolphe abritait des léopards et des lions, tout comme il logeait ses enlumineurs et musiciens dans les étroites ruelles à l'est de la cathédrale. Au Fossé aux Cerfs, qui avait été aménagé afin que Rodolphe puisse chasser plus agréablement. Dans la salle des jeux décorée de *sgraffiti*, où les courtisans se détendaient. Aux nouvelles serres bâties pour protéger les précieux figuiers de l'empereur des rigueurs de l'hiver de Bohême.

Mais il y avait un endroit où même Gallowglass ne pouvait pénétrer : la Tour des Poudres, où Edward Kelley, penché sur ses alambics et creusets, tentait de fabriquer la Pierre Philosophale. Nous essayâmes de convaincre les gardes de nous laisser entrer. Gallowglass tenta même de le héler depuis la cour, mais il ne réussit qu'à attirer aux fenêtres des gens qui crurent qu'il criait au feu, et l'ancien aide du Dr Dee resta sourd à ses appels.

— C'est comme s'il était prisonnier, dis-je à Matthew après le dîner.

Jack et Annie étaient couchés. Ils avaient passé la journée à patiner, à faire de la luge et à dévorer des bretzels. Nous avions renoncé à les considérer comme des domestiques. J'espérais que la possibilité de se comporter comme un enfant normal de huit ans aiderait Jack à se débarrasser de ses cauchemars. Mais le palais n'était pas un endroit pour eux. J'étais terrifiée à l'idée qu'ils y aillent et s'y perdent, incapables de parler la langue et de dire aux gens où ils habitaient.

— Kelley *est* prisonnier, dit Matthew en caressant le pied de son gobelet en argent où luisait le reflet des flammes.

— On dit qu'il rentre parfois chez lui, généralement au milieu de la nuit, quand personne ne peut le voir. Au moins, cela lui permet de se reposer un peu des exigences incessantes de l'empereur.

— On voit que tu ne connais pas Maîtresse Kelley, ironisa Matthew.

En effet, et plus j'y songeai plus cela me parut étrange. Peut-être que je ne prenais pas le bon chemin pour rencontrer l'alchimiste. Je m'étais laissé aspirer dans la vie de la cour dans l'espoir de frapper à la porte du laboratoire de Kelley et d'entrer réclamer le livre. Mais une approche aussi directe avait peu de chances d'aboutir.

Le lendemain matin, je fis exprès d'accompagner Tereza au marché. Il faisait un froid polaire et le vent était impitoyable, mais nous arrivâmes tout de même à destination.

— Connaissez-vous ma compatriote, Maîtresse Kelley ? demandai-je à *Frau* Huber alors que nous attendions que le boulanger emballe nos achats. (Les dames de Malá Strana étaient aussi avides de bizarreries que Rodolphe.) Son mari est l'un des serviteurs de l'empereur.

— L'un des alchimistes en cage de l'empereur, plutôt, ricana *Frau* Huber. Il se passe toujours des choses étranges chez eux. Et c'était pire quand les Dee étaient là. *Herr* Kelley était dévoré de désir pour *Frau* Dee.

— Et Maîtresse Kelley ? demandai-je.

— Elle ne sort guère. Sa cuisinière fait toutes les courses.

Frau Huber n'approuvait pas cette délégation des pouvoirs. Cela ouvrait la porte à toutes sortes de désordres, y compris, d'après elle, l'anabaptisme et un marché noir florissant de marchandises volées en cuisine. Elle avait déjà clairement exprimé son opinion sur la question lors de notre première rencontre et c'était principalement pour cela que je sortais acheter moi-même du chou, quel que fût le temps.

— Parlez-vous de l'épouse de l'alchimiste ? interrogea Signorina Rossi en trottinant sur les pavés gelés pour éviter de justesse une brouette de charbon. Elle est anglaise et en conséquence fort étrange. Et ses notes chez le marchand de vin bien plus élevées qu'elles ne le devraient.

— Comment en savez-vous autant toutes les deux ? demandai-je quand elles eurent fini de rire.

— Nous avons la même blanchisseuse, répondit *Frau* Huber, surprise.

— Et nous n'avons aucun secret pour nos blanchisseuses, renchérit Signorina Rossi. Elle faisait le linge des Dee aussi. Jusqu'à ce que la Signora Dee la congédie parce qu'elle demandait trop pour les serviettes.

— Une femme difficile, cette Jane Dee, mais on ne pouvait lui reprocher de ne pas savoir tenir un ménage, admit *Frau* Huber avec un soupir.

— Pourquoi voulez-vous voir cette étrange personne ? s'enquit Signorina Rossi en fourrant une tresse de pain dans son panier.

— Je veux rencontrer son époux. Je m'intéresse à l'alchimie et j'ai quelques questions à lui poser.

— Le paierez-vous ? demanda *Frau* Huber en se frottant pouce et index dans un geste apparemment aussi universel que sans âge.

— Pour quoi ? demandai-je, décontenancée.

— Pour ses réponses, voyons.

— Oui, répondis-je en me demandant quel projet machiavélique elle était en train de concocter.

— Laissez-moi faire, dit-elle. J'ai une envie de *schnitzel* et l'Autrichien qui tient la taverne près de votre maison, *Frau* Roydon, sait comment on les doit préparer.

Il se trouvait que la fille de l'expert en *schnitzel* avait le même précepteur qu'Elizabeth, la belle-fille de Kelley. Et son cuisinier était le mari de la tante de la blanchisseuse, dont la belle-sœur était bonne à tout faire chez les Kelley. C'est grâce à cette chaîne de relations forgée par des femmes, et non grâce à celles que Gallowglass avait à la cour, que Matthew et moi nous retrouvâmes dans le salon des Kelley à minuit en attendant que le grand homme arrive.

— Il devrait être là d'un instant à l'autre, nous assura Joanna Kelley.

Elle avait les yeux rouges et chassieux, mais on n'aurait pu décider si c'était dû à des excès de boisson ou au rhume qui semblait affliger toute la maisonnée.

— Ne vous inquiétez point pour nous, Maîtresse Kelley. Nous avons l'habitude de nous coucher tard, lui répondit aimablement Matthew avec un sourire éblouissant. Votre nouvelle maison vous plaît-elle ?

Après avoir beaucoup espionné et enquêté dans les communautés autrichienne et italienne, nous avions découvert que les Kelley avaient récemment fait l'acquisition d'une maison non loin des Trois Corbeaux dans un endroit connu pour son enseigne très inventive. Quelqu'un avait pris les restes de personnages en bois d'une crèche de la Nativité, les avait sciés en deux et disposés sur une planche. En cours de route, l'Enfant Jésus avait été enlevé de son berceau et remplacé par la tête de l'âne de Marie.

— L'Âne au Berceau nous contente pour le moment, master Roydon. (Maîtresse Kelley éternua bruyamment et but une goulée de vin.) Nous pensions que l'empereur nous installerait dans une maison à l'intérieur du palais, étant donné le travail qu'y mène

Edward, mais cela conviendra. (Des pas lourds gravirent l'escalier.) Le voici justement.

Un long bâton apparut, puis une main tachée et une manche qui l'était tout autant. Le reste de la personne d'Edward Kelley était tout aussi peu engageant. Il avait une longue barbe qui s'échappait d'un bonnet le couvrant jusqu'aux oreilles. S'il avait jamais eu un chapeau, cela faisait longtemps qu'il avait disparu. Et à en juger par sa bedaine de Falstaff, il ne boudait jamais son dîner. Kelley claudiqua en sifflotant dans la pièce et se figea en voyant Matthew.

— Edward, fit Matthew avec un autre de ses éblouissants sourires, dont Kelley ne sembla pas aussi charmé que son épouse. Aurait-on imaginé que nous nous retrouvions si loin de notre patrie.

— Comment avez-vous…, dit Edward d'une voix rauque. (Il se tourna vers moi et son regard insistant fut parmi les plus insidieux que j'aie jamais eus à subir d'un démon. Mais ce n'était pas tout : je perçus des perturbations dans les fils qui l'entouraient, des irrégularités dans le tissage qui laissaient à penser qu'il n'était pas que démoniaque – il était instable.) La sorcière, dit-il dans une grimace.

— L'empereur a élevé son rang, tout comme le vôtre. Elle est La Diosa – la déesse – à présent, dit Matthew. Asseyez-vous et reposez votre jambe. Si j'ai bonne mémoire, elle vous fait souffrir par temps froid.

— Que me voulez-vous, Roydon ? demanda Edward Kelley en se cramponnant de plus belle à son bâton.

— Il est là en mission pour la reine, Edward. J'étais couchée, dit plaintivement Joanna. J'ai si peu de repos. Et à cause de cette fièvre affreuse, je n'ai pas encore pu faire la connaissance de nos voisins. Tu ne m'avais pas dit qu'il y avait des Anglais si près de chez nous. Enfin, je peux voir la maison de mistress Roydon depuis la fenêtre de la tourelle. Tu passes ton temps au château et moi je suis toute seule, je me languis de parler ma langue natale et…

— Retourne te coucher, ma chère, dit Kelley. Et emporte ton vin.

Mrs. Kelley s'éclipsa obligeamment avec un air accablé. Être une Anglaise à Prague sans amis ni famille était difficile, mais avoir son mari accueilli dans des lieux où vous ne pouviez accéder devait rendre l'épreuve doublement déplaisante. Quand elle fut partie, Kelley clopina jusqu'à la table et s'assit dans le fauteuil de son épouse, déplaçant sa jambe avec une grimace. Puis il posa ses yeux noirs et hostiles sur Matthew.

— Dites-moi ce que je dois faire pour me débarrasser de vous, dit-il sans détour.

Kelley avait peut-être l'astuce de Kit, mais il n'avait rien de son charme.

— La reine veut votre retour, répondit Matthew en prenant tout aussi peu de gants. Et nous voulons le livre de Dee.

— Quel livre ? répondit un peu trop rapidement Edward.

— Pour un charlatan, vous êtes un piètre menteur, Kelley. Comment parvenez-vous à tous les berner ? demanda Matthew en posant ses longues jambes bottées sur la table, dans un geste qui fit frémir Kelley.

— Si le Dr Dee m'accuse de vol, bafouilla-t-il, j'exige de discuter de cette affaire en présence de l'empereur. Il ne tolérerait point que l'on me traitât ainsi et qu'on souille mon honneur sous mon toit.

— Où est-il, Kelley ? Dans votre laboratoire ? Dans la chambre de Rodolphe ? Je le trouverai, avec ou sans votre aide. Mais si vous me disiez votre secret, je pourrais me laisser fléchir et ne pas insister, dit Matthew en tripotant un fil sur sa culotte. La Congrégation n'est point satisfaite de votre conduite, ces derniers temps. (Le bâton de Kelley tomba bruyamment par terre. Matthew le ramassa obligeamment et posa le pommeau sur la gorge de Kelley.) Est-ce là où vous avez touché le serviteur de l'auberge, quand vous avez menacé d'attenter à sa vie ? C'était une imprudence, Edward. Tous ces honneurs et ces privilèges vous sont montés à la tête.

Il laissa tomber le bâton sur le ventre de Kelley.

— Je ne peux vous aider. (Matthew appuya un peu plus sur le bâton et Kelley tressaillit.) C'est la vérité ! L'empereur m'a pris le livre quand…

Il n'acheva pas et se frotta le visage, comme pour faire disparaître le vampire assis en face de lui.

— Quand quoi ? demandai-je en me penchant en avant.

Quand j'avais touché l'Ashmole 782 dans la Bibliothèque bodléienne, j'avais immédiatement senti qu'il était différent.

— Vous devez en savoir plus long sur ce livre que moi, cracha Kelley, le regard flamboyant. Vous autres sorcières n'avez point été surprises d'apprendre son existence, même s'il a fallu un démon pour le reconnaître !

— Je perds patience, Edward, dit Matthew en faisant craquer le bâton entre ses mains. Mon épouse vous a posé une question. Répondez-y.

Kelley lança un regard triomphant à Matthew et repoussa le bâton de son ventre.

— Vous détestez les sorciers, ou du moins est-ce ce que tout le monde pense. Mais je vois à présent que vous partagez la faiblesse de Gerbert pour ces créatures. Vous êtes amoureux de celle-ci, ainsi que je l'ai dit à Rodolphe.

— Gerbert, répéta Matthew sans émotion.

— Oui, il est venu quand Dee était encore à Prague, pour poser des questions sur le livre et fourrer son nez dans mes affaires. Rodolphe l'a laissé se divertir avec l'une des sorcières de la Vieille Ville – une fille de dix-sept ans, et fort jolie, aux cheveux d'or et aux yeux bleus. Personne ne l'a revue depuis. Mais il y a eu un très beau bûcher en cette Nuit de Walpurgis. Gerbert a eu l'honneur de l'allumer. (Kelley posa son regard sur moi.) Avril approche. Je me demande si nous aurons de nouveau un bûcher cette année.

La mention de l'ancienne tradition consistant à brûler une sorcière pour fêter le printemps fut la goutte d'eau pour Matthew. Il avait déjà presque précipité Kelley par la fenêtre quand je me rendis compte de ce qui se passait.

— Regardez en bas, Edward. Ce n'est pas très haut. Vous risquez d'en réchapper, malheureusement, quoique en vous brisant un ou deux os. Je descendrai vous ramasser et je vous remonterai jusqu'à votre chambre. Qui a une fenêtre aussi, sans nul doute. Et je finirai par trouver un endroit assez élevé pour briser votre ignoble carcasse en deux. Entre-temps, vous n'aurez plus un os entier et vous m'aurez dit ce que je veux savoir. (Il tourna vers moi son regard noir quand je me levai.) Assieds-toi, ordonna-t-il en détachant chaque syllabe. S'il te plaît, ajouta-t-il après une pause.

J'obéis.

— Le livre de Dee resplendissait de pouvoir. Je l'ai senti dès l'instant où je l'ai pris sur l'étagère à Mortlake. Il n'avait pas remarqué son importance, mais je l'ai perçue, débita Kelley à toute vitesse. (Quand il s'arrêta pour reprendre son souffle, Matthew le secoua.) Il appartenait au sorcier Roger Bacon, qui estimait son contenu sans prix. Son nom figure sur la page de titre, avec l'inscription *Verum Secretum Secretorum*.

— Mais cela n'a rien à voir avec le *Secretum*, dis-je en pensant à l'œuvre médiévale bien connue. Le *Secretum* est une encyclopédie. Celui dont nous parlons contient des enluminures.

— Ces images ne sont qu'un paravent qui dissimule la vérité, dit Kelley d'une voix sifflante. C'est pour cela que Bacon l'a surnommé *Le Véritable Secret des Secrets*.

— Que contient-il ? demandai-je en me levant, enthousiaste. (Cette fois, Matthew ne me retint pas et hissa Kelley à l'intérieur.) Avez-vous pu lire le texte ?

— Peut-être, dit Kelley en rajustant sa robe. Mais c'est une affaire difficile.

— Il n'a pas pu le lire non plus, dit Matthew en le lâchant, dégoûté. Je sens la duplicité derrière la peur.

— Il est écrit dans une langue étrangère. Même Rabbi Loew ne l'a pu déchiffrer.

— Le Maharal a vu le livre ? demanda Matthew avec cette expression aux aguets qui précédait l'assaut.

— Apparemment, vous n'avez pas interrogé Rabbi Loew sur la question quand vous êtes allé dans le quartier juif pour voir la sorcière qui a fabriqué la créature d'argile qu'ils appellent le golem. Pas plus que vous n'avez pu capturer la coupable et sa création, dit Kelley d'un ton méprisant. Que de pouvoir et d'influence. Vous n'avez pas même pu effrayer les Juifs.

— Je ne crois pas que les caractères soient hébraïques, dis-je en repensant aux symboles que j'avais vus défiler rapidement sur le palimpseste.

— Ce n'est point de l'hébreu. L'empereur a fait venir Rabbi Loew au palais pour s'en assurer.

Kelley en avait dit plus qu'il ne le voulait. Son regard glissa sur son bâton et les fils autour de lui se tordirent et s'agitèrent. J'entrevis une image de Kelley levant son bâton et frappant quelqu'un. Que mijotait-il ?

Il avait l'intention de me frapper. Je poussai un cri inarticulé et quand je tendis le bras, le bâton de Kelley vola dans ma main. Mon bras se transforma brièvement en branche, puis reprit sa forme normale. Je priai pour que ce soit arrivé trop vite pour que Kelley l'ait remarqué. Je vis à son expression que mes espoirs étaient vains.

— Que l'empereur ne vous voie pas faire cela, ricana-t-il, ou il vous fera enfermer et vous deviendrez une curiosité de plus à savourer dans sa collection. Je vous ai dit ce que vous vouliez savoir, Roydon. Rappelez les chiens de la Congrégation.

— Je ne pense pas le pouvoir, répondit Matthew en me prenant le bâton. Vous n'êtes pas inoffensif, quoi qu'en pense Gerbert. Mais je vais vous laisser en paix – pour l'instant. Ne faites rien qui attire mon attention et vous verrez peut-être l'été. (Il jeta le bâton dans un coin.) Bonne nuit, Edward.

Je rassemblai les pans de ma cape, pressée de m'éloigner de ce démon.

— Savourez votre séjour au soleil, sorcière. Les beaux jours sont comptés, à Prague, dit Kelley sans bouger de sa place pendant que Matthew et moi descendions.

Dans la rue, je sentais encore son regard sur moi. Et quand je me retournai vers l'Âne au Berceau, je vis briller d'une lueur maléfique les fils brisés et déchirés qui attachaient Kelley au monde.

29

Après des semaines de prudentes négociations, Matthew parvint à organiser une visite chez Rabbi Judah Loew. Pour que je puisse venir, Gallowglass dut annuler mes rendez-vous à la cour en prétendant que j'étais malade.

Malheureusement, cela éveilla l'attention de l'empereur et la maison fut envahie de remèdes : de la *terra sigillata*, une argile aux merveilleuses propriétés curatives ; des bézoards recueillis dans les vessies de chèvres pour repousser le poison ; une coupe taillée dans une corne de narval avec une recette de la famille impériale pour un électuaire. Elle consistait à faire rôtir un œuf avec du safran avant de le réduire en poudre avec des graines de moutarde, de l'angélique, des baies de genièvre, du camphre et plusieurs substances mystérieuses, puis à en faire une pâte avec de la mélasse et du sirop de citron. Rodolphe envoya le Dr Hájek pour l'administrer. Mais je n'avais aucune envie d'absorber la peu appétissante préparation, comme je le déclarai au médecin impérial.

— Je vais assurer à l'empereur que vous vous remettez, badina-t-il. Heureusement, Sa Majesté est trop préoccupée par sa propre santé pour risquer de venir à Sporrengasse vérifier mon pronostic.

Nous le remerciâmes abondamment pour sa discrétion et le renvoyâmes chez lui avec les poulets rôtis qui avaient été livrés des cuisines du château pour moi. Je jetai au feu le billet qui les accompagnait – *Ich verspreche, Sie werden nicht hungern. Ich hoffe, Sie werden zufrieden sein. Rudolff* – une fois que Matthew m'eût expliqué que d'après la formulation, on ne pouvait savoir s'il s'agissait bien du poulet quand Rodolphe parlait de satisfaire ma faim.

En traversant la Vltava pour rejoindre la Vieille Ville, j'eus pour la première fois l'occasion de vivre la cohue qui agitait le centre de la cité. Au cœur de la Vieille Ville, des marchands prospères faisaient affaire sous les arcades des maisons de trois ou quatre étages bordant les rues tortueuses. Quand nous prîmes au nord, le visage de la ville changea : les maisons étaient plus petites, les habitants moins bien vêtus, les commerces moins florissants. Puis nous traversâmes une large rue et passâmes une porte donnant dans la ville juive. Plus de cinq mille Juifs habitaient dans cette petite enclave coincée entre la rive industrielle, la place principale de la Vieille Ville et un couvent. Le quartier était très peuplé – c'était inconcevable, même en comparaison de Londres – avec des maisons qui paraissaient moins bâties qu'avoir poussé, chacune évoluant quasi organiquement à partir des parois d'une autre comme les compartiments d'une coquille d'escargot.

Nous trouvâmes Rabbi Loew au bout d'un dédale de rues qui me fit regretter de ne pas avoir emporté un sac de petits cailloux blancs pour retrouver notre chemin. Les habitants nous glissaient des regards inquiets, mais peu osèrent nous saluer. Ceux qui le firent appelèrent Matthew « Gabriel ». C'était l'un de ses nombreux noms et son usage ici indiquait que j'étais entrée dans l'un des terriers de Matthew et que j'allais découvrir une autre de ses nombreuses personnalités passées.

Quand je me retrouvai devant l'aimable monsieur connu sous le nom de Maharal, je compris pourquoi Matthew baissait la voix quand il en parlait. Rabbi Loew irradiait la même calme puissance que j'avais vue chez Philippe. En comparaison de sa dignité, les gestes grandioses de Rodolphe et les humeurs d'Élisabeth étaient risibles. Et c'était d'autant plus frappant en cette époque où la force brutale était la méthode habituelle pour imposer sa volonté à autrui. La réputation du Maharal reposait sur le savoir et l'apprentissage, non sur les prouesses physiques.

— Le Maharal est l'un des hommes les plus raffinés qui ait jamais vécu, m'avait répondu Matthew quand je l'avais interrogé sur Judah Loew.

Étant donné que Matthew rôdait sur cette terre depuis fort longtemps, c'était un considérable compliment.

— Il me semblait, Gabriel, que nous avions réglé notre affaire, dit en latin Rabbi Judah Loew. (Son allure et son ton austères lui donnaient l'air d'un maître d'école.) Je n'ai pas voulu alors te donner le nom de la sorcière qui a créé le golem, et je ne te le dirai pas plus aujourd'hui. Pardonnez-moi, *Frau* Roydon, enchaîna-t-il en se tournant vers moi. Mon agacement envers votre époux m'a fait oublier la bienséance. Je suis très heureux de faire votre connaissance.

— Je ne suis pas venu pour le golem, répondit Matthew. Mon affaire de ce jour est personnelle. Elle concerne un livre.

— Et de quel livre s'agit-il ?

Le Maharal ne broncha pas, mais une perturbation dans l'air autour de moi trahit une réaction subtile de sa part. Depuis ma rencontre avec Kelley, ma magie me chatouillait, comme si j'étais branchée sur une source d'énergie invisible. Ma vouivre s'agitait. Et les fils qui m'entouraient ne cessaient de vibrer de couleurs, de souligner tel objet ou telle personne, d'éclairer le chemin dans les rues comme pour me dire quelque chose.

— C'est un volume que mon épouse a découvert dans une université très loin d'ici, dit Matthew.

Je fus surprise qu'il soit si sincère. Rabbi Loew aussi.

— Ah ! Donc nous sommes honnêtes l'un avec l'autre, cet après-midi. Nous devrions poursuivre cet entretien en un lieu assez calme pour que je le savoure pleinement. Allons dans mon étude.

Il nous mena dans l'une des petites pièces nichées au fond du dédale du rez-de-chaussée. Elle avait une allure agréablement familière, avec sa table abîmée et ses piles de livres. Je reconnus l'odeur de l'encre, et quelque chose qui me rappela la boîte de colophane du studio de danse de mon enfance. Près de la porte, un récipient en fer contenait ce qui ressemblait à des pommes brunes flottant dans un liquide de même couleur. Son allure qui évoquait les sorcières me fit redouter ce qui pouvait être tapi dans les profondeurs du chaudron.

— Cette préparation d'encre est-elle plus satisfaisante ? demanda Matthew en donnant une chiquenaude sur l'une des boules.

— En effet. Tu m'as rendu service en me disant d'ajouter des clous dans le pot. Je n'ai plus besoin d'autant de suie pour qu'elle soit bien noire et la consistance est meilleure. Veuillez vous asseoir, continua-t-il en me désignant un fauteuil. (Il attendit que je sois installée, puis il prit l'unique autre siège, un tabouret à trois pieds.) Gabriel restera debout. Il n'est pas jeune, mais ses jambes sont robustes.

— Je suis assez jeune pour m'asseoir à vos pieds comme l'un de vos élèves, Maharal, sourit Matthew en joignant le geste à la parole.

— Mes élèves ne sont pas assez imprudents pour s'asseoir à terre par ce temps glacial. (Le rabbin me scruta.) Bien. Venons-en au fait. Pourquoi l'épouse de Gabriel ben Ariel est-elle venue si loin pour un livre ?

J'eus la troublante sensation qu'il ne parlait pas de la traversée du fleuve ni même de l'Europe. Comment pouvait-il savoir que je n'étais pas de cette époque ?

À peine la question se fut-elle formée en moi qu'un visage d'homme apparut dans les airs au-dessus de l'épaule du rabbin. Bien que jeune, ses yeux gris étaient déjà marqués de rides inquiètes et sa barbe brune grisonnait sur le menton.

— Une autre sorcière vous a parlé de moi, dis-je à mi-voix.

— Si fait. Prague est une ville merveilleuse pour qui veut entendre les nouvelles. Hélas, la moitié de ce qu'on raconte est faux. (Il marqua une brève pause.) Le livre ? me rappela-t-il.

— Nous pensons qu'il pourrait nous dire comment des créatures comme Matthew et moi sommes apparues, expliquai-je.

— Il n'y a là nul mystère. Dieu vous créa, tout comme il nous fit, moi et l'empereur, répondit le Maharal.

Il attendit. C'était une attitude classique pour un professeur, de celles que l'on acquiert naturellement au bout d'années passées à donner à des élèves le temps de manipuler de nouvelles idées. J'éprouvai un mélange familier d'appréhension et d'impatience tout en préparant ma réponse. Je ne voulais pas décevoir Rabbi Loew.

— Peut-être, mais Dieu nous a accordé des dons supplémentaires. Vous ne pouvez pas ressusciter les morts, Rabbi Loew, dis-je, m'adressant à lui comme à un professeur d'Oxford. Et des visages inconnus n'apparaissent pas devant vous quand vous posez une question toute simple.

— Certes. Mais vous ne régnez pas sur la Bohême et l'allemand de votre époux est bien meilleur que le mien, même si je le parle depuis que je suis enfant. Chacun de nous a des dons différents, Diana. Dans l'apparent désordre du monde demeure la preuve du dessein de Dieu.

— Vous parlez du dessein de Dieu avec une telle assurance parce que vous connaissez vos origines grâce à la Torah, répondis-je. *Bereshit* – « Au commencement » –, c'est ainsi que vous appelez le livre que les chrétiens connaissent comme la Genèse. N'est-ce pas, Rabbi Loew ?

— Il semble que je n'aie pas discuté de théologie avec la bonne personne dans la famille d'Ariel, plaisanta Rabbi Loew avec un regard pétillant de malice.

— Qui est Ariel ? demandai-je.

— Mon père est connu sous le nom d'Ariel auprès du peuple de Rabbi Loew, expliqua Matthew.

— L'archange de la colère ? demandai-je en fronçant les sourcils.

Cela ne ressemblait pas au Philippe que je connaissais.

— Le seigneur qui règne sur la terre. Certains l'appellent le Lion de Jérusalem. Récemment, mon peuple a eu des raisons d'être reconnaissant envers le Lion, bien que les Juifs n'aient point oublié – et refuseront toujours d'oublier – ses nombreux méfaits passés. Mais Ariel s'efforce de se racheter. Et le jugement appartient à Dieu. (Rabbi Loew réfléchit aux choix qui s'offraient à lui et prit une décision.) L'empereur m'a en effet montré un tel livre. Hélas, Sa Majesté ne m'a point laissé beaucoup de temps pour l'étudier.

— Tout ce que vous nous en direz nous sera utile, dit Matthew.

Son enthousiasme était visible. Il se pencha en avant, les genoux sous le menton : on aurait dit Jack quand il écoutait les histoires de Pierre. Pendant un bref instant, je pus voir mon mari tel qu'il devait être enfant quand il apprenait le métier de charpentier.

— L'empereur Rodolphe m'a fait appeler à son palais dans l'espoir que je puisse lire le texte. L'alchimiste, celui que l'on appelle Edward le *Meshuggener*, l'avait pris dans la bibliothèque de son maître, l'Anglais John Dee, soupira Rabbi Loew en secouant la tête. Il est difficile de comprendre pourquoi Dieu a choisi de faire de Dee un érudit doublé d'un imprudent, et d'Edward un ignorant doué d'astuce. Le *Meshuggener* a dit à l'empereur que cet ancien livre contenait les secrets de l'immortalité. Vivre éternellement est le rêve de tous les puissants. Mais le texte était écrit dans une langue que nul ne comprenait, hormis l'alchimiste.

— Rodolphe vous a fait appeler en pensant que c'était une forme ancienne d'hébreu, dis-je.

— Il se peut qu'il soit très ancien, mais il n'est pas hébreu. Il contient aussi des images. Je n'ai pas compris leur signification, mais Edward a dit qu'elles étaient de nature alchimique. Peut-être que le texte les explique.

— Quand vous l'avez vu, Rabbi Loew, les mots bougeaient-ils ? demandai-je en repensant aux lignes que j'avais vu onduler sous les images alchimiques.

— Comment eussent-ils pu bouger ? s'étonna Loew. Ce n'étaient que symboles écrits à l'encre sur une page.

— Alors il n'est pas brisé… pas encore, dis-je, soulagée. Quelqu'un en a ôté plusieurs pages avant que je le voie à Oxford. Il était impossible de comprendre le sens du texte parce que les mots couraient en tous sens à la recherche de leurs frères et sœurs perdus.

— À vous entendre, on croirait ce livre vivant, dit Rabbi Loew.

— Je crois qu'il l'est, avouai-je. (Matthew eut l'air surpris.) Cela paraît incroyable, je sais. Mais quand je repense à cette nuit, à ce qui s'est passé quand j'ai touché le livre, c'est la seule manière de le décrire. Le livre m'a reconnue. Il… il souffrait, en quelque sorte, comme s'il avait perdu quelque chose d'essentiel.

— Il y a parmi mon peuple des histoires de livres écrits avec des flammes vivantes, des mots qui bougent et se tordent afin que seuls les élus de Dieu puissent les lire.

Rabbi Loew me mettait de nouveau à l'épreuve. Je reconnus le signe du professeur qui interroge ses élèves.

— Je les ai entendues, dis-je prudemment. Et aussi celles des autres livres perdus, des tables que Moïse détruisit, du livre d'Adam où il consigna les véritables noms de chaque partie de la création.

— Si votre livre est aussi important que ceux-là, peut-être est-ce la volonté de Dieu qu'il demeure caché, dit Rabbi Loew.

— Mais quelqu'un sait où il se trouve, dis-je. Rodolphe le sait, même s'il ne peut le lire. À qui préféreriez-vous confier la garde d'un objet aussi puissant ? À Matthew ou à l'empereur ?

— Je connais bien des sages qui diraient que choisir entre Gabriel ben Ariel et Sa Majesté ne serait que déterminer le moindre de deux maux. Heureusement, dit-il en se tournant vers Matthew, je ne me compte pas parmi eux. Cependant, je ne puis vous aider davantage. J'ai vu ce livre, mais je ne sais où le trouver.

— Il est dans les mains de Rodolphe, ou du moins il l'était. Avant que vous ne nous le confirmiez, nous n'avions que les soupçons du Dr Dee et les affirmations d'un homme fort justement qualifié d'Edward l'Insensé, répondit tristement Matthew.

— Les déments peuvent être dangereux, observa Rabbi Loew. Tu devrais réfléchir à deux fois avant de suspendre quelqu'un à une fenêtre, Gabriel.

— Vous en avez entendu parler ? demanda Matthew, tout penaud.

— Toute la ville raconte qu'Edward le *Meshuggener* volait au-dessus de Malá Strana avec le diable. Naturellement, j'ai pensé que vous étiez mêlé à cela. (Cette fois, il y eut un gentil reproche dans la voix de Rabbi Loew.) Gabriel, Gabriel, que dirait ton père ?

— Que j'aurais dû le lâcher, sans nul doute. Mon père a peu de patience avec les individus comme Edward Kelley.

— Tu veux dire avec les déments.

— Je veux dire ce que j'ai dit, Maharal, répondit calmement Matthew.

— La créature que tu parles de tuer avec tant de légèreté est hélas la seule personne qui puisse t'aider à trouver le livre de ton épouse. (Rabbi Loew marqua une pause et réfléchit à ce qu'il allait dire.) Mais veux-tu vraiment connaître ses secrets ? La vie et la mort sont de grandes responsabilités.

— Étant donné ce que je suis, vous ne serez point surpris que je sois familier du fardeau qu'elles représentent, répondit Matthew avec un sourire sans humour.

— Peut-être. Mais ton épouse peut-elle le porter ? Tu ne seras peut-être pas toujours avec elle, Gabriel. Certains de ceux qui partageraient leur savoir avec une sorcière y seront moins disposés avec toi.

— Alors il y a *vraiment* quelqu'un qui fait des sortilèges dans la ville juive, dis-je. Je me le suis demandé quand j'ai entendu parler du golem.

— Il attend que vous le débusquiez. Hélas, il n'acceptera de voir qu'une congénère. Mon ami redoute la Congrégation de Gabriel, et avec raison, expliqua Rabbi Loew.

— J'aimerais le rencontrer, Rabbi Loew. (Il y avait très peu de tisseurs au monde, même au XVIe siècle. Je ne pouvais manquer l'occasion de connaître celui-là. Matthew s'agita, prêt à protester.) C'est important, Matthew, dis-je en le retenant d'une main sur le bras. J'ai promis à Goody Alsop de ne pas ignorer cette partie de moi pendant notre quête de l'Ashmole 782.

— On doit trouver la plénitude dans le mariage, Gabriel, mais il ne doit être une prison pour aucun des deux, dit Rabbi Loew.

— Il ne s'agit pas de notre mariage, ni du fait que tu es une sorcière, dit Matthew en se levant. Il peut être dangereux pour une chrétienne d'être vue avec un Juif. Pas pour toi, ajouta-t-il en me voyant prête à répliquer. Pour lui. Tu dois suivre les consignes de Rabbi Loew. Je ne veux pas qu'il lui arrive péril à cause de toi.

— Je ne ferai rien qui attire l'attention sur moi ou sur Rabbi Loew, promis-je.

— Alors va voir ce tisseur. Je t'attendrai à l'Ungelt.

Il frôla ma joue d'un baiser et s'en fut avant de changer d'avis. Rabbi Loew cligna des paupières.

— Gabriel est remarquablement leste pour quelqu'un d'aussi grand, dit-il en se levant. Il me rappelle le tigre de l'empereur.

— Les chats voient en Matthew un être de leur espèce, dis-je en songeant à Tabitha.

— L'idée que vous ayez épousé un animal ne vous inquiète pas. Gabriel a fait un heureux choix d'épouse.

Rabbi Loew prit une robe sombre et annonça à son serviteur que nous nous en allions. Nous prîmes ce que je supposai être une direction différente, mais je n'en étais pas sûre, me concentrant sur les rues récemment pavées, les premières que je voyais depuis mon arrivée dans le passé.

— *Herr* Maisel les a fournis, ainsi qu'un bain pour les femmes. Il aide l'empereur avec de petites contributions financières – comme pour sa guerre sainte contre les Turcs.

Rabbi Loew enjamba une flaque. C'est à ce moment que je vis un cercle doré cousu sur l'étoffe à la place du cœur.

— Qu'est-ce que cela ? demandai-je.

— C'est pour avertir des chrétiens qui l'ignoreraient que je suis juif, ironisa Rabbi Loew. J'estime depuis longtemps que même le plus sot le devinerait, avec ou sans la rouelle. Mais les autorités exigent qu'il ne puisse y avoir aucun doute. (Il baissa la voix.) Et il est de loin préférable au chapeau que les Juifs devaient autrefois porter. Jaune vif, en forme de pièce d'échecs. Essayez de ne pas remarquer cela sur la place du marché.

— C'est ce que les humains feraient à Matthew et moi s'ils savaient que nous vivons parmi eux, frémis-je. Parfois, il vaut mieux se cacher.

— Est-ce le rôle de la Congrégation de Gabriel ? Vous dissimuler ?

— Si c'est son rôle, elle s'en acquitte fort mal, dis-je en riant. *Frau* Huber croit qu'un loup-garou rôde dans le Fossé aux Cerfs. Vos voisins de Prague croient qu'Edward Kelley peut voler. Les humains traquent les sorcières en Allemagne et en Écosse. Et Élisabeth d'Angleterre comme Rodolphe d'Autriche savent tout de nous. Je suppose que nous devons être reconnaissants que certains rois et reines nous tolèrent.

— La tolérance ne suffit pas toujours. Les Juifs sont tolérés à Prague – pour l'heure – mais la situation peut changer en un clin d'œil. Et là, nous nous retrouverions dans la campagne à mourir de faim dans la neige.

Il tourna dans une étroite ruelle et entra dans une maison identique à la plupart de celles que nous avions croisées en route. À l'intérieur, deux hommes étaient assis à une table couverte d'instruments mathématiques, livres, bougies et papiers.

— L'astronomie se révélera être un terrain commun avec les chrétiens ! s'exclama l'un d'eux en allemand en tendant un papier à son compagnon.

Il avait la cinquantaine, avec une épaisse barbe grise, un front proéminent et les épaules voûtées de ceux qui se consacrent à l'étude.

— Assez, David ! tonna l'autre. Peut-être que le terrain commun n'est pas la Terre promise que nous espérons.

— Abraham, cette dame désire te parler, dit Rabbi Loew, interrompant leur débat.

— Toutes les femmes de Prague désirent connaître Abraham, dit David, le savant, en se levant. La fille duquel demande un sortilège d'amour, cette fois ?

— Ce n'est pas son père qui devrait t'intéresser, mais son mari. Il s'agit de *Frau* Roydon, l'épouse de l'Anglais.

— Celle que l'empereur appelle La Diosa ? (David éclata de rire et assena une tape sur l'épaule d'Abraham.) Ta chance a tourné, l'ami. Tu es pris entre un empereur, une déesse et un *nachzehrer*.

Ma connaissance limitée de l'allemand me permit de deviner que ce mot étrange signifiait « dévoreur des morts ».

Abraham dit en hébreu ce qui devait être une grossièreté, à en juger par l'expression de Rabbi Loew, et finit par se tourner vers moi. Nous nous dévisageâmes, sorcier et sorcière, mais ni l'un ni l'autre ne put le supporter longtemps. Je me détournai vivement avec un cri et il frémit en appuyant ses mains sur ses paupières. Ma peau me démangeait de partout, pas seulement là où il m'avait regardée. Et l'air entre nous était devenu un chatoiement de vives couleurs.

— Est-ce celle que tu attendais, Abraham ben Elijah ? demanda Rabbi Loew.

— C'est elle, dit Abraham. (Il se détourna et posa les poings sur la table.) Mais mes rêves ne m'avaient point dit qu'elle était l'épouse d'un *alukah*.

— *Alukah ?* répétai-je en interrogeant Rabbi Loew.

Si le mot était allemand, je ne voyais pas ce qu'il signifiait.

— Une sangsue. C'est ainsi que nous autres Juifs appelons les créatures comme votre époux, répondit-il. Sache toutefois, Abraham, que Gabriel a consenti à cette entrevue.

— Tu crois que je me fie à la parole du monstre qui juge mon peuple depuis son siège au *Qahal* tout en refusant de voir ceux qui nous massacrent ? s'écria Abraham.

Je voulus arguer que ce n'était pas le même Gabriel – le même Matthew – mais je me ravisai. Je risquais de dire quelque chose qui vaudrait à tous ceux présents dans cette pièce d'être tués quand le Matthew du XVIᵉ siècle reprendrait la place qui lui revenait.

— Je ne suis pas ici pour mon époux ni la Congrégation, dis-je en m'avançant. Je suis venue pour moi-même.

— Pourquoi ? demanda Abraham.

— Parce que, moi aussi, je suis une tisseuse de sorts. Et qu'il n'en reste plus guère comme nous.

— Il y en avait d'autres, avant que le *Qahal* – la Congrégation – ne fixe ses règles, me défia Abraham. Si Dieu le veut, nous vivrons assez longtemps pour voir des enfants nés avec ces dons.

— À propos d'enfants, où est votre golem ? demandai-je.

— Mère Abraham, s'esclaffa David. Que dirait ta famille de Chelm ?

— Que j'ai pris pour ami un âne qui n'a rien d'autre dans la tête qu'étoiles et idées farfelues ! répliqua Abraham en rougissant.

Ma vouivre, qui s'était tenue tranquille depuis des jours, reprit vie dans toute sa gloire. Avant que j'aie pu l'en empêcher, elle se libéra bruyamment. Rabbi Loew et ses amis restèrent bouche bée devant ce spectacle.

— Elle fait cela, parfois. Il n'y a pas lieu de s'inquiéter. Descends de là tout de suite !

La vouivre s'agrippa au mur et poussa un cri perçant. Le plâtre ancien n'était pas de taille à soutenir une créature avec une envergure de trois mètres. Un gros morceau céda et ma vouivre gazouilla de surprise. Elle donna un coup de queue sur le côté et l'accrocha au mur voisin en poussant un ululement triomphant.

— Si tu ne cesses point, je vais demander à Gallowglass de te donner un vilain nom, murmurai-je. Quelqu'un a-t-il vu sa laisse ? Elle ressemble à une chaîne transparente. (Je cherchai le long des plinthes et la trouvai dans la corbeille à bois, toujours reliée à moi.) L'un de vous peut-il la tenir le temps que je l'attache ? demandai-je, les mains pleines de filaments translucides.

Mes hôtes avaient pris leurs jambes à leur cou.

— Comme de bien entendu, murmurai-je. Trois hommes adultes et une femme, et devinez qui se retrouve à s'occuper du dragon ?

Des pas pesants retentirent sur le plancher. Je me penchai pour regarder par l'embrasure. Une petite créature gris-rouge en vêtements sombres, un bonnet noir sur sa tête chauve, regardait ma vouivre.

— Non, Yosef.

Abraham s'interposa entre moi et la créature, levant les mains comme pour tenter de la raisonner. Mais le golem – car ce ne pouvait être que la légendaire créature façonnée dans la boue de la Vltava à qui un sort avait insufflé la vie – continuait d'avancer vers la vouivre.

— Yosef est fasciné par le dragon de la sorcière, dit David.

— Je crois que le golem partage le goût prononcé de son créateur pour les jolies filles, dit Rabbi Loew. D'après ce que j'ai lu, le familier d'une sorcière possède toujours certaines des caractéristiques de son créateur.

— Le golem est le familier d'Abraham ? m'étonnai-je.

— Oui. Il n'est pas apparu quand j'ai fait mon premier sort. Je commençais à croire que je n'avais pas de familier.

Abraham agita les mains devant Yosef, mais le golem fixait sans ciller la vouivre accrochée sur le mur. Comme si elle savait qu'elle avait un admirateur, elle déploya ses ailes dans la lumière.

— Il n'est pas apparu avec quelque chose de ce genre ? demandai-je en montrant ma chaîne.

— Cette chaîne ne paraît guère vous aider, se moqua Abraham.

— J'ai encore beaucoup à apprendre et la vouivre est apparue lors de mon premier sort. Comment avez-vous fabriqué Yosef ?

— Avec des cordes comme celles-ci, répondit Abraham en en tirant une poignée de sa poche.

— J'ai des cordelettes aussi, dis-je en glissant la main dans la bourse cachée sous ma jupe.

— Les couleurs vous aident-elles à séparer les filaments du monde et à les utiliser plus efficacement ? demanda Abraham en s'approchant, intéressé par cette variante du tissage.

— Oui. Chaque couleur a un sens, et pour fabriquer un nouveau sort, j'utilise les cordelettes pour me concentrer sur une question particulière. (Je regardai le golem, décontenancée. Il continuait de fixer la vouivre.) Mais comment êtes-vous passé des cordes à cette créature ?

— Une femme est venue me demander un nouveau sort pour l'aider à concevoir. J'ai commencé à faire des nœuds sur la corde tout en réfléchissant à sa demande, et je me suis retrouvé avec quelque chose qui ressemblait à un squelette d'homme.

Abraham alla à la table, prit une feuille du papier de David et, malgré les récriminations de son compagnon, dessina ce dont il parlait.

— On dirait une marionnette, dis-je en regardant le croquis.

Neuf nœuds étaient reliés par des cordes tendues : un pour la tête, un pour le cœur, deux pour les mains, un pour le pelvis, deux pour les genoux et deux derniers pour les pieds.

— J'ai mêlé de l'argile avec un peu de mon sang, et je l'ai appliquée sur les cordes comme la chair sur un squelette. Le lendemain matin, Yosef était assis devant la cheminée.

— Vous avez donné vie à l'argile, dis-je en contemplant le golem toujours fasciné.

— Un sort avec le nom secret de Dieu dans la bouche, dit Abraham. Tant qu'il y demeure, Yosef se meut et m'obéit. La plupart du temps.

— Yosef est incapable de décider par lui-même, expliqua Rabbi Loew. Insuffler la vie dans l'argile et le sang n'accorde pas une âme à la créature, après tout. Aussi Abraham ne peut quitter le golem du regard de crainte qu'il ne fasse quelque malice.

— J'ai oublié d'ôter le sort de sa bouche un vendredi à l'heure des prières, avoua Abraham, penaud. N'ayant personne qui lui dise quoi faire, Yosef s'est aventuré dans le quartier juif et a effrayé nos voisins chrétiens. À présent, les Juifs croient que le rôle de Yosef est de nous protéger.

— Le travail d'une mère n'est jamais fini, murmurai-je en souriant. À ce propos…

Ma vouivre s'était assoupie et ronflait doucement, la tête posée contre le mur. Délicatement, pour ne pas l'irriter, je tirai sur la chaîne jusqu'à ce que la créature se détache du mur. Elle agita les ailes, ensommeillée, devint aussi transparente que de la fumée, puis finit par se dissoudre dans le néant alors qu'elle disparaissait en moi.

— J'aimerais que Yosef puisse faire cela, m'envia Abraham.

— Et moi que je puisse la calmer en enlevant un morceau de papier de sa bouche ! répliquai-je.

Quelques secondes plus tard, une sensation glacée apparut dans mon dos.

— Qui est-ce ? dit une voix grave.

Le nouvel arrivant n'était pas grand ni physiquement impressionnant – mais c'était un vampire, avec de vifs yeux d'un bleu sombre, un visage pâle et des cheveux noirs. Le regard qu'il me jeta était autoritaire et je reculai instinctivement.

— Rien qui te concerne, Benjamin, dit sèchement Abraham.

Benjamin. Le nom me fit frissonner. Où l'avais-je déjà entendu ? Je repensai à Sept-Tours et à Philippe me parlant du fils de Matthew. Mais Benjamin était affligé d'une terrible fureur sanguinaire. Cet homme était calme et réservé.

— Il n'est point nécessaire d'être désagréable, Abraham. (Rabbi Loew se tourna vers le vampire.) C'est *Frau* Roydon, Benjamin. Elle est venue voir le golem.

Le vampire posa son regard sur moi et ses narines se dilatèrent, exactement à la manière de Matthew quand il flairait une nouvelle odeur. Il baissa les paupières. Je reculai encore.

— Pourquoi es-tu venu, Benjamin ? Je t'avais dit que je te retrouverais devant la synagogue, dit Abraham, manifestement troublé.

— Tu étais en retard, dit Benjamin en ouvrant brusquement les yeux et en me souriant. Mais maintenant que je sais pourquoi, je ne puis t'en vouloir.

— Benjamin est venu en visite de Pologne, où Abraham et lui se sont connus, expliqua Rabbi Loew.

Une vague de soulagement me submergea. Après tout, Benjamin était un prénom courant et Matthew m'avait dit que son fils venait de Jérusalem et non d'Europe centrale. Par ailleurs, s'il était en ville, Matthew l'aurait certainement su.

— Voici *Herr* Maisel, dit Abraham, l'air aussi soulagé que moi.

Herr Maisel, pourvoyeur de rues pavées et financier des défenses de l'empereur, criait sa prospérité avec son costume de laine d'excellente coupe et sa cape bordée de fourrure. La rouelle jaune vif qui le proclamait comme Juif, fixée à sa cape par des fils d'or, avait plus des allures d'insigne aristocratique que d'une marque honteuse de sa différence.

— Tenez, Benjamin, dit-il en tendant au vampire une bourse. Voici votre joyau. (Maisel s'inclina devant Rabbi Loew et moi.) *Frau* Roydon.

Le vampire sortit de la bourse un médaillon et une lourde chaîne. Je n'en vis pas nettement le motif en simple émail rouge et vert. Le vampire retroussa les lèvres.

— Merci, *Herr* Maisel. C'est un symbole du serment que j'ai fait de terrasser les dragons, où qu'ils soient. Il me manquait. La cité est remplie de dangereuses créatures, n'est-ce pas ?

— Laissons là la politique, Benjamin, ricana *Herr* Maisel. Nous ne nous en porterons que mieux. Êtes-vous prête à retrouver votre époux, *Frau* Roydon ? Il n'est pas le plus patient des hommes.

— *Herr* Maisel va vous accompagner à l'Ungelt, promit Rabbi Loew en jetant un long regard à Benjamin. Mène Diana à la rue, Abraham. Benjamin, tu demeureras avec moi et me parleras de la Pologne.

— Je vous remercie, Rabbi Loew, dis-je en prenant congé avec une révérence.

— C'était un plaisir, *Frau* Roydon. Et si vous avez le temps, vous pourrez songer à ce que j'ai dit tout à l'heure. Aucun de nous ne se peut cacher éternellement.

— Non.

Étant donné les horreurs qu'allaient connaître les Juifs de Prague dans les prochains siècles, j'espérai qu'il se trompait. Avec un dernier signe de tête pour

Benjamin, je quittai maison avec *Herr* Maisel et Abraham.

— Un instant, *Herr* Maisel, dit Abraham quand nous fûmes hors de portée d'oreille.

— Faites vite, Abraham, dit *Herr* Maisel en reculant un peu.

— Je crois savoir que vous recherchez quelque chose à Prague. Un livre.

— Comment le savez-vous ? m'alarmai-je.

— La plupart des sorcières de la ville le savent, mais je vois en quoi vous êtes liée à ce livre. Il est jalousement surveillé et vous ne l'obtiendrez point par la force, dit Abraham d'un air grave. Le livre doit venir à vous, sinon vous le perdrez pour toujours.

— C'est un livre, Abraham. À moins qu'il ne lui pousse des jambes et qu'il descende à Sporrengasse, nous allons devoir aller le chercher.

— Je sais ce que je vois, reprit Abraham. Le livre viendra à vous pourvu que vous le demandiez. N'oubliez pas.

— Je m'en souviendrai, promis-je. (*Herr* Maisel nous jeta un regard insistant.) Je dois partir. Merci de m'avoir reçue et de m'avoir présenté Yosef.

— Dieu vous ait en sa sainte garde, Diana Roydon, dit solennellement Abraham.

Herr Maisel m'escorta sur le court trajet entre le quartier juif et la Vieille Ville. Nous arrivâmes rapidement sur la grande place qui grouillait de monde. Les tours jumelles de Notre-Dame de Týn s'élevaient sur notre gauche, alors que la silhouette ramassée de l'Hôtel de Ville se dressait sur la droite.

— Si nous n'avions pas à retrouver *Herr* Roydon, nous nous arrêterions pour voir l'horloge sonner les heures, regretta *Herr* Maisel. Il faut que vous lui demandiez de passer devant sur le chemin du pont. Quiconque visite Prague se doit de le voir.

À l'Ungelt, où les marchands étrangers traitaient sous l'œil vigilant d'un officier des douanes, on regarda Maisel avec une hostilité non déguisée.

— Voici votre épouse, *Herr* Roydon. Je me suis assuré qu'elle remarquait les plus belles échoppes en chemin. Elle n'aura nulle peine à trouver les meilleurs artisans de Prague pour qu'ils pourvoient à ses désirs et à ceux de votre maison, dit-il à Matthew avec un sourire.

— Je vous remercie, *Herr* Maisel. Je vous suis reconnaissant de votre assistance et m'assurerai que Sa Majesté soit au fait de vos amabilités.

— C'est ma tâche, *Herr* Roydon, de veiller à la prospérité du peuple de Sa Majesté. Et ce fut également un plaisir. J'ai pris la liberté de louer des chevaux pour votre retour. Ils attendent près de l'horloge de l'Hôtel de Ville, ajouta-t-il avec un clin d'œil complice.

— Vous pensez à tout, *Herr* Maisel, murmura Matthew.

— Quelqu'un le doit, *Herr* Roydon, répondit Maisel. Cela aussi est de mon ressort.

De retour aux Trois Corbeaux, j'étais en train d'ôter ma cape quand un gamin de huit ans et une serpillière ébouriffée manquèrent de me renverser. De la serpillière s'échappaient une langue rose et une truffe noire.

— Qu'est-ce que cela ? tonna Matthew en me soutenant le temps que je trouve comment retenir la serpillière.

— Il s'appelle Lobero. Gallowglass a dit qu'il allait devenir énorme et qu'il faudrait plutôt lui mettre une selle qu'une laisse. Annie l'aime beaucoup aussi. Elle veut qu'il dorme avec elle, mais je veux qu'on partage. Qu'est-ce que tu en dis ? demanda Jack en trépignant d'excitation.

— La petite bestiole est arrivée avec un billet, dit Gallowglass en apparaissant dans l'embrasure et en l'apportant à Matthew.

— Est-il besoin de demander qui a fait porter cette bête ? demanda Matthew en lui arrachant le billet.

— Oh, je ne crois pas, s'amusa Gallowglass. Quelque chose est-il arrivé pendant votre promenade, ma tante ? Vous semblez éprouvée.

— Juste un peu lasse, dis-je avec un geste négligent. (La serpillière n'avait pas seulement une langue, mais des dents, et me mordit les doigts.) Aïe !

— Il faut que cela cesse.

Matthew froissa la feuille et la jeta à terre. Le chien sauta dessus avec un aboiement ravi.

— Que disait le billet ? demandai-je, certaine de l'identité de l'expéditeur.

— *Ich bin Lobero. Ich will Euch vor den Schatten der Nacht schützen*, répondit Matthew.

— Pourquoi persiste-t-il à m'écrire en allemand ? Rodolphe sait pourtant bien que j'ai du mal à comprendre.

— Sa Majesté prend plaisir à savoir que je serai obligé de traduire ses professions d'amour.

— Oh, fis-je. Alors, que dit-il ?

— *Je suis Lobero. Je vous protégerai des ombres de la nuit.*

— Et que signifie Lobero ?

Un jour, il y avait bien longtemps, Ysabeau m'avait déclaré que les noms étaient importants.

— Cela veut dire « louvetier » en espagnol, ma tante, dit Gallowglass en soulevant l'animal. Cette boule de poils est un chien hongrois. Lobero va tellement grandir qu'il pourra affronter un ours. Ce sont des chiens fort protecteurs, et de tempérament nocturne.

— Un ours ! Quand je le ramènerai à Londres, je lui nouerai un ruban au cou et je l'emmènerai voir les montreurs d'ours afin qu'il apprenne, dit Jack avec l'enthousiasme sanguinaire des enfants. Lobero est un nom de brave, n'est-ce pas ? Maître Shakespeare voudra s'en servir dans sa prochaine pièce. (Il agita les doigts en direction du chiot et Gallowglass lui confia obligeamment la boule frétillante de poils blancs.) Annie ! C'est moi qui vais donner à manger à Lobero ! cria-t-il en s'élançant dans l'escalier.

— Dois-je les sortir pendant quelques heures ? demanda Gallowglass après avoir jeté un coup d'œil à Matthew.

— La maison de Baldwin est vide ?

— Il n'y a pas de locataires, si c'est ce que tu demandes.

— Emmène tout le monde, dit Matthew.

— Même Lobero ?

— Surtout Lobero.

Durant tout le souper, Jack ne cessa de babiller et de se chamailler avec Annie, tout en réussissant à glisser des morceaux à manger au chien grâce à toutes sortes de stratagèmes. Entre les enfants et le chien, il était presque possible d'ignorer que Matthew songeait à modifier ses projets pour la soirée. D'un côté, il était un chef de meute et cela lui plaisait de devoir s'occuper de tant de vies. De l'autre, c'était un prédateur et j'avais l'impression que j'étais la proie choisie pour ce soir. Le prédateur l'emporta. Pas même Tereza et Karolina n'eurent le droit de rester.

— Pourquoi les as-tu tous congédiés ?

Nous étions restés auprès du feu dans le salon du premier étage, où flottaient encore les parfums du dîner.

— Qu'est-il arrivé cet après-midi ? demanda-t-il.

— Réponds d'abord à ma question.

— Ne me pousse pas à bout. Pas ce soir, m'avertit-il.

— Tu crois que j'ai eu une journée facile ?

L'air entre nous crépitait de menaçants filaments bleus et noirs.

— Non, dit-il en reculant son fauteuil. Mais tu me dissimules quelque chose, Diana. Que s'est-il passé avec le sorcier ? (Je le regardai fixement.) J'attends.

— Tu peux attendre qu'il neige en enfer, Matthew, parce que je ne suis pas ta servante. Je t'ai posé une question.

Les filaments virèrent au violet et se tortillèrent en se déformant.

— Je les ai congédiés afin qu'ils n'assistent pas à cette conversation.

L'odeur de clou de girofle était suffocante.

— J'ai vu le golem et son créateur, un tisseur juif nommé Abraham. Il possède aussi le pouvoir d'animer les choses.

— Je t'ai dit que cela ne me plaisait pas quand tu joues avec la vie et la mort.

— Tu joues avec constamment et j'accepte que cela fasse partie de ta personne. Tu vas devoir l'accepter pour moi aussi.

— Et cet Abraham, qui est-il ?

— Mon Dieu, Matthew, tu ne vas pas être jaloux parce que j'ai fait la connaissance d'un autre tisseur.

— Jaloux ? Cela fait longtemps que j'ai dépassé cette émotion réservée aux sangs-chauds.

— Pourquoi cet après-midi était-il différent de tous les autres où nous n'étions pas ensemble parce que tu étais parti travailler pour la Congrégation ou ton père ?

— Il est différent parce que je peux sentir chaque personne avec qui tu as été en contact aujourd'hui. C'est déjà assez pénible que tu portes les odeurs d'Annie et de Jack. Gallowglass et Pierre évitent de te toucher, mais ils ne peuvent pas toujours, étant donné qu'ils sont constamment en ta présence. Ensuite, nous ajoutons les odeurs du Maharal, de *Herr* Maisel et d'au moins deux autres hommes. La seule odeur que je supporte de voir mélangée à la tienne, c'est la mienne, mais comme je ne peux pas te garder en cage, je m'efforce de m'en accommoder.

Il se leva soudainement et s'écarta.

— Pour moi, c'est de la jalousie.

— Pas du tout. La jalousie, je peux la supporter, s'irrita Matthew. Ce que j'éprouve en ce moment – un terrible sentiment de manque et de fureur parce que je n'arrive pas à avoir une impression nette de toi dans le chaos de notre existence – je n'arrive pas à le maîtriser.

Ses pupilles se dilataient de plus en plus.

— C'est parce que tu es un vampire. Tu es possessif. C'est ton caractère, dis-je sans m'émouvoir en m'approchant de lui malgré sa colère. Et moi, je suis une sorcière. Tu as promis de m'accepter telle que je suis, lumière et ténèbres, femme et sorcière, en tant que personne et en tant que ton épouse.

Et s'il avait changé d'avis ? S'il n'était plus disposé à supporter cette part d'imprévisible dans sa vie ?

— J'accepte ta magie, dit-il en me frôlant la joue du bout du doigt.

— Non, Matthew, tu la tolères, parce que tu t'imagines qu'un jour, je réussirai à la soumettre. Rabbi Loew m'a prévenue que l'on peut vous priver de cette tolérance et vous abandonner dans le froid. Ma magie n'est pas quelque chose que je peux dompter. C'est *ce que je suis.* Et tu vas devoir faire plus que la tolérer, parce que je ne vais pas me cacher de toi. Ce n'est pas cela, l'amour.

— Très bien. Ne la cache pas.

— Bon, soupirai-je.

Mais mon soulagement fut de courte durée. Matthew me souleva et me plaqua contre le mur d'un mouvement souple et vif, sa cuisse glissée entre les miennes. Il libéra l'une de mes boucles qui tomba dans mon cou jusqu'à mes seins. Sans me lâcher, il baissa la tête et posa ses lèvres sur la frange de ma basquine. Je frissonnai. Cela faisait un moment qu'il ne m'avait pas embrassée à cet endroit. Notre vie sexuelle avait été presque réduite à néant depuis ma fausse couche.

Ses lèvres descendirent le long de ma mâchoire jusqu'aux veines de mon cou. Je le saisis par les cheveux et le repoussai.

— Non. À moins que tu aies l'intention de terminer ce que tu commences. J'ai eu assez de câlins et de baisers pleins de regrets pour tenir tout le reste de ma vie.

En quelques gestes rapides de vampire, Matthew avait dégrafé et dénoué sa culotte, troussé ma robe sur mes hanches et m'avait pénétrée. Ce n'était pas la première fois que j'étais prise contre le mur par quelqu'un qui essaie d'oublier ses ennuis l'espace d'un moment. En plusieurs occasions, c'était moi qui avais été l'agresseur.

— Cela ne nous concerne que toi et moi, rien ni personne d'autre. Pas les enfants. Pas ce maudit livre. Ni l'empereur et ses cadeaux. Ce soir, les seules odeurs dans cette maison seront les nôtres.

— Oh, mon Dieu, haletai-je sous ses assauts. Oh…

Il me coupa la parole d'un baiser et glissa la main entre mes cuisses.

— Ce soir, je ne te partagerai pas même avec Lui. Qui possède ton cœur, Diana ? demanda-t-il alors que les mouvements de ses doigts me poussaient au bord de la folie. Dis-le, gronda-t-il.

— Tu connais la réponse, dis-je. C'est toi qui le possèdes.

— Moi seul, dit-il.

— Toi… seul… pour… toujours, haletai-je finalement, mes jambes tremblant le long de ses cuisses.

Le front collé au mien, Matthew laissa retomber mes jupes avec un regard de regret. Il m'embrassa délicatement, presque chastement.

Cet épisode, si intense fût-il, n'avait pas satisfait ce qui poussait Matthew à me traquer alors qu'il savait que j'étais indiscutablement sienne. Je commençai à me demander si quelque chose le pourrait. Ma frustration bouillonna à la surface et prit la forme d'une vague d'air qui l'écarta de moi et le plaqua contre le mur opposé. Ses yeux virèrent au noir devant ce renversement de situation.

— Et comment trouves-tu cela, *mon cœur** ? demandai-je à mi-voix. (La surprise se peignit sur son

visage. Je claquai des doigts, écartant l'air qui le retenait prisonnier. Matthew se tendit en recouvrant sa
liberté de mouvement. Il ouvrit la bouche.) Ne t'avise
pas de t'excuser, dis-je d'un ton impérieux. Si tu
m'avais touchée d'une manière qui m'aurait déplu,
j'aurais dit non. Je n'ai pas peur de ton pouvoir, de ta
force ou de quoi que ce soit en toi. (Il pinça les lèvres.)
Je ne peux m'empêcher de penser à ton ami Giordano
Bruno : *Le désir me pousse en avant quand la peur me
freine.* De quoi as-tu peur, *toi*, Matthew ? demandai-je.

Des lèvres pleines de regret frôlèrent les miennes.
Puis un souffle d'air sur mes jupes m'indiqua qu'il
avait fui plutôt que de répondre.

30

— Maître Habermel est passé. Ton compendium est
sur la table.

Matthew ne leva pas le nez des plans du château
de Prague qu'il avait réussi à se procurer Dieu sait
comment auprès des architectes de l'empereur. Ces
derniers jours, il m'avait laissé beaucoup de liberté et
avait consacré toute son énergie à déterrer les secrets
de la garde afin de pouvoir s'introduire dans les murs
du palais. Malgré le conseil d'Abraham, que je lui
avais docilement transmis, il préférait une stratégie
d'action. Il voulait que nous quittions Prague. Au plus
tôt. Je vins le rejoindre et il leva vers moi un regard
avide et irrité.

— Ce n'est qu'un cadeau, dis-je en posant mes
gants et en l'embrassant longuement. Mon cœur est à
toi, tu n'as pas oublié ?

— Ce n'est pas qu'un cadeau. Il est arrivé avec une
invitation à aller chasser demain, dit-il en me prenant
par les hanches. Gallowglass m'a fait savoir que nous
devions accepter. Il a pu s'insinuer dans les appartements de l'empereur en séduisant une pauvre servante
et en la convainquant de lui montrer la collection
d'images érotiques de Rodolphe. La garde du palais ira
chasser avec nous ou sera en train de faire la sieste.

Gallowglass estime que c'est une bonne occasion d'essayer de trouver le livre.

Je jetai un coup d'œil à deux petits paquets posés sur la table.

— Et sais-tu ce que contiennent ceux-ci ?

Il hocha la tête et prit la plus petite des deux bourses de cuir.

— Tu reçois constamment des cadeaux d'autres hommes. Celui-ci est de moi. Tends la main.

J'obéis, intriguée. Il posa au creux de ma paume un objet rond et lisse de la taille d'un petit œuf. Un ruisseau de métal froid et lourd s'écoula autour de l'œuf alors que de minuscules salamandres emplissaient ma main. Elles étaient en argent et en or, incrustées de diamants. J'en soulevai une et m'aperçus que c'était une chaîne entièrement faite de petites salamandres réunies par la gueule et aux queues entrelacées. Il restait dans ma main un rubis. Un rubis très gros et très rouge.

— Il est magnifique ! Quand as-tu eu le temps d'acheter cela ?

Ce n'était pas le genre de bijou que les joailliers avaient en stock pour les clients de passage.

— Je l'ai depuis un certain temps, avoua Matthew. Mon père l'a envoyé avec le retable. Je n'étais pas sûr qu'il te plaise.

— Bien sûr que si. Les salamandres sont un animal alchimique, tu sais, dis-je en lui faisant un autre baiser. D'ailleurs, quelle femme refuserait soixante centimètres d'or, d'argent et de diamants accompagnés d'un rubis assez gros pour remplir un coquetier ?

— Ces salamandres-ci étaient un présent du roi quand je suis retourné en France à la fin de l'année 1541. Le roi François Ier avait choisi une salamandre cracheuse de feu comme emblème, avec pour devise *Nutrisco et extinguo – Je m'en nourris et je l'éteins*, dit-il en riant. Kit a tellement aimé l'idée qu'il l'a adaptée pour son propre usage : ce qui me nourrit me détruit.

— Kit est sans conteste un démon qui voit toujours le verre à moitié vide, dis-je en riant à mon tour.

Je touchai l'une des salamandres qui se mit à briller dans la lumière des bougies. Je m'apprêtai à dire quelque chose, mais je me ravisai.

— Quoi ? demanda Matthew.

— As-tu déjà offert ce collier à quelqu'un d'autre ? demandai-je, brusquement gênée.

— Non, répondit-il en refermant ses mains sur la mienne et son trésor.

— Pardonne-moi. C'est ridicule, je sais, surtout quand on songe au comportement de Rodolphe. Je préfère ne pas me poser de questions, c'est tout. Si jamais tu m'offres quelque chose que tu as déjà donné jadis à une autre femme, dis-le-moi, c'est tout.

— Je ne te donnerais jamais rien que j'aie déjà offert à quelqu'un d'autre, *mon cœur**. Ta vouivre m'a fait penser au cadeau du roi, alors j'ai demandé à mon père de le récupérer dans sa cachette. Je l'ai porté une fois. Depuis, il était resté dans un coffret.

— Ce n'est pas exactement le genre qui se porte au quotidien, essayai-je vainement de plaisanter. Oh, je ne sais pas ce qui me prend.

— Mon cœur ne t'appartient pas moins que le tien m'appartient, dit-il en m'attirant contre lui pour m'embrasser. N'en doute jamais.

— Très bien.

— Parfait. Parce que Rodolphe fait tout ce qu'il peut pour nous épuiser l'un et l'autre. Nous devons garder la tête froide. Et ensuite, il faut que nous fichions le camp de Prague.

Les paroles de Matthew revinrent me hanter le lendemain, quand nous retrouvâmes à la cour l'entourage proche de Rodolphe pour notre après-midi sportif. Le projet était de gagner à cheval le pavillon de chasse de l'empereur à la Montagne Blanche et de tirer le cerf, mais le ciel bas et gris nous contraignit à ne pas trop nous éloigner. Nous étions en avril, mais le printemps était tardif à Prague et la neige risquait de tomber.

Rodolphe appela Matthew à son côté, me laissant à la merci des femmes de la cour. Elles étaient d'une franche curiosité et ne savaient absolument pas par quel bout me prendre.

L'empereur et son entourage buvaient abondamment du vin que présentaient les serviteurs. Étant donné à quelle vitesse nous devions poursuivre nos proies, je regrettai qu'il n'y ait pas de règles interdisant de boire et de monter à cheval. Encore que je n'avais pas trop à m'inquiéter pour Matthew. Pour commencer, il buvait peu. Et il n'y avait guère de risque qu'il meure, même s'il faisait une chute violente.

Deux hommes arrivèrent en portant sur leurs épaules une longue perche où trônait le magnifique assortiment de faucons qui devaient abattre des oiseaux. Deux autres suivirent avec un unique oiseau encapuchonné au bec recourbé et aux pattes gainées de plumes brunes si épaisses qu'on aurait dit des bottes. Il était énorme.

— Ah ! fit Rodolphe en se frottant les mains de délice. Voici mon aigle, Augusta. Je voulais que La Diosa la voie, même si nous ne pouvons la faire voler ici. Elle a besoin de plus d'espace que le Fossé aux Cerfs n'en offre.

Augusta était un nom bien trouvé pour un animal aussi fier. L'aigle mesurait près d'un mètre de haut et, malgré le chaperon, gardait un port de tête hautain.

— Elle sent que nous l'observons, murmurai-je.

On traduisit pour l'empereur qui eut un sourire approbateur.

— Les chasseresses se comprennent. Qu'on lui ôte son chaperon afin qu'Augusta et La Diosa fassent connaissance.

Un vieil homme aux jambes arquées et à l'air prudent s'approcha de l'aigle. Il dénoua les lanières de cuir qui retenaient le chaperon sur la tête d'Augusta et le retira délicatement. Les plumes dorées du cou et de la tête s'ébouriffèrent dans la brise. L'aigle, sentant la liberté et le danger, déploya ses ailes dans un mouvement qui pouvait autant être la promesse d'un envol qu'un avertissement.

Mais ce n'était pas moi qu'Augusta avait envie de connaître. Avec un instinct infaillible, elle se tourna vers le seul prédateur présent qui fût plus dangereux qu'elle. Matthew lui retourna son regard avec tristesse. Augusta poussa un cri, reconnaissante pour sa compassion.

— Je n'ai pas fait amener Augusta pour amuser *Herr* Roydon, mais pour qu'elle voie La Diosa, grommela Rodolphe.

— Et je remercie Votre Majesté de me l'avoir présentée, dis-je, voulant attirer l'attention du maussade monarque.

— Augusta a terrassé deux loups, savez-vous, dit Rodolphe avec un regard appuyé vers Matthew. Le combat fut sanglant à chaque fois.

— Si j'étais le loup, je me coucherais simplement et laisserais la dame faire ce que bon lui semble, répondit paresseusement Matthew.

Cet après-midi, il incarnait en tout point le courtisan avec sa tenue verte et grise, ses cheveux dissimulés sous un toquet insolent qui protégeait peu des éléments, mais fournissait l'occasion d'exposer un insigne d'argent – l'ouroboros des Clermont – au cas où Rodolphe aurait oublié à qui il avait affaire.

Les autres courtisans pouffèrent discrètement devant cette audacieuse saillie. Rodolphe, s'étant assuré qu'il n'était pas la cible des rires, s'y joignit à son tour.

— Voilà un autre de nos points communs, *Herr* Roydon, dit-il avec une tape sur l'épaule de Matthew et un regard vers moi. Ni vous ni moi ne craignons une femme qui s'affirme.

La tension dissipée, le fauconnier reposa avec soulagement Augusta sur son perchoir et demanda à l'empereur quel oiseau il désirait utiliser cet après-midi pour chasser la grouse impériale. Rodolphe se montra tatillon. Une fois qu'il eut jeté son dévolu sur un grand gerfaut, archiducs autrichiens et princes allemands se chamaillèrent sur les oiseaux restants jusqu'à ce qu'il n'en demeure plus qu'un seul. Il était petit et frissonnait dans le froid. Matthew tendit la main vers lui.

— C'est un oiseau pour une femme, ricana Rodolphe en montant en selle. Je l'ai fait apporter pour La Diosa.

— Malgré son nom, Diana n'aime point la chasse. Mais peu importe, je lancerai l'émerillon. Il enroula les jets autour de ses doigts, tendit la main et laissa l'oiseau venir se percher sur son poing ganté.

— Bonjour, ma beauté, murmura-t-il pendant que l'oiseau s'installait en faisant tinter ses sonnettes.

— Elle se nomme Šárka, chuchota le garde-chasse.

— Est-elle aussi douée que celle dont elle a le nom ? demanda Matthew.

— Plus encore, répondit le vieil homme avec un sourire.

Matthew se pencha et saisit entre ses dents l'une des plumes qui retenait le chaperon. Il avait la bouche si près de Šárka et dans une attitude si intime que cela aurait pu passer pour un baiser. Il tira la lanière, puis il put retirer le chaperon en cuir décoré de l'autre main et le glisser dans sa poche.

Šárka cligna des yeux devant le monde qui se révélait à elle. Puis elle me regarda ainsi que l'homme qui la tenait.

— Puis-je la toucher ? demandai-je, trouvant irrésistibles ces couches de plumes brunes et blanches.

— Je ne le ferais pas. Elle est affamée. Je ne crois pas qu'elle ait sa part de prises, dit Matthew, qui avait de nouveau l'air triste, presque mélancolique.

Šárka émit un gloussement sourd, le regard fixé sur Matthew.

— Je crois qu'elle t'aime bien.

Ce n'était pas étonnant. Ils étaient l'un et l'autre des chasseurs-nés, tous les deux entravés pour ne pas céder au besoin de traquer et de tuer.

Nous descendîmes à cheval sur un chemin serpentant dans la gorge de la rivière qui servait autrefois de douves pour le palais. La rivière avait changé de lit et la gorge était clôturée afin d'empêcher le gibier de l'empereur de rôder dans la ville. Des élaphes, des chevreuils et des sangliers y vivaient en liberté. Ainsi que les lions et autres grands félins de la ménagerie, les jours où l'envie prenait à Rodolphe de chasser avec eux plutôt qu'au vol.

Je m'attendais à une grande pagaille, mais la chasse était aussi précisément chorégraphiée qu'un ballet. À peine Rodolphe eût-il lâché son gerfaut que les oiseaux perchés dans les arbres s'envolèrent en nuée pour éviter de finir comme repas. Le gerfaut descendit pour survoler les buissons dans le vent qui faisait tinter ses sonnettes. Des grouses effrayées en sortirent en courant et en claquant des ailes avant de s'envoler. Le gerfaut vira sur l'aile, choisit une proie, la harcela, puis fondit sur elle et la frappa du bec et de ses serres. La grouse chuta et le faucon la poursuivit jusqu'au sol où, assommée et blessée, elle fut finalement tuée. Les gardes-chasses lâchèrent les chiens et coururent avec eux sur le sol couvert de neige. Les chevaux galopèrent derrière eux dans un concert de cris de triomphe et d'aboiements.

Quand les chevaux arrivèrent à sa hauteur, le faucon était sur sa proie, les ailes déployées pour le protéger de quiconque aurait voulu la lui ravir. Matthew avait adopté la même attitude à la Bibliothèque bodléienne et je sentis son regard qui vérifiait que je n'étais pas loin.

L'empereur ayant eu la première prise, les autres pouvaient désormais se joindre à la chasse. À eux tous, ils abattirent plus d'une centaine d'oiseaux, suffisamment pour régaler bon nombre de courtisans. Il n'y eut qu'une seule altercation. Comme de bien entendu, ce fut entre le magnifique gerfaut argenté de Rodolphe et le petit émerillon brun et blanc de Matthew.

Matthew était resté en retrait du reste de la meute des chasseurs. Il lâcha son oiseau bien après les autres et ne se pressa pas pour réclamer la grouse qu'il avait abattue. Alors que les autres étaient restés en selle, Matthew démonta, fit lâcher sa proie à Šárka en murmurant et en lui tendant un pât arraché sur une autre proie.

Cependant, une fois, Šárka ne parvint pas à atteindre la grouse qu'elle poursuivait. L'oiseau lui échappa et vola tout droit vers le gerfaut de Rodolphe. Mais Šárka refusa de céder. Le gerfaut était plus grand qu'elle, mais Šárka était plus déterminée et agile. Pour atteindre sa grouse, l'émerillon vola si bas près de ma tête que je sentis le souffle d'air. C'était une si petite créature, plus menue encore que la grouse, qu'elle n'était pas de taille contre l'oiseau de l'empereur. La grouse s'éleva dans les airs, mais elle ne pouvait s'échapper. Šárka changea de direction et enfonça ses serres dans le corps de sa proie, leur poids les entraînant toutes les deux vers le sol. Le gerfaut indigné poussa un cri dépité et Rodolphe protesta à son tour.

— Votre oiseau a gêné le mien, s'écria-t-il alors que Matthew éperonnait son cheval pour aller récupérer l'émerillon.

— Ce n'est pas mon oiseau, Votre Majesté, répondit Matthew. (Šárka, les plumes hérissées et les ailes déployées pour avoir l'air la plus menaçante possible, poussa un cri strident à son approche. Matthew murmura quelque chose qui me parut vaguement familier et qui ressemblait à un compliment d'amoureux, et l'oiseau s'apaisa.) Šárka vous appartient. Et aujourd'hui, elle s'est révélée porter dignement le nom d'un grand guerrier de Bohême.

Il ramassa émerillon et grouse et les brandit devant la cour. Les jets de Šárka volèrent dans le vent et ses sonnettes résonnèrent alors qu'il tournait sur lui-même pour la montrer à tous. Ne sachant trop comment réagir, les courtisans guettèrent l'attitude de Rodolphe. Mais c'est moi qui intervins.

— Ce guerrier était-il une femme, mon époux ?

Matthew s'immobilisa en souriant.

— Eh bien oui, mon épouse. La vraie Šárka était petite et farouche, ainsi que l'oiseau de l'empereur, et savait que la plus redoutable arme du guerrier se trouve entre les oreilles, dit-il en se frappant la tempe de l'index pour que tous comprennent bien.

Rodolphe non seulement comprit le message, il eut l'air perplexe.

— C'est une description qui convient bien aux dames de Malá Strana, plaisantai-je. Et que faisait Šárka de son intelligence ?

Avant que Matthew ait pu répondre, une femme que je ne connaissais pas prit la parole.

— Šárka a vaincu un groupe de soldats, expliqua-t-elle dans un latin parfait avec un lourd accent tchèque.

Un homme à barbe blanche qui devait être son père la regarda d'un air approbateur qui la fit rougir.

— Vraiment ? répondis-je, intéressée. Et comment ?

— En prétendant qu'elle avait besoin de secours et en invitant ensuite les soldats à fêter sa liberté en buvant plus que de raison.

Une autre femme, plus âgée et avec un nez assez crochu pour rivaliser avec le bec d'Augusta, ricana :

— Les hommes s'y laissent toujours prendre.

J'éclatai de rire. Surprise, la vieille aristocrate en fit autant.

— Je crains, Votre Majesté, que ces dames n'accepteront point que leur héroïne soit accusée des fautes d'autres.

Matthew sortit de sa poche le chaperon et en coiffa la tête fière de Šárka, puis il se pencha et noua les lanières avec ses dents. Le garde-chasse reprit l'émerillon sous un concert d'applaudissements approbateurs.

Nous conclûmes la journée en nous rendant dans une maison de style italien au toit rouge et blanc pour prendre du vin et des rafraîchissements. J'aurais préféré m'attarder dans les jardins, car les narcisses de l'empereur commençaient enfin à fleurir maintenant que nous étions en avril. D'autres membres de la cour nous rejoignirent, notamment l'aigre Strada, Maître Hoefnagel et le fabricant d'instruments astronomiques Erasmus Habermel, que je remerciai pour mon compendium.

— Ce qu'il nous faut pour dissiper notre ennui, c'est un banquet de printemps, clama un jeune courtisan. Votre Majesté ne le pense-t-elle point, maintenant que Carême est passé ?

— Une mascarade ? demanda Rodolphe en buvant une gorgée de vin, son regard sur moi. Auquel cas, le thème devra être Diane et Actéon.

— C'est un thème fort commun, Votre Majesté, et plutôt anglais, déplora Matthew. (Rodolphe s'empourpra.) Peut-être pourrions-nous choisir Déméter et Perséphone. Ce serait plus en accord avec la saison.

— Ou l'épopée d'Ulysse, proposa Strada en me décochant un regard mauvais. *Frau* Roydon pourrait incarner Circé et nous changer tous en pourceaux.

— Voilà qui est intéressant, Ottavio, fit Matthew en se caressant la lèvre. Il me plairait beaucoup de jouer Ulysse.

Pas question, songeai-je. Pas avec la scène obligatoire de la chambre et Ulysse faisant promettre à Circé de ne pas lui prendre sa virilité.

— Si je puis faire une suggestion, dis-je, tentant d'éviter une catastrophe.

— Bien sûr, bien sûr, s'empressa Rodolphe en me prenant la main et en la tapotant avec sollicitude.

— L'histoire que j'ai en tête exige que quelqu'un incarne Zeus, le roi des dieux, dis-je à l'empereur en retirant délicatement ma main.

— Je ferais un Zeus convaincant, dit-il avec un grand sourire. Et vous joueriez Callisto ?

Pas question. Je n'allais pas laisser Rodolphe faire mine de me violer et de me féconder.

— Non, Votre Majesté. Si vous tenez à ce que je joue un rôle dans ce divertissement, je prendrai celui de la déesse de la Lune. (Je glissai ma main sous le bras de Matthew.) Et pour se racheter de sa remarque, Matthew jouerait Endymion.

— Endymion ?

Le sourire de l'empereur s'effaça.

— Pauvre Rodolphe. Pris à son propre piège une fois de plus, me murmura Matthew. Endymion, Votre Majesté, reprit-il à voix haute, le magnifique jeune homme qui fut plongé dans un sommeil éternel afin de préserver sa beauté immortelle et la chasteté de Diane.

— Je connais la légende, *Herr* Roydon ! le mit en garde Rodolphe.

— Votre Majesté me pardonne, répondit Matthew en s'inclinant légèrement, mais avec grâce. Diana sera splendide en arrivant sur son chariot afin de pouvoir contempler avec mélancolie l'homme qu'elle aime.

Rodolphe était devenu d'un pourpre impérial. Nous fûmes congédiés et quittâmes le palais pour regagner les Trois Corbeaux.

— Je n'ai qu'une seule requête, dit Matthew en passant notre porte. Je suis peut-être un vampire, mais avril est un mois glacial à Prague. Eu égard à la température, les costumes que tu concevras pour Diana et Endymion devront être un peu moins sommaires qu'un croissant de lune dans tes cheveux et un linge autour de mes hanches.

— Je viens de t'attribuer le rôle et tu as déjà des exigences artistiques ! fis-je mine de me moquer. Oh, ces acteurs !

— C'est ce qui arrive quand on travaille avec des amateurs, sourit-il. Je sais comment la mascarade doit commencer : *Mais les nuages s'ouvrent et j'en vois émerger. La plus belle lune qui ait jamais argenté / Une conque, la coupe de Neptune...*

— Tu ne peux pas citer Keats ! dis-je en riant. C'est un poète romantique et nous sommes trois siècles trop tôt.

— ... *Elle monte, / D'un éclat si intense que mon âme éblouie, s'unissant à sa sphère d'argent, l'accompagne / Dans l'espace clair ou nuageux, la suivant même / Enfin dans une sombre et vaporeuse tente*, continua-t-il à déclamer théâtralement en m'attirant dans ses bras.

— Et j'imagine que tu vas exiger que ce soit *moi* qui te trouve une tente, dit Gallowglass en dévalant l'escalier.

— Et quelques moutons. Ou peut-être un astrolabe. Endymion peut être soit un berger soit un astronome, dit-il en hésitant entre les deux.

— Le garde-chasse de Rodolphe n'acceptera jamais de se séparer de l'un de ses étranges moutons, maugréa Gallowglass.

— Matthew peut utiliser mon compendium. (Je me retournai. Il était censé se trouver sur le manteau de la cheminée, hors de portée de Jack.) Où est-il passé ?

— Annie et Jack le montrent à Serpillière. Ils sont persuadés que c'est un objet enchanté.

Jusque-là, je n'avais pas remarqué les fils qui remontaient dans l'escalier depuis la cheminée – argent, or et gris. En me précipitant pour retrouver les enfants et savoir ce qu'il était advenu du compendium, je marchai sur l'ourlet de ma robe et le déchirai.

Annie et Jack avaient ouvert le petit compendium de bronze et d'argent comme un livre en déployant entièrement les volets intérieurs. L'intention de Rodolphe était de me donner un instrument permettant de suivre les mouvements célestes et Habermel s'était surpassé. Le compendium contenait un cadran solaire, une boussole, un instrument pour calculer la longueur des heures selon les différentes saisons, une complexe volvelle lunaire dont les rouages permettaient d'indiquer la date, l'heure, le signe au zénith du zodiaque et les phases de la lune, ainsi qu'un tableau des latitudes qui comprenait (à ma requête) les villes de Roanoke, Londres, Lyon, Prague et Jérusalem. L'un des volets possédait une tranche dans laquelle je pouvais glisser l'une des toutes dernières technologies : la tablette effaçable, qui était faite dans un papier spécialement traité sur lequel on pouvait écrire, puis que l'on pouvait effacer pour noter autre chose.

— Regarde, Jack, il recommence, dit Annie en examinant l'instrument.

Serpillière (personne de la maison ne l'appelait plus Lobero hormis Jack) se mit à aboyer en agitant la queue pendant que la volvelle lunaire se mettait à tourner toute seule.

— Je te parie un penny que la pleine lune sera dans la lucarne quand elle arrêtera de tourner, dit Jack en crachant dans sa main avant de la tendre à Annie.

— Pas de paris, dis-je machinalement en m'accroupissant à côté d'eux.

— Quand cela a-t-il commencé, Jack ? demanda Matthew en écartant Serpillière.

Jack haussa les épaules.

— Depuis que *Herr* Habermel l'a envoyé, avoua Annie.

— Elle tourne comme cela toute la journée ou seulement à certains moments ? demandai-je.

— Seulement une ou deux fois. Et la boussole seulement une, dit Annie d'un air accablé. J'aurais dû vous le dire. Je savais que c'était un objet magique en le touchant.

— Cela ne fait rien, souris-je. Il n'y a pas de mal.

Je posai le doigt au centre de la volvelle et lui ordonnai de s'arrêter. Elle obéit. À peine eut-elle cessé de tourner que les fils d'or et d'argent qui entouraient le compendium commencèrent à se dissoudre lentement en ne laissant plus que le seul filament gris, qui disparut rapidement parmi les innombrables fils colorés qui remplissaient notre maison.

— Qu'est-ce que cela signifie ? demanda Matthew plus tard, quand la maison fut silencieuse et que j'eus mis le compendium hors de portée des enfants, au-dessus du baldaquin de notre lit. J'en profite pour te dire que tout le monde cache ses affaires là. C'est le premier endroit où Jack viendra fouiner.

— Que quelqu'un nous cherche, dis-je en récupérant le compendium et en cherchant une nouvelle cachette.

— À Prague ? demanda-t-il en me prenant le petit instrument et en le glissant dans son pourpoint.

— Non. Dans le temps. (Il s'assit sur le lit et poussa un juron.) C'est ma faute, continuai-je, toute penaude. J'ai essayé de tisser un sort pour que le compendium m'avertisse si quelqu'un voulait le voler. Le sortilège était censé éviter les ennuis à Jack. Je crois qu'il va falloir que je remette mon ouvrage sur le métier.

— Qu'est-ce qui te fait croire que c'est quelqu'un d'une autre époque ? demanda Matthew.

— Parce que la volvelle lunaire est un calendrier perpétuel. Les rouages tournent comme si elle essayait de tenir compte d'informations qui dépassent ses spécifications techniques. Cela me fait penser aux mots qui s'échappaient de l'Ashmole 782.

— Peut-être que la rotation rapide de la boussole indique que celui qui nous cherche est aussi dans un lieu différent. Comme les volvelles lunaires, la boussole ne peut pas trouver le nord véritable parce qu'il lui est demandé de calculer deux directions différentes : une pour nous à Prague et une pour quelqu'un d'autre.

— Penses-tu que ce serait Ysabeau ou Sarah et qu'elles ont besoin de notre aide ?

C'était Ysabeau qui avait fait parvenir à Matthew l'exemplaire du *Docteur Faust* qui nous avait permis d'atteindre 1590. Elle savait où nous devions nous rendre.

— Non, dit Matthew avec certitude. Elles ne nous trahiraient pas. C'est quelqu'un d'autre.

Il posa ses yeux gris-vert sur moi. Le regard impatient et plein de regrets était revenu.

— Tu me regardes comme si je t'avais en quelque sorte trahi, dis-je en m'asseyant auprès de lui sur le lit. Si tu ne veux pas que je fasse cette mascarade, je n'irai pas.

— Ce n'est pas cela, dit-il en se levant. Tu continues à me dissimuler quelque chose.

— Tout le monde garde des choses par-devers soi, Matthew. Des petites choses qui n'ont pas d'importance. Parfois plus grandes, comme le fait d'appartenir à la Congrégation.

Je lui en voulais de ses accusations, étant donné tout ce que j'ignorais encore sur son compte. Soudain, il me prit par les épaules et me fit lever.

— Tu ne me pardonneras jamais pour cela, dit-il, les yeux devenus noirs, en enfonçant ses doigts dans ma chair.

— Tu m'as promis que tu tolérerais mes secrets, dis-je. Rabbi Loew a raison : la tolérance ne suffit pas. On peut toujours vous la retirer.

Matthew me lâcha en jurant. J'entendis Gallowglass monter l'escalier et Jack murmurer plus loin.

— J'emmène les enfants à la maison de Baldwin, dit Gallowglass depuis la porte. Tereza et Karolina sont déjà parties. Pierre va me rejoindre avec le chien. (Il baissa la voix.) Vous effrayez le petit quand vous vous disputez, et il a suffisamment connu la peur dans sa courte vie. Réglez vos comptes, sinon je les ramène à Londres et je vous laisse ici vous débrouiller tous les deux tout seuls.

Matthew resta assis sans mot dire devant le feu, un gobelet de vin à la main, fixant sombrement les flammes. À peine le groupe fut-il parti qu'il se leva d'un bond et gagna la porte. Sans avoir réfléchi ni rien prévu, je libérai ma vouivre. *Arrête-le*, ordonnai-je. Elle le traversa en le couvrant d'un brouillard gris, se matérialisa près de la porte et enfonça ses griffes de part et d'autre de l'embrasure. Quand Matthew s'approcha, une langue de feu jaillit de sa gueule en guise d'avertissement.

— Tu n'iras nulle part, dis-je. (Il me fallait beaucoup d'efforts pour ne pas hausser le ton. Matthew était peut-être en mesure de me dominer, mais je doutais qu'il soit de taille devant mon familier.) Ma vouivre est un peu comme Šárka : petite, mais agile. Je ne l'énerverais pas, si j'étais toi. (Matthew se retourna avec un regard glacial.) Si tu es fâchée contre moi, dis-je, si j'ai fait quelque chose qui te déplaît, dis-le. Si tu veux mettre fin à ce mariage, aie le courage de le faire proprement afin que je puisse – je dis bien « puisse » – m'en remettre. Parce que si tu persistes à me regarder comme si tu regrettais de m'avoir épousée, tu vas m'anéantir.

— Je n'ai aucun désir de mettre fin à ce mariage, dit-il d'une voix tendue.

— Alors sois mon époux, répondis-je en m'avançant vers lui. Sais-tu ce que j'ai pensé en voyant ces magnifiques oiseaux voler aujourd'hui ? « C'est à cela que Matthew devrait ressembler s'il avait la liberté d'être lui-même. » Et quand je t'ai vu coiffer le capuchon de Šárka, l'aveugler pour qu'elle ne puisse pas chasser comme le demande son instinct, j'ai vu le même regret dans ses yeux que dans les tiens depuis le jour où j'ai perdu notre enfant.

— Il ne s'agit pas de l'enfant, flamboya-t-il.

— Non, il s'agit de moi. Et de toi. Et de quelque chose de si terrifiant que tu refuses de le reconnaître : qu'en dépit de tes prétendus pouvoirs sur la vie et la mort, tu ne peux pas tout maîtriser et me protéger, moi ou quiconque tu aimes, du danger.

— Et tu crois que c'est d'avoir perdu l'enfant qui m'en a fait prendre conscience ?

— De quoi d'autre aurait-il pu s'agir ? Ta culpabilité concernant Blanca a failli t'anéantir.

— Tu te trompes.

Il avait passé les mains dans mes cheveux, dénouant les tresses pour laisser s'échapper le parfum de menthe et de camomille du savon que j'utilisais. Ses pupilles étaient énormes et d'un noir d'encre. Il respira un peu mon parfum et un peu de vert y réapparut.

— Dis-moi ce que c'est, alors.

— Ceci. (Il passa la main sur le côté de ma basquine et la déchira en deux. Puis il détacha le cordon qui retenait le large décolleté de ma robe sur mes épaules afin de découvrir le haut de ma poitrine. Son doigt caressa une veine bleue et s'insinua sous l'étoffe.) Chaque jour de ma vie est une lutte pour moi. Je me bats pour maîtriser ma colère et la nausée qui la suit. Contre la faim et la soif, parce que j'estime qu'il n'est pas bien que je prenne le sang d'autres créatures – pas même d'animaux, même si je supporte mieux cela que de le prendre à quelqu'un que je pourrais croiser à nouveau dans la rue. (Il leva les yeux vers moi.) Et je suis déchiré par le besoin indicible de posséder ton corps et

715

ton âme d'une manière qu'aucun sang-chaud ne pourrait imaginer.

— Tu veux mon sang, chuchotai-je. Tu m'as menti.

— Je me suis menti à moi-même.

— Je t'ai dit et répété que tu pouvais le prendre, dis-je. (Je déchirai un peu plus ma robe et inclinai la tête pour découvrir ma jugulaire.) Prends-le. Je m'en moque. Je veux juste que tu me reviennes, dis-je en ravalant un sanglot.

— Tu es ma compagne. Jamais je ne prendrais volontairement ton sang à ta gorge. (Ses doigts froids remirent doucement ma robe en place.) Quand je l'ai fait à Madison, c'était parce que j'étais trop faible pour m'en empêcher.

— Que reproches-tu à mon cou? demandai-je, décontenancée.

— Les vampires ne mordent au cou que les inconnus et les inférieurs. Pas leurs amants. Et moins encore leurs compagnons.

— La domination, dis-je en repensant à notre précédente conversation sur les vampires, le sang et le sexe. Et la nourriture. Ce sont donc surtout les humains qui sont mordus à cet endroit. Il y a un noyau de vérité dans cette légende sur les vampires.

— Les vampires mordent leur compagne au sein, dit-il. Près du cœur.

Ses lèvres se collèrent à ma peau nue au-dessus de ma robe. C'était là qu'il m'avait embrassée lors de notre nuit de noces, quand ses émotions l'avaient vaincu.

— Je croyais que ton désir de m'embrasser là n'était qu'un geste de désir ordinaire.

— Il n'y a rien d'ordinaire dans le désir qu'a un vampire de prendre du sang à cette veine.

Il avança sa bouche un peu plus bas le long de la ligne bleutée et y colla de nouveau ses lèvres.

— Mais si ce n'est pas une question de nourriture ou de domination, qu'est-ce que c'est ?

— L'honnêteté, dit Matthew, avec un regard où le noir l'emportait encore sur le vert. Les vampires ont trop de secrets pour être complètement honnêtes. Nous ne pourrions pas tous les formuler et la plupart sont trop complexes pour être compréhensibles, même au prix d'un grand effort. Et dans mon monde, le partage des secrets est interdit.

— « Je ne suis pas en position de te le dire. » Oui, j'ai entendu cela dans ta bouche plusieurs fois.

— Boire le sang de son amant, c'est savoir que rien n'est caché, dit-il en fixant mon sein, le doigt toujours sur la veine. Nous l'appelons la veine du cœur. Le sang y est plus suave. Il procure une sensation de possession et d'identification totale – mais cela exige aussi une parfaite maîtrise de soi pour ne pas se laisser emporter par les émotions qui en découlent, dit-il tristement.

— Et tu crains de ne pas te maîtriser à cause de ta fureur sanguinaire.

— Tu m'as vu sous son emprise. C'est le désir de protéger qui la déclenche. Et qui représente pour toi un plus grand danger que moi ?

D'un coup d'épaule, je fis glisser la robe et enlevai les manches pour me retrouver nue jusqu'à la taille. Je cherchai les lacets et les dénouai.

— Non, dit-il. (Son regard s'était encore assombri.) Il n'y a personne ici au cas où…

— Où tu me saignerais à blanc ? demandai-je en laissant tomber la robe à terre. Si tu n'avais pas assez confiance en toi pour le faire quand Philippe était à portée de voix, tu ne pourras pas plus avec Gallowglass et Pierre qui feraient le guet.

— Ce n'est pas un sujet de plaisanterie.

— Non, dis-je en lui prenant les mains. C'est un sujet qui ne regarde que les maris et les épouses. Une question d'honnêteté et de vérité. Je n'ai rien à te cacher. Si prendre du sang à ma veine doit mettre fin à ton irrépressible besoin de traquer ce que tu imagines comme mes secrets, alors c'est ce que tu vas faire.

— Ce n'est pas quelque chose qu'un vampire ne fait qu'une seule fois, m'avertit-il en tentant de se dégager.

— C'est bien ce qu'il me semblait aussi, dis-je en glissant mes doigts sur sa nuque. Prends mon sang. Prends mes secrets. Fais ce que ton instinct te crie de faire. Il n'y a ni chaperons ni jets, ici. Dans mes bras, tu devrais être libre, même si tu ne l'es pas ailleurs.

J'attirai sa bouche vers la mienne. Il répondit d'abord en hésitant et ses doigts s'enroulèrent autour de mes poignets comme s'il espérait pouvoir s'échapper à la première occasion. Mais son instinct était puissant et son désir tangible. Les fils qui reliaient le monde bougèrent et s'ajustèrent autour de moi comme pour faire de la place à ce torrent d'émotions. Je l'attirai délicatement en haussant la poitrine à chaque respiration.

Il avait l'air terrifié de blesser mon cœur. Mais il y avait du désir, aussi. *De la peur et du désir*. Rien d'étonnant à ce qu'ils aient tous les deux figuré dans sa dissertation à All Souls à l'époque où il avait remporté sa bourse. Qui mieux qu'un vampire pouvait comprendre leur antagonisme ?

— Je t'aime, chuchotai-je en lâchant ses mains.

Il fallait qu'il le fasse seul. Je ne devais jouer aucun rôle en aidant sa bouche à trouver ma veine. L'attente fut insoutenable, mais il finit par baisser la tête. Mon cœur battait la chamade et je l'entendis prendre une profonde inspiration.

— Le miel. Tu sens toujours le miel, murmura-t-il, fasciné, juste avant de plonger ses dents dans ma chair.

La première fois qu'il avait bu mon sang, Matthew avait pris soin d'anesthésier l'endroit de la morsure avec un peu de son sang pour que je n'éprouve aucune douleur. Il n'en fit rien cette fois, mais ma chair s'engourdit rapidement sous la pression de sa bouche. Il me prit dans ses bras pour me renverser en arrière au-dessus du lit. Je restai suspendue ainsi en attendant qu'il constate qu'il n'y avait entre nous que de l'amour. Maintenant qu'il buvait, je le serrai contre moi.

Trente secondes après avoir commencé, il s'interrompit. Il leva vers moi un regard surpris comme s'il avait découvert quelque chose d'inattendu. Ses yeux virèrent entièrement au noir et, pendant un bref instant, je crus que la fureur sanguinaire l'avait envahi.

— Tout va bien, mon amour, murmurai-je.

Il baissa la tête et but encore un peu jusqu'à ce qu'il découvre ce qu'il voulait. Il lui fallut à peine plus d'une minute. Il baisa la plaie au-dessus de mon cœur avec la même expression déférente que lors de notre nuit de noces à Sept-Tours et me regarda timidement.

— Et qu'as-tu trouvé ? demandai-je.

— Toi. Rien que toi, murmura-t-il.

Sa timidité laissa la place à l'avidité alors qu'il m'embrassait, et nous nous retrouvâmes bientôt enlacés. En dehors de ce bref moment contre le mur, nous n'avions pas fait l'amour depuis des semaines, et ce fut maladroit, le temps que nous retrouvions nos marques. Mon corps se tendit et je le suppliai bientôt de nous libérer. Un dernier mouvement et un dernier baiser : c'était tout ce qu'il faudrait. Mais Matthew ralentit. Nos regards se croisèrent. Je ne l'avais encore jamais vu ainsi jusque-là – vulnérable, beau, libre. Il n'y avait plus de secrets entre nous désormais, plus d'émotions retenues au cas où un désastre surviendrait et nous précipiterait dans des ténèbres où l'espoir ne pourrait survivre.

— Tu me sens, Diana ? demanda-t-il, immobile. Je suis en toi, Diana, je te donne la vie.

Je lui avais dit la même chose lorsqu'il avait bu mon sang et avait quitté les rivages de la mort pour revenir en ce monde. Je ne pensais pas qu'il m'avait entendue à ce moment-là. Il répéta ces paroles comme une incantation. C'était la forme de magie la plus simple et la plus pure du monde. Matthew, qui était déjà étroitement lié à mon âme, l'était maintenant à mon corps. Mon cœur, qui avait été brisé maintes et maintes fois ces derniers mois par ses regards et ses frôlements pleins de regrets, commença à se rétablir.

Quand le soleil parut à l'horizon, je touchai un point entre ses yeux.

— Je me demande si je pourrais lire tes pensées, moi aussi.

— Tu les as déjà lues, dit-il en prenant ma main et la baisant. À Oxford, quand tu as reçu la photo de tes parents. Tu n'étais pas consciente de ce que tu faisais. Mais tu ne cessais de répondre à des questions que je n'étais pas capable de formuler à haute voix.

— Je peux essayer encore ? demandai-je, pensant qu'il refuserait.

— Bien sûr. Si tu étais un vampire, je t'aurais déjà offert mon sang, dit-il en se rallongeant.

J'hésitai un instant, calmai mes esprits, et me concentrai sur une simple question. *Comment puis-je connaître l'âme de Matthew ?*

Un unique filament argenté brilla entre mon cœur et le point sur son front où aurait été situé son troisième œil si Matthew avait été un sorcier. Je me penchai, raccourcissant le fil jusqu'à ce que mes lèvres soient posées sur sa peau.

Une explosion de couleurs et de sons retentit dans ma tête comme un feu d'artifice. Je vis Jack et Annie, Philippe et Ysabeau. Gallowglass et des hommes que je ne reconnus pas occupaient une place importante dans les souvenirs de Matthew. Je vis Eleanor et Lucas. Un sentiment de triomphe alors qu'il dévoilait quelque mystère scientifique, un cri de joie tandis qu'il chevauchait dans la forêt pour chasser et tuer ainsi qu'il le devait. Je me vis en train de lui sourire.

Puis je vis le visage de Benjamin, le vampire que j'avais vu dans le quartier juif, et j'entendis distinctement les mots : *mon fils*.

Je me rassis brusquement en portant une main tremblante à mes lèvres.

— Qu'y a-t-il ? s'inquiéta Matthew en se redressant.

— Herr Fuchs ! (Je le regardai, horrifiée, craignant qu'il ait imaginé le pire.) Benjamin ! Je n'avais aucun moyen de savoir qu'il était de ton sang.

Je n'avais pas perçu la moindre fureur sanguinaire chez cette créature.

— Je sais, m'apaisa-t-il. J'ai dû sentir sa présence sur toi – une trace d'odeur, le soupçon qu'il t'avait approché. C'est ce qui m'a fait penser que tu me cachais quelque chose. J'ai eu tort. Pardonne-moi d'avoir douté de toi, *mon cœur**.

— Mais Benjamin devait savoir qui j'étais. Ton odeur devait être partout sur moi.

— Bien sûr qu'il l'a su, dit calmement Matthew. Je le chercherai demain, mais si Benjamin ne veut pas qu'on le trouve, il n'y aura rien d'autre à faire que de prévenir Gallowglass et Philippe. Ils informeront le reste de la famille que Benjamin a refait surface.

— Les avertir ?

Son hochement de tête me donna la chair de poule.

— La seule chose qui soit plus effrayante que Benjamin en proie à la fureur sanguinaire, c'est Benjamin quand il est lucide, comme lorsque tu étais chez Rabbi Loew. Comme disait Jack, les monstres les plus terrifiants ressemblent souvent à des hommes ordinaires.

31

Cette soirée marqua le véritable début de notre mariage. Matthew était plus que jamais concentré. Disparus, les répliques acerbes, les brusques changements de direction et les décisions impulsives qui avaient été notre quotidien jusqu'ici. Matthew était devenu méthodique, mesuré – mais pas moins redoutable. Il se nourrissait régulièrement en allant chasser dans la ville et les villages voisins. À mesure qu'il prenait des forces et du poids, je finis par voir ce que Philippe avait déjà observé : si improbable que cela pût paraître étant donné sa taille, son fils avait effectivement dépéri à force de mal s'alimenter.

Il me restait sur le sein une lune argentée à l'endroit où il avait bu. La cicatrice était différente de toutes les autres sur mon corps et n'avait pas formé de croûte protectrice comme sur une plaie ordinaire. Matthew m'expliqua que c'était dû à une propriété de sa salive, qui refermait la blessure sans la laisser complètement guérir.

Le rituel de Matthew consistant à prendre le sang de sa compagne dans une veine près du cœur et mon nouveau rituel du baiser sorcier me permettant de pénétrer ses pensées nous fournirent une intimité plus grande. Nous ne faisions pas l'amour chaque fois que nous étions ensemble au lit, mais quand c'était le cas, nous le précédions et le suivions toujours de ces deux moments cuisants d'absolue honnêteté qui soulageaient non seulement la plus grande inquiétude de Matthew, mais aussi ma crainte que nos secrets finissent par nous détruire. Et même lorsque nous ne faisions pas l'amour, nous parlions avec la franchise et la simplicité dont rêvent les amants. Matthew parla à Gallowglass et Pierre de Benjamin. La fureur du premier dura moins que l'inquiétude du second, qui refaisait surface chaque fois qu'on frappait à notre porte ou qu'on m'abordait au marché. Les vampires le cherchèrent nuit et jour selon les consignes de Matthew. Mais Benjamin resta introuvable. Il s'était tout bonnement volatilisé.

L'hiver finit par desserrer son emprise à mesure que passaient les journées et que les projets pour les fêtes de Rodolphe arrivaient à terme. Maître Hoefnagel et moi nous efforçâmes de presser le changement de saison en transformant la grande salle du palais en un jardin rempli de fleurs. Je fus éperdue d'admiration devant cet endroit, avec ses gracieuses voûtes qui soutenaient le toit comme les branches incurvées d'un saule.

— Nous allons placer les orangers de l'empereur ici, dit Hoefnagel, le regard pétillant d'idées. Et les paons.

Quand nous en eûmes terminé, des tulipes en pot avaient été poussées des semaines avant leur floraison naturelle et les jardiniers étaient occupés à faire jaillir des boutons de fleurs en accord avec les besoins de notre décor de théâtre.

Le jour de la représentation, des serviteurs apportèrent tous les candélabres du palais et de la cathédrale dans la vaste salle pour donner l'illusion d'un ciel nocturne étoilé et étalèrent des nattes de jonc fraîchement tressées sur le sol. Pour la scène, nous utilisâmes le bas de l'escalier menant à la chapelle impériale. C'est Maître Hoefnagel qui en eut l'idée, car ainsi, je pourrais apparaître en haut des marches, comme la lune, pendant que Matthew calculerait ma position changeante grâce à l'un des astrolabes de Maître Habermel.

— J'espère que nous ne sommes pas trop philosophiques, songeai-je à voix haute.

— Nous sommes à la cour de Rodolphe II, répondit Hoefnagel, sarcastique. Rien n'y est trop philosophique.

Quand la cour arriva pour le banquet, tous restèrent ébahis devant la scène que nous avions préparée.

— Cela leur plaît, chuchotai-je à Matthew derrière le rideau qui nous dissimulait à la foule.

Notre grandiose entrée était prévue pour le moment du dessert et nous devions rester cachés dans l'escalier jusqu'à ce moment. Matthew m'occupait en me racontant des anecdotes du passé, quand il avait monté le large escalier à cheval pour un tournoi. Comme je doutais ouvertement que la pièce fût faite pour cela, Matthew haussa un sourcil.

— Pourquoi crois-tu que nous avons créé cette salle avec d'aussi vastes proportions et un plafond aussi haut ? Les hivers praguois sont parfois atrocement longs et les jeunes hommes armés sont dangereux. Mieux vaut les faire jouter ensemble que de déclencher des guerres avec les royaumes voisins.

Avec le vin qui coulait à flots et les plats qui s'amoncelaient, le vacarme dans la salle devint rapidement assourdissant. Quand le dessert arriva, Matthew et moi prîmes discrètement place. Maître Hoefnagel avait peint un charmant décor pastoral pour Matthew et avait accepté à contrecœur de lui allouer l'un des orangers à côté de l'escabeau recouvert de feutre qui figurait un rocher. Je devais attendre son signal pour sortir de la chapelle et me poster derrière une vieille porte en bois posée sur la tranche et peinte pour représenter un chariot.

— Surtout, ne me fais pas rire, prévins-je Matthew quand il m'embrassa pour me souhaiter bonne chance.

— J'adore les défis, répliqua-t-il.

À mesure que la musique commençait à s'élever, l'assistance se calma. Quand la salle fut totalement silencieuse, Matthew leva son astrolabe vers les cieux et la mascarade commença.

J'avais décidé que la meilleure manière de représenter la scène était d'éviter les dialogues autant que possible et de privilégier la danse. Pour commencer, qui avait envie de s'attarder après un banquet pour écouter des discours ? J'avais assisté à suffisamment de dîners d'universitaires pour savoir que ce n'était pas une bonne idée. Le maître de ballet de l'empereur fut ravi d'apprendre à quelques-unes des dames de la cour les pas d'une « danse des étoiles errantes » qui offrirait à Matthew quelque chose de céleste à observer pendant qu'il attendait qu'apparaisse sa bien-aimée lune. Les plus célèbres beautés de la cour ayant reçu un rôle et portant des costumes resplendissants de joyaux, la pantomime prit rapidement des tours de représentation scolaire, à laquelle ne manquaient même pas des parents pétris d'adoration. Matthew faisait des mines douloureuses comme s'il ne pouvait supporter plus longtemps un spectacle aussi magnifique.

À la fin de la danse, les musiciens annoncèrent mon entrée avec un roulement de tambours et une sonnerie de trompettes. Maître Hoefnagel avait placé les rideaux par-dessus les portes de la chapelle, si bien que je n'avais qu'à les franchir avec tout l'*éclat** d'une déesse (en évitant de prendre ma coiffe en forme de lune dans les plis de l'étoffe comme durant les répétitions) et contempler Matthew d'un air plein de langueur. Lui, si la déesse le voulait bien, me regarderait avec fascination sans loucher ni lorgner mes seins.

Je pris le temps de me mettre dans mon personnage et je franchis avec assurance les rideaux en essayant de glisser et de flotter comme la lune.

La cour poussa un cri émerveillé.

Ravie d'avoir fait une entrée aussi convaincante, je baissai les yeux vers Matthew. Il ouvrait des yeux ronds comme des soucoupes.

Oh, non. Je cherchai à tâter le sol du bout de l'orteil, mais comme je le soupçonnais, j'étais déjà à quelques centimètres au-dessus et je continuais de m'élever. Je tendis une main pour m'agripper au bord de mon chariot, et je vis qu'une lueur nettement nacrée émanait de ma peau. Matthew leva brusquement la tête dans la direction de mon petit croissant de lune argenté. Faute de miroir, je n'avais aucune idée de ce qu'il faisait, mais je craignais le pire.

— La Diosa ! s'exclama Rodolphe en se levant et en battant des mains. Merveilleux ! Merveilleux effet !

Hésitante, la cour se joignit à lui. Quelques personnes se signèrent avant d'applaudir.

Ayant capté l'attention de tous, je joignis les mains sur ma poitrine et papillonnai des paupières en direction de Matthew qui me rendit mon regard adorateur avec un lugubre sourire. Je me concentrai pour revenir sur le sol afin de rejoindre le trône de Rodolphe. En tant que Zeus, il occupait le siège le plus splendidement sculpté que nous avions pu trouver dans les réserves du palais. Il était épouvantablement laid, mais il convenait parfaitement à l'occasion.

Par bonheur, je ne luisais plus autant quand j'arrivai auprès de l'empereur et l'assistance avait cessé de regarder ma tête comme si j'étais une chandelle romaine. Je fis une révérence.

— Salutations, La Diosa, tonna Rodolphe d'une voix qui se voulait olympienne mais qui ne fut qu'un exemple typique de personnage surjoué.

— Je suis amoureuse du bel Endymion, dis-je en désignant l'escalier où Matthew s'était plongé dans un nid de plumes et feignait de dormir. (J'avais moi-même écrit les dialogues pour éviter qu'y apparaissent Keats ou des menaces grossières. Matthew avait suggéré que je dise : « Si vous n'acceptez point de me laisser en paix, Endymion vous déchirera la gorge. » J'avais refusé, tout comme les vers de Keats.) Il paraît si paisible. Et bien que je sois une déesse et ne connaîtrai jamais l'injure des années, le bel Endymion vieillira et mourra bientôt. Je vous en supplie, rendez-le immortel afin qu'il demeure éternellement avec moi.

— À une seule condition, hurla Rodolphe, oubliant de prendre un ton divin pour se contenter de se faire entendre. Il doit dormir jusqu'à la fin des temps sans jamais se réveiller. Ainsi seulement demeurera-t-il jeune.

— Je vous remercie, puissant Zeus, dis-je en essayant de ne pas trop faire amateur. À présent, je puis contempler encore mon bien-aimé.

Rodolphe se renfrogna. C'était une bonne chose que le texte n'ait pas été soumis à son approbation préalable.

Je retournai à mon char et disparus lentement derrière les rideaux pendant que les dames de la cour exécutaient leur danse finale. Quand tout fut fini, Rodolphe entraîna l'assistance dans un vacarme de trépignements et d'applaudissements qui assourdit tout le monde. Mais ne réveilla pas Endymion.

— Lève-toi, sifflai-je en passant pour aller remercier l'empereur de nous avoir offert l'occasion de le divertir.

Je n'eus droit en réponse qu'à un ronflement théâtral. Du coup, c'est seule devant Rodolphe que je saluai, fis l'éloge de l'astrolabe de Maître Habermel, des décors et des machinations de Maître Hoefnagel et de l'excellence de la musique.

— J'ai été fort diverti, La Diosa, bien plus que je ne l'imaginais. Vous pouvez demander à Zeus une récompense, dit Rodolphe, le regard glissant de mon épaule à mes seins. Ce qu'il vous plaira. Demandez et ce sera à vous.

Les bavardages se turent dans la salle. Dans le silence, j'entendis les paroles d'Abraham : *Le livre viendra à vous pourvu que vous le demandiez.* Cela pouvait-il être aussi simple ?

Endymion s'étira sur son lit de plumes. Ne voulant pas qu'il s'en mêle, j'agitai les mains derrière mon dos pour qu'il comprenne qu'il devait continuer à faire mine de dormir. La cour retenait son souffle, attendant que je réclame quelque titre prestigieux, une terre ou une fortune en or.

— J'aimerais voir votre exemplaire du *Secretum Secretorum* de Roger Bacon, Votre Majesté.

— Vous en avez dans le ventre, ma tante, dit Gallowglass, admiratif, sur le chemin du retour. Sans oublier votre talent poétique.

— Eh bien, merci, répondis-je, flattée. Au fait, que faisait ma tête durant la mascarade ? Tout le monde la fixait.

— De petites étoiles s'élevaient de la lune et disparaissaient. Il n'y a nul lieu de s'inquiéter. Cela faisait si vrai que tout le monde aura pris cela pour une illusion. La plupart des courtisans de Rodolphe sont des humains, après tout.

Matthew fut plus prudent.

— Ne te réjouis pas encore trop vite, *mon cœur**. Rodolphe n'a peut-être d'autre choix que d'accepter, étant donné la situation, mais il n'a pas montré le manuscrit. C'est un ballet très compliqué que tu danses là. Et tu peux être sûre que l'empereur voudra quelque chose de toi en échange de la présentation du manuscrit.

— Il faudra donc que nous soyons partis depuis longtemps avant qu'il devienne trop exigeant, dis-je.

Mais il se trouva que Matthew avait eu raison d'être prudent. J'avais imaginé que Matthew et moi serions invités à venir voir le trésor le lendemain, en privé. Mais nous ne reçûmes aucune invitation. Puis nous fûmes officiellement convoqués à dîner au palais en compagnie de théologiens catholiques de renom.

Ensuite, promettait le billet, un groupe d'élus serait invité dans l'appartement impérial pour voir des objets d'une importance religieuse et mystique particulière dans la collection de Rodolphe. Parmi les visiteurs se trouvait Johannes Pistorius, qui avait été élevé en luthérien, s'était converti au calvinisme et s'apprêtait à devenir un prêtre catholique.

— C'est un traquenard, dit Matthew en se passant une main dans les cheveux. Pistorius est un homme dangereux, un adversaire sans pitié et un sorcier. Il reviendra ici dans dix ans pour devenir le confesseur de Rodolphe.

— Est-ce vrai qu'on est en train de le former pour la Congrégation ? demanda tranquillement Gallowglass.

— Oui. C'est précisément le genre de reître intellectuel que les sorciers veulent comme représentant. Ne le prends pas mal, Diana. C'est une époque difficile pour les sorciers, concéda-t-il.

— Je ne me froisse pas, répondis-je. Mais il n'est pas encore membre de la Congrégation. Toi, si. Quels sont les risques qu'il cause des problèmes en ta présence, s'il a de telles aspirations ?

— Énormes. Sinon, Rodolphe ne l'aurait pas convié à dîner en même temps que nous. L'empereur trace son plan de bataille et aligne ses troupes.

— À propos de quoi désire-t-il exactement se battre ?

— Pour le manuscrit... et toi. Il ne renoncera à aucun des deux.

— Je t'ai déjà dit que je n'étais pas à vendre. Ni un butin de guerre.

— Non, mais tu es un territoire offert à la conquête, pour Rodolphe. Il est archiduc d'Autriche, roi de

Hongrie, de Croatie et de Bohême, margrave de Moravie et souverain du Saint-Empire romain. Il est également le neveu de Philippe d'Espagne. Les Habsbourg sont une famille où l'on rivalise de cupidité et où on ne recule devant rien pour obtenir ce que l'on convoite.

— Matthew ne vous couve point, ma tante, dit Gallowglass d'un ton sombre en voyant que j'allais me récrier. Si vous étiez mon épouse, vous seriez partie de Prague le jour où est arrivé le premier présent.

En raison de la délicatesse de la situation, Pierre et Gallowglass nous accompagnèrent au palais. Trois vampires et une sorcière suscitèrent comme prévu un grand intérêt alors que nous nous dirigions vers la grande salle qu'autrefois Matthew avait contribué à concevoir.

Rodolphe me fit asseoir près de lui et Gallowglass prit position derrière mon siège comme un serviteur zélé. Matthew fut placé à l'autre bout de la table du banquet avec Pierre. N'importe qui aurait pensé en le voyant que Matthew s'amusait beaucoup en compagnie d'un groupe bruyant de dames et de jeunes gens qui cherchaient un modèle avec plus de panache que l'empereur. Des vagues de rires nous parvenaient parfois depuis la cour rivale de Matthew, ce qui n'arrangea en rien l'humeur maussade de Sa Majesté.

— Mais pourquoi faut-il répandre tant de sang, Père Johannes ? se plaignit Rodolphe au médecin, un quadragénaire potelé assis à sa gauche.

Son ordination ne devait avoir lieu que dans plusieurs mois, mais avec le zèle typique du converti, Pistorius ne trouva rien à redire à être prématurément élevé à la prêtrise.

— Parce que les hérésies doivent être entièrement exterminées, Votre Majesté. Faute de quoi, elles trouveront un nouveau terreau dont se nourrir.

Son regard aux lourdes paupières glissa sur moi et me sonda. Mon troisième œil s'ouvrit, indigné par cette grossière tentative d'attirer mon attention, si semblable à la méthode qu'avait employée Champier pour m'extirper mes secrets. Je commençais à détester les sorciers qui étaient allés à l'université. Je posai mon couteau et soutins son regard. Il fut le premier à baisser les yeux.

— Mon père estimait que la tolérance était une politique plus avisée, répliqua Rodolphe. Et vous avez étudié la sagesse juive dans la Kabbale. Certains hommes de Dieu qualifieraient cela d'hérésie.

L'ouïe finie de Matthew lui permettait de suivre notre conversation avec autant d'opiniâtreté que Šárka avait poursuivi sa grouse. Il fronça les sourcils.

— Mon époux me dit que vous êtes médecin, *Herr* Pistorius.

Ce n'était pas une manière très habile de changer de sujet, mais la manœuvre réussit.

— En effet, *Frau* Roydon. Du moins l'étais-je avant de me détourner de la préservation des corps pour le salut des âmes.

— La réputation du Père Johannes tient à ses remèdes contre la peste, dit Rodolphe.

— Je ne fus guère plus que le véhicule de la volonté de Dieu, qui est le seul vrai guérisseur, dit modestement Pistorius. Par amour pour nous, Il a créé maints remèdes naturels qui peuvent avoir des effets miraculeux sur nos corps imparfaits.

— Ah oui, je me souviens de votre plaidoirie pour les bézoards comme panacées. J'ai fait envoyer à La Diosa l'une de mes pierres lorsqu'elle a été malade récemment, dit Rodolphe avec un sourire approbateur.

— Les soins de Votre Majesté ont été couronnés de succès, fit Pistorius en me scrutant.

— Oui. La Diosa s'est tout à fait remise et elle a fort belle mine, renchérit Rodolphe en me détaillant.

Je portais une simple robe noire à broderies blanches recouverte d'un surtout de velours noir. Une collerette de dentelle ornait mon cou et le rubis du collier de salamandres brillait au creux de ma gorge, unique tache de couleur dans ma sombre tenue. L'attention de Rodolphe se fixa sur le magnifique bijou. Il fronça les sourcils et fit signe à un domestique.

— Il est difficile de dire qui du bézoard ou de l'électuaire de l'empereur Maximilien fut le plus grand bienfait, dis-je en cherchant du regard l'aide du Dr Hájek pendant que Rodolphe chuchotait à son serviteur.

En toussotant pour faire passer un morceau de massepain, Hájek intervint.

— Je pense que ce fut l'électuaire, Dr Pistorius, dit-il. Je le préparai dans une coupe taillée dans de l'ivoire de licorne. L'empereur estimait que cela en décuplerait la force.

— La Diosa a aussi pris l'électuaire avec une cuiller d'ivoire pour plus de sûreté, ajouta Rodolphe en fixant cette fois mes lèvres.

— Cette coupe et cette cuiller figureront-elles parmi les objets qui nous seront montrés ce soir dans le cabinet de curiosités de Votre Majesté ? demanda Pistorius.

L'air entre moi et le sorcier s'anima brusquement en crépitant. Les filaments entourant le prêtre-médecin explosèrent dans des rouges et des orange crus pour m'avertir du danger. Puis il sourit. *Je ne me fie point à toi, sorcière*, chuchota-t-il dans mon crâne. *Pas plus que celui qui voudrait être ton amant, l'empereur.*

Le sanglier que je mangeais – un délicieux plat parfumé de romarin et de poivre noir qui, selon l'empereur, était destiné à réchauffer le sang – se changea en poussière dans ma bouche. Au lieu de l'effet désiré, mon sang se glaça.

— Quelque chose ne va pas ? murmura Gallowglass en se penchant par-dessus mon épaule et en me tendant un châle que je ne lui avais pas demandé, ignorant qu'il en avait apporté un.

— Pistorius a été invité à voir le livre, dis-je en me tournant vers lui et en anglais afin d'éviter d'être comprise.

Gallowglass sentait le sel et la menthe, un mélange revigorant et rassurant qui me calma.

— Laissez-moi faire, répondit-il en me pressant l'épaule. Au fait, vous brillez un peu, ma tante. Il vaudrait mieux que personne ne voie d'étoiles, ce soir.

Ayant décoché son trait, Pistorius passa à d'autres sujets et se lança dans un débat animé avec le Dr Hájek sur les bienfaits médicaux de la thériaque. Rodolphe lançait des regards alternativement mélancoliques dans ma direction et furibonds dans celle de Matthew. Plus nous approchions du moment où nous devions voir l'Ashmole 782, moins j'avais d'appétit et je bavardai donc avec la noble dame assise à côté de moi. Ce fut seulement après cinq autres plats – dont un défilé de paons dorés et un tableau composé d'une truie rôtie et de cochons de lait – que le banquet se conclut enfin.

— Tu sembles pâle, dit Matthew en m'entraînant à l'écart.

— Pistorius me soupçonne. (L'homme me rappelait Peter Knox et Champier, et pour des raisons similaires. « Reître intellectuel » les décrivait parfaitement l'un et l'autre.) Gallowglass m'a dit qu'il s'en occuperait.

— Pas étonnant que Pierre ne le quitte pas d'une semelle, alors.

— Que va-t-il faire ?

— S'assurer que Pistorius sort vivant d'ici, dit Matthew avec entrain. Livré à lui-même, Gallowglass étranglerait le bonhomme et le jetterait dans le Fossé aux Cerfs en guise de souper pour les lions. Mon neveu est presque aussi protecteur que moi à ton égard.

Les invités de Rodolphe l'accompagnèrent dans le saint des saints : la galerie privée où Matthew et moi avions vu le retable de Bosch. Ottavio Strada nous y retrouva pour nous guider dans la collection et répondre à nos questions.

Quand nous entrâmes, le retable de Matthew trônait toujours au centre de la table recouverte de feutre vert. Pendant que les invités s'extasiaient devant l'œuvre de Bosch, je balayai la pièce du regard. Je vis d'éblouissants gobelets taillés dans des pierres semi-précieuses, un collier d'ordre en émail, une longue corne censée provenir d'une licorne, des statues, une noix des Seychelles sculptée – un beau mélange d'objets coûteux, médicaux et exotiques. Mais pas de manuscrit alchimique.

— Où est-il ? soufflai-je à Matthew.

Avant qu'il ait pu répondre, je sentis la chaleur d'une main sur mon bras. Matthew se raidit.

— J'ai pour vous un présent, *querida Diosa*.

L'haleine de Rodolphe qui empestait l'oignon et le vin rouge me retourna l'estomac. Je fis volte-face, espérant voir l'Ashmole 782. Au lieu de quoi, l'empereur brandissait le collier d'ordre en émail. Avant que j'aie pu protester, il me l'avait passé au-dessus de la tête et posé sur les épaules. Baissant les yeux, je vis un ouroboros vert suspendu à un cercle de croix rouges incrustées d'émeraudes, rubis, diamants et perles. Les couleurs me rappelèrent le bijou que *Herr* Maisel avait donné à Benjamin.

— Que voici un étrange présent à faire à mon épouse, Votre Majesté, dit Matthew à mi-voix.

Il était debout derrière l'empereur et considérait le collier avec dégoût. C'était la troisième chaîne de ce genre que je recevais et je compris qu'il devait y avoir une signification derrière ce symbolisme. Je soulevai l'ouroboros pour examiner l'émail. Ce n'était pas vraiment un ouroboros, car il avait des pattes. On aurait plutôt dit un lézard ou une salamandre qu'un serpent. Une croix d'un rouge sanglant apparaissait sur le dos écorché de la bête. Mais surtout, au lieu de se mordre la queue, celle-ci s'enroulait autour de son cou et l'étranglait.

— C'est un témoignage de respect, *Herr* Roydon, répondit l'empereur en appuyant sur le nom. Il appartint autrefois au roi Vladislas et fut transmis à ma grand-mère. L'insigne appartient à la brave compagnie de chevaliers hongrois connue sous le nom d'ordre du Dragon.

— Du Dragon ? répétai-je d'une voix faible en regardant Matthew.

Avec ses courtes pattes, l'animal pouvait effectivement être un dragon. Mais en dehors de cela, il avait une ressemblance frappante avec l'emblème de la famille Clermont – sauf que celui-ci était en train de connaître une douloureuse et lente agonie. Je me rappelai le serment de Benjamin de terrasser les dragons où qu'ils soient.

— Le dragon symbolise nos ennemis, surtout ceux qui désirent se mêler de nos prérogatives souveraines, dit Rodolphe d'un ton calme, mais qui était une quasi-déclaration de guerre à tout le clan des Clermont. Je serais charmé que vous le portiez la prochaine fois que vous paraîtrez à la cour, continua-t-il en posant l'index sur le dragon reposant sur ma poitrine. Ainsi, vous pourrez laisser vos petites salamandres chez vous.

Matthew avait le regard rivé au dragon et au doigt impérial posé à moins d'un pouce de mon sein. En entendant l'insulte aux salamandres françaises, ses yeux virèrent au noir. J'essayai de penser comme Mary Sidney et de trouver une réponse convenable pour l'époque qui puisse calmer le vampire. Pour l'heure, il fallait que je ravale mon féminisme outragé.

— La décision que je porte ou non ce joyau reviendra à mon époux, Votre Majesté, dis-je d'un ton glacial en me forçant à ne pas me dérober à la main de Rodolphe.

J'entendis quelques cris étouffés et des murmures. Mais la seule réaction qui m'importait était celle de Matthew.

— Je ne vois nulle raison à ce que tu ne le portes pour le reste de la soirée, *mon cœur**, dit aimablement

Matthew, qui ne se souciait plus désormais qu'un ambassadeur anglais parle comme un aristocrate français. Salamandres et dragons sont apparentés, après tout. L'une et l'autre supportent les flammes pour protéger ceux qu'ils aiment. Et Sa Majesté est assez bonne de te montrer son livre. (Il jeta un regard autour de lui.) Mais il semble que Signor Strada soit toujours aussi incompétent, car le livre n'est point là.

Nous venions de brûler un vaisseau de plus.

— Point encore, point encore, dit Rodolphe avec irritation. J'ai quelque chose d'autre à offrir à La Diosa auparavant. Allez voir ma noix sculptée des Maldives. C'est l'unique exemplaire de son espèce. (Tout le monde sauf Matthew trottina docilement vers le bras tendu de Strada.) Vous aussi, *Herr* Roydon.

— Bien sûr, murmura Matthew dans une parfaite imitation de sa mère, avant de rejoindre lentement le reste de la troupe.

— Voici quelque chose que j'ai demandé tout spécialement. Le Père Johannes m'a aidé à me procurer ce trésor. (Rodolphe balaya la pièce du regard sans trouver Pistorius et fronça les sourcils.) Où est-il passé, Signor Strada ?

— Je ne l'ai point vu depuis que nous avons quitté la grande salle, Votre Majesté, répondit celui-ci.

— Vous ! s'écria Rodolphe en désignant un serviteur. Allez le chercher ! (L'homme partit immédiatement en courant. L'empereur se ressaisit et se retourna vers l'étrange objet que nous avions devant nous. On aurait dit une grossière sculpture d'homme nu.) Voici, La Diosa, une fabuleuse racine d'Eppendorf. Il y a un siècle, une femme vola une hostie consacrée dans l'église et la planta par une nuit de pleine lune afin d'accroître la fertilité de son jardin. Le lendemain matin, on découvrit un énorme chou.

— Qui avait poussé à partir de l'hostie ?

J'avais dû manquer quelque chose dans la traduction, ou bien je me méprenais sur la nature de l'eucharistie chrétienne. Un *arbor Dianae*, c'était une chose. Un *arbor Brassicae*, c'était une tout autre affaire.

— Oui. C'était un miracle. Et quand le chou fut déterré, sa racine ressemblait au corps de Christ.

Rodolphe leva l'objet devant moi. Il était couronné d'un diadème d'or constellé de perles. Qui avait sans nul doute était ajouté après l'exhumation.

— Fascinant, dis-je en m'efforçant de paraître intéressée.

— Je voulais vous le montrer en partie parce qu'il ressemble à une image du livre que vous avez demandé. Allez chercher Edward, Ottavio.

Edward Kelley entra en serrant le livre relié de cuir sur sa poitrine.

À peine l'eus-je vu que je fus certaine. Tout mon corps me démangea alors que le livre était encore à l'autre bout de la pièce. Son pouvoir était tangible – bien plus que lorsque je l'avais vu à la Bodléienne la nuit de septembre où toute ma vie avait changé.

C'était le manuscrit disparu d'Ashmole – avant qu'Elias Ashmole en fasse l'acquisition puis qu'il disparaisse.

— Vous allez vous asseoir ici avec moi et nous allons examiner ce livre ensemble, dit Rodolphe en désignant une table où deux chaises avaient été disposées pour un tête-à-tête intime. Donnez-moi le livre, Edward.

Rodolphe tendit la main et Kelley y déposa l'ouvrage à contrecœur.

Je jetai un regard interrogateur à Matthew. Et si le manuscrit se comportait bizarrement, par exemple en se mettant à briller comme à la Bodléienne ? Et si je n'arrivais pas à empêcher mon esprit de se poser des questions sur le livre et ses secrets ? Un déchaînement de magie en cet instant serait catastrophique.

C'est pour cela que nous sommes venus, répondit-il d'un hochement de tête assuré.

Je pris place auprès de l'empereur et Strada emmena les courtisans voir la corne de licorne. Matthew se rapprocha lentement. Je fixais le livre posé devant moi, osant à peine croire qu'était arrivé le moment où j'allais enfin voir l'Ashmole 782 entier et intact.

— Eh bien ? demanda Rodolphe. N'allez-vous point l'ouvrir ?

— Bien sûr, dis-je en tirant le livre vers moi.

Aucune irisation ne s'échappait des pages. Par souci de comparaison, je posai la main sur la couverture un bref instant, comme lorsque je l'avais récupéré dans la réserve. Cette première fois, il avait soupiré comme s'il me reconnaissait et qu'il avait attendu longtemps que je vienne à lui. Cette fois, le livre demeura inerte.

Je soulevai la plaque de bois couverte de cuir de la couverture, révélant une page de parchemin vierge. Je repensai rapidement à ce que j'avais vu des mois plus tôt. C'était sur cette page qu'Ashmole et mon père écriraient un jour le titre du livre.

Je tournai la page qui me parut là aussi surnaturellement lourde. Et j'étouffai un cri de surprise.

La première page de l'Ashmole 782, celle qui manquait à mon époque, était une splendide enluminure représentant un arbre. Le tronc noueux était épais, mais sinueux. Les branches tordues qui jaillissaient au sommet envahissaient la page pour se terminer dans un mélange de feuilles, de fleurs et de fruits d'un rouge éclatant. Il ressemblait à l'*arbor Dianae* que Mary avait créé en utilisant le sang de Matthew et le mien.

Je me penchai et le souffle me manqua. Le tronc n'était pas fait de bois, de sève et d'écorce. Il se composait de centaines de corps, certains convulsés de douleur, d'autres sereinement enlacés, d'autres seuls et effrayés.

Au bas de la page, dans une écriture typique du XIIIe siècle, figuraient les mots *Le Véritable Secret des Secrets*.

Les narines de Matthew se dilatèrent comme s'il tentait d'identifier une odeur. Le livre exhalait en effet une étrange senteur âcre, la même que j'avais remarquée à Oxford.

Je tournai la page. Là, c'était l'image envoyée à mes parents, celle que la maison des Bishop avait préservée pendant tant d'années : le phénix renfermant les noces chymiques dans ses ailes, tandis que des créatures mythiques et alchimiques assistaient à l'union de Sol et de Luna.

Matthew parut bouleversé en regardant le livre. Je restai perplexe : il était encore trop loin pour l'avoir vu distinctement. Qu'est-ce qui l'avait surpris ?

La troisième page manquante se révéla représenter deux dragons alchimiques aux queues entortillées et aux corps enlacés dans une lutte ou une étreinte – il était impossible de le discerner. La pluie de sang qui coulait de leurs blessures remplissait un bassin d'où jaillissaient des dizaines de silhouettes nues et blanches. C'était la première fois que je voyais une image alchimique de ce genre.

Matthew était arrivé derrière l'empereur et je pensai que sa surprise allait le céder à l'enthousiasme en voyant par-dessus son épaule ces nouvelles images qui nous permettraient d'avancer dans la résolution des mystères du livre. Mais on aurait dit qu'il avait vu un fantôme. Il se couvrit le nez et la bouche. Voyant mon expression inquiète, il me fit signe de continuer.

Je respirai un bon coup et passai à ce qui devait être la première des étranges images alchimiques que j'avais vues à Oxford. Je trouvai comme je m'y attendais la fillette et les deux roses. Ce que je n'attendais pas en revanche, c'était trouver tout le reste de la page autour d'elle rempli de texte. C'était un étrange mélange de symboles avec de rares lettres par endroits. À la Bodléienne, ce texte était caché par un sortilège qui transformait le livre en un palimpseste magique. Là, le manuscrit était intact et son texte secret parfaitement apparent. Mais si je le voyais, je ne pouvais toujours pas le lire.

Je suivis du bout des doigts les lignes. À mon contact, les mots se dénouèrent, se transformant tantôt en un visage, une silhouette, un nom. Comme si le texte essayait de raconter une histoire concernant des milliers de créatures.

— Je vous aurais donné tout ce que vous auriez pu demander, dit Rodolphe. (Je sentis de nouveau son haleine d'oignon et de vin, si différente de l'odeur propre et épicée de Matthew. Sans compter que la chaleur de l'empereur était répugnante, maintenant que j'étais accoutumée à la température fraîche d'un vampire.) Pourquoi avez-vous choisi ceci ? Il ne peut être compris, même si Edward est convaincu qu'il recèle un grand secret.

Un long bras passa entre nous et toucha délicatement la page.

— Eh bien, voilà qui a aussi peu de sens que le manuscrit que Votre Majesté a donné à ce pauvre Dr Dee.

L'expression de Matthew démentait ses paroles. Rodolphe n'avait peut-être pas vu la crispation de sa mâchoire ni les rides de concentration autour de ses yeux.

— Pas nécessairement, me hâtai-je de répondre. Les textes alchimiques exigent étude et méditation pour être pleinement compris. Peut-être que si j'y consacrais un peu plus de temps…

— Quand bien même, il faudrait avoir été comblé d'un don de Dieu, dit Rodolphe. Edward est touché par la grâce divine contrairement à vous, *Herr* Roydon.

— Oh, certes, il est touché, dit Matthew en jetant un regard à Kelley.

L'alchimiste anglais se comportait bizarrement maintenant que le livre n'était plus en sa possession. Des filaments allaient de l'un à l'autre. Mais pourquoi Kelley était-il relié à l'Ashmole 782 ?

Alors que la question me traversait l'esprit, les minces fils jaunes et blancs changèrent d'aspect. Au lieu d'être tressés ensemble ou croisés comme dans un tissage, ils s'enroulaient vaguement autour d'un centre invisible, comme les rubans d'un cadeau d'anniversaire. De petits fils horizontaux empêchaient les boucles de se toucher. On aurait dit…

744

Une double hélice. Je portai une main à ma bouche et fixai le manuscrit. Maintenant que je l'avais touché, son odeur âcre était restée sur mes doigts. Elle était puissante, comme faisandée, comme…

De la chair et du sang. Je levai les yeux vers Matthew, me doutant qu'il devait être aussi bouleversé que moi.

— Tu ne sembles pas bien, *mon cœur**, dit-il avec sollicitude en m'aidant à me lever. Laisse-moi te ramener à la maison.

Edward Kelley choisit cet instant pour perdre tout son sang-froid.

— J'entends des voix. Elles parlent des langues que je ne puis comprendre. Les entendez-vous ? gémit-il, désemparé en portant les mains à ses oreilles.

— Que nous chantez-vous là ? demanda l'empereur. Docteur Hájek, voyez ce qui arrive à Edward.

— Vous allez y trouver votre nom aussi, me dit Edward en haussant la voix comme s'il cherchait à couvrir un bruit. Je l'ai su dès l'instant où je vous ai vue.

Je baissai les yeux. Les mêmes filaments en boucle me reliaient au livre – sauf que les miens étaient blancs et mauves. Matthew y était lui aussi relié par des fils rouges et blancs.

Gallowglass fit brusquement son apparition. Un garde trapu le suivait en tenant son bras inerte.

— Les chevaux sont prêts, dit Gallowglass en désignant la porte.

— Vous n'avez nulle permission d'être ici ! s'écria Rodolphe, furieux que ses projets méticuleusement ourdis soient réduits à néant. Et vous, La Diosa, n'avez point la permission de partir.

Matthew ne prêta absolument aucune attention à Rodolphe. Il me prit simplement le bras et m'entraîna vers la porte. Je sentis les fils se tendre pour me ramener vers le manuscrit.

— Nous ne pouvons pas laisser le livre, il…

— Je sais ce dont il s'agit.

— Qu'on les arrête ! hurla Rodolphe.

Mais le garde au bras cassé avait déjà eu affaire à un vampire en colère ce soir. Il n'allait pas tenter le destin en s'en prenant à Matthew. Ses yeux roulèrent dans leurs orbites et il s'écroula, évanoui.

Gallowglass me drapa de ma cape alors que nous dévalions l'escalier. Deux autres gardes assommés gisaient au bas des marches.

— Retournez prendre le livre ! ordonnai-je à Gallowglass, hors d'haleine à force d'avoir couru serrée dans mon corset. Nous ne pouvons pas le laisser à Rodolphe maintenant que nous savons ce que c'est.

Matthew s'arrêta et me saisit par le bras.

— Nous ne quitterons pas Prague sans le manuscrit. Je retournerai le prendre, je te le promets. Mais avant tout, nous devons rentrer. Tu dois préparer les enfants pour que nous puissions partir dès que je serai revenu.

— Nous ne pouvons plus revenir en arrière, ma tante, dit Gallowglass d'un ton lugubre. Pistorius est enfermé dans la Tour Blanche. J'ai tué un garde et j'en ai blessé trois autres. Rodolphe vous a touchée d'une manière fort inconvenante et j'ai la plus grande envie de le voir mort aussi.

— Vous ne comprenez pas, Gallowglass. Ce livre est peut-être la réponse *à tout*, parvins-je à articuler avant que Matthew m'entraîne à nouveau.

— Oh, je comprends bien plus que vous ne le croyez, lança Gallowglass derrière moi. J'ai flairé l'odeur d'en bas quand j'ai assommé les gardes. Il y a des *wearhs* morts dans ce livre. Et aussi des sorcières et des démons, je vous le garantis. Qui aurait pu imaginer que ce texte perdu, le Livre de la Vie, empesterait autant la mort ?

32

— Qui ferait une chose pareille ? demandai-je vingt minutes plus tard en frissonnant devant la cheminée de notre salon, un gobelet de tisane dans les mains. C'est ignoble.

Comme la plupart des manuscrits, l'Ashmole 782 était fait de vélin, une peau spécialement préparée que l'on trempait dans la chaux pour en enlever les poils, qu'on raclait pour enlever les couches sous-cutanées de chair et de graisse, puis qu'on faisait encore tremper avant de l'étendre sur un cadre et de la racler encore.

La différence, c'est que les créatures dont on avait utilisé la peau pour faire ce vélin n'étaient ni des moutons, ni des veaux, ni des chèvres, mais des démons, des vampires et des sorciers.

— Il devait être conservé en guise d'archives, dit Matthew qui essayait encore de comprendre ce que nous avions vu.

— Mais il y a des centaines de pages, répondis-je, incrédule.

L'idée que quelqu'un ait pu écorcher autant de démons, de vampires et de sorciers pour fabriquer du vélin avec leur peau était incompréhensible. Je n'étais même pas sûre de pouvoir retrouver le sommeil.

— Ce qui veut dire que le livre contient des centaines de fragments différents d'ADN, dit Matthew.

— Les filaments qui nous reliaient à l'Ashmole 782 ressemblaient à des doubles hélices, dis-je.

Nous dûmes expliquer la génétique moderne à Gallowglass qui, privé de quatre siècles et demi de connaissances scientifiques, s'efforçait de nous suivre.

— Alors, cet A-D-N, dit Gallowglass, articulant difficilement ce mot inconnu, c'est comme un arbre généalogique, mais ses branches couvrent plus d'une seule famille ?

— Oui, dit Matthew. C'est à peu près cela.

— As-tu vu l'arbre sur la première page ? demandai-je à Matthew. Le tronc était fait de corps et l'arbre était couvert de feuilles, de fleurs et de fruits tout comme l'*arbor Dianae* que nous avons fabriqué dans le laboratoire de Mary.

— Non, mais j'ai vu la créature qui se mordait la queue, dit-il.

Je tentai fébrilement de me rappeler ce que j'avais vu, mais ma mémoire visuelle me laissa tomber alors que j'en avais tant besoin. Il y avait trop d'informations nouvelles à absorber.

— L'image représentait deux créatures qui se battaient – ou s'enlaçaient, je n'ai pas pu le distinguer. Je n'ai pas eu le temps de compter les pattes. Le sang qui s'en écoulait donnait naissance à des centaines de créatures. Mais si l'une d'elles n'était pas un dragon à quatre pattes mais un ouroboros…

— Et l'autre une vouivre à deux pattes, alors ces deux dragons alchimiques pourraient nous symboliser, toi et moi.

Matthew poussa un juron bien senti.

Gallowglass nous écouta patiemment jusqu'au bout, puis il revint au sujet de départ.

— Et cet A-D-N, il vit dans notre peau ?

— Pas seulement la peau, mais le sang, les os, les cheveux – partout dans le corps, expliqua Matthew.

— Oh…, fit Gallowglass en se frottant le menton. Et à quelle question tu penses exactement quand tu dis que ce livre pourrait détenir toutes les réponses ?

— Pourquoi nous sommes différents des humains, répondit simplement Matthew. Et pourquoi une sorcière comme Diana peut porter l'enfant d'un vampire.

Rabbi Loew avait vu juste : la vérité ne devait pas être une inconnue. Après avoir traité la vérité comme une étrangère malvenue chez nous, à présent, dans cette salle silencieuse à cette heure tardive, nous avions besoin d'honnêteté.

— Oh, cela ! fit Gallowglass avec un sourire rayonnant. Je savais très bien que ma tante portait ton enfant, Matthew. Elle n'avait l'odeur de personne d'autre que la sienne et la tienne. Philippe le sait-il ?

— Personne d'autre ne le sait, me hâtai-je de répondre.

— Hancock si. Tout comme Françoise et Pierre. Je pense que Philippe l'aura appris, dit Gallowglass en se levant. Or donc, je vais aller chercher le livre de ma tante. S'il a un lien avec les enfants Clermont, nous devons l'avoir.

— Rodolphe l'aura fait mettre sous clé ou emporté avec lui dans son lit, prédit Matthew. Ce ne sera pas facile de le sortir du palais, surtout s'ils ont trouvé Pistorius et qu'il est en train de jeter des sorts et d'échafauder quelque machination.

— À propos de l'empereur, pouvons-nous ôter ce collier des épaules de ma tante ? Je déteste ce damné insigne.

— J'en serai heureuse, dis-je en enlevant le bijou voyant et en le posant sur la table. Quel est exactement le rapport entre l'ordre du Dragon et les Clermont ? J'imagine qu'ils ne sont pas amis avec les chevaliers de l'ordre de Saint-Lazare étant donné que le pauvre ouroboros a été en partie écorché et qu'il est en train de s'étrangler tout seul.

— Ils nous haïssent et veulent notre mort, répondit Matthew sans émotion. Les Drăculeşti reprochent à mon père sa largesse de vue sur l'islam et les Ottomans et ils ont fait vœu de nous abattre tous. Ainsi, ils pourront réaliser impunément leurs aspirations politiques.

— Et ils veulent la fortune des Clermont, ajouta Gallowglass.

— Les Drăculeşti ? demandai-je faiblement. Mais Dracula est un mythe humain, une légende destinée à propager la peur des vampires.

C'était même *le* mythe suprême concernant les vampires.

— Voilà qui devrait surprendre le patriarche du clan, Vlad le Dragon, commenta Gallowglass. Mais il serait ravi de savoir qu'il continue de terrifier les gens.

— Le Dracula des humains (le fils du Dragon connu sous le surnom de l'Empaleur) n'était qu'un seul des rejetons de Vlad, expliqua Matthew.

— L'Empaleur était un méchant gredin. Heureusement, il est mort désormais et les seuls dont nous avons à nous préoccuper sont son père, ses frères et leurs alliés les Bathóry, dit Gallowglass d'un air jovial.

— Selon les récits humains, Dracula a continué de vivre pendant des siècles. Il est peut-être encore vivant. Êtes-vous sûrs qu'il soit vraiment mort ? demandai-je.

— J'ai vu Baldwin lui arracher la tête et l'ensevelir à douze lieues du reste de son corps. Il était vraiment mort ce jour-là et il l'est toujours autant à présent, déclara Gallowglass en me jetant un regard réprobateur. Vous n'êtes pas assez sotte pour croire à ces légendes humaines, ma tante. Elles ne contiennent guère plus qu'un soupçon de vérité.

— Je crois que Benjamin possédait l'un de ces emblèmes de dragon. *Herr* Maisel le lui a donné. J'ai remarqué la similitude de couleur quand l'empereur l'a passé à mon cou.

— Tu disais que Benjamin avait quitté la Hongrie, dit Matthew à son neveu avec un regard accusateur.

— Il est parti. Je le jure. Baldwin lui a ordonné de déguerpir, faute de quoi, il connaîtrait le sort de l'Empaleur. Tu aurais dû voir la tête de Baldwin. Le diable en personne n'aurait osé désobéir à ton frère.

— Je veux que nous soyons tous le plus loin possible de Prague quand le soleil sera levé, dit Matthew d'un ton lugubre. Quelque chose ne va pas du tout. Je le sens.

— Ce n'est peut-être pas une si bonne idée. Sais-tu quelle nuit nous sommes ? demanda Gallowglass. (Matthew secoua la tête.) La Nuit de Walpurgis. On allume des bûchers par toute la ville et on brûle des effigies de sorcières. Sauf lorsqu'on en trouve une vraie, bien sûr.

— Bon sang, dit Matthew. Au moins, les bûchers fourniront une sorte de diversion. Il faut trouver le moyen de contourner les gardes de Rodolphe, s'introduire dans ses appartements privés et trouver le livre. Ensuite, bûchers ou non, nous quittons la ville.

— Nous sommes des *wearhs*, Matthew. Si quelqu'un peut voler quelque chose, c'est bien nous, lui assura Gallowglass.

— Ce ne sera pas aussi facile que tu le crois. Nous pourrons peut-être entrer, mais pourrons-nous sortir ?

— Je peux vous aider, Maître Roydon.

La voix de Jack avait l'air d'une flûte à côté de la basse grondante de Gallowglass et du baryton de Matthew.

— Non, Jack, lui dit fermement ce dernier. Tu ne dois rien voler, c'est compris ? De toute façon, tu ne connais que les écuries du palais. Tu ne saurais même pas où chercher.

— Euh, ce n'est pas tout à fait vrai, dit Gallowglass, gêné. Je l'ai emmené à la cathédrale. Et dans la grande salle pour lui montrer les dessins que tu as faits autrefois sur les murs de l'escalier des chevaliers. Et il est allé dans les cuisines. Et puis aussi à la ménagerie, bien sûr. Cela aurait été cruel de ne pas lui montrer les animaux.

— Il y est allé avec moi aussi, dit Pierre depuis le seuil. Je ne voulais pas qu'il s'y aventure tout seul un jour et se perde.

— Et où l'as-tu emmené, Pierre ? demanda Matthew d'une voix glaciale. À la salle du trône, pour qu'il puisse grimper et sauter dessus ?

— Non, *milord**. Je l'ai emmené à la forge et voir Maître Hoefnagel. (Pierre se redressa de toute sa hauteur, même s'il n'arrivait pas à celle de son maître.) Je voulais qu'il montre ses dessins à quelqu'un qui possède un véritable talent en la matière. Maître Hoefnagel a été très impressionné et il lui a fait sur-le-champ un portrait à l'encre et au fusain en récompense.

— Pierre m'a aussi emmené dans la salle des gardes, dit Jack de sa petite voix. C'est là que je les ai prises, ajouta-t-il en brandissant un trousseau de clés. Je voulais seulement voir la licorne, car je ne pouvais imaginer qu'elle puisse monter un escalier et je me suis dit qu'elle avait des ailes. Et puis Maître Gallowglass m'a montré l'escalier des – j'aime bien votre dessin du cerf qui court, master Roydon. Les gardes bavardaient. Je n'ai pas tout compris, mais j'ai beaucoup entendu le mot *Einhorn* et je me suis dit qu'ils savaient peut-être où elle était, alors…

Matthew le prit par l'épaule et s'accroupit devant lui pour être à sa hauteur.

— Sais-tu ce qu'ils auraient fait s'ils t'avaient attrapé ? demanda-t-il, l'air aussi effrayé que l'enfant. (Jack hocha la tête.) Et voir une licorne valait la peine de risquer d'être battu ?

— Ce n'aurait pas été la première fois. Mais je n'ai jamais vu un animal magique. Sauf le lion de la ménagerie de l'empereur. Et le dragon de mistress Roydon.

Horrifié, il porta la main à sa bouche.

— Parce que tu as vu cela aussi ? Prague aura été une expérience enrichissante pour tout le monde, alors. Donne-moi ces clés, dit Matthew en se levant et en tendant la main. (Jack obéit à contrecœur. Matthew s'inclina devant lui.) Je suis votre débiteur, monsieur Jack.

— Mais c'était mal, chuchota-t-il en se frottant les fesses comme s'il sentait déjà la punition que Matthew allait sans doute lui administrer.

— Je me conduis mal tout le temps, avoua Matthew. Parfois, cela permet de faire le bien.

— Oui, mais personne ne vous bat, dit Jack, qui tentait toujours de comprendre ce monde étrange où les adultes étaient les débiteurs des garçonnets et où son héros n'était finalement pas si parfait que cela.

— Le père de Matthew l'a battu avec une épée une fois. Je l'ai vu. (La vouivre battit silencieusement des ailes dans ma poitrine en signe d'approbation.) Puis il l'a renversé et lui a marché dessus.

— Il doit être aussi grand que Sixte, l'ours de l'empereur, dit Jack, rempli de respect à l'idée que quelqu'un puisse terrasser Matthew.

— Il l'est, dit Matthew en grondant comme l'ours en question. Retourne te coucher. Tout de suite.

— Mais je suis agile et vif, protesta Jack. Je peux voler le livre de mistress Roydon sans que personne me voie.

— Moi aussi, Jack, promit Matthew.

Matthew et Gallowglass revinrent du palais couverts de sang, de terre et de suie, mais avec l'Ashmole 782.

— Tu l'as eu ! m'écriai-je.

Annie et moi attendions au premier étage avec les petits baluchons où nous avions enfermé l'essentiel.

— Les trois premières pages ont disparu, dit Matthew en ouvrant le livre.

Le manuscrit, qui était encore intact quelques heures plus tôt, était maintenant mutilé et le texte courait sur la page. J'avais prévu de passer le doigt sur les lettres lorsque nous l'aurions récupéré afin d'en comprendre le sens. À présent, c'était impossible. Dès que je touchais la page, les mots s'échappaient dans toutes les directions.

— Nous avons trouvé Kelley avec le livre. Il était penché dessus et psalmodiait comme un dément. (Matthew marqua une pause.) Et le livre lui répondait.

— Il dit la vérité, ma tante. J'ai entendu les mots, mais je n'ai rien pu comprendre.

— Alors le livre est vraiment vivant.

— Et vraiment mort aussi, dit Gallowglass en touchant la reliure. C'est un objet maléfique autant que fort puissant.

— Quand Kelley nous a vus, il a poussé un hurlement et commencé à arracher des pages. Avant que j'aie pu l'atteindre, les gardes étaient là. J'ai dû choisir entre le livre et Kelley, dit Matthew. (Il hésita, puis :) J'ai fait ce qu'il fallait ?

— Je crois, oui, répondis-je. Quand j'ai trouvé le livre en Angleterre, il était déjà mutilé.

— As-tu une idée de ce que Kelley pourrait faire avec les pages manquantes ? demanda Matthew.

— Non, répondis-je. Mais il sera peut-être plus facile de les trouver dans l'avenir que maintenant.

Les moteurs de recherche modernes et les catalogues de bibliothèque seraient extrêmement utiles, maintenant que je savais ce que je cherchais.

— À condition que ces pages n'aient pas été détruites, dit Matthew. Auquel cas...

— Nous ne connaîtrons jamais tous les secrets du livre. Quand bien même, ton laboratoire moderne pourrait révéler plus avec ce qui reste que nous ne le pensions quand nous nous sommes lancés dans cette quête.

— Alors tu es prête à rentrer ? demanda Matthew.

Je vis une lueur dans son regard. Il la fit rapidement disparaître. Était-ce de l'enthousiasme ? De l'inquiétude ?

— Oui, dis-je. Le moment est venu.

Nous fuîmes Prague alors que les bûchers célébraient le retour du printemps. Nos congénères se cachaient durant la Nuit de Walpurgis, ne voulant pas être vus par leurs voisins de peur de finir jetés au bûcher.

Les eaux glacées de la mer du Nord étaient tout juste navigables et la débâcle avait libéré les ports des glaces. Des bateaux partaient pour l'Angleterre et nous pûmes en prendre un sans tarder. Malgré tout, le temps était à l'orage quand nous quittâmes les rivages de l'Europe.

Dans notre cabine, je trouvai Matthew en train d'examiner le livre. Il avait découvert qu'il était cousu avec de longues mèches de cheveux.

— *Mon Dieu**, murmura-t-il. Combien d'autres informations génétiques cet objet contient-il encore ?

Avant que j'aie pu l'empêcher, il s'humecta le bout de l'auriculaire et le posa sur les gouttes de sang qui coulaient des cheveux de l'enfant sur la première page restante.

— Matthew ! m'écriai-je, horrifiée.

— C'est bien ce que je pensais. Cette encre contient du sang. Et si tel est le cas, je devine que la feuille d'or et la feuille d'argent de ces enluminures ont été appliquées avec une colle à base d'os. Des os de créatures.

Le bateau gîta sous le vent et j'en eus l'estomac retourné. Quand j'eus fini de vomir, Matthew me prit dans ses bras. Le livre était entre nous deux, entrouvert,

757

les lignes de son texte cherchant à trouver leur place dans l'ordre des choses.

— Qu'est-ce que nous avons fait ? chuchotai-je.

— Nous avons trouvé l'arbre de vie et le Livre de la Vie réunis en un seul objet, dit Matthew en posant sa joue sur mes cheveux.

— Quand Peter Knox m'a dit que le livre contenait tous les sortilèges originaux des sorciers, je lui ai répondu qu'il était fou. Je ne pouvais pas imaginer quelqu'un d'assez imprudent pour mettre autant de connaissances en un seul endroit. (Je touchai le livre.) Mais ce manuscrit contient tellement plus – et nous ne savons toujours pas ce que signifie le texte. Si jamais il devait tomber en de mauvaises mains à notre époque…

— Il pourrait être utilisé pour nous détruire tous, acheva Matthew.

Je relevai la tête vers lui.

— Qu'allons-nous en faire, alors ? Le rapporter dans le présent ou le laisser ici ?

— Je ne sais pas, *mon cœur**, dit-il en me serrant contre lui.

— Mais ce livre pourrait très bien détenir la clé de toutes tes interrogations, dis-je, surprise qu'il puisse s'en séparer maintenant qu'il savait ce qu'il contenait.

— Pas toutes. Il y en a une à laquelle toi seule peux répondre.

— Laquelle ? demandai-je, interloquée.

— As-tu le mal de mer, ou bien es-tu enceinte ? demanda-t-il avec un regard lourd, orageux comme le ciel, et strié d'éclairs.

— Tu le saurais mieux que moi.

Nous avions fait l'amour quelques jours plus tôt, peu après que je me fus rendu compte que j'avais du retard.

— Je n'ai pas vu d'enfant dans ton sang, pas encore. C'est le changement de ton odeur que j'ai remarqué. Tu ne peux pas être enceinte de plus de quelques semaines.

— J'aurais pensé que ma grossesse te donnerait plus que jamais envie de conserver le livre.

— Peut-être que les réponses à mes questions ne sont pas aussi urgentes que je le croyais. (Pour me le prouver, il posa le livre par terre, hors de portée de regard.) J'ai pensé qu'il me dirait ce que je suis et pourquoi je suis là. Peut-être que j'ai déjà toutes les réponses. (J'attendis qu'il développe.) Après toutes mes recherches, je découvre que je suis ce que j'ai toujours été : Matthew de Clermont, vampire, époux, père. Et que je suis ici-bas pour une seule et unique raison : changer les choses.

33

Peter Knox évita les derniers amas de neige qui s'entêtaient encore et les flaques de la cour du monastère Strahov de Prague. Comme chaque printemps, il faisait sa tournée annuelle des bibliothèques d'Europe centrale et orientale. Quand touristes et étudiants étaient le moins nombreux, Knox allait d'une ancienne archive à une autre, pour s'assurer que rien de louche n'était apparu au cours des douze derniers mois qui puisse causer des ennuis, à lui ou à la Congrégation. Dans chaque bibliothèque, il avait un informateur fiable, un membre du personnel qui était suffisamment haut placé pour avoir librement accès à tous les livres et manuscrits, mais pas assez pour pouvoir s'insurger par la suite en constatant que les trésors de leur bibliothèque… disparaissaient tout bonnement.

Il faisait régulièrement ce genre de visites depuis qu'il avait terminé son doctorat et commencé à travailler pour la Congrégation. Le monde avait beaucoup changé depuis la Deuxième Guerre et la structure administrative de la Congrégation s'était adaptée à l'époque. Avec la révolution des transports du XIXᵉ siècle, trains et routes permettaient un nouveau style de gouvernance, chaque espèce se chargeant de faire la police dans ses rangs plutôt que de surveiller un territoire. Cela nécessitait beaucoup de déplacements et d'échanges de courrier, l'un et l'autre facilités à l'âge de la vapeur. Philippe de Clermont avait joué un rôle essentiel dans la modernisation de la Congrégation, même si Knox soupçonnait depuis longtemps qu'il faisait cela plus pour protéger les secrets des vampires que pour promouvoir le progrès.

Puis les deux guerres mondiales avaient désorganisé les réseaux de transport et de communication et la Congrégation avait repris ses anciens procédés. Il était plus sensé de diviser le monde en tranches plutôt que de sillonner le globe pour retrouver tel ou tel individu soupçonné de malversations. Personne n'aurait osé suggérer un changement aussi radical du vivant de Philippe de Clermont. Heureusement, l'ancien chef de la famille n'était plus là pour s'y opposer.

La taupe de Knox à la bibliothèque Strahov était un homme d'âge mûr du nom de Pavel Skovajsa. Il était marron de la tête aux pieds, comme du vieux papier, et portait des lunettes datant de l'époque communiste qu'il refusait de changer, pour des raisons historiques ou sentimentales – ce n'était pas très clair. Généralement, les deux hommes se retrouvaient à la brasserie du monastère, qui était remplie de fûts en cuivre rutilant et où l'on servait une excellente bière ambrée baptisée d'après saint Norbert, dont la dépouille était ensevelie dans les environs.

Mais cette année, Skovajsa avait vraiment trouvé quelque chose.

— C'est une lettre. En hébreu, lui avait-il chuchoté au téléphone.

L'homme se méfiait de la technologie, il n'avait pas de portable et détestait les e-mails. C'est pour cela qu'il était employé au service de la conservation, où son approche très personnelle du savoir ne ralentirait pas la marche décidée de la bibliothèque vers la modernité.

— Pourquoi chuchotez-vous, Pavel ? s'était irrité Knox.

Le seul problème avec Skovajsa, c'était qu'il aimait à se voir comme un espion taillé dans la glace de la guerre froide. Du coup, il était un tantinet paranoïaque.

— Parce que j'ai démonté un livre pour la trouver. Quelqu'un l'avait cachée sous le contreplat d'un exemplaire du *De arte cabalistica* de Johannes Reuchlin, avait expliqué Skovajsa, tout excité. (Knox avait consulté sa montre. Il était tellement tôt qu'il n'avait pas encore bu son café.) Vous devez venir au plus vite. Il est question d'alchimie et de cet Anglais qui a travaillé pour Rodolphe II. C'est peut-être important.

Knox avait pris le premier avion en partance de Berlin. Et à présent, il se trouvait dans une salle miteuse au sous-sol de la bibliothèque, éclairée par une simple ampoule nue.

— N'y a-t-il pas un endroit plus confortable pour traiter ? demanda Knox en jetant un regard méfiant à la table en métal (datant également de l'époque communiste). C'est du goulasch ? ajouta-t-il en désignant une tache collante sur le plateau.

— Les murs ont des oreilles et les planchers des yeux, répondit Skovajsa en essuyant la tache avec sa manche de pull. Nous sommes plus en sécurité, ici. Asseyez-vous. Laissez-moi vous apporter la lettre.

— Et le livre, ajouta vivement Knox.

Skovajsa se retourna, surpris par son intonation.

— Oui, bien sûr. Le livre aussi.

— Ce n'est pas *De l'art de la Kabbale*, dit Knox quand Skovajsa revint.

Il était de plus en plus agacé. Le livre de Johannes Reuchlin était mince et élégant. Cette monstruosité qui avait atterri sur la table en la faisant trembler avec un fracas d'enfer devait compter près de huit cents pages.

— Pas exactement, se défendit Skovajsa. C'est le *De arcanis catholicae veritatis* de Galatino. Mais le Reuchlin est à l'intérieur.

L'imprécision dans les références bibliographiques était l'une des bêtes noires de Knox.

— La page de titre comporte des inscriptions en hébreu, en latin et en français, dit Skovajsa en ouvrant le livre. (Comme rien ne soutenait le dos du gros livre, Knox ne fut pas surpris d'entendre un craquement de mauvais augure et leva un regard alarmé vers le bibliothécaire.) Ne vous inquiétez pas, dit celui-ci. Il n'est pas au catalogue. Je ne l'ai découvert que parce qu'il était rangé à côté de notre autre exemplaire, qui devait partir à la restauration. Il a dû arriver là par erreur quand on nous a rendu notre fonds en 1989.

Knox examina docilement la page de titre et les inscriptions.

Gen. 49 : 27 בנימין זאב יטרף בבקר יאכל עד ולערב יחלק שלל
Beniamin lupus rapax mane comedet praedam
et vespere dividet spolia.
Benjamin est un loup qui déchire :
au matin, il dévore la proie,
et sur le soir, il partage le butin.

— C'est une écriture ancienne, n'est-ce pas ? Et l'auteur était de toute évidence très instruit, dit Skovajsa.

Knox se demanda ce que ces vers avaient à voir avec le *De arcanis*. Le livre de Galatino n'avait été qu'une unique contribution dans la guerre que l'Église catholique menait contre le mysticisme juif – cette même guerre qui avait conduit à des autodafés, des procès de l'Inquisition et des chasses aux sorcières au début du XVIᵉ siècle. La position de Galatino sur ces questions était indiquée par le titre : *Concernant les secrets de la vérité universelle*. Par une habile pirouette intellectuelle, Galatino avançait que les Juifs avaient prévu les doctrines chrétiennes et que l'étude de la Kabbale pouvait soutenir les efforts des catholiques pour convertir les Juifs à la vraie foi.

— Peut-être que le véritable propriétaire se nommait Benjamin ? fit Skovajsa en jetant un coup d'œil par-dessus son épaule et en lui passant une chemise. (Knox fut ravi de voir qu'il ne portait pas un tampon TOP SECRET à l'encre rouge.) Et voici la lettre. Je ne connais pas l'hébreu, mais elle contient le nom Edwardus Kellaeus et le mot *alchymia*.

Knox tourna la page. Il rêvait. Ce n'était pas possible autrement. La lettre était datée du premier jour d'Elul 5369 – le 1ᵉʳ septembre 1609 du calendrier chrétien. Et elle était signée Yehuda ben Bezazel, un homme plus connu sous le nom de Rabbi Judah Loew.

— Vous connaissez l'hébreu, n'est-ce pas ? demanda Skovajsa.

— Oui. (Cette fois, c'était Knox qui chuchotait.) Oui, répéta-t-il d'un ton plus ferme en fixant la lettre.

— Alors ? demanda le bibliothécaire au bout d'un moment. Que dit-elle ?

— Il semblerait qu'un Juif de Prague ait rencontré Edward Kelley et ait écrit à un ami pour l'en informer.

C'était vrai. D'une certaine façon.

Longue vie et paix à toi, Benjamin, fils de Gabriel, ami chéri, écrivait Rabbi Loew. J'ai reçu ta lettre de ma ville natale avec une grande joie. Poznán est un meilleur endroit pour toi que la Hongrie, où rien ne t'attend que le malheur. Bien que je sois un vieillard, ta lettre m'a rappelé les étranges événements du printemps 5351, quand Edwardus Kellaeus, étudiant en alchimie et favori de l'empereur, vint à moi. Il délirait à propos d'un homme qu'il avait tué, disait que les gardes de l'empereur allaient bientôt l'arrêter pour meurtre et trahison. Il avait vu sa mort et criait : « Je tomberai comme les anges en enfer. » Il parla aussi du livre que tu cherches et qui fut volé à l'empereur comme tu le sais. Kellaeus l'appela tantôt le Livre de la Création et tantôt le Livre de la Vie. Il pleura, disant que la fin du monde était sur nous. Il ne cessait de répéter des augures, tels que « Au commencement étaient l'absence et le désir », « Au commencement étaient le sang et la peur », « Au commencement était un livre de sortilèges », et ainsi de suite.

Dans sa folie, Kellaeus avait arraché trois pages de ce Livre de la Vie avant même qu'il

fût dérobé à l'empereur. Il m'en donna une.
Il refusa de me dire à qui il avait donné les
autres, parlant en énigmes d'un ange de
mort et d'un ange de vie. Hélas, j'ignore où
se trouve désormais le livre. Je n'ai plus la
page en ma possession, l'ayant confiée à
Abraham ben Elijah par sûreté. Il est mort
de la peste, et il se peut que la page soit
perdue pour toujours. Le seul qui pourrait
jeter quelque lumière sur ce mystère est ton
créateur. Puisse ton intérêt à soigner ce livre
perdu s'étendre à soigner ta lignée brisée
afin que tu puisses trouver la paix avec le
Père qui t'a accordé vie et souffle. Le Sei-
gneur garde ton esprit,

> *Ton cher mai Yehuda*
> *de la sainte ville de Prague,*
> *fils de Bezazel, 1ᵉʳ du mois d'Elul 5369.*

— C'est tout ? demanda Skovajsa après un long silence. Cela ne parle que d'une entrevue ?

— En essence. (Knox fit un rapide calcul au dos de la chemise. Loew était mort en 1609. Kelley était venu le voir dix-huit ans avant cela. *Printemps 1591.* Il sortit son téléphone de sa poche et regarda l'écran avec agacement.) Vous ne captez donc pas, ici ?

— Nous sommes en sous-sol, lui rappela Skovajsa en désignant les murs avec un haussement d'épaules. Alors, j'ai eu raison de vous prévenir ? demanda-t-il en se pourléchant les lèvres avec empressement.

— Vous avez bien fait, Pavel. Je prends la lettre. Et le livre.

C'était la première fois que Peter Knox volait des documents dans la bibliothèque Strahov.

— Tant mieux. Je me disais que cela vous intéresserait, étant donné qu'il était question d'alchimie, sourit Pavel.

Ce qui arriva ensuite fut regrettable. Après des années passées à fouiner vainement, Skovjasa avait eu la malchance de dénicher quelque chose de précieux pour Knox. Avec quelques mots et un petit geste, Knox s'assura que Pavel ne serait jamais en mesure de révéler à quiconque ce qu'il avait vu. Pour des raisons sentimentales et éthiques, il ne le tua pas. Cela aurait été une réaction de vampire, comme le savait Knox après avoir trouvé Gillian Chamberlain affalée contre sa porte au Randolph Hotel l'automne dernier. Étant un sorcier, il libéra simplement le caillot déjà tapi dans la cuisse de Skovajsa pour qu'il puisse remonter jusqu'à son cerveau. Une fois là, il provoqua une attaque cérébrale foudroyante. Il faudrait des heures avant que quelqu'un le trouve, et ce serait trop tard pour qu'on puisse faire quelque chose.

Knox retourna à sa voiture de location avec l'énorme livre et la lettre bien calés sous son bras. Après avoir roulé un peu, il se gara sur le bord de la route et sortit la lettre d'une main tremblante.

Tout ce que la Congrégation savait du mystérieux livre des origines, l'Ashmole 782, reposait sur des fragments comme celui-ci. Toute nouvelle découverte augmentait considérablement cette base de connaissances. Et cette lettre contenait bien davantage qu'une brève description du livre et quelques allusions voilées à son importance. Elle mentionnait des noms et des dates et surtout révélait qu'il manquait trois pages au livre que Diana Bishop avait vu à Oxford.

Knox examina de nouveau la lettre. Il voulait en savoir plus, en extraire jusqu'à la dernière goutte d'information potentiellement utile. Cette fois, certains mots lui sautèrent aux yeux : *ta lignée brisée ; le Père qui t'a accordé vie et souffle ; ton créateur.* À sa première lecture, Knox avait pensé que Loew parlait de Dieu. Cette fois, il parvint à une conclusion différente. Il sortit son portable et appuya sur un unique chiffre.

— *Oui**.

— Qui est Benjamin ben Gabriel ? demanda Knox.

Il y eut un moment de silence complet.

— Bonjour, Peter, dit Gerbert d'Aurillac.

Le poing de Knox se crispa à cette réponse élusive. C'était tellement typique des vampires de la Congrégation. Ils n'avaient que les mots d'honnêteté et de coopération à la bouche, mais ils avaient vécu trop longtemps et en savaient trop. Et comme tous les prédateurs, ils n'aimaient pas partager leurs prises.

— *Benjamin est un loup qui déchire.* Je sais que Benjamin ben Gabriel est un vampire. Qui est-ce ?

— Un Juif.

— Vous nous dissimulez un secret capital, Gerbert, pesta Knox.

Quand les autres l'apprendraient, c'en serait fini de Gerbert d'Aurillac au sein de la Congrégation.

— Qu'il existe un vampire juif ? renifla Gerbert. (Il y eut un tintement cristallin et le bruit caractéristique d'un verre qu'on remplit.) Vraiment, Peter. Il convient de ne pas céder aux instincts les plus vils comme l'antisémitisme.

— Savez-vous ce qui s'est passé à Prague en 1591 ? demanda Knox, tendu.

— Bon nombre de choses. Vous ne pouvez pas exiger que je vous débite la liste de tous les événements comme un professeur d'histoire.

Knox perçut dans la voix de Gerbert un léger tremblement que seul quelqu'un qui le connaissait bien pouvait surprendre. Gerbert, le vénérable vampire que l'on ne pouvait jamais prendre au dépourvu, Gerbert était mal à l'aise.

— L'aide du Dr Dee, Edward Kelley, était là-bas en 1591.

— Nous en avons déjà parlé. C'est vrai que la Congrégation a cru un temps que l'Ashmole 782 avait pu figurer dans la bibliothèque de Dee. Mais je suis allé voir Edward Kelley à Prague quand nous avons eu ces soupçons. Il m'a envoyé à la maison de Dee à Mortlake avec la description d'un livre rempli d'images. J'ai vu ce livre. Ce n'était pas le nôtre. Depuis, nous avons cherché la trace de tout le contenu de la bibliothèque de Dee afin d'en avoir le cœur net. Ce ne sont ni Dee ni Kelley qui ont procuré le manuscrit à Elias Ashmole.

— Vous vous trompez. Kelley avait le manuscrit en main en mai 1591. (Knox marqua une pause.) Et il l'a abîmé. Il manquait trois pages au livre que Diana Bishop a vu à Oxford.

— Que savez-vous exactement, Peter ? demanda vivement Gerbert.

— Ce que je sais ?

Knox n'aimait pas le vampire, mais ils étaient alliés depuis des années. Les deux hommes comprenaient l'immense bouleversement qui allait survenir dans leur monde. Après ce cataclysme, il y aurait des gagnants et des perdants. Ni l'un ni l'autre n'avait envie de se trouver du côté des seconds.

— Benjamin ben Gabriel est le fils de Matthew de Clermont, dit Gerbert à contrecœur. Benjamin a renié sa lignée. Un vampire n'agit pas ainsi à la légère, car le reste de la famille risque de le tuer afin de protéger ses secrets. Même si Matthew ne l'a pas vu depuis le XIIe siècle, il a interdit aux Clermont d'attenter à la vie de son fils. Et personne n'a aperçu Benjamin depuis le XIXe siècle, où il a disparu à Jérusalem.

Knox tomba des nues. Benjamin de Clermont ne figurait sur aucune des complexes généalogies des archives de la Congrégation. Et il ne fallait laisser en aucun cas Matthew de Clermont avoir l'Ashmole 782 si ce livre contenait le savoir le plus précieux des sorciers.

— Eh bien, nous allons devoir le trouver, dit Knox d'un ton lugubre, car selon cette lettre, Edward Kelley a dispersé les trois pages. Il en a donné une à Rabbi Loew, qui l'a confiée à un certain Abraham ben Elijah de Chelm.

— Abraham ben Elijah était autrefois connu comme un puissant sorcier. N'êtes-vous donc pas au courant de l'histoire de vos congénères ?

— Nous savons que nous ne devons pas nous fier aux vampires. J'ai toujours considéré ce préjugé comme du cinéma et non de l'histoire, mais à présent, je n'en suis plus si sûr, dit Knox. Loew a dit à Benjamin de demander de l'aide à son père. Je savais que Clermont dissimulait quelque chose. Nous devons trouver Benjamin de Clermont et lui faire dire ce que lui – et son père – savent de l'Ashmole 782.

— Benjamin de Clermont est un jeune homme instable. Il était affligé de la même maladie que la sœur de Matthew, Louisa. (La Congrégation se demandait si ce mal que les vampires appelaient fureur sanguinaire avait un rapport avec la nouvelle affection qui provoquait tant de décès chez les sangs-chauds qu'ils n'avaient pas réussi à transformer en vampires.) S'il manque réellement trois pages à l'Ashmole 782, nous les trouverons sans son concours. C'est mieux ainsi.

— Non. Le moment est venu pour les Clermont de dévoiler leurs secrets.

Knox savait que le succès ou l'échec de leur entreprise pourrait bien dépendre de la branche instable des Clermont. Il regarda de nouveau la lettre. Loew y disait clairement qu'il voulait que Benjamin soigne non seulement le livre, mais aussi sa relation avec sa famille. Matthew de Clermont en savait peut-être plus sur cette affaire qu'aucun d'entre eux ne le soupçonnait.

— J'imagine qu'à présent, vous allez vouloir remonter le temps jusqu'à la Prague de Rodolphe pour chercher Edward Kelley, grommela Gerbert avec agacement.

Ces sorciers, comme ils étaient impulsifs, parfois, soupira-t-il intérieurement.

— Pas du tout. Je vais me rendre à Sept-Tours.

Gerbert ricana. S'en prendre au château familial des Clermont était une idée encore plus ridicule que de vouloir remonter dans le passé.

— Si séduisant que cela puisse paraître, ce n'est pas prudent. Baldwin ne coopère qu'à cause de ses divergences avec Matthew. (À la connaissance de Gerbert, la seule erreur stratégique de Philippe avait été de confier les chevaliers de l'ordre de Saint-Lazare à

Matthew plutôt qu'au fils aîné, qui estimait que cela lui revenait de droit.) Par ailleurs, Benjamin ne se considère plus comme un Clermont – et les Clermont ne le voient sûrement pas comme un des leurs. Le dernier endroit où vous le trouveriez, c'est bien Sept-Tours.

— Pour autant que nous le sachions, Matthew de Clermont est en possession de l'une des pages depuis des siècles. Ce livre est sans aucune utilité s'il n'est pas complet. D'ailleurs, il est temps que ce vampire paie pour ses péchés – et ceux de ses parents également.

Tous trois avaient été responsables de la mort de milliers de sorcières. Que les vampires se mettent Baldwin dans la poche s'ils le voulaient. Knox avait la justice de son côté.

— N'oubliez pas les péchés de sa compagne, ajouta méchamment Gerbert. Ma Juliette me manque. Diana Bishop me doit une vie en échange de celle qu'elle a prise.

— J'ai votre soutien, alors ?

Peu importait pour Knox. Il comptait bien lancer une troupe de sorciers sur la forteresse des Clermont dans la semaine, avec ou sans l'accord de Gerbert.

— Vous l'avez, acquiesça Gerbert à contrecœur. Ils se sont tous rassemblés là-bas, vous savez. Sorciers. Vampires. Il y a même quelques démons à l'intérieur. Ils se font appeler le Conventicule. Marcus a envoyé aux vampires de la Congrégation un message exigeant que le pacte soit révoqué.

— Mais cela signifierait…

— La fin de notre monde, acheva Gerbert.

CINQUIÈME PARTIE

Londres : Blackfriars

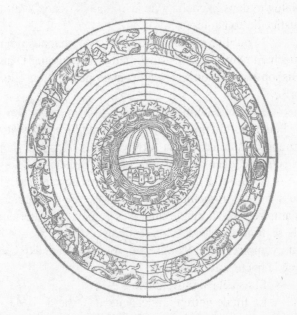

34

— Vous m'avez trahie ! (Un soulier de soie rouge vola dans les airs. Matthew inclina la tête juste avant qu'il l'atteigne. Le soulier continua sa trajectoire, cogna sur la table une sphère armillaire sertie de pierreries et tomba sur le sol. Les cercles imbriqués de la sphère tournèrent sur leurs orbites fixes, impuissantes.) Je voulais Kelley, espèce de sot ! Au lieu de cela, j'ai eu droit à l'ambassadeur de l'Empire, qui m'a fait part de vos nombreuses indiscrétions. Quand il a exigé de me voir, il n'était pas même 8 heures et le soleil n'était point encore levé. (Élisabeth Tudor souffrait d'une rage de dents, ce qui n'arrangeait pas son humeur. Elle se mordit la joue pour calmer sa molaire infectée et fit la grimace.) Et où étiez-vous ? Vous revenez sournoisement en ma présence sans vous soucier de mes souffrances.

Une beauté aux yeux bleus s'avança et tendit à Sa Majesté un petit linge imprégné d'huile de girofle. Avec Matthew assis à côté de moi, l'odeur épicée était déjà assez capiteuse. Élisabeth plaça délicatement le linge entre sa joue et ses gencives et la femme s'éclipsa dans un froissement de soie verte. C'était une couleur optimiste pour cette nuageuse journée de mai, comme si elle espérait hâter l'arrivée de l'été. La salle au quatrième étage de la tour du palais de Greenwich donnait sur la rivière grise, une terre boueuse et un ciel d'orage. Malgré les nombreuses fenêtres, la pâle lumière du matin ne parvenait guère à faire oublier la lourdeur de la pièce, résolument masculine et meublée dans le style du début des Tudor. Les initiales gravées au plafond – un H et un A entrelacés représentant Henry VIII et Anne Boleyn – indiquaient que la pièce avait été décorée vers l'époque de la naissance d'Élisabeth et peu utilisée depuis.

— Peut-être devrions-nous écouter master Roydon avant que vous jetiez l'encrier, suggéra suavement William Cecil.

Élisabeth retint son bras, mais elle ne reposa pas le lourd objet de métal.

— Nous avons des nouvelles de Kelley, commençai-je, dans l'espoir d'arranger les choses.

— Nous n'avons point requis votre opinion, mistress Roydon, coupa la reine d'Angleterre. Comme trop de femmes de cette cour, vous ignorez tout de la réserve et de l'étiquette. Si vous désirez demeurer à Greenwich avec votre époux et non être renvoyée à votre place à Woodstock, vous seriez avisée de prendre Maîtresse Throckmorton comme modèle. Elle ne parle que lorsqu'on l'en prie.

Maîtresse Throckmorton jeta un coup d'œil à Walter, qui se tenait auprès de Matthew. Nous l'avions trouvé dans les escaliers dérobés menant aux appartements privés de la reine et, bien que Matthew ait estimé que ce n'était pas nécessaire, il avait tenu à nous accompagner dans l'antre de la lionne.

Bess Throckmorton pinça les lèvres pour contenir son amusement, mais ses yeux pétillèrent. Le fait que la

jeune et jolie dame de compagnie d'Élisabeth et le ténébreux et séduisant pirate de la reine fussent intimes était
évident pour tous sauf pour la souveraine. Cupidon
avait enfin réussi à prendre Sir Walter Raleigh dans ses
filets, tout comme l'avait prédit Matthew. L'homme en
était follement épris.

La moue de Walter se radoucit sous le regard de sa
maîtresse et les yeux qu'il lui fit en réponse promirent
que la question de la réserve et de l'étiquette serait
débattue en tête à tête.

— Comme Votre Majesté n'a nul besoin de la présence de Diana, peut-être acceptera-t-elle de laisser
mon épouse rentrer prendre du repos ainsi que je le lui
ai demandé, dit calmement Matthew, même si son
regard était aussi noir et furibond que celui de la reine.
Elle a voyagé pendant de longues semaines.

La barque royale nous avait interceptés avant même
que nous ayons pu retourner à Blackfriars.

— Du repos ! Je n'ai rien connu que des nuits
blanches depuis que j'ai appris vos aventures à Prague.
Elle se reposera quand j'en aurai terminé avec vous !
s'écria Élisabeth d'une voix stridente avant de laisser
l'encrier suivre le même chemin que le soulier.

En voyant qu'il virait vers moi comme une balle
coupée, Matthew tendit la main et l'attrapa au vol.
Sans un mot, il le passa à Raleigh, qui le jeta au laquais
déjà chargé du soulier royal.

— Master Roydon serait bien plus difficile à remplacer qu'un jouet astronomique, Votre Majesté, dit Sir
Cecil en lui tendant un coussin. Peut-être pour-
riez-vous considérer ceci au cas où vous auriez besoin
d'autres munitions.

— Ne songez point à me donner des conseils, Lord Burghley ! fulmina la reine avant de retourner sa fureur sur Matthew. Sebastian St. Clair ne traitait point ainsi mon père. Il n'aurait jamais osé provoquer le lion Tudor.

Bess Throckmorton cligna des paupières devant ce nom inconnu. Elle tourna sa tête auréolée d'or tour à tour vers Walter et la reine, comme une pâquerette printanière qui cherche le soleil. Cecil toussota devant la perplexité évidente de la jeune fille.

— Souvenons-nous de votre bien-aimé père dans d'autres circonstances, quand nous pourrons consacrer à sa mémoire toute l'attention qu'il convient. N'aviez-vous point de questions pour master Roydon ?

Le secrétaire de la reine jeta un regard désolé à Matthew. *Quel mal préférez-vous ?* semblait-il dire.

— Vous avez raison, William. Il n'est pas dans la nature du lion de perdre son temps auprès de souris et autres créatures insignifiantes.

Bien qu'elle fût assise et plus petite d'une bonne tête que Matthew quand elle était debout, le regard aigu de la reine parvint à réduire Matthew à la taille d'un garçonnet. Une fois qu'elle lui trouva l'air contrit qui convenait – même si sa mâchoire crispée me fit douter qu'il était sincère –, elle prit un instant pour se ressaisir, toujours cramponnée aux accoudoirs de son fauteuil.

— Je désire savoir comment mon Ombre a pu si piètrement s'acquitter de sa mission, dit-elle d'un ton devenu plaintif. L'empereur a abondance d'alchimistes. Il n'a nul besoin du mien.

Walter se détendit légèrement et Sir Cecil réprima un soupir de soulagement. Si la reine appelait Matthew par son surnom, c'était que sa colère commençait à diminuer.

— Edward Kelley ne pouvait être cueilli à la cour de l'empereur comme on arrache une mauvaise herbe, même s'il reste bien des roses autour, répondit Matthew. Rodolphe l'estime bien trop.

— Alors Kelley a enfin réussi. Il est en possession de la Pierre Philosophale, dit Élisabeth.

— Non, il n'a point réussi, et c'est tout le problème. Tant qu'il promettra plus qu'il ne peut exaucer, Rodolphe ne s'en séparera jamais. L'empereur se comporte moins comme un monarque aguerri que comme un adolescent sans expérience fasciné par ce qu'il ne peut avoir. Sa Majesté aime se lancer dans des quêtes. Cela remplit ses journées et occupe ses songes, dit calmement Matthew.

Nous étions séparés de Rodolphe par les champs détrempés et les rivières en crues d'Europe, mais par moments, je sentais encore le contact déplaisant de ses doigts et la convoitise de ses regards. Malgré la chaleur de mai et le feu flamboyant dans l'âtre, je frissonnai.

— Le nouvel ambassadeur de France m'écrit que Kelley a transmuté du cuivre en or.

— Philippe de Mornay n'est guère plus fiable que votre ancien ambassadeur qui, si je m'en souviens, tenta de vous assassiner, répondit Matthew dans un mélange parfait d'obséquiosité et d'irritation.

Élisabeth se redressa et lui jeta un regard.

— Tenteriez-vous de m'appâter, master Roydon ?

— Je n'oserais jamais tenter un lion… ni même un lionceau, répondit nonchalamment Matthew. (Walter ferma les yeux comme s'il ne pouvait supporter d'assister au drame inévitable qu'allaient déclencher les paroles de Matthew.) Je garde de douloureuses cicatrices de la première fois et je n'ai nul désir d'abîmer encore ma beauté, de peur que Votre Majesté ne supporte plus de me regarder.

Il y eut un silence choqué que brisa enfin un rire rugissant bien peu digne d'une femme. Walter ouvrit brusquement les yeux.

— Vous avez eu ce que vous méritiez en vous en prenant sournoisement à une jeune fille alors qu'elle cousait, dit Élisabeth avec indulgence.

Je secouai imperceptiblement la tête, n'en croyant pas mes oreilles.

— Je m'en souviendrai, Votre Majesté, si jamais je croise à nouveau quelque jeune lionne armée d'une paire de ciseaux.

Walter et moi étions aussi interloqués que Bess. Seuls Matthew, la reine et Cecil semblaient comprendre de quoi il était question.

— Même à cette époque, vous étiez mon Ombre. (Le regard qu'elle lui jeta redonna un air de petite fille à une femme qui approchait la soixantaine. Puis elle cligna des paupières et redevint une souveraine âgée et fatiguée.) Laissez-nous.

— Votre Majesté ? bafouilla Bess.

— Je désire parler à master Roydon en privé. Comme j'imagine qu'il ne permettra point à sa bavarde d'épouse de s'aventurer loin de lui, elle peut demeurer également. Attendez-moi dans ma chambre, Walter. Emmenez Bess. Nous vous rejoindrons sous peu.

— Mais…, commença Bess.

Elle regarda autour d'elle avec inquiétude. Sa fonction était de rester auprès de la reine et sans le protocole pour la guider, elle était désemparée.

— C'est moi que vous devrez aider, Maîtresse Throckmorton, dit Cecil en s'éloignant péniblement de la reine à petits pas, soutenu par sa grosse canne. Nous laisserons master Roydon veiller au bien-être de Sa Majesté, ajouta-t-il avec un regard noir au passage pour Matthew.

Quand la reine eut fait signe aux laquais de quitter la pièce, nous restâmes seuls tous les trois.

— *Jesu*, gémit la reine. J'ai la tête comme une pomme pourrie prête à se fendre. N'auriez-vous pu choisir moment plus opportun pour provoquer un incident diplomatique ?

— Laissez-moi vous examiner, demanda Matthew.

— Vous pensez pouvoir me fournir des soins dont mon chirurgien n'est point capable, master Roydon ? demanda la reine avec un prudent espoir.

— Je pense pouvoir vous épargner quelque douleur, si Dieu le veut.

— Jusqu'à sa mort même, mon père parlait de vous avec affection, dit Élisabeth en tripotant les plis de sa robe. Il vous comparait à un tonique, dont il n'avait point su apprécier les bienfaits.

— Comment cela ?

Matthew ne chercha pas à dissimuler sa curiosité. Ce n'était pas une histoire qu'il avait déjà entendue.

— Il disait que vous pouviez le débarrasser d'une humeur maligne plus vite qu'aucun autre, même si, comme la plupart des remèdes, vous étiez parfois difficile à avaler. (Le rire rugissant de Matthew fit brièvement sourire la reine.) C'était un homme aussi grand que terrible – et un imprudent.

— Tous les hommes le sont, se hâta de répondre Matthew.

— Non. Parlons-nous de nouveau en toute franchise, comme si je n'étais point la reine d'Angleterre et vous un *wearh*.

— J'y consentirais bien, pourvu que vous me laissiez examiner votre dent, dit Matthew en croisant les bras.

— Naguère, une invitation à l'intimité avec moi aurait été suffisamment séduisante et vous n'auriez point posé d'autres conditions, soupira Élisabeth. Je perds plus que mes dents. Très bien, master Roydon.

Elle ouvrit la bouche. Bien qu'à quelques pas, je sentis l'odeur de putréfaction. Matthew lui prit la tête entre les mains afin de mieux voir le problème.

— C'est un miracle qu'il vous en reste, dit-il sévèrement. (Élisabeth rosit d'irritation et chercha vainement à répondre.) Vous pourrez crier tout votre soûl quand j'en aurai fini avec vous. Et vous aurez toute raison de le faire, car je vous aurai confisqué vos violettes au sucre candi et votre vin doux. Vous n'aurez rien d'autre de plus dangereux à boire que de l'eau de menthe et rien d'autre à sucer qu'un onguent au clou de girofle pour vos gencives. Vous avez de mauvais abcès.

Matthew passa un doigt le long des dents. Plusieurs étaient branlantes et les yeux d'Élisabeth lui sortirent de la tête.

— Vous êtes peut-être reine d'Angleterre, Lizzie, mais cela ne vous accorde nulle connaissance en médecine et en chirurgie. Il aurait été plus sage de suivre le conseil du chirurgien. À présent, ne bougez plus.

Pendant que je tentais de ne pas m'émouvoir d'avoir entendu mon époux appeler « Lizzie » la reine d'Angleterre, Matthew retira son index, le passa sur sa canine pointue pour en faire jaillir une perle de sang, puis le glissa de nouveau dans la bouche de la reine. Malgré sa délicatesse, elle frémit. Puis elle se détendit, soulagée.

— 'Erfi, marmonna-t-elle.

— Ne me remerciez point encore. Il n'y aura ni confits ni marmelade à une lieue à la ronde tant que je serai là. Et la douleur reviendra, malheureusement.

Il retira son doigt et la reine inspecta sa bouche du bout de la langue.

— Certes, mais pour l'heure, elle n'est plus, dit-elle, reconnaissante. (Elle désigna les fauteuils.) Je crains qu'il n'y ait plus rien d'autre à faire qu'à régler les comptes. Asseyez-vous et contez-moi Prague.

Après avoir passé des semaines à la cour de l'empereur, je savais que c'était un privilège d'être invité à s'asseoir en présence d'un souverain, mais je le sus doublement cette fois. Le voyage avait exacerbé la fatigue qui accompagne toute grossesse. Matthew me tira l'un des fauteuils et je m'y laissai tomber. J'appuyai mes reins sur les moulures du dossier pour masser mon dos douloureux. Matthew passa machinalement la main au même endroit pour me soulager. Une ombre envieuse passa sur le visage de la reine.

— Vous aussi vous souffrez, mistress Roydon ? s'enquit-elle avec sollicitude.

Elle était un peu trop aimable. Quand Rodolphe traitait un courtisan ainsi, il y avait anguille sous roche.

— Oui, Votre Majesté. Hélas, ce n'est rien que l'eau de menthe puisse soigner, regrettai-je.

— Pas plus qu'elle ne pourrait apaiser un empereur fâché. Son ambassadeur m'a fait savoir que vous avez volé l'un des livres de Rodolphe.

— Lequel ? demanda Matthew. L'empereur en possède tant.

Comme la plupart des vampires n'avaient plus l'habitude de l'innocence, son petit numéro n'eut guère de succès.

— Nous ne jouons point, Sebastian, dit calmement la reine.

Cela confirma implicitement ce que je soupçonnais : Matthew avait porté le nom de Sebastian St. Clair lorsqu'il était à la cour de Henry.

— Vous ne cessez de jouer, répliqua-t-il. En cela, vous n'êtes en rien différente de l'empereur ou d'Henri de France.

— Maîtresse Throckmorton m'a dit que Walter et vous échangiez des vers sur l'humeur changeante du pouvoir. Mais je ne suis pas de ces vains potentats, capables de rien d'autre que de mépris et de moquerie. J'ai été élevée à rude école. Ceux qui m'entouraient – mère, tantes, marâtres, oncles et cousins – ont tous disparu. Aussi ne pensez point vous en tirer à bon compte en me mentant. Je vous redemande donc : qu'en est-il du livre ?

— Nous ne l'avons point, intervins-je. (Matthew me regarda, choqué.) Il n'est point en notre possession. En ce moment.

Il était en revanche au Cerf Couronné, bien à l'abri dans le grenier de Matthew. J'avais confié le livre à Gallowglass, enveloppé de cuir et de toile cirée, lorsque la barque royale nous avait arraisonnés tandis que nous remontions la Tamise.

— Eh bien, eh bien… (Élisabeth ouvrit lentement la bouche, découvrant ses dents noircies.) Vous me surprenez. Et vous surprenez votre époux, également.

— Je ne suis que surprises, Votre Majesté. À ce que l'on m'a dit.

Matthew avait beau l'appeler Lizzie et elle l'appeler Sebastian, je prenais soin de continuer à respecter l'étiquette.

— L'empereur serait donc la proie de quelque illusion. Comment expliquez-vous cela ?

— Il n'y a là rien de remarquable, dit Matthew avec un petit rire méprisant. Je crains que la folie qui afflige sa famille commence désormais à le gagner. En ce moment même, son frère Matthias complote pour le destituer et s'apprête à s'emparer du pouvoir quand l'empereur ne pourra plus régner.

— Il n'est donc point étonnant que l'empereur tienne tant à garder Kelley. La Pierre Philosophale le guérira et rendra sujette à débat la question de son successeur. (Elle se rembrunit.) Il vivra éternellement, sans craindre rien.

— Allons, Lizzie. Vous savez bien que non. Kelley ne sait point fabriquer la Pierre. Il ne peut sauver ni vous ni quiconque. Même les reines et les empereurs doivent mourir un jour.

— Nous sommes amis, Sebastian, mais ne vous oubliez point, dit-elle, le regard flamboyant.

— Quand à sept ans vous me demandâtes si votre père entendait tuer sa nouvelle épouse, je vous dis la vérité. J'étais franc avec vous alors et je le serai encore maintenant, même si cela vous irrite. Rien ne vous ramènera votre jeunesse, Lizzie, ni ne ressuscitera ceux que vous avez perdus, répondit impitoyablement Matthew.

— Rien ? demanda-t-elle en le scrutant. Je ne vois ni rides ni cheveux blancs sur vous. Vous paraissez le même en tout point que cinquante ans plus tôt à Hampton Court quand je vous donnai ce coup de ciseaux.

— Si vous me demandez d'user de mon sang afin de faire de vous une *wearh*, Votre Majesté, la réponse devra être non. Le pacte interdit de se mêler de politique humaine – et plus encore de modifier la succession anglaise en plaçant une créature sur le trône, répondit Matthew d'un ton sévère.

— Et serait-ce votre réponse si Rodolphe vous en faisait la requête ? demanda-t-elle, le regard étincelant.

— Oui. Cela ne mènerait qu'au chaos, et pire encore. (La perspective était glaçante.) Votre royaume est sûr, affirma Matthew. L'empereur se comporte comme un enfant gâté à qui l'on a refusé une friandise. Rien de plus.

— En ce moment, son oncle Philippe d'Espagne fait construire des vaisseaux et fomente une nouvelle invasion !

— Elle n'aboutira à rien, promit Matthew. Rien de plus.

— Vous en semblez bien sûr.

— Je le suis.

La lionne et le loup se dévisagèrent. Une fois satisfaite, Élisabeth se détourna en soupirant.

— Fort bien. Vous n'avez point le livre de l'empereur et je n'ai ni Kelley ni la Pierre. Nous devons tous apprendre à vivre avec la déception. Cependant, je dois donner à l'ambassadeur impérial de quoi l'apaiser.

— Pourquoi pas ceci ?

Je tirai ma bourse de sous mes jupes. En dehors de l'Ashmole 782 et de la bague que je portais, mes biens les plus précieux étaient les cordelettes de soie que

Goody Alsop m'avait données pour tisser mes sortilèges, un morceau de verre poli que Jack avait trouvé dans les sables de l'Elbe et pris pour une pierre précieuse, un fragment d'un bézoard dont Susanna pourrait user dans ses remèdes et les salamandres de Matthew. Ainsi qu'un collier hideusement décoré d'un pendant représentant un dragon agonisant, qui m'avait été offert par l'empereur. C'est ce que je déposai sur la table devant la reine.

— C'est une babiole pour une reine, et non pour l'épouse d'un gentilhomme, dit-elle en touchant le dragon étincelant. Que donnâtes-vous à Rodolphe pour qu'il vous offrît cela ?

— Il en fut ainsi que Matthew l'a conté à Votre Majesté. L'empereur convoite ce qu'il ne peut posséder. Il pensait pouvoir gagner mes affections avec cela. Il échoua.

— Peut-être que Rodolphe ne peut supporter que d'autres sachent qu'il a laissé filer entre ses doigts quelque chose d'aussi précieux, avança Matthew.

— Entendez-vous par là votre épouse ou ce bijou ?

— Mon épouse, répliqua Matthew.

— Le bijou pourrait être utile. Nous pourrions penser qu'il cherchait à m'offrir ce collier, imagina-t-elle, mais que vous avez pris sur vous de me l'apporter vous-même pour plus de sûreté.

— L'allemand de Diana n'est pas très bon, acquiesça Matthew avec un sourire. Il se peut que Rodolphe le lui ait posé sur les épaules simplement pour juger de l'effet qu'il ferait sur vous.

— Oh, j'en doute, ironisa Élisabeth.

— Si l'empereur entendait que ce collier fût pour la reine d'Angleterre, il aurait désiré le lui offrir lors d'une cérémonie appropriée. Si nous rendons à l'ambassadeur le mérite qui lui est dû…, proposai-je.

— Voilà une ingénieuse solution. Elle ne satisfera personne, bien sûr, mais mes courtisans auront quelque chose à se mettre sous la dent le temps qu'un nouveau de sujet de curiosité survienne, dit Élisabeth en pianotant pensivement sur la table. N'en demeure pas moins la question du livre.

— Me croirez-vous si je vous dis que ce n'était pas important ? demanda Matthew.

— Non.

— Il me semblait bien. Que diriez-vous du contraire : que l'avenir en dépend ? demanda-t-il.

— C'est encore plus extravagant. Mais puisque je n'ai nulle envie que Rodolphe ou aucun des siens s'empare de l'avenir, je vous laisserai le soin de le lui rendre – si jamais il revient en votre possession, bien sûr.

— Je remercie Votre Majesté, dis-je, soulagée que l'affaire ait été résolue avec relativement peu de mensonges.

— Je n'ai pas agi pour vous, me rappela vivement Élisabeth. Venez, Sebastian. Passez le collier à mon cou. Ensuite, vous pourrez de nouveau redevenir master Roydon et nous descendrons en salle d'audience jouer en public notre gratitude pour émerveiller tout un chacun.

Matthew fit ce qu'on lui demandait, laissant s'attarder plus que de raison ses doigts sur les épaules de la reine. Élisabeth lui tapota la main.

— Ma perruque est-elle droite ? me demanda-t-elle en se levant.

— Oui, Votre Majesté.

En réalité, elle était un peu penchée après les soins que lui avait prodigués Matthew. Élisabeth lui donna un petit coup pour la redresser.

— Enseignez à votre épouse comment dire un mensonge convaincant, master Roydon. Elle a besoin d'être plus experte dans l'art de la tromperie ou elle ne survivra guère longtemps à la cour.

— Le monde a besoin de sincérité plus que de courtisans, commenta Matthew en lui prenant le coude. Diana demeurera ainsi qu'elle est.

— Un homme qui prise l'honnêteté chez son épouse, fit Élisabeth, incrédule. Quelle meilleure preuve que la fin du monde est aussi proche que le prédisait le Dr Dee.

Quand Matthew et la reine apparurent sur le seuil de la chambre privée, le silence se fit dans l'assistance. La salle était bondée et tous jetèrent des regards circonspects à la reine, William Cecil et un jeune homme de l'âge d'un bachelier que je déduisis être l'ambassadeur impérial. Matthew lâcha la main de la reine qui resta posée sur son bras. Les ailes de ma vouivre se mirent à battre d'inquiétude dans ma poitrine.

Je posai la main sur mon ventre pour calmer la bête. *Nous avons affaire aux vrais dragons*, l'avertis-je silencieusement.

— Je remercie l'empereur pour son présent, Votre Excellence, dit Élisabeth en avançant d'un pas décidé, la main gracieusement tendue vers l'adolescent qui la fixa sans comprendre. *Gratias ago domino tuo.*

— Ils sont de plus en plus jeunes, murmura Matthew en me rejoignant.

— C'est ce que je dis de mes étudiants, répondis-je sur le même ton. Qui est-ce ?

— Vilém Slavata. Tu as vu son père à Prague.

J'examinai le jeune Vilém en tentant d'imaginer à quoi il ressemblerait dans vingt ans.

— Son père, c'était le rondouillard avec la fossette au menton ?

— L'un de ceux-là. La description correspond à presque tous les dignitaires de Rodolphe, ajouta Matthew en voyant mon regard exaspéré.

— Cessez vos chuchotis, master Roydon ! (Élisabeth jeta un regard impérieux à mon mari qui s'inclina respectueusement, et poursuivit en latin :) *Decet eum qui dat, non meminisse beneficii : eum vero, qui accipit, intueri non tam munus quam dantis animum.*

La souveraine d'Angleterre avait décidé de faire subir à l'ambassadeur un examen de langue pour vérifier s'il était digne d'elle. Slavata blêmit. Le pauvre garçon n'allait pas réussir l'épreuve. *Il sied à celui qui donne de ne point se rappeler la faveur, mais il sied à celle qui reçoit de ne pas tant admirer le présent que l'âme de celui qui l'a offert.* Je toussotai pour dissimuler mon gloussement une fois que je me fus débrouillée de la traduction.

— Votre Majesté ? bafouilla Vilém dans un anglais chargé d'un lourd accent.

— Présent. De l'empereur. (Élisabeth désigna impérieusement le collier d'émail qui reposait sur ses épaules menues. Le dragon descendait beaucoup plus bas sur Sa Majesté que sur moi. Elle soupira avec une exaspération exagérée.) Répétez-lui ce que j'ai dit dans sa propre langue, master Roydon. Je n'ai pas la patience pour les leçons de latin. L'empereur n'éduque-t-il point ses serviteurs ?

— Son Excellence connaît le latin, Votre Majesté. L'ambassadeur Slavata a étudié à l'université de

Wittenberg, puis le droit à Bâle, si j'ai bonne mémoire. Ce n'est pas la langue qui le déroute, mais le message.

— Alors soyons clairs afin que lui et son maître le reçoivent. Et l'enjeu ne concerne pas que moi, ajouta-t-elle d'un ton sombre. Veuillez traduire.

— *Muž, který obdarovává, nesmí tento čin připomínat. Žena, která obdrží dárek, musí obdivovat více toho, kdo ji obdaroval než dar*, dit Matthew, traduisant le message dans la langue natale de Slavata.

— J'avais compris ce qu'elle avait dit, répondit le jeune Slavata, déconcerté. Mais que veut-elle dire ?

— Vous êtes perplexe, dit aimablement Matthew en tchèque. C'est fréquent chez les nouveaux ambassadeurs. Ne vous inquiétez pas. Dites à la reine que Rodolphe est enchanté d'offrir ce bijou à la reine. Et nous pourrons aller dîner.

— Voudrez-vous bien le lui dire ? demanda Slavata, dépassé.

— J'espère que vous n'avez pas provoqué d'autre méprise entre l'empereur Rodolphe et moi, master Roydon, dit Élisabeth, clairement agacée que sa maîtrise de sept langues ne s'étende pas au tchèque.

— Son Excellence est porteur des vœux de santé et de bonheur de l'empereur. L'ambassadeur Slavata est enchanté que le collier soit arrivé à destination et non pas perdu, comme le craignait l'empereur.

Matthew regarda aimablement sa maîtresse. Elle s'apprêta à parler, se ravisa et le foudroya du regard. Slavata, qui avait soif d'apprendre, voulut savoir comment Matthew était parvenu à réduire au silence la reine d'Angleterre. Quand l'ambassadeur lui fit signe de traduire, Cecil retint sa main.

— Voilà de délicieuses nouvelles, Excellence. Je pense que vous avez appris suffisamment de leçons pour aujourd'hui. Venez, allons dîner, dit-il en l'entraînant vers une table voisine.

Avec un soupir irrité, la reine, à qui son espion et son conseiller venaient de voler la vedette, monta les trois marches de l'estrade, aidée par Bess Throckmorton et Raleigh.

— Que se passe-t-il ensuite ? demandai-je à mi-voix.

Le petit numéro était terminé et l'assistance commençait à s'impatienter.

— Je souhaiterais parler encore, master Roydon, lança Élisabeth une fois qu'on eut arrangé ses coussins comme elle le désirait. Ne vous éloignez point.

— Pierre est dans l'antichambre. Il va te conduire à ma chambre, où personne ne te dérangera. Tu pourras te reposer dans un lit jusqu'à ce que Sa Majesté me libère. Cela ne devrait pas prendre bien longtemps. Elle veut seulement tout savoir sur Kelley, dit Matthew en me baisant la main.

Connaissant l'affection d'Élisabeth pour ses favoris, cela pourrait prendre des heures.

Je m'attendais au vacarme de l'antichambre, mais je fus prise de court. Des courtisans pas assez importants pour obtenir de donner dans les appartements privés me bousculèrent, pressés de grappiller une part avant qu'il ne reste plus rien. J'eus la nausée en sentant le gibier rôti. Jamais je ne m'y ferais et le bébé n'appréciait pas non plus.

Pierre et Annie, qui attendaient le long du mur avec les autres domestiques, eurent l'air soulagé en me voyant.

— Où est *milord** ? demanda Pierre en m'aidant à m'extirper de la cohue.

— Auprès de la reine. Je suis trop lasse pour rester debout ou manger. Pouvez-vous m'amener à l'appartement de Matthew ?

— Bien sûr, répondit-il en jetant un regard inquiet vers l'appartement privé de la reine.

— Je connais le chemin, mistress Roydon, dit Annie.

Récemment rentrée de Prague et visitant pour la deuxième fois la cour d'Élisabeth, Annie affectait une nonchalance étudiée.

— Je lui ai montré l'appartement de *milord** pendant que vous alliez voir Sa Majesté, m'assura Pierre. C'est au rez-de-chaussée, sous les appartements autrefois utilisés par l'épouse du roi.

— Et maintenant par les favoris de la reine, j'imagine, répondis-je à mi-voix. (C'était sans doute là où dormait Walter – ou pas, pour le coup.) Attendez Matthew ici, Pierre. Annie et moi trouverons notre chemin.

— Merci, *madame**, dit-il avec gratitude. Je n'aime pas le laisser trop longtemps seul avec la reine.

Les domestiques royaux, qui prenaient leur dîner dans un environnement nettement moins splendide que la chambre des gardes, nous dévisagèrent avec curiosité quand Annie et moi passâmes.

— Il doit y avoir un chemin plus court, dis-je en voyant la longue volée de marches.

Il allait y avoir encore plus de monde dans la grande salle.

— Je suis désolée, mistress, mais il n'y en a pas d'autre, s'excusa Annie.

— Affrontons la foule, alors, soupirai-je.

La salle était en effet remplie de gens venus solliciter une audience à la reine. Un brouhaha d'excitation accueillit mon apparition hors des appartements royaux, suivi d'un murmure déçu quand on s'aperçut que je n'étais personne d'important. Le passage à la cour de Rodolphe m'avait habituée à être l'objet de l'attention, mais les regards pesants des humains me mettaient encore mal à l'aise, tout comme les coups d'œil insidieux des démons ou le fourmillement du regard d'un sorcier isolé. Mais quand le regard glacé d'un vampire se posa sur mon dos, je me retournai, alarmée.

— Mistress ? s'enquit Annie.

Je scrutai la foule, mais je ne pus en trouver la source.

— Rien, Annie, murmurai-je, troublée. C'est juste mon imagination qui me joue des tours.

— Vous avez besoin de vous reposer, me gronda-t-elle comme l'aurait fait Susanna.

Mais le repos ne m'attendait pas dans le vaste appartement de Matthew qui donnait sur les jardins privés de la reine. Je tombai sur le dramaturge le plus en vue de l'époque. J'envoyai Annie sortir Jack du pétrin où il avait dû se fourrer et m'apprêtai à affronter Christopher Marlowe.

— Bonjour, Kit, dis-je. (Le démon leva les yeux des pages éparpillées autour de lui sur le bureau de Matthew.) Tout seul ?

— Walter et Henry dînent avec la reine. Pourquoi n'êtes-vous pas avec eux ?

Il était pâle et amaigri et paraissait distrait. Il se leva et commença à ranger ses papiers en jetant des regards inquiets vers la porte comme s'il s'attendait à voir quelqu'un entrer et nous interrompre.

— Trop fatiguée, bâillai-je. Mais vous n'êtes pas obligé de partir. Restez pour attendre Matthew. Il sera heureux de vous voir. Qu'écrivez-vous ?

— Un poème.

Sur cette brusque réponse, il se rassit. Quelque chose n'allait pas. Le démon semblait clairement nerveux.

La tapisserie accrochée au mur derrière lui montrait une jeune fille aux cheveux d'or au sommet d'une tour dominant la mer, en train de scruter le lointain en brandissant une lanterne. *C'était là l'explication.*

— Vous écrivez sur Héro et Léandre.

Ce n'était pas une question. Kit devait se languir de Matthew et travailler sur ce poème épique amoureux depuis que nous avions embarqué à Gravesend en janvier. Il ne répondit pas. J'attendis un peu, puis je récitai les vers correspondants :

Certains juraient que c'était une vierge sous le costume d'un homme ;
Car son visage réunissait tout ce que les hommes désirent
Une joue au charmant sourire, un œil parlant,
Un front fait pour le royal banquet de l'amour ;
Et tous ceux qui savaient qu'il était un homme aimaient à dire :
« Léandre, tu es fait pour les jeux de l'amour ;
Pourquoi n'es-tu pas amoureux et aimé de tout ce qui respire ? »

— Quel maléfice de sorcière est-ce là ? s'écria Kit en bondissant de son siège. Vous savez ce que j'écris à peine l'ai-je fait.

— Il n'y a nul maléfice, Kit. Qui pourrait mieux vous comprendre que moi ? répondis-je prudemment.

Il parut se ressaisir, mais ses mains tremblaient.

— Je dois retrouver quelqu'un sur les lices. Il est question d'un grand spectacle le mois prochain, avant que la reine parte en villégiature pour l'été. Il m'a été demandé d'y assister.

Chaque année, la reine Élisabeth voyageait dans le pays avec un convoi de courtisans et de domestiques, lessivant toute l'aristocratie et laissant derrière elle d'énormes dettes et des greniers vides.

— Oh, je veillerai à dire à Matthew que vous étiez ici. Il sera peiné de vous avoir manqué.

Une étincelle parut dans l'œil de Marlowe.

— Peut-être voudrez-vous venir avec moi, mistress Roydon. C'est une belle journée, et vous n'avez point vu Greenwich.

— Je vous remercie, Kit. (J'étais interloquée par ce rapide changement d'humeur, mais après tout, c'était un démon. Et il se mourait d'amour pour Matthew. Bien qu'espérant me reposer et que Kit n'eût guère d'illusions à se faire, je devais faire un effort par souci d'harmonie.) Est-ce loin ? Je suis quelque peu fatiguée de notre voyage.

— Pas du tout, répondit-il en s'inclinant. Après vous.

Les lices de Greenwich ressemblaient à un grandiose stade d'athlétisme, avec des portions délimitées par des cordes pour les sportifs, des gradins pour les spectateurs et du matériel éparpillé un peu partout. Deux longues barricades s'étendaient au centre du terrain en terre battue.

— Est-ce là que se déroulent les tournois ?

J'entendais d'ici le fracas des sabots tandis que les chevaliers se jetaient l'un sur l'autre, lance pointée le long de l'encolure de leur monture pour pouvoir frapper le bouclier de leur adversaire et le désarçonner.

— Oui. Voudriez-vous y voir de plus près ? demanda-t-il.

L'endroit était désert. Des lances étaient plantées dans le sol çà et là. Je vis quelque chose qui ressemblait désagréablement à un gibet, avec un poteau droit barré d'un long bras horizontal. Mais au lieu d'un cadavre, c'était un sac de sable qui y était accroché à une corde. Il était percé et un peu de sable s'en écoulait.

— C'est une quintaine, expliqua Marlowe. Les cavaliers doivent viser le sac.

D'un geste sec, il poussa le bras de la potence qui tourna, devenant une cible mouvante pour défier l'habileté du chevalier. Il scruta le terrain du regard.

— L'homme que vous devez retrouver est là ? demandai-je en l'imitant.

La seule personne que j'aperçus était une femme aux cheveux noirs vêtue d'une opulente robe rouge. Elle était loin, sans doute en route pour quelque rendez-vous amoureux avant le dîner.

— Avez-vous vu l'autre quintaine ? demanda Kit en me désignant l'autre côté, où un mannequin en toile et en paille était attaché à un poteau. Là encore, cela ressemblait plus à une forme d'exécution qu'à un équipement sportif.

Je sentis un regard froid et fixe. Avant que j'aie eu le temps de me retourner, des bras me ceinturèrent, me rappelant plus l'acier que la chair. Mais ces bras n'appartenaient pas à Matthew.

— Eh bien, elle est encore plus délicieuse que je n'espérais, dit une femme dont l'haleine glacée me frôla le cou.

Rose. Civette. Je reconnus les odeurs et essayai de me rappeler où j'avais déjà senti un tel mélange.

Sept-Tours. La chambre de Louisa de Clermont.

— Il y a dans son sang quelque chose d'irrésistible pour les *wearhs*, dit Kit d'un ton brusque. Je ne comprends pas ce que c'est, mais même le Père Hubbard semble sous son charme.

Des dents aiguës glissèrent sur ma gorge, mais sans entamer la peau.

— Ce sera divertissant de jouer avec elle.

— Notre projet était de la tuer, se plaignit Kit. (Il était encore plus agité et nerveux maintenant que Louisa était là. Je restai coite, essayant désespérément de comprendre quel jeu ils jouaient.) Après quoi, tout sera redevenu comme avant.

— Patience, Christopher, dit Louisa en respirant mon odeur. Sens-tu sa peur ? Cela m'aiguise toujours l'appétit. (Kit se rapprocha un peu, fasciné.) Mais tu es bien pâle, Christopher. As-tu besoin d'autre remède ? (Elle me déplaça pour pouvoir atteindre les plis de sa robe et tendit à Kit une pilule brune et collante qu'il prit avec empressement et fourra dans sa bouche.) Elles sont miraculeuses, n'est-ce pas ? Les sangs-chauds d'Allemagne les appellent « pierres d'immortalité », car les ingrédients donnent même à ces pitoyables humains l'impression qu'ils sont divins. Et elles t'ont rendu tes forces.

— C'est la sorcière qui m'affaiblit, tout comme elle a affaibli ton frère.

Kit avait le regard visqueux et son haleine exhalait une odeur écœurante. *Des opiats.* Pas étonnant qu'il se comportât si étrangement.

— Est-ce vrai, sorcière ? Kit me dit que tu t'es attaché mon frère contre sa volonté.

Louisa me retourna vivement. Son beau visage incarnait le vampire qui hante les cauchemars de tous les sangs-chauds : peau de porcelaine, cheveux noirs et yeux noirs aussi embrumés par l'opium que ceux de Kit. Elle exsudait la méchanceté et ses lèvres rouges et parfaitement incurvées n'étaient pas seulement sensuelles, mais cruelles. C'était la créature capable de chasser et de tuer sans le moindre remords.

— Je n'ai pas ensorcelé votre frère. Je l'ai choisi et il m'a choisie, Louisa.

— Tu sais qui je suis ? s'étonna-t-elle.

— Matthew n'a aucun secret pour moi. Nous sommes unis. Et mariés. Votre père a présidé à nos noces.

Merci, Philippe.

— Menteuse ! hurla Louisa.

Ses pupilles se dilatèrent alors qu'elle perdait toute sa maîtrise. Ce n'était pas seulement la drogue que j'allais devoir affronter, mais la fureur sanguinaire, aussi.

— Ne te fie pas à ce qu'elle raconte, dit Kit. (Il sortit une dague de son pourpoint et m'empoigna par les cheveux. Je poussai un cri de douleur alors qu'il me renversait la tête en arrière. Il pointa sa lame sur mon œil droit.) Je vais lui arracher les yeux pour qu'elle ne puisse plus en user pour ses enchantements ou pour voir mon destin. Elle sait quand je vais mourir. J'en suis sûr. Et sans sa vision de sorcière, elle n'aura plus aucun pouvoir sur nous – ni sur Matthew.

— La sorcière ne mérite point une mort aussi prompte, dit Louisa d'un ton cruel.

Kit appuya la pointe sur ma chair et une goutte de sang roula sur ma joue.

— Ce n'était pas ce dont nous étions convenus, Louisa. Pour rompre l'ensorcellement, je dois avoir ses yeux. Puis je veux qu'elle meure et disparaisse. Tant que la sorcière vivra, Matthew ne l'oubliera point.

— Chut, Chistopher. Ne t'aimé-je point ? Ne sommes-nous point alliés ?

Elle se pencha vers lui et l'embrassa passionnément. Puis ses lèvres glissèrent le long de sa mâchoire jusqu'à l'endroit où le sang palpitait dans ses veines. Elles frôlèrent la peau et je vis la trace de sang qui accompagna le mouvement. Kit haleta et ferma les yeux.

Louisa but avidement à la gorge du démon. Pendant ce temps, nous étions tous les trois étroitement enlacés dans son étreinte implacable. Je tentai de me débattre, mais elle ne fit que me serrer davantage tout en continuant de boire.

— Délicieux Christopher, murmura-t-elle une fois repue en léchant la plaie. (La marque sur le cou de Kit était argentée et lisse, tout comme celle de mon sein. Ce ne devait pas être la première fois que Louisa buvait son sang.) Je peux sentir l'immortalité dans ton sang et voir les vers magnifiques qui dansent dans tes pensées. Matthew est un sot de ne pas vouloir les partager avec toi.

— Il ne veut que la sorcière, répondit Kit en se touchant le cou, imaginant que c'était Matthew, et non sa sœur, qui s'était abreuvé à sa veine. Je la veux morte.

— Tout comme moi, dit Louisa en tournant vers moi ses yeux noirs et sans fond. Nous allons donc concourir pour elle. Celui ou celle qui gagnera pourra en faire ce que bon lui semblera afin qu'elle paie le mal qu'elle a fait à mon frère. N'en conviens-tu point, mon bien-aimé jouvenceau ?

Ils étaient tous les deux totalement défoncés, maintenant que Louisa avait bu le sang chargé d'opium de Kit. Je commençai à paniquer, me rappelant les consignes que m'avait données Philippe à Sept-Tours.

Réfléchissez. Restez en vie.

Puis je pensai à l'enfant et la panique me saisit de nouveau. Je ne pouvais mettre sa vie en danger.

— Je ferai n'importe quoi pour recouvrer la considération de Matthew, opina Kit.

— C'est bien ainsi qu'il me semblait, sourit Louisa en l'embrassant de nouveau. Et si nous choisissions nos couleurs ?

35

— Vous faites une terrible erreur, Louisa, l'avertis-je en me débattant dans mes liens. (Kit et Louisa avaient enlevé l'informe mannequin de toile et de paille et m'avaient ligotée au poteau à la place. Puis Kit m'avait bandé les yeux avec un morceau de soie bleu foncé arraché à la pointe de l'une des lances afin que je ne puisse pas les enchanter d'un regard. Tous les deux étaient à côté de moi et se disputaient pour savoir qui prendrait la lance noir et argent et qui la vert et or.) Vous trouverez Matthew avec la reine. Il expliquera tout.

J'essayais de garder un ton ferme, mais ma voix tremblait. Matthew m'avait parlé de sa sœur à Oxford le jour où nous avions pris le thé près de la cheminée à Old Lodge. Elle était aussi vicieuse que belle.

— Tu oses prononcer son nom ?

Kit s'était assez approché pour que je puisse sentir son haleine. Elle était à la fois sucrée et musquée, avec un soupçon de rose. J'en eus l'estomac retourné.

— Plus un mot, sorcière, sinon j'accepte que Christopher te coupe la langue, dit Louisa, venimeuse.

Je n'avais pas besoin de voir ses yeux pour savoir que le pavot et la fureur sanguinaire ne faisaient pas bon ménage. La pointe du diamant d'Ysabeau m'égratigna la joue. Louisa m'avait brisé le doigt en me l'arrachant.

— Je suis l'épouse de Matthew, sa compagne. Comment croyez-vous qu'il réagira quand il découvrira ce que vous avez fait ?

— Tu es un monstre. Une bête. Si je remporte le défi, je te dépouillerai de ton déguisement d'humaine et j'exposerai ce qu'il dissimule. (Les paroles de Louisa tombèrent goutte à goutte dans mes oreilles comme du poison.) Et une fois cela fait, Matthew verra ce que tu es vraiment et partagera notre plaisir de te voir morte.

Ils s'éloignèrent et je fus incapable de savoir où ils étaient partis. J'étais livrée à moi-même.

Réfléchis. Reste en vie.

Quelque chose palpita dans ma poitrine. Mais ce n'était pas mon cœur paniqué. C'était ma vouivre. Je n'étais pas seule. Et j'étais une sorcière. Je n'avais pas besoin de mes yeux pour voir ce qui m'entourait.

Que vois-tu ? demandai-je à la terre et à l'air.

Ce fut la vouivre qui répondit. Elle gazouilla et babilla, agitant ses ailes en moi tout en prenant la mesure de la situation.

Où sont-ils ? me demandai-je.

Mon troisième œil s'ouvrit tout grand, révélant les couleurs chatoyantes de la fin du printemps dans toute leur splendeur bleue et verte. Un fil vert plus foncé était tressé de noir. Je le remontai jusqu'à Louisa, en train d'enfourcher un cheval ombrageux qui refusait de rester calme et cherchait à s'enfuir. Louisa le mordit au cou, ce qui paralysa l'animal mais n'apaisa nullement sa terreur.

Je suivis un autre ensemble de fils, ceux-là pourpres et blancs, pensant qu'ils allaient me mener à Matthew. Au lieu de cela, je vis un ahurissant tourbillon de formes et de couleurs. Je me mis à tomber dans une chute interminable avant d'atterrir sur un oreiller glacé. *De la neige.* J'inspirai une longue bouffée de l'air froid de l'hiver. Je n'étais plus attachée à un poteau par une fin d'après-midi de mai au palais de Greenwich. J'avais quatre ou cinq ans et j'étais allongée sur le dos dans le petit jardin derrière notre maison de Cambridge.

Et je me souvins.

Mon père et moi étions en train de jouer après une grosse chute de neige. Mes moufles étaient pourpres, la couleur de Harvard, sur la neige immaculée. Nous dessinions des anges en écartant et en refermant les bras et les jambes. J'étais fascinée de voir que les ailes blanches semblaient prendre une teinte rouge lorsque je bougeais les mains assez vite.

— C'est comme le dragon aux ailes de feu, chuchotai-je à mon père.

Il s'immobilisa.

— Quand as-tu vu un dragon, Diana ?

Sa voix était grave. Je connaissais la différence entre cette voix et celle qu'il prenait pour me taquiner. Cela voulait dire qu'il attendait une réponse – et sincère.

— Plein de fois. Surtout la nuit.

J'agitai les bras de plus en plus vite. La neige changea de couleur, elle se mit à briller, verte et or, rouge et noire, argent et bleue.

— Et où était-ce ? chuchota-t-il en regardant les monticules de neige qui s'accumulaient autour de moi et gonflaient en grondant comme s'ils étaient vivants.

L'un d'eux grandit et s'étira pour devenir une mince tête de dragon. Puis il se déploya en une paire d'ailes.

Le dragon secoua la neige de ses écailles blanches. Quand il se tourna pour regarder mon père, celui-ci murmura quelque chose et lui flatta le mufle comme s'ils se connaissaient déjà. Le dragon souffla une vapeur chaude dans l'air glacé.

— *La plupart du temps, il est en moi, ici. (Je me redressai pour montrer à mon père. Mes mains gantées se posèrent sur mes côtes. Je sentais leur chaleur sous ma peau, à travers mon blouson et les grosses moufles de laine.) Mais quand il veut voler, il faut que je le laisse sortir. Il n'y a pas assez de place pour ses ailes, sinon.*

Une paire d'ailes brillantes étaient posées sur la neige derrière moi.

— *Tes ailes à toi, tu les as oubliées, dit gravement mon père.*

Le dragon s'extirpa de la neige. Ses yeux noir et argent clignèrent alors qu'il s'élevait dans les airs et disparaissait par-dessus un pommier, de plus en plus diaphane à chaque coup d'aile. Mes ailes commençaient déjà à disparaître dans la neige derrière moi.

— *Le dragon ne veut pas m'emmener avec lui. Et il ne reste jamais très longtemps, soupirai-je. Comment ça se fait, papa ?*

— *Peut-être qu'il doit aller quelque part.*

Je réfléchis à cette possibilité.

— *Comme quand toi et maman vous allez à l'école ?*

C'était très troublant de se dire que vos parents vont à l'école. C'était ce que pensaient tous les enfants du quartier, même si la plupart des parents passaient toute la journée à l'école aussi.

— *Exactement, sourit mon père, assis dans la neige, les genoux dans ses mains. J'adore la sorcière en toi, Diana.*

— *Elle fait peur à maman.*

— *Mais non. Maman a seulement peur du changement.*

— *J'ai essayé de garder le secret pour le dragon, mais je crois qu'elle sait quand même, dis-je d'un ton penaud.*

— *Les mamans devinent toujours, dit mon père. (Il baissa les yeux vers la neige. Mes ailes avaient entièrement disparu.) Mais elle sait quand tu veux un chocolat chaud, aussi. Si nous rentrons, je suis sûr qu'il sera déjà prêt, dit-il en se levant et en me tendant la main.*

J'y glissai ma moufle rouge.

— *Tu seras toujours là pour me tenir la main quand il fera nuit ? demandai-je.*

La nuit tombait et j'avais brusquement peur des ombres. Des monstres rôdaient dans le noir, d'étranges créatures qui m'observaient quand je jouais.

— *Eh non, dit mon père. (Mes lèvres tremblèrent. Ce n'était pas la réponse que je voulais.) Mais ne t'inquiète pas. Tu auras toujours ton dragon, dit-il en baissant la voix.*

De la blessure à côté de mon œil, une goutte de sang tomba sur le sol à mes pieds. Bien qu'ayant les yeux bandés, je la vis tomber lentement et atterrir dans une petite éclaboussure. Une pousse noire en surgit.

Des sabots galopèrent vers moi. Une voix poussa un cri aigu qui me fit penser à d'antiques batailles.

Le bruit agita encore plus ma vouivre. Je devais me libérer. Et vite.

Au lieu d'essayer de voir les fils qui menaient à Kit et à Louisa, je me concentrai sur ceux qui s'enroulaient autour des cordes me ligotant poignets et chevilles. Je commençais à y parvenir quand un objet pointu et lourd me heurta les côtes. Le choc me coupa le souffle.

— Touché ! s'écria Kit. La sorcière est mienne !

— À peine frôlée, corrigea Louisa. Tu dois enfoncer la lance dans son corps pour la réclamer comme tienne.

Malheureusement, je ne connaissais pas les règles, ni de la joute ni de la magie. Goody Alsop avait été très claire avant que nous quittions Prague : *Tout ce que tu as pour le moment, c'est une vouivre qui n'en fait qu'à sa tête, une* luur *qui est aveuglante et une tendance à poser des questions dont les réponses sont malicieuses.* J'avais délaissé mon tissage pour les intrigues de cour et cessé mes exercices de magie pour rechercher l'Ashmole 782. Peut-être que si j'étais restée à Londres, j'aurais su comment me sortir de ce pétrin. Au lieu de quoi, j'étais ligotée à un pieu comme une sorcière qu'on s'apprête à brûler.

Réfléchis. Reste en vie.

— Nous devons essayer de nouveau, dit Louisa.

Je l'entendis tourner bride et s'éloigner.

— Ne faites pas cela, Kit, dis-je. Pensez à ce que cela fera à Matthew. Si vous voulez que je parte, je le ferai, je vous le promets.

— Tes promesses ne sont rien, sorcière. Tu croiseras les doigts et tu trouveras le moyen d'échapper à tes serments. Je peux voir la *luur* autour de toi, car tu tentes en cet instant même de faire agir ta magie contre moi.

Une luur *qui est aveuglante. Des questions dont les réponses sont malicieuses. Et une vouivre qui n'en fait qu'à sa tête.*

Tout se figea.

Que faut-il faire ? demandai-je à la vouivre.

En réponse, elle claqua des ailes et les déploya entièrement. Elles glissèrent entre mes côtes, traversèrent ma chair et sortirent dans mon dos de chaque côté de ma colonne vertébrale. Elle demeura où elle était, sa queue enroulée autour de mon ventre pour le protéger. Tapie derrière mon sternum, elle jeta un regard de ses yeux noir et argent, puis elle claqua de nouveau des ailes.

Reste en vie, chuchota-t-elle en réponse dans un halo de brume grise qui m'enveloppa.

Sous la force de ses ailes, le gros poteau de bois se brisa et leurs épines tranchèrent les cordes qui me liaient les poignets. Quelque chose de pointu et d'aiguisé, comme des griffes, coupa les liens de mes chevilles. Je m'élevai à quelques mètres dans les airs au moment où Kit et Louisa approchaient chacun dans un sens. Ils allaient trop vite pour s'arrêter ou changer de direction. Leurs lances se croisèrent, s'entremêlèrent et, sous la force de l'impact, ils furent tous les deux projetés au sol.

J'arrachai mon bandeau de ma main indemne au moment où Annie apparaissait au bord des lices.

— Mistress ! s'écria-t-elle.

Mais il n'était pas question qu'elle approche en présence de Louisa de Clermont.

— Va-t'en ! sifflai-je.

En même temps que je parlais, de la fumée et du feu sortaient de ma bouche alors que je contournais Kit et Louisa.

Mes mains et mes pieds saignaient. Partout où une goutte de sang tombait, une pousse noire jaillissait. Bientôt, une palissade de minces troncs noirs entoura le démon et la vampiresse assommés. Louisa tenta de les déraciner, mais ma magie tenait bon.

— Dois-je vous dire votre avenir ? demandai-je. (De leur enclos, ils levèrent vers moi des regards avides et terrifiés.) Tu n'oublieras jamais le désir de ton cœur, Kit, car parfois, c'est ce que nous voulons le plus que nous ne pouvons posséder. Et tu ne rempliras jamais le vide qui est en toi, Louisa, ni avec du sang ni avec la colère. Et vous mourrez tous les deux, car la mort nous attend tous tôt ou tard. Mais la vôtre ne sera pas douce, je vous le promets.

Un tourbillon approcha et s'immobilisa. C'était Hancock.

— Davy ! (Les doigts nacrés de Louisa empoignèrent les pieux noirs qui l'entouraient.) Aide-nous ! La sorcière a usé de sa magie pour nous terrasser. Arrache-lui les yeux et tu lui prendras son pouvoir.

— Matthew est déjà en chemin, Louisa. Tu es plus en sûreté derrière cette clôture sous la protection de Diana que tu le serais en fuyant sa colère.

— Aucun de nous n'est en sécurité. Elle va réaliser l'antique prophétie, celle dont Gerbert a fait part à *mère** il y a tant d'années. Elle va anéantir les Clermont !

— Il n'y a aucune vérité là-dedans, dit Hancock avec pitié.

— Si ! siffla Louisa. *Prends garde à la sorcière au sang de lionne et de loup, car elle détruira les enfants de la nuit.* C'est la sorcière de la prophétie ! Ne le vois-tu pas ?

— Tu es malade, Louisa. Je le vois clairement.

— Je suis une *manjasang*, s'indigna Louisa en se redressant. Et je me porte fort bien, Hancock.

Henry et Jack arrivèrent à leur tour, essoufflés. Henry balaya les lices du regard.

— Où est-elle ? cria-t-il à Hancock en se tournant de tous côtés.

— Là-haut, répondit celui-ci en levant le pouce. Ainsi qu'Annie l'avait dit.

— Diana, dit Henry avec un soupir de soulagement.

Un cyclone noir et gris traversa les lices et s'arrêta devant le pieu brisé où j'avais été attachée. Matthew n'eut nul besoin qu'on lui dise où j'étais. Il me trouva immédiatement.

Walter et Pierre furent les derniers à arriver. Annie, qui était juchée sur le dos de Pierre, se laissa glisser à terre.

— Walter ! cria Kit en rejoignant Louisa à la clôture. Il faut l'arrêter. Laisse-nous sortir. Je sais ce qu'il faut faire. J'ai parlé à une sorcière de Newgate et…

Un bras passa entre deux piquets et de longs doigts blancs le saisirent à la gorge. Marlowe gargouilla et se tut.

— Plus. Un. Mot.

Matthew se tourna vers Louisa.

— *Matthieu*, dit Louisa d'une voix rendue pâteuse par le sang et l'opium. Dieu merci, tu es là. Je suis si heureuse de te voir.

— Tu ne devrais pas, répliqua Matthew en envoyant Kit voler plus loin.

Je me laissai descendre derrière lui tandis que mes ailes rentraient dans ma poitrine. Cependant, ma vouivre resta en alerte, sa queue toujours enroulée.

Sentant ma présence, Matthew me prit dans ses bras sans quitter mes captifs du regard. Ses doigts effleurèrent l'endroit où la lance avait traversé la basquine, le corset et la peau pour finir déviée par une côte. Le sang imprégnait l'étoffe. Matthew me retourna brusquement, s'agenouilla et déchira le tissu. Il poussa un juron et posa une main sur mon ventre en me scrutant.

— Je n'ai rien. Nous n'avons rien, le rassurai-je.

Il se releva, les yeux noirs, une veine palpitant sur sa tempe.

— Master Roydon ? (Jack se glissa à côté de Matthew, le menton tremblant. Matthew l'empoigna par le col pour l'empêcher de s'approcher de moi. Jack ne broncha pas.) Vous faites un cauchemar ?

— Oui, Jack, dit Matthew en le lâchant et en se relevant. Un affreux cauchemar.

— Je vais attendre avec vous qu'il passe, dit l'enfant en glissant sa main dans celle de Matthew.

Mes yeux s'embuèrent de larmes. C'était ce que Matthew lui avait dit une nuit lorsque les terreurs du garçonnet menaçaient de l'engloutir. Sans un mot, Matthew referma sa main sur celle de l'enfant. Ils étaient debout côte à côte, l'un grand, les épaules larges, plein d'une surnaturelle santé, l'autre menu et gauche, commençant à peine à se remettre d'années de négligence. La fureur de Matthew commença à refluer.

— Quand Annie m'a dit qu'une *wearh* t'avait capturée, jamais je n'aurais imaginé…

Il ne put achever.

— C'était Christopher ! s'écria Louisa, prenant ses distances d'avec le démon. Il disait que tu étais ensorcelé. Mais je peux sentir son sang sur toi. Tu te nourris d'elle.

— C'est ma compagne, expliqua Matthew d'une voix blanche. Et elle attend un enfant.

Marlowe laissa échapper un sifflement. Son regard tapota mon ventre. Ma main fracturée se posa dessus pour le protéger du regard du démon.

— C'est impossible. Matthew ne peut… (La confusion de Kit laissa la place à la colère.) Il est encore sous son charme. Comment avez-vous pu le trahir ainsi ? Qui est le père de cet enfant, mistress Roydon ?

Mary Sidney s'était imaginé que j'avais été violée. Gallowglass avait d'abord attribué l'enfant à un amant ou à un époux décédé qui auraient pu éveiller les instincts protecteurs de Matthew et expliquer la rapidité de notre histoire d'amour. Pour Kit, la seule réponse possible était que j'avais trompé l'homme qu'il aimait.

— Abats-la, Hancock ! supplia Louisa. Nous ne pouvons permettre qu'une sorcière fasse entrer un bâtard dans la famille Clermont.

Hancock secoua la tête en la regardant et croisa les bras.

— Tu as tenté de tuer ma compagne, dit Matthew. Tu as fait couler son sang. Et l'enfant n'est pas un bâtard. Il est de moi.

— C'est impossible, dit Louisa d'une voix hésitante.

— L'enfant est *mien*, répéta farouchement son frère. Il est de ma chair. De mon sang.

— Elle porte le sang du loup, chuchota Louisa. La sorcière est celle dont parle la prophétie. Si l'enfant vit, il nous détruira tous !

— Emmenez-les, dit Matthew en contenant à peine sa rage. Avant que je les déchire en pièces et les jette aux chiens.

D'un coup de pied, il abattit la palissade et empoigna son ami et sa sœur.

— Je ne vais…, commença Louisa.

Elle baissa les yeux et vit que la main de Hancock s'était refermée sur son poignet.

— Oh, tu iras où je t'emmènerai, dit-il calmement. (Il ôta de son doigt la bague d'Ysabeau et la lança à Matthew.) Je crois qu'elle appartient à ton épouse.

— Et Kit ? demanda Walter en regardant Matthew avec circonspection.

— Puisqu'ils sont si épris l'un de l'autre, enfermez-les ensemble, dit Matthew en poussant le démon vers Raleigh.

— Mais elle…

— Se nourrira de lui ? Elle l'a déjà fait. La seule manière dont un vampire peut éprouver l'ivresse de l'alcool ou d'une drogue, c'est en buvant le sang d'un sang-chaud.

— Très bien, Matthew. Ramène Diana et les enfants à Blackfriars, dit Walter. Hancock et moi nous occuperons du reste.

— Je lui ai dit qu'il n'y avait nul lieu de s'inquiéter. L'enfant n'a rien. (Je baissai ma chemise de nuit. Nous étions rentrés directement chez nous, mais Matthew avait tout de même envoyé Pierre chercher Susanna et Goody Alsop. À présent, la maison était pleine comme un œuf de vampires et de sorcières en colère.) Peut-être pourras-tu l'en convaincre.

— Si ton époux ne veut pas croire ce qu'il voit, ricana Susanna en se rinçant les mains dans une cuvette d'eau chaude et savonneuse, rien de ce que je dirai ou ferai n'y changera rien.

Elle appela Matthew, qui arriva avec Gallowglass et s'arrêta sur le seuil.

— Vous n'avez rien, en vérité ? demanda Gallowglass, livide.

— J'ai eu un doigt brisé et une côte fendue. Cela aurait pu m'arriver en tombant dans l'escalier. Grâce à Susanna, mon doigt est guéri.

Je tendis ma main. Elle était encore enflée et je devais porter la bague d'Ysabeau à l'autre main, mais je pouvais bouger les doigts sans douleur. L'entaille sur mon flanc allait prendre plus de temps. Comme Matthew avait refusé d'utiliser du sang de vampire pour la guérir, Susanna s'était contentée de quelques points de suture magiques et d'un emplâtre.

— Nous avons bien des raisons de détester Louisa pour l'heure, dit Matthew d'un ton lugubre, mais voici quelque chose de rassurant : elle ne voulait pas te tuer. Elle sait parfaitement viser. Si elle avait voulu te transpercer le cœur, tu serais morte.

— Louisa était trop occupée à me parler d'une prophétie que Gerbert avait confiée à Ysabeau.

Gallowglass et Matthew échangèrent un regard.

— Ce n'est rien, éluda Matthew. Rien de plus qu'une sottise qu'il a inventée pour titiller *mère**.

— C'était la prophétie de Meridiana, n'est-ce pas ?

Je l'avais su dès que Louisa en avait parlé. Ses paroles avaient rappelé le souvenir du contact de Gerbert à La Pierre. Et elles avaient fait crépiter l'air autour d'elle, comme si elle était Pandore et avait soulevé le couvercle d'une boîte contenant une magie oubliée depuis longtemps.

— Meridiana a rêvé cette prophétie pour que Gerbert redoute l'avenir, et cela a marché, dit Matthew en secouant la tête. Cela n'a rien à voir avec toi.

— Ton père est le lion. Tu es le loup.

Un frisson glacé me noua l'estomac. Je compris que quelque chose n'allait pas, en moi, là où la lumière ne pouvait parvenir. Je regardai mon époux, qui était l'un des enfants de la nuit mentionnés par la prophétie. Notre premier enfant était déjà mort. Je balayai ces pensées, ne voulant pas les retenir dans mon cœur ou mon esprit assez longtemps pour qu'elles me marquent. Mais cela ne servit à rien. Il y avait trop d'honnêteté entre nous à présent pour que je les dissimule à Matthew – ou à moi-même.

— Tu n'as rien à craindre, dit Matthew en me frôlant les lèvres d'un baiser. Tu débordes trop de vie pour être un présage de destruction.

Je souris et le laissai me rassurer, mais mon sixième sens l'ignora. Je ne savais pourquoi, mais quelque part, une force mortelle avait été libérée. En cet instant, je sentais les fils se tendre et m'entraîner vers les ténèbres.

36

J'attendais sous l'enseigne de l'Oie d'Or qu'Annie y achète du ragoût quand le regard inflexible d'un vampire chassa la promesse d'été qui flottait dans l'air.

— Père Hubbard, dis-je en me tournant dans la direction du froid.

Les yeux du vampire passèrent un instant sur ma poitrine.

— Je suis surpris que votre époux vous permette de vous promener sans escorte en ville avec ce qui est arrivé à Greenwich, alors que vous portez son enfant.

Ma vouivre, qui était devenue férocement protectrice depuis l'affaire des lices, enroula sa queue autour de mes hanches.

— Tout le monde sait que les *wearhs* ne peuvent concevoir d'enfant avec une sang-chaud, répondis-je avec indifférence.

— Il semble que l'impossible ait quelque latitude avec une sorcière telle que vous, répondit Hubbard. La plupart des créatures estiment que le mépris de Matthew pour les sorcières est inébranlable. Peu iraient imaginer qu'il a permis à Barbara Napier d'échapper au bûcher en Écosse.

Les événements de Berwick continuaient d'occuper le temps de Matthew ainsi que les ragots des créatures et des humains à Londres.

— Matthew était sur un navire revenant de Prague à l'époque. Il était à des lieues de l'Écosse.

— Il n'avait nul besoin d'y être. Hancock était à Édimbourg et se faisait passer pour l'un des « amis » de Napier. C'est lui qui attira l'attention de la cour sur la grossesse de la femme.

L'haleine glacée de Hubbard sentait la forêt.

— La sorcière était innocente des accusations qui pesaient contre elle, dis-je avec brusquerie en ramenant mon châle sur mes épaules. Le jury l'a acquittée.

— D'une seule de ses accusations, répondit Hubbard en soutenant mon regard. Elle a été jugée coupable de bien d'autres. Et étant donné votre récent retour, peut-être n'avez-vous point appris que le roi Jacques avait trouvé un moyen d'infirmer la décision des jurés dans cette affaire.

— L'infirmer ? Comment ?

— Le roi d'Écosse ne goûte guère la Congrégation ces derniers temps, et cela, grâce à votre époux. La notion élastique que Matthew a du pacte et ses ingérences dans la politique écossaise ont conduit Sa Majesté à chercher des failles juridiques. Jacques a traduit en justice les jurés qui ont acquitté la sorcière. Ils sont accusés d'avoir trahi la justice royale. Faire peur aux jurés assurera l'issue des prochains procès.

— Ce n'était point le projet de Matthew, dis-je.

— Cela paraît suffisamment retors pour Matthew de Clermont. Napier et son enfant vivront peut-être, mais des dizaines de créatures innocentes mourront à cause de cela, dit-il d'un air sinistre. N'est-ce point ce que désirent les Clermont ?

— Comment osez-vous ?

— J'ai le…

Annie se figea et laissa tomber sa marmite. Je l'attirai à moi en lui prenant le bras.

— Merci, Annie.

— Savez-vous où se trouve votre époux en cette belle matinée de juin, mistress Roydon ?

— Il vaque à ses affaires.

Matthew s'était assuré que je prenais mon petit déjeuner, avait vérifié que mes doigts et mes côtes fracturés se remettaient, m'avait fait un baiser et était parti avec Pierre. Jack avait été inconsolable quand Matthew lui avait dit qu'il devait rester avec Harriot. Ce petit rien m'avait mise mal à l'aise. Ce n'était pas le genre de Matthew de refuser à Jack une petite promenade en ville.

— Non, dit Hubbard à mi-voix. Il est à Bedlam avec sa sœur et Christopher Marlowe. (Bedlam était une oubliette dans tous les sens du terme – un lieu où l'on oubliait, où les fous étaient enfermés avec ceux que leurs familles faisaient interner au prétexte d'une fausse accusation ou simplement pour s'en débarrasser. Avec rien de plus que de la paille en guise de lit, à peine de quoi manger, aucune pitié de la part des geôliers et pas le moindre soin d'aucune sorte, les rares détenus qui en sortaient jamais ne s'en remettaient pas.) Non content d'avoir modifié un jugement en Écosse, Matthew cherche désormais à rendre lui-même sa justice à Londres, continua Hubbard. Il est allé les interroger ce matin. Je crois savoir qu'il y est encore. (Il était midi passé.) J'ai vu Matthew de Clermont tuer en un éclair, quand il est en proie à la rage. C'est un spectacle terrifiant. Le voir le faire lentement et douloureusement ferait croire l'athée le plus résolu à l'existence du diable.

Kit. Louisa était une vampiresse du sang d'Ysabeau. Elle pouvait se défendre. Mais un démon…

— Va trouver Goody Alsop, Annie. Dis-lui que je suis allée à Bedlam m'occuper de Maître Marlowe et de la sœur de master Roydon.

Je la retournai dans la bonne direction et la lâchai en m'interposant fermement entre elle et le vampire.

— Je dois rester avec vous, dit Annie. Master Roydon me l'a fait promettre.

— Quelqu'un doit savoir où je suis partie, Annie. Dis à Goody Alsop ce que tu as entendu ici. Je saurai trouver le chemin de Bedlam.

En réalité, je n'avais qu'une vague idée de l'endroit où se situait le sinistre asile, mais j'avais d'autres moyens de découvrir où se trouvait Matthew. Je refermai des doigts imaginaires autour de la chaîne qui était en moi et m'apprêtai à la tirer.

— Attendez. (La main de Hubbard me saisit au poignet. Je sursautai. Il appela quelqu'un dans la pénombre. C'était le jeune homme anguleux qu'il appelait Amen Corner.) Mon fils va vous y mener.

— Matthew va savoir que je me suis trouvée en votre présence. (Je baissai les yeux sur sa main, toujours sur mon poignet, qui imprégnait ma peau de son odeur caractéristique.) Il s'en prendra au petit. (Il me serra de plus belle et je compris.) Si vous désiriez m'accompagner à Bedlam, Père Hubbard, il vous suffisait de demander.

Hubbard connaissait tous les raccourcis et ruelles entre St. James Garlickhythe et Bishopgate. Nous franchîmes les limites de la cité pour entrer dans l'une des sordides banlieues de Londres. Comme Cripplegate, les environs de Bedlam étaient surpeuplés et accablés par la pauvreté. Mais les véritables horreurs étaient à venir.

Le gardien nous accueillit à la grille et nous fit entrer dans ce qui était autrefois connu sous le nom d'hôpital de St. Mary de Bethléem. Maître Sleford connaissait bien le Père Hubbard et se répandit en courbettes tout en nous conduisant à l'une des solides portes de l'autre côté de la cour creusée d'ornières. Malgré l'épaisseur du bois et des pierres de l'ancien prieuré médiéval, les hurlements des détenus étaient assourdissants. La plupart des fenêtres, non vitrées, étaient ouvertes à tous les vents. La puanteur de la pourriture, de la crasse et de la vieillesse était épouvantable.

— Non, dis-je, refusant la main tendue de Hubbard, alors que nous entrions dans une salle obscure et confinée.

Il y avait quelque chose d'obscène à accepter son aide alors que j'étais libre et que ces prisonniers étaient livrés à eux-mêmes.

À l'intérieur, je fus bombardée par les fantômes des détenus du passé et par les fils déchiquetés qui s'entortillaient autour des occupants présents. Je tentai de supporter l'horreur en me lançant dans des exercices de calcul macabre, répartissant les hommes et les femmes que je voyais en petits groupes que je rassemblais ensuite d'une autre manière.

Durant la traversée du couloir, je comptai quatorze démons, deux sorcières et un vampire sur vingt détenus, dont une demi-douzaine étaient complètement nus et les autres vêtus de guenilles. Une femme en habits d'homme nous regarda d'un air agressif. C'était l'une des trois humaines. Presque tous les prisonniers étaient enchaînés aux parois, au sol ou aux deux. Les autres, incapables de se lever, étaient accroupis dans un coin et grattaient les pierres en marmonnant. Un autre était en liberté et dansait tout nu devant nous dans le couloir.

Je vis une porte fermée et quelque chose me souffla que Louise et Kit étaient derrière. Le gardien glissa sa clé dans la serrure et frappa brièvement. Comme personne ne répondait, il tambourina sur le battant.

— J'avais entendu la première fois, Maître Sleford. (Gallowglass était en piteux état, avec des égratignures sur la joue et du sang sur son pourpoint. Il se ressaisit en me voyant derrière Sleford.) Ma tante.

— Laissez-moi entrer.

— Ce n'est pas une bonne… (Puis, voyant mon expression, Gallowglass s'effaça.) Louisa a perdu beaucoup de sang. Elle a faim. Gardez-vous d'elle, à moins de vouloir être mordue ou griffée. Je lui ai coupé les ongles, mais on ne peut faire grand-chose pour les dents.

Rien ne m'empêchait d'entrer, mais je restai sur le seuil. La belle et cruelle Louisa était enchaînée à un anneau de fer fixé au sol. Sa robe était en loques et du sang ruisselait de profondes entailles à son cou. Quelqu'un l'avait soumise – quelqu'un qui était plus fort et plus enragé qu'elle.

Je scrutai la pénombre et finis par voir une silhouette sombre penchée sur un corps prostré sur le sol. Matthew releva la tête. Il n'avait pas une goutte de sang sur lui. Tout comme la proposition de m'aider de Hubbard, son état impeccable me parut obscène.

— Tu devrais être à la maison, Diana.

— Je suis exactement là où je dois être, merci, dis-je en m'approchant. La fureur sanguinaire et le pavot ne font pas bon ménage, Matthew. Quelle quantité du sang de Kit as-tu bue ?

La forme sur le sol remua.

— Je suis là, Christopher, dit Hubbard. Il ne vous arrivera nul autre péril.

Marlowe sanglota de soulagement.

— Bedlam n'est point à Londres, Hubbard. Vous n'êtes pas dans votre juridiction et Kit est au-delà de votre protection.

— Par le Christ, voilà que cela recommence, dit Gallowglass en me tirant à l'écart et en claquant la porte au nez de Sleford, interdit. Et verrouillez ! cria-t-il en ponctuant son ordre d'un coup de poing sur le battant.

En entendant le grincement de la serrure, Louisa se leva d'un bond dans un cliquetis de chaînes. L'une d'elles se rompit et je sursautai en entendant le maillon brisé tinter sur le sol. Dans le couloir, d'autres enchaînés s'agitèrent.

— Pas mon sang pas mon sang pas mon sang, psalmodiait Louisa, en se plaquant contre le mur du fond. (Elle tressaillit en croisant mon regard et se détourna.) Disparais, *fantôme**. Je suis déjà morte une fois et je n'ai rien à craindre de spectres tels que toi.

— Silence, ordonna Matthew d'une voix sourde qui fit sursauter tout le monde.

— Soif, dit Louisa d'une voix rauque. S'il te plaît, Matthew.

Un bruit régulier de gouttes résonnait. À chaque goutte, le corps de Louisa tressautait. D'une tête de cerf aux yeux morts suspendue par les bois au-dessus de Louisa, du sang s'écoulait à ses pieds, hors de sa portée.

— Cesse de la torturer ! m'écriai-je en faisant un pas vers elle.

— Je ne puis vous laisser vous en mêler, ma tante, dit Gallowglass en me retenant. Matthew a raison : votre place n'est point ici.

— Gallowglass, dit Matthew en se levant.

Son neveu lâcha mon bras et le regarda.

— Très bien, dans ce cas. Pour répondre à votre question, ma tante, Matthew a bu juste assez du sang de Kit pour que sa fureur sanguinaire continue de le consumer. Vous aurez peut-être besoin de ceci si vous voulez lui parler.

Il me jeta un couteau. Je restai impassible et l'arme tomba bruyamment sur le sol.

— Tu ne te résumes pas à cette maladie, Matthew, dis-je en enjambant la lame et en arrivant si près de lui que mes jupes frôlèrent ses bottes. Laisse le Père Hubbard s'occuper de Kit.

— Non, répondit Matthew d'un ton sans réplique.

— Que penserait Jack s'il te voyait ainsi ? (J'étais prête à essayer de le culpabiliser plutôt qu'à user d'une arme pour lui faire entendre raison.) Tu es son héros. Les héros ne torturent pas leurs amis ou les membres de leur famille.

— Ils ont essayé de te tuer ! tonna Matthew d'une voix qui résonna dans la cellule.

— Ils étaient ivres d'alcool et d'opium et ne savaient ni l'un ni l'autre ce qu'ils faisaient, rétorquai-je. Pas plus, ajouterai-je, que toi en ce moment.

— Ne te leurre pas. Ils savaient très bien tous les deux ce qu'ils faisaient. Kit se débarrassait d'un obstacle à son désir sans se soucier de quiconque. Louisa succombait aux mêmes envies cruelles qu'elle assouvit depuis le jour de sa création. Je sais ce que je fais, moi aussi.

— Oui. Tu es en train de te punir. Tu t'es convaincu que la biologie est le destin, du moins en ce qui concerne la fureur sanguinaire. Du coup, tu penses être comme Louisa et Kit une victime de la folie. Je t'ai demandé de cesser de nier ton instinct, Matthew, pas d'en devenir l'esclave. (Cette fois, quand je m'avançai vers la sœur de Matthew, elle bondit sur moi en crachant et en grondant.) Et voici ta plus grande crainte pour l'avenir : de finir réduit à l'état de fauve, enchaîné et attendant la punition parce que c'est ce que tu mérites. (Je revins vers lui et l'empoignai par les épaules.) Ce n'est pas toi, Matthew. Tu n'as jamais été ainsi.

— Je t'ai déjà dit de ne pas m'idéaliser, répondit-il sèchement.

Il se détourna de moi, mais j'eus le temps de lire le désespoir dans son regard.

— Alors tu fais cela pour moi aussi ? Tu essaies toujours de prouver que tu ne mérites pas d'être aimé ? (Je pris ses mains, le forçai à desserrer les poings et plaquai ses paumes contre mon ventre.) Sens ton enfant, regarde-moi dans les yeux et dis-moi qu'il n'y a aucun espoir de trouver une autre fin à cette histoire que tu ne cesses de te raconter.

Comme lors de la nuit où j'avais attendu qu'il boive à ma veine, l'attente fut interminable. Cette fois comme la précédente, je ne pus rien faire pour presser les choses ou l'aider à choisir entre la vie et la mort. Il devait empoigner le fragile fil de l'espoir sans mon aide.

— Je ne sais pas, avoua-t-il enfin. Autrefois, j'étais convaincu que l'amour entre un vampire et une sorcière était mal. J'étais certain que nos quatre espèces étaient distinctes. J'acceptais que des sorcières meurent si cela permettait aux démons et aux vampires de survivre. (Dans ses pupilles dilatées apparut une vive pointe de vert.) Je me répétais que la folie des démons et les faiblesses des vampires étaient une évolution récente, mais maintenant que je vois Louisa et Kit…

— Tu n'en sais rien. Aucun de nous ne le sait. C'est une perspective effrayante. Mais nous avons de l'espoir pour l'avenir, Matthew. Je ne veux pas que nos enfants naissent dans cette même ombre, en détestant et en redoutant ce qu'ils sont. (Je pensais qu'il allait répliquer, mais il resta coi.) Laisse Gallowglass s'occuper de ta sœur et Hubbard s'occuper de Kit. Et essaie de leur pardonner.

— Les *wearhs* ne pardonnent point aussi aisément que les sangs-chauds, grommela Gallowglass. Vous ne pouvez lui demander cela.

— Matthew vous l'a demandé, lui fis-je remarquer.

— Certes, et je lui ai dit que ce qu'il pouvait espérer au mieux, c'était que je finisse par oublier. N'exigez pas plus de Matthew qu'il ne peut donner, ma tante. Il est son pire bourreau et n'a point besoin de vous pour se torturer, m'avertit-il.

— Je voudrais oublier, sorcière, décréta Louisa avec un geste large, comme si elle choisissait une étoffe pour se faire faire une nouvelle robe. Tout cela. Use de ta magie et fais disparaître ces affreux cauchemars.

C'était en mon pouvoir de le faire. Je voyais les fils qui la reliaient à Bedlam, à Matthew et à moi. Mais bien que ne voulant pas torturer Louisa, mon pardon n'allait pas jusqu'à accepter de lui accorder la paix.

— Non, Louisa, dis-je. Jusqu'à votre dernier jour, vous vous souviendrez de Greenwich, de moi et d'avoir fait souffrir Matthew. Ce sera cela votre prison, et non cette cellule. Veillez à ce qu'elle ne représente aucun danger pour elle-même ni quiconque avant de la libérer, ajoutai-je pour Gallowglass.

— Oh, elle ne va pas être libre, promit Gallowglass. Elle ne sortira d'ici que pour aller là où Philippe l'enverra. Et après ce qu'elle a fait ici, mon grand-père ne la laissera plus jamais rôder en liberté.

— Dis-leur, Matthew ! supplia Louisa. Tu comprends ce que c'est d'avoir ces... ces choses... qui te hantent. Je ne le supporte plus ! s'écria-t-elle en s'arrachant les cheveux d'une main entravée.

— Et Kit ? demanda Gallowglass. Tu es sûr que tu veux le livrer à Hubbard, Matthew ? Je sais que Hancock serait enchanté de l'expédier.

— C'est la créature de Hubbard, et non la mienne, répondit Matthew sans équivoque. Peu m'importe ce qu'il advient de lui.

— J'ai agi par amour..., commença Kit.

— Tu as agi par méchanceté, répondit Matthew en tournant le dos à son meilleur ami. Il est à vous, Hubbard.

— Père Hubbard ! lançai-je tandis qu'il s'emparait de Marlowe. Les actes de Kit à Greenwich seront oubliés, à condition que ce qui s'est passé ici demeure entre ces murs.

— Vous le promettez, au nom de tous les Clermont ? demanda Hubbard en haussant ses pâles sourcils. C'est votre époux qui doit donner ces assurances, et non vous.

— Ma parole devra suffire, persistai-je.

— Très bien, madame de Clermont, dit Hubbard, usant pour la première fois de mon titre. Vous êtes bien plus la fille de Philippe que je ne l'avais d'abord cru. J'accepte la demande de votre famille.

Même une fois que nous eûmes quitté Bedlam, je sentais les ténèbres qui s'accrochaient à nous. Matthew aussi. Elles nous suivirent partout dans Londres, nous accompagnèrent durant nos dîners, lors des visites de nos amis. Il n'y avait qu'un seul moyen de nous en débarrasser.

Nous devions rentrer chez nous.

Sans en discuter ni le projeter consciemment, nous commençâmes tous les deux à mettre nos affaires en ordre, coupant les fils qui nous reliaient à nos amis et au passé que nous partagions désormais. Françoise prévoyait de nous retrouver à Londres, mais nous lui fîmes porter le message de rester à Old Lodge. Matthew eut de longues conversations compliquées avec Gallowglass concernant les mensonges que son neveu devrait raconter afin de ne pas révéler que le Matthew de l'avenir avait temporairement remplacé celui du XVIᵉ siècle. Ce dernier ne devait pas voir Kit ou Louisa, car on ne pouvait se fier à aucun des deux. Walter et Henry devraient inventer une explication à ses différences de comportement. Matthew envoya Hancock en Écosse préparer une nouvelle existence là-bas. Je travaillai avec Goody Alsop à perfectionner les nœuds que j'allais utiliser pour tisser le sortilège qui nous renverrait dans l'avenir.

Matthew me retrouva à St. James Garlickhythe après l'une de mes leçons et proposa que nous passions par le parvis de St. Paul's pour rentrer. Nous étions presque au milieu de l'été et les journées étaient ensoleillées, malgré l'ombre persistante qu'avait laissée Bedlam.

Bien que Matthew parût encore éprouvé par ce qui s'était passé avec Louisa et Kit, ce fut presque comme le bon vieux temps quand nous nous arrêtâmes chez les libraires consulter les nouveautés. Je lisais la dernière volée de flèches dans la guerre de mots entre deux érudits de Cambridge quand Matthew se raidit.

— Camomille. Feuilles de chêne. Et café, dit-il en tournant la tête devant cette odeur nouvelle.

— Café ? répétai-je.

Je me demandai comment quelque chose qui n'était pas encore parvenu en Angleterre pouvait parfumer l'air des environs de St. Paul's. Mais Matthew n'était déjà plus auprès de moi pour répondre. Il s'était élancé dans la foule, son épée à la main.

Je soupirai. Matthew ne pouvait s'empêcher de poursuivre le moindre voleur sur le marché. Parfois, je regrettais qu'il ait une vue aussi perçante et des valeurs morales aussi absolues.

Cette fois, Matthew poursuivait un homme d'une bonne tête de moins que lui, aux boucles brunes semées de fils gris. L'homme était mince et un peu voûté, comme s'il avait passé trop de temps penché sur des livres. Cette attitude me rappela quelque chose.

Sentant le danger approcher, l'homme se retourna. Malheureusement, sa pitoyable petite dague à peine plus redoutable qu'un canif n'allait guère servir contre

Matthew. Espérant éviter un bain de sang, je me précipitai derrière mon époux.

Matthew empoigna le pauvre homme si fermement que l'arme tomba. D'un genou, le vampire coinça sa proie contre un étal de libraire, le plat de son épée contre le cou de l'homme. Je me frottai les yeux.

— Papa ? chuchotai-je.

— Bonjour, Miss Bishop, répondit mon père pardessus le tranchant de la lame. Quelle surprise de vous retrouver ici.

37

Mon père avait l'air calme même s'il se retrouvait devant un vampire inconnu et armé et sa propre fille devenue adulte. Seul un léger tremblement dans sa voix et sa main crispée sur l'étal le trahissaient.

— Dr Proctor, je présume, dit Matthew en reculant et en rengainant son arme.

Mon père rajusta sa veste. Elle ne collait pas du tout. Quelqu'un – probablement ma mère – avait essayé de retoucher une veste à col Mao pour qu'elle ressemble à une soutane de prêtre. Et les culottes étaient trop longues, plus du style qu'aurait porté Benjamin Franklin que Walter Raleigh. Mais la voix familière, que je n'avais pas entendue depuis vingt-six ans, était bien la sienne.

— Tu as grandi, en trois jours, dit-il en tremblant.

— Tu es exactement comme dans mon souvenir, marmonnai-je, encore ébahie de le voir devant moi. (Craignant que deux sorciers et un *wearh* se fassent trop remarquer dans la foule du parvis, et ne sachant comment réagir dans une situation aussi inédite, je me rabattis sur les conventions sociales.) Veux-tu venir chez nous boire quelque chose ?

— Bien sûr, ma chérie. Ce serait très sympa, répondit-il avec un hochement de tête hésitant.

Mon père et moi ne pûmes nous empêcher de nous regarder – aussi bien sur le chemin qu'une fois arrivés à l'abri du Cerf Couronné, où il me serra longuement dans ses bras.

— C'est vraiment toi. Tu as exactement la même voix que ta mère, dit-il en reculant pour me dévisager. Et tu lui ressembles, aussi.

— Tout le monde dit que j'ai tes yeux, répondis-je en en faisant autant.

Quand on a sept ans, on ne remarque pas ce genre de choses. On ne pense à le chercher qu'après, quand il est trop tard.

— C'est le cas, répondit-il en riant.

— Diana a vos oreilles aussi. Et vos odeurs sont un peu semblables. C'est comme cela que je vous ai reconnu à St. Paul's, dit Matthew en passant une main dans ses cheveux coupés court avant de la tendre à mon père. Je m'appelle Matthew.

— Sans nom de famille ? dit mon père en la serrant. Êtes-vous une sorte de célébrité comme Halston ou Cher ?

J'eus une soudaine et très vivante image de ce qui m'avait manqué en n'ayant pas auprès de moi à mon adolescence un père qui se ridiculise devant les garçons avec qui je sortais. Mes yeux s'embuèrent.

— Matthew a quantité de noms de famille. C'est juste un peu… compliqué, dis-je en ravalant mes larmes.

— Matthew Roydon conviendra pour le moment, conclut Matthew, éveillant l'attention de mon père.

Ils se serrèrent la main.

— Vous êtes donc le vampire. Rebecca est rongée d'inquiétude en songeant aux questions pratiques de votre relation avec ma fille – alors que Diana ne sait même pas encore faire du vélo.

— Oh, papa.

À l'instant où je prononçais ces mots, je rougis. C'était une phrase de gamine de douze ans. Matthew sourit et gagna la table.

— Du vin, Stephen ? demanda-t-il en lui tendant un gobelet. Revoir Diana a dû vous faire un choc.

— Effectivement. oui, avec plaisir. (Mon père en but une gorgée et hocha la tête avec approbation.) Alors, nous nous sommes salués, vous m'avez invité chez vous et maintenant nous prenons un verre. Ce sont les rituels de politesse occidentaux essentiels. Maintenant nous pouvons passer aux choses sérieuses. Que fais-tu ici, Diana ?

— Peut-être devrions-nous nous asseoir, dit Matthew en tirant une chaise pour moi.

— Moi ? Mais c'est à moi de demander ce que *tu* fais là. Et où est maman ? m'enquis-je en repoussant le verre que me servait Matthew.

— Ta mère est à la maison en train de s'occuper de toi, répondit mon père en secouant la tête, effaré. Je n'en reviens pas. Tu n'as pas plus de dix ans de moins que moi.

— J'ai toujours oublié que tu étais beaucoup plus âgé que maman.

— Tu vis avec un vampire et tu trouves à redire à la différence d'âge entre ta mère et moi ? se moqua mon père.

J'éclatai de rire, puis je fis le calcul.

— Donc tu arrives des alentours de 1980 ?

— Oui. J'ai fini par avoir mes notes et je me suis lancé dans des explorations. (Mon père nous dévisagea.)

Est-ce ici et à cette époque que vous vous êtes rencontrés ?

— Non. Nous nous sommes connus en septembre dernier à Oxford. Dans la Bibliothèque bodléienne. (Je jetai un regard à Matthew, qui m'encouragea d'un sourire. Je me retournai vers mon père et respirai un bon coup.) Je suis capable de voyager dans le temps comme toi. J'ai emmené Matthew avec moi.

— Je sais bien que tu peux voyager dans le temps, ma puce. Tu as flanqué une peur bleue à ta mère en août dernier quand tu as disparu à ton anniversaire. Une toute petite fille qui voyage dans le temps, on ne peut pas rêver pire pour une mère. (Il me dévisagea d'un air finaud.) Alors tu as mes yeux, mes oreilles, mon odeur et mon don pour voyager dans le temps. Autre chose ?

— Oui. Je sais créer des sortilèges.

— Oh. Nous espérions que tu serais une sorcière de feu comme ta mère, mais c'est manqué. (Mon père parut mal à l'aise et baissa la voix.) Il vaut mieux que tu évites de faire état de ce talent devant d'autres sorciers. Et quand quelqu'un essaie de t'enseigner ses sorts, laisse-les entrer par une oreille et sortir par l'autre. N'essaie même pas de les apprendre.

— J'aurais bien aimé que tu me préviennes avant. Cela m'aurait évité bien des déboires avec Sarah, dis-je.

— Cette bonne vieille Sarah, dit mon père avec son rire chaleureux et communicatif.

Des pas galopèrent dans l'escalier et un tas de poils à quatre pattes et un gamin entrèrent en claquant la porte contre le mur.

— Maître Harriot a dit que je pouvais encore sortir avec lui pour regarder les étoiles et il promet qu'il ne m'oubliera pas, cette fois. Et Maître Shakespeare m'a donné cela, dit Jack en agitant un morceau de papier. Il dit que c'est une lettre de crédit. Et Annie a tout le temps regardé un garçon au Galero pendant qu'elle mangeait sa tourte. Qui est-ce ? demanda-t-il en tendant un index crasseux dans la direction de mon père.

— C'est Maître Proctor, dit Matthew en l'attrapant par la taille. Tu as donné à manger à Serpillière avant de rentrer ?

Comme il avait été hors de question de séparer le chien et l'enfant à Prague, Serpillière nous avait suivis à Londres, où son étrange allure était une curiosité dans le quartier.

— Évidemment que je lui ai donné à manger. Il ronge mes souliers si j'oublie et Pierre a dit qu'il m'achèterait une nouvelle paire sans rien vous dire, mais pas deux fois.

Il posa un peu trop tard la main sur sa bouche.

— Pardonnez-moi, mistress Roydon. Il est parti en courant dans la rue et je n'ai pu l'attraper.

Annie entra dans la pièce et s'immobilisa, blême en voyant mon père. Elle avait peur de tous les inconnus depuis Greenwich.

— Ce n'est rien, Annie, dis-je gentiment. C'est Maître Proctor. Un ami.

— J'ai des billes. Vous savez jouer à l'enclos ? demanda Jack en scrutant mon père pour essayer de savoir si ce nouveau venu présentait un intérêt.

— Maître Proctor est venu parler avec mistress Roydon, Jack, dit Matthew en le retournant. Nous avons besoin d'eau, de vin et de pain. Annie et toi, répartissez-vous les tâches et quand Pierre rentrera, il vous emmènera aux Moorfields.

En grommelant, Jack ressortit avec Annie. Je croisai le regard de mon père, qui n'avait cessé de nous observer Matthew et moi. Il y avait de la question dans l'air.

— Pourquoi es-tu là, ma chérie ? demanda-t-il à nouveau une fois les enfants partis.

— Nous avons pensé que nous pourrions trouver quelqu'un qui puisse m'aider en matière de magie et d'alchimie, répondis-je vaguement, ne voulant pas que mon père connaisse trop de détails. Celle qui m'enseigne se nomme Goody Alsop. Son coven et elle m'ont pris sous leur protection.

— Bien essayé, Diana. Je suis sorcier aussi et je sais donc quand tu contournes la vérité, dit mon père en se renversant en arrière sur sa chaise. Je sais que tu finiras par me la dire. J'essayais juste de gagner du temps.

— Pourquoi êtes-vous là, vous ? demanda Matthew.

— Je me balade. Je suis anthropologue. C'est mon métier. Et vous, que faites-vous ?

— Je suis un scientifique. Un biochimiste. D'Oxford.

— Tu n'es pas venu simplement te « balader » dans le Londres d'Élisabeth, papa. Tu as déjà la page de l'Ashmole 782. (Je compris subitement pourquoi il était là.) Tu cherches le reste du manuscrit.

Je baissai le lustre où j'avais caché le compendium de Maître Habermel. Je devais changer de cachette tous les jours, car Jack le retrouvait à chaque fois.

— Quelle page ? demanda mon père avec une innocence suspecte.

— La page où figure la représentation des noces chymiques. Elle provenait d'un manuscrit de la Bibliothèque bodléienne. (J'ouvris le compendium. Il était parfaitement immobile, comme je m'y attendais.) Regarde, Matthew.

— Super cool, fit mon père avec un sifflement admiratif.

— Vous devriez voir le piège à souris, lui glissa Matthew.

— À quoi ça sert ? demanda mon père en le prenant pour le regarder de plus près.

— C'est un instrument mathématique qui indique le temps et les événements astronomiques comme les phases lunaires. Il a commencé à bouger tout seul quand nous étions à Prague. J'ai pensé que cela voulait dire que quelqu'un nous cherchait Matthew et moi, mais maintenant je me demande s'il ne percevait pas ta présence ici en train de chercher le manuscrit.

Il continuait de s'ébranler régulièrement et sans crier gare. Dans la maison, tout le monde l'appelait « l'horloge de sorcière ».

— Peut-être devrais-je aller chercher le livre, dit Matthew en se levant.

— Pas la peine, répondit mon père en lui faisant signe de se rasseoir. Rien ne presse. Rebecca ne m'attend pas avant quelques jours.

— Où êtes-vous descendu ? demanda Matthew.

— Ici ! Il va séjourner chez nous, voyons, dis-je.

Après tant d'années sans lui, le quitter des yeux était impensable.

— Votre fille a un point de vue très arrêté sur sa famille et les hôtels, dit Matthew. Vous êtes évidemment bienvenu.

— J'ai un logis de l'autre côté de la ville, hésita mon père.

— Reste, dis-je en me mordant les lèvres et en retenant mes larmes. S'il te plaît.

J'avais tant de questions à lui poser, auquel lui seul pouvait répondre. Mon père et mon mari échangèrent un long regard.

— Très bien, dit finalement mon père. Ce sera génial d'être avec vous pendant un petit moment.

Je voulus lui donner notre chambre, étant donné que Matthew ne pourrait pas dormir avec un inconnu dans la maison et que je pouvais me caser facilement sur la banquette de la fenêtre, mais mon père refusa. Pierre lui céda son lit. Je restai sur le seuil en écoutant avec envie mon père et Jack bavarder comme de vieilles connaissances.

— Je pense que Stephen a tout ce qu'il lui faut, dit Matthew en me prenant dans ses bras.

— Je l'ai déçu ? demandai-je.

— Ton père ? demanda Matthew, incrédule. Évidemment que non.

— Il a l'air un peu gêné.

— Quand il t'a dit au revoir il y a quelques jours, tu étais toute petite. Il est bouleversé, c'est tout.

— Sait-il ce qui va leur arriver, à lui et à maman ? chuchotai-je.

— Je n'en sais rien, *mon cœur**, mais je pense que oui, dit-il en m'entraînant vers notre chambre. Allons nous coucher. Tout aura changé demain matin. Laisse-lui un peu de temps.

Matthew avait raison : le lendemain, mon père semblait un peu plus détendu, bien qu'ayant l'air de ne pas avoir beaucoup dormi. Jack non plus.

— Le gamin fait toujours de tels cauchemars ? demanda mon père.

— Je suis désolée qu'il t'ait empêché de dormir, m'excusai-je. Il sent les changements et cela l'angoisse. C'est généralement Matthew qui s'occupe de lui.

— Je sais, je l'ai vu, dit mon père en buvant une gorgée de la tisane qu'avait préparée Annie.

C'était le problème, avec mon père : il voyait tout. Son acuité visuelle n'avait rien à envier à celle d'un vampire. Bien que j'eusse des centaines de questions sur ma mère, sa magie et la page de l'Ashmole 782, elles semblèrent s'évanouir devant son calme regard. De temps en temps, il me demandait de petites choses : savais-je jouer au baseball ? Pensais-je que Bob Dylan était un génie ? Avais-je appris à monter une tente ? Il ne me demanda rien concernant Matthew et moi, ni où j'étais allée à l'école ou comment je gagnais ma vie. Faute de le voir exprimer son intérêt, je jugeai maladroit de lui en faire part spontanément. À la fin de la première journée, j'étais au bord des larmes.

— Pourquoi il ne me parle pas ? demandai-je à Matthew qui me délaçait mon corset.

— Parce qu'il est trop occupé à écouter. C'est un anthropologue, un observateur de métier. C'est toi l'historienne de la famille. Les questions, c'est ton rayon, pas le sien.

— En sa présence, j'ai la gorge nouée et je ne sais pas par où commencer. Et quand il me parle, c'est toujours de sujets étranges, comme des points de détail du règlement du baseball.

— C'est de cela qu'un père aurait parlé à sa fille à l'époque où il l'aurait emmenée voir des matchs. Il sait donc qu'il ne te verra pas grandir. Il ignore simplement combien de temps il lui reste avec toi.

Je me laissai tomber sur le rebord du lit.

— C'était un grand fan des Red Sox. Ma mère lui disait toujours qu'entre avoir réussi à lui faire un enfant et la victoire de Carlton Fisk aux World Series, 1975 avait été le plus bel automne de sa vie.

— Je suis sûr que l'automne 1976 a été encore mieux, sourit Matthew.

— Les Sox ont gagné cette année-là ?

— Non, mais ton père, si, dit Matthew avec un baiser avant de souffler la chandelle.

Le lendemain, quand je rentrai du marché, je trouvai mon père assis dans le salon de notre logement désert, l'Ashmole 782 ouvert sur les genoux.

— Où as-tu déniché cela ? demandai-je en posant mes paniers sur la table. Matthew était censé le cacher.

J'avais déjà assez de mal à empêcher les enfants de tripoter ce satané compendium.

— Jack me l'a donné. Il l'appelle « le livre des monstres de mistress Roydon ». Tu imagines bien que j'aie voulu le voir quand j'ai entendu cela. (Il tourna la page. Il avait les doigts plus courts que ceux de Matthew, et des gestes plus brusques et énergiques que souples et adroits.) C'est le livre d'où provient l'image des noces ?

— Oui. Il y en avait deux autres dedans : l'une d'un arbre et l'autre de deux dragons répandant leur sang. (Je m'interrompis.) Je ne sais pas jusqu'à quel point je peux t'en parler, papa. Je sais des choses sur ta relation à ce livre que tu ignores – qui ne sont pas encore arrivées.

— Alors dis-moi ce qui t'est arrivé à toi une fois que tu l'as découvert à Oxford. Et je veux la vérité, Diana. Quelqu'un t'a fait du mal. Je vois les fils endommagés entre toi et le livre, tout effilochés et entortillés.

Un lourd silence s'abattit sur la pièce et je n'avais nulle part où échapper au regard scrutateur de mon père.

— C'étaient des sorciers. Matthew s'est assoupi et je suis sortie prendre l'air. L'endroit était censé être sûr. Une sorcière m'a capturée. (Je me tortillai sur mon siège.) Chapitre clos. Parlons d'autre chose. Tu ne veux pas savoir où je suis allée à l'école ? Je suis historienne. Titulaire. À Yale.

Je préférais parler de n'importe quoi d'autre avec mon père, tout sauf cet enchaînement d'événements qui avait commencé avec la vieille photo que l'on avait déposée à mon logement à New College et s'était terminé avec la mort de Juliette.

— Plus tard. Pour le moment, je veux savoir pourquoi une autre sorcière convoitait ce livre au point d'être prête à te tuer pour l'avoir. Eh oui, fit-il en voyant mon regard incrédule. J'ai deviné cela tout seul. Une sorcière a utilisé un sort d'ouverture sur ton dos et laissé une affreuse cicatrice. Les yeux de Matthew s'y attardent et ta vouivre – oui, je suis aussi au courant de son existence – la protège en déployant ses ailes.

— Satu, la sorcière qui m'a enlevée, n'est pas la seule créature qui convoite le livre. Peter Knox aussi. Il est membre de la Congrégation.

— Peter Knox, répéta mon père à mi-voix. Eh bien, eh bien…

— Vous vous connaissez ?

— Malheureusement oui. Il a toujours eu un petit faible pour ta mère. Par bonheur, elle le déteste. (Mon père se rembrunit et tourna une page.) J'espère vraiment que Peter n'est pas au courant des sorciers morts dans ce livre. Il y a une espèce de magie noire qui entoure ces pages et Peter s'est toujours intéressé à cet aspect de notre art. Je sais pourquoi il veut le livre, mais pourquoi toi et Matthew y tenez à ce point ?

— Les créatures disparaissent, papa. Les démons sont de plus en plus déchaînés. Le sang des vampires paraît parfois incapable de transformer un humain. Et les sorciers n'ont plus autant d'enfants. Nous sommes en voie d'extinction. Matthew pense que ce livre pourrait nous permettre de comprendre pourquoi, expliquai-je. Il y a beaucoup d'informations génétiques dans ce livre – de la peau, des cheveux, et même du sang et des os.

— Tu as épousé l'équivalent de Charles Darwin dans le monde des créatures. Et s'intéresse-t-il autant aux origines des espèces qu'à leur extinction ?

— Oui. Il essaie de comprendre comment démons, sorciers et vampires sont liés entre eux et aux humains depuis longtemps. Ce manuscrit, si nous parvenons à le reconstituer et à en comprendre la teneur, pourrait offrir des informations importantes.

Les yeux noisette de mon père plongèrent dans les miens.

— Et ce ne sont que des préoccupations théoriques, pour ton vampire ?

— À présent, elles sont personnelles. Je suis enceinte, papa, dis-je en posant la main sur mon ventre, dans un geste que je faisais machinalement très souvent ces derniers temps.

— Je sais, ma chérie, sourit-il. Je l'ai aussi deviné, mais c'est bien de l'entendre de ta bouche.

— Tu es là depuis quarante-huit heures. Je n'aime pas plus que toi précipiter les choses, dis-je, gênée. (Mon père se leva et me prit dans ses bras.) Et puis, tu devrais être surpris : sorcières et vampires ne sont pas censés tomber amoureux les uns des autres. Et encore moins faire des enfants ensemble.

— Oh, ta mère m'a prévenu – elle a tout vu, avec son incroyable double vue, dit-il en riant. Elle et ses angoisses. Si ce n'est pas toi qui la préoccupes, c'est le vampire. Félicitations, ma chérie. Un enfant est un cadeau merveilleux.

— J'espère simplement que nous arriverons à gérer la situation. Qui sait à quoi va ressembler cet enfant ?

— Tu peux gérer bien plus que tu ne penses, dit-il en me faisant un baiser sur la joue. Allons nous promener. Tu me montreras tes coins préférés dans la ville. J'adorerais rencontrer Shakespeare. L'un de mes crétins de collègues est convaincu que c'est la reine Élisabeth qui a écrit *Hamlet*. Et à propos de collègues : comment, après avoir acheté année après année des bavoirs et des moufles aux couleurs de Harvard, ai-je une fille qui a fini professeur à Yale ?

— Je suis curieux de quelque chose, dit mon père en fixant son vin.

Nous avions fait une agréable promenade, nous avions dîné sans nous presser, les enfants étaient couchés et Serpillière ronflait auprès du feu.

— Quoi donc, Stephen ? demanda Matthew en levant la tête avec un sourire.

— Combien de temps pensez-vous continuer de maîtriser cette existence démente que vous menez tous les deux ?

— Je ne suis pas sûr de bien comprendre la question, dit Matthew qui avait cessé de sourire.

— Vous vous accrochez tellement à tout. (Mon père but une gorgée de vin et fixa exprès la main de Matthew crispée sur le rebord de son gobelet.) Avec une telle poigne, vous pourriez facilement détruire par inadvertance ce que vous aimez le plus, Matthew.

— J'en prends note, dit Matthew, qui se contenait tout juste.

Je voulus dire quelque chose pour calmer la situation.

— Arrête d'essayer de toujours tout arranger, dit mon père.

— Mais je ne fais pas ça, enfin, dis-je, vexée.

— Bien sûr que si. Ta mère n'arrête pas et je sais reconnaître les signes. C'est mon unique chance de te parler en adulte, Diana, et je ne vais pas prendre des gants parce que cela vous met mal à l'aise tous les deux. Vous aussi, vous essayez d'arranger les choses, continua mon père en sortant de sa poche une brochure.

Nouvelles d'Écosse, annonçait le texte en petits caractères au-dessus du gros titre : *Exposant la misérable vie du Docteur Fian notable Sorcier brûlé à Édimbourg en janvier dernier.*

— Toute la ville ne parle que des sorcières d'Écosse, dit mon père en faisant glisser la brochure sur la table vers Matthew. Mais les créatures et les humains racontent des versions différentes. Les premières disent que le grand et redoutable Matthew

Roydon, ennemi des sorciers, a défié les consignes de la Congrégation et sauvé les accusés.

Matthew posa la main sur la brochure.

— Vous ne devriez pas croire tout ce que vous entendez, Stephen. Les Londoniens adorent les ragots.

— Vous qui êtes tellement obsédés par l'idée de vouloir tout contrôler, vous faites manifestement beaucoup de vagues. Et les remous ne vont pas s'arrêter ici. Ils peuvent vous suivre jusque chez vous, aussi.

— La seule chose de 1591 qui nous suivra chez nous sera l'Ashmole 782, répondis-je.

— Vous ne pouvez pas prendre le livre, dit mon père avec emphase. Sa place est ici. Vous avez assez distordu le temps en restant aussi longtemps.

— Nous avons fait extrêmement attention, papa, dis-je, vexée par ce reproche.

— Attention ? Vous êtes là depuis sept mois, vous avez fait un enfant. Mon plus long séjour dans le passé n'a pas excédé deux semaines. Vous n'êtes plus des voyageurs du temps. Vous avez succombé à l'un des péchés fondamentaux du travail anthropologique de terrain : vous êtes devenus des indigènes.

— J'ai déjà vécu ici, Stephen, dit Matthew d'un ton suave, mais en pianotant nerveusement sur sa cuisse, ce qui n'était jamais bon signe.

— J'en suis conscient, Matthew, répliqua mon père. Mais vous avez introduit beaucoup trop de variables pour que le passé reste tel qu'il était.

— Le passé nous a changés, dis-je en soutenant le regard réprobateur de mon père. Il est donc logique que nous l'ayons changé aussi.

— Et tu trouves que ce n'est pas grave ? Voyager dans le temps est une affaire sérieuse, Diana. Même pour une courte visite, il faut planifier – notamment faire en sorte de tout laisser en repartant tel qu'on l'a trouvé.

Je me tortillai sur mon siège.

— Nous n'étions pas censés rester aussi longtemps. Nous nous sommes laissé entraîner et…

— Et maintenant vous allez laisser tout en désordre. Et vous allez probablement trouver la même chose en rentrant, dit mon père d'une voix sombre.

— J'ai compris, papa. On a tout bousillé.

— Effectivement, répondit-il gentiment. Vous pourriez y réfléchir pendant que je descends au Galero. Un certain Gallowglass s'est présenté à moi dans la cour. Il m'a dit être de la famille de Matthew et promis de me faire rencontrer Shakespeare, puisque ma propre fille a refusé. (Mon père me fit une petite bise sur la joue. J'y sentis de la déception et aussi son pardon.) Ne m'attendez pas.

Matthew et moi restâmes sans rien dire tandis que les pas de mon père décroissaient dans l'escalier.

— On a vraiment tout bousillé, Matthew ? haletai-je.

Je me remémorai ces derniers mois : la rencontre avec Philippe, la découverte des secrets de Matthew, Goody Alsop et les autres sorcières, l'éveil de mon pouvoir de tisseuse, l'amitié de Mary et des dames de Malá Strana, l'arrivée de Jack et Annie dans notre foyer et dans nos cœurs, l'Ashmole 782 récupéré, sans oublier, oui, cet enfant que nous avions fait. Je posai une main protectrice sur mon ventre. Si c'était à refaire, je ne changerais rien.

— C'est difficile à dire, *mon cœur**, dit Matthew d'un ton sombre. L'avenir nous le dira.

— Je croyais que nous allions voir Goody Alsop. Elle m'aide à fabriquer mon sortilège pour retourner dans l'avenir.

J'étais devant mon père, mon coffret à sortilèges dans les mains. J'étais toujours un peu mal à l'aise en sa présence après le sermon qu'il nous avait fait la veille.

— Il était temps, dit mon père en prenant sa veste, qu'il portait toujours comme un homme moderne, l'enlevant dès qu'il était à l'intérieur et remontant ses manches de chemise. Je commençais à me demander si tu allais comprendre mes sous-entendus. J'ai hâte de rencontrer une vraie tisseuse. Et comptes-tu me montrer ce qu'il y a dans cette boîte ?

— Si tu étais si curieux, pourquoi tu n'as pas demandé ?

— Tu l'avais si soigneusement recouverte avec ton truc brumeux que je me suis dit que tu ne voulais pas en parler, répondit-il pendant que nous descendions l'escalier.

Quand nous arrivâmes à la paroisse de St. James Garlickhythe, l'empuse de Goody Alsop ouvrit la porte.

— Entrez, entrez, dit la sorcière assise auprès du feu, les yeux pétillants d'excitation. Nous vous attendions.

Tout le coven était là, contenant à peine son impatience.

— Goody Alsop, voici mon père, Stephen Proctor.

— Le tisseur, dit Goody Alsop avec satisfaction. Vous êtes de l'eau. Pas étonnant que l'eau soit si puissante chez Diana.

Mon père resta en retrait comme à son habitude, observant tout le monde et en parlant le moins possible pendant que je faisais les présentations. Toutes les femmes sourirent et hochèrent la tête, même si Catherine fut obligée de tout répéter à Elizabeth Jackson parce que l'accent de mon père était trop étrange pour elle.

— Mais que nous sommes mal élevées. Voudriez-vous nous dire le nom de votre créature ?

Goody Alsop regardait par-dessus l'épaule de mon père, où la silhouette diaphane d'un héron apparaissait. C'était la première fois que je le voyais.

— Vous êtes capable de voir Bennu ? demanda mon père, surpris.

— Bien sûr. Il est perché entre vos épaules, ailes déployées. Mon familier n'a pas d'ailes, bien que je sois étroitement liée à l'air. C'est pour cette raison qu'il a été plus facile à dompter, j'imagine. Quand j'étais petite, une tisseuse est venue à Londres avec une harpie comme familier. Elle s'appelait Ella et elle était encore plus difficile à soumettre que la vouivre de Diana.

L'empuse de Goody Alsop flotta autour de mon père en roucoulant doucement à l'oiseau qui devenait plus visible.

— Peut-être que votre Bennu peut convaincre la vouivre de Diana de divulguer son nom. Cela faciliterait beaucoup le voyage dans le temps de votre fille, je pense. Il ne faut pas qu'il reste la moindre trace de son familier ici et qu'il ramène Diana à Londres.

— Houlà.

Mon père avait un peu de mal à tout digérer – cette assemblée de sorcières, l'empuse de Goody Alsop, le fait que ses secrets soient si visibles.

— Qui ça ? demanda poliment Elizabeth Jackson, pensant avoir mal compris.

Mon père recula et la dévisagea longuement.

— Nous connaissons-nous ?

— Non. C'est l'eau dans mes veines que vous reconnaissez. Nous sommes heureux de vous avoir parmi nous, Maître Proctor. Londres n'a pas connu trois tisseurs en ses murs depuis bien longtemps. La cité en est fébrile.

— Asseyez-vous donc, dit Goody Alsop en désignant le siège voisin du sien.

— Personne ne connaît mon étrange magie, chez moi, dit mon père en prenant la place d'honneur.

— Maman ne le sait pas ? demandai-je, atterrée. Papa, il faut que tu lui dises.

— Oh, elle le sait. Mais je n'ai pas eu à lui en parler. Je lui ai montré.

Mon père plia et déplia les doigts dans un geste instinctif. Le monde s'éclaira de nuances bleues, grises, mauves et vertes alors qu'il tirait tous les fils d'eau cachés dans la pièce : les branches de saule dans une cruche près de la fenêtre, le bougeoir en argent que Goody Alsop utilisait pour ses sortilèges, le poisson qui attendait d'être cuit pour le dîner. Toute la pièce était baignée de ces lumières couleur d'eau. Bennu s'envola, formant de ses ailes des remous dans l'air. L'empuse de Goody Alsop fut baladée d'un côté et de l'autre, se changeant en un lis à longue tige, puis reprenant sa forme humaine tandis que des ailes lui poussaient. C'était comme si les deux familiers jouaient. À la perspective d'une distraction, ma vouivre agita la queue et commença à battre des ailes dans ma poitrine.

— Pas maintenant, lui dis-je en me cramponnant à ma basquine.

Il ne manquait plus qu'une vouivre en goguette. Peut-être que je ne maîtrisais pas très bien le passé, mais je savais qu'il n'était pas très prudent de laisser filer un dragon dans le Londres d'Élisabeth.

— Laisse-la sortir, Diana, dit mon père. Ben s'en occupera.

Mais je ne pus m'y résoudre. Mon père appela Bennu, qui disparut dans ses épaules. La magie de l'eau disparut aussi autour de moi.

— Pourquoi as-tu si peur ? demanda calmement mon père.

— J'ai peur à cause de cela ! dis-je en agitant mes cordelettes en l'air. Et de cela ! ajoutai-je en me donnant sur les côtes un coup qui fit sursauter ma vouivre, laquelle rota en représailles. Et de cela, continuai-je en laissant glisser ma main sur mon ventre qui abritait notre enfant. C'est trop. Je n'ai pas besoin d'utiliser cette spectaculaire magie élémentaire comme tu viens de le faire. Je suis heureuse comme je suis.

— Tu peux tisser des sortilèges, invoquer une vouivre et infléchir les règles qui gouvernent la vie et la mort. Tu es aussi imprévisible que la création elle-même, Diana. Ce sont des pouvoirs pour lesquels n'importe quel sorcier qui se respecte serait prêt à tuer.

Je le regardai, horrifiée. Il venait d'aborder l'unique sujet que je ne pouvais affronter dans cette pièce : des sorciers avaient déjà tué pour obtenir ces pouvoirs. Ils avaient tué mon père et ma mère.

— Ranger ta magie dans de jolies petites boîtes et la séparer de ton art ne va pas empêcher ta mère et moi de connaître notre destin, continua tristement mon père.

— Ce n'est pas ce que j'essaie de faire.

— Vraiment ? Tu veux me répéter cela, Diana ?

— Sarah dit que la magie élémentaire et l'art sont séparés, elle dit…

— Oublie ce que raconte Sarah ! s'écria-t-il en me prenant par les épaules. Tu n'es pas Sarah. Tu n'es semblable à aucune des sorcières qui ait jamais vécu. Et tu n'as pas à choisir entre les sortilèges et le pouvoir que tu as au bout des doigts. Nous sommes des tisseurs, n'est-ce pas ? (J'acquiesçai.) Alors considère la magie élémentaire comme la trame et les sortilèges comme la chaîne. Elles font toutes les deux parties d'une unique étoffe tissée. Tout cela ne constitue qu'un seul immense système, ma chérie. Et tu peux le maîtriser si tu laisses ta peur de côté.

Je voyais les possibilités qui scintillaient autour de moi dans ces entrelacs de couleurs et d'ombre, mais la peur demeurait.

— Mais j'ai un lien avec le feu, comme maman. Nous ne savons pas comment le feu et l'eau vont réagir. Je n'ai pas encore été formée à cela.

À cause de Prague, songeai-je. *Parce que j'avais été distraite par les possibilités là-bas, préoccupée de trouver l'Ashmole 782 et que j'avais oublié de me concentrer sur l'avenir et la manière d'y retourner.*

— Alors tu es ambidextre : c'est l'arme secrète de la sorcière, dit-il en riant.

Cela le faisait *rire*.

— C'est sérieux, papa.

— Ce n'est pas obligé de l'être.

Il me laissa digérer l'idée, puis il recourba l'index pour attraper le bout d'un filament gris-vert.

— Qu'est-ce que tu fais ? demandai-je, soupçonneuse.

— Regarde, dit-il dans un chuchotement de vagues sur du sable. (Il ramena son doigt vers lui et arrondit les lèvres comme s'il tenait un invisible anneau à bulles. Quand il souffla, une bulle d'eau se forma. Il claqua des doigts dans la direction du seau près de l'âtre et la bulle se transforma en glace, flotta jusqu'au seau et y tomba dans une gerbe d'eau.) Pan, dans le mille !

Elizabeth gloussa et libéra dans l'air un filet de bulles d'eau qui éclatèrent en nous aspergeant.

— Tu n'aimes pas l'inconnu, Diana, mais pff, il faut s'y jeter. Tu as eu peur la première fois que je t'ai assise sur un tricycle. Et tu jetais tes cubes sur le mur quand tu n'arrivais pas à les ranger tous dans leur coffret. Nous avons survécu à ces difficultés. Je suis sûr que nous pouvons en faire autant maintenant, dit-il en tendant la main.

— Mais c'est tellement…

— Désordonné ? La vie aussi. Cesse d'essayer d'être parfaite. Essaie d'être vraie, pour changer.

— Par où je commence ? demandai-je en glissant ma main dans la sienne.

Mon père leva le bras, révélant les fils qui étaient normalement invisibles.

— Le monde entier est dans cette pièce. Prends ton temps pour le connaître.

J'étudiai les entrelacs, vis autour des sorcières les amas de couleurs qui indiquaient leurs forces. Des fils de feu et d'eau m'entouraient dans un désordre de nuances contradictoires. La panique me gagna de nouveau.

— Appelle le feu, dit mon père, comme si c'était aussi facile que commander une pizza.

Après une hésitation, je repliai l'index et souhaitai que le feu vienne à moi. Un fil rouge orangé se prit au bout de mon doigt et quand je laissai échapper mon souffle en arrondissant mes lèvres, des dizaines de minuscules bulles de feu et de lumière s'envolèrent comme autant de lucioles.

— Magnifique, Diana, s'écria Catherine en battant des mains.

Entre les applaudissements et le feu, ma vouivre voulut sortir. Bennu poussa un cri depuis les épaules de mon père et ma vouivre lui répondit.

— Non, dis-je en serrant les dents.

— Ne sois pas une telle rabat-joie. C'est un dragon, pas un poisson rouge. Pourquoi essaies-tu toujours de faire comme si la magie était ordinaire ? Laisse-la s'envoler !

Je me détendis un tout petit peu et mes côtes se ramollirent, s'écartant de ma colonne vertébrale comme les pages d'un livre. Ma vouivre échappa à sa prison d'os dès qu'elle le put, et claqua ses ailes qui virèrent du gris sans substance à une incandescence irisée. Sa queue forma une boucle et elle s'éleva dans la pièce, avalant les bulles de lumière comme s'il s'agissait de bonbons. Puis elle s'intéressa aux bulles d'eau de mon père comme si c'était un bon champagne. Quand elle en eut terminé, elle plana dans les airs devant moi, sa queue claquant sur le sol, la tête inclinée, et attendit.

— Qu'est-ce que tu es ? interrogeai-je en me demandant comment elle avait pu absorber les pouvoirs contradictoires de l'eau et du feu.

— Toi, mais pas toi.

La vouivre cligna des paupières, ses yeux vitreux posés sur moi. Une boule tourbillonnante était en équilibre au bout de sa queue en forme de pointe de flèche. Elle en donna un coup qui fit atterrir la boule d'énergie dans mes mains en coupe. Elle ressemblait en tout point à celle que j'avais donnée à Matthew à Madison.

— Quel est ton nom ? lui chuchotai-je.

— Tu peux m'appeler Corra, répondit-elle dans un langage fait de fumée et de brume.

Puis Corra inclina la tête en guise d'adieu, se réduisit à une ombre grise et disparut. Son poids revint en moi, ses ailes se lovèrent autour de mon dos et tout fut calme. Je respirai un bon coup.

— C'était génial, ma chérie, dit mon père. Tu pensais comme du feu. L'empathie est le secret de presque tout dans la vie – la magie y compris. Regarde comme les fils sont brillants, à présent !

Tout autour de nous, le monde luisait de possibilités. Et dans les coins, les brillants filaments bleus et ambrés m'avertirent que le Temps commençait à s'impatienter.

38

— Mes deux semaines sont terminées. Il est temps que je reparte. (Les paroles de mon père n'étaient pas une surprise, mais ce fut tout de même un choc. Je baissai les yeux pour dissimuler ma réaction.) Ta mère va penser que je me suis mis à la colle avec une marchande des quatre-saisons si je ne reviens pas vite.

— Les marchandes des quatre-saisons sont plutôt du XVIIᵉ siècle, dis-je distraitement en tripotant les cordelettes posées sur mes genoux.

Je faisais de nets progrès dans tous les domaines, depuis les charmes simples pour guérir les migraines jusqu'aux tissages plus complexes qui pouvaient soulever des vagues sur la Tamise. J'enroulai autour de mes doigts les fils bleus et or. *Force et compréhension.*

— Waouh. Tu as bien récupéré, Diana. (Mon père se tourna vers Matthew.) Elle rebondit très vite.

— Ne m'en parlez pas, répondit mon mari du même ton badin.

Tous les deux comptaient sur l'humour pour arrondir les angles, ce qui les rendait parfois insupportables.

— Je suis heureux d'avoir pu vous connaître, Matthew – malgré le regard effrayant que vous me lancez quand vous pensez que je malmène Diana, dit mon père en riant.

Ignorant leurs plaisanteries, je tressai la cordelette jaune avec la bleue et l'or.

La persuasion.

— Tu peux rester jusqu'à demain ? Ce serait dommage de manquer la fête. (C'était la Nuit de la Saint-Jean et la ville était en liesse. Craignant qu'une dernière soirée avec sa fille ne soit pas suffisamment alléchante, je fis sans vergogne appel aux intérêts professionnels de mon père.) Tu pourras observer des tas de coutumes populaires.

— Du folklore ? dit mon père en riant. Bien vu. Évidemment que je reste jusqu'à demain. Annie m'a tressé une couronne de fleurs et Will et moi allons partager du tabac avec Walter. Ensuite, je vais rendre visite au Père Hubbard.

— Vous connaissez Hubbard ? s'étonna Matthew.

— Mais bien sûr. Je me suis présenté à lui en arrivant. J'étais obligé, étant donné que c'est lui qui commande. Il a deviné assez rapidement que j'étais le père de Diana. Vous avez tous un odorat stupéfiant. (Il regarda Matthew avec bienveillance.) Intéressant, cet homme, avec son idée de faire vivre les créatures comme une seule grande famille heureuse.

— Ce serait le chaos absolu, fis-je remarquer.

— Nous nous en sommes très bien sortis hier soir entre trois vampires, deux sorciers, un démon et un chien sous le même toit. Ne balaie pas trop vite les idées nouvelles, Diana, dit-il d'un air réprobateur. Ensuite, je pense que je ferai un tour avec Catherine et Marjorie. Des tas de sorciers vont être de sortie, ce soir. Ces deux-là sauront sûrement où nous avons le plus de chances de nous amuser.

Mon père appelait déjà la moitié des gens de la ville par leur prénom.

— Et tu feras attention. Surtout en présence de Will, papa. Pas de « Waouh » ou de « Bien vu, Shakespeare ».

Mon père aimait les expressions familières. Il disait que c'était la marque de fabrique de l'anthropologue.

— Si seulement je pouvais ramener Will avec moi, il ferait un collègue super cool – pardon, ma chérie. Il a de l'humour. Notre département aurait bien besoin de quelqu'un comme lui. Cela mettrait un peu de piment dans notre quotidien, si tu vois ce que je veux dire. (Il se frotta les mains.) Et vous avez prévu quoi ?

— Rien du tout.

J'interrogeai du regard Matthew qui haussa les épaules.

— Je me disais que je répondrais à quelques lettres, hésita-t-il.

Le tas de courrier avait atteint une hauteur alarmante.

— Oh, non, fit mon père en prenant un air horrifié.

— Quoi ?

— Ne me dites pas que vous faites partie de ces universitaires qui ne savent pas faire la différence entre leur boulot et leur vie. (Il leva les mains comme pour repousser un fléau.) Je refuse de croire que ma fille en fasse partie.

— C'est un peu mélodramatique, papa, dis-je, pincée. Je pense que nous pourrions passer la soirée avec toi. Je n'ai jamais fumé. Ce sera historique de le faire pour la première fois avec Walter, étant donné que c'est lui qui a introduit le tabac en Angleterre.

— Il n'en est pas question, dit mon père, l'air encore plus horrifié. Nous serons entre hommes. Lionel Tiger défend l'idée que…

— Je ne suis pas un grand fan de Tiger, coupa Matthew. Pour moi, la théorie du carnivore social ne tient pas debout.

— Pouvons-nous mettre de côté ces histoires de gens qui se mangent et savoir pourquoi tu ne veux pas passer ta dernière soirée ici avec Matthew et moi ? demandai-je, vexée.

— Ce n'est pas ça, ma chérie. Aidez-moi un peu, Matthew. Occupez-vous de Diana. Vous devez bien avoir une petite idée de sortie.

— Genre aller faire du patin à roulettes ? répliqua Matthew. Il n'y a pas de patinoires dans le Londres du XVIᵉ siècle – et j'ajouterai qu'il n'en reste plus beaucoup dans celui du XXIᵉ.

— Zut. (Mon père et Matthew jouaient à « tendance contre passade » depuis des jours et si mon père avait été ravi de savoir que la mode du disco et des épaulettes allait disparaître, il avait été choqué d'apprendre que d'autres choses – comme le survêtement – étaient maintenant la risée de tous.) J'adorais le patin à roulettes. Rebecca et moi allons dans un endroit à Rochester quand nous voulons nous débarrasser quelques heures de Diana et…

— Nous irons nous promener, coupai-je précipitamment.

Mon père avait tendance à parler ouvertement de la manière dont ma mère et lui occupaient leur temps libre. Il semblait penser que cela choquerait le sens des convenances de Matthew. Voyant que cela ne marchait pas, il s'était mis à l'appeler « Sire Lancelot » pour l'agacer un peu plus.

— Vous promener. Vous allez faire une promenade. (Mon père marqua une pause.) Tu entends cela au sens littéral, n'est-ce pas ? (Il se leva.) Pas étonnant que les créatures soient en train de suivre le destin du dodo. Sortez. Tous les deux. Tout de suite. Je vous ordonne de vous amuser, dit-il en nous poussant vers la porte.

— Comment ? demandai-je, médusée.

— Ce n'est pas une question qu'une fille doit poser à son père. C'est la Nuit de la Saint-Jean. Sors et demande à la première personne que tu croises ce qu'il faut faire. Mieux encore, suis l'exemple de quelqu'un d'autre. Hurle à la lune. Fais de la magie. Roule des pelles, au moins. Je suis sûr que même Sire Lancelot le fait. Ça y est, tu as compris, Miss Bishop ?

— Je crois, dis-je du ton de celle qui doute de la conception de l'amusement qu'a son père.

— Parfait. Je ne rentrerai pas avant l'aube, alors pas la peine de m'attendre. Mieux encore, passez toute la nuit dehors. Jack est avec Tommy Harriot. Annie est chez sa tante. Pierre est... je ne sais pas où il est, mais il n'a pas besoin de baby-sitter. On se reverra au petit déjeuner.

— Depuis quand tu appelles Thomas Harriot « Tommy » ?

Mon père fit mine de n'avoir rien entendu.

— Fais-moi un câlin avant de partir. Et n'oubliez pas de vous amuser, d'accord ? (Il me serra à m'étouffer dans ses bras.) Sayonara, baby.

Il nous poussa sur le palier et nous claqua la porte au nez. Je tendis la main vers le loquet, mais Matthew la saisit.

— Il va s'en aller dans quelques heures, Matthew, dis-je en tendant l'autre main qu'il saisit également.

— Je sais. Lui aussi, expliqua-t-il.

— Alors il devrait comprendre que je veuille passer plus de temps avec lui.

Je fixai la porte, souhaitant que mon père l'ouvre. Je vis les filaments qui partaient de moi et traversaient le bois pour le rejoindre de l'autre côté. L'un des fils se brisa et me frappa le dos de la main comme un élastique qui claque.

— Papa !

— File, Diana, cria-t-il.

Matthew et moi nous promenâmes en ville devant les échoppes qui fermaient de bonne heure et les tavernes déjà remplies de fêtards. De nombreux bouchers entassaient comme si de rien n'était des os devant leurs portes. Ils étaient blancs et propres comme si on les avait fait bouillir.

— Qu'est-ce qu'ils font avec ces os ? demandai-je à Matthew au bout du troisième tas.

— C'est pour les feux d'os.

— On ne dit pas des feux de joie ?

— Non. Des feux d'os. Traditionnellement, les gens fêtent la Nuit de la Saint-Jean en allumant des feux : certains avec des os, d'autres avec du bois, d'autres où ils sont mélangés. Chaque année, le maire exige que l'on abandonne ces superstitions, mais cela continue.

Matthew m'invita à dîner à la célèbre Auberge de la Belle Sauvage à Ludgate Hill, en bordure de Blackfriars. Plus qu'un simple restaurant, c'était un établissement de divertissements où les clients pouvaient voir des pièces et des combats d'escrime – sans oublier Marocco, le célèbre cheval qui pouvait discerner les vierges dans l'assistance. Ce n'était pas soirée patin à roulettes à Dorchester, mais nous n'en étions pas loin.

Les adolescents étaient sortis en masse et s'insultaient et se défiaient en allant d'une beuverie à une autre. Durant la journée, la plupart travaillaient durement comme domestiques ou apprentis. Même le soir, ils n'avaient pas de temps à eux, étant donné qu'ils devaient veiller sur les échoppes et les maisons, s'occuper d'enfants, aller chercher de l'eau et des provisions, et s'acquitter des mille et une autres corvées nécessaires au bon fonctionnement d'une maison. Ce soir, Londres leur appartenait et ils en profitaient.

Nous repassâmes Ludgate et arrivâmes à l'entrée de Blackfriars quand les cloches sonnèrent 9 heures. C'était le moment où la Garde commençait ses rondes et où l'on devait regagner son logis, mais ce soir, personne ne semblait faire appliquer la loi. Bien que le soleil se fût couché depuis une heure, sous la lune presque pleine, les rues étaient encore éclairées.

— On peut continuer à se promener ? demandai-je.

Nous avions toujours une destination, d'habitude – Baynard's Castle pour voir Mary, St. James Garlickhythe pour voir le coven, le parvis de St. Paul's pour les livres. Matthew et moi ne nous étions jamais promenés sans but précis en ville.

— Je ne vois pas pourquoi nous ne le ferions pas, étant donné qu'on nous a ordonné de rester dehors et de nous amuser, répondit Matthew en baissant la tête pour me voler un baiser.

Nous contournâmes le portail ouest de St. Paul's, qui était rempli de monde malgré l'heure et nous traversâmes le parvis vers le nord. Ce qui nous conduisit à Cheapside, la rue la plus large et la plus prospère de la cité, où exerçaient les orfèvres. Nous fîmes le tour de la fontaine de Cheapside Cross, où chahutait un groupe de garçons, pour continuer vers l'est. Matthew me fit suivre l'itinéraire de la procession du couronnement d'Anne Boleyn et me montra la maison où Geoffrey Chaucer avait grandi. Des marchands invitèrent Matthew à faire une partie de boulingrin, mais ils le chassèrent au bout de son troisième coup gagnant de suite.

— Tu es content d'avoir montré ta supériorité ? le taquinai-je alors qu'il prenait mon bras et m'attirait à lui.

— Très. Tiens, regarde, dit-il en me désignant un carrefour.

— Royal Exchange ! dis-je, toute excitée. Et de nuit ! Tu t'es rappelé.

— Un gentleman n'oublie jamais, murmura-t-il en s'inclinant. Je ne suis pas sûr qu'il reste des boutiques ouvertes, mais les lanternes seront encore allumées. M'accompagneras-tu pour une promenade dans la cour ?

Nous passâmes les larges arches à côté du clocher surmonté d'une sauterelle dorée. À l'intérieur, je tournai lentement sur moi-même pour ne rien manquer de ce bâtiment de quatre étages et des centaines d'échoppes qui vendaient de tout, de l'armure jusqu'au chausse-pied. Des statues des monarques anglais contemplaient clients et marchands et d'autres sauterelles décoraient le sommet de chaque fenêtre.

— La sauterelle était l'emblème de Gresham et il n'avait pas peur de se mettre en avant, dit Matthew en riant.

Certaines boutiques étaient en effet encore ouvertes et les lanternes des arcades de la cour centrale étaient allumées. Nous n'étions pas les seuls à profiter de la soirée.

— D'où vient la musique ? demandai-je en cherchant les ménestrels du regard.

— De la tour, dit Matthew en désignant la porte par laquelle nous étions entrés. Les marchands se cotisent et paient des concerts quand il fait beau. Cela fait marcher les affaires.

Matthew les faisait marcher aussi, à en juger par le nombre de boutiquiers qui le saluèrent par son nom. Il plaisanta avec eux, demandant des nouvelles de leurs épouses et enfants.

— Je reviens dans un instant, dit-il en s'engouffrant dans une des échoppes.

Fascinée, je restai à écouter la musique en regardant une jeune femme autoritaire improviser un bal. Des gens se mirent en cercle en se tenant la main et en sautillant comme du pop-corn sur une plaque chauffante. En revenant, Matthew m'offrit, très cérémonieusement…

— Un piège à souris ! dis-je en agitant la petite boîte en bois avec sa porte coulissante.

— Cela, c'est un piège digne de ce nom, dit-il en me prenant la main et en m'entraînant vers le centre des réjouissances. Danse avec moi.

— Je ne connais absolument pas cette danse.

Elle n'avait rien à voir avec les calmes danses de Sept-Tours ou de la cour de Rodolphe.

— Moi, si, dit Matthew sans jeter un regard aux couples qui tournoyaient derrière lui. C'est une vieille danse appelée gigue et les pas sont faciles.

Il m'entraîna au bout de la file, me prit le piège à souris et le confia à un gamin en lui promettant un sou s'il nous le rendait à la fin de la chanson. Puis il prit ma main, entra dans la file des danseurs, et nous suivîmes.

Trois pas, un petit coup de pied en avant, trois autres pas et un petit coup en arrière. Après quelques répétitions, nous arrivâmes aux pas plus compliqués où le rang de douze se divisait en deux files de six et où chacun se mettait à échanger sa place en diagonale.

Quand la danse fut terminée, tout le monde réclama encore de la musique, mais nous reprîmes mon piège à souris et quittâmes Royal Exchange avant que le rythme s'emballe. Au lieu de rentrer directement, Matthew prit au sud en direction de la Tamise. Nous tournâmes dans tellement de ruelles et traversâmes tant de parvis d'églises que je ne savais plus où j'étais quand nous arrivâmes à All Hallows the Great, avec sa haute tour carrée et son cloître abandonné où s'étaient promenés des moines. Comme la plupart des églises londoniennes, All Hallows tombait en ruine et ses maçonneries médiévales s'effritaient.

— Tu te sens d'attaque pour une escalade ? demanda-t-il en passant dans le cloître par une porte basse en bois.

J'acquiesçai et nous commençâmes notre ascension. Nous passâmes devant les cloches, qui par bonheur ne sonnaient pas, et Matthew poussa la trappe donnant sur le toit. Il se faufila par l'ouverture, puis tendit le bras et me hissa à lui. Nous étions derrière les créneaux du clocher, tout Londres s'étendant à nos pieds.

Sur les collines, les feux de joie des alentours de la ville flamboyaient et des lanternes se balançaient aux proues des barques qui traversaient la Tamise. À cette distance, sur le fond sombre du fleuve, on aurait dit des lucioles. J'entendais des rires, de la musique et tous les bruits ordinaires de la vie auxquels je m'étais habituée durant les mois que nous avions passés ici.

— Alors, tu as rencontré la reine, vu Royal Exchange de nuit et réellement joué dans une pièce au lieu de te contenter d'y assister, énuméra Matthew.

— Et nous avons retrouvé l'Ashmole 782. Et j'ai découvert que je suis une tisseuse et que ma magie n'est pas aussi disciplinée que je l'espérais. (Je contemplai la ville en me rappelant notre arrivée, quand Matthew m'avait montré les principaux repères de peur que je me perde. À présent, je savais les reconnaître toute seule.) Là-bas, c'est Bridewell, dis-je en tendant le bras. St. Paul's. Là où se produisent les montreurs d'ours. (Je me retournai vers le vampire silencieux à côté de moi.) Merci pour cette soirée, Matthew. Nous n'avions jamais fait ce genre de sortie en amoureux – en public, comme cela. C'était magique.

— En effet. Je n'ai pas été très doué pour te faire la cour, n'est-ce pas ? Nous aurions dû connaître d'autres nuits comme celle-ci, aller danser et contempler les étoiles.

Il inclina la tête et la lune éclaira sa peau claire.

— Tu brilles presque, dis-je à mi-voix en lui caressant le menton.

— Toi aussi. (Il glissa les mains sur ma taille, entraînant notre enfant dans cette étreinte.) Ce qui me fait penser que ton père nous a dressé une liste.

— Nous nous sommes amusés. Tu as fait de la magie en m'emmenant à l'Exchange et tu m'as surprise en me faisant découvrir ce panorama.

— Il n'en reste plus que deux. À madame de choisir : je peux hurler à la lune ou te rouler des pelles.

Je souris et me détournai, étrangement intimidée. Matthew leva la tête vers la lune, prêt à se lancer.

— Pas de hurlements. Tu vas rameuter la Garde, protestai-je en riant.

— Ce sera donc les baisers, dit-il en posant ses lèvres sur les miennes.

Le lendemain matin, toute la maison prenait son petit déjeuner en bâillant après cette nuit tardive. Tom et Jack venaient de se lever et nous engloutissions des bols de porridge quand Gallowglass arriva et chuchota quelque chose à Matthew. Je m'alarmai en voyant l'expression consternée de Matthew.

— Où est mon père ? demandai-je en me levant d'un bond.

— Il est parti, répondit Gallowglass d'un ton bourru.

— Pourquoi vous ne l'avez pas arrêté ? m'enquis-je, les larmes aux yeux. Il ne peut pas partir comme cela. J'avais besoin de passer encore un peu de temps avec lui.

— Tout le temps du monde n'aurait pas suffi, ma tante, dit tristement Gallowglass.

— Mais il ne m'a pas dit au revoir.

— Un père ne doit jamais être obligé de dire adieu à son enfant, dit Matthew.

— Stephen m'a demandé de vous remettre ceci, dit Gallowglass en me tendant un papier plié en forme de petit bateau.

— Papa a toujours été nul pour les cocottes, dis-je en m'essuyant les yeux, mais il a toujours été doué pour faire les bateaux.

Je dépliai soigneusement le papier.

Diana,

Tu es tout ce que nous rêvions que tu deviennes un jour. La vie est la robuste chaîne du temps. La mort n'en est que la trame.

Ce sera grâce à tes enfants et les enfants de tes enfants que je vivrai éternellement.

Papa

P.S. : Quand tu liras « Il y a quelque chose de pourri dans l'empire du Danemark » dans Hamlet, *pense à moi.*

— Tu me dis que la magie n'est que le désir fait réalité. Peut-être que les sortilèges ne sont rien de plus que des mots auxquels tu crois de tout ton cœur, dit Matthew en me prenant par les épaules. Il t'aime. Éternellement. Tout comme moi.

Ses paroles s'insinuèrent dans les fils qui nous reliaient, sorcière et vampire. Ils portaient en eux la conviction de ses sentiments : tendresse, admiration, constance, espoir.

— Je t'aime aussi, chuchotai-je, renforçant son sortilège avec le mien.

39

Mon père avait quitté Londres sans me dire au revoir comme il se devait. J'étais déterminée à prendre congé différemment. Du coup, mes derniers jours dans la ville furent un mélange compliqué de paroles et de désirs, de sortilèges et de magie.

Quand j'arrivai une dernière fois chez Goody Alsop, son empuse m'attendait tristement au bout de la ruelle. Elle me suivit sans entrain dans l'escalier menant au logis de la sorcière.

— Alors tu nous quittes, dit Goody Alsop depuis sa chaise devant l'âtre.

Elle portait un vêtement de laine et un châle et le feu ronflait.

— Nous le devons, dis-je en me baissant pour embrasser sa joue parcheminée. Comment vas-tu, aujourd'hui ?

— Un peu mieux, grâce aux remèdes de Susanna. (Une violente quinte de toux la plia en deux. Quand elle fut remise, elle me scruta de ses yeux vifs et hocha la tête.) Cette fois, l'enfant a pris racine.

— En effet, souris-je. J'ai les nausées qui le prouvent. Veux-tu que je le dise aux autres ?

Je ne voulais pas que Goody Alsop ait à supporter un fardeau supplémentaire, physique ou affectif. Susanna s'inquiétait de sa faiblesse et Elizabeth Jackson se chargeait déjà de certaines des tâches incombant normalement à l'aînée du collège.

— Inutile. C'est Catherine qui me l'a dit. Elle dit avoir vu Corra voleter il y a quelques jours en gloussant et en gazouillant comme elle fait chaque fois qu'elle a un secret.

Ma vouivre et moi avions conclu un accord : elle devait limiter ses sorties en plein air à une seule par semaine, et seulement la nuit. À contrecœur, j'avais accepté une seconde sortie lors de la lune noire quand le risque que quelqu'un la voie et la prenne pour un présage funeste était le moindre.

— C'est donc là qu'elle était allée, dis-je en riant.

Corra trouvait la compagnie de la sorcière de feu apaisante et Catherine adorait la défier à des concours de jets de flammes.

— Nous sommes toutes heureuses que Corra ait trouvé quelque chose d'autre à faire que s'accrocher aux manteaux des cheminées et piailler sur les fantômes. (Goody Alsop me désigna un siège.) Ne veux-tu point t'asseoir avec moi ? La déesse pourrait bien ne pas nous en donner d'autres occasions.

— As-tu appris les nouvelles d'Écosse ? demandai-je en m'asseyant.

— Je n'ai rien entendu depuis que tu m'as dit qu'invoquer sa grossesse n'a pas sauvé Euphemia McLean du bûcher.

Goody Alsop avait commencé à décliner le soir où je lui avais annoncé que la jeune sorcière de Berwick avait été brûlée malgré les efforts de Matthew.

— Matthew a finalement convaincu le reste de la Congrégation que la spirale sans fin d'accusations et d'exécutions devait cesser. Deux des sorcières accusées sont revenues sur leurs aveux en disant qu'ils les leur avaient été extorqués.

— Cela a dû étonner la Congrégation de voir un *wearh* prendre fait et cause pour une sorcière, dit Goody Alsop en me jetant un regard aigu. Il finirait par se trahir si vous restiez. Matthew Roydon vit dans un monde de demi-vérités, mais on finit toujours par être découvert. Vous devez être fort prudents en raison de l'enfant.

— Je ferai attention, promis-je. En attendant, je ne suis pas tout à fait sûre que mon huitième nœud soit assez solide pour voyager dans le temps. Avec Matthew et le bébé.

— Laisse-moi voir, dit-elle en tendant la main.

Je déposai les cordelettes dans sa main. J'allais les utiliser toutes les neuf quand nous voyagerions et je ferais un total de neuf nœuds différents. Aucun sortilège n'en utilisait plus.

D'une main aguerrie, Goody Alsop fit huit boucles avec la cordelette rouge et réunit les deux extrémités afin que le nœud ne puisse être brisé.

— Voici comment je le fais.

C'était d'une magnifique simplicité, avec des boucles ouvertes et des volutes qui rappelaient les découpes de pierre des fenêtres des cathédrales.

— Le mien n'était pas comme cela, dis-je en riant. Il n'arrêtait pas de gigoter.

— Chaque tissage est aussi unique que la tisseuse qui le crée. La déesse ne veut pas que nous imitions un idéal de perfection, mais que nous soyons véritablement nous-mêmes.

— Eh bien, je ne dois être que gigotements, alors, dis-je en reprenant les cordelettes pour examiner le résultat.

— Il y a un autre nœud que je pourrais te montrer, dit Goody Alsop.

— Un autre ? m'étonnai-je.

— Un dixième. Il m'est impossible de le faire, alors qu'il devrait être le plus simple. (Elle sourit, le menton tremblant.) Ma propre maîtresse ne pouvait pas le faire non plus, mais nous nous le sommes transmis dans l'espoir de la venue d'une tisseuse comme toi.

Goody Alsop défit le nœud précédent d'un geste de l'index. Je lui rendis la cordelette rouge et elle forma une boucle toute simple. L'espace d'un instant, la cordelette devint un anneau lisse, mais à peine l'eut-elle lâché qu'il se défit.

— Mais tu as réuni les deux extrémités il y a un instant, et le tissage était nettement plus compliqué, m'étonnai-je.

— Tant qu'il y a un croisement, je peux lier les deux extrémités et achever le sortilège. Mais seule une tisseuse qui est entre les mondes peut faire le dixième nœud, expliqua Goody Alsop. Essaie. Utilise la corde argent.

Médusée, je réunis les deux extrémités de la cordelette pour former un cercle. Les fibres s'enlacèrent pour former une boucle sans début ni fin. Je la lâchai, mais elle demeura.

— Un beau tissage, dit Goody Alsop avec satisfaction. Le dixième nœud contient la puissance de l'éternité, c'est un tissage de vie et de mort. Il est un peu comme le serpent de ton époux, ou comme Corra lorsqu'elle se mord la queue. (Elle leva le dixième nœud. C'était un autre ouroboros. Une atmosphère sur-naturelle envahit la pièce et me donna la chair de poule.) Création et destruction sont les magies les plus simples et les plus puissantes, tout comme le nœud le plus simple est le plus difficile à réaliser.

— Je ne veux point user de ma magie pour détruire, dis-je.

Les Bishop avaient pour tradition depuis toujours de ne pas faire de mal. Pour ma tante Sarah, toute sorcière qui déviait de ce principe fondamental en serait tôt ou tard victime.

— Personne ne veut user des dons de la déesse comme d'une arme, mais c'est parfois nécessaire. Ton *wearh* le sait. Après ce qui est arrivé en Écosse et ici, tu le sais aussi.

— Peut-être. Mais mon monde est différent. Les armes magiques ont moins d'occasions d'être utilisées.

— Les mondes changent, Diana. (Goody Alsop fixa son attention sur un souvenir lointain.) Ma maîtresse, Mère Ursula, était une grande tisseuse. Je me suis sou-venu de l'une de ses prophéties à la veille de la Tous-saint, quand ont commencé les terribles événements en Écosse – et quand tu es arrivée pour changer notre monde.

D'une voix chantonnante, comme pour une incanta-tion, elle récita :

> *Orages rugiront et océans feront rage*
> *Quand Gabriel apparaîtra sur le rivage*
> *Et dans sa corne merveilleuse soufflera*
> *Le monde ancien mourra et nouveau renaîtra.*

Pas un courant d'air ou un crépitement ne troubla le silence quand Goody Alsop eut terminé. Elle prit une profonde inspiration.

— Tout ne fait qu'un, vois-tu. Mort et naissance. Le dixième nœud sans commencement ni fin et le serpent du *wearh*. La pleine lune qui brillait en ce début de semaine et l'ombre que Corra projeta sur la Tamise en présage de ton départ. Le monde ancien et le nouveau. (Un sourire passa sur ses lèvres.) J'ai été heureuse quand tu es venue à moi, Diana Roydon. Et quand tu partiras ainsi que tu le dois, j'aurai le cœur lourd.

— Le plus souvent, Matthew m'informe quand il quitte ma ville. (Les mains blanches d'Andrew Hubbard étaient posées sur les accoudoirs sculptés de son fauteuil dans la crypte de l'église. Au-dessus de nous, on préparait l'office.) Qu'est-ce qui vous amène ici, mistress Roydon ?

— Je suis venue vous parler d'Annie et de Jack.

Les étranges yeux de Hubbard me scrutèrent tandis que je tirais une petite bourse de cuir des plis de ma robe. Elle contenait cinq ans de gages pour l'un et l'autre.

— Je quitte Londres. J'aimerais vous donner ceci, pour leur entretien.

Je lui tendis la bourse, mais il n'essaya pas de l'attraper.

— Ce n'est pas nécessaire, mistress.

— Je vous en prie. Je les emmènerais avec moi si je le pouvais. Comme ils ne peuvent partir, je dois m'assurer que quelqu'un veillera sur eux.

— Et que me donnerez-vous en échange ?

— Eh bien… l'argent, bien sûr, dis-je en tendant de nouveau la bourse.

— Je ne désire point d'argent ni n'en ai besoin, mistress Roydon, répondit Hubbard en se renfonçant sur son siège, les yeux mi-clos.

— Que… (Je m'interrompis.) Non.

— Dieu ne fait rien en vain. Il n'y a nul accident dans Ses desseins. Il a voulu que vous veniez me trouver ici aujourd'hui, parce qu'Il veut être sûr que nul de votre sang n'aura à craindre de moi ou des miens.

— J'ai assez de protecteurs, me récriai-je.

— Et la même chose se peut-elle dire de votre époux ? interrogea-t-il en jetant un regard à ma poitrine. Votre sang est plus fort dans ses veines que lors de votre arrivée. Et il y a l'enfant à prendre en compte.

Mon cœur se mit à battre. Quand je ramènerais Matthew dans notre présent, Andrew Hubbard serait l'une des rares personnes à connaître son avenir – et à savoir qu'il comportait une sorcière.

— Vous n'useriez point de ce que vous savez de moi contre Matthew. Pas après ce qu'il a fait, et combien il a changé.

— Vraiment ? (Son sourire pincé me laissa entendre qu'il serait prêt à tout pour protéger ses ouailles.) Il y a beaucoup de rancœur entre nous.

— Je trouverai un autre moyen d'assurer leur protection, dis-je, décidant de partir.

— Annie est déjà mon enfant. C'est une sorcière et elle fait partie de ma famille. Nous veillerons à son bien-être. Jack Blackfriars est une autre affaire. Il n'est point une créature et devra se débrouiller seul.

— C'est un enfant !

— Mais pas le mien. Pas plus que vous. Je ne vous dois rien ni à l'un ni à l'autre. Bonne journée, mistress Roydon, dit Hubbard en se détournant.

— Et si j'étais de votre famille, qu'en serait-il ? Honoreriez-vous ma requête concernant Jack ? Reconnaîtriez-vous Matthew comme de mon sang et donc sous votre protection ?

C'était au Matthew du XVIᵉ siècle que je pensais à présent. Quand nous retournerions dans notre présent, l'autre Matthew serait toujours là dans le passé.

— Si vous m'offrez votre sang, ni Matthew, ni Jack, ni votre enfant point encore né n'auront à craindre de moi ou des miens, déclara avec indifférence Hubbard, mais en posant sur moi le même regard avide que j'avais vu dans les yeux de Rodolphe.

— Et combien de sang vous faudrait-il ?

Réfléchis. Reste en vie.

— Très peu. Guère plus qu'une goutte, répondit Hubbard, attentif.

— Je ne puis vous laisser la prendre directement sur mon corps. Matthew le saurait : nous sommes unis, après tout.

Les yeux de Hubbard passèrent sur ma poitrine.

— Je prélève toujours mon tribut directement au cou de mes enfants.

— Je n'en doute point, Père Hubbard. Mais vous pouvez entendre pourquoi ce n'est ni possible ni désirable en l'occurrence. (Je me tus, espérant que la soif de Hubbard – pour le pouvoir, pour en savoir plus sur Matthew et moi, pour détenir quelque chose contre les Clermont s'il en avait besoin – l'emporterait.) Je puis user d'une coupe.

— Non. Votre sang serait souillé. Il doit être pur.

— Une coupe d'argent, alors, dis-je en pensant aux sermons du cuisinier à Sept-Tours.

— Vous vous ouvrirez la veine du poignet au-dessus de ma bouche et y laisserez couler le sang. Nous ne nous toucherons point. Sans quoi, je douterai de la sincérité de votre offre.

— Fort bien, Père Hubbard. J'accepte vos conditions. (Je dénouai le cordon de ma manche et la retroussai, tout en murmurant intérieurement une prière à Corra.) Où désirez-vous faire cela ? D'après ce que j'ai pu voir, vos enfants s'agenouillent devant vous, mais ce ne sera point possible si je dois laisser couler le sang dans votre bouche.

— C'est un sacrement. Peu importe à Dieu qui s'agenouille.

À ma surprise, Hubbard tomba à genoux devant moi en me tendant un couteau.

— Je n'en ai point besoin.

Je posai le doigt sur les lignes bleues de mon poignet et murmurai un simple charme de dénouement. Un trait rouge apparut.

Hubbard ouvrit la bouche sans me quitter du regard. Il attendait que je revienne sur ma promesse ou que je le trompe d'une manière quelconque. Mais j'allais respecter la lettre, sinon l'esprit de notre accord. *Merci, Goody Alsop*, dis-je intérieurement. Je levai le bras au-dessus de lui et serrai le poing. Une goutte de sang coula le long de mon bras et commença à tomber. Hubbard ferma les yeux, comme s'il voulait se concentrer sur ce que le sang lui dirait.

— Qu'est-ce que le sang sinon du feu et de l'eau ? murmurai-je.

J'invoquai le vent pour ralentir la chute de la goutte. À mesure que sa force augmentait, l'air congela la goutte, si bien qu'elle atterrit cristallisée sur la langue de Hubbard. Le vampire ouvrit les yeux, ahuri.

— Pas plus d'une goutte. (Le vent avait séché le reste de sang sur ma peau en un réseau de fils rouges.) Vous êtes un homme de Dieu, un homme de parole, n'est-ce pas, Père Hubbard ?

La queue de Corra se desserra autour de ma taille. Elle l'y avait placée pour empêcher l'enfant de rien savoir de notre sordide transaction, mais à présent, elle semblait vouloir s'en servir pour rouer Hubbard de coups.

Lentement, je retirai mon bras. L'idée de s'en saisir et de le ramener à ma bouche effleura Hubbard : je la vis lui traverser l'esprit aussi clairement que j'avais vu Edward Kelley avoir envie de m'assommer avec sa canne. Mais il n'eut pas cette imprudence. Je murmurai un autre sortilège pour refermer la blessure. Sans un mot, je tournai les talons.

— La prochaine fois que vous serez à Paris, dit Hubbard à mi-voix, Dieu me le fera savoir. Et s'Il le désire, nous nous reverrons. Mais rappelez-vous cela, Diana. Où que vous alliez désormais, même dans la mort, une partie de vous demeurera éternellement en moi.

Je m'arrêtai et le regardai. Ses paroles étaient menaçantes, mais l'expression de son visage était pensive, triste, même. Je pressai le pas et sortis de la crypte, voulant m'éloigner au plus vite d'Andrew Hubbard.

— Au revoir, Diana Bishop ! lança-t-il derrière moi.

J'avais fait la moitié du chemin quand je me rendis compte que, si peu qu'ait révélé cette unique goutte de sang, le Père Hubbard connaissait mon vrai nom.

Walter et Matthew étaient en train de se hurler dessus quand j'arrivai au Cerf Couronné. Le valet de Raleigh les entendit aussi. Il était dans la cour, les rênes du cheval noir de Walter à la main, et écoutait les éclats de voix qui jaillissaient par les fenêtres ouvertes.

— Cela signifiera ma mort, et la sienne aussi ! Personne ne doit savoir qu'elle est grosse d'enfant !

Étrangement, c'était Walter qui parlait.

— Tu ne peux abandonner cette femme que tu aimes et ton propre enfant pour essayer de rester fidèle à la reine, Walter. Élisabeth découvrira que tu l'as trahie et Bess sera ruinée pour toujours.

— Qu'attends-tu que je fasse ? Que je l'épouse ? Si je le fais sans la permission de la reine, je serai arrêté.

— Tu survivras quoi qu'il arrive, répondit Matthew. Si tu laisses Bess sans protection, elle ne survivra pas.

— Comment peux-tu prétendre que tu te soucies d'honnêteté conjugale après tous les mensonges que tu as racontés sur Diana ? Certains jours, tu soutenais que tu étais marié, mais tu nous as fait jurer de le nier si quelque sorcier ou *wearh* inconnus venaient rôder et poser des questions. (Walter baissa la voix, mais le ton était toujours aussi féroce.) Attends-tu de moi que je croie que tu vas retourner d'où tu viens et la reconnaître comme ton épouse ? (Je me glissai dans la pièce sans me faire remarquer. Matthew hésita.) Il me semblait bien, conclut Walter en enfilant ses gants.

— Est-ce ainsi que vous vous dites au revoir, tous les deux ? demandai-je.

— Diana, fit Walter avec circonspection.

— Bonjour, Walter. Votre écuyer vous attend en bas avec votre cheval.

Walter s'apprêta à sortir, puis il se retourna.

— Sois raisonnable, Matthew. Je ne peux perdre tout crédit à la cour. Bess comprend les dangers de la colère de la reine mieux que quiconque. À la cour d'Élisabeth, la fortune est changeante, mais la disgrâce est éternelle.

Matthew regarda son ami dévaler lourdement l'escalier.

— Dieu me pardonne. La première fois que j'ai entendu son projet, je lui ai dit qu'il était sage. Pauvre Bess.

— Que lui arrivera-t-il quand nous serons partis ? demandai-je.

— L'automne venu, la grossesse de Bess commencera à se voir. Ils se marieront en secret. Quand la reine l'interrogera sur leur relation, Walter niera. Farouchement. La réputation de Bess sera ruinée, son mari sera convaincu de mensonge et tous les deux seront arrêtés.

— Et l'enfant ? chuchotai-je.

— Il naîtra en mars et mourra à l'automne suivant, dit Matthew en s'asseyant à la table, la tête dans les mains. Je vais écrire à mon père et m'assurer que Bess bénéficie de sa protection. Peut-être que Susanna Norman s'occupera d'elle durant sa grossesse.

— Ni ton père ni Susanna ne peuvent la protéger du coup que lui portera le déni de Raleigh. (Je posai la main sur son bras.) Et tu nieras que nous sommes mariés quand nous reviendrons ?

— Ce n'est pas aussi simple, dit Matthew en levant vers moi des yeux hagards.

— C'est ce qu'a dit Walter. Tu lui as répondu qu'il se trompait. (Je me rappelai la prophétie de Goody Alsop : *Le monde ancien mourra et nouveau renaîtra.*) Le moment arrive où tu devras choisir entre la sécurité du passé et les promesses de l'avenir, Matthew.

— Et le passé ne peut être réparé, quelque mal que je me donne, dit-il. C'est quelque chose que je dis toujours à la reine, quand elle est taraudée parce qu'elle a pris une mauvaise décision. De nouveau pris à mon propre piège, comme ne manquerait pas de le faire remarquer Gallowglass.

— Tu m'as devancé, mon oncle. (Gallowglass était entré sans un bruit dans la pièce et déposait des paquets.) J'ai ton papier. Tes plumes. Et du tonique pour la gorge de Jack.

— C'est ce qu'il récolte à passer tout son temps dans les tours à parler d'étoiles avec Tom. (Matthew se massa le visage.) Nous allons devoir nous assurer que Tom a de quoi vivre, Gallowglass. Walter ne pourra le garder à son service plus longtemps. Henry Percy va devoir se dévouer – une fois de plus – mais je devrais contribuer aussi à son entretien.

— À propos de Tom, as-tu vu ses plans pour une lunette destinée à voir les cieux ?

Mon crâne me démangea alors que les fils de la pièce crépitaient d'énergie. Dans les recoins, le temps émit une protestation sourde.

— Une lunette, dis-je d'un ton calme. De quoi a-t-elle l'air ?

— Posez-lui la question, dit Gallowglass en tournant la tête vers les escaliers.

Jack et Serpillière caracolèrent dans la pièce. Tom suivit, tenant d'un air absent des lunettes brisées.

— Tu vas certainement laisser une marque sur l'avenir si tu te mêles de cela, Diana, m'avertit Matthew.

— Regardez, regardez, regardez ! cria Jack en agitant un gros morceau de bois, pendant que Serpillière suivait ses mouvements en essayant vainement de l'attraper. Maître Harriot a dit qu'en creusant cela et en mettant un verre de lunette au bout, les choses lointaines paraîtraient proches. Savez-vous sculpter, master Roydon ? Sinon, pensez-vous que le menuisier de St. Dunstan's pourrait m'enseigner ? Est-ce qu'il reste des gâteaux ? Le ventre de Maître Harriot a gargouillé tout l'après-midi.

— Laisse-moi voir cela, dis-je en tendant la main vers le tube de bois. Les gâteaux sont dans le placard du palier, Jack, comme toujours. Donnes-en un à Maître Harriot et prends-en un pour toi. Et non, ajoutai-je avant qu'il ouvre la bouche, tu n'en donneras pas à Serpillière.

— Bonjour, mistress Roydon, dit Tom d'un ton rêveur. Si une simple paire de lunettes permet à un homme de voir la parole de Dieu dans la Bible, elles peuvent sans nul doute être travaillées pour aider à voir l'œuvre de Dieu dans le Livre de la Nature. Merci, Jack, fit-il en grignotant distraitement le gâteau.

— Et comment les travailleriez-vous ? demandai-je, osant à peine respirer.

— J'assemblerais des lentilles convexes et concaves, ainsi que le suggère le Napolitain, le Signor della Porta dans un livre que j'ai lu l'an dernier. Mon bras ne peut les tenir à bonne distance. Aussi essayons-nous de rallonger sa portée avec ce morceau de bois.

Avec ces paroles, Thomas Harriot changeait l'histoire de la science. Et je n'avais pas à me mêler du passé – je devais simplement veiller à ce que le passé ne soit pas oublié.

— Mais ce ne sont là qu'imaginations. Je coucherai ces idées sur le papier et j'y songerai plus tard, soupira Tom.

C'était le problème avec les premiers scientifiques : ils ne comprenaient pas la nécessité de la publication. Dans le cas de Thomas Harriot, ses idées avaient clairement avorté faute d'un éditeur.

— Je crois que vous avez raison, Tom. Mais ce tube de bois n'est point assez long, lui dis-je avec un grand sourire. Quant au menuisier de St. Dunstan's, M. Vallin sera plus utile si c'est un long tube qu'il vous faut. Voulez-vous que nous allions le voir ?

— Oui ! s'écria Jack en trépignant. M. Vallin possède toutes sortes de rouages et ressorts, Maître Harriot. Il m'en a donné un et je le garde dans ma boîte à trésors. Il n'est pas aussi grand que celui de mistress Roydon, mais il est fort solide. Pouvons-nous y aller maintenant ?

— Que mijote ma tante ? demanda Gallowglass à Matthew, à la fois médusé et inquiet.

— Je crois qu'elle se venge de Walter parce qu'il n'a pas suffisamment fait attention à l'avenir, dit Matthew.

— Oh, alors très bien. Et moi qui redoutais des ennuis.

— Il y en a toujours, dit Matthew. Es-tu sûre que tu sais ce que tu fais, *ma lionne** ?

Il s'était passé tant de choses que je ne pouvais réparer. Je ne pouvais pas ramener mon premier enfant ou sauver les sorcières en Écosse. Nous avions rapporté l'Ashmole 782 de Prague pour découvrir qu'il avait déjà été abîmé et ne pouvait être emporté sans risques dans l'avenir. Nous avions chacun dit adieu à notre père et nous étions sur le point de laisser nos amis. La plupart de ces expériences allaient disparaître sans laisser de traces. Mais je savais exactement comment m'assurer que le télescope de Tom survive.

— Oui. Le passé nous a changés, Matthew. Pourquoi ne le changerions-nous pas aussi ?

— Va trouver M. Vallin, alors, dit Matthew en me baisant la main. Qu'il m'envoie sa facture.

— Merci. Ne t'inquiète pas, lui chuchotai-je à l'oreille. Je vais emmener Annie. Elle négociera pour faire baisser le prix. Et puis, qui peut estimer combien coûte un télescope, en 1591 ?

Et c'est ainsi qu'une sorcière, un démon, deux enfants et un chien rendirent une brève visite à M. Vallin cet après-midi-là. Plus tard, je fis porter à nos amis des invitations pour qu'ils nous retrouvent le lendemain soir. Ce serait la dernière fois que nous les verrions. Alors que je m'occupais de télescopes et de la préparation du souper, Matthew alla porter le *Verum Secretum Secretorum* de Roger Bacon à Mortlake. Je ne voulais pas voir l'Ashmole 782 retourner dans les mains du Dr Dee. Je savais qu'il devait retrouver sa place dans l'immense bibliothèque de l'alchimiste pour qu'Elias Ashmole puisse l'acquérir au XVIIe siècle. Mais ce n'était pas facile de confier le livre à quelqu'un d'autre, pas plus que cela n'avait été simple de donner la petite figurine de la déesse Diane à Kit quand nous étions arrivés. Nous laissâmes les détails pratiques de notre départ à Gallowglass et à Pierre. Ils firent les malles, vidèrent les coffres, redistribuèrent les fonds et envoyèrent les effets personnels à Old Lodge avec une efficacité qui montrait combien de fois ils l'avaient déjà fait par le passé.

Il ne restait que quelques heures avant le départ. Je retournais de chez M. Vallin avec un gros paquet enveloppé dans une peau quand je fus arrêtée par le spectacle d'une fillette de dix ans plantée devant l'échoppe du pâtissier à contempler les tourtes. Elle ressemblait à celle que j'avais été à son âge, depuis les cheveux blonds rebelles jusqu'aux bras trop grands pour sa silhouette. Elle se raidit en sentant que je l'observais. Quand nos regards se croisèrent, je compris pourquoi : c'était une sorcière.

— Rebecca ! cria une femme en sortant de l'échoppe.

Mon cœur bondit dans ma poitrine en la voyant, car elle ressemblait à un mélange de ma mère et de Sarah.

Rebecca ne répondit pas, mais continua de me fixer comme si elle avait vu un fantôme. Sa mère leva la tête pour voir ce qui avait attiré l'attention de la fillette et étouffa un cri. Son regard me chatouilla en glissant sur mon visage et le reste de ma personne. Elle aussi était une sorcière.

Je me forçai à avancer vers la boutique. Chaque pas me rapprochait des deux sorcières. La mère attira l'enfant dans ses jupes et Rebecca se débattit.

— Elle ressemble à mère-grand, chuchota Rebecca en essayant de mieux me voir.

— Chut, dit sa mère en me jetant un regard désolé. Tu sais bien que ta mère-grand est morte, Rebecca.

— Je m'appelle Diana Roydon. J'habite ici au Cerf Couronné, ajoutai-je en désignant l'enseigne au-dessus d'elles.

— Mais alors vous êtes…, dit la femme en serrant de plus belle Rebecca contre elle.

— Je m'appelle Rebecca White, dit la fillette sans se soucier de la réaction de sa mère.

Elle fit une petite révérence maladroite. Elle aussi me paraissait familière.

— Je suis très heureuse de faire votre connaissance. Êtes-vous récemment arrivées à Blackfriars ?

Je voulais faire durer ces banalités, ne fût-ce que pour continuer de regarder leurs visages à la fois inconnus et si familiers.

— Non. Nous habitons près de l'hôpital à côté du marché de Smithfield, expliqua Rebecca.

— Je prends des malades quand leurs salles sont pleines. Je m'appelle Bridget White, dit la femme en hésitant. Et Rebecca est ma fille.

Même sans ces prénoms familiers, Bridget et Rebecca, tout en moi reconnut ces deux créatures. Bridget Bishop était née vers 1632 et le premier nom du grimoire des Bishop était celui de la grand-mère de Bridget, Rebecca Davies. Cette petite de dix ans allait-elle un jour se marier et porter ce nom ?

L'attention de l'enfant fut attirée par quelque chose à mon cou. Je levai la main. *Les boucles d'oreilles d'Ysabeau.*

J'avais utilisé trois objets pour nous ramener Matthew et moi dans le passé : un exemplaire manuscrit du *Docteur Faust*, une pièce d'échecs en argent et une boucle d'oreille cachée dans la poupée de Bridget Bishop. Cette boucle. Je décrochai le bijou d'or de mon oreille. Sachant d'après mon expérience avec Jack qu'il était prudent de regarder droit dans les yeux les enfants si on voulait leur laisser une impression durable, je m'accroupis pour être à sa hauteur.

— J'ai besoin que quelqu'un garde cela pour moi, dis-je en lui tendant la boucle. Un jour, j'en aurai besoin. Voudras-tu bien la garder tout près de toi ?

Rebecca me regarda d'un air solennel et hocha la tête. Je pris sa main, sentant un courant de reconnaissance passer entre nous, et j'y déposai le bijou. Elle referma les doigts dessus.

— Je peux, maman ? demanda-t-elle un peu tardivement à Bridget.

— Je pense que oui, répondit prudemment sa mère.

— Merci, dis-je en me levant avec une petite tape sur l'épaule de Rebecca. Merci.

Je sentis dans mon dos un regard qui me donnait de petits coups. J'attendis que Rebecca et Bridget aient disparu pour me retourner vers Christopher Marlowe.

— Mistress Roydon, dit-il d'une voix rauque, avec une mine affreuse. Walter m'a dit que vous partiez ce soir.

— Je lui ai demandé de vous avertir.

Je forçai Kit à croiser mon regard. Cela aussi, je pouvais le réparer : m'assurer que Matthew dise au revoir comme il se devait à un homme qui avait naguère été son plus proche ami. Il baissa les yeux, me cachant son visage.

— Jamais je n'aurais dû venir.

— Je vous pardonne, Kit.

Il releva brusquement la tête, surpris de ces paroles.

— Pourquoi ? demanda-t-il, abasourdi.

— Parce que vous l'aimez. Et parce que tant que Matthew vous en voudra de ce qui m'est arrivé, une partie de lui restera éternellement ici, dis-je simplement. Montez lui dire au revoir.

Matthew nous attendait sur le palier, ayant deviné d'une manière ou d'une autre que je ramenais quelqu'un à la maison. Je lui fis un petit baiser sur la bouche en allant vers notre chambre.

— Ton père t'a pardonné, murmurai-je au passage. Fais le même cadeau à Kit.

Puis je les laissai raccommoder ce qu'ils pouvaient dans le peu de temps qui restait.

Quelques heures plus tard, je tendis à Thomas Harriot un tube d'acier.

— Voici votre lunette, Tom.

— Je l'ai façonnée dans un fût de mousquet que j'ai modifié, bien sûr, expliqua M. Vallin, célèbre fabricant de pièges à souris et d'horloges. Et elle est gravée, ainsi que mistress Roydon l'a requis.

Sur le côté, dans un charmant ruban en argent, était inscrite la légende : *N. Vallin me fecit, T. Harriot me invenit, 1591.*

— *N. Vallin m'a fabriquée, T. Harriot m'a inventée, 1591*, dis-je en souriant à M. Vallin. C'est parfait.

— Pouvons-nous regarder la lune, à présent ? s'écria Jack en se précipitant vers la porte. Elle est déjà plus grande que le cadran de St. Mildred's !

Et c'est ainsi que Thomas Harriot, mathématicien et linguiste, écrivit l'histoire dans la cour du Cerf Couronné, assis dans un vieux fauteuil en osier descendu de notre grenier. Il dirigea le long tube métallique où étaient enchâssés deux verres de lunettes vers la pleine lune et soupira de plaisir.

— Vois, Jack. Elle est ainsi que le disait Signor della Porta. (Il fit grimper l'enfant sur ses genoux et posa le bout du long tube contre l'œil de son enthousiaste élève.) Deux lentilles, l'une convexe et l'autre concave, sont en vérité la solution si elles sont tenues à la bonne distance.

Après Jack, nous l'essayâmes tous chacun à notre tour.

— Eh bien, ce n'est pas du tout ce à quoi je m'attendais, dit George Chapman, déçu. Ne pensiez-vous point que la lune serait plus spectaculaire ? Je crois préférer la lune mystérieuse du poète à celle-ci, Tom.

— Eh bien, ce n'est point parfait, se plaignit Henry en se frottant l'œil et en essayant de nouveau.

— Bien sûr que ce ne l'est point. Rien ne l'est, dit Kit. Tu ne peux croire tout ce que te disent les philosophes, Hal. Cela conduit sûrement à la ruine. Vois le peu que la philosophie a fait pour Tom.

Je regardai Matthew et souris. Cela faisait un moment que nous n'avions pas savouré les joutes oratoires de l'École de la Nuit.

— Au moins, Tom a de quoi se nourrir, et je n'en dirais pas tant d'aucun des écrivains de ma connaissance. (Walter regarda dans le tube et émit un sifflement.) J'aurais aimé que tu aies cette idée avant que nous allions en Virginie, Tom. Cela aurait été utile pour scruter le rivage tout en restant en sûreté à bord du navire. Regarde donc, Gallowglass, et dis-moi que j'ai tort.

— Jamais tu n'as tort, Walter, dit Gallowglass en faisant un clin d'œil à Jack. N'oublie pas ce que je te dis, Jack. Celui qui paie tes gages a toujours raison en tout.

J'avais invité Goody Alsop et Susanna à se joindre à nous aussi et même elles regardèrent dans la lunette de Tom. Aucune des deux femmes ne parut impressionnée par l'invention, mais elles se répandirent en compliments quand je les poussai un peu.

— Pourquoi les hommes se soucient-ils de ces futilités ? me chuchota Susanna. J'aurais pu leur dire que la surface de la lune n'est point parfaitement lisse, même sans cet instrument. N'ont-ils point d'yeux ?

Après le plaisir de contempler les cieux, il ne resta plus que les pénibles adieux. Nous envoyâmes Annie avec Goody Alsop, prétextant que Susanna avait besoin d'aide pour raccompagner la vieille femme. Je fis mes adieux rapidement et Annie me regarda, incertaine.

— Vous allez bien, mistress ? Dois-je plutôt rester ?

— Non, Annie. Va avec ta tante et Goody Alsop, dis-je en retenant mes larmes et en me demandant comment Matthew pouvait supporter ces adieux répétés.

Kit, George et Walter furent les suivants à partir, avec des adieux bourrus et des tapes sur le bras.

— Viens, Jack. Tom et toi allez venir habiter avec moi, dit Henry Percy. La nuit est encore jeune.

— Je ne veux pas partir, dit Jack.

Il se retourna vers Matthew en ouvrant de grands yeux. Matthew s'agenouilla devant lui.

— Tu n'as rien à craindre, Jack. Tu connais Maître Harriot et Lord Northumberland. Ils ne laisseront rien t'arriver de mal.

— Et si j'ai des cauchemars ? insista Jack.

— Les cauchemars sont comme la lunette de Maître Harriot. Un jeu avec la lumière qui fait paraître les choses lointaines plus proches et plus grandes qu'elles ne sont.

— Oh, fit Jack en songeant à la réponse de Matthew. Alors même si je vois un monstre dans mes rêves, il ne peut pas m'atteindre ?

— Non. Mais je vais te dire un secret. Un rêve est un cauchemar à l'envers. Vois si tu peux rêver de quelqu'un que tu aimes au lieu d'un monstre et dans tes rêves, cette personne te paraîtra plus proche, même si elle est très loin.

Il se releva et laissa sa main sur la tête de Jack dans une bénédiction silencieuse.

Une fois l'enfant et ses tuteurs partis, il ne resta plus que Gallowglass. Je sortis les cordelettes de mon coffret, ne laissant dedans que quelques objets : un caillou, une plume blanche, un morceau du sorbier et le mot que m'avait laissé mon père.

— Il n'y a rien là-dedans qui ait de la valeur pour quiconque en dehors de moi, expliquai-je à Gallowglass en le lui confiant.

— J'en prendrai soin, promit Gallowglass.

Le coffret paraissait minuscule dans sa grosse main. Il m'étreignit.

— Protégez l'autre Matthew pour qu'il puisse me trouver un jour, lui murmurai-je à l'oreille.

Je le lâchai et reculai. Les deux Clermont se dirent adieu comme tout le monde dans leur famille : brièvement, mais avec chaleur.

Pierre attendait avec les chevaux devant le Galero. Matthew m'aida à monter en selle, puis il enfourcha sa monture.

— Bon voyage, *madame**, dit Pierre en lâchant les rênes.

— Merci, mon ami, dis-je en retenant de nouveau mes larmes.

— Les instructions de votre père, *milord**, dit Pierre en tendant une lettre où je reconnus le sceau de Philippe.

— Si je ne reparais pas à Édimbourg dans deux jours, viens à ma recherche.

— Je le ferai, promit Pierre alors que Matthew lançait nos chevaux sur la route d'Oxford.

Nous changeâmes trois fois de montures et arrivâmes à Old Lodge avant l'aube. Françoise et Charles étaient partis. Nous étions seuls.

Matthew laissa la lettre de son père sur la table dans son étude, où le Matthew du XVIᵉ siècle ne pourrait manquer de la trouver. Elle l'enverrait en Écosse régler des affaires urgentes. Une fois là-bas, Matthew Roydon séjournerait à la cour du roi Jacques avant de disparaître pour commencer une nouvelle vie à Amsterdam.

— Le roi d'Écosse sera ravi de me revoir tel que j'étais avant, commenta-t-il en touchant la lettre du bout du doigt. Je ne tenterai certainement plus de sauver des sorcières.

— Tu as changé quelque chose là-bas, Matthew, dis-je en le prenant par la taille. Il est temps que nous en fassions autant à notre époque.

Nous entrâmes dans la chambre où nous étions arrivés des mois plus tôt.

— Tu sais que je ne peux pas être sûre que nous repartirons dans le temps et atterrirons exactement à la bonne époque et au bon endroit, l'avertis-je.

— Tu me l'as expliqué bien des fois, *mon cœur**. J'ai confiance en toi, dit-il en me prenant le bras. Allons affronter notre avenir. Une fois de plus.

— Au revoir, la maison.

Je balayai une dernière fois du regard notre première demeure. Même si je devais la revoir, elle ne serait pas la même qu'en cette matinée de juin.

Les fils bleus et ambrés dans les encoignures claquaient et se tendaient avec impatience, remplissant la pièce de bruit et de lumière. Je respirai un bon coup et nouai ma cordelette brune, laissant l'extrémité libre. En dehors de Matthew et des vêtements que nous portions, les cordelettes étaient les seuls objets que nous prenions avec nous.

— Par le nœud premier, le sort est commencé, chuchotai-je. Le temps se dilata dans un bourdonnement au fur et à mesure des nœuds et finit dans un sifflement strident.

Alors que les extrémités de la neuvième cordelette se rejoignaient, nous fîmes un pas et tout disparut autour de nous.

40

Tous les journaux anglais avaient une variation du même gros titre, mais Ysabeau estima que celle du *Times* était la plus astucieuse.

L'Anglais gagne la course de l'exploration spatiale
30 juin 2010
L'expert le plus réputé au monde en matière d'instruments scientifiques du musée de l'Histoire des sciences de l'université d'Oxford a confirmé aujourd'hui l'authenticité d'un télescope à réfraction portant les noms du mathématicien et astronome élisabéthain Thomas Harriot et de Nicholas Vallin, horloger huguenot exilé de France pour des raisons religieuses. Outre les noms, l'instrument porte gravée la date de 1591.
La découverte a enthousiasmé les communautés scientifiques et historiques. Depuis des siècles, on attribuait au mathématicien italien Galilée l'emprunt de la technologie rudimentaire du télescope aux Néerlandais pour les premières observations de la Lune en 1609.

« Les livres d'histoire devront être réécrits, a déclaré Anthony Carter. Thomas Harriot avait lu le *Magie naturelle* de Gianbattista della Porta et avait été intrigué par l'idée que des lentilles convexes et concaves puissent être utilisées pour "voir tant des objets lointains ou voisins à la fois plus grands et clairement". »

Les contributions de Thomas Harriot à l'astronomie ont été négligées en partie parce qu'il ne les a pas publiées, préférant partager ses découvertes seulement avec un groupe d'amis proches que certains appellent l'« École de la Nuit ». Sous le patronage de Walter Raleigh et de Henry Percy, le « Comte Sorcier » de Northumberland, Harriot avait la liberté financière pour explorer ce qui l'intéressait.

Mr. I.P. Ridell a découvert le télescope, ainsi qu'un coffret de documents mathématiques de la main de Thomas Harriot et un piège à souris raffiné en argent également signé de Vallin. Il réparait les cloches de l'église St. Michael's, près du domaine familial des Percy à Alnwick, quand une rafale de vent particulièrement violente a décroché une tapisserie fanée de sainte Margaret terrassant le dragon, révélant le coffret qui avait été caché derrière.

« Il est rare que des instruments de cette période portent autant de marques d'identification, a déclaré le Dr Carter aux journalistes, révélant la date gravée sur le télescope et confirmant sa fabrication en 1591-1592. Nous devons beaucoup à Nicholas Vallin, qui savait qu'il s'agissait d'un important progrès

dans l'histoire de l'instrumentation scientifique et s'est donné un mal peu courant pour
en consigner la généalogie et la provenance. »

— Ils refusent de le vendre, dit Marcus en
s'appuyant au chambranle. (Les bras et les jambes
croisées, il ressemblait beaucoup à Matthew.) J'ai
parlé à tout le monde, depuis les autorités religieuses
d'Alnwick jusqu'au duc de Northumberland et à
l'évêque de Newcastle. Ils refusent de céder le télescope, même pour la petite fortune que tu as proposée.
Je crois que je les ai convaincus de me laisser acheter
le piège, en revanche.

— Le monde entier est au courant, dit Ysabeau.
Même *Le Monde* a relaté l'affaire.

— Nous aurions dû nous donner plus de mal pour
étouffer l'affaire. Cela pourrait donner aux sorcières et
à leurs alliés de précieuses informations, dit Marcus.

Le nombre croissant de gens qui vivaient dans les
murs de Sept-Tours s'inquiétait depuis des semaines
de ce que Knox risquait de faire s'il découvrait où se
trouvaient exactement Diana et Matthew.

— Que pense Phoebe ? demanda Ysabeau.

Elle s'était immédiatement entichée de la très obser-
vatrice jeune humaine au menton décidé et aux
manières douces.

Le visage de Marcus s'adoucit comme chaque fois
qu'il était question de Phoebe. Cela lui donnait l'apparence qu'il avait avant le départ de Matthew, quand il
était insouciant et jovial.

— Elle pense qu'il est trop tôt pour estimer les
dégâts causés par la découverte de l'instrument.

— Intelligente fille. Nous avons de la chance de l'avoir, sourit Ysabeau.

— Je ne sais pas ce que je ferais…, commença Marcus. Je l'aime, *grand-mère**, dit-il.

— Et comment donc. Et elle t'aime aussi.

Après ce qui s'était passé en mai, Marcus avait voulu qu'elle rejoigne le reste de la famille et l'avait amenée à Sept-Tours. Tous les deux étaient inséparables. Et Phoebe s'était montrée très à l'aise en faisant connaissance des démons, sorciers et vampires qui y habitaient. Si elle avait été surprise d'apprendre que d'autres créatures partageaient le monde avec les humains, elle n'en avait rien montré.

Jamais dans sa très longue vie Ysabeau n'aurait imaginé devenir la châtelaine d'une telle maisonnée.

Le Conventicule de Marcus s'était considérablement agrandi au cours des derniers mois. L'assistante de Matthew, Miriam, était maintenant une résidente permanente, tout comme Ernst et Verin. Gallowglass, le petit-fils incapable de tenir en place, les avait surpris en restant là pendant six semaines complètes. Et rien n'indiquait qu'il avait l'air de vouloir repartir. Sophie et Nathaniel donnèrent naissance à leur bébé, Margaret, sous le toit d'Ysabeau, et à présent, l'autorité du bébé ne le cédait qu'à celle de la châtelaine. Avec sa petite-fille qui vivait à Sept-Tours, Agatha Wilson ne cessa de faire des apparitions impromptues, ainsi que le meilleur ami de Matthew, Hamish. Même Baldwin passait de temps en temps.

— Où est Sarah ? demanda Marcus pour prendre le pouls de l'activité générale.

— Dans le donjon, répondit Ysabeau en découpant d'un coup d'ongle l'article qu'elle venait de lire.

Sophie et Margaret lui tiennent compagnie. Sophie dit que Sarah veille.

— À quoi ? Qu'est-ce qui s'est passé, cette fois ? (Marcus s'empara du journal. Il les avait tous lus ce matin pour chercher les subtils transferts d'argent et d'influence que Nathaniel avait découvert comment analyser et isoler afin qu'ils soient mieux préparés pour la prochaine action de la Congrégation. Un monde sans Phoebe était inconcevable, mais Nathaniel était devenu presque aussi indispensable.) Ce satané télescope va être un problème. Je le sais, c'est tout. Tout ce dont la Congrégation a besoin, c'est d'une sorcière qui voyage dans le temps et de cette histoire de télescope, et ils auront presque ce qu'il leur faut pour retourner dans le passé et trouver mon père.

— Ton père n'y sera plus très longtemps, s'il y est encore.

— Vraiment, *grand-mère**, s'exaspéra Marcus tout en se concentrant sur le texte autour de la découpe qu'Ysabeau avait laissée dans le *Times*. Comment peux-tu le savoir ?

— D'abord, il y a eu les miniatures, puis le journal, et maintenant ce télescope. Je connais ma bru. Ce télescope est exactement le genre de geste qu'aurait eu Diana si elle n'avait rien d'autre à perdre. Diana et Matthew vont rentrer, conclut-elle en laissant là son petit-fils. (Marcus resta de marbre.) J'aurais pensé que tu serais plus heureux du retour de ton père, dit Ysabeau en se retournant sur le seuil.

— Ces deux mois ont été difficiles, dit Marcus d'un ton sombre. La Congrégation a clairement fait savoir qu'elle voulait le livre et Margaret. Une fois Diana ici…

— Rien ne les arrêtera, dit Ysabeau. Au moins, nous n'aurons pas à nous inquiéter qu'il soit arrivé quoi que ce soit à Diana et à Matthew dans le passé. Nous serons ensemble, ici, à Sept-Tours et nous combattrons côte à côte.

Nous mourrons côte à côte.

— Tant de choses ont changé depuis novembre dernier, dit Marcus en contemplant le plateau verni de la table comme s'il était sorcier et pouvait lire l'avenir.

— Dans leur vie aussi, j'imagine. Mais l'affection de ton père pour toi n'a pas changé. Sarah a besoin de Diana, à présent. Et toi de Matthew.

Ysabeau prit sa coupure de journal et alla au donjon. Autrefois, Philippe s'en servait comme prison. À présent, toutes les archives familiales y étaient rangées. La porte de la salle du troisième étage était entrouverte, mais Ysabeau frappa tout de même.

— Vous n'êtes pas obligée de faire cela. Vous êtes chez vous.

La voix rauque de Sarah indiquait qu'elle avait beaucoup fumé et bu quantité de whisky.

— Si c'est votre politique chez vous, je suis contente de ne pas être votre invitée, répliqua Ysabeau.

— Invitée ? rit Sarah. Jamais je ne vous aurais laissée entrer.

— Les vampires se passent d'invitations. (Ysabeau et Sarah maîtrisaient à la perfection l'art des piques acides. Marcus et Em avaient vainement essayé de les convaincre d'obéir aux règles de la courtoisie, mais les deux chefs de clan savaient que leurs vifs échanges contribuaient à maintenir le fragile équilibre des pouvoirs.) Vous ne devriez pas être montée ici, Sarah.

— Pourquoi ? Vous avez peur que j'attrape froid ? (Sarah étouffa un cri et se plia en deux comme si on l'avait frappée.) La déesse me vienne en aide, elle me manque. Dites-moi que c'est un cauchemar, Ysabeau. Dites-moi qu'Emily est encore en vie.

— Elle nous manque à tous. Je sais que vous ressentez un douloureux vide en vous, Sarah.

— Cela passera, dit Sarah d'un ton morne.

— Non, sûrement pas. (Sarah leva les yeux, surprise de la véhémence d'Ysabeau.) Chaque jour de ma vie, Philippe me manque. Le soleil se lève et mon cœur pleure pour lui. Je guette sa voix, mais je n'entends que le silence. J'aimerais qu'il me touche. Quand le soleil se couche, je me retire avec la certitude que mon compagnon a quitté ce monde et que je ne le reverrai jamais.

— Si vous essayez de me réconforter, ça ne marche pas du tout, dit Sarah en se mettant à pleurer.

— Emily est morte pour que l'enfant de Sophie et Nathaniel puisse vivre. Ceux qui l'ont tuée paieront pour cela, je vous le promets. Les Clermont sont très doués pour la vengeance, Sarah.

— Et je me sentirai mieux une fois vengée ? demanda Sarah à travers ses larmes.

— Non. Voir Margaret devenir une femme vous aidera. Cela aussi. (Elle laissa tomber la coupure de journal sur les genoux de la sorcière.) Diana et Matthew sont en train de revenir.

Sixième partie

Monde nouveau,
monde ancien

41

Mes tentatives pour atteindre depuis l'Old Lodge du XVIᵉ siècle celui de l'avenir furent un échec. Je me concentrai sur l'allure et l'odeur de l'endroit, et je vis les fils brun, vert et or qui nous reliaient Matthew et moi à la maison. Mais ils ne cessaient de glisser entre mes doigts.

J'optai alors pour Sept-Tours. Les fils qui nous y reliaient étaient aux couleurs de Matthew, rouge et noir entrelacé d'argent. J'imaginai la demeure remplie de visages familiers – Sarah et Em, Ysabeau et Marthe, Marcus et Miriam, Sophie et Nathaniel. Mais je ne pus pas davantage rejoindre cet endroit sûr.

Ignorant résolument la panique qui me gagnait, je cherchai parmi les centaines de solutions une autre destination. Oxford ? La station de métro Blackfriars du Londres moderne ? La cathédrale St. Paul's ?

Mes doigts ne cessaient de revenir au même fil dans le tissage qui n'était pas soyeux et lisse, mais rêche et rugueux. Je suivis ce fil tordu et découvris que ce n'en était pas un, mais une racine reliée à un arbre encore caché. Et en comprenant cela, je trébuchai, comme sur un seuil invisible, et tombai dans l'arrière-cuisine de la maison Bishop.

Chez moi. J'atterris à quatre pattes, les cordelettes entre mes paumes. Des siècles de cirage et d'allées et venues avaient poli les larges lames en sapin du plancher. Leur contact me parut familier, comme la preuve d'une permanence dans un monde de changement. Je levai les yeux, m'attendant plus ou moins à voir mes tantes nous attendre dans le salon. Cela avait été si facile de retrouver le chemin jusqu'à Madison que je pensais qu'elles nous avaient guidés. Mais l'air de la maison Bishop était immobile et sans vie, comme si personne ne l'avait troublé depuis Halloween. Même les fantômes semblaient partis.

Matthew, agenouillé près de moi, encore tremblant de cette traversée dans le temps, me tenait toujours le bras.

— Sommes-nous seuls ? demandai-je.

Il flaira l'air.

— Oui. (Avec cette calme réponse, la maison s'éveilla et l'atmosphère inerte s'alourdit en un clin d'œil. Matthew me regarda et sourit.) Tes cheveux. Ils ont encore changé.

Je baissai les yeux et vis une longue chevelure soyeuse d'un blond clair, exactement comme ma mère.

— Ce doit être le voyage dans le temps. (La maison grinça et gémit. Je sentis son énergie qui se réveillait.) Ce n'est que moi et Matthew.

Mes paroles étaient apaisantes, mais j'avais un ton dur et un étrange accent. La maison reconnut tout de même ma voix et un soupir de soulagement se fit entendre dans la pièce. Un souffle d'air passa par la cheminée en apportant une odeur de camomille mêlée de cannelle qui ne m'était pas familière. Je jetai un coup d'œil par-dessus mon épaule aux panneaux lambrissés de part et d'autre de la cheminée et je me relevai péniblement.

— Qu'est-ce que c'est que ce foutoir ?

Un arbre avait jailli entre les pierres de l'âtre. Son tronc noir remplissait le conduit et ses branches avaient poussé entre les pierres et les lambris.

— Il ressemble à l'arbre de Mary.

Matthew s'accroupit devant la cheminée, toujours vêtu de sa culotte en velours noir et de sa chemise de lin brodé. Il toucha du bout du doigt une petite boule d'argent incrustée dans l'écorce. Comme la mienne, sa voix semblait venir d'ailleurs.

— On dirait ton insigne de pèlerin.

Le contour du cercueil de Lazare était à peine reconnaissable. Je le rejoignis en balayant le sol de mes jupes.

— Il me semble que c'est cela. L'ampoule avait deux cavités dorées pour mettre de l'eau bénite. Avant de quitter Oxford, j'en ai rempli une avec mon sang, l'autre avec le tien. Le fait que nos deux sangs soient si proches me donnait l'impression que nous ne pourrions jamais être séparés.

— On dirait qu'elle a été exposée à la chaleur et qu'elle a partiellement fondu. Si l'intérieur de l'ampoule était doré, des traces de mercure auraient dû s'en échapper avec le sang.

— Cet arbre a donc été fait avec les mêmes ingrédients que l'*arbor Dianae* de Mary, dit Matthew en levant les yeux vers les branches.

L'odeur de camomille et de cannelle se faisait plus forte. L'arbre commença à bourgeonner – mais pas de fruits et de fleurs. Au lieu de quoi, une clé et une feuille de vélin jaillirent des branches.

— C'est la page du manuscrit, dit Matthew en s'en emparant.

— Cela veut dire que le livre est encore mutilé et incomplet au XXIe siècle. Rien de ce que nous avons fait dans le passé n'a changé cela, dis-je avec un soupir de soulagement.

— Alors il est probable que l'Ashmole 782 soit bien caché dans la Bibliothèque bodléienne, dit Matthew. Et cela, c'est la clé de la voiture.

Il l'arracha de la branche. Depuis des mois, je n'avais envisagé aucune autre forme de transport hormis chevaux ou bateaux. Je regardai par la fenêtre, mais aucun véhicule ne nous attendait dehors. Matthew suivit mon regard.

— Marcus et Hamish se seraient assuré que nous ayons un moyen de nous rendre à Sept-Tours ou en Angleterre sans avoir besoin de les appeler. Ils doivent avoir laissé des voitures partout en Europe et en Amérique au cas où. Mais ils ne les auront pas laissées en évidence, continua-t-il.

— Il n'y a pas de garage, ici.

— Mais il y a la grange.

Matthew glissa machinalement la clé vers une poche, mais son vêtement ne comportait pas ce genre de commodité moderne.

— Est-ce qu'ils auraient pensé à nous laisser aussi des vêtements ? demandai-je en désignant ma jaquette brodée et mes jupes, encore couvertes de la poussière des rues de l'Oxford du XVIe siècle.

— Allons voir.

Matthew porta la page et la clé dans le salon.

— Toujours marron, observai-je en regardant le papier peint à carreaux et le vieux réfrigérateur.

— Toujours ton chez-toi, dit Matthew en me prenant le bras.

— Sans Em et Sarah, non.

En comparaison de la maisonnée surpeuplée qui nous avait entourés pendant des mois, notre famille moderne semblait fragile et peu nombreuse. Ici, il n'y avait pas de Mary Sidney avec qui parler de mes difficultés durant une soirée d'orage. Ni de Susanna ou de Goody Alsop pour passer dans l'après-midi boire un peu de vin et m'aider à perfectionner mon dernier sortilège. Annie ne m'aiderait pas avec entrain à m'extirper de mon corset et de mes jupes. Serpillière n'était pas dans mes jambes, ni Jack. Et si nous avions besoin d'aide, il n'y avait pas de Henry Percy pour se précipiter sans hésiter ni poser de questions. Je passai le bras autour de la taille de Matthew, ayant besoin de quelque chose qui me rappelle combien il était solide et indestructible.

— Ils te manqueront toujours, dit Matthew, devinant mes pensées. Mais ce sera moins douloureux avec le temps.

— Je commence à me sentir plus comme une vampiresse que comme une sorcière, dis-je mélancoliquement. Trop d'adieux, trop d'êtres chers qui me manquent.

Je regardai le calendrier au mur. Il indiquait le mois de novembre. Je le fis remarquer à Matthew.

— Se peut-il qu'il n'y ait eu personne ici depuis l'an dernier ? se demanda-t-il, inquiet.

— Quelque chose doit clocher, dis-je en décrochant le téléphone.

— Non, m'arrêta-t-il. La Congrégation doit écouter la ligne ou surveiller la maison. Le plan était de nous retrouver tous à Sept-Tours. Que la durée de notre absence se mesure en heures ou en mois, c'est là que nous devons aller.

Nous trouvâmes nos vêtements modernes soigneusement pliés sur le dessus du sèche-linge, enveloppés dans une taie d'oreiller pour les protéger de la poussière. Em, au moins, avait été là depuis notre départ. Personne d'autre n'aurait pensé à agir ainsi. Je roulai nos vêtements élisabéthains, refusant de me séparer de ces vestiges tangibles de notre ancienne vie, et je les fourrai sous mon bras.

Matthew scruta le jardin et les champs avant que nous sortions de la maison, guettant tout danger éventuel. Je balayai de mon côté les alentours avec mon troisième œil, mais l'endroit semblait désert. Je vis l'eau sous le verger, j'entendis les chouettes dans les arbres, je sentis la douceur estivale de l'air, mais c'était tout.

— Viens, dit Matthew en prenant l'un des paquets de vêtements et ma main.

Nous courûmes jusqu'à la grange et Matthew poussa de toutes ses forces sur la porte coulissante, mais elle refusa de bouger.

— Sarah lui a jeté un sort. (Je le voyais, enroulé autour de la poignée et enfoncé dans le grain du bois.) Et un bon, en plus.

— Trop bon pour pouvoir être brisé ?

Matthew avait l'air inquiet. Ce n'était guère étonnant. La dernière fois que nous étions ici, je n'avais pas été capable d'allumer les lanternes d'Halloween. Je repérai les extrémités libres du sortilège et souris.

— Pas de nœuds. Sarah est bonne, mais ce n'est pas une tisseuse.

Je sortis mes cordelettes de soie de ma poche. La verte et la brune jaillirent de ma main et se fixèrent au sort de Sarah, libérant la porte plus vite que même notre maître chapardeur Jack n'aurait su le faire. La Honda de Sarah était garée à l'intérieur.

— Comment tu vas bien pouvoir te caser dedans ? demandai-je.

— J'y arriverai, répondit Matthew en jetant nos vêtements sur la banquette arrière.

Il se plia sur le siège et, après quelques crachotements, la voiture démarra.

— Où va-t-on ? demandai-je en bouclant ma ceinture.

— À Syracuse. Ensuite, à Montréal. Puis à Amsterdam, où j'ai une maison, dit-il en roulant tranquillement à travers champs. Si on nous guette, c'est à New York, Londres ou Paris qu'on nous attend.

— Nous n'avons pas de passeports, fis-je observer.

— Regarde sous le tapis de sol. Marcus aura sûrement dit à Sarah de les cacher dessous.

Je soulevai le tapis poussiéreux et trouvai nos passeports : le sien, français, et le mien, américain.

— Pourquoi ton passeport n'est pas bordeaux ? demandai-je en les sortant du sachet plastique (sans doute encore une attention d'Em).

— Parce que c'est un passeport diplomatique, dit-il en tournant pour prendre la route et en allumant les phares. Il doit y en avoir un pour toi.

Mon passeport diplomatique français, portant le nom de Diana de Clermont et me donnant comme l'épouse de Matthew, était glissé à l'intérieur de mon passeport américain ordinaire. Dieu seul savait comment Marcus avait réussi à faire une copie de ma photo d'identité sans endommager l'originale.

— Tu es un espion aujourd'hui aussi ? demandai-je faiblement.

— Non. C'est comme les hélicoptères, répondit-il avec un sourire. Juste un autre avantage de faire partie de la famille Clermont.

Je quittai Syracuse sous le nom de Diana Bishop et entrai en Europe deux jours plus tard sous le nom Diana de Clermont. La maison de Matthew à Amsterdam se révéla être une demeure du XVIIᵉ siècle sur la plus belle portion du Herengracht. Il l'avait achetée, m'expliqua-t-il, juste après avoir quitté l'Écosse en 1605.

Nous n'y restâmes que le temps de prendre une douche et de changer de vêtements. Je gardai les collants que j'avais mis à Madison et pris une chemise de Matthew. Malgré la saison, il revêtit son habituelle tenue de cachemire gris et noir. Cela me fit bizarre de ne plus voir ses jambes, que j'avais pris l'habitude de voir exposées.

— Je trouve que c'est un échange de bons procédés, commenta-t-il. Je n'ai pas vu les tiennes depuis des mois, sauf dans l'intimité de notre chambre.

Matthew faillit faire une crise cardiaque en découvrant que sa bien-aimée Range Rover ne l'attendait pas dans le garage au sous-sol. À la place, nous trouvâmes une voiture de sport bleu nuit décapotable.

— Je vais le tuer, dit Matthew en voyant le véhicule ras du sol.

Il ouvrit un petit placard métallique fixé au mur. À l'intérieur se trouvaient une autre clé et un mot : *Bon*

retour chez toi. Personne ne t'imaginera au volant de
cette voiture. Elle est sûre. Et rapide. Salut, Diana. M.

— Qu'est-ce que c'est ? demandai-je en voyant les
cadrans ambiance avion sur le tableau de bord chromé.

— Une Spyker Spyder. Marcus collectionne les
voitures qui ont des noms d'arachnoïdes. (Il appuya sur
la télécommande et les portières se soulevèrent comme
les ailes d'un jet. Matthew étouffa un juron.) On ne
pourrait pas trouver plus voyant.

Nous n'allâmes pas plus loin que la Belgique avant
que Matthew entre chez un concessionnaire, donne les
clés de la voiture de Marcus et que nous repartions avec
un engin beaucoup plus gros et bien moins amusant à
conduire. Et c'est à l'abri dans cet engin que nous
entrâmes en France et commençâmes notre lente ascension dans les monts d'Auvergne jusqu'à Sept-Tours.

J'aperçus brièvement des fragments de la forteresse
entre les arbres – la pierre d'un gris rosé, une fenêtre
sombre à une tour. Je ne pus m'empêcher de faire la
comparaison entre le château et la ville voisine actuels
et le souvenir que j'en gardais de 1590. Cette fois,
aucune fumée grise ne planait au-dessus de Saint-
Lucien. Des clarines lointaines me firent tourner la tête
et je pensai découvrir les descendantes des chèvres que
je me rappelais avoir vues descendre le soir pour leur
ration de fourrage. Aujourd'hui, Pierre ne se précipiterait pas avec des torches pour nous accueillir et le
maître queux ne serait pas en cuisines en train de déca-
piter des faisans pour nourrir sangs-chauds et vampires.

Et il n'y aurait pas de Philippe et donc pas de rire
rugissant, de fins commentaires sur la fragilité
humaine tirés d'Euripide ou de conseils bien sentis sur
les problèmes qui nous attendaient maintenant que

nous étions revenus dans le présent. Combien de temps me faudrait-il pour cesser de guetter le tourbillon et les éclats de voix qui annonçaient l'entrée de Philippe dans une pièce ? Cela me faisait de la peine de penser à mon beau-père. Il n'y avait pas de place pour des héros comme lui dans ce monde moderne, pressé et baigné d'une lumière crue.

— Tu penses à mon père, murmura Matthew.

À force de lui avoir laissé boire mon sang et de lui avoir fait mes baisers de sorcière sur le front, nous étions de plus en plus capables de deviner nos pensées.

— Toi aussi, observai-je.

Il n'avait pas arrêté depuis que nous avions franchi la frontière française.

— Le château me paraît vide depuis le jour où il est mort. Il m'a fourni un refuge, mais peu de réconfort.

Il leva les yeux vers la bâtisse, puis les retourna sur la route. L'air était chargé du sens de la responsabilité d'un fils qui voulait être digne de son père.

— Peut-être que ce sera différent cette fois. Sarah et Em sont là. Marcus aussi. Sans oublier Sophie et Nathaniel. Et Philippe y est encore, si nous arrivons à nous concentrer sur sa présence plutôt que sur son absence.

Il serait dans les ombres de toutes les pièces, dans les pierres des murs. Je scrutai le beau visage austère de mon mari, comprenant mieux comment l'expérience et le chagrin l'avaient modelé. Une main posée sur mon ventre arrondi, je lui tendis l'autre pour lui offrir le réconfort dont il avait tant besoin. Il referma ses doigts sur les miens et serra, puis il me lâcha et nous restâmes un moment silencieux. Cependant, je pianotais sur ma cuisse avec impatience et je dus me retenir de ne pas faire coulisser le toit ouvrant pour m'envoler jusqu'à la porte.

— Tu n'y penses pas, dit Matthew avec un grand sourire qui atténua la sévérité de sa voix.

Je lui rendis son sourire alors que nous prenions un large virage.

— Dépêche-toi, dans ce cas, dis-je, parvenant à peine à me contenir. (Malgré mes supplications, l'aiguille ne bougea pas sur le compteur. Je gémis d'impatience.) Nous aurions dû garder la voiture de Marcus.

— Patience, nous y sommes presque. (*Et il n'est pas question que j'accélère*, songea Matthew en rétrogradant encore.)

— Tu me fais penser à Sophie qui disait que Nathaniel conduisait comme une vieille dame quand elle était enceinte.

— Imagine comment Nathaniel conduirait s'il était réellement une vieille dame – vieille de plusieurs siècles, comme moi. C'est comme cela que je vais conduire pour le restant de mes jours, tant que tu seras assise à côté de moi, dit-il en reprenant ma main et en la portant à ses lèvres.

— Les deux mains sur le volant, la vieille dame, plaisantai-je alors que nous prenions le dernier virage, ne laissant plus qu'une portion de route toute droite bordée de chênes entre nous et le château.

Dépêche-toi, le pressai-je muettement. Je fixai le toit de la tour de Matthew lorsqu'elle apparut. Quand la voiture ralentit, je me tournai vers lui, surprise.

— Ils nous attendaient, expliqua-t-il en désignant le pare-brise du menton.

Sophie, Ysabeau et Sarah étaient plantées, immobiles, au milieu de la route.

Démone, vampiresse, sorcière – et une de plus. Ysabeau avait un bébé dans les bras. Je distinguai une touche de cheveux bruns et de longues jambes potelées. L'enfant se cramponnait fermement à l'une des boucles couleur de miel de la vampiresse, tout en nous désignant d'un bras tendu impérieusement. Je sentis un petit fourmillement caractéristique quand ses yeux se posèrent sur moi. L'enfant de Sophie et Nathaniel était une sorcière, ainsi qu'elle l'avait prédit.

Je défis ma ceinture, ouvris tout grand ma portière et courus sur la route avant que Matthew se soit totalement arrêté. Des larmes coulaient sur mes joues et Sarah courut pour m'envelopper dans son mélange habituel de polaire et de flanelle parfumées de jusquiame et de vanille.

Enfin chez moi, songeai-je.

— Je suis si heureuse que tu sois rentrée saine et sauve, s'exclama Sarah.

Par-dessus son épaule, je vis Sophie prendre délicatement le bébé des bras d'Ysabeau. Le visage de la mère de Matthew était aussi insondable et charmant que jamais, mais un pincement de lèvres trahit son émotion alors qu'elle cédait l'enfant. Matthew avait aussi cette expression. Ils étaient tellement plus semblables physiquement et émotionnellement que la méthode de création des vampires n'aurait pu le laisser penser possible. Je lâchai Sarah et me tournai vers Ysabeau.

— Je me demandais si vous reviendriez. Vous êtes partis si longtemps. C'est seulement quand Margaret a demandé que nous la portions sur la route que j'ai commencé à croire que vous pourriez finalement revenir sans encombre.

Ysabeau me scruta, cherchant sur mon visage quelque chose que je ne lui avais pas encore confié.

— Nous sommes là, à présent. Et nous restons.

Elle avait connu assez de peines dans sa longue existence. Je l'embrassai sur les deux joues.

— *Bien**, murmura-t-elle, soulagée. Il n'y a pas que Margaret qui sera heureuse que vous soyez là. (En entendant son prénom, la petite se mit à gazouiller en faisant de grands moulinets des bras et des jambes pour essayer de m'atteindre.) Petite maligne, approuva Ysabeau en lui caressant la tête avant d'en faire autant à Sophie.

— Veux-tu tenir ta filleule ? demanda Sophie avec un grand sourire et les yeux embués de larmes.

Elle ressemblait tellement à Susanna.

— Merci, dis-je en prenant l'enfant et en embrassant la mère sur la joue. Bonjour Margaret, chuchotai-je en sentant son odeur de bébé.

— Dadada, répondit-elle en m'attrapant une mèche de cheveux.

— Tu es une petite polissonne, dis-je en riant.

Elle me donna un coup de pied dans les côtes avec un grognement de protestation.

— Elle est aussi entêtée que son père, alors qu'elle est Poissons, dit sereinement Sophie. Sarah a assisté à la cérémonie à ta place. Agatha était là. Elle est sortie pour l'instant, mais elle devrait rentrer sous peu. Marthe et elle avaient fait un gâteau tout exprès enveloppé dans des fils de sucre. Il était magnifique. Et la robe de Margaret était splendide. Tu as l'air changée, comme si tu avais passé beaucoup de temps à l'étranger. Et j'adore tes cheveux. Ils sont différents. Tu as faim ?

Elle avait débité tout cela d'une traite, comme Tom ou Jack. Je ressentis l'absence de nos amis, alors que nous étions réunis en famille.

Après un baiser sur le front du bébé, je la rendis à sa mère. Matthew était toujours derrière la portière de la Range Rover, un pied dedans et l'autre sur le sol d'Auvergne, comme s'il n'était pas sûr d'être à sa place.

— Où est Em ? demandai-je.

— Tout le monde est au château. Remontons à pied, proposa Ysabeau. Laissez la voiture. Quelqu'un viendra la prendre. Vous devez avoir envie de vous dégourdir les jambes.

Je pris Sarah par l'épaule et marchai un peu. Où était Matthew ? Je me tournai en tendant mon autre main. *Viens retrouver ta famille*, dis-je intérieurement quand nos regards se croisèrent. *Viens retrouver les gens qui t'aiment.*

Il sourit et mon cœur fit un bond dans ma poitrine.

Ysabeau poussa un sifflement de surprise qui résonna dans l'air.

— Ces battements de cœur. Le vôtre. Et... deux autres ?

Ses magnifiques yeux verts passèrent de mon ventre au visage de son fils. Une minuscule goutte rouge apparut dans son œil et menaça de couler. Ysabeau regarda Matthew, émerveillée. Il hocha la tête et la larme de sang roula lentement sur la joue de sa mère.

— Les jumeaux, c'est courant dans notre famille, dis-je en guise d'explication.

Matthew avait décelé le deuxième battement de cœur à Amsterdam, juste avant que nous montions dans la voiture de Marcus.

— Dans la mienne aussi, chuchota Ysabeau. Alors c'est vrai, ce qu'a vu Sophie en rêve ? Vous attendez un enfant ? Un enfant de Matthew ?

— Des enfants, corrigeai-je en regardant la larme de sang qui continuait de rouler lentement.

— C'est un nouveau commencement, alors, dit Sarah en essuyant elle aussi une larme.

— Philippe avait une expression à propos des commencements. Une citation antique. Qu'est-ce que c'était, Matthew ? demanda Ysabeau.

Matthew descendit enfin complètement de la voiture comme si un sortilège qui l'y aurait retenu avait enfin été rompu. Il me rejoignit, puis fit un timide sourire à sa mère avant de l'embrasser sur la joue et de me prendre la main.

— *Omni fine initium novum. Dans chaque fin, il y a un commencement*, dit Matthew en contemplant les terres de son père comme si, enfin, il était arrivé chez lui.

42

30 mai 1593

Annie apporta la petite figurine de Diane au Père Hubbard, ainsi que Maître Marlowe lui avait fait promettre de le faire. Son cœur se serra en la voyant dans la paume du *wearh*. La statuette lui rappelait toujours Diana Roydon. Encore maintenant, presque deux ans après son départ, sa maîtresse lui manquait.

— Et il n'a rien dit d'autre ? interrogea Hubbard en retournant la figurine d'un côté et de l'autre.

La flèche de la chasseresse scintillait dans la lumière comme si elle s'apprêtait à s'envoler.

— Rien, mon Père. Avant de partir pour Deptford ce matin, il m'a prié de vous l'apporter. Maître Marlowe a dit que vous sauriez ce qu'il fallait en faire.

Hubbard remarqua le ruban de papier roulé dans le mince carquois à côté des flèches de la déesse.

— Donne-moi l'une de tes agrafes, Annie.

Annie ôta l'une des aiguillettes de sa basquine et la lui donna sans comprendre. Hubbard piqua le papier sur la pointe et le sortit délicatement.

Il lut le message, fronça les sourcils et secoua la tête.

— Pauvre Christopher. Il fut toujours l'un des enfants perdus de Dieu. (Il tendit la figurine à Annie.)

Tu la dois donner à ta tante, Maîtresse Norman. Elle la conservera pour toi. Une fois que ce sera fait, reviens ici.

— Maître Marlowe ne revient pas ?

Annie réprima un petit soupir de soulagement. Elle n'avait jamais beaucoup aimé l'écrivain, et il avait perdu à jamais toute sa considération après les affreux événements sur les lices du palais de Greenwich. Depuis que sa maîtresse et son maître étaient partis sans dire où ils allaient, Marlowe était passé de la mélancolie au désespoir, puis à une humeur plus sombre encore. Certains jours, Annie était certaine que ces ténèbres finiraient par l'engloutir tout entier. Elle voulait s'assurer qu'elle n'y succomberait pas elle aussi.

— Non, Annie. Dieu me dit que Maître Marlowe a quitté ce monde pour l'autre. Je prie qu'il y trouve la paix qui lui fut toujours refusée ici-bas. (Hubbard considéra un moment Annie. Elle était devenue une jeune fille éblouissante. Peut-être guérirait-elle Will Shakespeare de son amour pour la femme d'un autre.) Mais tu n'as pas à t'inquiéter. Mistress Roydon m'a prié de te traiter comme ma fille. Je prends soin de mes enfants et tu auras un nouveau maître.

— Qui, mon Père ?

Tant qu'elle n'aurait pas mis d'argent de côté, elle devrait se contenter de ce que Hubbard lui offrirait. Mistress Roydon avait clairement dit combien il lui faudrait pour s'établir comme couturière à Islington. Il faudrait être fort patiente et économe pour parvenir à cette somme.

— Maître Shakespeare. Maintenant que tu sais lire et écrire, tu es une femme de valeur, Annie. Tu peux l'aider dans son travail. (Hubbard contempla le papier qu'il tenait encore. Il fut tenté de le conserver avec le paquet qui était arrivé de Prague, parvenu jusqu'à lui grâce au redoutable réseau de courriers et de marchands mis sur pied par les vampires hollandais. Il se demandait encore pourquoi Edward Kelley lui avait envoyé cette étrange image de dragons. Edward n'était pas fiable et Hubbard n'avait pas approuvé ses principes moraux qui toléraient l'adultère et le vol. Prendre son sang lors du rituel sacrificiel de la famille avait été une corvée à laquelle il n'avait aucunement pris son habituel plaisir. Dans cet échange, Hubbard avait vu assez de l'âme de Kelley pour savoir qu'il n'en voulait pas à Londres. Aussi l'avait-il envoyé à Mortlake. Cela avait calmé Dee, qui lui réclamait constamment des leçons de magie. Mais Marlowe voulait que cette statuette revienne à Annie et Hubbard respectait le vœu d'un défunt. Il y joignit le petit papier.) Un autre souvenir de Maître Marlowe.

— Oui, Père Hubbard, dit Annie, qui aurait préféré le vendre et mettre l'argent dans son bas.

Annie quitta l'église où Hubbard tenait sa cour et se rendit à la maison de Will Shakespeare. Il était moins imprévisible que Marlowe et mistress Roydon en avait toujours parlé avec respect, même si les amis du maître étaient toujours prompts à se moquer de lui.

Elle s'installa rapidement dans la maisonnée du dramaturge, retrouvant son entrain avec chaque jour qui passait. Quand ils apprirent la mort tragique de Marlowe, cela ne fit que lui confirmer qu'elle avait eu de la chance d'être libérée de lui. Master Shakespeare fut ébranlé lui aussi et but plus que de raison une nuit, ce qui attira l'attention du Régisseur des Menus Plaisirs

Royaux. Mais Shakespeare s'expliqua de manière satisfaisante et tout retrouva son cours normal.

Annie était en train de nettoyer les vitres pour que son maître puisse lire confortablement. Elle plongea son chiffon dans l'eau et un petit ruban de papier roulé tomba de son tablier, emporté par la brise de la croisée ouverte.

— Qu'est-ce que cela, Annie ? demanda soupçonneusement Shakespeare en le désignant de sa plume.

La jeune fille avait travaillé pour Kit Marlowe. Peut-être transmettait-elle des informations à ses rivaux. Il ne pouvait se permettre que quiconque connût ses dernières demandes de mécénat. Avec tous les théâtres qui étaient fermés à cause de la peste, il aurait du mal à subsister. *Vénus et Adonis* pouvaient l'y aider – à condition que personne ne lui vole son idée.

— Rien, Maître Shakespeare, bafouilla Annie en se penchant pour le ramasser.

— Porte-le-moi, puisque ce n'est rien, ordonna-t-il.

À peine l'eut-il en main que Shakespeare reconnut l'écriture caractéristique. Les poils se hérissèrent sur sa nuque. C'était un message d'un défunt.

— Quand Marlowe te donna-t-il cela ? demanda-t-il sèchement.

— Il ne me le donna point, Maître Shakespeare. (Comme toujours, Annie ne pouvait se résoudre à mentir. Elle avait peu d'autres traits du caractère de sorcière, mais elle était d'une grande franchise.) Il était caché. Le Père le découvrit et me le donna. En souvenir, me dit-il.

— Le trouvas-tu après la mort de Marlowe ? demanda Shakespeare, intrigué.

— Oui.

— Je le conserverai donc pour toi. Afin qu'il ne soit point perdu.

— Certainement.

Annie vit avec inquiétude les derniers mots de Christopher Marlowe disparaître dans le poing fermé de son nouveau maître.

— Vaque à tes affaires, Annie.

Shakespeare attendit que sa servante soit partie chercher des linges et de l'eau, puis il lut le billet.

> *Le noir est le chevron du vrai amour perdu,*
> *La couleur des démons*
> *Et de l'ombre de la nuit.*

Shakespeare soupira. Le choix métrique de Kit lui avait toujours paru n'avoir aucun sens. Et son humour mélancolique et ses fascinations morbides étaient trop sombres pour cette triste époque. Elle mettait le public mal à l'aise et il y avait suffisamment de morts à Londres. Il fit tourner sa plume entre ses doigts.

L'amour perdu. Shakespeare ricana. Il avait eu assez de vrai amour, bien que les clients qui payaient ne parussent jamais s'en lasser. Shakespeare biffa les trois mots et les remplaça par un seul, qui exprimait plus précisément ce qu'il éprouvait.

Des démons. Le succès du *Faust* de Kit lui restait encore en travers de la gorge. Shakespeare n'avait aucun talent pour écrire sur les créatures qui étaient au-delà des limites de la nature. Il s'en tirait bien mieux avec l'ordinaire, les mortels pécheurs pris dans les rets du destin. Parfois, il se disait qu'il avait peut-être une bonne histoire de fantômes en lui. Peut-être celle d'un père qui hantait son fils. Il frissonna. Son propre père aurait fait un spectre terrifiant, si le Seigneur se lassait de la compagnie de John Shakespeare une fois que les comptes seraient définitivement réglés. Il barra ce mot offensant et en choisit un autre.

L'ombre de la nuit. C'était une fin molle et prévisible pour ces vers – le genre sur quoi George Chapman aurait jeté son dévolu faute de trouver plus original. Mais qu'est-ce qui servirait mieux ce propos ? Il barra un autre mot et écrivit « front » au-dessus. *Le front de la nuit.* Ce n'était pas tellement mieux. Il le barra et écrivit « moue ». C'était pire encore.

Il songea distraitement au destin de Marlowe et de ses amis, tous ayant désormais aussi peu de substance que des ombres. Henry Percy jouissait d'une rare période de mansuétude royale et passait son temps à la cour. Raleigh s'était marié en secret et était tombé en disgrâce auprès de la reine. Il avait été exilé dans le Dorset, où la souveraine espérait qu'il serait oublié. Harriot était reclus quelque part, sans doute penché sur quelque énigme mathématique ou le regard fixé sur les cieux comme quelque Puck frappé par la lune. On racontait que Chapman était en mission pour Cecil aux Pays-Bas et qu'il écrivait laborieusement de longs poèmes sur les sorcières. Marlowe avait été récemment tué à Deptford, même s'il se disait que c'était un assassinat. Peut-être que cet étrange Gallois en saurait plus sur la question, puisqu'il était à la taverne avec Marlowe. Roydon – le seul homme véritablement puissant que Shakespeare eût jamais connu – et sa mystérieuse épouse s'étaient tous les deux volatilisés à l'été 1591 et plus personne ne les avait jamais revus.

Le seul membre du cercle de Marlowe dont Shakespeare entendait encore régulièrement parler était le grand Écossais Gallowglass, qui était plus princier qu'un serviteur se devait d'être et qui racontait de si merveilleux contes remplis d'esprits et de fées. C'était grâce à lui que Shakespeare avait un toit. Gallowglass semblait toujours avoir un travail qui nécessitait le talent de faussaire de Shakespeare. Et il payait bien – surtout lorsqu'il voulait que Shakespeare imite l'écriture de Roydon dans les marges de quelque livre ou lettre.

Quelle bande, songea-t-il. *Des traîtres, des athées et des criminels, tous autant qu'ils étaient.* Sa plume hésita au-dessus du papier. Après avoir écrit un autre mot, cette fois d'une main ferme, Shakespeare se renversa sur sa chaise et relut ses vers.

> *Le noir est le chevron de l'enfer,*
> *La couleur des donjons et l'école de la nuit.*

Ce n'était plus reconnaissable comme de la main de Marlowe. Grâce à l'alchimie de son talent, Shakespeare avait transformé les idées d'un mort en quelque chose qui conviendrait plus à des Londoniens ordinaires qu'à des hommes redoutables comme Roydon. Et il ne lui avait fallu que quelques instants.

Il n'éprouva pas le moindre regret à modifier le passé, changeant par là même l'avenir. Le tour de piste de Marlowe était terminé, mais le sien ne faisait que commencer. Les mémoires étaient courtes et l'histoire peu charitable. Ainsi allait le monde.

Satisfait, Shakespeare posa le petit papier avec une pile d'autres du même genre sous un crâne de chien qui lui servait de presse-papiers. Il trouverait un jour où utiliser ces quelques vers. Puis il se ravisa.

Peut-être avait-il un peu trop rapidement biffé ce *vrai amour perdu*. Il y avait dans ces mots un potentiel qui ne demandait qu'à être libéré. Shakespeare prit un autre morceau de papier qu'il avait découpé sur une page déjà partiellement griffonnée dans une vague tentative d'économie une fois qu'Annie lui avait montré la dernière note du boucher.

Peines d'amour perdues, écrivit-il en grandes lettres.

Oui, songea-t-il. Il s'en servirait certainement un jour.

INDEX DES PERSONNAGES DU LIVRE

Ceux marqués d'un astérisque (*)
sont confirmés par les historiens.

PREMIÈRE PARTIE
Woodstock : Old Lodge

Maître Iffley, autre gantier

Gallowglass, vampire et mercenaire

* Davy Gams, connu sous le nom de Hancock, vampire, son compagnon gallois

DEUXIÈME PARTIE
Sept-Tours et le village de Saint-Lucien

* Cardinal de Joyeuse, visiteur au Mont-Saint-Michel

Alain, vampire et serviteur de messire de Clermont

Philippe de Clermont, vampire et seigneur de Sept-Tours

Maître queux, cuisinier

Catherine, Jehanne, Thomas et Étienne, serviteurs

Maria, couturière

André Champier, sorcier de Lyon

TROISIÈME PARTIE
Londres : Blackfriars

* Robert Hawley, cordonnier
* Margaret Hawley, son épouse
* Mary Sidney, comtesse de Pembroke

Joan, sa servante

* Nicholas Hilliard, enlumineur

Maître Prior, pâtissier

* Richard Field, imprimeur
* Jacqueline Vautrollier Field, son épouse
* John Chandler, apothicaire près de Barbican Cross

Amen Corner et Leonard Shoreditch, vampires

Père Hubbard, roi des vampires de Londres

Annie Crypt, jeune sorcière possédant quelques talents et peu de pouvoir

* Susanna Norman, sage-femme et sorcière

* John et Jeffrey Norman, ses fils
  Goody Alsop, sorcière de vent de St. James Garlickhythe
  Catherine Streeter, sorcière de feu
  Elizabeth Jackson, sorcière d'eau
  Marjorie Cooper, sorcière de terre
  Jack Blackfriars, orphelin dégourdi
* Docteur John Dee, érudit et grand amateur de livres
* Jane Dee, son épouse acariâtre
* William Cecil, Lord Burghley, Lord Trésorier d'Angleterre
* Robert Devereux, comte d'Essex
* Élisabeth Iʳᵉ, reine d'Angleterre
* Elizabeth (Bess) Throckmorton, dame d'honneur de la reine

QUATRIÈME PARTIE
L'Empire : Prague

Karolina et Tereza, vampiresses et servantes
* Tadeáš Hájek, médecin de Sa Majesté
* Ottavio Strada, bibliothécaire et historien impérial
* Rodolphe II, souverain du Saint-Empire romain et roi de Bohême
  Frau Huber, une Autrichienne, et Signorina Rossi, une Italienne, femmes de Malá Strana
* Joris Hoefnagel, peintre flamand
* Erasmus Habermel, fabricant d'instruments mathématiques
* Signor Miseroni, sculpteur de pierres précieuses
* Signor Passetti, maître de ballet de Sa Majesté
* Edward Kelley, démon et alchimiste
* Joanna Kelley, son épouse, nostalgique de l'Angleterre
* Rabbi Yehuda Loew, érudit
  Abraham ben Elijah de Chelm, sorcier ayant un problème
* David Gans, astronome
  Herr Fuchs, vampire
* Melchior Maisel, prospère marchand du quartier juif

Lobero, chien hongrois parfois confondu avec une serpillière, alors qu'il n'est qu'un komondor
* Johannes Pistorius, sorcier et théologien

CINQUIÈME PARTIE
Londres : Blackfriars

* Vilém Slavata, très jeune ambassadeur
Louisa de Clermont, vampiresse et sœur de Matthew de Clermont
* Maître Sleford, gardien des pauvres âmes de Bedlam
Stephen Proctor, sorcier
Rebecca White, sorcière
Bridget White, sa mère

SIXIÈME PARTIE
Monde nouveau, monde ancien

Sarah Bishop, sorcière et tante de Diana Bishop
Ysabeau de Clermont, vampiresse et mère de Matthew de Clermont
Sophie Norman, démone
Margaret Wilson, sa fille, sorcière

Autres personnages à d'autres époques
Rima Jaén, bibliothécaire de Séville
Emily Mather, sorcière et compagne de Sarah Bishop
Marthe, gouvernante d'Ysabeau de Clermont
Phoebe Taylor, jeune fille convenable et connaisseuse en art
Marcus Whitmore, fils de Matthew de Clermont, vampire
Verin de Clermont, vampiresse
Ernst Neumann, son mari
Peter Knox, sorcier et membre de la Congrégation

Pavel Skovajsa, employé de bibliothèque

* Gerbert d'Aurillac, dans le Cantal, vampire et allié de Peter Knox

* William Shakespeare, écrivain public et faussaire, également dramaturge

REMERCIEMENTS

Nombreux sont ceux qui ont permis à ce livre de voir le jour.

D'abord, je tiens à remercier mes premières lectrices, toujours délicates et franches : Cara, Fran, Jill, Karen, Lisa et Olive. Je remercie tout particulièrement Margie de m'avoir dit qu'elle s'ennuyait alors que je peinais à mettre la dernière touche au texte et de m'avoir proposé de lire le manuscrit avec son regard d'écrivain auquel rien n'échappe.

Carole DeSanti, mon éditrice, m'a servi de sage-femme durant le processus d'écriture et c'est elle qui sait (au sens propre) où sont enterrés tous les cadavres. Merci, Carole, d'avoir toujours été là pour m'aider avec un crayon bien taillé et une oreille compatissante.

L'extraordinaire équipe de Viking, qui sait transmuter alchimiquement des piles de tapuscrits en magnifiques livres, continue de m'étonner par son enthousiasme et son professionnalisme. Je remercie en particulier ma relectrice, Maureen Sugden, dont l'œil d'aigle rivalise avec celui d'Augusta. Je remercie également tous mes éditeurs du monde entier d'avoir fait connaître Diana et Matthew à de nouveaux lecteurs.

Mon agent littéraire, Sam Stoloff, de l'agence Frances Goldin, demeure mon supporter le plus ardent. Merci, Sam, de m'avoir offert un point de vue et œuvré en coulisses pour me permettre d'écrire. Merci également à mon agent cinéma, Rich Green, de l'Agence Creative Artists Agency, qui est devenu une source indispensable de conseils et de bonne humeur même dans les circonstances les plus difficiles.

Mon assistante, Jill Hough, m'a défendue bec et ongles comme une vouivre pour que je conserve mon temps et ma santé mentale. Je n'aurais littéralement pas pu achever ce livre sans elle.

Lisa Halttunen a de nouveau préparé le manuscrit pour la première lecture. Bien que je craigne ne jamais pouvoir maîtriser plus de quelques-unes des règles de grammaire qu'elle connaît sur le bout des doigts, je lui suis éternellement reconnaissante d'être toujours disposée à rectifier ma prose et ma ponctuation.

Patrick Wyman m'a tout appris des tours et des détours de l'histoire médiévale et militaire qui entraînent les personnages – et l'histoire – dans des directions surprenantes. Si Carole sait où sont enterrés les cadavres, c'est Patrick qui sait comment ils sont arrivés là. Merci, Patrick, de m'avoir aidée à voir Gallowglass, Matthew et surtout Philippe sous un nouveau jour. Merci également à Cleopatra Comnenos, pour avoir répondu à mes questions sur la langue grecque.

Je tiens aussi à exprimer ma reconnaissance aux Pasadena Roving Archers, qui m'ont aidée à comprendre à quel point il est difficile de tirer à l'arc sur une cible. Scott Timmons, d'Aerial Solutions, m'a présenté Fokker et ses autres magnifiques rapaces au Terranea Resort en Californie. Et Andrew, de l'Apple Store de Thousand Oaks, a sauvé votre servante, son ordinateur – et le livre lui-même – d'une catastrophe fatale à un moment crucial du processus d'écriture.

Ce livre est dédié à l'historien Lacey Baldwin Smith, qui m'a eue comme étudiante à l'université et a transmis à des milliers de ses élèves sa passion pour l'Angleterre des Tudor. Chaque fois qu'il parlait de Henry VIII ou de sa fille Élisabeth Ire, il donnait l'impression qu'ils venaient de déjeuner ensemble. Un jour, il m'a donné une courte liste de faits et demandé d'imaginer comment je les intégrerais si j'écrivais une chronique, une vie de saint ou un bref roman médiéval. À la fin de l'un de mes bien trop courts textes, il écrivit : « Et la suite ? Vous devriez envisager d'écrire un roman. » Peut-être est-ce le moment où ont été semées les graines du Livre perdu des sortilèges et de L'École de la Nuit.

Enfin et surtout, je suis profondément reconnaissante à ma famille et à mes amis qui ont beaucoup souffert (ils se reconnaîtront) de ne pas m'avoir beaucoup vue durant mon séjour en 1590, et qui m'ont accueillie quand je suis revenue dans le présent.

Le Livre de Poche s'engage pour
l'environnement en réduisant
l'empreinte carbone de ses livres.
Celle de cet exemplaire est de :
900 g éq. CO$_2$
Rendez-vous sur
www.livredepoche-durable.fr

PAPIER À BASE DE
FIBRES CERTIFIÉES

Composition réalisée par FACOMPO (Lisieux)

Achevé d'imprimer en juillet 2015 en France par
CPI BRODARD ET TAUPIN
La Flèche (Sarthe)
N° d'impression : 3012450
Dépôt légal 1ʳᵉ publication : sepembre 2013
Édition 04 – juillet 2014
LIBRAIRIE GÉNÉRALE FRANÇAISE
31, rue de Fleurus – 75278 Paris Cedex 06

31/6984/4